KB196679

용접산업기사학과정복
Welding Technology

이 책의 특징 및 구성

경제 규모 세계 11위, 세계 최강 조선 강국 대한민국!
이것이 오늘날 우리의 현주소이다. 이렇게 될 수 있는데 일조한 산업 직종을 들라 하면 주저 없이 **'용접(鎔接, welding)'** 분야를 추천할 수 있다.
왜냐하면 용접은 조선, 기계, 자동차, 전기, 전자 및 건설 등의 산업에서 제품이나 설비의 제조, 조립, 설치, 보수 등에 이르기까지 광범위하게 사용되고 있는 국가 기반산업이기 때문이다.
이처럼 다양한 분야에 응용되고 필요로 하는 용접은 앞으로도 지속적으로 기술 인력의 수요가 요구되고 있다. 국가에서는 다양한 용접기술을 향상시키기 위한 제반 환경조성과 전문화된 기능 인력을 양성하기 위하여 기술에 걸맞은 자격제도를 시행해 오고 있다.

이에 본 교재는 개정된 과목에 맞게 용접산업기사 문제를 정리하고 해설을 달아 자격증을 취득하고자 하는 수험생들에게 최단 시간 내에 원하는 목적을 달성할 수 있도록 발간하게 되었다.

본서에서는 **출제기준에 맞추어 각 장별로 내용 정리와 관련문제를 빠짐없이 정렬**하고, **최근 기출문제를 소개**하였다.
따라서 본서를 이용하여 공부하는 수험생은 수준별 학습이 가능하다. 우선 처음 용접을 접하는 수업생의 경우는 내용정리 후 관련 문제를 풀어본다. 하지만 어느 정도 수준이 있는 수험생은 내용정리 후에 나오는 각 장의 문제를 푼 후 틀리는 문제에 대해서 내용을 찾아 공부하거나 문제 밑에 첨삭한 해설을 통해 학습하면 된다.

끝으로 이와 같은 과정을 마친 수험생 또는 이 정도의 수준이 되는 경우에는 바로 최근 기출문제를 시간을 정해놓고 풀어보고 부족한 부분을 체크 한다며 합격의 영광을 안을 수 있을 것이다.

필기 출제기준

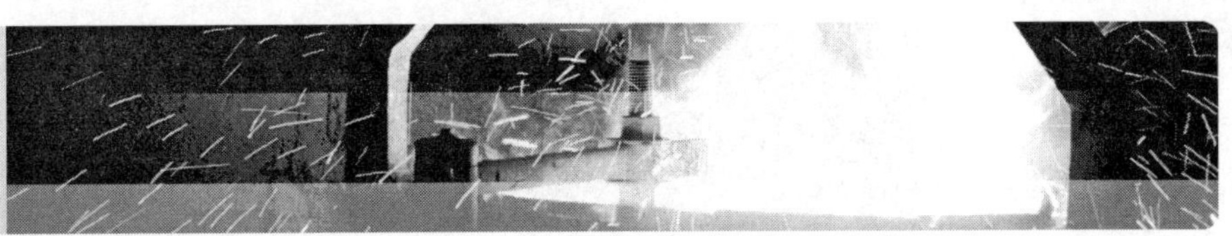

● 직무분야 : 재료 ● 자격종목 : 용접산업기사 ● 적용기간 : 2015.1.1 ~ 2016.12.31

● 직무내용 : 주로 제품과정에 필요한 하나의 제품 또는 구조물을 완성하는 용접작업을 수행 및 관리하며, 용접에 관한 설계와 제도 완성, 이에 따르는 비용계산, 재료준비 등의 직무 수행

● 필기시험방법(문제수) : 객관식(60문제) ● 시험시간 : 1시간 30분

필기과목명	문제수	주요항목	세부항목	세세항목
용접야금 및 용접설비제도	20	1. 용접부의 야금학적 특징	1. 용접야금기초	1. 금속결정구조 2. 화합물의 반응 3. 평형상태도 4. 금속조직의 종류
			2. 용접부의 야금학적 특징	1. 가스의 용해 2. 탈산, 탈황 및 탈인반응 3. 고온균열의 발생원인과 방지 4. 용접부 조직과 특징 5. 저온균열의 발생원인과 방지 6. 철강 및 비철재료의 열처리 7. 용접부의 열영향 및 기계적 성질
		2. 용접재료 선택 및 전후처리	1. 용접재료 선택	1. 용접재료의 분류와 표시 2. 용가제의 성분과 기능 3. 슬래그의 생성반응 4. 용접재료의 관리
			2. 용접 전후처리	1. 예열 2. 후열처리 3. 응력풀림처리
		3. 용접 설비제도	1. 제도 통칙	1. 제도의 개요 2. 문자와 선 3. 도면의 분류 및 도면관리
			2. 제도의 기본	1. 평면도법 2. 투상법 3. 도형의 표시 및 치수 기입 방법 4. 기계재료의 표시법 및 스케치 5. CAD기초
			3. 용접제도	1. 용접기호 기재 방법 2. 용접기호 판독 방법 3. 용접부의 시험 기호 4. 용접 구조물의 도면해독 5. 판금, 제관의 용접도면해독

필기과목명	문제수	주요항목	세부항목	세세항목
용접구조설계	20	1. 용접설계 및 시공	1. 용접설계	1. 용접 이음부의 종류 2. 용접 이음부의 강도계산 3. 용접 구조물의 설계
			2. 용접시공 및 결함	1. 용접시공, 경비 및 용착량 계산 2. 용접준비 3. 본 용접 및 후처리 4. 용접온도분포, 잔류 응력, 변형, 결함 및 그 방지 대책
		2. 용접성 시험	1. 용접성 시험	1. 비파괴 시험 및 검사 2. 파괴 시험 및 검사

필기과목명	문제수	주요항목	세부항목	세세항목
용접일반 및 안전관리	20	1. 용접, 피복 아크 용접 및 가스용접의 개요 및 원리	1. 용접의 개요 및 원리	1. 용접의 개요 및 원리 2. 용접의 분류 및 용도
			2. 피복아크 용접 및 가스용접	1. 피복아크용접 설비 및 기구 2. 피복아크용접법 3. 가스용접 설비 및 기구 4. 가스용접법 5. 절단 및 가공
		2. 기타 용접, 용접의 자동화 및 안전관리	1. 기타 용접 및 용접의 자동화	1. 기타 용접 2. 압접 3. 납땜 4. 용접의 자동화 및 로봇용접
			2. 안전관리	1. 아크, 가스 및 기타 용접의 안전장치 2. 화재, 폭발, 전기, 전격사고의 원인 및 그 방지 대책 3. 용접에 의한 장해 원인과 그 방지대책

실기 출제기준

● 직무분야 : 재료	● 자격종목 : 용접산업기사	● 적용기간 : 2015.1.1 ~ 2016.12.31

● 직무내용 : 주로 제품과정에 필요한 하나의 제품 또는 구조물을 완성하는 용접작업을 수행 및 관리하며, 용접에 관한 설계와 제도 완성, 이에 따르는 비용계산, 재료준비 등의 직무 수행

● 실기시험방법(문제수) : 작업형	● 시험시간 : 1시간 40분 정도

실기과목명	주요항목	세부항목
용접실무	1. 피복금속 아크용접	1. 도면 및 용접절차 사양서 이해하기 2. 용접재료 준비하기 3. 작업환경 확인하기 4. 안전보호구 준비 및 착용하기 5. 용접장치와 특성 이해 및 점검하기 6. 용접준비하기 7. 본 용접하기 8. 검사하기 9. 작업장정리하기
	2. TIG용접	1. 도면 및 용접절차 사양서 이해하기 2. 용접재료 준비하기 3. 작업환경 확인하기 4. 안전보호구 준비 및 착용하기 5. 용접장치와 특성 이해 및 점검하기 6. 용접준비하기 7. 본 용접하기 8. 검사하기 9. 용접부 결함 확인하기 10. 작업장 정리하기
	3. CO_2용접	1. 모재 준비하기 2. 용접와이어 준비하기 3. 보호가스 준비하기 4. 백킹재 준비하기 5. 용접장비 점검하기 6. 모재 치수 확인하기 7. 홈가공하기 8. 가용접하기 9. 솔리드와이어용접 조건 설정하기 10. 솔리드와이어 선택하기 11. 솔리드와이어용접 보호가스 선택하기 12. 솔리드와이어용접하기 13. 플럭스코어드와이어 용접 조건 설정하기 14. 플럭스코어드와이어 선택하기 15. 플럭스코어드와이어용접 보호가스 선택하기 16. 플럭스코어드와이어 용접하기 17. 용접 전 검사하기 18. 용접 중 검사하기 19. 용접 후 검사하기 20. 보호가스 차단하기 21. 작업장 정리·정돈하기

CONTENTS

CHAPTER 01 용접야금 및 설비제도

CHAPTER 02 용접구조 설계

CHAPTER 03 용접일반 및 안전관리

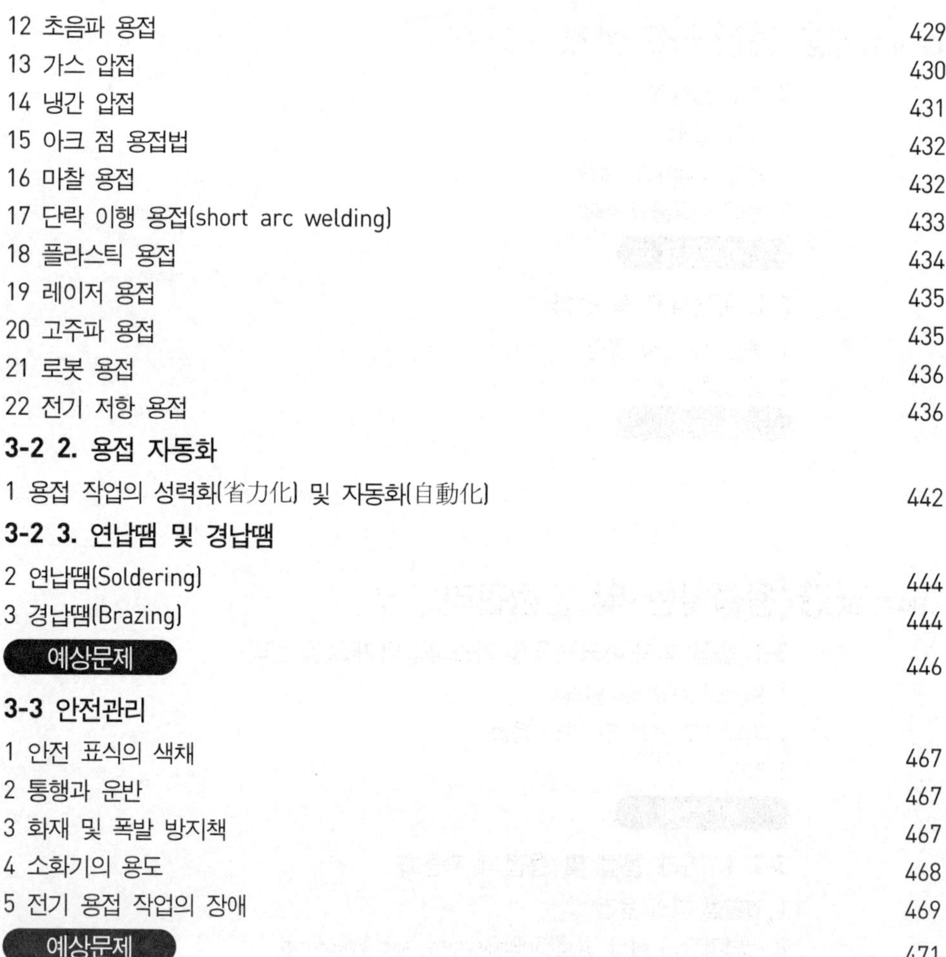

CHAPTER 01

용접야금 및 설비제도

1-1 용접부의 야금학적 특징

1-2 용접 설비 제도

Chapter 1-1 용접부의 야금학적 특징

01 용접야금기초

1 금속과 그 합금

① **금속의 공통적 성질**

㉠ 실온에서 고체이며, 결정체이다.(단, 수은제외)

㉡ 빛을 반사하고 고유의 광택이 있다.

㉢ 가공이 용이하고, 연·전성이 크다.

㉣ 열, 전기의 양도체이다.

㉤ 비중이 크고, 경도 및 용융점이 높다.

② **자주 등장하는 원소 기호의 이름**

원소 이름	원소 기호	원소 이름	원소 기호	원소 이름	원소 기호
은	Ag	알루미늄	Al	금	Au
붕소	B	베릴륨	Be	비스무트	Bi
탄소	C	칼슘	Ca	염소	Cl
코발트	Co	크롬	Cr	구리	Cu
불소	F	철	Fe	수소	H
헬륨	He	이리듐	Ir	칼륨	K
리튬	Li	마그네슘	Mg	망간	Mn
질소	N	니켈	Ni	네온	Ne
산소	O	인	P	납	Pb
백금	Pt	황	S	규소	Si
주석	Sn	티탄	Ti	바나듐	V
우라늄	U	텅스텐	W	아연	Zn

③ **합금(alloy)**

㉠ 금속의 성질을 개선하기 위하여 단일 금속에 한 가지 이상의 금속이나 비금속 원소를 첨가한 것

㉡ 단일 금속에서 볼 수 없는 특수한 성질을 가지며 원소의 개수에 따라 이원 합금, 삼원 합금이 있다.

㉢ 종류로는 철 합금, 구리 합금, 경합금, 원자로용 합금, 기타 합금이 있다.

④ **합금의 상**

㉠ 일반적으로 물질의 상태는 기체, 액체, 고체의 세 가지가 있는데, 금속은 온도에 따라 고체 상태에서 결정 구조가 다른 상태로 존재한다. 이와 같은 각 물질의 상태를 상(phase)이라 한다.

㉡ 합금에서 하나의 상으로만 되는 것을 단상 합금이라 하고, 두 가지의 것을 2상 합금, 세 가지의 것을 3상 합금, 또 상이 많은 것을 다상 합금이라 한다.

㉢ 단상 합금에는 고용체와 금속간 화합물이 있다.

⑤ **합금의 일반적 성질**

㉠ 성분을 이루는 금속보다 우수한 성질을 나타내는 경우가 많다.

㉡ 성분 금속보다 강도 및 경도가 증가한다.

㉢ 주조성이 좋아진다.

㉣ 용융점이 낮아진다.

㉤ 전·연성은 떨어진다.

㉥ 성분 금속의 비율에 따라 색이 변한다.

2 재료의 성질

① **물리적 성질**

㉠ 비중

경금속(비중 4.5(g/cm³)이하)		중금속(비중 4.5(g/cm³)이상)	
리튬(Li)	0.53	지르코늄(Zr)	6.05(β상)
칼륨(K)	0.86	바나듐(V)	6.16
칼슘(Ca)	1.55	안티몬(Sb)	6.62(26℃)
마그네슘(Mg)	1.74	아연(Zn)	7.13
규소(Si)	2.33	크롬(Cr)	7.19
알루미늄(Al)	2.7	망간(Mn)	7.43
티탄(Ti)	4.5	철(Fe)	7.87
		카드뮴(Cd)	8.64(26℃)
		코발트(Co)	8.83
		니켈(Ni)	8.90(25℃)
		구리(Cu)	8.93
		몰리브덴(Mo)	10.2
		납(Pb)	11.34
		이리듐(Ir)	22.5

- 비중이 크다는 것은 무겁다는 것을 의미한다.
- 단위 용적의 무게와 표준물질(물 4℃)의 무게의 비를 비중이라 한다. 비중 4.5를 기준으로 이하를 경금속, 이상을 중금속이라 한다.
- 금속 중에서 가장 가벼운 것은 리튬(Li)이며 가장 무거운 것은 이리듐(Ir)이다.

㉡ 용융점 : 금속을 가열하여 고체에서 액체로 되는 온도를 용융 온도 또는 용융점이라 한다. 이와 반대로 액체에서 고체로 되는 온도를 응고 온도라 하며 같은 금속에서 응고 온도와 용융 온도는 같다.

금속	용융 온도(℃)	금속	용융 온도(℃)
알루미늄(Al)	660.4	금(Au)	1064.43
베릴륨(Be)	1238	몰리브덴(Mo)	1244
카드뮴(Cd)	321.1	마그네슘(Mg)	1738
크롬(Cr)	1875	망간(Mn)	1246
코발트(Co)	1495	니켈(Ni)	1453
구리(Cu)	1084.88	티탄(Ti)	1668
철(Fe)	1536	텅스텐(W)	3400

㉢ 전기 전도율

- 순서 : Ag 〉 Cu 〉 Au 〉 Al 〉 Mg 〉 Ni 〉 Fe 〉 Pb의 순이다.
- 열전도율도 전기 전도율과 순서가 비슷하다.
- 금속 중에서 전기 전도율이 가장 좋은 것은 은이다.
- 일반적으로 순금속에서 다른 금속 또는 비금속을 첨가하여 합금을 만들면 대개의 경우 전기 전도율은 저하된다.

㉣ 탈색력

- 금속의 색을 변색시키는 힘으로 주석이 가장 크다
- Sn 〉 Ni 〉 Al 〉 Fe 〉 Cu 등의 순이다.

㉤ 자기적 성질

- 금속을 자석에 접근시킬 때 강하게 잡아당기는 물질을 강자성체, 약간 잡아당기면 상자성체, 서로 잡아당기지 않는 금속을 반자성체라 한다.
- 강자성체(철, 니켈, 코발트 등), 상자성체(산소, 망간, 백금 알루미늄 등), 반자성체는 (비스무트, 안티몬, 금, 은, 구리 등)

㉥ 기타

- 비열(물질 1kg의 온도를 1K(켈빈)만큼 높이는데 필요한 열량
- 열팽창 계수(물체의 온도가 1℃ 상승하였을 경우, 증가한 물체와 팽창하기 전 물체의 치수 비

를 말하며, 일반적으로 선팽창 계수를 사용한다.)

- 열전도율(물체 내의 분자로부터 다른 분자로의 열에너지의 이동, 즉 물체 내의 한쪽에서 다른 쪽으로 열의 이동을 말한다.)

② **화학적 성질** : 금속의 화학적 성질 중 실용적으로 문제가 되는 것은 부식과 내식성을 들 수 있다.

㉠ 부식

- 금속은 접하고 있는 주위 환경, 즉 화학적 또는 전기 화학적인 작용에 의해 비금속성 화합물을 만들어 점차로 손실되어 가는데 이 현상을 부식이라 한다.
- 부식에 종류에는 습 부식(전기 화학적 부식), 건 부식(화학적 부식)이 있다.
- 금속의 부식은 습기가 많은 대기 중일수록 부식되기 쉽고, 대부분 전기 화학적 부식이다.

㉡ 내식성

- 금속의 부식에 대한 저항력 즉 견디는 성질로 Cr, Ni 등이 우수한 성질을 보이고 있다.
- 금속이 부식되기 쉽다는 것은 화합물이 되기 쉽다는 것과 같은 뜻이다.
- 기타 산에 견디는 성질을 내산성(耐酸性)이라 하고 염기에 견디는 성질을 내염기성이라 한다.

③ **기계적 성질**

㉠ 연·전성 : 가늘고 길게, 얇고 넓게 변형이 되는 성질

- 연성 순서 : Au 〉 Ag 〉 Al 〉 Cu 〉 Pt 〉 Fe
- 전성 순서 : Au 〉 Ag 〉 Pt 〉 Al 〉 Fe 〉 Cu

㉡ 강도 : 단위 면적 당 작용하는 힘

㉢ 경도 : 무르고 굳은 정도를 나타내는 것

일반적으로 금속 재료는 온도의 상승과 더불어 강도가 감소하고 연신율이 커지는 것이 보통이다. 하지만 청열 취성과 같이 온도가 210 ~ 360℃ 부근에서 연강은 오히려 상온보다 연신율은 낮아지고 강도 및 경도가 높아져 부스러지기 쉬운 성질을 가질 수 있다.

㉣ 취성 : 메짐이라고도 하며, 깨지는 성질

재료의 온도가 상온보다 낮아지면 경도나 인장 강도는 증가하지만 연신율이나 충격값 등은 감소하여 부스러지기 쉽다. 이러한 성질을 저온 취성이라 한다.

㉤ 소성 : 외력을 가한 뒤 제거해도 변형이 그대로 유지되는 성질

㉥ 탄성 : 외력을 제거하면 원래로 돌아오는 성질

㉦ 인성 : 굽힘, 비틀림 등에 견디는 질긴 성질

㉧ 재결정 : 가공에 의해 생긴 응력이 적당한 온도로 가열하면 일정 온도에서 응력이 없는 새로운 결정이 생기는 것

④ 가공상의 성질

㉠ 주조성 : 금속이나 합금을 녹여 기계 부품인 주물을 만들 수 있는 성질

㉡ 소성 가공성 : 재료의 외력을 가하여 원하는 모양으로 만드는 작업

㉢ 접합성 : 재료의 용융성을 이용하여 두 부분을 접합하는 성질

㉣ 절삭성 : 절삭 공구에 의해 재료가 절삭되는 성질

3 금속결정구조

(가) 금속의 결정

결정체인 금속이나 합금은 용융 상태에서 냉각되면 고체로 변화하게 되는데, 이와 같이 같은 물체의 상태가 다른 상으로 변하는 것을 변태라 한다.

① **결정 순서** : 핵 발생 → 결정의 성장 → 결정경계 형성 → 결정체

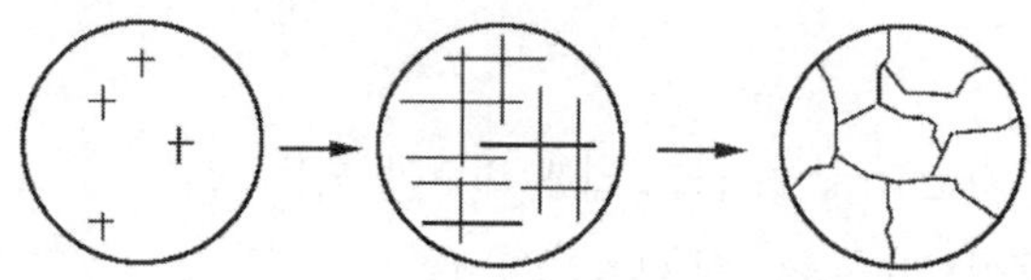

② **결정의 크기** : 냉각 속도가 빠르면 핵 발생이 증가하여 결정 입자가 미세해진다.

③ **주상정** : 금속 주형에서 표면의 빠른 냉각으로 중심부를 향하여 방사상으로 이루어지는 결정

④ **수지상 결정** : 용융 금속이 냉각할 때 금속 각부에 핵이 생겨 나뭇가지와 같은 모양을 이루는 결정

⑤ **편석** : 금속의 처음 응고부와 나중 응고부의 농도차가 있는 것으로 불순물이 주원인이다.

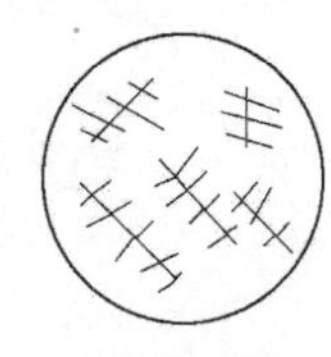

수지상 결정

(나) 금속 결정 종류

① **결정 입자** : 금속 또는 합금의 응고는 전체 융체에서 동시에 발생하는 것이 아니라, 결정핵을 중심으로 여기에 원자들이 차례로 결합되면서 이루어진다. 이 때 같은 결정핵으로부터 성장된 고체 부분은 어떤 곳에서나 같은 원자 배열을 가지게 되는 데 이를 결정 입자라 한다.

② 금속의 응고 중 결정핵이 하나 밖에 존재 하지 않았다면 이 금속은 1개의 결정만으로 이루어지게 되어 이를 단결정이라 한다.(실리콘)

③ 대부분의 금속은 작은 결정들이 모여 무질서한 집합체를 이루고 있으며, 이와 같은 결정의 집합체를 다결정체라 한다.

④ 결정 입자의 원자들은 각각 그 금속 특유의 결정형을 가지고 있으며, 그 배열이 입체적이고 규칙적으로 되어 있는데 이 원자들의 중심점을 연결해 보면 입체적인 격자가 되는데, 이 격자를 공간 격자 또는 결정격자라 한다.

⑤ 단위포(단위격자) : 결정격자 중 금속 특유의 형태를 결정짓는 최소 단위의 원자의 모임

⑥ 격자 상수 : 단위포 한 모서리의 길이

⑦ 결정립의 크기 : 0.01 ~ 0.1mm

종 류	특 징	금 속
체심입방격자 (B·C·C)	· 강도가 크고 전·연성은 떨어진다. · 단위격자속 원자수 $2\left(1+\frac{1}{8}\times 8\right)$ · 배위수는 8, 충진율 68	Cr, Mo, W, V, Ta, K, Ba, Na, Nb, Rb, α-Fe, δ-Fe
면심입방격자 (F·C·C)	· 전·연성이 풍부하여 가공성이 우수하다. · 단위격자속 원자수 $4\left(\frac{1}{8}\times 8+\frac{1}{2}\times 6\right)$ · 배위수는 12, 충진율 74	Ag, Al, Au, Cu, Ni, Pb, Ce, Pd, Pt, Rh, Th, Ca, γ-Fe
조밀육방격자 (H·C·P)	· 전·연성 및 가공성이 불량하며 취약하다. · 단위격자속 원자수 4 · 배위수는 12, 충진율 74	Ti, Be, Mg, Zn, Zr, Co, La

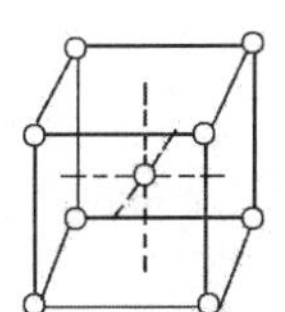
▲ 체심입방격자(B.C.C)

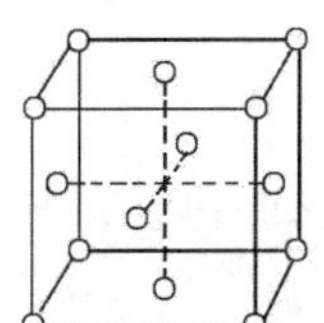
▲ 면심입방격자(F.C.C)

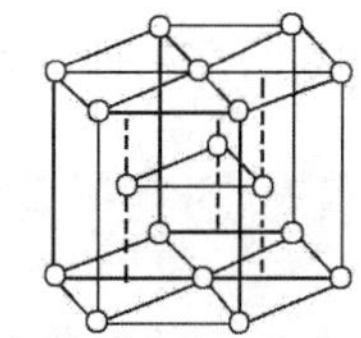
▲ 조밀육방격자(HCP)

(다) 결정면의 방향 표시

결정의 표시방법은 입방체로 된 단위 격자의 한 꼭지점을 원점으로 하여 3차원의 좌표계를 생각하고 격자 상수를 단위로 하여 길이를 나타낸다.

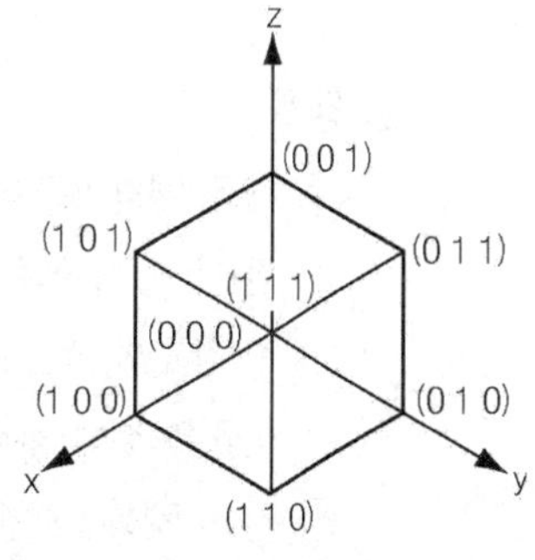

① 밀러지수

㉠ 결정면은 그 면에 좌표축에서 각각 절편되는 길이의 역수의 최소 정수비로 표현한다.

㉡ 결정면의 지수를 h, k, l, 방향의 지수를 u, v, w라고 하면 면은(h k l)로 방향은(u v w)로 표시하고 지수가 음의 값이 경우에는 숫자위에 음의 표시인 (-)를 붙인다.

② 밀러지수의 예

㉠ x, y, z축의 절편의 길이 : 3, 4, 2

㉡ 그 역수 : $\frac{1}{3}, \frac{1}{4}, \frac{1}{2}$

㉢ 최소 정수비(면의 밀러지수) : 4, 3, 6

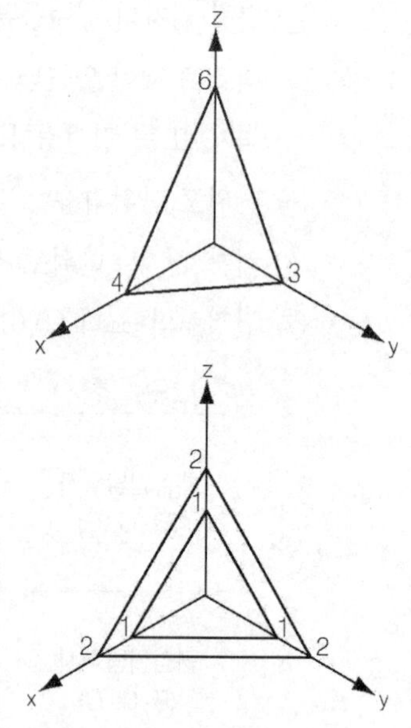

③ 평행한 면은 동일 밀러 지수를 갖는다.

	A 면	B 면
x, y, z축의 절편의 길이	1, 1, 1	2, 2, 2
그 역수	1, 1, 1	$\frac{1}{2}, \frac{1}{2}, \frac{1}{2}$
최소 정수비(면의 밀러지수)	(1 1 1)	(1 1 1)

(라) 금속의 소성 변형

① **슬립** : 금속 결정형이 원자 간격이 가장 작은 방향으로 층상 이동하는 현상(원자밀도가 최대인 격자면에서 발생)

② **트윈(쌍정)** : 변형 전과 변형 후 위치가 어떤 면을 경계로 대칭되는 현상(연강을 대단히 낮은 온도에서 변형시켰을 때 관찰된다.)

③ **전위** : 불안정하거나 결함이 있는 곳으로부터 원자 이동이 일어나는 현상

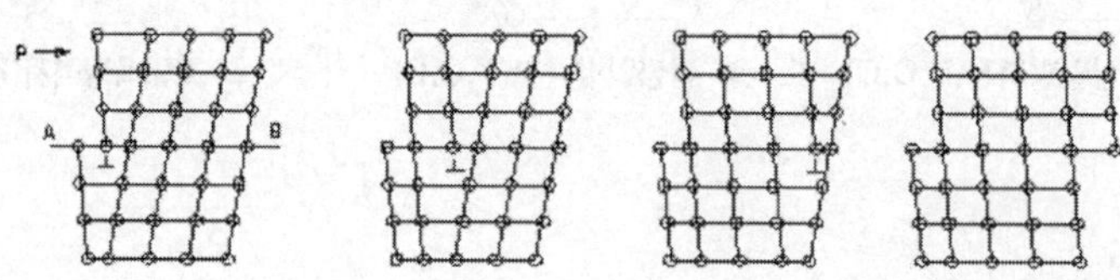

④ **경화**

㉠ 가공 경화 : 금속을 소성 가공하면 변형 증가에 따라 가공 경화(가공에 의해 단단해 지는 성질)가 일어난다. 일반적으로 금속을 냉간 가공하면 경도 및 강도가 향상되는 특징이 있다. 즉 강도와 경도는 가공도의 증가에 따라 처음에는 증가율이 커지나 나중에는 일정해진다. 연신율은 이와 반대이다.

㉡ 시효 경화 : 시간이 지남에 따라 단단해 지는 성질

㉢ 인공 시효 : 인위적으로 단단하게 만드는 것

⑤ **회복** : 냉간 가공을 계속하면 가공 경화가 일어나 더 이상의 냉간가공이 불가능해진다. 이것을

일정 온도로 가열하면 어느 온도에서 급격히 강도와 경도가 저하되고, 연성이 급격히 회복되어 냉간 가공이 쉬운 상태로 된다.

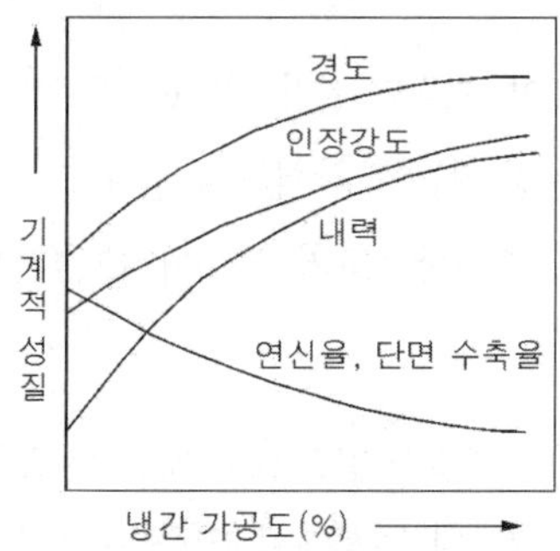

㉠ 순서 : 내부응력 제거 → 연화 → 재결정 → 결정입자의 성장

㉡ 연화 현상은 재결정 이전의 것과 재결정에 직접 관계되어 일어나는 것으로 구분하는데 앞의 현상을 회복이라고 한다.

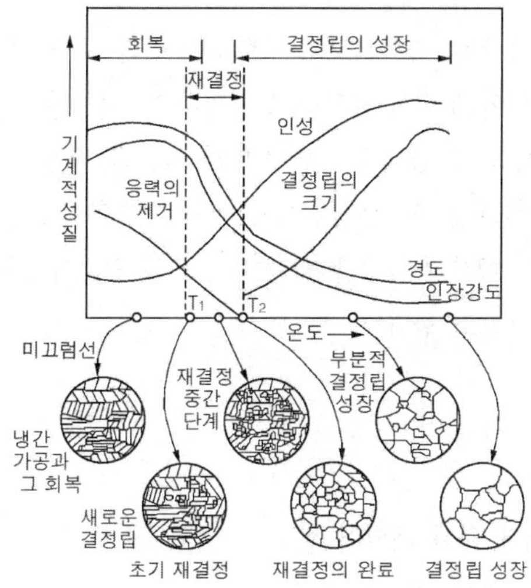

⑥ **재결정** : 가공에 의해 생긴 응력이 적당한 온도로 가열하면 일정 온도에서 응력이 없는 새로운 결정이 생기는 것

㉠ 금속의 재결정 온도 : Fe(350 ~ 450℃), Cu(150 ~ 240℃), Au(200℃), Pb(-3℃), Sn(상온) Al(150℃) 등

㉡ 재결정은 냉간 가공도가 낮을수록 높은 온도에서 일어난다.

㉢ 재결정은 가열온도가 동일하면 가공도가 낮을수록 오랜 시간이 걸리고 가공도가 동일하면 풀림 시간이 길수록 낮은 온도에서 일어난다.

㉣ 재결정 입자의 크기는 주로 가공도에 의하여 변화되고, 가공도가 낮을수록 커진다.

풀림 : 재결정 온도 이상으로 가열하여 가공 전의 연화 상태로 만드는 것을 말한다.

⑦ **입자의 성장** : 재결정에 의하여 새로운 결정 입자는 온도의 상승, 시간의 경과와 더불어 큰 결정 입자가 근처에 있는 작은 결정 입자를 잠식하여 점차 그 크기가 증가되는 현상으로 결정입자의 성장은 고온에서 오랜 시간 가열함으로써 이루어지고, 온도가 상승할수록 급속히 이루어진다.

⑧ **냉간 가공과 열간 가공**

㉠ 냉간 가공 : 냉간 가공이란 재결정 온도보다 낮은 온도에서 가공하는 것으로 냉간 가공된 금속 재료는 내부 변형과 입자의 미세화로 인하여 결정 입자가 변형되어 가공경화를 일으켜 강도나 경도가 증가되지만 인성은 줄어든다. 그러므로 냉간가공을 계속하려면 작업도중에 자주 풀림을 하여 가공 경화를 없애고 전성, 연성을 회복시켜 주어야 하며 상온 가공이라고도 한다.

㉡ 열간 가공 : 열간 가공이란 재결정 온도보다 높은 온도에서 가공하는 것으로 재료를 가열하게 되면 연하게 되어 소성이 증가되므로 성형하기 쉽다. 특히 주조품을 열간 가공하게 되면 수지상 조직이 파괴되어 조직이 균일하고 치밀하게 되어 강도나 연성이 향상된다. 또한 열간 가공하는 온도는 금속 및 합금에 종류에 따라 다르다. 일반적으로 강은 변태점이상, 구리 합금은 700℃전후, 경합금은 500℃전후이고, 재질을 해치지 않을 정도의 고온에서 시작하여 적당한 온도에 도달될 때까지 가공을 계속한다. 또한 열간가공을 끝맺는 온도를 피니싱 온도라 하며 고온 가공이라고도 한다.

4 금속의 변태

① **동소 변태** : 고체 내에서 원자 배열이 변하는 것

㉠ α - Fe(체심), γ - Fe(면심), δ - Fe(체심)

㉡ 동소 변태 금속 : Fe(912℃, 1400℃), Co(477℃), Ti(830℃), Sn(18℃) 등

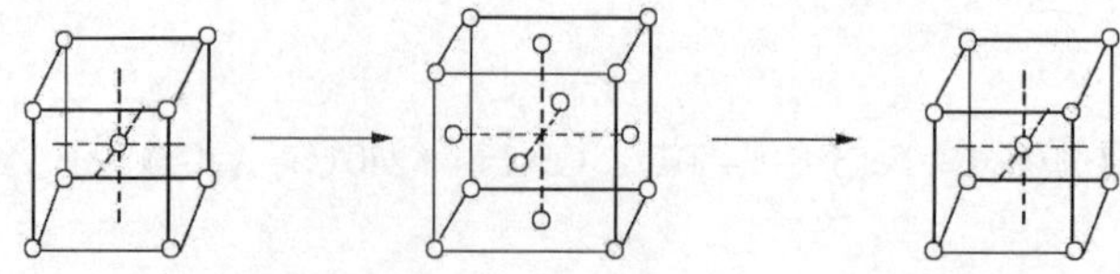

② **자기 변태** : 원자 배열은 변화가 없고 자성만 변하는 것(Fe, Ni, Co)

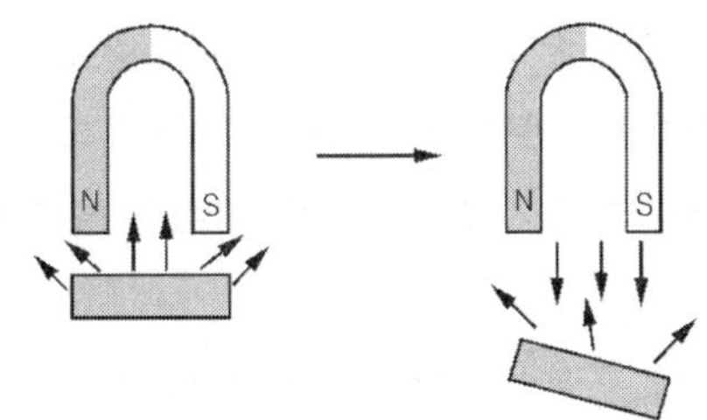

㉠ 순수한 시멘 타이트는 210℃이하에서 강자성체. 그 이상에서는 상자성체

㉡ 자기 변태 금속 : Fe(768℃), Ni(358℃), Co(1,160℃)

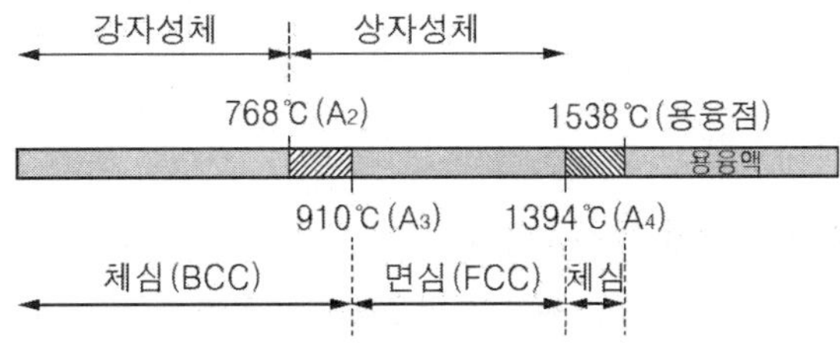

(가) 변태점 측정 방법

열 분석법, 열 팽창법, 전기 저항법, 자기 분석법 등이 있다.

5 평형 상태도

(가) 합금의 조직

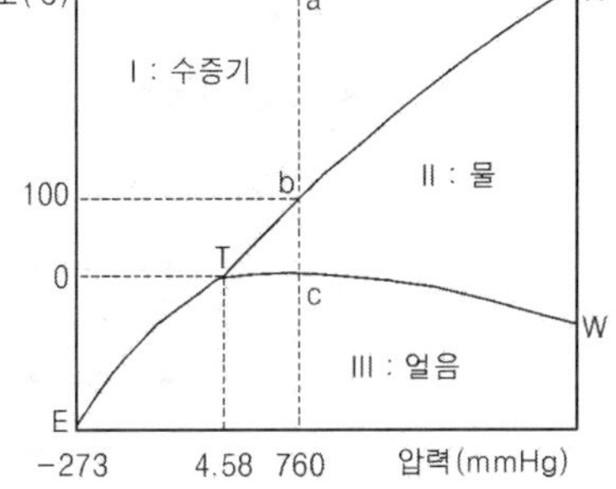

① **상** : 물질의 상태는 기체, 액체, 고체의 세 가지가 있는데 금속은 온도에 따라 고체 상태에서 결정 구조가 다른 상태로 존재하는데 이와 같은 물질의 상태를 상이라 한다.

② **상률** : 어떤 상태에서 온도가 자유로이 변할 수 있는가를 알아냄. 즉 여러 개의 상으로 이루어진 물질의 상 사이의 열적 평형 관계를 나타내는 법칙

㉠ 자유도 : F = n + 2 − P(F : 자유도, n은 성분의 수, P는 상의수)

㉡ 물의 상태도

- Ⅰ, Ⅱ, Ⅲ 구역의 자유도는 F = 1 + 2 − 1 = 2 즉 물, 얼음, 수증기인 1상이 존재하기 위해서는 온도, 압력 두 가지를 다 변화시켜도 존재할 수 있다.

- TK, TE, TW의 자유도는 F = 1 + 2 − 2 = 1이므로 온도 또는 압력 하나만을 변경 시킬 수 있다. 즉 대기압력하에서는 비등점과 용융점은 일정하다.
- T(삼중점)에서 자유도 F = 1 + 2 − 3 = 0이 되며, 즉 불변계로서 이것은 완전히 고정된다는 뜻이다.
- 순금속은 1원계이므로 용융 금속만 존재할 때에는 상의 수 p = 1, F = 1이 되므로 용융 상태에서는 온도를 자유롭게 선택할 수 있다.

③ **평형 상태도** : 공존하고 있는 것의 상태를 온도와 성분의 변화에 따라 나타낸 것. 즉, 합금이나 화합물의 물질계가 열역학적으로 안정 상태에 있을 때 조성, 온도, 압력과 존재하는 상의 관계를 나타낸 것.

④ **합금의 상**

㉠ 고용체 : 고체 A + 고체 B ⇔ 고체 C

- 침입형 : 철원자 보다 작은 원자가 고용하는 경우로 보통 금속 상호간에는 일어나지 않으며, 금속에 C, H, N 등 비금속 원소가 소량 함유되는 경우 일어난다. 철은 약간의 탄소나 질소를 고용하는 침입형 고용체를 만든다.

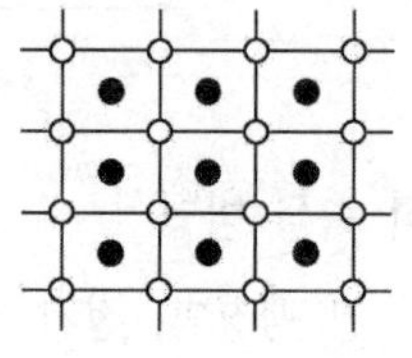
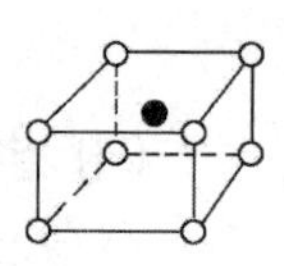

- 치환형 : 철원자의 격자 위치에 니켈 등에 원자가 들어가 서로 바꾸는 것이다. (Ag - Cu, Cu - Zn 등)

일반적으로 금속 사이에 고용체는 치환형이 많다.

- 규칙 격자형 : 고용체 내에서 원자가 어떤 규칙성을 가지고 배열된 경우이다. (Ni_3 - Fe, Cu_3 - Au, Fe_3 - Al)

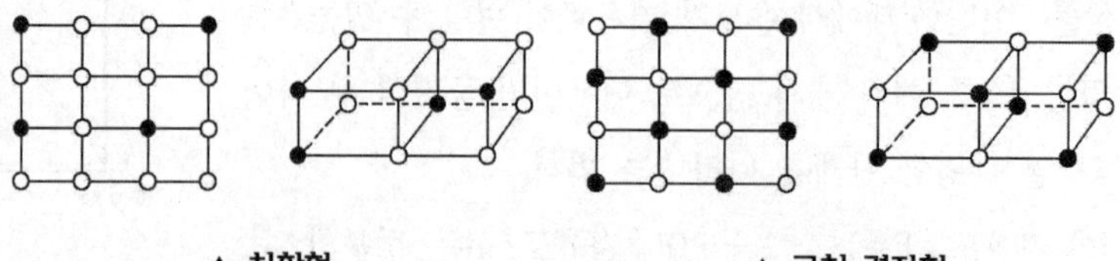

▲ 치환형 ▲ 규칙 격자형

㉡ 금속간 화합물 : 친화력이 큰 성분 금속이 화학적으로 결합되면 각 성분 금속과는 성질이 현저하게 다른 독립된 화합물을 만드는데 이것을 금속간 화합물이라 한다.(Fe_3C, Cu_4Sn, Cu_3Sn $CuAl_2$, Mg_2Si, $MgZn_2$)

- 금속간 화합물은 일반적으로 경도가 높기 때문에 그 특성을 이용하여 여러 가지 우수한 공구

재료를 만드는 데 사용한다.

⑤ **합금의 응고와 상태도의 관계(합금의 열분석 곡선과 상태도의 관계)**

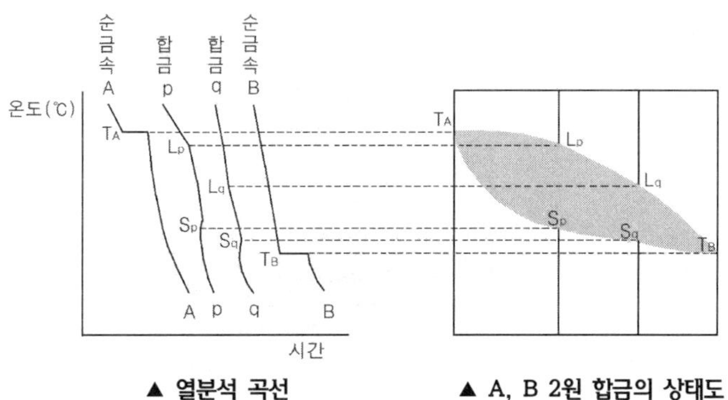

▲ 열분석 곡선　　　▲ A, B 2원 합금의 상태도

⑥ **2성분계 상태도** : 서로 다른 2종류의 성분으로 구성되어 있는 금속을 2성분계 금속(합금)이라 하는데 이것은 조성과 온도에 따라 존재하는 상태가 다르다. 일반적으로 조성의 변화를 가로축에 온도의 변화를 세로축에 표시한다. 2성분계의 상태도는 그 형태에 다라 전율 고용체형, 공정계, 포정계, 편정계 등으로 나눌 수 있다.

㉠ 전율 고용체 : 두 성분이 서로 어떠한 비율인 경우에도 상관없이 이것이 용해하여 하나의 상이 될 때 이들 두 성분은 전율 고용한다고 한다.

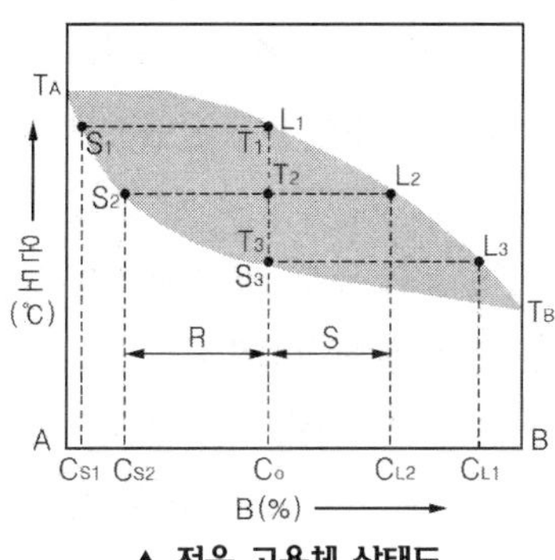

▲ 전율 고용체 상태도

- L_1점에 이르면 용융액에서 고체의 결정이 나오기 시작하는데 이것을 정출이라 한다.
- 온도 T_2에서의 고상과 액상의 상대량은 다음과 같다.

$$고상(\%) = \frac{S}{R+S} \times 100(\%) = \frac{C_{L2} - C_0}{C_{L2} - C_{S2}} \times 100(\%)$$

$$액상(\%) = \frac{R}{R+S} \times 100(\%) = \frac{C_0 - C_{S2}}{C_{L2} - C_{S2}} \times 100(\%)$$

- T_2온도에 있어서는 정출되는 S_2농도인 고상의 양과 L_2 농도인 액상의 양이 T_2점을 지점으로 평

형을 유지하게 되는데 이 관계를 천칭 관계라 한다.

- 만일 냉각이 빨라서 확산이 될 시간이 없으면 처음에 정출된 부분과 나중에 정출된 부분의 현저한 농도차가 생기는데 이와 같이 처음에 응고한 부분과 나중에 응고한 부분에서 농도차가 일어나는 것을 편석이라 한다.

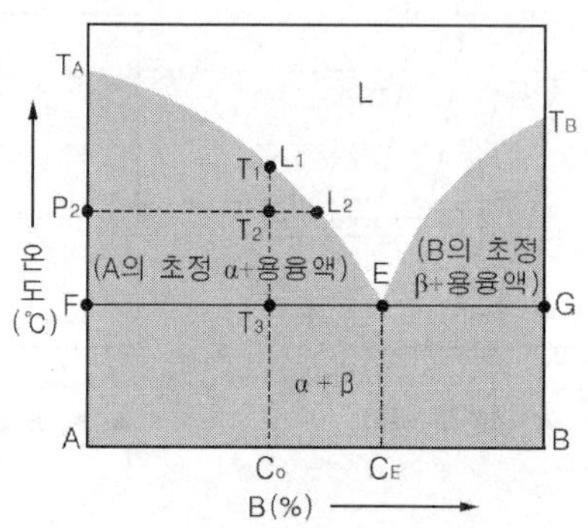

▲ **공정 상태도**
(두 성분이 순수하게 정출할 경우)

ⓛ 공정 : 두 개의 성분 금속이 용융 상태에서 균일한 액체를 형성하나 응고 후에는 성분 금속이 각각 결정으로 분리, 기계적으로 혼합된 것을 말한다.(액체 ⇔ 고체A + 고체B)

- 그림에서 고상선은 FEG이다.
- E점의 조성(CE)인 합금은 마치 순금속의 경우와 같이 E점이 나타내는 일정온도에서 응고한다. 그러나 그 곳의 응고 조직은 F점에서 나타내는 A금속과 G점에서 나타내는 B금속이 서로 정출한 것으로 나타난다. 이와 같이 일정한 온도에서 동시에 2개의 다른 금속이 정출되는 것을 공정반응이라 하며, 그 조직을 공정 조직, 그 온도를 공정 온도라 한다.
- 공정형 상태도에서 공정 조성보다 왼쪽에 있는 합금을 아공정 합금이라 하며 공정점보다 오른쪽에 있는 합금을 과공정 합금이라 한다.
- 고용체 공정형 상태도 : 그림에서 곡선 CED는 액상선, 곡선 CFEGD는 고상선, 직선 FEG는 공정선, 점 E는 공정점이다. 또한 곡선 FH는 α고용체(A성분에 B성분이 고용된 것)에서 B성분을 고용할 수 있는 한도를 표시하는 용해도 곡선이며, 곡선 GK는 β고용체(B성분에 A성분이 고용된 것)에서 A성분을 고용할 수 있는 한도를 표시하는 용해도 곡선이다.

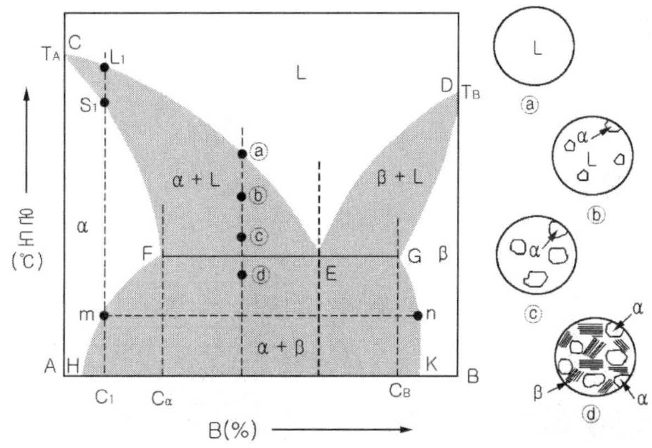

▲ 공정 상태도(A, B 두 성분이 어느 범위의 고용체를 만들 때)

㉢ 포정 반응 : A, B 양 성분 금속이 용융상태에서는 완전히 융합되나, 고체 상태에서는 서로 일부만이 고용되는 경우로 고용체가 액체와 반응하여 고용체의 외주부에 별개의 고용체를 만드는 포정반응을 일으키는 것을 말한다. (고용체A + 액체 ⇔ 고용체B)(Cd - Hg계, Co - Cu계 합금)

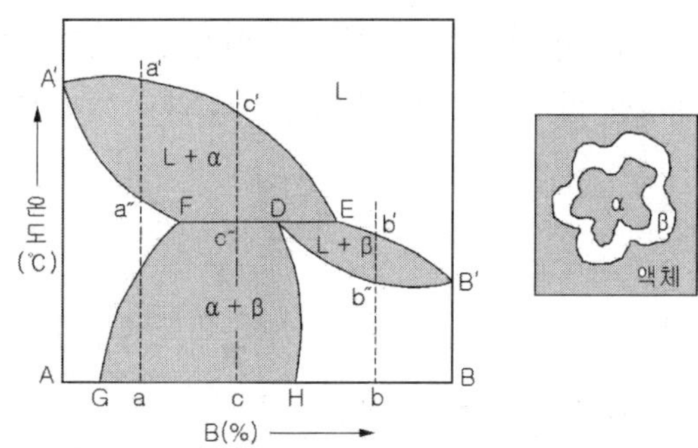

㉣ 편정 반응 : 액체A + 고체 ⇔ 액체B

㉤ 공석 : 고체 상태에서 공정과 같은 현상으로 생성되며 철강의 경우 0.86%C 점에서 오스테나이트와 시멘타이트의 공석을 석출(펄라이트)한다.

(나) 재료의 식별

① 모양에 의한 방법

② 색에 의한 방법

㉠ 회백색 : Zn, Pb 등

㉡ 은백색 : Ni, Fe, Mg 등

③ 경도에 의한 방법

④ 불꽃 시험

02 철강재료

1 철강 재료의 분류

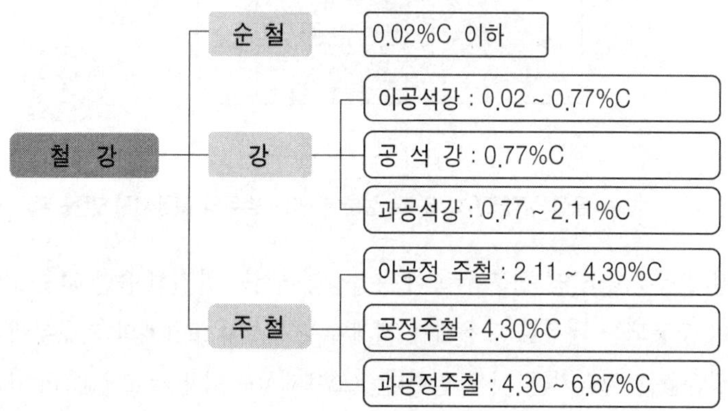

철강 재료는 다른 금속에 비하여 기계적 성질이 우수하며, 열처리를 하면 이들이 가지고 있는 성질을 다양하게 변화시켜 유용한 재료를 조정할 수 있으므로 각종 기계 재료로 많이 사용되고 있다.

2 제철법

철광석 ➡ 용광로 ➡ 선철 ➚ 제강로 ➡ 강

선철 ➘ 용선로(큐폴라) ➡ 주철

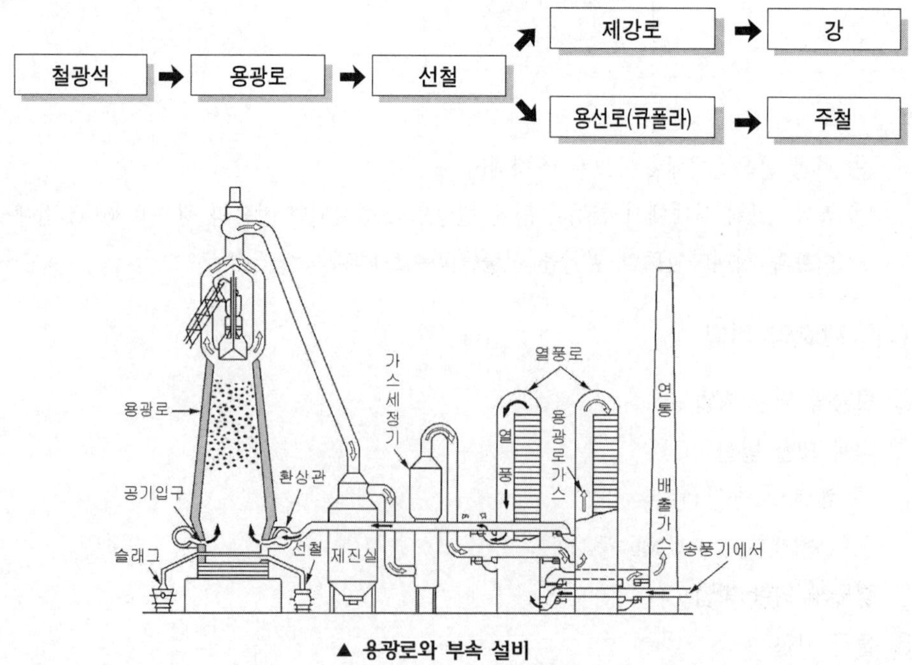

▲ 용광로와 부속 설비

① **철광석** : 40% 이상의 철분을 함유한 것

㉠ 철광석의 종류 : 자철광(철분 약 72%), 적철광(약 70%), 갈철광(약 55%), 능철강(약 40%)

㉡ 인과 황은 0.1% 이하로 제한

② **용광로(고로)** : 철광석을 녹여 선철을 만드는 로

㉠ 1일 선철의 생산량을 ton으로 용량을 표시한다.(보통 100 ~ 2,000ton)

㉡ 열 및 환원제(연료)로 코크스를 사용한다.

㉢ 용제는 석회석과 형석을 사용한다.

㉣ 탈산제는 망간 등을 사용한다.

③ **선철** : 철강의 원료인 철광석을 용광로에서 분리시킨 것.

㉠ 90% 정도가 강을 제조

㉡ 10% 정도가 용선로에서 주철 제조

㉢ 선철은 파단면의 색깔에 따라 백선, 회선, 반선으로 구분

㉣ 용도에 따라 제강용 선철, 주물용 선철로 구분

- 제강용 선철 : 1종은 제강로에 의하여 쓰이는 선철, 2종은 전기로에 의하여 제조되는 선철
- 주물용 선철 : 1종은 회 주철품에 사용되는 선철, 2종은 가단 주철품에 사용되는 선철, 3종은 구상 흑연 주철품에 사용되는 선철

④ **용선로(큐폴라)**

㉠ 주철을 제조하기 위한 로

㉡ 매 시간 당 용해 할 수 있는 무게를 ton으로 용량 표시

⑤ **제강로** : 강을 제조하기 위한 로

용광로에서 생산된 선철은 불순물과 탄소량이 많아 경도가 높고 인성이 낮기 때문에 소성 가공할 수 없어 기계 재료로 사용할 수 없다. 따라서 철강은 선철이나 고철을 전로, 전기로 또는 평로 등의 제강로에서 가열, 용해하여 산화제와 용제를 첨가하여 불순물을 제거하고, 탄소를 알맞게 감소시키는 제강 공정을 거쳐 만들어진다.

㉠ 평로(반사로)

- 바닥이 넓은 반사로인 평로를 이용하여 선철을 용해시키고, 여기에 고철, 철광석 등을 추가로 장입하여 강을 만드는 제강로이다.
- 선철은 1,700℃ 정도의 고온에서 탄소, 규소, 망간 등이 산화에 의하여 제거되며, 황은 슬랙에 의해 제거 조정되고, 정련이 완료될 시기에 페로망간, 페로실리콘, 알루미늄 등을 첨가하여 용강 중의 산소 질소 제거이다.
- 연료는 가스발생로에서 발생한 가스 또는 중유를 사용하며, 가스와 공기를 별도로 예열하기

위하여 축열실을 갖추고 있는데, 이 축열실의 온도는 조업할 때 약 1,000℃가 된다.

- 대량 생산이 가능하다.
- 평로의 용량은 1회에 생산되는 용강의 무게로 나타낸다. 보통 25 ~ 300톤의 평로가 사용된다.
- 종류로는 염기성 평로(저급재료), 산성 평로(고급재료)가 있는데 대부분은 염기성 평로가 사용된다.

㉡ 전로 제강법

- 전로제강법은 용해한 쇳물을 경사식으로 된 노에 넣고 연료사용 없이 노 밑에 뚫린 구멍을 통하여 1.5 ~ 2.0 기압의 공기를 불어넣거나, 노 위에서 산소를 불어넣어 쇳물 안의 탄소나 규소와 그 밖의 불순물을 산화 연소시켜, 정련 과정을 통하여 강으로 만드는 방법이다.
- 1회에 용해하는 양을 톤으로 표시하여 크기를 나타내며, 보통 60 ~ 100톤, 200 ~ 300톤 정도의 것이 사용된다.
- 연료비가 필요 없고, 정련 시간이 짧다. 품질 조절이 불가능하다.
- 강종의 범위도 극저 탄소강으로부터 고탄소강, 합금강까지 제조가 가능하며 건설비는 평로의 60 ~ 70%에 불과하므로 현재 세계적으로 가장 많이 사용되고 있는 제강법이다.
- 단점으로는 주로 용선을 사용하게 되므로 고로 설비가 있는 공장에서만 사용이 가능하다는 단점이 있다.
- 베세머법(산성법) : 고규소, 저인규소 내화물 사용
- 토마스법(염기성) : 저규소, 고인생석회 또는 마그네샤를 내화물

㉢ 전기로 제강법

- 전열을 이용하여 선철, 고철 등의 제강 원료를 용해시켜 강을 만드는 제강법
- 온도 조절이 쉬워 탈산, 탈황, 정련이 용이하므로 우수한 품질을 얻을 수 있으나 전력비가 많이 드는 결점이 있다.
- 전기로의 용량은 1회에 생산되는 용강의 무게로 나타내는데 보통 0.3 ~ 0.5톤의 전기로가 많이 사용된다.
- 전열 발생 방식에 따라 아크식과 전기 저항식, 전기 유도식이 있다.
- 합금강이나 특수강의 고급강 제조에는 주로 고주파 유도로가 사용된다.
- 산소 이외의 유해한 가스의 흡수가 적어 스테인리스강, 내열강 및 공구강 등 특수강 제조에 적합하다.

㉣ 도가니로

- 1회에 용해할 수 있는 구리의 무게를 kg으로 표시
- 고 순도 강을 제조하는데 목적
- 정확한 성분을 필요로 하는 것에 적합 (동합금, 경합금 등)
- 열효율이 떨어진다.
- 단점으로는 고가이다.

⑥ 강괴의 제조

평로, 전로, 전기로 등에서 정련이 끝난 용강에 탈산제를 넣어 탈산시킨 다음 주철로 만든 일정한 형태의 주형에 주입하고 그 안에서 응고시킨다. 주형의 단면은 압연이나 단조에 편리하도록 사각형, 육각형, 둥근형 등 여러 형태가 있다.

- 용강을 주형에 부어서 굳힌 금속의 덩어리를 잉곳(ingot)이라 한다.
- 강의 경우는 강괴(steel ingot)라 한다.

㉠ 림드강

- 평로 또는 전로 등에서 용해한 강에 페로망간을 첨가하여 가볍게 탈산시킨 다음 주형에 주입한 것
- 탈산조작이 충분하지 않기 때문에 응고가 진행되면서 용강의 남은 탄소와 산소가 반응하여 일산화탄소가 많이 발생하므로 응고 후에도 방출하지 못한 가스가 아래 그림과 같이 기포 상태로 강괴 내에 남아 있다.

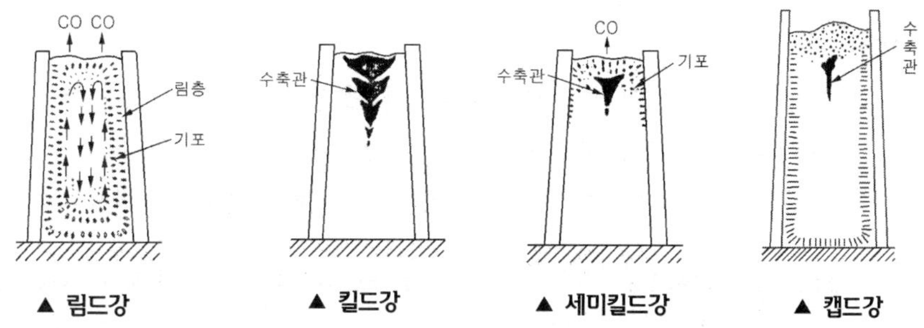

▲ 림드강 ▲ 킬드강 ▲ 세미킬드강 ▲ 캡드강

- 수축공이 없으며 기공과 편석이 많아 질이 떨어진다.
- 탄소 함유량은 보통 0.3%이하의 저 탄소강이 주로 사용된다.
- 구조용 강재 및 피복 아크 용접용 모재 등으로 사용된다.

㉡ 킬드강

- 레이들 안에서 강력한 탈산제인 페로실리콘, 페로망간, 알루미늄 등을 첨가하여 충분히 탈산시킨 다음 주형에 주입하여 응고시킨다.
- 기포 및 편석은 없으나 헤어 크랙이 생기기 쉽다.
- 상부에 수축공이 생기므로 응고 후에 10 ~ 20%를 잘라 낸다.
- 강으로 재질이 균질하고 기계적 성질이 좋다
- 탄소 함유량은 0.3%이상이다.

㉢ 세미킬드강

- 탈산의 정도를 킬드강과 림드강의 중간 정도로 한 것
- 경제성과 기계적 성질이 양자의 중간 정도이며, 일반 구조용 강, 두꺼운 판 등의 소재로 쓰인다.
- 탄소 함유량은 0.15 ~ 0.3%이다.

• 일반구조용강, 강관 등의 원재료로 사용된다.

㉣ 캡드강

• 페로망간으로 가볍게 탈산한 용강을 주형에 주입한 다음, 다시 탈산제를 투입하거나 주형에 뚜껑을 덮고 비등 교반 운동을 조기에 강제적으로 끝마치게 한 것
• 조용히 응고시킴으로써 내부를 편석과 수축공이 적은 상태로 만든 강
• 캡트 탈산제를 사용한 화학적 캡드강과 주형 뚜껑을 사용하여 만든 기계적 캡드강으로 구분한다.
• 내부 결함은 적으나 표면 결함이 많아 박판, 형강, 주석철판 등의 원재료로 사용된다.

(가) 철강의 분류

① **철강의 5대 원소** : C, Si, Mn, P, S

② **순철** : 탄소 0.03%이하를 함유한 철

③ **강**

㉠ 아공석강 : C 0.77% 이하로 페라이트와 펄라이트로 이루어짐
㉡ 공석강 : C 0.77%로 펄라이트로 이루어짐
㉢ 과공석강 : C 0.77%이상으로 펄라이트와 시멘타이트로 이루어짐

펄라이트에서 펄은 진주라는 의미로 페라이트는 검정색 시멘타이트는 흰색이 서로 중앙으로 되어있어 진주같다고 해서 붙여진 이름이다.

④ **주철** : 탄소 1.7 ~ 6.67%를 함유한 철 하지만 보통 2.5 ~ 4.5%까지의 것을 말함

㉠ 아공정 주철 : C1.7 ~ 4.3%
㉡ 공정 주철 : C4.3%
㉢ 과공정 주철 : C4.3% 이상

(나) 철강의 성질

① **순철**

㉠ 담금질이 안 됨, 연하고 약함, 전기재료로 사용
㉡ 인장 강도, 비례 한도, 연신율 등의 성질은 결정립이 작을수록 향상됨

② **강**

㉠ 제강로에서 제조, 담금질이 잘되고 강도, 경도가 크다.
㉡ 기계 재료로 사용된다.

③ **주강**

㉠ 주조한 강을 말하며 주로 산성 평로에서 제조한다.
㉡ 수축률이 크고 균열이 생기기 쉬운 결점이 있어, 풀림(확산 풀림)을 해야 한다.
㉢ 기포 발생 방지를 위하여 탈산제를 많이 사용하므로 Mn, Si 등이 잔재한다.

④ **주철**
㉠ 큐폴라(용선로)에서 제조한다.
㉡ 담금질이 안 됨. 경도는 크나 메지므로 주물 재료로 사용된다.

3 탄소강

(가) 순철

① **순철의 특징**
㉠ 탄소량이 낮아서 기계 재료로서는 부적당하지만 항장력이 낮고 투자율이 높아서 변압기, 발전기용 철심으로 사용
㉡ 단접성 용접성 양호
㉢ 유동성 및 열처리성은 불량
㉣ 전·연성이 풍부하여 박철판으로 사용된다.

② **순철의 변태**
㉠ 동소 변태 (910℃, 1,400℃)
- A_3 변태(912℃) : α철(체심입방격자) ⇔ γ철(면심입방격자)
- A_4 변태(1,400℃) : γ철(면심입방격자) ⇔ δ철(체심입방격자)

㉡ 자기변태 (768℃)
- A_2 변태(768℃) : α철(강자성) ⇔ α철(상자성)

(나) 탄소강

① **탄소강의 성질**
㉠ 탄소강의 성질은 함유된 성분, 열처리 또는 가공 방법에 따라 다르나 표준 상태에서는 주로 탄소의 함유량에 크게 영향을 받는다.
㉡ 인장 강도와 경도는 공석 조직 부근에서 최대이다.
㉢ 과공석 조직에서는 경도는 증가하나 강도는 급격히 감소한다.
㉣ 탄소의 함유량에 따라 극연강(0.1%C 이하), 연강(0.1 ~ 0.3%C), 반경강(0.3 ~ 0.5%C), 경강(0.5 ~ 0.8%C), 최경강(0.8 ~ 2.0%C)으로 분류한다.

탄소 함유량에 따른 탄소강의 분류

종별	C(%)	인장 강도(Mpa)	연신율(%)	용 도
극연강	0.12미만	370미만	25	강판, 강선, 못, 강관, 리벳
연강	0.13 ~ 0.20	370 ~ 430	22	강판, 강봉, 강관, 볼트, 리벳
반연강	0.20 ~ 0.30	430 ~ 490	20 ~ 18	기어, 레버, 강판, 볼트, 너트 강관
반경강	0.30 ~ 0.40	490 ~ 540	18 ~ 14	강판, 차축
경강	0.40 ~ 0.50	540 ~ 590	14 ~ 10	차축, 기어, 캠, 레일
최경강	0.50 ~ 0.70	590 ~ 690	10 ~ 7	축, 기어, 레일, 스프링, 피아노선
탄소 공구강	0.60 ~ 1.50	690 ~ 490	7 ~ 2	목공구, 석공구, 절삭 공구, 게이지
표면 경화용 강	0.08 ~ 0.20	490 ~ 440	15 ~ 20	기어, 캠, 축

② 탄소강에서 생기는 취성(메짐)

종류	현 상	원인
청열취성	강이 200 ~ 300℃로 가열되면 경도, 강도가 최대로 되고, 연신율, 단면 수축률은 줄어들게 되어 메지게 되는 것으로 이때 표면에 청색의 산화 피막이 생성된다.	P
적열취성	고온 900℃이상에서 물체가 빨갛게 되어 메지는 것을 적열 취성이라 한다.	S
상온취성	충격, 피로 등에 대하여 깨지는 성질로 일명 냉간 취성이라고도 한다.	P

③ 탄소량과 인장강도의 관계

㉠ 탄소량에 따른 인장 강도 : 20 + 100 × C(%)(C는 탄소 함유량)

㉡ 인장 강도에 따른 경도 : 2.8 × 인장강도

④ 탄소강의 종류

㉠ 저탄소강 : 탄소량이 0.3%이하의 강으로 가공성이 우수하고, 단접은 양호하다. 하지만 열처리가 불량하다. 극연강, 연강, 반연강이 있다.

㉡ 고탄소강 : 탄소량이 0.3%이상의 강으로 경도가 우수하고, 열처리가 양호하다. 하지만 단접이 불량하다. 반경강, 경강, 최경강이 있다.

㉢ 기계 구조용 탄소 강재 : 저탄소강(0.08 ~ 0.23%)구조물, 일반 기계 부품으로 사용한다.

㉣ 탄소 공구강 : 고탄소강(0.6 ~ 1.5%), 킬드강으로 제조한다.

㉤ 주강 : 수축률이 주철의 2배. 융점(1,600)이 높고 강도는 크나 유동성이 작다. 응력, 기포가 발생하여 조직이 억세므로 주조 후 풀림이 필요

㉥ 쾌삭강 : 강에 S, Zr, Pb, Ce 등을 첨가하여 절삭성을 향상시킨 강

㉦ 침탄강 : 표면에 C를 침투시켜 강인성과 내마멸성을 증가시킨 강

⑤ **강의 표준 조직**

㉠ 페라이트(α, δ) : 일명 지철이라고도 하며 순철에 가까운 조직으로 극히 연하고 상온에서 강자성체인 체심입방격자 조직이다.

㉡ 펄라이트($\alpha + Fe_3C$) : 726℃에서 오스테나이트가 페라이트와 시멘타이트의 층상의 공석정으로 변태한 것으로 페라이트보다 경도, 강도는 크며 어느 정도 연성도 가지고 있으며, 자성이 있다.

㉢ 오스테나이트(γ) : γ철에 탄소를 고용한 것으로 탄소가 최대 2.11% 고용된 것으로 723℃에서 안정된 조직으로 실온에서는 존재하기 어렵고 인성이 크며 상자성체이다.

㉣ 시멘타이트(Fe_3C) : 철에 탄소가 6.67% 화합된 철의 금속간 화합물로 현미경으로 보면 흰색의 침상으로 나타나는 조직으로, 고온의 강중에서 생성하는 탄화철을 말하며 경도가 높고 취성이 많으며 상온에선 강자성체이다. 또한 1,153℃에서 빠른 속도로 흑연을 분리시키는 특성을 가진다.

㉤ 레데부라이트 : 4.3% 탄소의 용융철이 1,148℃ 이하로 냉각될 때 2.11% 탄소의 오스테나이트와 6.67% 탄소의 시멘타이트로 정출되어 생긴 공정 주철이며, A_1점 이상에서는 안정적으로 존재하는 조직으로 경도가 크고 메지는 성질을 가진다.($\gamma + Fe_3C$)

⑥ **Fe-Fe₃ C 상태도**

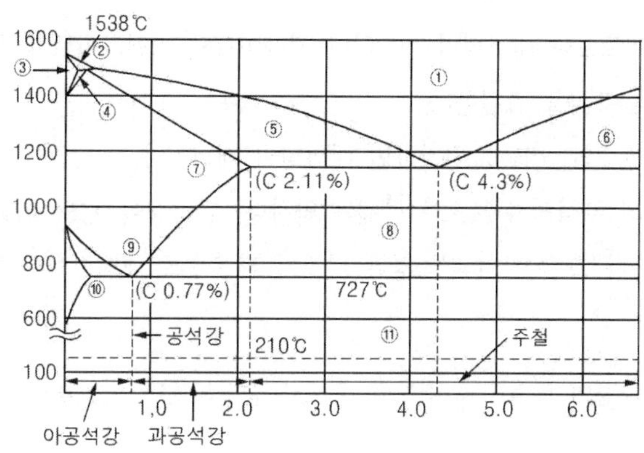

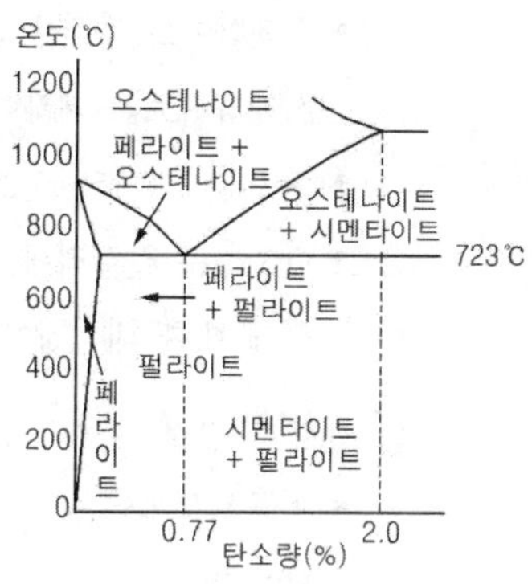

① 용액	② δ 고용체 + 용액	③ δ 고용체
④ δ 고용체 + γ 고용체	⑤ γ 고용체 + 용액	⑥ 용액 + Fe_3C
⑦ γ 고용체	⑧ γ 고용체 + Fe_3C	⑨ α 고용체 + γ 고용체
⑩ α 고용체	⑪ α 고용체 + Fe_3C	

⑦ 탄소강의 표준 상태의 성질

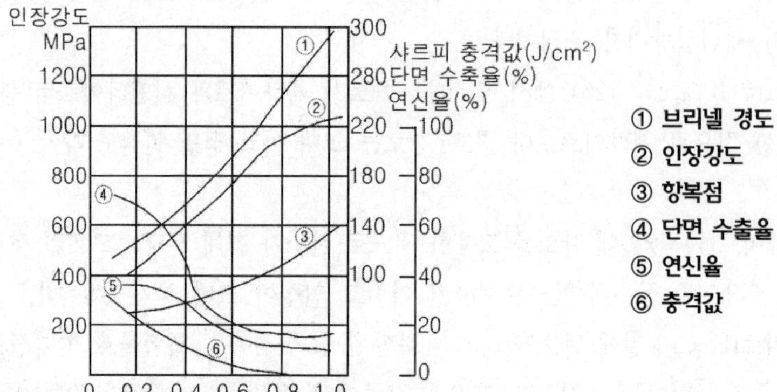

㉠ 물리적 성질과 화학적 성질

- 탄소강의 물리적 성질은 순철과 시멘타이트의 혼합물로서 그 근사 값을 알 수 있으며, 탄소 함유량에 따라 변한다.
- 비중과 선팽창 계수는 탄소의 함유량이 증가함에 따라 감소
- 비열, 전기 저항, 보자력 등은 탄소의 함유량이 증가함에 따라 증가
- 내식성은 탄소의 함유량이 증가할수록 저하
- 시멘타이트 자신은 페라이트보다 내식성이 우수하나 페라이트와 시멘타이트가 공존하게 되면 시멘타이트는 페라이트의 부식을 촉진한다.
- 탄소강에 0.15 ~ 0.25% 정도의 구리를 첨가하면 내식성이 개선된다.
- 탄소강은 알칼리에는 거의 부식되지 않으나 산에는 약하다. 탄소량이 0.2% 이하의 탄소강은 산에 대한 내식성이 있으나 그 이상의 탄소강은 탄소가 많을수록 내식성이 저하된다.

㉡ 기계적 성질

- 아공석강에서는 탄소 함유량이 많을수록 경도와 강도가 증가되지만 연신율과 충격값은 매우 낮아진다.
- 과공석강에서는 망상의 시멘타이트가 생겨 변형이 잘 안되며, 경도 또한 증가된다. 하지만 강도는 오히려 급속히 감소한다.

⑧ 탄소 이외 함유 원소의 영향

성분 원소	영 향
C	· 인장 강도, 경도 항복점 증가 · 연신율, 충격값, 비중, 열전도도는 감소
Mn (0.2 ~ 0.8)	· 인장 강도, 경도, 인성, 점성 증가, · 연성 감소 · 주조성과 담금질성 향상, 고온 가공성 증가 · 황화철(FeS)의 생성을 막아 황의 해(적열 취성)를 제거하며 일반적으로 탈산제로도 쓰인다. · 결정립의 성장 방해
Si 림드강 (0.1% 이하) 킬드강 (0.2 ~ 0.4)	· 인장 강도, 탄성 한도, 경도 증가 · 주조성(유동성) 증가 하지만 단접성은 저하시킴 · 연신율, 충격 값 저하시킴 · 결정립 조대화, 냉간 가공성 및 용접성 저하시킴 · 탈산제
S 쾌삭강 (0.08 ~ 0.35%)	· 인성, 변형률, 충격치가 저하하며 용접성을 저하시킴 · 고온 가공성을 해친다. · 적열 취성의 원인이 된다. · 일반적인 강에서는 0.03% 이하로 제한 · 0.25% 정도 첨가하여 절삭성을 향상
P 공구강 (0.025% 이하)	· 연신율 감소, 균열 발생, 충격값 저하 · 결정립을 거칠게 하며 냉간 가공성 저하 · 청열 취성에 원인
H	· 헤어 크랙 및 은점의 원인, 내부 균열의 원인
Cu	· 부식 저항 증가(내식성 향상) · 압연 할 때 균열 발생

비금속 개재물의 영향 Fe_2O_3, FeO, MnS, MnO, Al_2O_3, SiO_2 등
① 재료 내부에 점 상태로 존재하여 인성을 저하시키고 취성의 원인이 된다.
② 열처리 할 때 개재물로부터 균열이 생긴다.
③ 산화철이나 Al_2O_3, SiO_2 등은 단조나 압연시 균열을 일으키기 쉽고 취성의 원인이 된다.

4 합금강(특수강)

① **합금강의 정의** : 합금강은 탄소강에 다른 원소를 첨가하여 강의 기계적 성질을 개선한 강을 말하며, 특수한 성질을 부여하기 위하여 사용하는 특수 원소로는 Ni, Mn, W, Cr, Mo, V, Al 등이 있다.

② **합금강의 특징**

㉠ 기계적 성질이 개선된다.

㉡ 내식, 내마멸성이 좋아진다.

㉢ 고온에서의 기계적 성질 저하 방지를 할 수 있다.

㉣ 담금질성이 개선되다.

㉤ 단접 및 용접성 등이 좋아진다.

㉥ 전·자기적 성질이 개선된다.

㉦ 결정 입자의 성장을 방지한다.

③ 합금강의 분류

분 류	종 류	주요 용도
구조용 합금강	강인강	크랭크축, 기어, 볼트, 너트, 키, 축
	표면 경화용	기어, 축, 피스톤 핀, 스플라인 축 등
공구용 합금강	합금 공구강	절삭 공구, 프레스 금형, 정, 펀치 등
	고속도 공구강	절삭 공구, 금형 등
내식·내열용 합금강	스테인리스강	칼, 식기, 취사 용구, 화학 공업 장치
	내열강	내연 기관의 흡기·배기 밸브, 터빈 날개, 고온·고압 용기
	내식·내열 초합금	제트 엔지 부품, 터빈 날개
특수용도 합금강	쾌삭강	볼트, 너트, 기어 , 축 등
	스프링강	스프링, 축 등
	내마멸강	크로스 레일, 파쇄기 등
	베어링강	볼 베어링, 전동체(강구, 롤러) 등
	자석용강	전력 기기, 자석 등
	규소강	철심, 변압기 철심
	불변강	게이지, 시계추

④ 첨가 원소의 영향

첨가 원소	영 향
Ni	강인성과 내식성 및 내산성 증가, 저온 충격 저항 증가
Cr	적은 양에 의하여 경도와 인장강도가 증가하고, 함유량의 증가에 따라 내식성과 내열성 및 자경성이 커지며, 탄화물을 만들기 쉬워 내마멸성을 증가한다. 내식성 증가
Mo	텅스텐과 거의 흡사하나, 그 효과는 텅스텐의 약 2배이다. 담금질 깊이가 커지고, 크리프 저항과 내식성이 커진다. 뜨임 취성을 방지한다.
Mn	적은 양일 때는 거의 니켈과 같은 작용을 하며, 함유량이 증가하면 내마멸성이 커진다. 황의 해를 방지한다. 고온에서 강도 경도 증가, 탈산제

첨가 원소	영 향
Si	적은 양은 다소 경도와 인장 강도를 증가시키고 함유량이 많아지면 내식성과 내열성이 증가된다. 전기적 특성을 개선하며 탈산제, 유동성을 증가한다.
W	적은 양일 때에는 크롬과 비슷하며, 탄화물을 만들기 쉽고, 경도와 내마멸성이 커진다. 또한 고온 경도와 고온 강도가 커진다. 뜨임 취성 방지한다.
V	몰리브덴과 비슷한 성질이나, 경화성은 몰리브덴보다 훨씬 더하다. 단독으로는 그렇게 많이 사용하지 않고, 크롬 또는 크롬-텅스텐과 함께 있어야 비로소 그 효력이 나타난다.
Cu	석출 경화를 일으키기 쉽고, 내산화성을 나타낸다.
Co	고온 경도와 고온 인장 강도를 증가시키나 단독으로는 사용하지 않는다.
Ti	규소나 바나듐과 비슷하며, 입자 사이의 부식에 대한 저항을 증가시켜 탄화물을 만들기 쉬우며, 결정입자를 미세화시킨다.

⑤ 합금강의 분류

㉠ 구조용 합금강 : 탄소강 보다 큰 강도 및 우수한 기계적 성질이 요구될 때 크롬, 니켈, 몰리브덴, 망간, 규소 등을 첨가하여 내마멸성을 개선한 것으로 구종용 합금강은 담금질 및 뜨임처리를 하여 사용하는 것이 보통

분 류	종 류		특 징
강인강 인장 강도, 탄성한도, 연율, 충격치 등의 기계적 성질이 우수하고 가공성 및 내식성이 좋다.	Ni강 (1.5 ~ 5%)		· 질량 효과가 적고 자경성을 가진다.
	Cr강 (1 ~ 2%)		· 자경성이 있어 경도 증가, 내마모성 및 내식성 개선
	Mn강	저Mn강 (1 ~ 2%)	· 일명 듀콜강, 조직은 펄라이트 · 용접성 우수, 내식성 개선 위해 Cu첨가
		고Mn강 (10 ~ 14%)	· 하드 필드강(수인강), 조직은 오스테나이트 · 경고가 커서 내마모재, 광산 기계, 칠드 롤러
	Ni-Cr강 (1% 이하)		· 일명 SNC, 뜨임 취성이 있다. · 850℃에서 담금질하고 600℃에서 뜨임하여 소르바이트 조직
	Ni-Cr-Mo강		· Mo 0.15 ~ 0.3첨가로 뜨임 취성 · 가장 우수한 구조용강
	Cr-Mo강		· SNC 대용품
	Cr-Mn-Si강		· 크로만실, 철도용, 크랭크축 등
쾌삭강 (피절삭성향상)	S, Pb		· 강도를 요하지 않는 부분에 사용
표면 경화용강	침탄강		· Ni, Cr, Mo 첨가
	질화강		· Al, Cr, Mo, Ti, V 등 첨가
스프링강 탄성·피로한도 개선	Si-Mn, Cr-Mn, Cr-V, SUS		· 자동차, 내식, 내열 스프링

㉡ 공구용 합금강 : 고온 경도, 내마모성, 강인성이 크며, 열처리가 쉬운 강

분 류	종류 (성분 원소)	특 징
합금 공구강 (STS)	탄소 공구강에 Cr, Ni, W, V, Mo 첨가	· 내마모성 개선, 담금질 효과 개선 · 결정의 미세화
고속도강 (SKH)	W 고속도강 W : Cr : V 18 : 4 : 1	· 600℃ 경도 유지 · 표준형 고속도강으로 일명 H. S. S · 예열 : 800 ~ 900℃ · 1차 경화 1,250 ~ 1,300℃ 담금질 · 2차 경화 550 ~ 580℃에서 뜨임
	Co 고속도강	· 표준형에 Co 3% · 경도 및 점성 증가
	Mo 고속도강	· Mo 첨가로 뜨임 취성 방지
주조 경질 합금	스텔라이트 Co - Cr - W	· 단조가 곤란하여 주조한 상태로 연삭하여 사용 · 절삭 속도는 고속도강의 2배이나 인성은 떨어짐
소결 경질 합금	초경 합금 WC - Co TiC - Co TaC - Co	· Co 점결제, 열처리 불필요 · 수소 기류 중에서 소결 · 1차 소결 : 800 ~ 1,000℃ · 2차 소결 : 1,400 ~ 1,450℃ · D(다이스), G(주철), S(강절삭용) · 내마모성 및 고온 경도는 크나 충격에 약하다.
비금속 초경합금	세라믹(Al_2O_3)	· 1,600℃에서 소결 · 충격에 대단히 약하다. 고온 절삭용
시효 경화 합금	Fe - W - Co	· 뜨임 경도가 높고 내열성이 우수 · 고속도강 보다 수명이 길고 석출 경화성이 크다.

㉢ 특수용도 합금강

분 류	종류(성분 원소)		특 징
스테인리스강 (SUS)	Cr계	페라이트계 (Cr 18%) STS 430	· 강인성 및 내식성이 있다. · 열처리에 의해 경화가 가능하다. · 용접은 가능하다. 자성체이다.
		마텐자이트계 (Cr 13%) STS 410	· 13Cr을 담금질하여 얻는다. · 18Cr 보다 강도가 좋다. · 자경성이 있으며 자성체이다. · 용접성이 불량하다.
	오스테나이트계 (Cr(18) - Ni(8)) STS 304		· 내식, 내산성이 13Cr 보다 우수 · 용접성이 SUS중 가장 우수 · 담금질로 경화되지 않는다. 비자성체

분 류	종류(성분 원소)	특 징
내열강	Al, Si, Cr을 첨가 산화피막 형성	· 고온에서 성질이 변하지 않는다. · 열에 의한 팽창 및 변형이 적다. · 냉간·열간 가공, 용접이 쉽다. · 탐켄, 해스텔로이, 인코넬, 서미트
자석강(SK)	Si강	· 잔류 자기 항장력이 크다.
베어링강	고탄소 크롬강	· 내구성이 크며, 담금질 직후 반드시 뜨임 필요
불변강	인바(Ni 36%)	· 팽창 계수가 적다. · 표준척, 열전쌍, 시계 등에 사용
	엘린바 (Ni(36) - Cr(12))	· 상온에서 탄성률이 변하지 않음 · 시계 스프링, 정밀 계측기 등
	플래티 나이트 (Ni 10 ~ 16%)	· 백금 대용 · 전구, 진공관 유리의 봉입선 등
	퍼멀로이 (Ni 75 ~ 80%)	· 고 투자율 합금 · 해전 전선의 장하 코일용 등
	기타	· 코엘린바, 초인바, 이소에라스틱

스테인리스강은 성분에 따라 다음과 같이 구분한다.
200번 계열 : Cr-Ni-Mn (오스테나이트계)
300번 계열 : Cr-Ni (오스테나이트계, 2상계)
400번 계열 : Cr (마텐자이트 및 페라이트계)
500번 계열 : Cr-Ni (고강도 석출 경화계)

5 주강

(가) 주강의 개요

① 용융한 탄소강 또는 합금강을 주조 방법에 의해 만든 제품을 주강품 또는 강주물이라 하며 그 재질을 주강(cast steel)이라 한다.

② 주강의 탄소량은 0.4 ~ 0.5% 이하를 함유하는 경우가 대부분으로 그 용융 온도가 1,600℃ 전후의 고온이 되기 때문에 주철에 비하여 그 취급이 까다롭다.

③ 주강의 경우는 주철의 비하여 응고 수축이 크다.

(나) 주강의 특성

① 탄소 주강의 강도는 탄소량이 많아질수록 커지고, 연성은 감소하게 되며, 충격값은 떨어지며

용접성도 나빠진다.

② 망간의 함유량이 증가하면 인장강도는 커지나 탄소에 비해 그 영향은 크지 않다.

③ 탄소 주강은 풀림 또는 불림을 하여 사용한다. 불림을 한 것은 풀림을 한 것 보다 결정립이 미세해져 인장 강도가 높아지고, 연신율도 향상된다.

④ 주철에 비하여 기계적 성질이 우수하고, 용접에 의한 보수가 용이하며, 단조품이나 압연품에 비하여 방향성이 없는 것이 큰 특징이다.

(다) 주강의 조직

① 주강은 Fe-C의 합금으로 C의 함유량이 주철에 비해 낮다.

② 주강의 현미경 조직은 C가 0.8% 이하의 경우에는 페라이트와 펄라이트가 존재하고, 펄라이트는 C 함유량이 많을수록 많아진다. C가 0.8% 이상에서는 펄라이트와 유리 시멘타이트로 되는데 C량이 많아질수록 시멘타이트의 양이 많아진다.

(라) 주강의 열처리

① 주강품은 주조 상태로서는 조직이 억세고 취약하기 때문에 주조한 다음 반드시 풀림 열처리를 하여 조직을 미세화 시킴과 동시에, 주조할 때 생긴 응력을 제거하여 사용한다.

② 보통 주강에 실시하는 열처리는 탄소강의 열처리 방법과 같으나, 담금질은 합금의 첨가 효과를 높이기 위하여 실시한다. 담금질한 다음에는 내부 응력의 제거와 인성을 부여하기 위하여 뜨임을 한다.

(마) 주강의 종류와 용도

① 보통 주강(carbon cast steel)

- 보통 주강은 탄소 주강이라고도 하며, 탄소의 함유량에 따라 0.2%이하의 저탄소 주강, 0.2 ~ 0.5%의 중탄소 주강, 그 이상의 고탄소 주강으로 구분
- 탈산제로는 규소, 망간, 알루미늄, 티탄 등이 첨가되어 있다.
- 보통 주강에서는 규소나 망간을 0.5% 이내로 하는 것이 일반적이다.
- 철도, 조선, 광산용 기계 및 설비 그리고 구조물 및 기계 부품 등의 기계 재료로 사용된다.

② 합금 주강(alloy cast steel)

- 합금 주강은 강도 또는 내식성, 내열성 및 내마멸성 등을 향상시키기 위하여 보통 주강에 니켈, 망간, 구리, 몰리브덴, 바나듐 등의 원소를 1종 또는 2종 이상 배합한 주강을 말한다.
- 종류로는 니켈 주강(강인성을 높힐 목적), 크롬 주강(강도와 내마멸성이 증가), 니켈-크롬 주강(저합금 주강으로 강도가 크고 인성이 양호), 망간 주강(펄라이트계인 저망간 주강은 열처리하여 제지용 롤 등에 사용)이 있다.

6 주철

(가) 주철의 개요

① 주철의 탄소 함유량은 2.0 ~ 6.68%의 강이다.

② 실용적 주철은 2.5 ~ 4.5%의 강이다.

③ 철강보다 용융점(1,150 ~ 1,350℃)이 낮아 복잡한 것이라도 주조하기 쉽고 또 값이 싸기 때문에 일반 기계 부품과 몸체 등의 재료로 널리 쓰인다.

④ 전·연성이 작고 가공이 안 된다.

⑤ 비중 7.1 ~ 7.3으로 흑연이 많아질수록 낮아진다.

⑥ 담금질, 뜨임은 안 되나 주조 응력의 제거 목적으로 풀림 처리는 가능하다.

⑦ 자연 시효 : 주조 후 장시간 방치하여 주조 응력을 제거하는 것이다.

(나) 주철의 성장

고온에서 장시간 유지 또는 가열 냉각을 반복하면 주철의 부피가 팽창하여 변형 균열이 발생하는 현상

- Fe_3C의 흑연화에 의한 성장
- A_1 변태에 따른 체적의 변화
- 페라이트 중에 고용되어 있는 규소의 산화에 의한 팽창
- 불균일한 가열로 생기는 균열에 의한 팽창
- 흡수된 가스에 의한 팽창

① **흑연화**

　㉠ 촉진제 : Si, Ni, Ti, Al

　㉡ 흑연화 방지제 : Mo, S, Cr, V, Mn

② **전 탄소량** : 유리 탄소와 화합 탄소를 합친 양

③ 탄소 4.3% 공정 주철 1.7 ~ 4.3% 아공정 주철 4.3%이상 과공정 주철

(다) 주철의 장·단점

장 점	단 점
• 용융점이 낮고 유동성(주조성)이 좋다. • 마찰 저항성이 우수하다. • 내식성이 있다. • 가격이 저렴하며 절삭 가공이 된다. • 압축 강도가 크다.(인장강도의 3 ~ 4배)	• 인장 강도와 충격값이 작다. • 상온에서 가단성 및 연성이 없다. • 용접이 곤란하다.

(라) 주철의 조직

① **구성** : 펄라이트와 페라이트가 흑연으로 구성

② **주철 중의 탄소의 형상**

㉠ 유리 탄소(흑연) - 규소가 많고 냉각 속도가 느릴 때 회주철(편상)

- 흑연은 인장 강도를 약하게 하나, 흑연의 양, 크기, 모양 및 분포 상태는 주물의 특징인 주조성, 내마멸성 및 절삭성, 인성 등을 좋게 하는데 영향을 끼친다.
- 흑연을 구상화 하면 흑연이 철 중에 미세한 알갱이 상태로 존재하게 되어 주철을 탄소강과 유사한 강인한 조직을 만들 수 있다.
- 안정 평형 상태

㉡ 화합 탄소(Fe_3C) - 규소가 적고, 망간이 많고, 냉각 속도가 빠를 때 백주철(괴상)

- 주철에서 나타나는 상은 흑연을 비롯하여 Fe_3C, MnS, FeS, Fe_3P등이 있는데 이중 Fe_3C(시멘타이트)의 경도가 1,100(HV)정도로 가장 단단하다.
- 준안정 평형 상태

③ **흑연화** : 화합 탄소가 3Fe와 C로 분리되는 것

④ **흑연화의 영향** : 용융점을 낮게 하고 강도가 작아진다.

(마) 마우러 조직 선도

C, Si의 양 냉각 속도에 따른 조직의 변화를 표시한 것

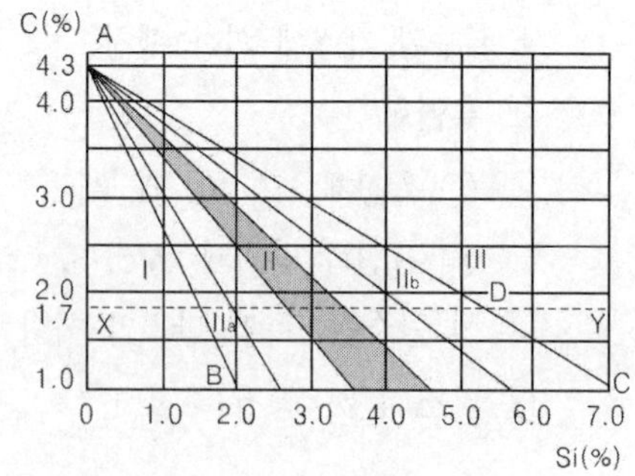

① **페라이트(ferrite)** : 페라이트는 철을 주체로 한 고용체로서, 주철에 있어서는 규소의 전부, 망간의 일부 및 극히 소량의 탄소를 포함하고 있다.

② **펄라이트(pearlite)** : 단단한 시멘타이트와 연한 페라이트가 혼합된 상이므로 그 성질은 양자의 중간정도이다.

㉠ 백주철(I) : pearlite + cementite

㉡ 반주철(IIa) : pearlite + cementite + 흑연

㉢ 펄라이트 주철(II) : pearlite + 흑연

㉣ 보통주철(IIb) : pearlite + ferrite + 흑연 → 일명 회주철

㉤ 극연주철(III) : ferrite + 흑연 → 페라이트 주철

③ **흑연의 모양과 분포**

㉠ A형 : 편상구조로 기계적 성질 우수

ⓛ B형 : 장미꽃 형태로 기계적 성질이 나쁘다.

ⓒ C형 : 미세한 흑연 중에 조대한 초정 흑연이 혼합되어 있다.

ⓔ D형 : 미세한 공정 흑연으로 강도 내마멸성이 나쁘다.

ⓜ E형 : 수지 상정 간의 편석 형태의 분포를 하고 있으며, 강도는 높지만 굴곡성이 부족하다.

(A형)

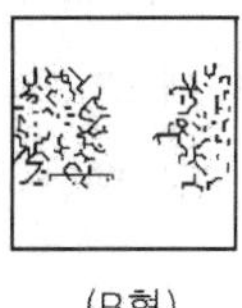
(B형)

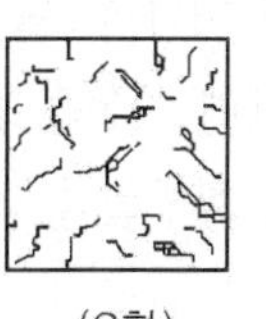
(C형)

(D형)

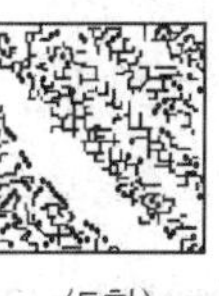
(E형)

④ **스테타이트** : Fe - Fe_3C - Fe_3P의 3원 공정 조직 내마모성이 강해지나 오히려 다량일 때는 취약해진다.

(바) 주철의 성질

① 물리적 성질

㉠ 비중은 규소와 탄소가 많을수록 작아지며, 용융 온도는 낮아진다.

ⓛ 흑연편이 클수록 자기 감응도가 나빠진다.

ⓒ 투자율을 크게 하기 위해서는 화합 탄소를 적게 하고 유리 탄소를 균일하게 분포시킨다.

ⓔ 규소와 니켈의 양이 증가할수록 고유 저항이 높아진다.

② 화학적 성질

㉠ 염산, 질산 등의 산에는 약하나 알칼리에는 강하다.

ⓛ 물에 대한 내식성이 매우 좋아 상수도용 관으로 사용한다. 하지만 물이 급속하게 충돌하는 곳에서는 주철은 심하게 침식된다.

ⓒ 바닷물에 대해서는 비교적 내식성이 좋으나 파도 등의 충격을 받으면 침식이 쉽게 일어난다.

③ 기계적 성질

㉠ 주철은 경도를 측정하여 그 값에 따라 재질을 판단할 수 있으며 주로 브리넬 경도(HB)로 사용하며, 페라이트가 많은 것은 HB = 80 ~ 120, 백주철의 경우에는 HB = 420 정도이다.

ⓛ 주철의 기계적 성질은 탄소강과 같이 화학성분만으로는 규정할 수가 없기 때문에, KS규격에서는 인장강도를 기준으로 분류하고 있으며, 회주철의 경우는 98 ~ 440MPa범위이다. 하지만 탄소, 규소의 함유량과 주물 두께의 영향을 같이 나타내기 위하여 편의상 탄소 포화도를 사용하며 얇은 주물을 제외하고는 포화도 Sc = 0.8 ~ 0.9정도의 것이 가장 큰 인장강도를 갖는다.

ⓒ 압축강도는 인장강도의 3 ~ 4배 정도이며, 보통 주철에서는 4배 정도이며, 고급 주철 일수록 그 비율은 작아진다.

㉣ 주철은 깨지기 쉬운 큰 결점을 가지고 있다. 하지만 고급 주철은 어느 정도 충격에 견딜 수 있다. 저탄소, 저규소로 흑연량이 적고 유리 시멘타이트가 없는 주철은 다른 주철에 비하여 충격값이 크다.

㉤ 주철 조직 중 흑연이 윤활제 역할을 하고, 흑연 자신이 윤활유를 흡수, 보유하므로 내마멸성이 커진다. 크롬을 첨가하면 내마멸성을 증가시킨다.

㉥ 회주철에는 흑연이 존재에 의해 진동을 받을 때 그 에너지를 속히 흡수하는 특성이 있으며, 이 성능을 감쇠능이라 한다. 회주철의 감쇠능은 대단히 양호하며, 강의 5 ~ 10배에 달한다.

④ 고온에서의 성질

㉠ 주철 조직에 함유되어 있는 시멘타이트는 고온에서는 불안정한 상태로 존재하며, 450 ~ 600℃에 이르면 철과 흑연으로 분해하기 시작하여 750 ~ 800℃에서 $Fe_3C \rightarrow 3Fe + C$로 분해하게 되는데 이를 시멘타이트의 흑연화라 한다.

㉡ 주철은 A_1 변태점 이상의 온도에서 장시간 방치하거나 다시 되풀이하여 가열하면 점차로 그 부피가 증가되는 성질이 있는데, 이러한 성질을 주철의 성장이라 한다.

㉢ 주철은 400℃ 정도까지는 상온에서와 같이 내열성을 가지나 400℃를 넘으면 강도가 점차 저하되고 내열성도 나빠진다.

㉣ 유동성은 용해 후 주형에 주입할 때 주철 쇳물의 흐르는 정도를 나타내는 것으로 탄소, 규소, 인, 망간 등의 함유량이 많을수록 유동성은 증가하나 황은 유동성을 나쁘게 하는 원소이다.

㉤ 주입 후 냉각 응고시에는 부피의 변화가 나타나며, 응고 후에도 온도의 강하에 따라 수축이 생긴다. 수축에 의하여 균열과 수축 구멍 등의 결함이 발생한다.

⑤ 여러 원소의 영향

㉠ 탄소 이외의 원소는 탄소 함유량으로 환산하는데 이를 탄소 당량이라 한다.

$$\text{탄소당량} = C(\%) + \frac{1}{3}Si(\%),$$

$$\text{탄소포화도}(Sc) = \frac{\text{전체탄소함유량}}{4.3 - \dfrac{Si}{3.2} - 0.2759}$$

- 탄소 포화도 Sc가 1인 경우에는 정확하게 공정이 되고, 흑연과 오스테나이트를 동시에 정출한다. 또 탄소 포화도가 1이하일 때에는 아공정 성분, 1이상일 때에는 과공정 성분으로 된다.

㉡ 탄소 당량이 높은 것은 예열과 후열이 필요하다.

㉢ 탄소 당량이 커지면 저온 균열의 원인이 된다.

㉣ 탄소 당량이 높으면 용접 후에 서냉하여야 된다.

첨가 원소	영 향
C	주철 중의 탄소는 화합 탄소와 유리 탄소로 존재하며 이것이 합해져 전 탄소량이 된다. 탄소 함유량이 4.3%까지의 범위 안에서는 탄소 함유량의 증가와 더불어 용융점이 저하되며, 주조성이 좋아진다. 화합탄소가 많으면 파단면은 흰색이 되어, 쇳물을 주입할 때의 유동성도 나쁘고 냉각시에 수축이 커진다. 흑연이 많으면 수축이 적게 되고 유동성도 좋아지며, 파단면은 회색이 된다.
Si	규소는 화합 탄소를 분리하여 흑연을 유리시키는 성질이 있어 주철의 질을 연하게 하고 냉각시 수축을 적게 하는 데 영향을 끼친다.
Mn	보통 주철에서는 0.4 ~ 1.0% 망간을 함유하고 탈황제로 작용한다. 망간은 황과 화합하여 황화망간으로 되어 용해 금속 표면에 떠오르며, 적은 양은 주철의 재질과는 무관하다. 망간 함유량이 증가함에 따라 펄라이트는 미세해지고, 페라이트는 감소한다.
P	주철 중의 인은 제철 과정에서 광석, 코크스 및 석회석으로부터 들어간다. 인이 들어가면 용융점이 저하되어 유동성은 좋아지나 탄소의 용해도가 저하되어 시멘타이트가 많아지면서 단단하고 취약해지므로 보통 주물에서는 0.5% 이하가 좋다.
S	황은 거의 전부가 선철 제조 과정에서 코크스로부터 들어가게 되는데 망간이 적을 때 황화철로 편석 하여 균열의 원인이 된다. 황은 시멘타이트를 안정시키나 많은 황이 존재하면 메짐성이 증가하며, 강도가 현저히 감소된다. 흑연의 정출을 방해하는 황은 유해 원소로 알려지고 있으며 망간이 0.6% 이상 함유되면 0.12%까지 황은 큰 영향은 없다. 하지만 구상 흑연 주철에서 황이 구상화를 방해하게 되므로 0.03%이하로 제한하고 있다.
Ni	페라이트 속에 잘 고용되어 있으며 강도를 증가시키고, 펄라이트를 미세하게 하여 흑연화를 증가시킨다. 또 흑연을 균일하게 분포시키므로 내열성, 내식성 및 내마멸성을 증가시킨다.
Cr	탄화물을 형성시키는 원소이므로 흑연 함유량을 감소시키는 한편 미세하게 하여 주물을 단단하게 한다. 그러나 시멘타이트의 분해가 곤란하므로 가단주철을 제조할 때에는 크롬의 함유량을 최소화하는 것이 좋다.
Cu	적은 양이면 흑연화 작용을 약간 촉진시키며, 인장 강도와 내산, 내식성을 크게 한다. 그러나 너무 많이 혼입하면 시멘타이트의 분해는 대단히 곤란해지므로 약 0.1 ~ 0.5%정도로 제한해야 한다.
Mg	흑연의 구상화를 일으키며, 기계적 성질을 좋게 한다. 따라서 구상화 주철은 구상화제로 마그네슘 합금을 사용한다.

(사) 주철의 종류

① 보통 주철(회주철 GC 1 ~ 3종)

㉠ 인장 강도 10 ~ 20kg/mm²

㉡ 조직은 페라이트 + 흑연으로 주물 및 일반 기계 부품에 사용

㉢ C = 3.2 ~ 3.8% Si = 1.4 ~ 2.5% Mn = 0.4 ~ 1.0%, P = 0.3 ~ 0.8%, S 〈 0.06%

② 고급주철(회주철 GC : 4 ~ 6)

㉠ 펄라이트 주철을 말한다.

㉡ 인장강도 25kg/mm²이상

㉢ 고강도를 위하여 C, Si량을 작게 한다.

㉣ 조직펄라이트 + 흑연으로 주로 강도를 요하는 기계 부품에 사용

㉤ 종류로는 란쯔, 에멜, 코살리, 파워스키, 미하나이트 주철이 있다.

③ 특수 주철의 종류

종 류	특 징
미하나이트 주철	· 흑연의 형상을 미세 균일하게 하기 위하여 Si, Si - Ca분말을 첨가하여 흑연의 핵형성을 촉진한다. · 인장강도 35 ~ 45kg/mm² · 조직 : 펄라이트 + 흑연(미세) · 담금질이 가능하다. · 고강도 내마멸, 내열성 주철 · 공작 기계 안내면, 내연 기관 실린더 등에 사용
특수합금 주철	· 특수 원소 첨가하여 강도, 내열성, 내마모성 개선 · 내열 주철(크롬 주철) : Austenite 주철로 비자성 니크로실날 · 내산 주철(규소 주철) : 절삭이 안되므로 연삭 가공에 의하여 사용 · 고력 합금주철 : 보통주철 + Ni(0.5 ~ 2.0) + Cr + Mo의 에시큘러주철이 있다.
칠드 주철	· 용융 상태에서 금형에 주입하여 접촉면을 백주철로 만든 것 · 각종의 롤러 기차 바퀴에 사용한다. · Si가 적은 용선에 망간을 첨가하여 금형에 주입
구상흑연 주철 (노듈러 주철) (덕타일주철)	· 용융 상태에서 Mg, Ce, Mg - Cu 등을 첨가하여 흑연을 편상에서 구상화로 석출시킨다. · 기계적 성질 인장 강도는 50 ~ 70kg/mm² (주조상태), 풀림 상태에서는 45 ~ 55kg/mm² 이다. 연신율은 12 ~ 20%정도로 강과 비슷하다. · 조직은 Cementite형(Mg첨가량이 많고 C, Si가 적고 냉각 속도가 빠를 때 Pearlite형 (Cementite와 Ferrite의 중간), Ferrite 형(Mg양이 적당, C 및 특히 Si가 많고, 냉각 속도 느릴 때) 만들어진다. · 성장도 적으며, 산화되기 어렵다. · 가열 할 때 발생하는 산화 및 균열 성장이 방지
가단 주철	· 백심 가단주철(WMC) 탈탄이 주목적 산화철을 가하여 950℃에서 70 ~ 100시간 가열 · 흑심 가단주철(BMC) Fe_3C의 흑연화가 목적 1단계 (850 ~ 950℃ 풀림)유리 Fe_3C → 흑연화 2단계 (680 ~ 730℃ 풀림)Pearlite중에 Fe_3C → 흑연화 · 고력 펄라이트 가단 주철 (PMC) 흑심 가단주철에 2단계를 생략한 것 · 가단주철의 탈탄제 : 철광석, 밀 스케일, 헤어 스케일 등의 산화철을 사용

④ 주철의 열처리

㉠ 주조 후 장기간 방치하여 두면 주조 응력이 없어지는 일이 있는 이를 자연시효라 한다.

㉡ 주조 응력을 제거하려면 풀림 열처리(500 ~ 600℃)하면 된다.

03 열처리

1 일반 열처리

(가) 열처리의 목적

금속을 적당한 온도로 가열 및 냉각시켜 특별한 성질을 부여하는데 있다.

(나) 담금질

① 강을 A_3 변태 및 A_1 선 이상 30 ~ 50℃로 가열한 후 수냉 또는 유냉으로 급랭시키는 방법

② 조직

㉠ 마텐자이트(Martensite) : 강을 수냉한 침상 조직으로 강도는 크나 취성이 있다.

㉡ 트루스타이트(Troosite) : 강을 유냉한 조직으로 α - Fe과 Fe_3C의 혼합 조직

㉢ 소르바이트(Sorbite) : 공냉 또는 유냉 조직으로 α - Fe과 Fe_3C의 혼합조직이다. 강도와 탄성을 동시에 요구하는 구조용 재료로 사용한다.

㉣ 오스테나이트(Austenite) : α - Fe과 Fe_3C의 침상 조직으로 노중 냉각하여 얻는 조직으로 연성이 크고, 상온 가공과 절삭성이 양호하다.

③ **서브제로 처리(심랭 처리)** : 담금질 직후 잔류 오스테나이트를 없애기 위해서 0℃ 이하로 냉각하는 것으로 치수의 정확을 요하는 게이지 등을 만들 때 심랭 처리를 하는 것이 좋다.

④ **질량 효과** : 재료의 크기에 따라 내·외부의 냉각 속도가 틀려져 경도가 차이나는 것을 질량 효과라 한다. 일반적으로 탄소강은 질량 효과가 크며 니켈, 크롬, 망간, 몰리브덴 등을 함유한 특수강은 임계 냉각 속도가 낮으므로 질량 효과도 작다. 또한 질량 효과가 작다는 것은 열처리가 잘 된다는 것이다.

⑤ **경화능 시험** : 재료에 따라 담금질이 어느 정도 잘 되느냐 하는 성질을 나타낼 때 경화능이라 하고 강의 열처리 효과는 경화능과 담금질재의 냉각능에 의해 결정된다. 주로 시험 방법은 조미니 시험이 널리 쓰이고 있다.

⑥ **각 조직의 경도 순서** : M 〉 T 〉 S 〉 P 〉 A 〉 F

⑦ **냉각 속도에 따른 조직 변화 순서** : M(수냉) 〉 T(유냉) 〉 S(공랭) 〉 P(노냉) 이중 Pearlite는 열처리 조직이 아님

⑧ **담금질 액**

㉠ 소금물 : 냉각 속도가 가장 빠르다.

㉡ 물 : 처음은 경화능이 크나 온도가 올라 갈수록 저하한다.

㉢ 기름 : 처음은 경화능이 작으나 온도가 올라갈수록 커진다.

㉣ 염화나트륨 10% 또는 수산화나트륨 10% 용액 냉각 능력이 크다.

(다) 뜨임

① 담금질된 강을 A_1 변태점 이하로 가열 후 냉각시켜 담금질로 인한 취성을 제거하고 경도를 떨어뜨려 강인성을 증가시키기 위한 열처리이다.

② **뜨임의 종류**

㉠ 저온 뜨임 : 내부 응력만 제거하고 경도 유지 150℃

㉡ 고온 뜨임 : Sorbite 조직으로 만들어 강인성 유지 500 ~ 600℃

③ **뜨임 조직의 변화** :

조직의 변화	뜨임온도(℃)
α-마텐자이트 → β-마텐자이트	100 ~ 200
마텐자이트 → 트루스타이트	250 ~ 400
트루스타이트 → 소르바이트	400 ~ 600
소르바이트 → 펄라이트	650

④ **뜨임 취성의 종류**

㉠ 저온 뜨임 취성 : 300 ~ 350℃ 정도에서 충격치가 저하되는 현상

㉡ 뜨임 시효 취성 : 500℃ 정도에서 시간에 경과와 더불어 충격치가 저하되는 현상으로 Mo첨가로 방지 가능

㉢ 뜨임 서냉 취성 : 550 ~ 650℃ 정도에서 수냉 및 유냉한 것보다 서냉하면 취성이 커지는 현상

(라) 불림

① 조직을 표준화 즉 균일화하기 위하여 공냉한다.

② A_3 또는 Acm 변태점 이상 30 ~ 50℃의 온도 범위로 일정시간 가열해서 미세하고 균일한 오스테나이트로 만든 후 공기 중에서 서냉시키면 미세한 α고용체와 Fe_3C로 조직이 변하여 기계적 성질이 향상

③ 불림에서 유의점은 서서히 가열하여 국부적인 가열을 피하고 강재의 크기에 따라 적당한 가열 시간을 유지하고, 필요 이상의 고온 가열이나 장시간 가열을 하지 않는다.

탄소량(%)	불림온도(℃)
0.16이하	925
0.17 ~ 0.34	875
0.35 ~ 0.54	850
0.55 ~ 0.79	830

(마) 풀림

재질의 연화 및 응력제거를 목적으로 노내에서 서냉한다.

① **풀림의 목적** : 강을 연하게 하여 기계가공성 향상(완전 풀림), 내부 응력을 제거(응력 제거 풀림), 기계적 성질을 개선(구상화 풀림)

② **풀림의 종류**

㉠ 고온 풀림

- 완전 풀림 : A_3 또는 A_1 변태점 보다 30 ~ 50℃ 높은 온도로 가열하고 일정시간 유지한 다음 노 안에서 아주 서서히 냉각시키면 변태에 의하여 거칠고 큰 결정 입자가 붕괴되어 새로운 미세한 결정 입자가 되며, 내부 응력도 제거되어 연화된다.
- 확산 풀림 : 강의 오스테나이트를 A_3선 또는 Acm선 이상의 적당한 온도로 가열한 다음 장시간 유지하면 결정립 내에 짙어진 탄소, 인, 황 등의 원소가 확산되면서 농도차가 작아진다. 온도는 보통 1,200 ~ 1,300℃이다.
- 항온 풀림

㉡ 저온 풀림

- 응력 제거 풀림 : 주조, 단조, 압연, 용접 및 열처리에 의해 생긴 열응력과 기계가공에 의해 생긴 내부 응력을 제거할 목적으로 150 ~ 600℃정도의 비교적 낮은 온도에서 실시하는 풀림
- 구상화 풀림 : 구상화 열처리는 A_1 변태점 바로 아래나 위의 온도에서 일정 시간을 유지한 다음 서냉하면 시멘타이트는 미세하게 분리되면서 계면 장력에 따라 구상화된다.
- 가공 도중 재료를 연화시키는 연화 풀림 또는 중간 풀림

2 특수 열처리

(가) 항온 열처리

① **효과** : 담금질과 뜨임을 같이 하므로 균열 방지 및 변형 감소의 효과가 있다.

② **방법** : 강을 Ac_1 변태점 이상으로 가열한 후 변태점 이하의 어느 일정한 온도로 유지된 항온 담금질욕 중에 넣어 일정한 시간 항온 유지 후 냉각하는 열처리이다.

③ **특징** : 계단 열처리 보다 균열 및 변형 감소와 인성이 좋다. 특수강 및 공구강에 좋다.

④ **종류**

㉠ 오스템퍼 : 베이나이트 담금질로 뜨임이 불필요하다.

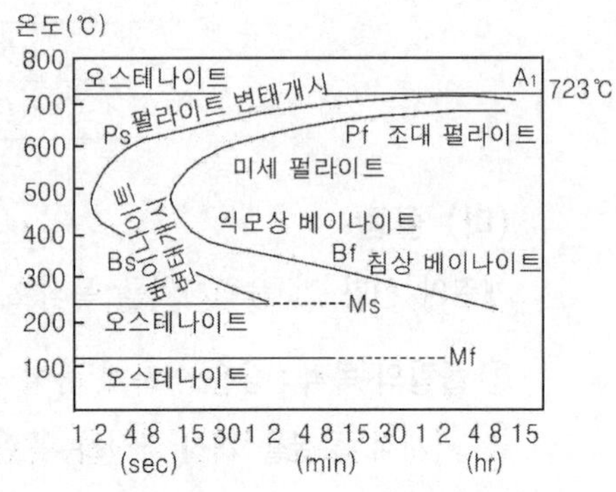

㉡ 마템퍼 : 마텐자이트와 베이나이트의 혼합조직으로 충격치가 높아진다.

㉢ 마퀜칭 : S곡선의 코 아래에서 항온 열처리 후 뜨임으로 담금 균열과 변형이 적은 조직이 된다.

㉣ 타임 퀜칭 : 수중 혹은 유중 담금질하여 300~400℃ 정도 냉각 시킨 후 다시 수냉 또는 유냉하는 방법

㉤ 항온 뜨임 : 뜨임 작업에서 보다 인성이 큰 조직을 얻을 때 사용하는 것으로 고속도강, 다이스강의 뜨임에 사용한다.

㉥ 항온 풀림 : S곡선의 코 혹은 다소 높은 온도에서 항온 변태 후 공랭하여 연질의 펄라이트를 얻는 방법

임계 냉각 속도 : 마텐자이트 변태는 어느 한도 이상의 냉각 속도가 아니면 변태가 일어나지 않는 것을 말한다.

(나) 표면 경화법

① **침탄법**

㉠ 고체 침탄법 : 침탄제인 코크스 분말이나 목탄과 침탄 촉진제(탄산바륨, 적혈염, 소금)를 소재와 함께 900~950℃로 3~4시간 가열하여 표면에서 0.5~2mm의 침탄층을 얻음.

㉡ 액체 침탄법 : 침탄제인 NaCN, KCN에 염화물 NaCl, KCl, $CaCl_2$ 등과 탄화염을 40~50%첨가하고 600~900℃에서 용해하여 C와 N가 동시에 소재의 표면에 침투하게 하여 표면을 경화시키는 방법으로 침탄 질화법이라고도 한다.

㉢ 가스 침탄법 : 메탄가스, 프로판 가스 등에 탄화 수소계 가스로 가득 찬 노 안에 놓고 일정시간 가열하여 소재 표면으로 탄소의 확산이 이루어지게 하는 침탄법이다. 가스 침탄법은 침탄 온도, 기체 공급량, 기체 혼합비 등의 조절로 균일한 침탄층을 얻을 수 있고, 작업이 간편하며, 열효율이 높고, 연속적으로 침탄 온도에서의 직접 담금질이 가능하다는 장점이 있어 공업적으로 다량 침탄을 할 때 이용된다. 침탄 조작, 즉, 고온가열이 완료된 후에는 일단 서냉시킨 다음 1차·2차 담금질, 뜨임을 한다.

② **질화법** : 암모니아(NH_3)가스를 이용하여 520℃에서 50 ~ 100시간 가열하면 Al, Cr, Mo 등이 질화되며, 질화가 불필요하면 Ni, Sn도금을 한다. 질화법에는 암모니아 분해가스를 이용한 가스질화, 질소가스와 침탄성가스를 동시에 공급하여 질화물과 탄화물에 의한 화합층을 형성시키는 가스 연질화, 같은 방법으로 시안염을 이용 질화물과 탄화물의 화합층을 형성시키는 염욕연질화(솔트질화)등이 있다. 또한 가스질화, 액체질화 이온질화 등으로 구분할 수도 있다.

③ **침탄법과 질화법의 비교**

비교 내용	침탄법	질화법
경도	작다.	크다.
열처리	필요	불필요
변형	크다.	적다
수정	가능	불가능
시간	단시간	장시간
침탄층	단단하다.	여리다.

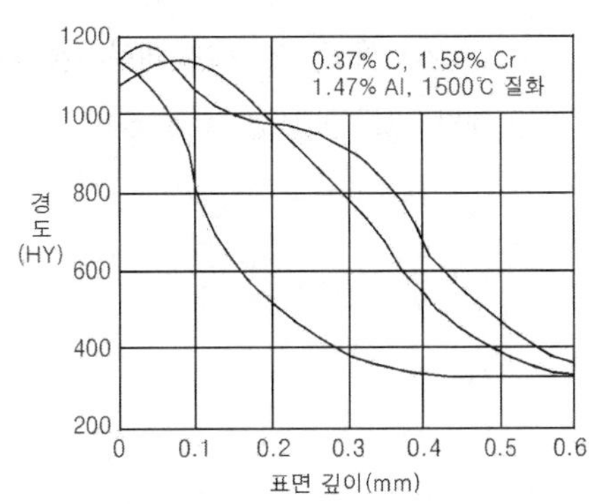

④ **금속 침탄법** : 내식, 내산, 내마멸을 목적으로 금속을 침투시키는 열처리

㉠ 세라 다이징 : Zn
㉡ 크로마이징 : Cr
㉢ 칼로라이징 : Al
㉣ 실리코 나이징 : Si

⑤ **화염 경화법** : 산소-아세틸렌 화염으로 표면만 가열하여 냉각시켜 경화

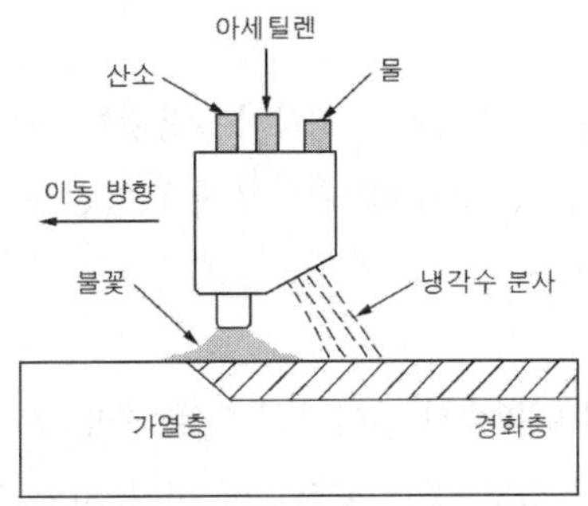

⑥ **고주파 경화법** : 고주파 열로 표면을 열처리하는 방법으로 경화 시간이 짧고 탄화물을 고용시키기가 쉽다. 고주파 경화법은 가열 후 수냉을 하고, 특히 이동 가열에서는 분수 냉각법이 사용된다. 복잡한 형상의 소재도 쉽게 적용할 수 있고, 소요 시간이 짧아 많이 사용되고 있다.

⑦ 기타

㉠ 하드 페이싱 : 소재의 표면에 스텔라이트나 경합금 등을 융접 또는 압접으로 용착시키는 표면 경화법

㉡ 숏 피닝 : 소재 표면에 강이나 주철로 된 작은 입자(∅0.5 ~ 1.0mm)들을 고속으로 분사시켜 가공 경화에 의하여 표면의 경도를 높이는 경화법으로 숏 피닝을 하면 휨과 비틀림의 반복 하중에 대한 피로 한도는 현저히 증가되나 인장 강도와 압축강도는 거의 증가하지 않는다.

㉢ 방전 경화법 : 피경화재의 철강 표면과 경화용 초경 합금 전극 사이에 주기적으로 불꽃 방전을 일으켜 공구, 기타 내구성을 필요로 하는 기계 부품의 표면을 경화하는 방법

㉣ 메탈 스프레이 등

04 비철금속

1 구리와 그 합금

(가) 구리의 제련

① 황동광, 휘동광, 반동강, 적동광(구리광석→ 용광로 → 매트 → 전로 → 조동)

② 조동을 전기 정련하면 전기 구리, 반사로에서 정련하면 형구리이다.

(나) 구리의 종류

① **전기구리** : 전기 분해에 의해서 얻어진 것으로, 순도 99.99% 이상의 것도 있지만 불순물로서 Sb, As, S 등이 들어가기 쉽고 H_2도 포함되어 있어 전기 구리 그대로는 취약하다.

② **정련구리** : 전기구리를 용융 정제하여 구리 중의 산소를 0.02 ~ 0.04% 정도로 함유한 것이다. 정련 구리는 전기 및 열전도율이 대단히 좋고, 또 내식성, 전연성이 좋으며, 강도가 커서 판, 선, 봉으로 가공하여 널리 사용한다.

③ **탈산구리** : 정련구리는 0.03% 정도의 산소를 불순물로서 포함하고 있으므로, P으로 탈산하여 산소 함유량을 0.02% 이하 낮춘 것이 탈산 구리이며, 판 또는 관으로 사용한다.

④ **무산소구리** : 산소나 탈산제를 포함하지 않은 고순도의 구리를 말하며, 산소량이 0.001 ~ 0.002% 정도이다. 이 구리는 정련 구리와 탈산 구리의 장점을 합한 것으로, 전도율과 가공성이 좋으므로 주로 전자 기기에 사용된다.

(다) 구리의 성질

① 물리적 성질

㉠ 비자성체이며 전기와 열의 양도체이다. 은 다음으로 전도율이 우수하다. 하지만 열전도율은 보통 금속 중에서 높다.

- 인, 철, 규소, 비소, 안티몬, 주석 등은 전기 전도율을 현저히 저하시키나, 카드뮴은 전기 전도율을 저하시키지 않으며 구리의 강도 및 내마멸성을 향상시킨다.

㉡ 비중은 8.96 용융점 1,083℃이며 변태점이 없다.

② 화학적 성질

㉠ 철강 재료에 비하여 내식성이 크다. 하지만 공기 중에 오래 방치하면 이산화탄소 및 수분 등의 작용에 의하여 표면에 녹색의 염기성 탄산구리가 생기며, 이것은 인체에 대단히 유해하다. 탄산구리는 물에 녹지 않고 보호 피막의 역할을 하며, 부식율도 대단히 낮으므로 수도관, 물탱크, 열교환기, 선박 등에 널리 사용된다. 하지만 물속에 이산화탄소 및 산소의 양이 많아지면 탄산이 생겨서 보호 피막의 생성을 억제시켜 부식율이 높아짐

㉡ 황산, 염산에 용해되며 습기, 탄산가스, 해수에 녹이 생긴다.

㉢ 수소병이란 환원 여림에 일종으로 산화구리를 환원성 분위기에서 가열하면 수소가 동 중에 확산 침투하여 균열이 발생하는 것을 말한다.

③ 기계적 성질

㉠ 구리는 항복 강도가 낮으므로 상온에서 가공이 쉽지만, 가공 경화율은 다른 면심 입방 결정체보다 높은 편이다. 즉 소성 가공률이 클수록 인장 강도와 경도는 증가하지만 연신율 및 단면 수축률은 감소한다.

㉡ 경화 정도에 따라 경질(H) 연질(O)로 구분한다.

㉢ 인장강도는 가공도 70%에서 최대이며 600 ~ 700℃에서 30분간 풀림하면 연화된다.

(라) 구리 합금

고용체를 형성하여 성질을 개선하며 α고용체(F. C. C)는 연성이 커서 가공이 용이하나, β(B. C. C)고용체는 가공성이 나빠진다. 기타 γ, ε, η, δ의 계가 있으나 공업적으로는 45% Zn이하가 사용되므로 α, β상이 중요하다.

① **황동(Cu + Zn)** : 가공성, 주조성, 내식성, 기계적 성질이 개선된다.

㉠ 물리적 성질

- 아연 함유량의 증가에 따라 거의 직선적으로 비중은 작아진다.
- 전기 및 열전도율은 아연 함유량이 34%까지는 낮아지다가 그 이상이 되면 상승하여 50% 아연에서 최대값을 가진다.
- 7 : 3 황동은 1,200℃, 6 : 4 황동은 1,100℃를 넘으면 아연이 비등하므로 용융 시킬 때에 각별한 주의를 요한다.

㉡ 화학적 성질

- 탈아연 부식 : 황동은 순구리에 비하여 화학적 부식에 대한 저항이 크며, 고온으로 가열하여도 별로 산화되지 않는다. 하지만 물 또는 부식성 물질이 용해되어 있을 때에는 수용액의 작용에 의해서 황동의 표면 또는 내부까지 황동에 함유되어 있는 아연이 용해되는 현상을 말한다. 탈아연 된 부분은 다공질이 되어 강도가 감소한다. 이러한 현상은 6 : 4 황동에서 주로 볼 수 있다. 방지책으로는 아연편을 연결한다.
- 자연균열 : 관 봉 등의 가공재에 잔류 변형(응력) 등이 존재할 때 아연이 많은 합금에서는 자연히 균열이 발생하는 일이 종종 있다. 이러한 현상을 자연 균열이라 하며, 특히 아연의 함유량이 40%의 합금에서 일어나기 쉽다. 암모니아, 습기, 이산화탄소 등의 분위기에서 이를 촉진하며, 방지법으로는 저온 풀림, 도금등의 방법이 있다.
- 고온 탈 아연 : 고온에서 증발에 의해 황동 표면으로부터 아연이 없어지는 현상을 말하며, 이러한 현상은 고온일수록, 표면이 깨끗할수록 심하다. 이것을 방지하려면 표면에 산화 피막을 형성시키면 효과적이다.

㉢ 기계적 성질

- Zn의 함유량이 30%에서 연신율 최대이며, 40%에서는 인장 강도가 최대이다.
- 경년변화 : 상온 가공한 황동 스프링이 사용할 때 시간의 경과와 더불어 스프링 특성을 잃는 현상이다.

② 황동의 종류

㉠ 실용 황동

종 류	성분(%)(Cu : Zn)	용 도
Gilding metal	95 : 5	코닝이 쉬워 화폐, 메달, 토큰
Commercial bronze	90 : 10	디프 드로잉 재료, 메달, 배지, 가구용, 건축용 등, 청동 대용으로 사용
Red brass	85 : 15	건축용, 금속 잡화, 소켓 체결용, 콘덴서, 열교환기, 튜브 등
Low brass	80 : 20	금속 잡화, 장신구, 악기 등에 사용(톰백)
Cartridge brass	70 : 30	판, 봉, 관, 선등의 가공용 황동에 대표, 자동차 방열기, 전구 소켓, 탄피, 일용품

종 류	성분(%)(Cu : Zn)	용 도
Yellow brass	65 : 35	7 : 3 황동과 용도는 비슷하나 가격이 저렴, 냉간 가공하기 전에 400 ~ 500℃ 풀림
Muntz metal	60 : 40	값이 싸고, 내식성이 다소 낮고, 탈아연 부식을 일으키기 쉬우나 강력하기 때문에 기계 부품용으로 많이 쓰인다. 판재, 선재, 볼트, 너트, 열교환기, 파이프, 밸브, 탄피, 자동차 부품, 일반 판금용 재료 등
황동 주물	Pb 2.5%	절삭성, 내해수성, 내알칼리성을 요구하는 선박 부품, 보일러 부품 등에 사용한다. 황동 주물은 청동 주물에 비하여 강도, 경도 및 내식성은 낮으나, 절삭성과 주조성이 좋기 때문에 기계 부품, 보일러 부품, 건출용 부품에 많이 쓰인다.

㉡ 특수 황동 : 실용 황동에 소량의 다른 원소를 첨가하여 색깔, 내마멸성, 내식성 및 기계적 성질을 개선한 합금이다.

<table>
<tr><th colspan="2">종 류</th><th>성 분</th><th>용 도</th></tr>
<tr><td colspan="2">연황동 (lead brass)</td><td>6 : 4 황동 + Pb
(1.5 ~ 3.7%)</td><td>· 절삭성 개선(쾌삭 황동)
· 강도와 연신율은 감소
· 시계용 치차, 나사 등</td></tr>
<tr><td rowspan="2">주석황동</td><td>네이벌</td><td>6 : 4 황동 +Sn
(1%)</td><td rowspan="2">· Zn의 산화 및 탈아연 부식 방지
· 해수에 대한 내식성 개선
· 선박, 냉각용 등에 사용
· 인성을 요할 때는 0.7% Sn</td></tr>
<tr><td>에드미럴티</td><td>7 : 3 황동 + Sn
(1%)</td></tr>
<tr><td colspan="2">철황동 (delta metal)</td><td>6 : 4 황동 + Fe
(1% ~ 2% 내외)</td><td>· 강도 내식성 개선
· 철이 2% 이상이면 인성 저하
· 선박, 광산, 기어, 볼트 등</td></tr>
<tr><td colspan="2">규소황동</td><td>Cu(80 ~ 85%)
Zn(10 ~ 16%)
Si(4 ~ 5%)</td><td>· 일명 실진
· 내식성 주조성 양호
· 선박용</td></tr>
<tr><td colspan="2">양은</td><td>7 : 3 황동 + Ni
(15 ~ 20%)</td><td>· 부식 저항이 크고 주·단조 가능
· 가정용품, 열전쌍, 스프링 등</td></tr>
<tr><td colspan="2">강력황동</td><td>6 : 4 황동 +
Mn, Al, Fe, Ni, Sn</td><td>· 황동에 소량의 망간을 첨가하면 인장강도, 경도 및 연신율이 증가되어 고강도 황동이라고도함
· 망가닌(황동에 망간이 10 ~ 15%) 은 전기 저항률이 크고 저항 온도 계수가 작으므로 표준 저항기 또는 정밀 기계의 부품
· 주조 가공성 향상
· 강도 내식성 개선
· 선박용 프로펠러, 광산 등</td></tr>
<tr><td colspan="2">알루미늄황동</td><td>Al 소량 첨가</td><td>· 내식성이 특히 강해짐
· 알브락, 알루미 브라스 등</td></tr>
</table>

③ **청동(Cu + Sn)**

- 좁은 의미에서는 구리와 주석의 합금이지만, 넓은 의미에서는 황동 이외의 구리 합금을 모두 말한다.
- 황동보다 주조성이 좋고 내식성과 내마멸성이 좋으므로, 예부터 화폐, 종, 미술 공예품, 동상, 병기, 기계 부품, 베어링 및 각종 일용품 재료로 사용되어 왔다.
- 황동과 마찬가지로 α, β, γ, δ, ε, η 상이 있으며, 응고 범위가 대단히 넓으므로 결정 편석이 일어나기 쉽다.

㉠ 물리적 성질

- 주석을 20% 함유한 청동은 비중 및 선팽창률은 순구리와 비슷
- 3 ~ 10% 주석을 함유한 청동의 전기전도율은 9 ~ 12% IACS로 순구리의 1/10 정도로 감소한다.
- 10% 주석을 함유한 청동의 열전도율은 45 ~ 55 W/m.K이지만 이는 순구리에 비하여 거의 1/8 정도이다.

㉡ 화학적 성질

- 주석을 10% 정도까지 함유한 청동은 이의 함유량이 증가할수록 내해수성이 좋아지므로 선박용 부품에 널리 사용된다.
- 청동은 고온에서 산화하기 쉬우며 납 함유량이 증가할수록 내식성은 나빠지고, 또 산이나 알칼리 수용액 중에서는 부식률이 높아진다.

㉢ 기계적 성질

- 주석의 4%에서 연신율 최대, 15%이상에서 강도, 경도 급격히 증대
- 청동은 내마멸성이 크므로 대부분이 주조품으로 사용된다.

④ **청동의 종류**

㉠ 실용 청동

종 류	성 분	용 도
포금	8 ~ 12% Sn, 1 ~ 2% Zn	· 단조성이 좋고 강력하며 내식성이 있어 밸브, 콕, 기어, 베어링 부시 등의 주물에 널리 사용된다. · 88% Cu, 10% Sn, 2% Zn인 애드미럴티 포금은 주조성과 절삭성이 뛰어나다.
미술용 청동	2 ~ 8% Sn, 1 ~ 12% Zn, 1 ~ 3% Pb	· 동상이나 실내 장식품 또는 건축물의 재료
화폐용 청동	3 ~ 8% Sn, 1% Zn	· 성형성이 좋고 각인하기 쉬우므로 화폐나 메달등에 사용한다.

㉡ 특수 청동 : 특수청동은 구리 주석계 합금에 다른 원소를 넣어서 특성을 개선한 것이며 주석을 전혀 함유하지 않은 알루미늄 청동, 니켈 등도 있다.

종 류	성 분	용 도
인청동	청동에 1% 이하 P첨가	· 유동성이 좋아지고, 강도, 경도, 내식성 및 탄성률 등 기계적 성질이 개선 · 봉은 기어, 캠, 축, 베어링 등 · 선은 코일 스프링, 스파이럴 스파링
스프링용 인청동	7 ~ 9% Sn, 0.03 ~ 0.35% P	· 적당히 냉간 가공을 하면 탄성 한도가 높아진다. · 전연성, 내식성 및 내마멸성이 좋다. · 자성이 없으므로 통신 기기, 계기류 등의 고급 스프링의 재료로 사용
납 청동	4 ~ 22% Pb, 6 ~ 11% Sn	· 연성은 저하하지만 경도가 높고, 내마멸성이 크다. · 자동차나 일반 기계의 베어링 부분에 사용된다. · 납 청동에서 납을 4 ~ 22% 정도 함유한 것은 윤활성이 좋으므로 철도 차량, 압연 기계 등의 고압용 베어링에 적합 · 켈밋 합금은 구리에 30 ~ 40% 납을 가한 것으로 이것은 고속 고하중용 베어링으로 자동차, 항공기 등에 널리 쓰임
베어링용 청동	Cu + Sn (13 ~ 15%)	· 외측의 경도가 높은 δ 조직으로 이루어짐
알루미늄 청동	구리에 Al 6 ~ 10.5% 첨가	· 기계적 성질, 내식성, 내열성, 내마멸성이 우수하다. · 화학 기계 공업, 선박, 항공기, 차량 부품 등의 재료로 사용 · 주물용 알루미늄 청동은 강도가 높고 비중이 작을 뿐만 아니라, 내식성 등이 좋아서 대형 프로펠러에 많이 사용 · 또한 경도, 강도, 내마멸성이 높으므로 압연기, 각종 기어, 밸브, 펌프, 터빈 부품 등에 적합하다. · 내식성에서는 고크롬 스테인리스강 주물보다 우수하고, 18-8 스테인리스강 주물과 거의 같은 수준이어서 수차의 로터, 유압 조절용 대형 밸브, 스핀들 등의 수력 기계에도 사용된다. · 가공용 알루미늄 청동은 강도, 내열성, 내마멸성이 좋아 소성가공도 할 수 있다. · 단조품, 봉, 관, 선, 판 등의 제품으로 이용된다. 또 5%알루미늄, 0.5%철을 함유한 합금은 색깔이 황금색과 비슷하므로 장식용에 사용된다. · 강도는 알루미늄 10%에서 최대이며, 가공성은 8%에서 최대, 주조성은 나쁘다. · 자기 풀림이 발생하여 결정이 커진다.

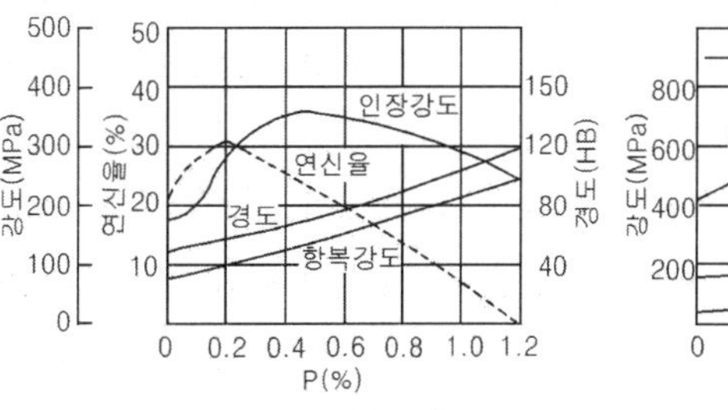

▲ 알루미늄 청동의 기계적 성질

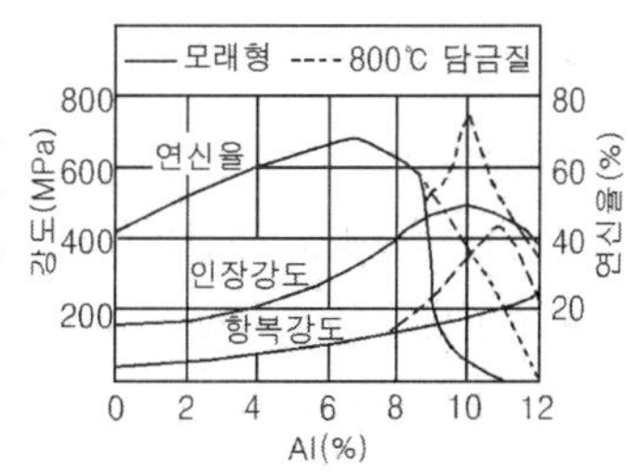

▲ 인 청동의 기계적 성질

⑤ 기타 구리 합금

㉠ 규소 청동

- 규소를 4% 이하 함유한 구리 합금. 5% 이상의 규소에서는 석출 과정에서 의해 시효 경화를 할 수 있지만, 주조와 가공이 곤란하다.
- 열처리 효과가 작으므로 700 ~ 750℃에서 풀림하여 사용
- 고온, 저온 모두에서 내식성이 좋고 용접성이 우수하며, 강도도 연강과 비슷하여 화학 공업용 재료로 이용
- 냉간 가공재는 응력 부식 균열에 대한 저항이 큰 것이 특징
- 소형 나사 등에는 0.5% 납을 넣어서 피삭성을 개선

㉡ 크롬 청동

- 전도성과 내열성이 좋아 용접용, 전극 재료 등에 사용된다.
- 실용 합금은 0.5 ~ 0.8%의 크롬을 함유하고 있다.
- 시효 경화성이 있어 1,000℃에서 급랭 후 450 ~ 500℃에서 시효 처리 함

㉢ 베릴륨 청동

- 구리 합금 중에서 가장 높은 경도와 강도를 가지나 값이 비싸고 산화하기 쉬우며, 가공하기 곤란하다는 단점도 있다.
- 강도, 내마멸성, 내피로성, 전도율 등이 좋으므로 베어링, 기어, 고급 스프링, 공업용 전극 등에 쓰인다.
- 고강도 베릴륨 청동(1.6 ~ 2.0% Be, 0.25 ~ 0.35% Co)와 고전도성 베릴륨 청동(0.25 ~ 0.6% Be, 1.4 ~ 2.6% Co)이 있으며, 소량의 코발트, 니켈, 또는 은을 첨가하여 사용한다. 코발트는 결정립계의 성장을 억제하고 니켈은 결정립경을 미세화하여 강도 및 인성을 향상시킨다.

㉣ 망간 청동

- 망간이 5~15% 함유된 구리 합금으로서 약 10% 까지는 전연성이 커져서 냉간 가공성이 향상되지만 망간을 많이 함유할 경우 인성이 저하된다.
- 300℃까지는 강도가 저하되지 않아 증기기관의 증기 밸브, 터빈의 프로펠로용으로 사용된다.
- 전기 저항이 높으므로(39 ~ 44 nΩ.m) 전기 저항 재료로서도 사용된다.

㉤ 티탄 청동

- 강도 830MPa, 연신율 8%, 경도(HV) 340 정도인 고강도 합금
- 구리에 5.8%의 티탄이 함유된 합금을 진공로에서 885℃로 16시간 가열하여 물에 담금질하여 430℃ 시효 처리 함
- 내열성은 좋으나 전도율이 낮은 것이 결점이다.

- 티탄 청동에 베릴륨이나 은 등을 첨가하면 베릴륨 청동 정도의 높은 인장 강도를 얻을 수 있다.
- 4% Ti, 0.5% Be, 0.5% Co, 또는 2% Ni, 1% Fe을 넣은 CTB 합금의 인장 강도는 1200MPa이고, 4% Ti, 3% Ag, 1% Zr CTG 합금의 인장 강도는 1,130MPa로 내마멸성도 베릴륨 청동보다 우수하다.

ⓑ 구리 - 니켈 - 규소 합금
- 구리에 3 ~ 4% Ni, 약 1% Si가 함유된 코슨 합금(C 합금)이 있다.
- 900℃에서 급랭시킨 후 400 ~ 500℃에서 뜨임하면 인장 강도가 향상되고(830 ~ 930MPa), 전도율이 크므로 통신선, 스프링 재료 등에 사용된다.
- 이 합금에 3 ~ 6% Al을 첨가하면 강도가 향상되고, 내열성 및 내피로성이 우수하여 항공기 및 선박 부품 등에 사용된다.

ⓢ 니켈 구리 합금 : 어드밴스(Ni44%), 콘스탄탄(Ni45%), 콜슨 합금, 쿠니알 청동이 있다.

ⓞ 호이슬러 합금 : 강자성 합금. Cu - Mn - Al이 주성분

ⓩ 오일레스 베어링 : 다공성의 소결 합금 즉 베어링 합금의 일종으로 무게의 20 ~ 30% 기름을 흡수시켜 흑연 분말 중에서 수소 기류로 소결 시킨다. Cu - Sn - 흑연 분말이 주성분이다.

2 알루미늄과 그 합금

(가) 알루미늄의 제조

① 보크사이트($Al_2O_3 \cdot 2H_2O$) + 수산화나트륨(NaOH) → 알루미나(Al_2O_3)를 만들고 이것을 전기 분해하여 순도 99.99%인 것을 얻는다.

② 명반석, 토혈암 등에서도 제조한다.

③ 불순물로는 철, 구리, 규소 등이 함유되어 있으며, 마그네슘, 베릴륨 다음으로 가볍고, 지구상에 규소 다음으로 많이 존재하는 원소이다.

④ 다른 금속과 잘 합금되며, 주조도 가능하다.

(나) 알루미늄의 성질

① **물리적 성질**

㉠ 비중 2.7 용융점 660℃ 변태점이 없으며 색깔은 은백색이다.

㉡ 열 및 전기의 양도체로 전기 전도율은 구리의 60%이상이므로 송전선으로 많이 사용한다. 전기 전도율을 감소시키는 불순물로 Si, Cu, Ti, Mn 등을 들 수 있다.

② **화학적 성질**

㉠ 알루미늄은 대기 중에서 쉽게 산화되지만 그 표면에 생기는 산화알루미늄(Al_2O_3)의 얇은 보호 피막으로 내부의 산화를 방지한다.

㉡ 내식성을 저하하는 불순물로는 구리, 철, 니켈 등이 있다.

㉢ 마그네슘과 망간 등은 내식성에 거의 영향을 끼치지 않는다.

㉣ 황산, 묽은 질산, 인산에는 침식되며 특히 염산에는 침식이 대단히 빨리 진행된다.

㉤ 80% 이상의 진한 질산에는 침식에 잘 견디며, 그 밖의 유기산에는 내식성이 좋아 화학 공업용으로 널리 쓰인다.

③ 기계적 성질

㉠ 전·연성이 풍부하며 400 ~ 500℃에서 연신율이 최대이다.

㉡ 풀림 온도 250 ~ 300℃이며 순수한 알루미늄은 주조가 안 된다.

㉢ 알루미늄은 순도가 높을수록 강도, 경도는 저하하지만, 철, 구리, 규소 등의 불순물 함유량에 따라 성질이 변한다.

㉣ 다른 금속에 비하여 냉간 또는 열간 가공성이 뛰어나므로 판, 원판, 리벳, 봉, 선 등으로 쉽게 소성 가공할 수 있다. 경도와 인장 강도는 냉간 가공도의 증가에 따라 상승하나 연신율은 감소한다.

(다) 알루미늄의 특성과 용도

① Cu, Si, Mg 등과 고용체를 만들며 열처리로 석출 경화, 시효 경화 시켜 성질을 개선한다.

② 송전선, 전기 재료, 자동차, 항공기, 폭약 제조 등에 사용한다.

③ **석출 경화** : 알루미늄의 열처리 법으로 급랭으로 얻은 과포화 고용체에서 과포화된 용해물을 석출시켜 안정화시킴. 석출 후 시간에 경과에 따라 시효 경화된다.

④ **인공 내식 처리법** : 알루마이트법, 황산법, 크롬산법

(라) 알루미늄 합금의 종류

① **주조용 알루미늄 합금** : 알루미늄의 합금 주물은 철강 주물보다 가벼우므로 자동차 부품을 비롯하여 산업 기계, 전기 기구, 통신 기구, 위생 용기 등에 널리 사용된다. 주형은 모래형, 셀형, 금형 등이 주로 사용되며 최근에는 금형 주조가 발달하여 피스톤, 실린더 헤드 커버 등의 기계 부품에 이용되고 있다.

㉠ Al - Cu

- 4% 구리 합금을 500℃ 부근까지 가열한 후 담금질하면 제 2상이 석출할 수 있는 시간적인 여유가 없으므로 2상으로 되지 않고 과포화 상태의 고용체가 상온에서 얻어진다. 이러한 열처리를 용체화 처리라 한다.

- 이 과포화 고용체는 상온에서 대단히 불안정하므로 제 2상을 석출하려는 경향이 있으며, 시간의 경과에 따라 강도, 경도가 증가하여 상온 시효를 일으킨다. 또 상온보다 조금 높은 온도(100 ~ 150℃)에서는 시효 경화가 촉진되며 이것을 인공 시효라 한다.

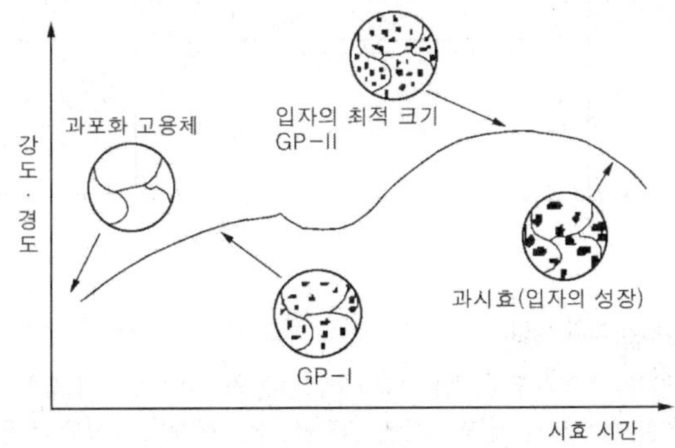

- 그림에서 보는 바와 같이 시효 시간에 따른 경도, 강도의 변화는 세 가지의 다른 석출 구조에 의함을 알 수 있다. 경화는 미세한 중간상의 석출물 형성인 I단계와 II단계에 의한 것이며, θ상의 안전상 석출이 일어나는 단계에서는 이미 과시효과 되어 경도는 저하하기 시작한다. 이와 같이 석출물에 의한 강화 현상은 Al - Cu - Mg계, Al - Zn계 등에도 있다.
- 주조성, 절삭성이 개선되지만 고온메짐, 수축 균열이 있다. 주조시에 고온에서 발생하는 균열은 1% 정도의 규소를 첨가하면 억제할 수 있다. 망간, 니켈 등을 첨가하면 고온 강도가 현저히 개선된다.
- 인장 강도는 구리 함유량의 증가와 함께 상승하지만 연신율은 감소하며 최대 인장 강도는 구리 함유량이 4 ~ 5%일 때가 적당하다.
- 알루미늄 - 구리계 합금은 과거에는 8%의 구리 또는 12% 구리 합금이 강도와 경도가 높고 내마멸성이 및 열전도율이 좋아 공랭 실린더, 피슨톤 등에 사용되었으나, 최근에는 4.5% 구리 합금이 주조성이 좋고 열처리에 의해서 강도가 현저히 증가한다고 알려져 있다.
- 자동차 하우징, 버스 및 항공기 바퀴, 스프링, 크랭크 케이스에 사용.

ⓛ Al - Si

- 이 합금은 10 ~ 14%의 Si가 함유된 실루민으로 대표적인 주조용 알루미늄 합금이다.
- 아래 그림에서 알 수 있듯이 576℃에서는 알루미늄에 대한 규소의 용해도가 너무 적으므로 열처리에 의한 강도 향상을 기대할 수 없다.
- 실루민은 주조시 모래형과 같이 냉각 속도가 느리면 규소가 편석하며, 결정립경이 커지기 쉬우므로 기계적 성질이 좋지 않게 된다. 따라서 주조할 때 0.05 ~ 1%의 금속 나트륨을 첨가하면 기계적 성질이 개선되는데 이를 개량 처리라 한다.

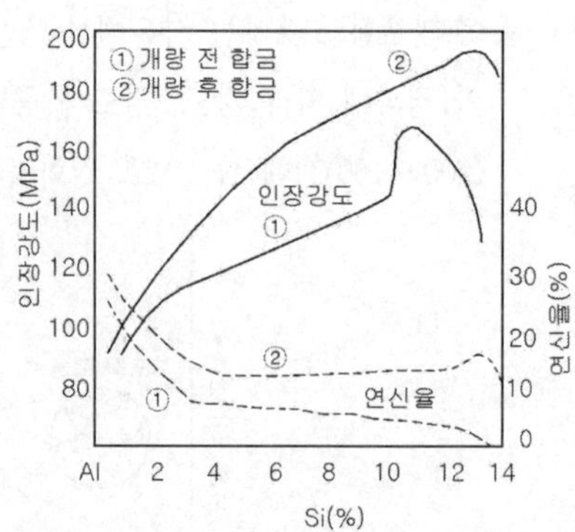

개질(개량) 처리 방법

① 열처리 효과가 없고 개질 처리(규소의 결정을 미세화)로 성질을 개선한다.

② 개질 처리 방법 : 금속 나트륨 첨가법, 불소 첨가법, 수산화나트륨, 가성소다를 사용하는 방법

- 실루민은 기계적 성질이 우수하고 수축 여유가 비교적 적으며, 유동성이 좋을 뿐 아니라, 용융 온도가 낮아 주조성이 좋으므로 얇고 복잡한 모래형 주물에 많이 이용된다.
- 내식성은 순Al과 비슷하며, 비중이 작고, 열팽창 계수는 Al 합금 중에서 가장 작다.
- 단점으로는 항복 강도, 고온 강도, 피로 강도가 작고 절삭성이 나쁘다.
- 실루민에 소량의 Mg(1%이하)을 첨가하여 시효성을 부여한 γ실루민(9% Si, 0.5% Mg)과 실루민에 구리를 넣어서 시효성을 부여한 구리 실루민(9% Si, 3% Cu) 등이 있다.

ⓒ Al - Cu - Si

- 라우탈이라 하며 Si 첨가로 주조성 향상 Cu 첨가로 절삭성 향상된다.

② 내열

㉠ Al(92.5%) - Cu(4%) - Ni(2%) - Mg(1.5%)

- Y합금이라 하며 대표적인 내열합금으로 내연기관에 실린더에 사용한다.
- Y합금에는 구리나 니켈을 적게 넣고, 그 대신 철, 규소 및 소량의 티탄을 넣은 영국의 히디미늄 RR50 및 RR53이 있다.
- RR50은 주조성이 좋으므로 실린더 블록, 크랭크 케이스 등 복잡한 대형 주물에 사용되고, RR53은 강도가 크고 내열성이 좋으므로 피스톤 실린더 헤드 등과 같은 내열 기관의 고온 부품에 사용된다.

㉡ Al(12%) - Si(1%) - Cu(1%) - Mg(1.8%) - Ni

- Lo - Ex라 하며, 열팽창 계수 및 비중이 작고 내마멸성 및 고온 강도가 큰 특징이 있다.
- 내열성이 우수하나 Y합금 보다 열팽창 계수가 작다.
- Na으로 개량 처리 및 피스톤 재료로 사용

㉢ 다이캐스트용 합금(ALDC 1 ~ ALDC 9)

- 다이 캐스팅은 기계 가공에 의해 제작된 견고한 금형에 용융 상태의 합금을 가압 주입하여 치

수가 정확한 동일형의 주물을 대량 생산하는 방법

- 유동성이 좋고 열간 취성이 적으며, 응고 수축에 대한 용탕 보급성이 좋고 금형에 잘 부착하지 않아야 한다.
- 1,000℃ 이하의 저온 용융 합금이며 Al-Si-Cu계, Al-Si계 Al-Mg계 합금을 사용하여 금형에 주입시켜 만든다.

③ 내식용 알루미늄 합금

㉠ Al-Mg(10%~12%)

- 대표적인 것이 하이드로날륨으로 Al-Mg(10%~12%)의 합금이다.
- 다른 주물용 알루미늄 합금에 비하여 내식성, 강도, 연신율이 우수하고, 절삭성이 매우 좋다.
- 응고 온도 범위가 넓으므로 조직이 편석하기 쉽고, 또 고온에서 Mg의 고용도가 높아지므로 400℃에서 풀림하면 강도와 연성이 향상된다.
- 실용 범위는 마그네슘의 12% 정도이며, 10% 정도의 마그네슘을 함유한 알루미늄 합금은 425℃에서 20시간 이상 가열하여 공랭시키면 강도가 높아진다.

㉡ 기타 : 알민(Al-Mn), 알드리(Al-Mg-Si) 등이 있다.

④ 가공용 알루미늄 합금 : 두랄루민계(Al-Cu-Mg, Al-Zn-Mg)의 고강도 합금계와(Al-Mn, Al-Mg, Al-Mg-Si)의 내식성 합금계로 나눌 수 있다.

㉠ 두랄루민(4.0% Cu, 0.5% Mg, 0.5% Mn, 95% Al)

- 단조용 알루미늄 합금의 대표로 고강도 이다.
- Al-Cu-Mg-Mn이 주성분 Si는 불순물로 함유된다.
- 고온(500~510℃)에서 용체화 처리한 다음, 물에 담금질하여 상온에서 시효시키면 기계적 성질이 향상된다. 이 합금계는 2017합금계이다.

㉡ 초두랄루민(SD 4.5% Cu, 1.5% Mg, 0.6% Mn, 93.4% Al) : 2024계 합금으로 2017 합금을 개량한 것으로 두랄루민 보다 Mg는 증가, Si는 감소시킨다. 항공기의 주요 구조 재료나 리벳 등에 사용된다.

㉢ 초강 두랄루민(ESD 1.6% Cu, 5.6% Zn, 2.5% Mg, 0.2% Mn, 0.3% Cr)

- 2000번계 알루미늄 합금에 비하여 시효 경화 상태에서는 연신율이 약간 낮지만 인장 강도가 높아 주로 항공기용 재료로 사용된다.
- 이 합금에서 $MgZn_2$가 5% 이상이면 시효 경화성이 현저하여 고강도 합금으로 매우 적합하다. 하지만 내식성이 좋지 못하며 특히 바닷물에 대하 내식성은 순 알루미늄의 $\frac{1}{3}$정도 이다.
- 응력 부식에 의하여 자연 균열을 일으키는 경향이 있으므로, 이것을 방지하기 위하여 Cr또는 Mn을 0.2~0.3% 첨가하고 있다. 열처리는 450℃에서 용체화 처리를 하여 약 120℃에서 24시간 인공 시효하여 경화시킨다.

㉣ 내식성 알루미늄 합금

- Mn, Mg, Si 등을 소량 첨가하여 만든 합금으로 내식성에는 나쁜 영향을 끼치지 않고 강도를 개선한다.
- Cr은 응력 부식 균열을 방지하는 효과가 있으며, Cu, Ni, Fe 등은 내식성을 약화시키는 원소이다.
- 그 밖의 가공용 알루미늄 합금
- 알클래드는 고강도 알루미늄 합금에 내식성을 향상시키기 위하여 내식성이 좋은 알루미늄 합금을 피막하여 처리한 재료이다.
- 알클래드 2024는 6006 알루미늄 합금으로, 알클래드 7075는 7072 알루미늄 합금을 피막한 것이다.
- 알루미늄 분말 소결체는 내식성을 향상시키기 위하여 알루미늄 산화 피막을 증가시킨 것으로 이는 산화성 분위기에서 0.5~17%의 미세한 알루미나를 첨가한 분말을 가압 성형시켜 500~600℃에서 소결한 알루미늄-알루미나계 합금이다. 이것을 SAP로 약칭한다.
- SAP는 열팽창 계수가 작고, 전기 전도율, 내식성, 피로 강도 등이 우수하다. 특히 내열성이 좋고 고온 강도가 커서 터빈 날개, 제트 엔진 부품 등에 사용된다.
- Al-Li 합금은 비중이 낮고 탄성 계수가 높으며, 피로 강도 및 저온 인성이 우수하므로 비행기, 항공 우주 구조물의 경량화 재료로서 사용된다.
- 대표적인 것으로 웰드라이트 049(5.4% Cu, 1.3% Li, 0.4% Ag, 0.4% Mg, 0.14% Zr), 합금 2090(2.7% Cu, 2.2% Li, 0.12% Zr) 등이 있다.
- 리벳 합금은 2.6% Cu, 0.35% Mg을 첨가한 알루미늄 합금으로, 리벳은 용체화 처리 후 시효 경화 전에 리베팅을 끝내야 한다. 따라서 리벳 재료는 시효 경화가 늦게 일어나는 합금이 좋다.
- Al-Cu-Mg계 고강도 리벳 합금에서는 구리 함유량이 많을수록 용체화 처리 후 시효 경화가 빨리 진행되므로 구리 함유량을 2.6% 정도로 낮추는 것이 좋다. 이의 대표적인 것으로는 2117 알루미늄 합금이 있다.
- 단련용 Y합금은 Al-Cu-Ni 내열 합금이며 Ni에 영향으로 300~450℃에서 단조 한다.

3 마그네슘과 그 합금

(가) 마그네슘의 제조

① 돌로마이트, 마그네사이트 등을 전해법과 열환원법을 사용하여 고온에서 용융, 전해하여 정제되므로 순도 99.99%를 얻을 수 있다.

② 불순물로는 Al, Si, Mn, Fe, Zn, Cu, Ni 등이 있으며, Fe, Cu, Ni은 내식성을 현저히 저하시킨다.

③ 철에 의한 내식성의 저하는 망간을 소량 첨가시키면 개선되므로 대부분의 마그네슘의 합금에는

망간을 함유하고 있다.

④ 마그네슘은 구리나 알루미늄에 비하여 냉간 가공성은 나쁘지만 열간 가공성이 좋으며 350 ~ 450℃에서도 쉽게 가공할 수 있다.

(나) 마그네슘의 성질 및 용도

① 비중이 1.74로 실용 금속 중에서 가장 가볍고 용융점 650℃ 조밀 육방 격자이다.

② 마그네사이트, 소금 앙금, 산화마그네슘으로 얻는다.

③ 마그네슘의 전기 열전도율은 구리, 알루미늄보다 낮고, Sb, Li, Mn, Cu, Sn 등의 함유량의 증가에 따라 저하한다. 선팽창 계수는 철의 2배 이상으로 대단히 크다.

④ 전기 화학적으로 전위가 낮아서 내식성이 나쁘다. 알칼리 수용액에 대해서는 비교적 침식되지 않지만 산, 염류의 수용액에는 현저하게 침식된다. 부식을 방지하기 위하여 양극 산화 처리, 도금 및 도장한다.

⑤ 마그네슘은 가공 경화율이 크기 때문에 실용적으로 10 ~ 20% 정도의 냉간 가공성을 갖는다. 그러나 절삭 가공성은 대단히 좋으므로 고속 절삭이 가능하고 마무리면도 우수하다.

(다) 마그네슘 합금

- 마그네슘 합금은 비강도가 크므로 경합금 재료로 가장 큰 이점이 있다.
- 주물용 마그네슘 합금과 가공용 마그네슘 합금으로 분류되며, 합금 원소로는 표준적인 기계적 성질을 얻기 위한 Al, Zn 있으며, 높은 강도와 인성을 부여하는 Zr, 그리고 내열성을 가지게 하는 Th이 있다.

① **주물용 마그네슘 합금** : Mg - Al, Mg - Zn계 합금이 있으며, 희토류 원소 또는 Th을 첨가하여 크리프 특성이 향상된 내열성 마그네슘 합금이 있다.

㉠ Mg - Al계 합금(일명 도우 메탈)(마그네슘 합금 주물 1종 ~ 3종, 5종)

- 알루미늄은 순 마그네슘에서 볼 수 있는 결정 입자의 조대화를 억제하고, 주조 조직을 미세화하며, 기계적 성질을 향상시키는 중요한 원소
- 이 합금의 인장 강도는 6% Al일 때 최대가 되며, 연신율과 단면 수축률은 4% Al에서 최대가 된다.
- 이 합금은 마그네슘 합금중에서 비중이 가장 작고, 용해 주조, 단조가 쉬워서 비교적 균일한 제품을 만들어 낼 수 있다.
- 아연을 소량 첨가하면 강도는 개선되나 주조성이 저하된다.

㉡ Mg - Zn - Zr계(마그네슘 합금 주물 6종, 7종)

- 이 합금은 인성을 향상시키기 위하여 Zr을 첨가한 것으로, Zr의 첨가에 의해 결정립경의 미세화로 인하여 상온에서 강도와 인성이 향상된다.
- Zr 첨가에 의해서 결정립 미세화에 효과가 있는 것은 Zn, Ce, Th을 포함한 합금계이며, Al, Mn, Si를 포함한 합금계에는 미세한 효과가 없다.
- 유사 합금인 ZK 61A는 실용 주물용 합금 중에서 가장 큰 비강도를 가짐

㉢ Mg - 희토류계 합금(마그네슘 주물 8종)

- 이 합금은 6종 7종과 같이 Zr을 첨가하여 결정립경을 미세화한 것으로 250℃까지의 내열성을 가진다.
- 희토류 원소로는 보통 세륨(Ce), 네오디뮴(Nd), 프라세오디뮴(Pr), 사마륨(Sm), 란탄(La) 등이 첨가되어 주조성이 개선되고 내압성이 향상

㉣ Mg - Th계 합금(HK 31A, HK 32A) : Mg 및 Mg - Zn계에 토륨을 첨가하면 희토류 원소를 첨가한 경우보다 크리프 특성이 향상된다.

② **가공용 마그네슘 합금** : 가공용 Mg계 합금은 주물용 합금과 마찬가지로 내식성이 나쁘므로 방식처리하여 사용한다.

㉠ Mg - Mn계 합금

- 이 합금은 망간을 1.2% 이상 함유하여 내식성을 향상시킨 것으로, 망간의 고용도가 작기 때문에 석출 경화가 어려우므로 열처리에 의해서 성질은 개선되지 않는다.
- MIA합금(Mg, 1.2% Mn, 0.3% Ca, 0.05% Cu)은 값이 싸고 강도가 있고, 또 용접성 고온 성형성이 우수하고 내식성도 비교적 좋다.

㉡ Mg - Al - Zn계 합금(일명 일렉트론)

- 이 합금은 냉간 가공에 의해서 적당한 강도와 인성을 얻을 수 있다.
- AZ 31B(2.5 ~ 3.5% Al, 0.6 ~ 1.4% Zn), 및 31C(2.4 ~ 3.6% Al, 0.5 ~ 1.5% Zn)는 고용 강화와 가공 경화를 통한 판재, 관재, 봉재로서 가장 많이 사용되고 있다.
- 알루미늄 함유량이 많은 AZ61A(5.8 ~ 7.2% Al, 0.4 ~ 1.5% Zn), AZ80A(7.8 ~ 9.2% Al, 0.2 ~ 0.8% Zn)는 중간상의 석출에 의해 강도가 증가하며, 가공성이 나쁘므로 열간 압출재료로 사용된다.

㉢ Mg - Zn - Zr계 합금

- Mg에 Zn을 첨가하면 주조 조직이 조대화하여 취약해지므로, Zr을 넣어서 결정립을 미세화함과 동시에 열처리 효과를 향상시킨다. 이 합금(ZK 21A, ZK 40A, ZK 60A)은 압출 재료고서 우수한 성질을 가진다.
- Mg - Th계 합금(HM 21A, HM 31A)이 있으며, 이들 합금은 크리프성 및 내열성이 우수하여 항공기 부품 등 비교적 높은 온도의 부분에 사용된다.

4 니켈 합금

(가) 니켈의 개요

① 니켈의 특성

㉠ 은백색의 금속으로 면심입방격자 이다.

㉡ 비중이 8.90이고 용융 온도가 1,453℃이다.

㉢ 상온에서는 강자성체이지만 358℃ 부근에 자기 변태하여 그 이상에서는 강자성이 없어진다. 특히 V, Cr, Si, Al, Ti 등은 니켈의 자기 변태점의 온도를 저하시키고, Cu, Fe은 이 온도를 상승시킨다.

㉣ 황산, 염산에는 부식되지만 유기 화합물이나 알칼리에는 잘 견딘다.

㉤ 대기 중 500℃ 이하에서는 거의 산화하지 않으나, 500℃ 이상에서 오랫동안 가열하면 취약해지고, 750℃ 이상에서는 산화 속도가 빨라진다. 특히 화학 약품에 대해서는 다른 금속보다 내식성이 커서, 화학, 식품, 화폐, 도금 등에 사용된다.

㉥ 전연성이 크고 상온에서도 소성 가공이 용이하며, 열간 가공은 1,000 ~ 1,200℃에서 풀림. 열처리는 800℃ 정도에서 한다.

② 니켈 합금

㉠ Ni - Cu계 합금

종 류	성 분	용 도
큐프로 니켈	70% Cu, 30% Ni	· 내식성이 좋고 전연성이 우수하여 열교환기 콘덴서 등의 재료로 강도 및 연신율이 높다.
콘스탄탄	40 ~ 50% Ni	· 전기 저항이 크고, 온도 계수가 낮으므로 통신 기재, 저항선, 전열선 등으로 사용된다. · 이 합금은 철, 구리, 금 등에 대한 열기전력이 높으므로 열전쌍 선으로도 쓰인다. 내산 내열성이 좋고 가공성도 좋다. · 44% Ni, 1% Mn(어드밴스)
모넬메탈	65 ~ 70% Ni	· 내열·내식성이 우수하므로 터빈 날개, 펌프 임펠러 등의 재료로서 사용된다. · R모넬 : 소량의 S(0.025 ~ 0.06%)을 첨가하여 강도를 저하시키고 절삭성을 개선한 것. · K모넬 : 3%의 Al을 첨가한 것으로, 석출 경화에 의해 경도가 향상된 것 · KR 모넬 : K 모넬에 탄소량을 다소 높게(0.28% C)첨가하여 절삭성을 향상 시킨 것 · H모넬(3% Si 첨가), S모넬(4% Si 첨가) : 규소를 첨가하여 강도를 향상시킨 것

㉡ Ni - Fe계 합금

종 류	성 분	용 도
인바	36% Ni	· 내식성이 좋고 열팽창 계수가 20℃에서 1.2μm/m·K 으로서의 철의 1/10 정도이다. · 측량 기구, 표준 기구, 시계 추, 바이메탈 등에 사용된다.
엘린바	36% Ni, 12% Cr, 0.8% C, 1 ~ 2% Mn, 1 ~ 2% Si, 1 ~ 3% W	· 인바에 12% Cr을 첨가하여 개량한 것으로 온도 변화에 따른 탄성 계수의 변화가 거의 없으므로 정밀 계측기기, 전자기 장치, 각종 정밀 부품 등에 사용 · 인바와 5% 미만의 코발트를 첨가한 슈퍼 인바는 열팽창 계수가 가장 낮은 합금이다.
플래티나이트	46% Ni	· 백금 대용으로 사용되며, 열팽창 계수 및 내식성이 있다. · 진공관이이나 전구의 도입선으로 사용되는 듀메트 선은 42% Ni 합금을 심섬으로 하여 구리를 피복한 것이다.
퍼멀로이	45 ~ 49% Ni 75 ~ 79% Ni	· 저 니켈 합금 (Alloy 48 또는 high permeability 49)는 초투자율이 크고 포화자기 전기 저항도 크므로 자심 재료로 널리 사용되고 있다. · 고 니켈 합금은 적당한 열처리를 하면 비교적 약한 자기장에서 높은 투자율이 얻어지므로 고 투자율 자심 재료로 사용된다 · 퍼멀로이를 개량한 것에 몰리브덴 퍼멀로이, 무메탈 등이 있다. · 장하 코일용으로 사용된다.

㉢ 내식성 니켈계 합금

종 류	성 분	용 도
하스텔로이 A	60% Ni, 20% Mo, 20% Fe	· 니켈에 몰리브덴을 넣으면 염산에 대한 내식성이 좋아진다. · 비산화성 환경에서 우수한 내식성이 있으며, 염류, 알칼리, 황산, 인산 수용액 적합
하스텔로이 C N, W	Ni - Cr - Mo	· 부식 환경에 대한 저항성이 우수하다. · 일리움은 이 계에 Cu를 넣은 합금으로 염산이나 산성염화물 수용액에는 사용이 제한된다. · Ni - Si - Cu계는 강도가 높으며, 충격에 강하여 주로 주조 재료에 이용된다.

㉣ 내열성 니켈계 합금

종 류	성 분	용 도
니크롬	50 ~ 90% Ni, 11 ~ 33% Cr, 0.25% Fe	· 니크롬선은 1,100℃까지 사용되며, 철을 첨가하면 전기 저항은 증가하나 내열성이 저하되어 1,000℃이하에서 사용된다. · 니크롬은 전열기 부품, 가스 터빈, 제트 기관 등에 사용된다.
인코넬	72 ~ 76% Ni, 14 ~ 17% Cr, 8% FeMn, Si, C	· 내식성과 내열성이 뛰어난 합금이며, 특히 고온에서 내산화성이 좋다. · 유기물과 염류 용액에서도 내식성이 강하며, 기계적 강도가 좋아 전열기 부품, 열전쌍의 보호관 진공관의 필라멘트등에 사용된다.
크로멜, 알루멜	Cr 10% Al 3%	· 크로멜은 Cr10% 함유한 것이며, 알루멜은 Al3% 함유한 합금이다. · 최고 1,200℃까지 온도 측정이 가능하므로 고온 측정용의 열전쌍으로 사용된다. · 고온에서 내산화성 크며, 다른 비철 금속의 열전쌍에 비하여 사용 수명이 길다.

5 티탄과 그 합금

① 티탄의 특성

㉠ 비중이 4.51로서 마그네슘 및 알루미늄보다 크지만 강의 약 60%이다.

㉡ 티탄은 용점이 1,670℃로 높고 고온에서 산소, 질소, 탄소와 반응하기 쉬워 용해 주조가 어렵다.

㉢ 전기 및 열의 전도성이 철보다 나쁘다.

㉣ 내식성은 스테인리강이나 모넬 메탈처럼 뛰어나다.

㉤ 공기 중에서 700℃이상으로 가열하면 취약해지고 전연성이 저하한다.

㉥ 기계적 성질에 영향을 강하게 받는 원소로는 철과 질소가 있으며 특히 철 함유량의 증가로 인장 강도 및 경도가 증가하지만 연신율이 감소한다.

㉦ 가공 경화성이 크므로 기계적 성질은 냉간 가공도에 따라 크게 변화한다. 다른 구조용 재료보다 비강도가 높고 특히 고온에서 비강도가 뛰어나다.

② 티탄계 합금의 특성

㉠ Mo, V : 내식성을 향상시킨다.

㉡ Al : 수소 함유량이 적게 되어 고온 강도를 높일 수 있다.

㉢ 티탄 합금은 티탄보다 비강도가 높고, 다른 고강도 합금에 비하여 고온강도가 크기 때문에 제트 엔진의 축류, 압축기의 주위 온도가 약 450℃까지의 블레이드, 회전자 등에 사용된다.

㉣ 열처리된 티탄 합금의 항복비(내력/인장 강도)가 0.9~0.95, 내구비(피로 강도/인장 강도)가 0.55~0.6 정도의 큰 값을 나타낸다.

㉤ 티탄 합금은 고강도이고 열전도율이 낮으므로 절삭 온도가 높아지고, 공구 재료와 반응하기 쉬우므로 절삭 가공이 대단히 어렵다. 티탄 합금의 절삭에는 냉각 작용과 윤활 작용이 뛰어난 절삭액을 사용함이 바람직하다.

③ 티탄계 합금의 종류

㉠ α형 합금 : 조밀 육방 격자의 α상이 강화되므로 가공성은 나쁘지만 단일 상이므로 용접성이 좋다. 고온에서는 미세 조직이 안정하므로 600℃이상에서의 인장 강도, 400℃ 이상의 크리프 강도는 $\alpha+\beta$형 합금 보다 뛰어나다.

㉡ $\alpha+\beta$형 합금 : 티탄 합금의 대표적으로 가공성이 뛰어나고, 용접성도 좋아 경량 고강도 재료로서 주로 항공기의 구조 용재 등에 사용된다.

㉢ β형 합금 : 이 합금은 전연성이 좋으므로 박판이나 상자 제조에 적합

6 아연과 그 합금

① 아연의 특성

㉠ 비중이 7.3이고, 용융 온도가 420℃인 조밀 육방 격자의 회백색 금속

㉡ 철강 재료의 부식 방지의 피복용으로서 가장 많이 사용된다.

㉢ 주조성이 좋아 다이 캐스팅용 합금으로서 광범위하게 사용된다.

㉣ 조밀 육방 격자이지만 가공성이 비교적 좋아 실온에서의 냉간 가공도 가능하다. 아연판으로 건전지 재료나 인쇄용 등에 사용된다.

㉤ 수분이나 이산화탄소의 분위기에서는 표면에 염기성 탄산아연의 피막이 발생되어 부식이 내부로 진행되지 않으므로 철판에 아연 도금을 하여 사용한다.

㉥ 건조한 공기 중에서는 거의 산화되지 않지만, 산, 알칼리에 약하며 Cu, Fe, Sb 등의 불순물은 아연의 부식을 촉진시키고, Hg은 부식을 억제

㉦ 주조한 상태의 아연은 결정립경이 커서 인장 강도나 연신율이 낮고 취약하므로 상온 가공을 할 수가 없다. 그러나 열간 가공하여 결정립을 미세화하면 상온에서도 쉽게 가공할 수가 있다.

㉧ 순수한 아연은 가공 후 연화가 일어나지만 불순물이 많으면 석출 경화가 일어난다.

② 아연 합금

㉠ 다이 캐스팅용 합금 : 알루미늄은 가장 중요한 합금 원소이며, 합금의 강도, 경도를 증가함과 동시에 유동성을 개선한다. 주로 4% Al, 0.4% Mg, 1% Cu의 아연 합금이 가장 많이 쓰인다.

㉡ 금형용 아연 합금 : 알루미늄 및 구리 함유량을 증가하여 강도, 경도를 크게 한 것으로 대표적인 것으로는 Kirksite 합금(美), Kayem1, Kayem2(英)이 있으며, 4% Al, 3% Cu, 소량의 Mg 그 밖의 원소를 첨가한다.

㉢ 고망간 - 아연 합금 : 25% Mn, 15% Cu, 소량의 Al을 첨가한 것으로 다이캐스팅 한 것의 인장 강도는 539MPa, 연신율 2%, 경도(HB)는 150정도로 내마멸성이 요구되는 부품에 사용한다.

㉣ 가공용 아연 합금 : Zn - Cu, Zn - Cu - Mg, Zn - Cu - Ti 합금 등이 있다. Zn - Cu, Zn - Cu - Mg의 열간 압연 온도는 175 ~ 300℃이며, Zn - Cu - Ti는 150 ~ 300℃이다. 이들 합금의 열간 취성 온도는 300 ~ 420℃이며 Zn - Cu - Ti 합금은 Ti의 첨가에 의하여 내크리프성이 뛰어나다.

7 납과 그 합금

(가) 납의 특성

① 납은 비중이 11.36인 회백색 금속으로 용융 온도가 327.4℃로 낮고 연성이 좋아 가공하기 쉬워 오래 전부터 사용되어 왔다.

② 불용해성 피복이 표면에 형성되기 때문에 대기 중에서도 뛰어난 내식성을 가지고 있으므로 광범위하게 사용된다.

③ 납은 자연수와 바닷물에는 거의 부식되지 않으며, 황산에는 내식성이 좋으나 순수한 물에 산소가 용해되어 있는 경우에는 심하게 부식되며, 질산이나 염산에도 부식된다.

④ 알칼리 수용액에 대해서는 철보다 빨리 부식된다.

⑤ 열팽창 계수가 높으며, 방사선의 투과도가 낮다.

⑥ 축전지의 전극, 케이블 피복, 활자 합금, 베어링 합금, 건축용 자재, 땜납, 황산용 용기 등에 사용되며, X선이나 라듐 등의 방사선 물질의 보호재로도 사용된다.

(나) 납 합금

① 납-비소계 합금

㉠ 99.6% Pb, 0.15% As, 0.10% Sn, 0.10% Bi

㉡ 주요 용도로는 케이블 피복용으로 사용되고 있으며, 강도와 크리프 저항이 우수하며, 고온에서 압출 가공할 때 수냉하면 강도가 증가한다.

② 납-칼슘계 합금

㉠ 99.9% Pb, 0.008 ~ 0.033% Ca, 0 ~ 0.25% Sn

㉡ 케이블 피복 및 크리프 저항을 필요로 하는 관이나 판 등에 이용되는 합금으로 고온에서 압출 가공 후 방랭하면 시효에 의해서 경화된다.

㉢ 압출 상태에서는 인장 강도 20MPa, 연신율 50% 정도이지만 실온에서 1년간 시효하면 인장 강도는 30MPa 정도로 향상되지만 연신율은 $\frac{1}{2}$정도로 저하한다.

③ 활자 합금

㉠ 구비 조건

- 용융 온도가 낮을 것
- 주조성이 좋아 요철이 주조면에 잘 나타날 것
- 적당한 압축 및 충격에 대한 저항이 클 것
- 내마멸성 및 내식성을 가질 것-가격이 저렴할 것

㉡ Pb-Sb-Sn계 합금은 활자 합금의 구비 조건을 갖춘 실용 합금이다.

- Sb을 첨가하면 내충격 및 내마멸성을 향상시키고, 응고 수축률을 작게하고 주조 온도를 저하시킨다.
- Sn을 첨가하면 유동성이 좋아지고, 주조 조직을 미세화하여 인성이 향상된다.

㉢ Cu를 소량 첨가하면 경도가 증가하며 이 계의 합금도 Pb-Sb 합금과 같이 시효 경화성이 있으며, 특히 Sb, Sn 함유량이 낮은 합금에서 경화 현상이 현저하다.

④ 납 - 안티몬계 합금

㉠ 납에 안티몬을 넣으면 강도가 증가하고 부식성은 납과 비슷하다.

㉡ 1%의 안티몬을 함유한 납 합금은 케이블 피복용, 축전지용 전극, 황산용 밸브, 방사선 차폐용 판 등으로 사용된다.

㉢ 안티몬의 고용도가 온도에 따라 크게 변하므로 열간 압출 가공 후에도 시효에 의하여 경화한다.

㉣ 구리, 텔루르 등을 소량 첨가하면 결정립경이 미세화되어 입계 석출에 의한 피로 강도의 저하를 억제하는 효과가 있다.

㉤ 경랍은 4~8% 안티몬을 함유한 합금을 말하며, 안티몬 함유량이 비교적 낮은 합금은 판, 관 등의 가공용으로 이용되고, 함유량이 높은 합금은 주물용으로 사용된다.

8 주석과 그 합금

① 주석의 특성

㉠ 주석은 비중이 7.3인 용융 온도가 231.9℃인 은색의 유연한 금속이다.

㉡ 13.2℃이상에서는 체심 정방 격자의 백색 주석(β- Sn)이지만 그 이하에서는 면심입방격자의 회색 주석(α- Sn)이다. 13.2℃가 변태점이다.

㉢ 불순물 중에는 납, 비스무트, 안티몬 등은 변태를 지연시키고, 아연 알루미늄, 마그네슘, 망간 등은 변태를 촉진시킨다.

㉣ 주석은 상온에서 연성이 풍부하므로 소성 가공이 쉽고, 내식성이 우수하고, 피복 가공 처리가 쉬우며, 독성이 없어 강판의 녹 방지를 위하 피복용, 의약품, 식품 등의 포장용 튜브, 장식품에 널리 쓰인다.

㉤ 주석 주조품의 인장 강도는 30MPa 정도로서 고온에서는 온도의 증가에 따라 강도, 경도 및 연신율이 모두 저하한다.

② 주석 합금

㉠ 땜 납 : 땜납은 보통 주석과 납의 합금으로 구리, 황동, 청동, 철, 아연 등의 금속 제품의 접합용으로 기계, 전기 기구 등의 부문에서 널리 이용되고 있다. 융점은 약 300℃ 이하이다. 땜납에서 주석 함유량이 높은 것은 식기, 은기, 놋쇠 등의 땜납에 사용되고, 납이 많은 것은 전기 부품에 주로 사용된다.

㉡ 기타 합금 : 90 ~ 95% Sn, 1 ~ 3% Cu의 조성을 가진 퓨터는 가단성과 연성이 좋으므로 복잡한 형상의 제품인 쟁반, 잔, 접시 등의 장식품용으로 이용된다.

9 베어링용 합금

① 베어링용 합금의 특성

㉠ 베어링용으로 사용되는 합금에는 화이트 메탈, 구리계 합금, 알루미늄계 합금, 주철, 소결 합금 등이 있다.

㉡ 금속 접촉의 발열로 인한 베어링의 소착에 대한 저항력이 커야 한다.

㉢ 사용 중에 윤활유가 산화하여 산성이 되고, 또 베어링의 온도가 높아져서 부식률이 높아지기 때문에 내식성이 좋아야 한다.

② 베어링용 합금의 종류

㉠ 주석계 화이트 메탈

- 배빗메탈이라고 하며, 안티몬 및 구리의 함유량이 많아짐에 따라 경도, 인장 강도, 항압력이 증가한다.
- 해로운 불순물로는 철, 아연, 알루미늄, 비소 등이며 고주석 합금에서는 납도 불순물이다.

㉡ 납계 화이트 메탈

- 납-안티몬-주석 합금이 이계에 속한다.
- 안티몬, 주석의 함유량이 많을수록 항압력이 상승하나, 안티몬 너무 많아서 안티몬 고용체나 β화합물 상이 많아지면 취약해진다.
- 이 계에 비소를 넣은 것이 WM10이며, 베어링 특성이 좋으므로 자동차, 디젤 기관 등에 사용된다.

㉢ 구리계 베어링 합금

- 켈밋이라고 하는 구리-납 합금 이외에 주석 청동, 인 청동, 납 청동이 있다.
- 구리-납계 베어링 합금은 내소착성이 좋고, 항압력도 화이트 메탈보다 크므로 고속 고하중용 베어링으로 적합하다. 자동차, 항공기 등의 주 베어링용으로 이용된다.
- 주석 청동, 납 청동의 주조 베어링은 저속 고하중용으로 적합하며, 납을 3~30% 함유한 납 청동도 주조 베어링, 바이메탈 베어링에 이용된다.

㉣ 알루미늄계 합금

- 이 합금은 베어링은 내하중성, 내마멸성, 내식성이 우수하지만, 내 소착성이 약하고 열팽창률이 큰 결점이 있어 널리 사용되지 않는다.
- 독일에서는 5% Al, 1.5% Zn, 0.75% Si, Cu 합금이 자동차 엔진의 주 베어링으로 사용되고 있다.

㉤ 카드뮴계 합금 : 카드뮴은 값이 비싸기 때문에 사용 범위가 제한되어 있지만, 미국에서는 SAE 규격의 합금이 다소 사용되고 있다. 이 합금은 카드뮴에 은, 니켈, 구리 등을 첨가하여 경화시킨 것으로 피로 강도가 화이트 메탈보다 우수하다.

㉥ 아연계 합금탈보다 경도가 높으므로 전차용 베어링, 각종 부식용에 사용되며, 대표적인 것으로 Alzen 305가 있다.

- 조성은 30

- 화이트 메탈~ 40% Al, 5 ~ 10% Cu, 나머지가 Zn이며, 비중이 4.8, 경도(HB) 100 ~ 150 정도이다.

ⓢ 함유 베어링(오일리스 베어링)

- 다공질 재료에 윤활유를 함유하게 하여 급유할 필요를 없게 한 것으로 대부분 분말 야금법으로 제조된다.
- 함유 베어링은 다공질이므로 강인성은 낮으나, 급유 횟수를 적게 할 수 있으므로 급유가 곤란한 베어링, 항상 급유할 수 없는 베어링, 급유에 의하여 오손될 염려가 있는 베어링, 그리고 베어링 면 하중이 크지 않은 곳에 사용된다.

10 귀금속과 그 합금

① **귀금속의 종류** : 귀금속에는 은, 금, 백금, 팔라듐(Pd), 이리듐, 오스뮴(Os), 로듐(Rh), 루테늄(Ru)이 있다.

② **귀금속의 특징**

㉠ 금을 제외하고는 순금속으로 사용하기 보다는 귀금속끼리 서로 합금하거나 다른 금속을 첨가하여 합금으로 만들어 사용한다.

㉡ 일반적으로 귀금속은 내식성이 뛰어나고 생산량이 적으므로 화폐, 장식품, 화학 약품, 내식용, 치과용, 전기 재료 등에 사용된다.

③ **귀금속 합금의 종류**

㉠ 금과 그 합금

- 금은 아름다운 광택을 가진 면심입방격자로 비중이 19.3이고, 용융 온도는 1,063℃이다.
- 순금은 내식성이 좋으므로 왕수 이외에는 침식되지 않으며, 상온에서는 산화되지 않으나 350℃ 이상에서는 약간 산화된다.
- 금의 순도는 캐럿(carat K)이라는 단위를 사용하며, 24K이 100%의 순금이다.
- 종류로는 Au - Cu계(반지나 장신구), Au - Ag - Cu계(치과용이나 금침), Au - Ni - Cu - Zn계(은백색으로 화이트 골드라 불리며 치과용이나 장식용에 쓰인다.), Au - Pt계(내식성이 뛰어나 노즐 재료로 사용된다.)

㉡ 은과 그 합금

- Ag는 비중이 10.49이고, 모든 금속 중에서 우수한 전기와 열의 양도체이며 또 내산화성이 있으므로 접점 재료 이외에 치과용, 납땜 합금, 장식 합금, 박 가루로서도 사용된다.
- 용융 상태에서 응고시 산소를 방출하므로 붕사, 숯가루로 용융, 은의 표면을 덮거나 탈산제를 사용하지 않으면 주괴에 기공이 생긴다.
- 은의 내식성은 대기 중에서 대단히 우수하나, 황화수소에서는 흑색으로 변하며, 진한 염산, 황

산 및 질산에는 침식된다.

- 은 - 구리계 합금, 은 - 금 - 아연계 합금, 은 - 팔라듐계 합금, 은 - 주석 - 수은 - 구리계 합금(치과용 아말감)이 있다.

㉢ 백금과 그 합금

- 백금은 비중이 21.45이고 순도에 따라 A(99.99%), B(99.9%), C(99.5%), D(99.0%)의 4종으로 분류된다.
- 백금 도가니는 C종이며, 시판되고 있는 것은 순도 D종이다.
- 내식성이 우수하여 화학적 분석 기기나 전기 접점, 치과 재료로 사용
- 내열성과 고온 저항이 우수하며 산화되지 않으나, 인, 유황, 규소 등의 알칼리, 알칼리토류 금속의 염류에서는 침식된다.
- 실용 합금으로는 백금 - 팔라듐계(보석용), 백금 - 이리듐계(도량형 자), 백금 - 로듐계 합금(열전쌍용으로서 고온계)이 있다.

㉣ 고융점 금속

- 고융점 금속이란 융점이 2,000 ~ 3,000℃ 정도의 높은 금속으로 텅스텐, 레늄(Re), 몰리브덴, 바나듐, 크롬 등이 있다.
- 실온에서는 내식성이 뛰어나며, 또 합금의 첨가에 의해 내산화성, 내열성이 현저히 향상되므로 고온 발열체, 전자 공업용 재료, 초내열 재료, 초경 공구, 방진 재료 등에 이용된다.

11 신소재

① **형상기억합금**

㉠ 보통의 금속 재료에서는 탄성 한도 이하의 변형은 외력을 제거하면 완전히 본래의 상태로 되돌아가지만, 항복점을 넘은 변형은 소성 변형이 남게 된다. 이것을 가열하면 재료는 연해진다. 하지만 형상 기억 합금은 이러한 소성 변형은 가열과 동시에 원상태로 회복된다. 즉 형상 기억 합금은 일단 어떤 형상을 기억하면 여러 가지의 형상으로 변형시켜도 적당한 온도로 가열하면 변형전의 형상으로 돌아오는 성질이 있다.

㉡ 미국의 Read에 의하여 금 - 카드뮴 합금을 가열하여 형상의 회복 현상을 증명함으로써 밝혀졌다. 그 후 인듐 - 탈륨 합금과 니켈 - 티탄 합금이 개발되어 쓰이고 있다.

② **세라믹스** : 세라믹스는 비금속 무기물질로서 주로 금속원소와 비금속 원소간 또는 비금속 원소들 간에 강한 화학결합으로서 이루어진 화합물로, 기계적인 충격이나 갑작스러운 온도변화에 깨지기 쉬운 메짐 때문에 용도에 있어 많은 제한을 받아 왔다.

하지만 파인 세라믹스는 철 무게의 $\frac{1}{2}$ 정도로 가볍고 금속보다 단단하며, 1000℃ 이상의 고온에

서 견딜 수 있고, 특수한 물리적, 열적, 역학적, 생화학적, 광학적인 특성을 가지고 있어 차세대 세라믹스로 주목받고 있다.

그 종류로는 ITO 투명 전도막, 기능성유리 등에 사용되는 광학세라믹스, 음향기기, 전화기 등에 사용되는 압전세라믹스, 느낌을 이용할 수 있는 센서세라믹스 등 오감을 이용할 수 있는 대부분의 것이 바로 이런 파인 세라믹스로 만들어지게 됐다.

③ **복합재료** : 두 가지 이상의 재료를 조합하여 보다 나은 기능을 가지도록 만든 것을 복합재료라 하며, 대표적인 것으로 섬유강화의 개념과 고분자기지재료를 조합한 섬유강화 고분자복합재료(fiber reinforced plastics : FRP)가 있다. 유리섬유강화 고분자복합재료(GFRP)와 탄소섬유강화 고분자복합재료(CFRP)로 대표되는 이 재료들은 각종 라켓, 골프채 등과 같은 스포츠용품 및 선박, 고속전철, 항공기 등의 필수 구조재료 등으로 다양한 분야에서 이용되고 있다.

④ **광섬유** : 광섬유는 진공 상태에서 빛을 광속의 $\frac{2}{3}$ 정도의 속도록 전달할 수 있도록, 중심부에는 굴절률이 높은 유리, 바깥 부분은 굴절률이 낮은 유리를 사용하여 중심부 유리를 통과하는 빛이 전반사가 일어나도록 한 광학적 섬유이다. 에너지 손실이 매우 적어 송수신하는 데이터의 손실률도 낮고 외부의 영향을 거의 받지 않으며, 혼신이 없고 도청이 힘들며, 소형 및 경량으로서 굴곡에도 강하며, 하나의 광섬유에 많은 통신회선을 수용할 수 있다는 장점이 있다.

⑤ **초전도체** : 매우 낮은 온도에서 전기저항이 0에 가까워지는 초전도현상이 나타나는 도체로서, 전기, 전자, 환경 의료 등 여러 분야에 응용되고 있다.

05 용접부의 야금학적 특징

1 용접부의 응고

용접부란 용접금속 및 열영향부를 포함하는 부분을 총칭한다. 용융 용접의 용접부는 그림과 같이 몇 개의 영역으로 상세하게 구분되기도 한다. 용접열영향부(HAZ)는 용융선과 모재사이에 형성되는 영역으로 고상에서 조직변화가 일어난 부분을 말한다.

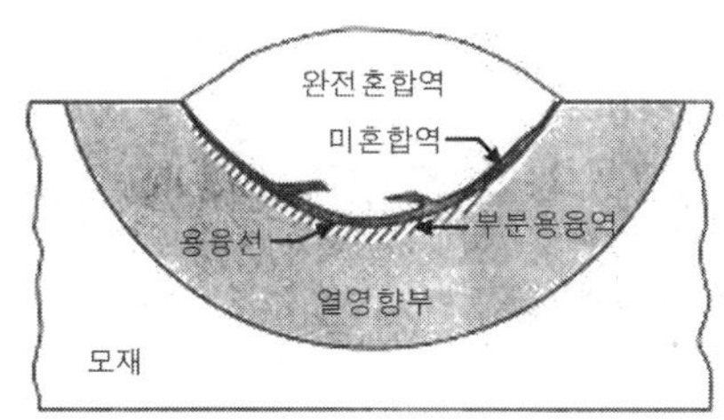

① 완전 혼합역(composite region)은 모재와 용접재료가 용융하여 완전히 혼합된 영역을 말하며, 대부분 용융부가 이 영역에 속한다.

② 미혼합역(unmixed zone)은 모재는 완전히 용융되었지만 용접재료와 전혀 혼합되지 않았거나 불완전한 상태로 응고한 부분으로서 불완전 혼합역이라고도 하며, 용융선에 인접한 부분이다.

③ 부분용융역(partially melted zone)은 완전혼합역, 미혼합역과 고상영역의 사이에 존재하는 천이영역을 의미 하며, 이 영역은 액상과 고상이 공존한다.

④ 용융선(fusion line)은 미혼합역과 부분용융역의 경계선이지만 통상 용접금속과 열영향부의 경계선을 의미 한다.

⑤ 원질부 : 용접 열영향을 받지 않는 모재 부분을 의미한다.

2 용접부의 조직

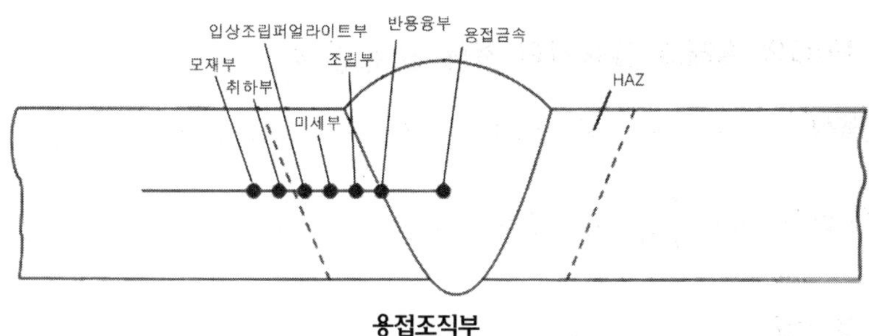

용접조직부

① 용접금속(1500℃) : 용해된 다음 응고되어 수지상 결정조직이 되어 있는 부분

② 반용융부(1400℃) : 본드부라고도 하며 경도값이 최대인 곳으로 워드만 조직이 발달

③ 조립부(1100℃) : 과열로 인해 조립화 워드만 조직

④ 미립부(미세부)(900℃) : 인성이 큰 조직으로 불림 처리되어 AC3이상 가열

⑤ 입상펄라이트(700℃) : 펄라이트가 세립상으로 분리된 부분으로 AC1~AC3범위로 가열

⑥ 취화부(500℃) : 현미경 조직 변화는 거의 없으나 기계적 성질이 나쁨

⑦ 원질부(100℃) : 용접열의 영향을 거의 받지 않은 모재 부분

3 용접부의 편석

용접부가 응고되는 동안에 불순물 또는 첨가되는 합금 원소에 의해 편석이 생길 수 있다. 편석은 크게 몇 개의 결정립에 걸쳐서 일어나기도 하며, 한 개의 결정립보다 작은 범위에서 일어나기도 한다.

4 용접용 강재의 선정

① 강재 중 황과 인의 양을 제한하여야 설퍼 크랙 및 인으로 인한 편석을 막을 수 있다.
② 강재는 저 탄소강으로 적당한 강도와 동시에 인성과 연성이 이어야 용접부가 균열이 발생하지 않는다.
③ 강재에는 층상 결함인 라미네이션 등이 없어야 굽힘 시험에서 통과할 수 있다.
④ 급냉, 비틀림 등의 열영향부(HAZ)취화가 최소인 강재여야 된다.

5 슬래그의 생성반응

용융 슬래그 중에 산화철 및 산화칼슘이 존재하는 경우 탈인 반응이 일어난다. 아울러 탈황 반응은 염기도가 클수록 크며 잘 일어난다.

(가) FeO의 슬래그 금속간의 평형 및 반응식

① **반응식** FeO ⇆ Fe + O FeO는 슬래그 중에 함유, Fe와 O는 용강

② **평형상수** $K=\frac{O}{FeO}$ K는 슬래그 성질에 의존된다.

(나) 염기도

용융 슬랙의 산성 및 염기도는 용접할 때 화학 반응과 관계있어 중요하며 염기도(basicity)는 염기성 성분의 합을 산성 성분의 합으로 나눈 것을 말한다.

$$\text{염기도}(B)=\frac{\sum \text{염기성성분}(\%)}{\sum \text{산성성분}(\%)}$$

용융 슬래그 염기도 표시

$$\text{염기도}(B)=\frac{CaO(\%)+MnO(\%)+FeO(\%)}{SiO_2(\%)+Al_2O_3(\%)+TiO_2(\%)}$$

6 탈산 반응

기계적 성질을 개선하기 위하여 용착 금속 중에 탈산 작용은 피복제 속에 있는 Mn, Si, Al 등으로 산소를 제거하는 데 이 중 Al의 탈산력이 가장 우수하다.

(가) Mn의 반응

$$FeO + Mn \leftrightarrows MnO + Fe \qquad KMn=\frac{MnO}{FeO \cdot Mn}$$

(나) Si의 반응

$$2FeO + Si \leftrightarrows SiO_2 + 2Fe \qquad KSi=\frac{SiO_2}{2(FeO)\cdot Si}$$

(다) Al의 반응

$$3FeO + 2Al \leftrightarrows Al_2O_3 + Fe \qquad KAl=\frac{Al_2O_3}{3(FeO)\cdot 2Al}$$

7 용접 금속과 성분 원소의 영향

(가) 산소의 영향

① 용융 금속중의 산화물은 MnO나 SiO_2가 주이며, FeO는 이들 양의 $\frac{1}{10}$정도이다.

② 피복 아크 용접에서 산소는 피복제 중의 산화물 및 용접봉에 함유되어 있는 수분과 공기 중의 산소가 근원이다.

③ 산소는 결정격자 내를 빠져 나가지 모하고 산화물 또는 개재물로 남아있게 된다.

(나) 수소의 영향

① 수소는 산소나 질소에 비하여 원자가 작기 때문에 격자 내에 자유롭게 확산되어 결함을 일으킬 수 있다.

② 피복 아크 용접시 수소는 용접봉 피복제 등의 함유되어 있는 수분이 아크열로 분해되어 기체로 공급되는 경우가 많으며, 이음부 표면의 습기, 산화철 등에서 공급된다.

③ 확산성 수소(상온에서 이동용이), 비확산성 수소(온도를 올려야 이동)가 있다.

④ 용접 금속에 수소는 기공, 비드밑 터짐, 은점, 선상조직, 균열, 취성 등의 원인이 되므로 함

량을 최소화하여야 한다.

(다) 질소의 영향

① 피복 아크 용접시 질소는 대부분 공기 중에서 침입되지만 피복제, 전류 및 전압에 영향을 받는다.

② 피복 아크 용접시 용융 금속의 질소의 용해량은 제강할 때보다 매우 크다.

③ 질소는 변형 시효의 원인이 된다.

용접 금속 중에 산소 및 질소는 석출 경화(담금질 시효)의 원인이 된다. 또한 저온 취성에도 많은 영향을 준다.
아울러 질소는 변형시효 및 청열 취성 등에도 영향을 주는 원소이다.
풀림에 의한 취성 원인은 질소, 산소 및 탄소 때문에 발생한다.

8 용접 금속의 결정 미세화 방법

① 초음파 진동을 주어 응고하고 있는 용융금속을 미세화 한다.

② 자기 교반으로 미세화 한다.

③ 합금 원소(Ti, Al, Cr, V)를 첨가하여 미세화 한다.

④ 용접 중 실드가스(N)사용 또는 풍압 등을 가해 미세화 시킨다.

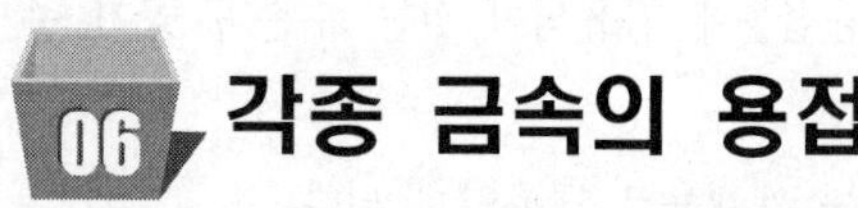

06 각종 금속의 용접

1 저 탄소강(탄소량 0.3% 이하)

① 용접성이 우수하지만 노치 취성과 용접부 터짐에 주의하여야 한다.

② 두께가 50mm 이상에서는 예열을 하거나 용접봉 선택에 신중을 기한다.

③ 아크 용접, 전기 저항 용접, 전자빔 용접, 고밀도 용접 등이 가능하다.

노치 취성을 줄이려면 노치 인성을 높이고 천이 온도를 낮게 하기 위하여 탄소량이 적고 망간량이 많은 것이 좋다. 아울러 탈산 정력이 잘 된 것일수록 노치 인성이 좋아진다. Al, Ti, V 등의 특수 원소를 첨가하면 탄소와 질소를 안정시켜 시효성을 감소 시켜 노치 인성에 좋은 영향을 준다. 또한 열처리를 통하여 노치 인성을 향상 할 수 있다.

2 중 탄소강(탄소량 0.3~0.5%)

① 저온 균열 발생우려가 있어 100~200℃로 예열이 필요하다.
② 탄소량이 0.4% 이상일 경우에는 후열처리도 고려한다.
③ 용접봉은 저수소계를 사용한다.

3 고 탄소강(탄소량 0.5% 이상)

① 탄소 함유량의 증가로 급냉 경화, 균열 발생이 생긴다.
② 균열을 방지하기 위하여 전류를 낮게 하며, 용접 속도를 느리게 하며 용접 후 신속히 풀림 처리를 한다. 또한 예열 및 후열(600 ~ 650℃)을 한다.
③ 용접봉은 저수소계를 사용한다.
④ 용접할 때 층간온도를 반드시 지킨다.

고탄소강 용접시 예열을 하지 않으면 열영향부가 담금질 조직이 되어 경도가 높아 취성이 생길 우려가 있다.

4 고장력강

① 연강보다도 높은 항복점, 인장강도를 가지고 있어서 강도, 경량화, 내식성을 요구할 때 사용한다.
② 고장력강은 연강에 망간 규소를 첨가시켜 강도를 높인 것으로 연강 용접이 가능하지만 합금 성분이 포함되어 있기 때문에 담금질 경화성이 크고 열영향부의 연성 저하로 저온 균열 발생 우려가 있다.
③ **고장력강 용접시 주의사항**
　㉠ 용접을 시작하기 전에 이음부 내부 또는 용접할 부분을 청소해야 한다.
　㉡ 용접봉은 300 ~ 350℃로 1~2시간 건조한 저수소계를 사용한다.
　㉢ 아크 길이는 가능한 짧게 유지하고 위빙 폭을 작게 한다.
　㉣ 엔드탭 등을 사용한다.

5 주철

(가) 주철의 용접이 곤란한 이유

① 수축이 크고 균열이 발생하기 쉽고 기포 발생이 많으며, 급열 급랭으로 용접부의 백선화로 절삭 가공이 곤란하며 이런 이유로 용접이 곤란하다.

② 다량 포함 되어 있는 탄소는 용접 중에 산소에 의해 산화되어 일산화탄소 가스가 생겨 기공이 생기기 쉽다.

③ 장시간 가열로 흑연이 조대화 된 경우 주철 속에 흙, 모래 등이 있는 경우 용착이 불량하거나 모재와의 친화력이 나쁘다.

④ 주철의 용접부는 경화되면 균열이 생기기 쉬우며, 주철 자체는 연성이 적어 용접에 의한 구속 응력이 응력 집중부에 작용하여 균열이 생기기 쉽다.

(나) 주철 용접 방법

① 예열 및 후열(500 ~ 550℃)을 한다.

② 붕사 15%, 탄산수소나트륨 70%, 탄산나트륨 15% 알루미늄 분말 소량의 혼합제가 널리 쓰임

(다) 주철 보수 용접 방법

① 버터링법 : 처음에 모재와 잘 융합하는 용접봉을 사용하여 적당한 두께까지 용착시키고 난 후 다른 용접봉으로 용접하는 방법이다.

② 비녀장법 : 균열의 수리 및 가늘고 긴 용접을 할 때 용접선에 직각이 되게 6 ~ 10mm정도의 ㄷ자형의 강봉을 박고 용접한다.

③ 로킹법 : 용접부 바닥면에 둥근홈을 파고 이 부분에 걸쳐 힘을 받도록 하는 방법이다.

④ 스텃 법 : 용접 경계부 바로 밑 부분의 모재까지 갈라지는 결점을 보강하기 위하여 스텃 볼트를 사용하여 조이는 방법이다. 비드의 배치는 가능한 짧게 하는 것이 좋다.

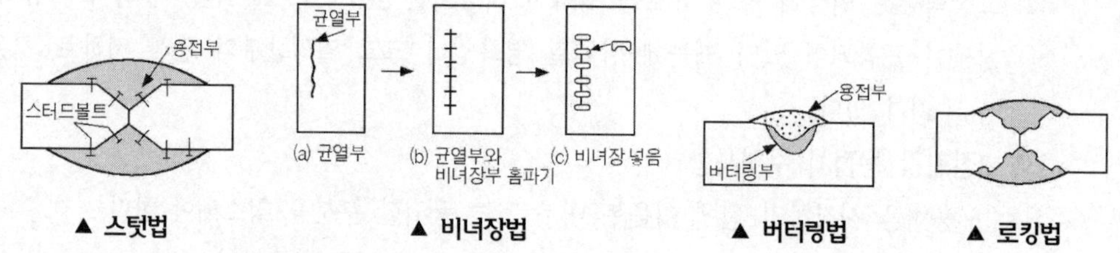

▲ 스텃법 ▲ 비녀장법 ▲ 버터링법 ▲ 로킹법

⑦ 주철의 용접시 주의 사항

㉠ 보수 용접을 행하는 경우는 본 바닥이 나타날 때까지 잘 깎아낸 후 용접한다.

ⓛ 파열의 끝에 작은 구멍을 뚫는다.

ⓒ 용접 전류는 필요이상 높이지 말고, 직선 비드를 사용하며, 깊은 용입을 얻지 않는다.

ⓓ 될 수 있는 대로 가는 지름의 것을 사용한다.

ⓜ 비드 배치는 짧게 여러 번 한다.

ⓑ 피닝 작업을 하여 변형을 줄인다.

ⓢ 가스 용접을 할 때는 중성불꽃 및 탄화불꽃을 사용하며, 플럭스를 충분히 사용한다.

ⓞ 두꺼운 판에 경우에는 예열과 후열 후 서냉한다.

① 주철은 강에 비하여 용융점이 1,150℃정도로 낮고 유동성이 좋고 주조성이 우수하여 각종 주물을 만드는데 사용된다.
② 주철은 인장강도가 낮고 상온에서 가단성 및 연성이 없다.
③ 주철은 용접시 탄소가 많으므로 기포발생에 주의하여야 하며, 예열 및 후열 등의 용접 조건을 충분하게 지켜 시멘타이트층이 생기지 않도록 하여야 한다.
④ 용접시 수축이 많아 균열이 생기기 쉽고 용접 후 잔류 응력 발생에 주의하여야 한다.
⑤ 주철 용접부의 결함에는 편석 또는 주물사가 섞이는 경우가 많다. 그러므로 결함이 있는 부근을 드릴, 정, 연삭숫돌 등으로 홈이나 구멍을 만들어 편석이나 모래를 제거한 뒤 용접한다.
⑥ 균열이 일어나 보수할 경우에는 균열의 전파를 막기 위하여 정지 구멍을 뚫고 보수하여야 균열이 연장되지 않는다.
⑦ 각 층의 슬랙을 완전히 제거하여 기공, 용입불량 등의 결함이 일어나지 않게 하여야 한다.

6 스테인리스강

(가) 스테인리강의 용접이 곤란한 이유

① 스테인리스강은 선 팽창 계수가 연강 보다 50% 정동 크고 전기 저항도 크며, 열전도가 대단히 적어 열팽창의 국부적인 변화에 따라 변형되기 쉬워 용접이 어렵다.

② 스테인리스강은 용접부에 편석물 등이 금속과 화합하여 강도를 약하게 하거나 잔류 응력의 영향으로 균열이 생기기 쉽다.

③ 용접 후 장시간 480~800℃ 정도 유지하거나 이 온도 범위로 서냉하면 크롬 탄화물이 결정립계에 석출되어 입계 부식이 생길 수 있다.

(나) 스테인리스강의 용접 방법

① 0.8mm 까지는 피복 아크 용접을 이용할 수 있다. 피복 아크 용접시 탄소강 보다 10 ~ 20%낮은 전류를 사용한다. 전류는 직류 역극성이 주로 사용된다.

판 두께	자세(F)		자세(V 및 O)	
	용접봉 지름(mm)	전류(A)	용접봉 지름(mm)	전류(A)
1.5	2.0	40	2.6	35
3.0	3.2	90	3.2	65
4.0	4.0	125	3.2	80

② 불활성 가스 아크 용접이 주로 이용되며, 박판(0.4 ~ 0.8mm)은 TIG, 후판은 MIG용접으로 직류 역극성을 사용하여 용접한다.

③ 스테인리스강에 용접에서는 용입이 쉽게 이루어지도록 하는 것이 중요하다.

④ 일반적으로 가장 큰 문제는 열영향, 산화, 질화, 탄소의 혼입 등이며, 특히 용융점이 높은 산화크롬의 생성을 피해야 된다.

⑤ 크롬 니켈 스테인리스강의 용접(18 - 8 스테인리스강)은 탄화물이 석출하여 입계 부식을 일으켜 용접 쇠약을 일으키므로 냉각속도를 빠르게 하든지, 용접 후에 용체화 처리를 하는 것이 중요하다.

용체화 처리(고용화 열처리) : 강의 합금 성분을 고용체로 용해하는 온도 이상으로 가열하고 충분한 시간 동안 유지한 다음 급행하여 합금 성분의 석출을 저해함으로써 상온에서 고용체의 조직을 얻는 조작

(다) 스테인리강의 용접

① 페라이트계(13Cr)스테인리스강의 용접

- 예열 온도는 200℃정도, 층간 온도는 80%
- 용접중에는 그대로 유지하고 필요에 따라 용접 후 후열처리를 하면서 서냉
- 가능한 낮은 전류 및 가능 용접봉을 사용하여 용접 입열을 억제한다.

② 마텐자이트계 스테인리스강의 용접

- 예열 온도는 200 ~ 400℃와 층간 온도의 유지 필요
- 용접 직후 냉각되기 전에 700 ~ 800℃로 가열 유지한 후에 공냉
- 후열처리가 어려운 경우 고급 스테인리스봉 사용

③ 오스테나이트(18Cr - 8Ni) 스테인리스강의 용접시 주의사항

- 예열을 하지 않는다.
- 층간 온도가 320℃ 이상을 넘어서는 안 된다.
- 용접봉은 모재와 같은 것을 사용하며, 될수록 가는 것을 사용한다.
- 낮은 전류치로 용접하여 용접 입열을 억제한다.
- 짧은 아크 길이를 유지한다. (길면 카바이드 석출)
- 크레이터를 처리한다.

입계부식 : 예민화된 용접 결합부를 부식 환경 중에서 사용하게 되면 크롬 탄화물이 결정입계에 탄화물이 석출되어 입계 근방에 크롬이 줄어 부식이 생기는 것을 말한다.

오스트나이트계 스테인리스강의 용접시 발생하는 입계부식을 방지하는 방법은 용접 후 1,050 ~ 1,100°용체화 처리를 하고 공랭. 850°이상으로 가열 급냉 담금질

7 구리 및 구리합금

(가) 구리 용접이 곤란한 이유

① 산소에 의해 산화동 풀림 취성의 원인이 된다.

② 열전도율이 커서 국부적 가열이 곤란하므로 예열을 통하여 충분한 용입을 얻어야 된다.

③ 열팽창계수가 커서 용접 후 응고 수축이 생길 수 있다.

(나) 구리 및 구리 합금의 용접

① 용접성에 영향을 주는 것은 열전도도, 열팽창계수, 용융 온도, 재결정 온도 등이다.

② 티그 용접법, 피복 금속 아크 용접, 가스 용접법(산소-아세틸렌), 납땜법(은납땜) 등이 사용된다.

티그용접을 사용하여 구리를 용접할 경우 아르곤의 순도는 99.9% 이상의 고순도가 필요하며, 판두께 6mm이하, 토륨이 들어있는 전극봉으로 직류 정극성을 사용한다. 또한 예열 온도는 500℃정도로 사용하나, 미그 용접의 경우에는 300 ~ 500℃정도를 사용한다.

피복 금속 아크 용접을 이용할 경우 충분히 예열을 할 수 있는 단순한 구조물의 경우에만 사용되며, 전원은 직류 및 교류가 모두 사용가능 하며 직류를 사용할 경우 역극성이 주로 사용된다. 일반적으로 예열 온도는 450℃ 정도가 필요하며, 용접봉은 모재 재질과 같은 것을 선택한다.

③ 가접은 가능한 한 많이 하여 변형을 방지하며 경우에 따라 긴 후반의 세로 이음을 양쪽에서 두명의 용접사가 동시에 작업을 진행한다.

④ 용접홈의 각도는 60 ~ 90°로 넓게 하고, 경우에 따라 이면의 각도도 넓게 주고 백판을 사용한다.

⑤ 균열 방지 피닝을 한다. 층간 온도는 70℃ 이하를 유지하여야 한다.

⑥ 구리 합금의 용접 조건

㉠ 구리에 비하여 예열 온도는 낮아도 된다.

㉡ 루트 간격과 홈 각도를 크게 하고, 용접봉은 모재 재질과 같은 것을 사용한다.
㉢ 가접을 될 수 있는 데로 많이 한다.
㉣ 황동 용접의 경우 아연 증발로 인해 용접사가 아연 중독을 일으킬 수 있다.

8 알루미늄 합금

(가) 알루미늄 합금이 용접이 곤란한 이유

① 열전도가 커서 단시간에 용접 온도를 높이는 데 높은 온도의 열원이 필요하다. 즉 온도 확산율이 크기 때문에 큰 용접 입열량이 요구된다.

② 열팽창 계수가 매우커서(강의 약 2배) 용접 후 변형이나 잔류응력의 발생이 쉬우며, 고온 취성의 경향을 가지고 있어 균열이 생기기 쉽다.

③ 산화알루미늄의 ~~용융~~온도(2,050℃) 비중 4로 알루미늄의 ~~용융~~온도(660℃) 비중 2.7보다 높아 용접하기 어렵다.

티그용접을 사용하여 구리를 용접할 경우 아르곤의 순도는 99.9% 이상의 고순도가 필요하며, 판두께 6mm이하, 토륨이 들어있는 전극봉으로 직류 정극성을 사용한다. 또한 예열 온도는 500℃정도로 사용하나, 미그 용접의 경우에는 300 ~ 500℃정도를 사용한다.

④ ~~용융~~ 응고시에는 수소 가스를 흡수하여 기공이 생기기 쉽다.

(나) 알루미늄 합금의 용접 방법

① 가스용접, 불활성 가스 아크 용접, 전자빔 용접, 플라즈마 아크 용접, 스텃 용접, 전기 저항 용접, 냉간 압접, 열간 압접, 초음파 용접등이 쓰인다.

㉠ 불활성 가스 아크 용접을 사용할 경우 용제 사용 및 슬랙 제거가 불필요하며 직류 역극성 사용시 청정 작용이 있다. 일반적으로 고주파 전류를 중첩시킨 교류가 많이 사용된다.

㉡ 저항 용접은 주로 점용접이 사용되며, 모재 표면의 산화막을 제거한 후 용접해야 원하는 성질을 얻을 수 있으며, 재가압 방식을 이용하여 기공의 발생을 막을 수 있다.

가스 용접을 사용할 경우 아세틸렌 과잉 불꽃을 사용하고 200 ~ 400℃로 예열한다. 변형을 막기 위해서는 스킵법과 같은 용접 순서를 고려하여야 한다. 용융점이 낮은 관계로 용접을 빨리 진행한다.

② 용접 전의 처리가 필요하다. 즉 개선가공 → 전처리 → 예열 → 용접 → 후처리의 순으로 용접을 진행한다.

③ 용접 후 2%의 질산 또 10%의 더운 황산으로 세척한 후 물로 씻어 냄(또는 찬물이나 끓인물을 사용하여 세척한다.)

알루미늄 합금의 분류 : 순수 Al계(1XXX), Al-Cu계(2XXXX), Al-Mn계(3XXX) Al-Si계(4XXX), Al-Mg계(5XXXX), Al-Mg-Si계(6XXX), Al-Zn-Mg계(7XXX)

9 클래드 강의 용접

클래드강이란 연강, 고장력강 등을 모재로하여 그 한면 또는 양면에 모재와 다른 성분의 기타 금속을 합한 것으로 상요 목적에 따라 탄소강에 스테인리스, 비철 등을 클래드한 다양한 것이 사용된다.

클래드 강의 용접 공정은 재료 절단 → 개선 가공 → 성형 → 용접 순으로 공정이 진행된다. 클래드 강을 용접할 때는 모재 측부터 먼저 용접한다.

10 기타

① 니켈과 니켈 합금의 용접은 피복 아크 용접을 쉽게 이용할 수 있다.

② 티탄의 경우는 대기가스에 대해 높은 용해도를 갖기 때문에 산화나 용착 금속 내부에 기공의 발생 우려가 있어 불활성 가스 아크 용접이 많이 사용되고 있다. 이때 가스 유량, 용접 속도, 아크 길이, 퍼징, 절단 및 가공 방법 등이 중요한 요소로 작용한다.

티탄은 비강도가 대단히 크면서 내식성이 아주 우수하고 600℃이상에서는 산화 질화가 빨라 TIG 용접시 특수 실드 가스 장치가 필요하다.

chapter1 예상문제

1-1 용접부의 야금학적 특징

01 다음 중 금속의 일반적 특성으로 틀린 것은?

㉮ 모든 금속은 상온에서 고체이며 결정체이다.
㉯ 열과 전기의 좋은 양도체이다.
㉰ 전성 및 연성이 풍부하다.
㉱ 금속적 광택을 가지고 있다.

해설 금속은 일반적으로 고체이며 결정체이나 수은(Hg)만은 액체이다.

02 비철 금속재료가 아닌 것은?

㉮ 알루미늄 ㉯ 구리 ㉰ 주철 ㉱ 니켈

해설
① 철금속 : 순철, 탄소강, 주강, 주철
② 비철 금속 : 구리, 알루미늄, 마그네슘, 니켈 등
③ 비금속 : 유리, 시멘트 등

03 다음 중 합금의 물리적 성질이 아닌 것은?

㉮ 비중 ㉯ 열팽창계수
㉰ 강도 ㉱ 용융잠열

해설
① 물리적 성질 : 비중, 열팽창계수, 용융잠열, 열전도율, 전기 전도율 등
② 기계적 성질 : 강도, 경도, 항복점 등
③ 화학적 성질 : 내식성, 내열성, 부식 등

04 금속이 열전도나 전기전도도가 높은 이유를 가장 알맞게 설명한 것은?

㉮ 자유전자의 이동 때문이다.
㉯ 비중이 크기 때문이다.
㉰ 광택을 갖기 때문이다.
㉱ 고체 상태이기 때문이다.

해설 열전도의 순이나 전기 전도도의 순은 비슷하며 자유전자의 이동 때문에 금속이 높다.

05 실온 20℃에서 열전도율이 가장 큰 것은?

㉮ Ag ㉯ Fe ㉰ Sn ㉱ Ni

해설 전기전도율
- 순서 : Ag 〉 Cu 〉 Au 〉 Al 〉 Mg 〉 Ni 〉 Fe 〉 Pb의 순이다.
- 열전도율도 전기 전도율과 순서가 비슷하다.

06 다음 금속 중에서 일반적으로 열전도율이 가장 큰 금속은?

㉮ 알루미늄 ㉯ 연강
㉰ 주철 ㉱ 스테인레스강

07 전기 전도율이 가장 좋은 것은?

㉮ Ag ㉯ Cu ㉰ Au ㉱ Al

해설 구리로 잘못 알기 쉬우나 은이 전기 전도와 열전도율은 가장 좋다.

08 경금속과 중금속은 다음 중 무엇으로 구분하는가?

㉮ 열전도율 ㉯ 비중 ㉰ 비열 ㉱ 용융점

해설 비중 4.5를 그 이상을 중금속, 그 이하를 경금속이라 한다.

09 다음 중 경금속으로 보기 어려운 것은?

㉮ 알루미늄 ㉯ 백금 ㉰ 마그네슘 ㉱ 티타늄

해설 알루미늄은 2.7, 마그네슘 1.7, 티탄 4.50이다. 백금은 21.450이다.

10 철(Fe)의 비중은 약 얼마인가?

㉮ 6.9 ㉯ 7.8 ㉰ 8.9 ㉱ 10.4

해설 철의 비중은 7.8, 구리의 비중은 8.90이다.

Answer 1.㉮ 2.㉰ 3.㉰ 4.㉮ 5.㉮ 6.㉮ 7.㉮ 8.㉯ 9.㉯ 10.㉯

11 다음 금속 중 비중이 제일 큰 것은?

㉮ Ir ㉯ Ce ㉰ Ca ㉱ Li

해설 금속 중에서 가장 가벼운 것은 리튬(0.53)이며 가장 무거운 것은 이리듐(22.5)이다.

12 다음 재료에서 용융점이 가장 높은 재료는?

㉮ Mg ㉯ W ㉰ Pb ㉱ Fe

해설 텅스텐(W)가 3,400℃로 용융점이 가장 높아 불활성 가스 텅스텐 아크 용접의 전극으로 사용된다.

13 다음 금속 중 냉각 속도가 가장 빠른 것은?

㉮ 구리 ㉯ 알루미늄
㉰ 스테인리스강 ㉱ 연강

해설 구리가 알루미늄, 스테인리스강, 연강보다 열전도율 및 전기전도율이 우수하여 냉각 속도가 빠르다.

14 용접 입열이 일정한 경우 열전도율(λ)이 큰 것일수록 냉각속도가 크다. 다음 금속 중 냉각속도가 가장 큰 것은?

㉮ 연강 ㉯ 스테인리스강
㉰ 알루미늄 ㉱ 동(銅)

15 물질을 구성하고 있는 원자가 규칙적으로 배열을 이루고 있는 것을 무엇이라 하는가?

㉮ 결정 ㉯ 공간 배열
㉰ 면심입방체 ㉱ 체심입방체

해설 물질을 구성하고 있는 원자가, 규칙적으로 배열을 이루고 있는 것을 결정이라고 한다.

16 금속이 응고할 때 핵에서 성장하는 결정이 나뭇가지와 같은 모양을 하는 것은?

㉮ 입상정 ㉯ 수지상정
㉰ 침상정 ㉱ 중상정

해설 수지상결정 [樹枝狀結晶, dendrite] : 녹은 금속이 응고될 때 형성되는 나뭇가지 모양의 결정으로 덴드라이트라고도 한다.

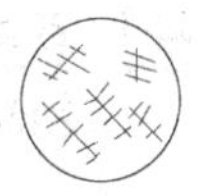
수지상 결정

17 금속의 결정 구조에서 결정의 성장 중 수지상 결정에 해당하는 것은?

㉮ 덴드라이트 ㉯ 공석강
㉰ 면심 입방 격자 ㉱ 치환형 고용체

18 일반적으로 금속의 냉각속도가 빠르면 조직의 변화는?

㉮ 조직과는 관계없다. ㉯ 치밀해 진다.
㉰ 불순물이 적어진다. ㉱ 조대해 진다.

해설 냉각 속도가 빠르면 핵 발생이 증가하여 결정 입자가 미세해진다.

19 다음 중 금속의 응고 과정에서 결정 성장에 영향을 주는 요인과 가장 관계가 없는 것은?

㉮ 금속의 표면 장력
㉯ 점성 및 유동성
㉰ 결정 경계상에 작용하는 힘
㉱ 금속의 용융점과 응고점

해설 재결정에 의하여 새로운 결정 입자는 온도의 상승, 시간의 경과와 더불어 큰 결정 입자가 근처에 있는 작은 결정 입자를 잠식하여 점차 그 크기가 증가되는 현상으로 결정입자의 성장은 고온에서 오랜 시간 가열함으로써 이루어지고, 온도가 상승할수록 급속히 이루어진다. 하지만 금속의 용융점과 응고점과는 거리가 멀다.

20 금속의 파단면을 현미경으로 보면 작은 알갱이의 집합으로 보이는 데 이것은 무엇인가?

㉮ 단위포 ㉯ 결정립
㉰ 결정격자 ㉱ 금속원자

해설 금속 또는 합금의 응고는 전체 융체에서 동시에 발생하는 것이 아니라, 결정핵을 중심으로 여기에 원자들이 차례로 결합되면서 이루어진다. 이 때 같은 결정핵으로부터 성장된 고체 부분은 어떤 곳에서나 같은 원자 배열을 가지게 되는 데 이를 결정 입자라 한다.

Answer 11.㉮ 12.㉯ 13.㉮ 14.㉱ 15.㉮ 16.㉯ 17.㉮ 18.㉯ 19.㉱ 20.㉯

21 용접금속 조직의 특징에서 주상정의 발달을 억제하는 방법으로 가장 적합하지 않은 것은?

㉮ 용접 중에 초음파 진동을 적용하는 방법
㉯ 용접 중에 공기 충격을 적용하는 방법
㉰ 용접 직후에 롤러가공을 적용하는 방법
㉱ 용접 금속 내의 온도 구배를 현저하게 하는 방법

해설 금속 주형에서 표면의 빠른 냉각으로 중심부를 향하여 방사상으로 이루어지는 결정을 주상정이라하며, 용접 금속 내의 온도 구배가 커지면 오히려 주상정이 커진다.

22 용접금속이 주상조직을 나타내는 경우, 다음 중 관련이 없는 경우는?

㉮ 충격치가 낮다.
㉯ 방향성을 나타낸다.
㉰ 보통 단층용접의 경우에 나타낸다.
㉱ 강의 주상조직이 소실하는 임계온도는 A_3점보다 20 ~ 30℃ 낮다고 추정된다.

23 용융금속의 결정을 미세화시키는 방법이 아닌 것은?

㉮ 자기교반에 의한 방법
㉯ 초음파 진동에 의한 방법
㉰ 실드 가스로 알곤을 사용하는 방법
㉱ 합금원소를 첨가하는 방법

해설 실드가스로 알곤을 사용하는 이유는 용착부를 보호하기 위함이다.

24 체심 입방격자구조에서 단위격자와 체심을 포함하면 전체 원자수는 몇 개인가?

㉮ 2개 ㉯ 4개 ㉰ 6개 ㉱ 8개

해설

① 체심입방격자의 원자수 =(꼭지점에 있는 원자의 수 = 8) × $\frac{1}{8}$ + (중앙에 있는 원자의 수 = 1)에서 2개
② 면심입방격자의 원자수 =(꼭지점에 있는 원자의 수 = 8) × $\frac{1}{8}$ + (면 중심에 있는 원자의 수 = 6) × $\frac{1}{2}$ = 4개

25 면심입방격자(FCC)에서 단위 격자 중에 포함되어 있는 원자수는 몇 개인가?

㉮ 2개 ㉯ 4개 ㉰ 6개 ㉱ 8개

26 다음 중 체심입방격자 구조의 금속만으로 된 것은?

㉮ Cr, Pt ㉯ Cr, V
㉰ Mo, Cu ㉱ W, Ti

해설 체심입방격자 (B·C·C) : 강도가 크고 전·연성은 떨어진다.Cr, Mo, W, V, Ta, K, Ba, Na, Nb, Rb, α-Fe, δ-Fe

27 다음 중 체심입방격자가 아닌 것은?

㉮ W ㉯ Mo ㉰ Al ㉱ V

해설 면심입방격자(F·C·C)는 전·연성이 풍부하여 가공성이 우수하다. Ag, Al, Au, Cu, Ni 등이 있다.

28 다음 그림은 체심입방 A·B 형 격자를 나타낸 것이다. 격자내의 B원자 수는?(단, ○ : A 원자, ● : B 원자)

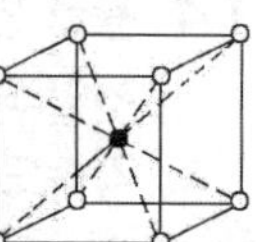

㉮ 8 ㉯ 4 ㉰ 2 ㉱ 1

해설 체심입방격자는 그림에서 A원자와 같이 단위격자 중심에 1개, 입방체 8개 꼭지점에 B원자와 같이 $\frac{1}{8}\times 8 = 1$이 있어 B또한 1이 된다. 그러므로 단위 격자에 속해 있는 원자수는 2가 된다. 참고적으로 면심은 4개, 조밀육방은 2개이다.

29 면십입방 격자의 슬립(slip) 면은?

㉮ (111)면 ㉯ (101)면
㉰ (001)면 ㉱ (010)면

해설 FCC구조에서의 슬립면은 [111]을 들 수 있다.

30 다음 원자 중 면심입방결정 격자에 속하는 원소는 어느 것인가?

Answer 21.㉱ 22.㉱ 23.㉰ 24.㉮ 25.㉯ 26.㉯ 27.㉰ 28.㉰ 29.㉮ 30.㉱

㉮ He　㉯ Cr　㉰ W　㉱ Ni

해설 면심 입방 격자 : 전연성이 우수하여 가공성이 좋다. 종류로는 Ag, Al, Au, Cu, Ni, Pb, Ce, Pd, Pt, Rh, Th, Ca, γ-Fe 등이 있다.

31 면심입방(FCC) 금속이 아닌 것은?

㉮ Al　㉯ Pt　㉰ Mg　㉱ Au

해설 Ti, Be, Mg, Zn 등은 조밀 육방 격자이다.

32 입방정계에 해당하지 않는 결정격자의 종류는?

㉮ 단순입방격자　㉯ 체심입방격자
㉰ 조밀입방격자　㉱ 면심입방격자

해설 입방정계(혹은 등축정계라고도 한다)는 결정학에서 3개의 벡터로 묘사되는 7 결정계 중의 하나로 정육면체 모양이며, 7 결정계 중 가장 많은 대칭성을 가지고 있다. 입방정계에는 단순 입방정계, 체심 입방정계, 면심 입방정계의 3가지 브라베이 격자가 있다.

33 다음 결정격자 중 원자의 수가 가장 많은 것은?

㉮ 면심입방격자　㉯ 정방격자
㉰ 체심입방격자　㉱ 조밀육방격자

해설 단위 격자속의 원자수는 체심은 2개, 면심은 4개, 조밀육방은 2개이나 이 문제의 경우 구조자체의 원자 개수를 질문하고 있어 체심은 9개, 면심은 14개, 조밀 육방은 17개이다.

34 금속의 결정격자는 규칙적으로 배열되어 있는 것이 정상적이지만 불완전한 것 또는 결함이 있을 때 외력이 작용하면 불완전한 곳 및 결함이 있는 곳에서부터 이동이 생기는 현상은?

㉮ 쌍위　㉯ 전위　㉰ 슬립　㉱ 가공

해설
① 슬립 : 금속 결정형이 원자 간격이 가장 작은 방향으로 층상 이동하는 현상(원자밀도가 최대인 격자면에서 발생)
② 트윈(쌍정) : 변형 전과 변형 후 위치가 어떤 면을 경계로 대칭되는 현상(연강을 대단히 낮은 온도에서 변형시켰을 때 관찰된다.)
③ 전위 : 불안정하거나 결함이 있는 곳으로부터 원자 이동이 일어나는 현상

35 금속재료를 냉간가공할 때 강도 및 경도의 증가 원인이 아닌 것은?

㉮ 쌍정　㉯ 전위
㉰ 내부응력　㉱ 마찰열

36 다음 중 질소가 크게 영향을 미치는 것은 어느 것인가?

㉮ 은점(fish eye)
㉯ 비드 밑 터짐(under - bead cracking)
㉰ 변형시효(strain aging)
㉱ 미세균열(micro crack)

해설 변형 시효란 상온에서 가공한 금속이 그 후의 시효에 의해 경화하는 현상을 말하며 질소가 원인이다.

37 재결정 온도가 영하인 금속은?

㉮ Ni　㉯ Ag
㉰ Pb　㉱ Mg

해설 Fe(350 ~ 450℃), Cu(150 ~ 240℃), Au(200℃), Pb(-3℃), Sn(상온) Al(150℃)

38 금속 재료의 냉간 가공에 따른 성질변화 중 옳지 않은 것은?

㉮ 인장강도 증가　㉯ 경도증가
㉰ 연신율감소　㉱ 인성증가

해설 냉간가공이란 재결정 온도 이하에서 가공하는 것으로 냉간가공을 하게 되면 강도 및 경도는 증가하나 연신율과 인성등은 감소된다.

39 강괴내의 응고는 상당히 빠르고 비평형 상태이므로 최초에 응고하는 부분과 나중에 응고하는 중심부에서는 그 화학성분이 상당히 달라지며 이와 같이 화학성분이 달라지는 것을 무엇이라 하는가?

㉮ 포정　㉯ 포석
㉰ 편석　㉱ 편정

Answer 31.㉰ 32.㉰ 33.㉱ 34.㉯ 35.㉱ 36.㉰ 37.㉰ 38.㉱ 39.㉰

해설 편석 : 금속의 처음 응고부와 나중 응고부의 농도차가 있는 것으로 불순물이 주원인이다.

40 용착금속이 응고할 때 불순물이 한곳으로 모이는 현상을 무엇이라고 하는가?

㉮ 공석 ㉯ 편석 ㉰ 석출 ㉱ 고용체

41 2종이상의 금속원자가 간단한 원자비로 결합되어 본래의 물질과는 전혀 다른 결정격자를 형성할 때 이것을 무엇이라고 하는가?

㉮ 동소변태 ㉯ 금속간 화합물
㉰ 고용체 ㉱ 편석

해설 금속간 화화물 : 친화력이 큰 성분 금속이 화학적으로 결합되면 각 성분 금속과는 성질이 현저하게 다른 독립된 화합물을 만드는데 이것을 금속간 화합물이라 한다.(Fe_3 C, Cu_4 Sn, Cu_3 Sn $CuAl_2$, Mg_2 Si, $MgZn_2$)

42 용융 슬래그 중에 FeO 와 CaO이 존재하는 경우에 용융강의 반응이 일어난다. 어떤 반응이 일어나는가?

㉮ 탈인 반응 ㉯ 탈산 반응
㉰ 탈황 반응 ㉱ 단정 반응

해설 용융 슬래그중에 산화철 및 산화 칼슘이 존재하는 경우 탈인 반응이 일어난다.

43 탈황 및 탈인반응에 대한 설명이다 거리가 먼 것은?

㉮ 탈황반응은 염기도가 높을수록 크다.
㉯ 탈인율(%P)은 용융슬래그가 산성일수록 크다.
㉰ 탈황율(%S)은 산화철률(% FeO)에 반비례 한다.
㉱ 탈황반응은 환원성일수록 탈황은 진행하기 어렵다.

해설 황과 인은 취성의 원인이 되며, 탈황 반응은 염기도가 클수록 크며, 탈인율은 용융슬래그가 산성일 때 크다.

44 용융 슬래그의 염기도를 나타내는 공식은?

㉮ $염기도 = \frac{\sum 산성성분}{\sum 염기성성분}$

㉯ $염기도 = \frac{\sum 염기성성분}{\sum 산성성분}$

㉰ $염기도 = \frac{\sum 염기성성분 + 산성성분}{\sum 산성성분}$

㉱ $염기도 = \frac{\sum 염기성성분}{\sum 산성성분 + 염기성성분}$

해설 용융 슬랙의 산성 및 염기도는 용접할 때 화학 반응과 관계있어 중요하며 염기도(basicity)는 염기성 성분의 합을 산성 성분의 합으로 나눈 것을 말한다.

45 금속 결정의 결함과 가장 관계가 먼 것은?

㉮ 치환형원자(substitutional atom)
㉯ 기공 및 공공(vacancy)
㉰ 결정입계(grain boundary)
㉱ 전위(dislocation)

해설 합금 등에서 발생하는 치환형은 철원자의 격자 위치에 니켈 등에 원자가 들어가 서로 바꾸는 것이다.(Ag - Cu, Cu - Zn 등)

46 2개의 성분 금속이 용해된 상태에서는 균일한 용액으로 되나 응고 후에는 성분 금속이 각각 결정이 되어 분리되며 2개의 성분 금속이 고용체를 만들지 않고 기계적으로 혼합된 조직은?

㉮ 공정 조직 ㉯ 공석 조직
㉰ 포정 조직 ㉱ 포석 조직

해설 공정(eutectic) 반응 : 두 개의 성분 금속이 용융 상태에서 균일한 액체를 형성하나 응고 후에는 성분 금속이 각각 결정으로 분리, 기계적으로 혼합된 것을 말한다.(액체 ⇔ 고체A + 고체B)

47 다음의 반응 중 공석 반응을 나타내는 반응식은?

㉮ 액상(L) → 고상(α) + 고상(β)
㉯ 고상(α) + 액상(L) → 고상(β)

Answer 40.㉯ 41.㉯ 42.㉮ 43.㉱ 44.㉯ 45.㉮ 46.㉮ 47.㉰

㉰ 고상(β) → 고상(α) + 고상(γ)
㉱ 액상(L_2) + 고상(α) → 액상(L_1)

해설 공석 : 고체 상태에서 공정과 같은 현상으로 생성되며 철강의 경우 0.77%C 점에서 오스테나이트와 시멘타이트의 공석을 석출(펄라이트)한다.
㉮는 공정 변화, ㉯는 포정변화 ㉰는 공석 변화,㉱는 편정 변화

48 A와 B금속을 합금하여 이 두 금속보다 자율성을 갖는 합금을 만들었다면 이때 응용된 반응은?

㉮ eutectic 반응 ㉯ eutectoid 반응
㉰ peritectic 반등 ㉱ monotectic 반등

49 2성분계의 평형 상태도에서 액체, 고체의 어느 상태에서도 일부분 밖에 녹지 않는 형은?

㉮ 공정형 ㉯ 포정형
㉰ 편정형 ㉱ 전율 고정형

해설 융액 + 고용체 A → 고용체 B는 포정 반응이며, 융액 A + 고용체 → 융액 B는 편정 반응이다. 즉 편정 반응은 일부밖에 녹지 않는다.

50 철 - 탄소(Fe - C) 평형 상태도에서, 912 - 1,394℃에서는 ( )격자이고( )철이라 한다. ( )에 각각 알맞는 용어는?

㉮ 면심입방, γ ㉯ 조밀육방, β
㉰ 체심입방, α ㉱ 체심입방, δ

해설 금속의 변태
① 동소 변태 : 고체 내에서 원자 배열이 변하는 것
㉠ α - Fe(체심), γ - Fe(면심), δ - Fe(체심)
㉡ 동소 변태 금속 : Fe(912℃, 1,400℃), Co(477℃), Ti(830℃), Sn(18℃) 등
② 자기 변태 : 원자 배열은 변화가 없고 자성만 변하는 것(Fe, Ni, Co)
㉠ 순수한 시멘 타이트는 210℃이하에서 강자성체. 그 이상에서는 상자성체
㉡ 자기 변태 금속 : Fe(768℃), Ni(358℃), Co(1,160℃)

51 α 철에서 γ 철로 변하는 동소 변태점은 어느 것인가?

㉮ 910℃ ㉯ 768℃ ㉰ 1,000℃ ㉱ 1,400℃

52 강자성체로만 나열된 것은?

㉮ Fe, Ni, Co ㉯ Fe, Pt, Sb
㉰ Bi, Sn, Au ㉱ Co, Sn, Cu

해설 자기 변태 금속인 Fe(775℃), Ni(358℃), Co (1,160℃)는 강자성체이다.

53 Fe-C 평형상태도에서 r - 철의 결정구조는?

㉮ 면심입방격자 ㉯ 체심입방격자
㉰ 조밀육방격자 ㉱ 혼합결정격자

54 γ 철의 구조는?

㉮ BCC ㉯ FCC
㉰ HCP ㉱ 저심입방격자

해설 γ철은 면심입방 격자(FCC)이다.

55 순철의 자기 변태온도는 약 얼마인가?

㉮ 210℃ ㉯ 738℃
㉰ 768℃ ㉱ 910℃

해설 자기 변태 : 원자 배열은 변화가 없고 자성만 변하는 것으로 철의 자기 변태 온도는 약 768℃이다. 자기 변태 금속으로는 Fe, Ni, Co가 있다.

56 임계 냉각온도 범위란 무엇인가?

㉮ 비등점과 변태점의 온도 범위
㉯ 가열변태점과 냉각변태점의 온도 범위
㉰ 용융점과 변태점의 온도 범위
㉱ 응고점과 변태점의 온도 범위

해설 임계 냉각온도 범위는 가열변태점과 냉각변태점의 온도 범위를 말한다.

Answer 48.㉮ 49.㉰ 50.㉮ 51.㉮ 52.㉮ 53.㉮ 54.㉯ 55.㉰ 56.㉯

57 강괴의 중앙 상부에 큰 수축공이 만들어지게 되는 강은?

㉮ 킬드강　　㉯ 세미킬드강
㉰ 림드강　　㉱ 쾌삭강

해설
① 림드강
㉠ 평로 또는 전로 등에서 용해한 강에 페로망간을 첨가하여 가볍게 탈산시킨 다음 주형에 주입한 것
㉡ 탈산 조작이 충분하지 않기 때문에 응고가 진행되면서 용강의 남은 탄소와 산소가 반응하여 일산화탄소가 많이 발생하므로 응고 후에도 방출하지 못한 가스가 아래 그림과 같이 기포 상태로 강괴 내에 남아 있다.
㉢ 수축공이 없으며 기공과 편석이 많아 질이 떨어진다.
㉣ 탄소 함유량은 보통 0.3%이하의 저 탄소강이 주로 사용된다.
㉤ 구조용 강재 및 피복 아크 용접용 모재 등으로 사용된다.
② 킬드강
㉠ 레이들 안에서 강력한 탈산제인 페로실리콘, 페로망간, 알루미늄 등을 첨가하여 충분히 탈산시킨 다음 주형에 주입하여 응고시킨다.
㉡ 기포 및 편석은 없으나 헤어 크랙이 생기기 쉽다.
㉢ 상부에 수축공이 생기므로 응고 후에 10~20%를 잘라낸다.
㉣ 강으로 재질이 균질하고 기계적 성질이 좋다
㉤ 탄소 함유량은 0.3%이상이다.

58 다음 중 일반적으로 용접성이 가장 좋은 강괴는?

㉮ 림드강　　㉯ 킬드강
㉰ 세미킬드강　　㉱ 캡트강

해설 강괴의 종류는 림드강, 킬드강, 세미킬드강, 캡트강이 있는데 이중 가장 용접성이 좋은 것은 킬드강이나 일반적으로 연강용 용접봉은 값이 저렴한 저탄소 림드강이 사용된다.

59 연강봉 피복 아크용접봉의 심선은 용융금속의 이행을 촉진시키기 위하여 규소의 양을 적게 한 어떤 종류의 강으로 만드는가?

㉮ 림드강(Rimmed steel)
㉯ 킬드강(Killed steel)
㉰ 세미킬드강(Semikilled steel)
㉱ 고탄소강(High carbon steel)

해설 연강용 피복 아크 용접봉의 심선은 가격이 저렴하고 균열의 관점에서 우수한 저탄소 림드강이 주로 사용된다.

60 강괴의 종류 중 탄소 함유량이 0.3% 이상이고, 재질이 균일하고, 기계적 성질 및 방향성이 좋아 합금강, 단조용강, 침탄강의 원재료로 사용되나 수축관이 생긴 부분이 산화되어 가공 시 압착되지 않아 잘라내야 하는 것은?

㉮ 킬드강　　㉯ 세미킬드강
㉰ 림드강　　㉱ 캡드강

61 자기 감응도가 크고, 잔류자기 및 항자력이 작으므로, 변압기의 철심이나 교류기계의 철심 등에 쓰이는 강은?

㉮ 텅스텐강　　㉯ 코발트강
㉰ 규소강　　㉱ 크롬강

해설 규소강은 변압기 철심 등에 사용된다.

62 다음 중 철강의 탄소 함유량에 따라 대분류한 것은?

㉮ 순철, 강, 주철　　㉯ 순철, 주강, 주철
㉰ 선철, 강, 주철　　㉱ 선철, 주강, 주철

해설 철강의 분류
① 철강의 5대 원소 : C, Si, Mn, P, S
② 순철 : 탄소 0.03%이하를 함유한 철
③ 강 : 아 공석강 : C0.77% 이하로 페라이트와 펄라이트로 이루어짐, 공석강 : C0.77%로 펄라이트로 이루어짐, 과 공석강 : C0.77%이상으로 펄라이트와 시멘타이트로 이루어짐
④ 주철 : 탄소 2.0~6.68%를 함유한 철 하지만 보통 4.5%까지의 것을 말함. 아공정 주철 : C1.7~4.3%, 공정 주철 : C4.3%, 과공정 주철 : C4.3%이상

63 다음 중 철강과 주철을 구분하는 탄소 함유량은?

㉮ 0.5%　　㉯ 2.1%　　㉰ 4.3%　　㉱ 6.67%

Answer 57.㉮ 58.㉯ 59.㉮ 60.㉮ 61.㉰ 62.㉮ 63.㉯

64 Fe-C 평형 상태도에서 공석강의 탄소 함량으로 가장 알맞은 것은?

㉮ 4.3%C ㉯ 2.04%C
㉰ 0.8%C ㉱ 6.67%C

65 탄소강에 함유되는 주요한 원소에 해당되는 것은?

㉮ Zn ㉯ Mn ㉰ Co ㉱ Ni

66 일반적으로 탄소 함유량이 증가함에 따라 용접성이 불량하여 지므로 탄소강보다는 저합금강이 훨씬 많이 실용화되는데 그 이유로 틀린 것은?

㉮ 탄소강의 인성과 전성이 증가하여 용접성이 불량해진다.
㉯ 질량효과가 크므로 열처리 효과가 나쁘다.
㉰ 경화도중에 균열 경향이 크다.
㉱ 고온에서 내식성과 내산화성이 불량하다.

해설 탄소강의 물리적 성질은 순철과 시멘타이트의 혼합물로서 그 근사값을 알 수 있으며, 탄소 함유량에 따라 변한다.
① 인성(질긴 성질), 전성(퍼지는 성질)등은 탄소량이 증가하면 오히려 감소한다.
② 탄소 함유량이 많을수록 일반적으로 경도와 강도가 증가되지만 연신율과 충격값은 매우 낮아진다.
③ 비중과 선팽창 계수는 탄소의 함유량이 증가함에 따라 감소
④ 비열, 전기 저항, 보자력 등은 탄소의 함유량이 증가함에 따라 증가
⑤ 내식성은 탄소의 함유량이 증가할수록 저하

67 탄소강에서 탄소(C)의 함유량이 증가할 경우에 해당하는 것은?

㉮ 경도증가, 연성감소 ㉯ 경도감소, 연성감소
㉰ 경도증가, 연성증가 ㉱ 경도감소, 연성증가

68 다음 원소 중 용접 열영향부의 경도 증가에 가장 큰 영향을 미치는 원소는?

㉮ 탄소 ㉯ 규소 ㉰ 망간 ㉱ 인

69 일반 탄소강에서 탄소 함량의 증가가 기계적 성질에 미치는 영향이 아닌 것은?

㉮ 경도를 높인다. ㉯ 인장 강도를 높인다.
㉰ 인성을 낮춘다. ㉱ 용접성을 향상시킨다.

70 규소가 탄소강에 미치는 일반적 영향으로 틀린 것은?

㉮ 강의 인장강도를 크게 한다.
㉯ 연신율을 감소시킨다.
㉰ 가공성을 좋게 한다.
㉱ 충격값을 감소시킨다.

해설 규소(Si)
① 인장 강도, 탄성 한도, 경도 증가
② 주조성(유동성) 증가 하지만 단접성은 저하시킴
③ 연신율, 충격 값 저하시킴
④ 결정립 조대화, 냉간 가공성 및 용접성 저하시킴
⑤ 탈산제로 사용

71 연신율을 감소시키지 않고 강도를 증가시키는 원소는?

㉮ Mn ㉯ P ㉰ S ㉱ Si

해설 Mn(0.2 ~ 0.8)
- 인장 강도, 경도, 인성, 점성 증가, 연성 감소
- 주조성과 담금질성 향상, 고온 가공성 증가
- 황화철(FeS)의 생성을 막아 황의 해(적열 취성)를 제거하며 일반적으로 탈산제로도 쓰인다.
- 결정립의 성장 방해
- 연신율을 감소시키지 않고 강도를 증가시킨다.

72 탄소강에 함유된 성분 중 황에 대한 설명으로 옳지 않은 것은?

㉮ 고온가공성을 해치게 한다.
㉯ 냉간 메짐을 일으킨다.
㉰ 망간을 첨가하여 황의 해를 제거할 수 있다.
㉱ 0.25%의 황이 함유된 강을 쾌삭강이라 한다.

Answer 64.㉰ 65.㉯ 66.㉮ 67.㉮ 68.㉮ 69.㉱ 70.㉰ 71.㉮ 72.㉯

해설 취성이나 메짐은 같은 말이며 황은 고온 취성(적열 취성), 인은 청열 취성(상온 취성, 냉간 취성의 원인이 된다.

종류	현 상	원인
청열취성	강이 200~300℃로 가열되면 경도, 강도가 최대로 되고, 연신율, 단면 수축률은 줄어들게 되어 메지게 되는 것으로 이때 표면에 청색의 산화 피막이 생성된다.	P
적열취성	고온 900℃이상에서 물체가 빨갛게 되어 메지는 것을 적열 취성이라 한다.	S
상온취성	충격, 피로 등에 대하여 깨지는 성질로 일명 냉간 취성이라고도 한다.	P

73 일반적으로 강은 가열하면 연화하므로 가공이 쉽게 되지만 불순물이 많은 강은 열간가공 중 900 ~ 1200℃의 온도 범위에서 갈라지는 경우가 있다. 이것을 무엇이라고 하는가?

㉮ 저온취성 ㉯ 풀림취성
㉰ 청열취성 ㉱ 적열취성

74 탄소강의 성질에 미치는 인(P)의 영향으로 적당하지 않은 것은?

㉮ 결정입자의 미세화
㉯ 상온 취성의 원인
㉰ 편석으로 충격값 감소
㉱ 인장 강도와 경도가 증가

해설 인(P)의 영향
① 연신율 감소, 균열 발생, 충격값 저하
② 결정립을 거칠게 하며 냉간 가공성 저하
③ 청열 취성에 원인
결정입자의 첨가원소로는 Ti, Al, Cr, V등이 있다.

75 저탄소강을 저온에서 인장시험을 하면 200 ~ 300℃의 온도범위에서 인장강도는 매우 증가하고 또한 연성의 저하를 나타내는 경우가 있다. 이 현상을 무엇이라고 하는가?

㉮ 청열취성 ㉯ 풀림취성
㉰ 적열취성 ㉱ 저탄소취성

해설 청열 취성 : 강이 200~300℃로 가열되면 경도, 강도가 최대로 되고, 연신율, 단면 수축률은 줄어들게 되어 메지게 되는 것으로 이때 표면에 청색의 산화 피막이 생성된다. P이 원인이다.

76 탄소강에서 용접성을 나쁘게 하는 적열취성을 방지하는 원소는?

㉮ 탄소 ㉯ 인 ㉰ 유황 ㉱ 망간

해설 적열취성의 원인은 황(S)이여 망간(Mn)을 첨가하여 황의 해를 방지한다.

77 탄소강에 함유된 성분에 대한 각각의 설명으로 옳은 것은?

㉮ 황(S)은 헤어 크랙(hair crack)이라고 하는 내부 균열을 가지고 있다.
㉯ 규소(Si)는 강의 고온 가공성을 나쁘게 한다.
㉰ 수소(H_2)는 용융금속의 유동성을 좋게 하고, 피절삭성을 향상시킨다.
㉱ 인(P)은 제강할 때 편석을 일으키기 쉽다.

78 탄소와 결합하여 탄화물을 만들어 강에 내마멸성을 가지게 하고 내식성, 내산화성을 좋게 하는 합금원소는?

㉮ Mn ㉯ Ni ㉰ Cr ㉱ Mo

해설 크롬은 적은 양에 의하여 경도와 인장강도가 증가하고, 함유량의 증가에 따라 내식성과 내열성 및 자경성이 커지며, 탄화물을 만들기 쉬워 내마멸성을 증가한다. 그 외에 원소로 니켈, 망간, 텅스텐, 몰리브덴 등은 열처리 후 공랭 하여도 담금질 효과를 얻을 수 있다.

79 강의 자경성을 높여 주는 원소는?

㉮ 크롬 ㉯ 탄소 ㉰ 코발트 ㉱ 바나듐

80 강의 탈산제로 적당하지 않은 것은?

㉮ 페로-실리콘(Fe-Si)
㉯ 알루미늄(Al)

Answer 73.㉱ 74.㉮ 75.㉮ 76.㉱ 77.㉱ 78.㉰ 79.㉮ 80.㉱

㉰ 페로 – 망간(Fe – Mn)
㉱ 페로 – 니켈(Fe – Ni)

해설 용융 금속 중의 산화물을 탈산 정련하는 작용을 하는 탈산제로는 페로실리콘, 페로망간, 페로티탄, 알루미늄 등이 있다.

81 용융 강(steel)중의 탈산제로서 가장 탈산능력이 큰 원소는?

㉮ 알루미늄 ㉯ 니켈 ㉰ 망간 ㉱ 크롬

82 탄소강 중에서 오스테나이트(austenite)의 조직은?

㉮ α 고용체 ㉯ β 고용체
㉰ γ 고용체 ㉱ δ 고용체

해설 강의 표준 조직

① 페라이트(α, δ) : 일명 지철이라고도 하며 순철에 가까운 조직으로 극히 연하고 상온에서 강자성체인 체심 입방 격자 조직이다.
② 펄라이트(α + Fe_3C) : 726℃에서 오스테나이트가 페라이트와 시멘타이트의 층상의 공석정으로 변태한 것으로 페라이트보다 경도, 강도는 크며 어느 정도 연성도 가지고 있으며, 자성이 있다.
③ 오스테나이트(γ) : γ철에 탄소를 고용한 것으로 탄소가 최대 2.11% 고용된 것으로 723℃에서 안정된 조직으로 실온에서는 존재하기 어렵고 인성이 크며 상자성체이다.
④ 시멘타이트(Fe_3C) : 철에 탄소가 6.67% 화합된 철의 금속간 화합물로 현미경으로 보면 흰색의 침상으로 나타나는 조직으로, 고온의 강 중에서 생성하는 탄화철을 말하며 경도가 높고 취성이 많으며 상온에선 강자성체이다. 또한 1,153℃에서 빠른 속도로 흑연을 분리시키는 특성을 가진다.
⑤ 레데부라이트 : 4.3% 탄소의 용융철이 1,148℃이하로 냉각될 때 2.11% 탄소의 오스테나이트와 6.67% 탄소의 시멘타이트로 정출되어 생긴 공정 주철이며, A1점 이상에서는 안정적으로 존재하는 조직으로 경도가 크고 메지는 성질을 가진다.(γ + Fe_3C)

83 페라이트(ferrite)에 대한 설명 중 틀린 것은?

㉮ 극히 연하고 연성이 크다.
㉯ 상온에서 강자성이다.
㉰ 전기 전도도가 높다.
㉱ 담금질에 의해서 경화된다.

84 철 - 탄화철계의 공석 조직은?

㉮ 시멘타이트 ㉯ 오스테나이트
㉰ 펄라이트 ㉱ 페라이트

85 탄소강 조직에서 과공석강의 조직은?

㉮ 페라이트와 펄라이트의 혼합조직
㉯ 펄라이트
㉰ 펄라이트와 시멘타이트의 혼합조직
㉱ 시멘타이트

86 1.5%탄소가 들어 있는 강의 표준 현미경 조직은?

㉮ 펄라이트
㉯ 펄라이트 + 시멘타이트
㉰ 펄라이트 + 페라이트
㉱ 페라이트 + 시멘타이트

87 공석강의 항온 변태 중 723℃ 이상에서의 조직은?

㉮ 오스테나이트 ㉯ 페라이트
㉰ 세미킬드강 ㉱ 베이나이트

88 6.67% C를 함유하는 탄화철은?

㉮ 시멘타이트 ㉯ 레데브라이트
㉰ 페라이트 ㉱ 공석강

89 탄소강에서 시멘타이트(Cementite) 조직이란?

㉮ Fe와 C의 화합물
㉯ Fe와 S의 화합물
㉰ Fe와 P의 화합물
㉱ Fe와 O의 화합물

Answer 81.㉮ 82.㉰ 83.㉱ 84.㉰ 85.㉰ 86.㉯ 87.㉮ 88.㉮ 89.㉮

90 금속의 조직 중에서 가장 경도가 높은 것은?

㉮ 페라이트(ferrite)
㉯ 투루스사이트(troosite)
㉰ 펄라이트(pearlite)
㉱ 시멘타이트(cementite)

해설 시멘타이트의 경도(HV) ≒ 1050 ~ 1200, 펄라이트 경도(HV) ≒ 240, 페라이트 경도(HV) ≒ 70 ~ 100, 오스테나이트 경도(HV) ≒ 100 ~ 200 정도이다. 투루스타이트는 열처리 조직이다.

91 탄소강 조직 중에서 경도가 가장 낮은 것은?

㉮ 펄라이트 ㉯ 시멘타이트
㉰ 마텐자이트 ㉱ 페라이트

92 레데뷰라이트(Ledeburite)를 옳게 설명한 것은?

㉮ δ 고용체와 석출을 끝내는 고상선
㉯ cementite의 용해 및 응고점
㉰ γ 고용체로부터 α 고용체와 cementite가 동시에 석출되는 점
㉱ 포화되고 있는 γ 고용체와의 Fe_3C와의 공정

93 철 - 탄소계 합금의 응고시 1,130℃에서 4.3%의 공정은?

㉮ 시멘타이트 ㉯ 공석강
㉰ 페라이트 ㉱ 레데뷰라이트

94 선철(PIG IRON)은 철과 탄소의 합금으로 보통 탄소가 2.5 - 3.5%, 규소 1.5 - 2.5% 정도 포함되어 있으며 그 밖에 망간, 황, 인등이 포함되어 있다. 이 선철의 열처리전 현미경 조직에 해당되지 않는 것은?

㉮ 시멘타이트(Fe_3C) ㉯ 흑연(Graphite)
㉰ 페라이트(Ferrite) ㉱ 솔바이트(Sorbite)

95 다음은 탄소당량에 대한 설명이다. 옳지 못한 것은?

㉮ 탄소당량에 미치는 영향은 탄소가 가장 크다.
㉯ 탄소당량이 높을수록 열영향부는 쉽게 경화된다.
㉰ 탄소당량이 높을수록 용접성이 좋아진다.
㉱ 탄소당량이 높아지면 예열온도를 높일 필요가 있다.

해설 탄소 이외의 원소는 탄소 함유량으로 환산하는 것을 탄소 당량이라 하며, 탄소 당량이 커질수록 용접성은 저하된다.

96 용접에서 탄소당량의 가장 올바른 설명은?

㉮ 강재에 포함되어 있는 탄소의 양을 나타낸다.
㉯ 금속의 용접성을 나타낸 것으로 이 값이 크면 용접성이 저하된다.
㉰ 용접봉에 함유된 탄소와 크롬의 비를 말하며 이 값이 크면 용접성이 증가된다.
㉱ 용접봉에 함유된 탄소, 규소 및 크롬의 함유비를 말한다.

97 다음 중 용접성이 가장 좋은 재료는 어느 것인가?

㉮ 강과 주철 ㉯ 저탄소강과 고탄소강
㉰ 주철과 합금철 ㉱ 킬드강

해설 연강중 고급강이면서 저탄소강이라 할 수 있는 킬드강이 용접성이 좋다. 일반적으로 킬드강은 고가여서 용접봉 심선의 재료로는 저탄소림드강이 사용된다.

98 탄소강에 합금 원소를 상당량 첨가하여 특정한 기계적 성질이나 물리 · 화학적 성질을 개선하여 여러 가지 목적에 알맞도록 한 강을 무엇이라 하는가?

㉮ 주철 ㉯ 성질강 ㉰ 주강 ㉱ 합금강

해설 합금강의 정의
합금강은 탄소강에 다른 원소를 첨가하여 강의 기계적 성질을 개선한 강을 말하며, 특수한 성질을 부여하기 위하여 사용하는 특수 원소로는 Ni, Mn, W, Cr, Mo, V, Al 등이 있다.
저합금강과 고합금강으로 나누어지며, 저합금강은 함금원소의

Answer 90.㉱ 91.㉱ 92.㉰ 93.㉱ 94.㉱ 95.㉰ 96.㉯ 97.㉱ 98.㉱

합계가 수% 이내인 재료이며, 고합금강은 합금원소의 합계가 10% 이상인 재료로 공구강, 내식강, 내열강 등의 특수강을 말한다.

99 합금강에 첨가한 원소의 일반적인 효과가 잘못된 것은?

㉮ Ni – 강인성 및 내식성 향상
㉯ Ti – 내식성 향상
㉰ Cr – 내식성 감소 및 연성 증가
㉱ W – 고온강도 향상

해설 합금강의 첨가원소의 영향

첨가 원소	영 향
Ni	강인성과 내식성 및 내산성 증가, 저온 충격 저항 증가
Cr	적은 양에 의하여 경도와 인장강도가 증가하고, 함유량의 증가에 따라 내식성과 내열성 및 자경성이 커지며, 탄화물을 만들기 쉬워 내마멸성을 증가한다. 내식성 증가
Mo	텅스텐과 거의 흡사하나, 그 효과는 텅스텐의 약 2배이다. 담금질 깊이가 커지고, 크리프 저항과 내식성이 커진다. 뜨임 취성을 방지한다.
Mn	적은 양일 때는 거의 니켈과 같은 작용을 하며, 함유량이 증가하면 내마멸성이 커진다. 황의 해를 방지한다. 고온에서 강도 경도 증가, 탈산제
Si	적은 양은 다소 경도와 인장 강도를 증가시키고 함유량이 많아지면 내식성과 내열성이 증가된다. 전기적 특성을 개선하며 탈산제, 유동성을 증가한다.
W	적은 양일 때에는 크롬과 비슷하며, 탄화물을 만들기 쉽고, 경도와 내마멸성이 커진다. 또한 고온 경도와 고온 강도가 커진다. 뜨임 취성 방지한다.
V	몰리브덴과 비슷한 성질이나, 경화성은 몰리브덴보다 훨씬 더하다. 단독으로는 그렇게 많이 사용하지 않고, 크롬 또는 크롬-텅스텐과 함께 있어야 비로소 그 효력이 나타난다.
Cu	석출 경화를 일으키기 쉽고, 내산화성을 나타낸다.
Co	고온 경도와 고온 인장 강도를 증가시키나 단독으로는 사용하지 않는다.
Ti	규소나 바나듐과 비슷하며, 입자 사이의 부식에 대한 저항을 증가시켜 탄화물을 만들기 쉬우며, 결정입자를 미세화시킨다.

100 탄소공구강의 구비 조건으로 틀린 것은?

㉮ 가격이 저렴할 것
㉯ 강인성 및 내충격성이 우수할 것
㉰ 내마모성이 작을 것
㉱ 상온 및 고온경도가 클 것

해설 공구강은 고온 경도, 내마모성, 강인성이 크며, 열처리가 쉬운 강

101 18-4-1형 고속도강의 성분이 그 순서대로 옳은 것은?

㉮ W, Cr, Ni　㉯ W, Cr, Cu
㉰ W, V, Co　㉱ W, Cr, V

해설

고속도강 SKH	W 고속도강 W : Cr : V 18 : 4 : 1	• 600℃ 경도 유지 • 표준형 고속도강으로 일명 H. S. S • 예열 : 800 ~ 900℃ • 1차 경화 1,250 ~ 1,300℃ 담금질 • 2차 경화 550 ~ 580℃에서 뜨임
	Co 고속도강	• 표준형에 Co 3% • 경도 및 점성 증가
	Mo 고속도강	• Mo 첨가로 뜨임 취성 방지

102 Co-Cr-W-C-Fe의 주조합금은?

㉮ 고속도강　㉯ 서멧
㉰ 스텔라이트　㉱ 위디아

해설

분 류	종류(성분 원소)	특 징
주조 경질 합금	스텔라이트 Co-Cr-W	• 단조가 곤란하여 주조한 상태로 연삭하여 사용 • 절삭 속도는 고속도강의 2배이나 인성은 떨어짐

103 재료 중 소결합금인 것은?

㉮ 하드필드강　㉯ 고속도강
㉰ 위디아(widia)　㉱ 내마모강

해설 초경합금
① 성분 WC-Co, TiC-Co, TaC-Co

Answer 99.㉰ 100.㉰ 101.㉱ 102.㉰ 103.㉰

② Co 점결제, 열처리 불필요
③ 수소 기류 중에서 소결하며 만든 소결 경질 합금
④ 1차 소결 : 800 ~ 1,000℃
⑤ 2차 소결 : 1,400 ~ 1,450℃
⑥ D(다이스), G(주철), S(강절삭용)
⑦ 내마모성 및 고온 경도는 크나 충격에 약하다.
⑧ 상품명으로는 위디아 등이 있다.

104 **W, Ti, Ta 등의 금속탄화물의 분말형 금속원소를 프레스로 성형한 다음, 이것을 소결하여 만든 합금으로 절삭 공구에는 물론 다이스 및 내열, 내마멸성이 요구되는 부품에 많이 사용되는 금속은?**

㉮ 초경합금 ㉯ 주조경질합금
㉰ 합금공구강 ㉱ 세라믹

105 **알루미나를 주성분으로 하고 거의 결합제를 사용하지 않고 소결한 절삭 공구 재료로서 고속도 및 고온 절삭에 사용되는 공구는?**

㉮ 고속도강 ㉯ 초경합금
㉰ 세라믹 ㉱ 스텔라이트

해설 알루미나(Al_2O_3)를 주성분으로 한 세라믹은 고속 및 고온 절삭이 가능하나 충격에는 약하다.

106 **담금질이 쉽고, 뜨임 메짐이 적으며 열간가공이 용이하고 다듬질 표면이 아름다우며 용접성이 좋고 고온강도가 있어 니켈-크롬강과 더불어 널리 사용되는 구조용 합금강은?**

㉮ 니켈강
㉯ 크롬강
㉰ 크롬 – 망간강
㉱ 크롬 – 몰리브덴강

해설 Ni - Cr강은 일명 SNC라고 하면 대표적인 구조용 강이다. Cr 1% 이하를 사용하고 850℃에서 담금질하고 600℃에서 뜨임하여 솔바이트 조직을 얻는다. 하지만 뜨임 취성이 있다. 대용품으로는 Cr - Mo강을 사용하여 Mo은 뜨임 취성을 방지한다.

107 **합금강의 원소 효과에서 함유량이 많아지면 그 영향을 잘못 설명한 것은?**

㉮ Cr : 내마멸성이 증가한다.
㉯ Mn : 적열취성을 방지한다.
㉰ Mo : 뜨임취성을 일으킨다.
㉱ Si : 내식성이 증가한다.

108 **구조용 특수강인 Ni - Cr강에서 니켈 함유량은 몇 %인가?**

㉮ 5 ㉯ 10~20
㉰ 20~30 ㉱ 30이상

해설 SNC는 솔바이트 조직으로 5%이내의 니켈을 함유한다.

109 **열간 가공이 쉽고 다듬질 표면이 아름다우며 용접성이 좋고 고온강도가 큰 장점이 있어 각종 축, 강력볼트, 아암, 레버 등에 사용되는 강은?**

㉮ 크롬 – 바나듐강
㉯ 크롬 – 몰리브덴강
㉰ 규소 – 망간강
㉱ 니켈 – 알루미늄 – 코발트강

해설 크롬 - 몰리브덴강은 니켈 - 크롬강에서 니켈 대신 몰리브덴을 소량 첨가하여 성질을 향상시킨 것으로 용접성이 우수하고 니켈-크롬강에 비하여 질량 효과 기계적 성질도 큰 차이가 없다. 몰리브덴을 첨가하여 메징성이 적어져 고온 가공성이 좋고 가공면이 깨끗하여 얇은 강판이나 관의 제조에 많이 사용된다. 기타 각종 축, 기어, 강력 볼트 등에도 사용된다.

110 **망간 10 - 14%의 강은 상온에서 오스테나이트 조직을 가지며 각종 광산기계, 기차레일의 교차점, 냉간 인발용의 드로잉 다이스 등에 이용되는 것은?**

㉮ 듀콜강 ㉯ 스테인리스강
㉰ 고속도강 ㉱ 하드필드강

Answer 104.㉮ 105.㉰ 106.㉱ 107.㉰ 108.㉮ 109.㉯ 110.㉱

해설

저 Mn강	• Mn 1 ~ 2% • 일명 듀콜강 조직은 펄라이트 • 용접성 우수 • 내식성 개선 위해 Cu첨가
고 Mn강	• Mn 10 ~ 14% • 하드 필드강, 수인강 조직은 오스테나이트 • 경고가 커서 내마모재 • 광산 기계, 칠드 로울러

111 고망간 강과 가장 밀접한 특성은?

㉮ 내마멸성 ㉯ 연성
㉰ 전성 ㉱ 내부식성

112 다음의 저 망간강에 대한 설명 중 틀린 것은?

㉮ 듀콜강이라고도 한다.
㉯ Mn을 2 ~ 5% 함유한 강이다.
㉰ 펄라이트 망간강이다.
㉱ 선박 교량 차량 건축 등에 사용된다.

113 내연기관의 피스톤 재료로서 필요한 성질이 아닌 것은?

㉮ 열 전도도가 클 것
㉯ 비중이 작을 것
㉰ 열팽창 계수와 마찰계수가 클 것
㉱ 고온에서 강도가 클 것

해설 피스톤 재료는 내열성을 가지고 마찰계수가 작아야 된다.

114 다음에서 스프링강이 갖추어야 할 성질 중 틀린 것은?

㉮ 탄성 한도가 커야 한다.
㉯ 피로 한도가 작아야 한다.
㉰ 항복 강도가 커야 한다.
㉱ 충격 값이 커야 한다.

해설 피로 한도가 작으면 금방 부서진다. 고로 피로 한도가 커야 한다.

115 게이지강의 구비조건을 가장 잘못 설명한 것은?

㉮ 내마멸성 내식성이 클 것
㉯ 고온에서 경도 및 강도가 좋을 것
㉰ 치수의 변화가 적을 것
㉱ 열처리에 의한 변형이 적을 것

해설 게이지강은 치수 변화가 적을 것 등이 요구되는 성질이지 고온에서 기계적 성질인 강도 경도 등을 요하는 것은 아니다.

116 P이나 S을 첨가하여 절삭성을 향상시킨 특수강을 무엇이라 하는가?

㉮ 내열강 ㉯ 내부식강 ㉰ 쾌삭강 ㉱ 내마모강

해설 절삭성을 향상시킨 강을 쾌삭강이라 한다.

117 특수 용도용 합금강 중 스프링강의 특성이 아닌 것은?

㉮ 취성이 우수하다.
㉯ 탄성한도가 우수하다.
㉰ 피로한도가 우수하다.
㉱ 크리프저항이 우수하다.

해설 스프링강은 탄성이나 피로한도를 개선한 강이다.

118 다음 스테인리스강 중 비자성인 것은?

㉮ 페라이트형 스테인리스강
㉯ 마텐자이트형 스테인리스강
㉰ 오스테나이트형 스테인리스강
㉱ 석출경화형 스테인리스강

해설

분류	종류(성분 원소)	특 징
스테인레스강 SUS	페라이트계 (Cr 18%) STS 430	• 강인성 및 내식성이 있다. • 열처리에 의해 경화가 가능하다. • 용접은 가능하다. 자성체이다.
	마텐자이트계 (Cr 13%) STS 410	• 13Cr을 담금질하여 얻는다. • 18Cr 보다 강도가 좋다. • 자경성이 있으며 자성체이다. • 용접성이 불량하다.
	오스테나이트계 (Cr(18)-Ni(8)) STS 304	• 내식, 내산성이 13Cr 보다 우수 • 용접성이 SUS중 가장 우수 • 담금질로 경화되지 않는다. 비자성체

Answer 111.㉮ 112.㉯ 113.㉰ 114.㉯ 115.㉯ 116.㉰ 117.㉮ 118.㉰

119 **스테인리스강은 900 - 1,100℃의 고온에서 급냉 할 때의 현미경 조직에 따라서 3종류로 크게 나눌 수가 있는데, 다음 중 해당 되지 않는 것은?**

㉮ 마텐자이트계 스테인리스강
㉯ 페라이트계 스테인리스강
㉰ 오스테나이트계 스테인리스강
㉱ 투루스타이트계 스테인리스강

120 **스테인리스강의 종류에서 용접성이 가장 우수한 것은?**

㉮ 마텐자이트계 스테인리스 강
㉯ 페라이트계 스테인리스 강
㉰ 오스테나이트계 스테인리스 강
㉱ 펄라이트계 스테인리스 강

121 **18 - 8형 스테인리스강에서 "8" 이 의미하는 재료는?**

㉮ Co ㉯ Ni ㉰ Mo ㉱ Si

122 **강인성 및 내식성이 있고, 열처리에 의하여 경화할 수 있는 13형 크롬스테인리스강과 같은 것은?**

㉮ 페라이트계 스테인리스강
㉯ 솔바이트계 스테인리스강
㉰ 시멘타이트계 스테인리스강
㉱ 오스테나이트계 스테인리스강

123 **오스테나이트계 스테인리스강에 대한 설명 중 틀린 것은?**

㉮ 내식성이 가장 높다.
㉯ 비자성이다.
㉰ 용접이 비교적 잘 되며, 가공성이 좋다.
㉱ 염산, 염소가스, 황산 등에 강하다.

124 **다음 중 가장 낮은 온도에서 사용가능한 저온용 강재는?**

㉮ 알루미 킬드강
㉯ 2.5% 니켈강
㉰ 3.5% 니켈강
㉱ 오스테나이트계 스테인리스강

125 **담금질 가능한 스테인리스강으로 용접 후 경도가 증가하는 것은?**

㉮ STS 316 ㉯ STS 304
㉰ STS 202 ㉱ STS 410

126 **다음 강 중 내식성이 가장 우수한 강은?**

㉮ 스테인리스강 ㉯ 일반 구조용 압연강
㉰ 기계 구조용 압연강 ㉱ 탄소강

✔ 해설 스테인레스강은 불수강이라 하여 녹이 나지 않는 특수강이다.

127 **다음 원소 중 경도와 인장강도를 증가시키고, 함유량의 증가에 따라 내식성과 내열성을 커지게 하며, 자경성과 탄화물을 쉽게 만들고 내마멸성을 커지게 하는 원소는?**

㉮ Mn ㉯ S ㉰ Cr ㉱ Si

✔ 해설 크롬은 스테인레스강에 주원소로 사용되어 내식성과 내열성을 갖게 하고 또한 구조용강 등에 첨가되어 내마멸성을 커지게 한다.

128 **다음은 합금과 그 성분을 서로 연결한 것이다. 옳지 않은 것은?**

㉮ 탄소강 – Fe, C, Cr
㉯ 황동 – Cu, Zn
㉰ 스테인레스강 – Fe, C, Ni, Cr
㉱ 청동 – Cu, Sn

✔ 해설 탄소강의 5대 원소는 탄소, 규소, 인, 황, 망간이다.

Answer 119.㉱ 120.㉰ 121.㉯ 122.㉮ 123.㉱ 124.㉱ 125.㉱ 126.㉮ 127.㉰ 128.㉮

129 특수용도강에서 내식성이 커서 바이메탈, 시계진자, 줄자, 계측기의 부품 등으로 많이 사용되는 것은?

㉮ 인바　　㉯ 슈퍼 인바
㉰ 엘린바　　㉱ 코 엘린바

해설

종 류	성 분	용 도
인바	36% Ni	• 내식성이 좋고 열팽창 계수가 20℃에서 1.2μm/m·K 으로서의 철의 1/10정도이다. • 측량 기구, 표준 기구, 시계 추, 바이메탈 등에 사용된다.
엘린바	36% Ni, 12% Cr, 0.8% C, 1 ~ 2% Mn, 1 ~ 2% Si, 1 ~ 3% W	• 인바에 12% Cr을 첨가하여 개량한 것으로 온도 변화에 따른 탄성계수의 변화가 거의 없으므로 정밀계측기기, 전자기 장치, 각종 정밀부품 등에 사용 • 인바와 5% 미만의 코발트를 첨가한 슈퍼 인바는 열팽창 계수가 가장 낮은 합금이다.
플래티나이트	46% Ni	• 백금 대용으로 사용되며, 열팽창계수 및 내식성이 있다. • 진공관이이나 전구의 도입선으로 사용되는 듀메트 선은 42% Ni 합금을 심섬으로 하여 구리를 피복한 것이다.
퍼멀로이	45 ~ 49% Ni 75 ~ 79% Ni	• 저 니켈 합금 (Alloy 48 또는 high permeability 49)는 초투자율이 크고 포화 자기 전기 저항도 크므로 자심 재료로 널리 사용되고 있다. • 고 니켈 합금은 적당한 열처리를 하면 비교적 약한 자기장에서 높은 투자율이 얻어지므로 고 투자율 자심 재료로 사용된다 • 퍼멀로이를 개량한 것에 몰리브덴 퍼멀로이, 무메탈 등이 있다. • 장하 코일용으로 사용된다.

130 46% Ni을 함유한 합금강으로 열팽창계수 및 내식성이 있어 백금의 대용으로 사용되며, 열팽창계수가 유리와 비슷하므로 진공관이나 전구의 도입선으로 사용되는 것은?

㉮ 플래티나이트　　㉯ 엘린바
㉰ 인바　　㉱ 퍼멀로이

131 불변 강이 갖추어야 할 첫째 조건은?

㉮ 열팽창 계수가 적을 것
㉯ 내식성, 내마멸성이 클 것
㉰ 자기 감응도가 적을 것
㉱ 산이나 알칼리에 강할 것

132 불변강(invariable steel)에 해당되지 않는 것은?

㉮ 엘린바(elinvar)　　㉯ 코엘린바(coelinvar)
㉰ 인바(invar)　　㉱ 코인바(coinvar)

133 주강품에 대한 설명 중 잘못된 것은?

㉮ 형상이 복잡하여 단조로써는 만들기 곤란할 때, 주강품을 사용한다.
㉯ 주강은 수축율이 주철의 약 5배이다.
㉰ 주강품은 주조상태로써는 조직이 억세고, 메지다.
㉱ 주철로써 강도가 부족할 경우에, 주강품을 사용한다.

해설 주강의 개요
① 용융한 탄소강 또는 합금강을 주조 방법에 의해 만든 제품을 주강품 또는 강주물이라 하며 그 재질을 주강(cast steel)이라 한다.
② 주강의 탄소량은 0.4 ~ 0.5% 이하를 함유하는 경우가 대부분으로 그 용융 온도가 1,600℃ 전후의 고온이 되기 때문에 주철에 비하여 그 취급이 까다롭다.
③ 주강의 경우는 주철의 비하여 응고 수축이 2배 정도 크다.
④ 주철에 비하여 기계적 성질이 우수하고, 용접에 의한 보수가 용이하며, 단조품이나 압연품에 비하여 방향성이 없는 것이 큰 특징이다.

134 주강의 수축률은 주철의 약 몇 배인가?

㉮ 1　　㉯ 2　　㉰ 4　　㉱ 6

135 주강에 대한 설명 중 틀린 것은?

㉮ 주철로써는 강도가 부족할 경우에 사용된다.

Answer 129.㉮ 130.㉮ 131.㉮ 132.㉱ 133.㉯ 134.㉯ 135.㉱

㉯ 용접에 의한 보수가 용이하다.
㉰ 단조품이나 압연품에 비하여 방향성이 없다.
㉱ 주강은 주철에 비하여 용융점이 낮다.

해설 주강의 특성
① 탄소 주강의 강도는 탄소량이 많아질수록 커지고, 연성은 감소하게 되며, 충격값은 떨어지며 용접성도 나빠진다.
② 망간의 함유량이 증가하면 인장강도는 커지나 탄소에 비해 그 영향은 크지 않다.
③ 탄소 주강은 풀림 또는 불림을 하여 사용한다. 불림을 한 것은 풀림을 한 것 보다 결정립이 미세해져 인장 강도가 높아지고, 연신율도 향상된다.
④ 주철에 비하여 기계적 성질이 우수하고, 용접에 의한 보수가 용이하며, 단조품이나 압연품에 비하여 방향성이 없는 것이 큰 특징이다.
⑤ 주강의 현미경 조직은 C가 0.77% 이하의 경우에는 페라이트와 펄라이트가 존재하고, 펄라이트는 C 함유량이 많을수록 많아진다. C가 0.77% 이상에서는 펄라이트와 유리 시멘타이트로 되는데 C량이 많아질수록 시멘타이트의 양이 많아진다.
⑥ 저망간 주강의 조직은 펄라이트로 롤러 등에 사용

136 주강의 특성으로 틀린 것은?

㉮ 주철에 비해 기계적 성질이 월등하다.
㉯ 주철에 비해 강도는 크나 용융점이 낮고 유동성이 크다.
㉰ 주철에 비해 강도는 크나 용융점이 높고 수축율이 크다.
㉱ 주강은 주조한 상태로는 조직이 거칠고 메짐성을 가지고 있다.

137 합금 주강에 해당되지 않는 것은?

㉮ 니켈 주강 ㉯ 망간 주강
㉰ 크롬 주강 ㉱ 납 주강

해설 합금 주강에는 니켈 주강, 크롬 주강, 니켈-크롬 주강, 망간 주강이 있다.

138 주철에 대한 물리적, 화학적 성질을 설명한 것 중 맞는 것은?

㉮ 규소(Si)와 탄소(C)가 많을수록 비중이 작아지며 용융온도는 낮아진다.
㉯ 투자율을 크게하게 위해서는 유리탄소를 적게 하고 화합탄소를 균일하게 분포시킨다.
㉰ 규소(Si)와 니켈(Ni)의 양을 증가시키면 고유 저항이 낮아진다.
㉱ 주철은 염산, 질산 등의 산에는 강하나 알칼리에는 약하다.

해설 주철의 개요
① 주철의 탄소 함유량은 1.7 ~ 6.68%의 강이다.
② 실용적 주철은 2.5 ~ 4.5%의 강이다.
③ 철강보다 용융점(1,150 ~ 1,350℃)이 낮아 복잡한 것이라도 주조하기 쉽고 또 값이 싸기 때문에 일반 기계 부품과 몸체 등의 재료로 널리 쓰인다.
④ 전·연성이 작고 가공이 안 된다.
⑤ 비중 7.1 ~ 7.3으로 흑연이 많아질수록 낮아진다.
⑥ 담금질, 뜨임은 안 되나 주조 응력의 제거 목적으로 풀림 처리는 가능하다.
⑦ 자연 시효 : 주조 후 장시간 방치하여 주조 응력을 제거하는 것이다.
⑧ 압축 강도는 인장 강도의 비하여 3 ~ 4배이다.

139 주철(cast iron)의 특성 설명 중 잘못된 것은?

㉮ 절삭성이 우수하다.
㉯ 내마모성이 우수하다.
㉰ 강에 비해 충격값이 현저하게 높다.
㉱ 진동 흡수능력이 우수하다.

해설 주철은 탄소량이 연강에 비하여 높기 때문에 비중 및 융점이 낮으며, 팽창계수가 작아 충격값이 적어 취성이 생기기 쉽다.

140 주철이 연강에 비해 다른 점이다. 틀린 것은?

㉮ 비중이 작다. ㉯ 융점이 낮다.
㉰ 열전도도가 나쁘다. ㉱ 팽창계수가 크다.

해설 주철은 탄소량이 연강에 비하여 높기 때문에 비중 및 융점이 낮으며, 팽창계수가 작아 취성이 생기기 쉽다.

141 주철의 기계적 성질 중 틀린 것은?

㉮ 휨강도가 작다. ㉯ 절삭성이 좋다.
㉰ 인장 강도가 작다. ㉱ 연성, 전성이 크다.

Answer 136.㉯ 137.㉱ 138.㉮ 139.㉰ 140.㉱ 141.㉱

142 주철에 관한 설명으로 틀린 것은?

㉮ 인장강도가 압축강도보다 크다.
㉯ 주철은 백주철, 반주철, 회주철 등으로 나눈다.
㉰ 주철은 취성이 연강보다 크다.
㉱ 흑연은 인장강도를 약하게 한다.

143 주철의 전 탄소량이란?

㉮ 유리탄소와 흑연을 합한 것
㉯ 화합탄소와 유리 탄소를 합한 것
㉰ 화합탄소와 구상 흑연을 합한 것
㉱ 탄화철과 흑연을 합한 것

해설 유리 탄소인 흑연과 화합탄소인 시멘타이트를 합한 것이 전 탄소량이다.

144 주철의 성질에 대한 설명으로 틀린 것은?

㉮ 비중은 규소와 탄소가 많을수록 작아진다.
㉯ 흑연편이 클수록 자기 감응도가 나빠진다.
㉰ 투자율을 크게 하기 위해서는 화합 탄소를 적게 하여야 한다.
㉱ 규소와 니켈의 양이 증가함에 따라 고유 저항이 낮아진다.

해설 주철의 물리적 성질
① 비중은 규소와 탄소가 많을수록 작아지며, 용융 온도는 낮아진다.
② 흑연편이 클수록 자기 감응도가 나빠진다.
③ 투자율을 크게 하기 위해서는 화합 탄소를 적게 하고 유리 탄소를 균일하게 분포시킨다.
④ 규소와 니켈의 양이 증가할수록 고유 저항이 높아진다.

145 주철에 해당되는 것은?

㉮ 아공석 주철　㉯ 과공석 주철
㉰ 공정주철　㉱ 공석주철

해설 주철은 탄소 2.0~6.68%를 함유한 철 하지만 보통 4.5%까지의 것을 말함. 아공정 주철 : C1.7~4.3%, 공정 주철 : C4.3%, 과공정 주철 : C4.3%이상을 말한다. 즉 주철도 탄소강과 마찬가지로 탄소, 규소, 인, 황, 망간 등이 주요성분이다.

146 주철의 성장 원인이 되는 것 중 잘못된 것은?

㉮ Fe_3C 흑연화에 의한 팽창
㉯ 불균일한 가열로 생기는 균열에 의한 팽창
㉰ 흡수되는 가스의 팽창으로 인해 항복되어 생기는 팽창
㉱ 고용된 원소인 Mn의 산화에 의한 팽창

해설 주철의 성장이란 고온에서 장시간 유지 또는 가열 냉각을 반복하면 주철의 부피가 팽창하여 변형 균열이 발생하는 현상으로 다음과 같은 원인에 의해 발생한다.
① Fe_3C의 흑연화에 의한 성장
② A_1 변태에 따른 체적의 변화
③ 페라이트 중의 규소의 산화에 의한 팽창
④ 불균일한 가열로 인한 팽창
㉠ 흑연화 촉진제 : Si, Ni, Ti, Al
㉡ 흑연화 방지제 : Mo, S, Cr, V, Mn

147 다음 중 주철의 성장을 방지하는 방법이 아닌 것은?

㉮ 흑연의 미세화로서 조직을 치밀하게 한다.
㉯ 편상흑연을 구상흑연화 시킨다.
㉰ 반복 가열 냉각에 의한 균열처리를 한다.
㉱ 탄소 및 규소의 양을 적게 한다.

148 다음 중 주철의 흑연화를 방지하며 탄화물을 안정시키는 대표적인 원소는?

㉮ Al　㉯ Cr　㉰ Ti　㉱ Ni

149 주철(cast iron)에 미치는 규소의 영향 중 틀린 것은?

㉮ 주철중의 화합탄소를 분리하여 흑연을 유리시킨다.
㉯ 냉각시 수축을 적게 한다.
㉰ 주철의 질을 연하게 한다.
㉱ 주철의 성장을 방해한다.

Answer 142.㉮ 143.㉯ 144.㉱ 145.㉰ 146.㉱ 147.㉰ 148.㉯ 149.㉱

150 주철의 용해 중 쇳물의 유동성을 감소시키는 원소는?

㉮ P ㉯ Mn ㉰ Si ㉱ S

해설 용재 중 쇳물의 유동성을 증가하는 대표적 원소는 규소(Si)이며 유동성을 감소시키는 원소는 황(S)이다.

151 보통주철의 압축강도는 인장강도의 약 몇 배 정도가 되는가?

㉮ 1 ~ 1.5배 ㉯ 1.5 ~ 2배
㉰ 3 ~ 4배 ㉱ 5 ~ 6배

해설 기계적 성질

① 주철은 경도를 측정하여 그 값에 따라 재질을 판단할 수 있으며 주로 브리넬 경도(HB)로 사용하며, 페라이트가 많은 것은 HB = 80 ~ 120, 백주철의 경우에는 HB = 420 정도이다.
② 주철의 기계적 성질은 탄소강과 같이 화학성분만으로는 규정할 수가 없기 때문에, KS규격에서는 인장강도를 기준으로 분류하고 있으며, 회주철의 경우는 98 ~ 440MPa범위이다. 하지만 탄소, 규소의 함유량과 주물 두께의 영향을 같이 나타내기 위하여 편의상 탄소 포화도를 사용하며 얇은 주물을 제외하고는 포화도 Sc = 0.8 ~ 0.9정도의 것이 가장 큰 인장강도를 갖는다.
③ 압축강도는 인장강도의 3 ~ 4배 정도이며, 보통 주철에서는 4배 정도이며, 고급 주철 일수록 그 비율은 작아진다.
④ 주철은 깨지기 쉬운 큰 결점을 가지고 있다. 하지만 고급 주철은 어느 정도 충격에 견딜 수 있다. 저탄소, 저규소로 흑연량이 적고 유리 시멘타이트가 없은 주철은 다른 주철에 비하여 충격값이 크다.
⑤ 주철 조직 중 흑연이 윤활제 역할을 하고, 흑연 자신이 윤활유를 흡수, 보유하므로 내마멸성이 커진다. 크롬을 첨가하면 내마멸성을 증가시킨다.
⑥ 회주철에는 흑연이 존재에 의해 진동을 받을 때 그 에너지를 속히 흡수하는 특성이 있으며, 이 성능을 감쇠능이라 한다. 회주철의 감쇠능은 대단히 양호하며, 강의 5 ~ 10배에 달한다.

152 보통 주철의 인장강도는 다음 중 어느 것인가?

㉮ 12 ~ 20kgf/mm² ㉯ 20 ~ 30kgf/mm²
㉰ 30 ~ 40kgf/mm² ㉱ 40 ~ 50kgf/mm²

해설 주철의 종류

① 보통 주철(회주철 GC 1 ~ 3종)
㉠ 인장 강도 10 ~ 20kg/mm²
㉡ 조직은 페라이트 + 흑연으로 주물 및 일반 기계 부품에 사용
㉢ C = 3.2 ~ 3.8%, Si = 1.4 ~ 2.5%, Mn = 0.4 ~ 1.0%, P = 0.3 ~ 0.8%, S < 0.06%

153 일반적으로 보통 주철은 어떤 형태의 주철인가?

㉮ 칠드주철 ㉯ 가단주철
㉰ 합금주철 ㉱ 회주철

154 고급주철의 바탕은 어떤 조직으로 이루어 졌는가?

㉮ 펄라이트 ㉯ 시멘타이트
㉰ 페라이트 ㉱ 오스테 나이트

해설 고급 주철(회주철 GC : 4 ~ 6)

① 펄라이트 주철을 말한다.
② 인장강도 25kg/mm² 이상
③ 고강도를 위하여 C, Si량을 작게 한다.
④ 조직 펄라이트 + 흑연 으로 주로 강도를 요하는 기계 부품에 사용
⑤ 종류로는 란쯔, 에멜, 코살리, 파워스키, 미하나이트 주철이 있다.

155 탄소(C) 이외에 보통 주철에 포함된 주요성분이 아닌 것은?

㉮ Mn ㉯ Si ㉰ P ㉱ Al

156 보통 주철에 0.4 ~ 1% 정도 함유되며, 화학성분 중 흑연화를 분해하여 백주철화를 촉진하고, 황(S)의 해를 감소시키는 것은?

㉮ 수소(H) ㉯ 구리(Cu)
㉰ 알루미늄(Al) ㉱ 망간(Mn)

해설 망간은 보통 주철에서는 0.4 ~ 1.0% 망간을 함유하고 탈황제로 작용한다. 망간은 황과 화합하여 황화망간으로 되어 용해 금속 표면에 떠오르며, 적은 양은 주철의 재질과는 무관하다. 망간 함유량이 증가함에 따라 펄라이트는 미세해지고, 페라이트는 감소한다.

Answer 150.㉱ 151.㉰ 152.㉮ 153.㉱ 154.㉮ 155.㉱ 156.㉱

157 마우러의 조직도(Maurer's diagram)를 올바르게 설명한 것은?

㉮ 탄소와 흑연량에 따른 주철의 조직관계를 표시한 것
㉯ 탄소와 시멘타이트량에 따른 주철의 조직관계를 표시한 것
㉰ 규소와 망간량에 따른 주철의 조직관계를 표시한 것
㉱ 탄소와 규소량에 따른 주철의 조직관계를 표시한 것

해설 마우러 조직 선도
① C, Si의 양 냉각 속도에 따른 조직의 변화를 표시한 것
② 페라이트(ferrite) : 철을 주체로 한 고용체로서, 주철에 있어서는 규소의 전부, 망간의 일부 및 극히 소량의 탄소를 포함하고 있다.
③ 펄라이트(pearlite) : 단단한 시멘타이트와 연한 페라이트가 혼합된 상이므로 그 성질은 양자의 중간정도이다.
㉠ 백주철(Ⅰ) : pearlite + cementite
㉡ 반주철(Ⅱa) : pearlite + cementite + 흑연
㉢ 펄라이트 주철(Ⅱ) : pearlite + 흑연
㉣ 보통 주철(Ⅱb) : pearlite + ferrite + 흑연 → 일명 회주철
㉤ 극연 주철(Ⅲ) : ferrite + 흑연 → 페라이트 주철

158 비교적 규소(Si)량이 많고 냉각속도를 느리게 하여 조직 중에 탄소의 많은 양이 흑연화되어 있는 주철은?

㉮ 백주철　㉯ 회주철
㉰ 극경주철　㉱ 합금주철

해설 주철의 조직
① 펄라이트와 페라이트가 흑연으로 구성
② 주철 중의 탄소의 형상
㉠ 유리 탄소(흑연)
• 규소가 많고 냉각 속도가 느릴 때 회주철(편상)
• 흑연은 인장 강도를 약하게 하나, 흑연의 양, 크기, 모양 및 분포 상태는 주물의 특징인 주조성, 내마멸성 및 절삭성, 인성 등을 좋게 하는데 영향을 끼친다.
• 흑연을 구상화 하면 흑연이 철 중에 미세한 알갱이 상태로 존재하게 되어 주철을 탄소강과 유사한 강인한 조직을 만들 수 있다.
㉡ 화합 탄소(Fe_3C)
• 규소가 적고 망간이 많고 냉각 속도가 빠를 때 백주철(괴상)
• 주철에서 나타나는 상은 흑연을 비롯하여 (Fe_3C, MnS, FeS, Fe_3P등이 있는데 이중(Fe_3C(시멘타이트)의 경도가 1,100(HV)정도로 가장 단단하다.
③ 흑연화 : 화합 탄소가 3Fe와 C로 분리되는 것
④ 흑연화의 영향 : 용융점을 낮게 하고 강도가 작아진다.
⑤ 반주철 : 유리 탄소(흑연) + 화합 탄소(Fe_3C)

159 주철에 함유된 탄소가 흑연(graphite) 상태로 존재하고 파단면이 회색을 띠고 있는 주철은?

㉮ 회주철　㉯ 백주철
㉰ 칠드주철　㉱ 반주철

160 주철의 조직 중에서 규소량이 적으며 냉각속도가 빠를 때 많이 나타나는 조직은?

㉮ 페라이트
㉯ 시멘타이트
㉰ 레데부라이트
㉱ 마텐자이트

161 백주철이란 탄소가 주철 속에 어떤 상태로 포함되어 있는 것을 말하는가?

㉮ 페라이트　㉯ 탄소흑연
㉰ 화합탄소　㉱ 펄라이트

해설 주철 중의 탄소의 형상
① 유리 탄소(흑연) - 규소가 많고 냉각 속도가 느릴 때 회주철(편상)
㉠ 흑연은 인장 강도를 약하게 하나, 흑연의 양, 크기, 모양 및 분포 상태는 주물의 특징인 주조성, 내마멸성 및 절삭성, 인성 등을 좋게 하는데 영향을 끼친다.
㉡ 흑연을 구상화 하면 흑연이 철 중에 미세한 알갱이 상태로 존재하게 되어 주철을 탄소강과 유사한 강인한 조직을 만들 수 있다.
② 화합 탄소Fe_3C - 규소가 적고 망간이 많고 냉각 속도가 빠를 때 백주철(괴상)
③ 주철에서 나타나는 상은 흑연을 비롯하여 (Fe_3C, MnS, FeS, Fe_3P등이 있는데 이중(Fe_3C(시멘타이트)의 경도가 1,100(HV) 정도로 가장 단단하다.
④ 흑연화 : 화합 탄소가 3Fe와 C로 분리되는 것
⑤ 흑연화의 영향 : 용융점을 낮게 하고 강도가 작아진다.

Answer 157.㉱ 158.㉯ 159.㉮ 160.㉯ 161.㉰

162 주철은 함유하는 탄소의 상태와 파단면의 색에 따라 3종으로 분류되는데 다음 중 아닌 것은?

㉮ 회주철(gray cast iron)
㉯ 백주철(white cast iron)
㉰ 반주철(mottled cast iron)
㉱ 합금주철(alloyed cast iron)

163 구상 흑연 주철의 접종제로 적합한 것은?

㉮ 페로 망간(Fe – Mn) ㉯ Fe – Sn – Mg
㉰ 세륨(Ce) ㉱ 칼슘(Ca)

해설 구상흑연주철(노듈러 주철, 덕타일주철)
① 용융 상태에서 Mg, Ce, Mg - Cu 등을 첨가하여 흑연을 편상에서 구상화로 석출시킨다.
② 기계적 성질 인장 강도는 50 ~ 70kg/mm² (주조 상태), 풀림 상태에서는 45 ~ 55kg/mm² 이다. 연신율은 12 ~ 20%정도로 강과 비슷하다.
③ 조직은 Cementite형 (Mg첨가량이 많고, C, Si가 적고 냉각 속도가 빠를 때 Pearlite형(Cementite와 Ferrite의 중간), Ferrite형(Mg양이 적당, C 및 특히 Si가 많고, 냉각 속도 느릴 때) 만들어진다.
④ 성장도 적으며, 산화되기 어렵다.
⑤ 가열 할 때 발생하는 산화 및 균열 성장이 방지

164 구상 흑연 주철은 어떤 원소를 첨가하여 흑연을 구상화한 것인가?

㉮ 크롬 ㉯ 마그네슘
㉰ 몰리브덴 ㉱ 니켈

165 미하나이트 주철(Meehanite cast iron) 제조시 첨가원소는?

㉮ 칼슘 – 규소 ㉯ 망간 – 규소
㉰ 규소 – 크롬 ㉱ 크롬 – 몰리브덴

해설 미하나이트 주철
① 흑연의 형상을 미세 균일하게 하기 위하여 Si, Si - Ca분말을 첨가하여 흑연의 핵 형성을 촉진한다.
② 인장 강도 35 ~ 45kg/mm²
③ 조직 : 펄라이트 + 흑연(미세)
④ 담금질이 가능하다.
⑤ 고강도 내마멸, 내열성 주철
⑥ 공작 기계 안내면, 내연 기관 실린더 등에 사용

166 바탕이 펄라이트(pearlite)이고 흑연이 미세하게 분포되어 있어 인장강도 35 ~ 45 kgf/mm² 에 달하며 담금질을 할 수 있고 내마멸성이 요구되는 공작 기계의 안내면과 강도를 요하는 기관의 실린더에 쓰이는 주철은?

㉮ 미하나이트 주철(meehanite cast iron)
㉯ 구상흑연 주철(nodular graphite cast iron)
㉰ 칠드 주철(chilled cast iron)
㉱ 흑심가단 주철(black – heart malleable cast iron)

167 고급주철로 백선또는 반선 배합의 용탕에 Ca – Si를 접종해서 만든 주철은 어느 것인가?

㉮ 구상흑연 주철
㉯ 미하나이트 주철
㉰ 오스테나이트 주철
㉱ 베이나이트 주철

168 가단주철은 어떤 방법으로 만드는가?

㉮ 백주철을 탈탄하여
㉯ 구상화 주철을 열처리하여
㉰ 반강주물을 단조하여
㉱ 주철을 담금질하여

해설
① 백심 가단 주철(WMC) 탈탄이 주목적 산화철을 가하여 950℃에서 70 ~ 100시간 가열
② 흑심 가단 주철(BMC) Fe_3C의 흑연화가 목적
· 1단계(850 ~ 950℃풀림)유리 Fe_3C → 흑연화
· 2단계(680 ~ 730℃풀림)Pearlite중에 Fe_3C → 흑연화
③ 고력 펄라이트 가단 주철 (PMC) 흑심 가단 주철에 2단계를 생략한 것
④ 가단 주철의 탈탄제 : 철광석, 밀 스케일, 헤어 스케일 등의 산화철을 사용

Answer 162.㉱ 163.㉰ 164.㉯ 165.㉮ 166.㉮ 167.㉯ 168.㉮

169 가단주철의 종류가 아닌 것은?

㉮ 펄라이트 가단주철 ㉯ 백심 가단주철
㉰ 흑심 가단주철 ㉱ 페라이트 가단주철

170 백심가단주철의 인장강도(kgf/mm^2)는 다음 중 얼마 이상이어야 하는가?

㉮ 25 ㉯ 15 ㉰ 34 ㉱ 10

해설 백심 가단주철(WMC) 탈탄이 주목적 산화철을 가하여 950℃에서 70~100시간 가열하여 인장 강도 $34kgf/mm^2$ ($36kgf/mm^2$)이상이 나올 수 있도록 만든 특수 주철이다.

171 강을 A_3 변태 및 A_1 선 이상 30~50℃로 가열한 후 수냉 또는 유냉으로 급랭시키는 방법으로 강을 강하게 만드는 열처리는?

㉮ 담금질 ㉯ 뜨임 ㉰ 풀림 ㉱ 불림

해설 강의 일반 열처리 방법

① 담금질(quenching) : 강을 A_3 변태 및 A_1 선 이상 30~50℃로 가열한 후 수냉 또는 유냉으로 급랭시키는 방법으로 강을 강하게 만드는 열처리이다.
② 뜨임(tempering) : 담금질된 강을 A_1 변태점 이하로 가열 후 냉각시켜 담금질로 인한 취성을 제거하고 경도를 떨어뜨려 강인성을 증가시키기 위한 열처리이다.
③ 풀림(annealing) : 재질의 연화 및 내부 응력 제거를 목적으로 노내에서 서냉한다
④ 불림(normalizing) : A_3 또는 Acm선 이상 30~50℃정도로 가열, 가공 재료의 결정 조직을 균일화한다. 공기 중 공랭하여 미세한 Sorbite 조직을 얻는다.

172 탄소강의 담금질 효과는 냉각액과 밀접한 관계가 있다. 다음 중 냉각 능력이 가장 강한 것은?

㉮ 소금물 ㉯ 비눗물
㉰ 수돗물 ㉱ 각종유류

해설 담금질 액

① 소금물 : 냉각 속도가 가장 빠름
② 물 : 처음은 경화능이 크나 온도가 올라 갈수록 저하
③ 기름 : 처음은 경화능이 작으나 온도가 올라갈수록 커진다.
④ 염화나트륨 10% 또는 수산화나트륨 10% 용액 냉각 능력이 크다.

173 다음 냉각 방법 중 가장 천천히 냉각시키는 방법은?

㉮ 공냉(空冷) ㉯ 노냉(爐冷)
㉰ 유냉(油冷) ㉱ 수냉(水冷)

해설 일반적으로 급냉이라 함은 수냉 또는 유냉을 말한다. 처음에는 수냉의 냉각효과가 크나 시간이 지남에 따라 냉각효과는 유냉이 좋다. 또한 서냉 중 공냉은 공기 중에서 냉각하는 것이고 노냉은 노안에서 냉각하는 것으로 노냉이 가장 서서히 냉각시키는 방법이다.

174 강의 열처리시 조직의 변화 순서가 옳게 나열된 것은?

㉮ 트루스타이트→솔바이트→오스테나이트→마텐사이트
㉯ 솔바이트→트루스타이트→오스테나이트→마텐사이트
㉰ 마텐사이트→오스테나이트→솔바이트→트루스타이트
㉱ 오스테나이트→마텐사이트→트루스타이트→솔바이트

해설 강의 표준 조직인 오스테나이트를 열처리한 후 급랭하면 마텐사이트 인성을 주기위하여 뜨임 처리하면 트루사이트, 강도와 탄성을 동시에 요구하는 재료인 솔바이트의 순으로 생성된다.

175 다음 강의 조직 중 오스테나이트 상태에서 냉각 속도가 가장 빠를 때 나타나는 조직은?

㉮ 펄라이트(pearlite)
㉯ 마텐사이트(martensite)
㉰ 솔바이트(sorbite)
㉱ 트루스타이트(troostite)

176 용접 열영향부의 저온균열은 조립열영향부에 마텐자이트조직이 나타날수록 일어나기 쉽다. 다음 설명 중 옳지 않은 것은?

㉮ 마텐자이트는 용접 열사이클의 냉각속도가 클수록 생성되기 쉽다.

Answer 169.㉱ 170.㉰ 171.㉮ 172.㉮ 173.㉯ 174.㉱ 175.㉯ 176.㉰

㉯ 마텐자이트는 모재의 탄소함량이 높을수록 생성되기 쉽다.
㉰ 마텐자이트의 생성경향은 합금 원소량과는 무관하다.
㉱ 마텐자이트는 확산에 의해 생기는 변태가 아니다.

해설 마텐자이트는 침상의 조직으로 강도 및 경도는 크나 취성이 있다. 모재의 탄소 함유량에 따라 그 생성이 좌우된다.

177 강의 담금질(quenching)조직 중 경도가 가장 큰 것은?

㉮ 솔바이트 ㉯ 페라이트
㉰ 오스테나이트 ㉱ 마텐자이트

해설
① 강의 표준 조직 : 페라이트, 펄라이트, 시멘타이트
② 강의 열처리 조직 : 마텐자이트, 투르스타이트, 솔바이트
③ 강을 A_3 변태 및 A_1 선 이상 30~50℃로 가열한 후 수냉 또는 유냉으로 급랭시키는 담금질은 수냉 즉 급냉을 하면 마텐자이트(Martensite)라는 침상 조직의 강도는 크나 취성이 큰 조직
④ 유냉을 하면 그보다는 강도 및 경도가 떨어지는 트루스타이트(Troosite)
⑤ 강도와 탄성을 동시에 요구할 때 얻어 지는 솔바이트를 얻을 수 있다.

178 다음 중 가장 용접하기 어려운 모재의 조직은 어느 것 인가?

㉮ 페라이트 조직 ㉯ 오스테나이트 조직
㉰ 마텐자이트 조직 ㉱ 덴드라이트 조직

179 담금질한 강에 인성을 주기 위하여 A_1 점 이하의 온도로 가열한 후 서냉 또는 공냉하는 것을 무엇이라 하는가?

㉮ 불림(normalizing)
㉯ 뜨임(tempering)
㉰ 마템퀜칭(marquenching)
㉱ 마템퍼링(martempering)

180 퀜칭한 강의 잔류 응력을 제거하고 인성의 개선과 함께 경도를 다소 낮추기 위하여 A_1 점 이하의 온도로 가열하여 냉각하는 열처리는?

㉮ 고용화 열처리 ㉯ 응력제거
㉰ 뜨임 ㉱ 불림

해설 담금질된 강을 A_1 변태점 이하로 가열 후 냉각시켜 담금질로 인한 취성을 제거하고 경도를 떨어뜨려 강인성을 증가시키기 위한 열처리를 뜨임이라 한다.

181 뜨임취화(tempering brittleness)의 방지책으로 가장 적당한 것은?

㉮ 합금원소로서 Mn, Ti등을 첨가한다.
㉯ 600℃정도의 물 또는 오일에 퀜칭하거나 Mo을 합금원소로서 첨가한다.
㉰ 500℃정도의 오일에 퀜칭처리를 한다.
㉱ 400 ~ 800℃오일에 퀜칭처리를 한다.

해설 뜨임 취성을 방지하기 위하여 첨가하는 원소는 몰리브덴이다.

182 기계가공에서 생긴 내부응력의 제거, 열처리, 가공 등으로 인하여 경화된 재료의 연화 등을 위해 강재를 적당한 온도로 가열하여 일정 시간 유지 후, 노 안에서 서냉하는 열처리법은?

㉮ 어닐링(annealing)
㉯ 템퍼링(tempering)
㉰ 퀜칭(quenching)
㉱ 노멀라이징(normalizing)

해설 담금질(quenching), 뜨임(tempering), 풀림(annealing), 불림(normalizing)

183 내부 응력의 제거 또는 열처리 · 가공 등으로 인하여 경화된 재료의 연화 및 균일화를 위해 강재를 적당한 온도로 가열하여 일정 시간 유지 후, 노 안에서 서냉하는 열처리는?

Answer 177.㉱ 178.㉰ 179.㉯ 180.㉰ 181.㉯ 182.㉮ 183.㉯

㉮ 어닐링 ㉯ 풀림
㉰ 퀜칭 ㉱ 스웨이징

184 풀림의 목적이 아닌 것은?

㉮ 내부응력을 크게 한다.
㉯ 결정립을 구상화 시킨다.
㉰ 가공경화 현상을 해소시킨다.
㉱ 경도를 줄이고 조직을 연화 시킨다.

185 용접 후 열처리의 목적이 아닌 것은?

㉮ 경화촉진 ㉯ 급랭방지
㉰ 균열방지 ㉱ 수소량 감소

해설 용접 후 열처리를 하는 가장 큰 목적은 균열 및 잔류 응력을 줄이기 위하여 실시한다. 경화가 촉진되면 오히려 취성이 생겨 깨질 수 있다.

186 용접부의 풀림 처리의 효과는?

㉮ 잔류 응력의 감소를 가져온다.
㉯ 잔류 응력이 증가 된다.
㉰ 조직이 조대화 된다.
㉱ 취성화가 증대 된다.

해설 용접 후 풀림 처리의 목적의 잔류 응력을 경감하기 위해서이다.

187 풀림(annealing)의 주 목적은 어느 것인가?

㉮ 연화 및 응력제거 ㉯ 마모성 증대
㉰ 부식성 증대 ㉱ 경화

188 탄소강의 냉간가공시 가공 경화된 재료에 대하여 600 ~ 650℃의 저온으로 경도를 저하시켜 소성 가공과 절삭 가공을 쉽게 하는 풀림 방법은?

㉮ 확산 풀림 ㉯ 연화 풀림
㉰ 구상화 풀림 ㉱ 완전 풀림

해설 풀림의 종류
① 고온 풀림
㉠ 완전 풀림 : A_3 또는 A_1 변태점 보다 30 ~ 50℃ 높은 온도로 가열하고 일정 시간 유지한 다음 노 안에서 아주 서서히 냉각시키면 변태에 의하여 거칠고 큰 결정 입자가 붕괴되어 새로운 미세한 결정 입자가 되며, 내부 응력도 제거되어 연화된다.
㉡ 확산 풀림 : 강의 오스테나이트를 A_3 선 또는 Acm선 이상의 적당한 온도로 가열한 다음 장시간 유지하면 결정립 내에 짙어진 탄소, 인, 황 등의 원소가 확산되면서 농도차가 작아진다. 온도는 보통 1,200 ~ 1,300℃이다.
㉢ 항온 풀림
② 저온 풀림
㉠ 응력 제거 풀림 : 주조, 단조, 압연, 용접 및 열처리에 의해 생긴 열응력과 기계가공에 의해 생긴 내부 응력을 제거할 목적으로 150 ~ 600℃정도의 비교적 낮은 온도에서 실시하는 풀림
㉡ 구상화 풀림 : 구상화 열처리는 A_1 변태점 바로 아래나 위의 온도에서 일정 시간을 유지한 다음 서냉하면 시멘타이트는 미세하게 분리되면서 계면 장력에 따라 구상화된다.
㉢ 가공 도중 재료를 연화시키는 연화 풀림 또는 중간 풀림

189 주조, 단조, 압연, 용접 및 열처리에 의하여 생긴 열응력과 기계가공에 의해 생긴 내부 응력을 제거하기 위한 풀림 온도는 다음 중 몇 ℃인가?

㉮ 150 ~ 600 ㉯ 700 ~ 800
㉰ 900 ~ 1,000 ㉱ 1,100 ~ 1,200

190 강재를 용접한 후에 용접부의 열 응력을 제거하기 위한 풀림 열처리는?

㉮ 항온 풀림 ㉯ 응력제거 풀림
㉰ 구상화 풀림 ㉱ 열화 풀림

191 조직을 표준화하기 위해 공기 중에서 냉각하는 열처리는?

㉮ 풀림(annealing) ㉯ 뜨임(tempering)
㉰ 담금질(quenching) ㉱ 불림(normalizing)

Answer 184.㉮ 185.㉮ 186.㉮ 187.㉮ 188.㉯ 189.㉮ 190.㉯ 191.㉱

192 강의 결정립을 미세화하기 위한 열처리는?

㉮ 어닐링(annealing)
㉯ 노멀라이징(normalizing)
㉰ 담금질(quenching)
㉱ 뜨임(tempering)

193 담금질할 때에 잔류하는 오스테나이트를 마텐자이트화하기 위해 보통의 담금질을 한 다음 실온 이하의 온도로 냉각 열처리하는 것은?

㉮ 마템퍼링 ㉯ 완전풀림
㉰ 서브제로처리 ㉱ 구상화풀림

해설 서브제로 처리(심랭 처리) : 담금질 직후 잔류 오스테나이트를 없애기 위해서 0℃ 이하로 냉각하는 것으로 치수의 정확을 요하는 게이지 등을 만들 때 심랭 처리를 하는 것이 좋다.

194 탄소강을 담금질할 때 내부와 외부에 담금질 효과가 다르게 나타나는 일은?

㉮ 노치 효과 ㉯ 질량 효과
㉰ 담금질 효과 ㉱ 비중 효과

해설 재료의 크기에 따라 내·외부의 냉각 속도가 틀려져 경도가 차이나는 것을 질량 효과라 한다. 일반적으로 탄소강은 질량 효과가 크며 니켈, 크롬, 망간, 몰리브덴 등을 함유한 특수강은 임계 냉각 속도가 낮으므로 질량 효과도 작다. 또한 질량 효과가 작다는 것은 열처리가 잘 된다는 것이다.

195 열분석 곡선은 온도와 무엇과의 그래프인가?

㉮ 비중 ㉯ 시간 ㉰ 합금량 ㉱ 압력

해설 열분석이란 시료의 온도를 변화시키면서 시료의 물성 및 상태변화를 측정하여 상변태, 열적인 상의 거동 등을 분석하는 것으로 열분석 곡선은 온도와 시간과의 관계로 표현한다.

196 열처리에서 T. T. T곡선과 관계가 있는 곡선은?

㉮ 인장곡선 ㉯ 항온변태곡선
㉰ (Fe_3-C)곡선 ㉱ 탄성곡선

해설 T. T. T 곡선은 time temperature transformation curve의 약자로 항온 변태 곡선을 의미한다.

197 강을 오스템퍼링 했을 때의 조직은?

㉮ 마텐자이트 ㉯ 투르스타이트
㉰ 솔바이트 ㉱ 베이나이트

해설 항온 열처리

① 효과 : 담금질과 뜨임을 같이 하므로 균열 방지 및 변형 감소의 효과
② 방법 : 강을 Ac, 변태점 이상으로 가열한 후 변태점 이하의 어느 일정한 온도로 유지된 항온 담금질욕 중에 넣어 일정한 시간 항온 유지 후 냉각하는 열처리이다.
③ 특징 : 계단 열처리 보다 균열 및 변형 감소와 인성이 좋다. 특수강 및 공구강에 좋다.
④ 종류
㉠ 오스템퍼 : 베이나이트 담금질로 뜨임이 불필요하다.
㉡ 마템퍼 : 마텐자이트와 베이나이트의 혼합조직으로 충격치가 높아진다.
㉢ 마퀜칭 : S곡선의 코 아래에서 항온 열처리 후 뜨임으로 담금 균열과 변형이 적은 조직이 된다.
㉣ 타임 퀜칭 : 수중 혹은 유중 담금질하여 300~400℃ 정도 냉각 시킨 후 다시 수냉 또는 유냉 하는 방법
㉤ 항온 뜨임 : 뜨임 작업에서 보다 인성이 큰 조직을 얻을 때 사용하는 것으로 고속도강, 다이스강의 뜨임에 사용한다.
㉥ 항온 풀림 : S곡선의 코 혹은 다소 높은 온도에서 항온 변태 후 공랭하여 연질의 펄라이트를 얻는 방법

198 열처리를 분류할 때 항온 열처리에 해당되지 않는 것은?

㉮ 오스템퍼링 ㉯ 마템퍼링
㉰ 노멀라이징 ㉱ 마퀜칭

199 강의 표면 경화 열처리 방법에 포함되지 않는 것은?

㉮ 화염경화법 ㉯ 고주파경화법
㉰ 시안화법 ㉱ 오스템퍼링법

해설 표면 경화법

① 침탄법
㉠ 고체 침탄법 : 침탄제인 코크스 분말이나 목탄과 침탄 촉진제(탄산바륨, 적혈염, 소금)를 소재와 함께 900~950℃

Answer 192.㉯ 193.㉰ 194.㉯ 195.㉯ 196.㉯ 197.㉱ 198.㉰ 199.㉱

로 3～4시간 가열하여 표면에서 0.5～2mm의 침탄층을 얻음.

㉡ 액체 침탄법 : 침탄제인 NaCN, KCN에 염화물 NaCl, KCl, $CaCl_2$ 등과 탄화염을 40～50%첨가하고 600～900℃에서 용해하여 C와 N가 동시에 소재의 표면에 침투하게 하여 표면을 경화시키는 방법으로 침탄 질화법 또는 청화법이라고도 한다.

㉢ 가스 침탄법 : 메탄 가스, 프로판 가스 등에 탄화 수소계 가스로 가득 찬 노 안에 놓고 일정 시간 가열하여 소재 표면으로 탄소의 확산이 이루어지게 하는 침탄법이다. 가스 침탄법은 침탄 온도, 기체 공급량, 기체 혼합비 등의 조절로 균일한 침탄층을 얻을 수 있고, 작업이 간편하며, 열효율이 높고, 연속적으로 침탄 온도에서의 직접 담금질이 가능하다는 장점이 있어 공업적으로 다량 침탄을 할 때 이용된다. 침탄 조작, 즉 고온 가열이 완료된 후에는 일단 서냉시킨 다음 1차·2차 담금질, 뜨임을 한다.

② 질화법 : 암모니아(NH_3)가스를 이용하여 520℃에서 50～100시간 가열하면 Al, Cr, Mo등이 질화되며, 질화가 불필요하면 Ni, Sn도금을 한다. 질화법에는 암모니아 분해가스를 이용한 가스질화, 질소가스와 침탄성가스를 동시에 공급하여 질화물과 탄화물에 의한 화합층을 형성시키는 가스 연질화, 같은 방법으로 시안염을 이용 질화물과 탄화물의 화합층을 형성시키는 염욕연질화(솔트질화) 등이 있다. 또한 가스질화, 액체질화 이온질화 등으로 구분할 수도 있다.

③ 화염경화법

④ 고주파경화법

200 침탄부품을 기밀의 가열로 속에 넣고 적당한 침탄가스를 보내면서 900～950℃에서 침탄하는 방법은?

㉮ 가스침탄법　　㉯ 화염침탄법
㉰ 고체침탄법　　㉱ 액체침탄법

201 청화법에서 침탄제로 사용되지 않는 것은?

㉮ 탄산소다　　㉯ 염화소다
㉰ 코크스　　㉱ 염화칼륨

202 크랭크축과 같이 복잡하고 큰 재료의 표면을 경화시키는데 이용되는 방법은?

㉮ 침탄법　　㉯ 청화법
㉰ 질화법　　㉱ 불꽃 담금질

203 질화법에 쓰이는 기체는?

㉮ 아황산가스　　㉯ 암모니아 가스
㉰ 탄산가스　　㉱ 석탄 가스

204 질화법의 종류가 아닌 것은?

㉮ 가스 질화법　　㉯ 연 질화법
㉰ 액체 침질법　　㉱ 고체 질화법

205 금속침투법 중 아연(Zn)을 침투시키는 것은?

㉮ 칼로라이징(Caloriging)
㉯ 실리코나이징(Siliconiging)
㉰ 세라다이징(Sheradizing)
㉱ 크로마이징(Chromizing)

해설 금속 침탄법 : 내식, 내산, 내마멸을 목적으로 금속을 침투시키는 열처리
① 세라 다이징 : Zn
② 크로마이징 : Cr
③ 칼로라이징 : Al
④ 실리코 나이징 : Si

206 금속침투법 중 알루미늄(Al)을 침투시키는 것은?

㉮ 칼로라이징(Caloriging)
㉯ 실리코나이징(Siliconiging)
㉰ 세라다이징(Sheradizing)
㉱ 크로마이징(Chromizing)

207 금속의 표면에 코발트 - 크롬 - 텅스텐(Co - Cr - W) 합금이나 경합금 등의 금속을 용착시켜 표면 경화층을 만드는 것은?

㉮ 숏 피닝(shot peening)
㉯ 하드 페이싱(hard facing)
㉰ 샌드 블라스트(sand blast)
㉱ 화염 경화법(flame hardening)

Answer 200.㉮ 201.㉰ 202.㉱ 203.㉯ 204.㉱ 205.㉰ 206.㉮ 207.㉯

해설 표면 경화 열처리

① 하드 페이싱 : 소재의 표면에 스텔라이트(Co - Cr - W) 나 경합금 등을 융접 또는 압접으로 용착시키는 표면 경화법
② 숏 피닝 : 소재 표면에 강이나 주철로 된 작은 입자(∅0.5 ~ 1.0mm)들을 고속으로 분사시켜 가공 경화에 의하여 표면의 경도를 높이는 경화법으로 숏 피닝을 하면 휨과 비틀림의 반복 하중에 대한 피로 한도는 현저히 증가되나 인장 강도와 압축강도는 거의 증가하지 않는다.
③ 화염 경화법 : 산소 - 아세틸렌 화염으로 표면만 가열하여 냉각시켜 경화

208 숏 피닝(shot peening)의 목적에 대하여 옳은 것은?

㉮ 도료를 떨어낸다.
㉯ 용접후의 표면처리 방법으로 표면 경화를 일으킨다.
㉰ 응력을 강하게 하고 변형을 얻는다.
㉱ 모재의 재질을 검사한다.

209 탄소강 표면에 산소 - 아세틸렌 화염으로 표면만을 가열하여 오스테나이트로 만든 다음, 급랭하여 표면층만을 담금질하는 방법은?

㉮ 기체 침탄법 ㉯ 질화법
㉰ 고주파 경화법 ㉱ 화염 경화법

210 구리에 관한 설명으로 틀린 것은?

㉮ 전기 및 열의 전도율이 높은 편이다.
㉯ 전연성이 매우 크므로 상온가공이 매우 용이하다.
㉰ 건조한 공기 중에 산화된다.
㉱ 철강보다 내식성이 우수하다.

해설 구리(Cu)

① 비자성체이며 전기와 열의 양도체이다.
② 는 다음으로 전도율이 우수하다. 또한 열전도율은 보통 금속 중에서 높은편이다.
③ 비중은 8.96 용융점 1,083℃이며 변태점이 없다.
④ 인, 철, 규소, 비소, 안티몬, 주석 등은 전기 전도율을 현저히 저하시키나, 카드뮴은 전기 전도율을 저하시키지 않으며 구리의 강도 및 내마멸성을 향상시킨다.
⑤ 내식성, 전연성이 좋으며, 강도가 커서 판, 선, 봉으로 가공하여 널리 사용한다.
⑥ 철강재료에 비하여 내식성이 크다. 하지만 공기중에 오래 방치하면 이산화탄소 및 수분 등의 작용에 의하여 표면에 녹색의 염기성 탄산구리가 생기며, 이것은 인체에 대단히 유해하다.

211 고온에서 증발에 의해서 황동표면으로부터 아연(Zn)이 없어지는 현상은?

㉮ 고온 탈아연 ㉯ 자연 균열
㉰ 탈아연부식 ㉱ 부식

해설 고온 탈 아연

① 고온에서 증발에 의해 황동 표면으로부터 아연이 없어지는 현상
② 고온일수록, 표면이 깨끗할수록 심하다.
③ 방지하려면 표면에 산화 피막을 형성시키면 효과적이다.

212 불순한 물 또는 부식성 물질이 존재하는 수용액의 작용 또는 해수에 접촉되면 황동표면에서 부터 아연이 가용하여 점차로 산화물이 많은 해선상의 동으로 되는 현상은?

㉮ 경년 변화(secular change)
㉯ 탈 아연 부식(dezincification)
㉰ 시효 경화(age hardening)
㉱ 자연 균열(season cracking)

해설 탈아연 부식

① 황동은 순구리에 비하여 화학적 부식에 대한 저항이 크며, 고온으로 가열하여도 별로 산화되지 않는다. 하지만 물 또는 부식성 물질이 용해되어 있을 때에는 수용액의 작용에 의해서 황동의 표면 또는 내부까지 황동에 함유되어 있는 아연이 용해되는 현상을 말한다.
② 탈아연 된 부분은 다공질이 되어 강도가 감소한다.
③ 6 : 4 황동에서 주로 볼 수 있다. 방지책으로는 아연편을 연결한다.
④ 탈아연 현상을 막기 위하여 주석, 안티몬 등을 섞거나 α황동 등을 사용한다.

213 구리와 아연의 합금을 무엇이라 하는가?

㉮ 황동 ㉯ 청동 ㉰ 인청동 ㉱ 켈밋

해설 구리 합금

Answer 208.㉯ 209.㉱ 210.㉰ 211.㉮ 212.㉯ 213.㉮

고용체를 형성하여 성질을 개선하며 α고용체(F.C.C)는 연성이 커서 가공이 용이하나, β(B.C.C)고용체는 가공성이 나빠진다. 기타 γ, ε, η, δ의 계가 있으나 공업적으로는 45% Zn이하가 사용되므로 α, β상이 중요하다.

① 황동 (Cu + Zn) : 가공성, 주조성, 내식성, 기계적 성질이 개선된다.
  ㉠ 아연 함유량의 증가에 따라 거의 직선적으로 비중은 작아진다.
  ㉡ 전기 및 열전도율은 아연 함유량이 34%까지는 낮아지다가 그 이상이 되면 상승하여 50% 아연에서 최대값을 가진다.
  ㉢ 7 : 3 황동은 1,200℃, 6 : 4 황동은 1,100℃를 넘으면 아연이 비등하므로 용융 시킬 때에 각별한 주의를 요한다.
  ㉣ Zn의 함유량이 30%에서 연신율 최대이며, 40%에서는 인장 강도가 최대이다.

214 전연성이 좋고, 색깔이 아름다워 모조금이나 판 및 선등에 쓰이며 5 ~ 20%의 아연을 함유하는 황동은?

㉮ 문쯔메탈　　㉯ 포금
㉰ 톰백　　㉱ 7 : 3황동

215 6 : 4 황동의 설명으로 틀린 것은?

㉮ 60Cu – 40Zn의 합금이다.
㉯ 내식성이 다소 낮고, 탈 아연 부식을 일으키기 쉽다.
㉰ 일반적으로 판재, 선재, 볼트, 너트, 열교환기 등의 재료로 쓰인다.
㉱ 상온에서 7 : 3 황동에 비하여 전연성이 높고, 인장 강도가 작다.

해설
Zn의 함유량이 30%에서 연신율 최대이며, 40%에서는 인장 강도가 최대이다.

종 류	성분(%) (Cu : Zn)	용 도
문쯔메탈 (Muntz metal)	60 : 40	값이 싸고, 내식성이 다소 낮고, 탈아연 부식을 일으키기 쉬우나 강력하기 때문에 기계 부품용으로 많이 쓰인다. 판재, 선재, 볼트, 너트, 열교환기, 파이프, 밸브, 탄피, 자동차 부품, 일반 판금용 재료 등
카트리지 브라스 Cartridge brass	70 : 30	판, 봉, 관, 선등의 가공용 황동에 대표, 자동차 방열기, 전구 소켓, 탄피, 일용품

216 6 : 4 황동에 관한 설명으로 옳은 것은?

㉮ 아연 40% 내외의 것은 문쯔메탈이라고도 한다.
㉯ 상온에서도 전성이 있다.
㉰ 압연, 드로잉 등의 가공으로 쉽게 판재, 봉재, 관재 등을 만들 수 있다.
㉱ 냉간가공성이 좋다.

217 황동에서 냉간 가공용으로 연신율이 최대가 될 때에는 Zn이 몇 %부근 인가?

㉮ Zn 10%　　㉯ Zn 20%
㉰ Zn 30%　　㉱ Zn 40%

218 구리의 합금 중 6 : 4 황동에 1%정도의 주석을 넣어 스프링용 및 선박 기계용에 사용되는 특수 황동은?

㉮ 애드미럴티 황동　　㉯ 네이벌 황동
㉰ 델타메탈　　㉱ 강력 황동

해설

종류	성분(%) (Cu : Zn)		용 도
주석 황동	네이벌	6 : 4 황동 + Sn(1%)	• Zn의 산화 및 탈아연 부식 방지 • 해수에 대한 내식성 개선 • 선박, 냉각용 등에 사용 • 인성을 요할 때는 0.7% Sn
	에드미럴티	7 : 3 황동 + Sn(1%)	

219 70 : 30황동에 주석을 1%정도 첨가하여 탈아연 부식을 억제하고 내식성 및 내해수성을 증대시킨 특수 황동은?

㉮ 쾌삭황동　　㉯ 네이벌황동
㉰ 애드미럴티황동　　㉱ 강력황동

220 황동의 종류에서 문쯔메탈(muntz metal)이라고하며 복수기용 판, 열간 단조품, 볼트, 너트 등 제조에 쓰이는 것은?

Answer 214.㉰ 215.㉱ 216.㉮ 217.㉰ 218.㉯ 219.㉰ 220.㉮

㉮ 35 ~ 45% Zn황동 ㉯ 25 ~ 35% Zn황동
㉰ 5 ~ 20% Zn황동 ㉱ 5 ~ 10% Zn황동

해설 황동은 Zn의 함유량이 30%에서 연신율 최대이며, 40%에서는 인장 강도가 최대이다. 이중 인장강도가 최대인 6:4 황동을 문쯔메탈이라고 한다.

221 6 : 4 황동에 철을 1.2% 첨가한 것으로 일명 철황동이라고 하며 강도가 크고 내식성도 좋아 광산기계, 선박용 기계, 화학기계 등에 사용되는 특수 황동은?

㉮ 애드미럴티 황동(admiralty brass)
㉯ 네이벌 황동(naval brass)
㉰ 델터 메탈(delta metal)
㉱ 쾌삭 황동(free cutting brass)

해설

종 류	성분(%) (Cu : Zn)	용 도
철 황동 (delta metal)	6 : 4황동 + Fe (1% ~ 2%내외)	• 강도 내식성 개선 • 철이 2% 이상이면 인성 저하 • 선박, 광산, 기어, 볼트 등

222 문쯔 메탈(muntz metal)에 1~2%의 철(Fe)를 첨가하여 강도와 내식성을 향상시킨 특수 황동은?

㉮ 네이벌 황동(naval brass)
㉯ 배빗 메탈(babbit metal)
㉰ 델타 메탈(delta metal)
㉱ 에드미럴티 황동(admiralty metal)

223 황동의 종류를 연결한 것이다. 잘못된 것은?

㉮ Cu + 10%Zn = 델타메탈
㉯ Cu + 20%Zn = 톰백
㉰ Cu + 30%Zn = 카트리지 황동
㉱ Cu + 40%Zn = 문쯔메탈

224 황동에 니켈을 10 ~ 20% 첨가한 것으로 전기저항이 높고 내열, 내식성이 좋으므로 일반 전기 저항체로 사용되며, 주조된 상태에서는 밸브, 콕, 장식품, 악기 등에 사용되는 것은?

㉮ 포금 ㉯ 양은 ㉰ 톰백 ㉱ 켈멧

해설 양은
① 7 : 3 황동 + Ni(15 ~ 20%)
② 부식 저항이 크고 주단조 가능
③ 가정용품, 열전쌍, 스프링 등

225 정밀절삭 가공을 필요로 하는 시계나 계기용 기어, 나사 등의 재료로 사용되는 쾌삭 황동은?

㉮ 납 황동 ㉯ 주석 황동
㉰ 철 황동 ㉱ 니켈 황동

해설 납(鉛) 황동(lead brass) 6 : 4 황동 + Pb(1.5 ~ 3.7%)를 혼합하면 절삭성이 개선(쾌삭 황동)되고 강도와 연신율은 감소하여, 시계용 치차, 나사 등에 사용된다.

226 구리에 납을 30 ~ 40% 함유한 합금으로 고속 항공기 및 자동차의 베어링 메탈로 쓰이는 것은?

㉮ 포금 ㉯ 아암즈 청동
㉰ 켈멧 ㉱ 델타 메탈

해설 켈멧 합금은 구리에 30 ~ 40% 납을 가한 것으로 이것은 고속 고하중용 베어링으로 자동차, 항공기 등에 널리 쓰임.

227 청동에 관한 설명으로 틀린 것은?

㉮ 넓은 의미에서는 황동 이외의 구리합금을 말한다.
㉯ 부식에 잘 견디므로 밸브, 선박용 판, 동상 등의 재료로 사용된다.
㉰ 좁은 의미로는 구리-아연 합금이다.
㉱ 황동보다 내식성과 내마모성이 좋다.

해설
① 황동 : Cu - Zn, ② 청동 : Cu - Sn

Answer 221.㉰ 222.㉰ 223.㉮ 224.㉯ 225.㉮ 226.㉰ 227.㉰

228 청동합금 중 8~12% Sn에 1~2% Zn을 첨가한 구리합금으로 단조성이 좋고 강력하며, 내식성이 있어 밸브, 콕, 기어, 베어링부시 등의 주물에 널리 사용되는 합금은?

㉮ 델타메탈 ㉯ 문쯔메탈
㉰ 포금 ㉱ 모넬메탈

해설 포금(Cu, 8~12% Sn, 1~2% Zn)
① 단조성이 좋고 강력하며 내식성이 있어 밸브, 콕, 기어, 베어링 부시 등의 주물에 널리 사용된다.
② 88% Cu, 10% Sn, 2% Zn인 애드미럴티 포금은 주조성과 절삭성이 뛰어나다.

229 주석 청동 중에 Pb을 3.0 내지 26% 첨가한 것으로 베어링, 패킹재료 등에 널리 사용되는 금속의 명칭은?

㉮ 연 청동 ㉯ 알루미늄 청동
㉰ 규소 청동 ㉱ 베릴륨 청동

해설 납(연) 청동의 특징
① 연성은 저하하지만 경도가 높고, 내마멸성이 크다.
② 자동차나 일반 기계의 베어링 부분에 사용된다.
③ 납 청동에서 납을 4~22% 정도 함유한 것은 윤활성이 좋으므로 철도 차량, 압연 기계 등의 고압용 베어링에 적합.
④ 켈밋 합금은 구리에 30~40% 납을 가한 것으로 이것은 고속 고하중용 베어링으로 자동차, 항공기 등에 널리 쓰임.

230 청동에 탈산제로 미량의 인을 첨가한 합금으로 기계적 성질이 좋고 내식성 내마멸성을 가지며 기어, 베어링, 스프링 등 기계 부품에 많이 사용되는 청동은?

㉮ 인청동 ㉯ 알루미늄 청동
㉰ 규소 청동 ㉱ 포금 청동

해설 청동에 1% 이하 P첨가한 인청동은 유동성이 좋아지고, 강도, 경도, 내식성 및 탄성률 등 기계적 성질이 개선되어 봉은 기어, 캠, 축, 베어링 등에 사용되고, 선은 코일 스프링, 스파이럴 스파링 등에 사용된다.

231 구리합금 중에서 가장 높은 강도와 경도를 가진 청동은?

㉮ 규소청동 ㉯ 니켈청동
㉰ 베릴륨청동 ㉱ 망간청동

해설 베릴륨 청동
① 구리 합금 중에서 가장 높은 경도와 인장 강도(133kg/mm²)를 가지나 값이 비싸고 산화하기 쉬우며, 가공하기 곤란하다는 단점도 있다.
② 강도, 내마멸성, 내피로성, 전도율 등이 좋으므로 베어링, 기어, 고급 스프링, 공업용 전극 등에 쓰인다.
③ 고강도 베릴륨 청동(1.6~2.0% Be, 0.25~0.35% Co)와 고전도성 베릴륨 청동(0.25~0.6% Be, 1.4~2.6% Co)이 있으며, 소량의 코발트, 니켈, 또는 은을 첨가하여 사용한다. 코발트는 결정립계의 성장을 억제하고 니켈은 결정립경계을 미세화하여 강도 및 인성을 향상시킨다.

232 뜨임 시효 경화성이 있어서 내식성, 내열성, 내피로성 등이 우수하여 베어링이나 고급 스프링에 이용되며, 구리에 2~3%의 Be을 첨가한 청동 합금은?

㉮ 콜슨(corson)합금
㉯ 암즈 청동(arms bronze)
㉰ 베릴륨 청동(beryllium bronze)
㉱ 에버듀(everdur)

233 알루미늄(Al)의 성질에 관한 설명으로 틀린 것은?

㉮ 비중이 가벼운 경금속이다.
㉯ 전기 및 열의 전도율이 구리보다 좋다.
㉰ 상온 및 고온에서 가공이 용이하다.
㉱ 공기 중에서 표면에 Al_2O_3의 얇은 막이 생겨 내식성이 좋다.

해설 알루미늄의 성질
① 물리적 성질
㉠ 비중 2.7 용융점 660℃ 변태점이 없으며 색깔은 은백색이다.
㉡ 열 및 전기의 양도체 이다.
② 화학적 성질
㉠ 알루미늄은 대기 중에서 쉽게 산화되지만 그 표면에 생기는 산화알루미늄(Al_2O_3)의 얇은 보호 피막으로 내부의 산화를 방지한다.
㉡ 내식성을 저하하는 불순물로는 구리, 철, 니켈 등이 있다.
㉢ 마그네슘과 망간 등은 내식성에 거의 영향을 끼치지 않

Answer 228.㉰ 229.㉮ 230.㉮ 231.㉰ 232.㉰ 233.㉯

는다.

㉣ 황산, 묽은 질산, 인산에는 침식되며 특히 염산에는 침식이 대단히 빨리 진행된다.

㉤ 80% 이상의 진한 질산에는 침식에 잘 견디며, 그 밖의 유기산에는 내식성이 좋아 화학 공업용으로 널리 쓰인다.

③ 기계적 성질

㉠ 전·연성이 풍부하며 400 ~ 500℃에서 연신율이 최대이다.

㉡ 풀림 온도 250 ~ 300℃이며 순수한 알루미늄은 주조가 안 된다.

㉢ 알루미늄은 순도가 높을수록 강도, 경도는 저하하지만, 철, 구리, 규소 등의 불순물 함유량에 따라 성질이 변한다.

㉣ 다른 금속에 비하여 냉간 또는 열간 가공성이 뛰어나므로 판, 원판, 리벳, 봉, 선 등으로 쉽게 소성 가공할 수 있다. 경도와 인장 강도는 냉간 가공도의 증가에 따라 상승하나 연신율은 감소한다.

234 다음이 공통적으로 설명하고 있는 원소는?

보기

- 면심입방격자이다.
- 백색의 가벼운 금속으로 비중이 약 2.7이다.
- 염산 중에는 매우 빨리 침식되나 진한 질산에는 잘 견딘다.

㉮ Al ㉯ Cu ㉰ Mg ㉱ Zn

235 알루미늄의 물리적 성질 중 틀린 것은?

㉮ 비중이 가벼워 경금속에 속한다.

㉯ 전기 및 열의 전도율이 좋다.

㉰ Al_2O_3생겨 내식성이 좋다.

㉱ 산과 알카리에 강하다.

236 알루미늄의 성질을 설명한 것으로 틀린 것은?

㉮ 비중이 가벼워 경금속에 속한다.

㉯ 전기 및 열의 전도율이 좋다.

㉰ 산화 피막의 보호작용으로 내식성이 좋다.

㉱ 염산에 아주 강하다.

237 다음 중 알루미나(Al_2O_3)의 물리적 성질로 맞는 것은?

㉮ 용융점 2,050℃, 비중 4

㉯ 용융점 660℃, 비중 2.7

㉰ 용융점 2,454℃, 비중 4

㉱ 용융점 650℃, 비중 1.74

해설 알루미늄의 용융점은 660℃, 비중은 2.7이나 알루미늄 표면에 산화막을 형성하는 산화알루미늄은 용융점은 2,050℃, 비중은 4로 알루미늄이 이 산화막 때문에 용접에 어렵다.

238 알루미늄 표면에 황금색 경질 피막을 형성하기 위하여 실시하는 방식법은?

㉮ 수산법 ㉯ 황산법

㉰ 통산법 ㉱ 크롬산법

해설 알루미늄의 특성과 용도

① Cu, Si, Mg 등과 고용체를 만들며 열처리로 석출 경화, 시효 경화 시켜 성질을 개선한다.

② 송전선, 전기 재료, 자동차, 항공기, 폭약 제조 등에 사용한다.

③ 석출 경화 : 알루미늄의 열처리 법으로 급랭으로 얻은 과포화 고용체에서 과포화된 용해물을 석출시켜 안정화시킴. 석출 후 시간에 경과에 따라 시효 경화된다.

④ 인공 내식 처리법

㉠ 알루마이트법(수산법) : 수산 용액에 넣고 전류를 통과시켜 알루미늄 표면에 황금색 경질 피막을 형성하는 방법

㉡ 황산법 : 황산액을 사용하며, 농도가 낮은 것을 사용할수록 피막이 단단하게 형성된다. 값이 저렴하여 널리 사용

㉢ 크롬산법 : 산화크롬 수용액을 사용, 전압을 가감하면서 통전시간을 조정. 피막은 내마멸성은 적으나 내식성은 대단히 크다.

239 Al - Si의 대표적인 합금으로 Si는 육각판상의 거친 결정이 되므로, 주조시 개량처리에 의해 조직을 미세화시키고 강도를 개선하여 실용화하는 합금은?

㉮ 두랄루민 ㉯ Y합금

㉰ 실루민 ㉱ 라우탈

해설 알루미늄 합금의 종류

① 주조용 알루미늄 합금

㉠ Al - Cu : 주조성, 절삭성이 개선되지만 고온 메짐, 수축 균열이 있다.

㉡ Al - Si : 실루민으로 대표적인 주조용 알루미늄 합금이다.

Answer 234.㉮ 235.㉱ 236.㉱ 237.㉮ 238.㉮ 239.㉰

ⓒ Al - Cu - Si : 라우탈이라 하며 규소 첨가로 주조성 향상 구리 첨가로 절삭성 향상된다.

240 라우탈(lautal)이란?

㉮ Al －Cu계 합금
㉯ Al －Mg계 합금
㉰ Al －Cu－Si계 합금
㉱ Al －Cu－Ni－Mg계 합금

해설 주조용 알루미늄 합금인 실루민(Al - Si)의 절삭성을 개선하기 위하여 Cu를 혼합한 것을 말한다.

241 내식성 알루미늄(Al)합금에 속하지 않는 것은?

㉮ 하이드로날륨(Hydronalium)
㉯ 알민(Almin)
㉰ 알드레이(Aldrey)
㉱ 델타메탈(Delta metal)

해설 알루미늄 합금의 종류
① 내식용 알루미늄 합금
㉠ 대표적인 것이 하이드로날륨으로 Al - Mg의 합금이다.
㉡ 기타 : 알민(Al - Mn), 알드리(Al - Mg - Si)등이 있다.

242 Al－Mg계 합금이며 내식성 알루미늄 합금의 대표적인 것으로 강도와 인성이 좋은 재료는?

㉮ Y합금 ㉯ 하이드로날륨
㉰ 두랄루민 ㉱ 실루민

243 두랄루민(duralumin)의 합금 성분은?

㉮ Al＋Cu＋Sn＋Zn
㉯ Al＋Cu＋Mg＋Mn
㉰ Al＋Cu＋Ni＋Fe
㉱ Al＋Cu＋Si＋Mo

해설 알루미늄 합금의 종류
① 단련용 알루미늄 합금
① 두랄루민 : 단조용 알루미늄 합금의 대표
㉠ Al - Cu - Mg - Mn이 주성분 Si는 불순물로 함유된다.
㉡ 고온에서 급랭시켜 시효 경화 시켜 강인성을 얻는다.
② 초 두랄루민 : 두랄루민에 Mg은 증가 Si는 감소시킨다.
③ 단련용 Y합금 : Al - Cu - Ni 내열 합금이며 Ni에 영향으로 300 ~ 450℃에서 단조 한다.

244 2.6% Cu, 0.35% Mg을 첨가한 고강도 알루미늄 합금의 대표적인 것으로, 용체화 처리 후 시효경화가 늦게 일어날수록 작업이 용이해지는 합금명은?

㉮ 와이(Y) 합금 ㉯ 하이드로날륨
㉰ 로우 엑스 ㉱ 두랄루민

245 Y합금에 대한 설명으로 틀린 것은?

㉮ 시효 경화성이 있어 모래형 및 금형 주물에 사용된다.
㉯ Y합금은 공랭실린더 헤드 및 피스톤 등에 많이 이용된다.
㉰ 알루미늄에 규소를 첨가하여 주조성과 절삭성을 향상시킨 것이다.
㉱ Y합금은 내열기관의 고온 부품에 사용된다.

해설 알루미늄 합금의 종류
① 내열용 알루미늄 합금
㉠ Y합금 : Al - Cu(4%) - Ni(2%) - Mg(1.5%) 합금, 고온 강도가 커서 내연 기관 실린더 등에 사용된다.
㉡ Lo - Ex : Al - Si - Cu - Mg - Ni 합금, 내열성이 우수하나 Y합금 보다 열팽창 계수가 작다. Na으로 개량 처리 및 피스톤 재료로 사용

246 기계적 성질이 우수하여 피스톤, 실린더 헤드 등과 같은 내연 기관의 고온 부품에 사용되며, Cu(4%), Ni(2%), Mg(1.5%)의 함유된 주물용 알루미늄 합금은?

㉮ Y합금 ㉯ 실루민 ㉰ 라우탈 ㉱ 알민

247 마그네슘(Mg)의 특성을 기술한 것 중 틀린 것은?

Answer 240.㉰ 241.㉱ 242.㉯ 243.㉯ 244.㉱ 245.㉰ 246.㉮ 247.㉮

㉮ 비중이 2.69로 실용 금속 중 가장 가볍다.
㉯ 열전도율은 구리, 알루미늄보다 낮다.
㉰ 강도는 작으나 절삭성이 우수하다.
㉱ 티탄, 지르코늄, 우라늄 제련의 환원제이다.

해설 마그네슘의 성질 및 용도

① 비중이 1.74로 실용 금속 중에서 가장 가볍고 용융점 650℃ 조밀 육방 격자이다.
② 마그네사이트, 소금 앙금, 산화마그네슘으로 얻는다.
③ 마그네슘의 전기 열전도율은 구리, 알루미늄보다 낮고, Sb, Li, Mn, Cu, Sn 등의 함유량의 증가에 따라 저하한다. 선팽창 계수는 철의 2배 이상으로 대단히 크다.
④ 전기 화학적으로 전위가 낮아서 내식성이 나쁘다. 알칼리 수용액에 대해서는 비교적 침식되지 않지만, 산, 염류의 수용액에는 현저하게 침식된다. 부식을 방지하기 위하여 양극 산화 처리, 도금 및 도장한다.
⑤ 마그네슘은 가공 경화율이 크기 때문에 실용적으로 10~20% 정도의 냉간 가공성을 갖는다. 그러나 절삭 가공성은 대단히 좋으므로 고속 절삭이 가능하고 마무리면도 우수하다.

248 결정입자의 조대화를 억제하고 주조조직을 미세화하여 기계적 성질을 향상시킨 도우메탈(dow metal)은 마그네슘과 어떤 원소로 만들어진 합금인가?

㉮ 알루미늄 ㉯ 주석 ㉰ 티타늄 ㉱ 나트륨

해설 Mg-Al계 합금(일명 도우 메탈)(마그네슘 합금 주물 1종~3종, 5종)

① 알루미늄은 순 마그네슘에서 볼 수 있는 결정 입자의 조대화를 억제하고, 주조 조직을 미세화하며, 기계적 성질을 향상시키는 중요한 원소
② 이 합금의 인장 강도는 6% Al일 때 최대가 되며, 연신율과 단면 수축률은 4% Al에서 최대가 된다.
③ 이 합금은 마그네슘 합금중에서 비중이 가장 작고, 용해 주조, 단조가 쉬워서 비교적 균일한 제품을 만들어 낼 수 있다.
④ 아연을 소량 첨가하면 강도는 개선되나 주조성이 저하된다

249 Mg-Al-Zn 합금의 대표적인 것은?

㉮ 실루민 ㉯ 두랄루민
㉰ Y합금 ㉱ 일렉트론

해설 실루민은 Al-Si의 주조용 알루미늄 합금, 두랄루민은 Al-Cu-Mg-Mn으로 단련용 알루미늄 합금 이며, 내열용 알루미늄 합금인 Y합금은 Al-Cu-Ni-Mg이다.

250 니켈(Ni)의 성질을 설명한 것으로 틀린 것은?

㉮ 비중이 8.85이고 용융점이 1,445℃인 은백색의 금속
㉯ 내식성이 강하고 열 전도율이 좋다.
㉰ 인성이 풍부하며 전연성이 있다.
㉱ 황산, 염산 등에도 잘 견딘다.

해설 니켈의 특성

① 은백색의 금속으로 면심입방격자이다.
② 비중이 8.90이고 용융 온도가 1,453℃이다.
③ 상온에서는 강자성체이지만 358℃ 부근에 자기 변태하여 그 이상에서는 강자성이 없어진다. 특히 V, Cr, Si, Al, Ti 등은 니켈의 자기 변태점의 온도를 저하시키고, Cu, Fe은 이 온도를 상승시킨다.
④ Cr함유량이 증가하면 비저항이 증가 약 40%에서 최대가 된다.
⑤ 황산, 염산에는 부식되지만 유기 화합물이나 알칼리에는 잘 견딘다.
⑥ 대기 중 500℃ 이하에서는 거의 산화하지 않으나, 500℃ 이상에서 오랫동안 가열하면 취약해지고, 750℃ 이상에서는 산화 속도가 빨라진다. 특히 화학 약품에 대해서는 다른 금속보다 내식성이 커서, 화학, 식품, 화폐, 도금 등에 사용된다.
⑦ 전연성이 크고 상온에서도 소성 가공이 용이하며, 열간 가공은 1,000~1,200℃에서, 풀림 열처리는 800℃ 정도에서 한다.

251 열팽창계수가 매우 작으며 내식성이 커서 바이메탈, 시계진자, 계측기 부품 등에 사용되는 합금명은?

㉮ 다이스강(dies steel) ㉯ 고속도강(H.S.S)
㉰ 인바(invar) ㉱ 스텔라이트(stellite)

해설

불변강	인바 (Ni 36%)	• 팽창 계수가 적다. • 표준척, 열전쌍, 시계 등에 사용
	엘린바 (Ni(36)-Cr(12))	• 상온에서 탄성률이 변하지 않음 • 시계 스프링, 정밀 계측기 등
	플래티 나이트 (Ni 10~16%)	• 백금 대용 • 전구, 진공관 유리의 봉입선 등
	퍼멀로이 (Ni 75~80%)	• 고 투자율 합금 • 해전 전선의 장하 코일용 등
	기타	• 코엘린바, 초인바, 이소에라스틱

Answer 248.㉮ 249.㉱ 250.㉱ 251.㉰

252 **구리에 40 ~ 50% 니켈이 첨가된 합금으로 전기저항 특성이 있어 전기저항 재료나 저온용 열전대로 사용되는 것은?**

㉮ 모넬 메탈　　㉯ 인코넬
㉰ 큐프로 니켈　　㉱ 콘스탄탄

해설
① 콘스탄탄은 구리 니켈 합금으로 40 ~ 50% Ni의 양을 가지고 있고 전기 저항이 크고, 온도 계수가 낮으므로 통신 기재, 저항선, 전열선등으로 사용된다. 이 합금은 철, 구리, 금 등에 대한 열기전력이 높으므로 열전쌍 선으로도 쓰인다. 내산 내열성이 좋고 가공성도 좋다.
② 어드밴스 44% Ni, 1% Mn을 가진 것으로 정밀 전기 저항 선에 사용된다.
③ 모넬메탈 65 ~ 70% Ni 의 성분을 가지고 있다.

253 **고온 측정용 열전대로 사용되는 것은?**

㉮ 콘스탄탄　　㉯ 니크롬
㉰ 화이트메탈　　㉱ 모넬메탈

254 **니켈 65 - 70% 정도를 함유한 니켈 - 구리계의 합금이며 내열, 내식성이 좋으므로 화학 공업용 재료에 많이 쓰이는 것은?**

㉮ 콘스탄탄　　㉯ 모넬메탈
㉰ 실루민　　㉱ Y합금

해설 모넬메탈(Ni 65 ~ 70%)
① 내열·내식성이 우수하므로 터빈 날개, 펌프 임펠러 등의 재료로서 사용된다.
② R모넬 : 소량의 S(0.025 ~ 0.06%)을 첨가하여 강도를 저하시키고 절삭성을 개선한 것.
③ K모넬 : 3%의 Al을 첨가한 것으로, 석출 경화에 의해 경도가 향상된 것
④ KR모넬 : K모넬에 탄소량을 다소 높게(0.28% C)첨가하여 절삭성을 향상 시킨 것
⑤ H모넬(3% Si 첨가), S모넬(4% Si 첨가) : 규소를 첨가하여 강도를 향상시킨 것

255 **Ni - Cr계 합금이 아닌 것은?**

㉮ 크로멜(Chromel)
㉯ 선플래티늄(Sunplatinum)
㉰ 인코넬(Inconel)
㉱ 엘린바(Elinvar)

해설

종 류	성 분	종 류	성 분
인바	36% Ni	니크롬	50 ~ 90% Ni, 11 ~ 33% Cr, 0.25% Fe
엘린바	36% Ni, 12% Cr, 0.8% C, 1 ~ 2% Mn, 1 ~ 2% Si, 1 ~ 3% W	인코넬	72 ~ 76% Ni, 14 ~ 17% Cr, 8% FeMn, Si, C
플래티나이트	46% Ni	크로멜, 알루멜	Cr 10% Al 3%
퍼멀로이	45 ~ 49% Ni 75 ~ 79% Ni		

256 **티탄과 그 합금에 관한 설명으로 틀린 것은?**

㉮ 티탄은 비중에 비해서 강도가 크며, 고온에서 내식성이 좋다.
㉯ 티탄에 Mo, V 등을 첨가하면 내식성이 더욱 향상된다.
㉰ 티탄 합금은 인장강도가 작고, 또 고온에서 크리프(creep) 한계가 낮다.
㉱ 티탄은 가스 터빈 재료로서 사용된다.

해설 티탄계 합금의 특성
① Mo, V : 내식성을 향상시킨다.
② Al : 수소 함유량이 적게되어 고온 강도를 높일 수 있다.
③ 티탄 합금은 티탄보다 비강도가 높고, 다른 고강도 합금에 비하여 고온강도가 크기 때문에 제트 엔진의 축류, 압축기의 주위 온도가 약 450℃까지의 블레이드, 회전자 등에 사용된다.
④ 열처리된 티탄 합금의 항복비(내력/인장 강도)가 0.9 ~ 0.95, 내구비(피로 강도/인장 강도)가 0.55 ~ 0.6 정도의 큰 값을 나타낸다.
⑤ 티탄 합금은 고강도이고 열전도율이 낮으므로 절삭 온도가 높아지고, 공구 재료와 반응하기 쉬우므로 절삭 가공이 대단히 어렵다. 티탄 합금의 절삭에는 냉각 작용과 윤활 작용이 뛰어난 절삭액을 사용함이 바람직하다.

257 **비강도가 대단히 크면서 내식성이 아주 우수하고 600℃ 이상에서는 산화 질화가 빨라 TIG 용접시 용접토치에 특수(Shield gas)장치가 반드시 필요한 금속은?**

Answer 252.㉱ 253.㉮ 254.㉯ 255.㉯ 256.㉰ 257.㉱

㉮ Al　　㉯ Cu　　㉰ Mg　　㉱ Ti

258 다음 중 아연의 일반적인 특성에 해당하는 것은?

㉮ 비중이 4.51이다.
㉯ 용융온도는 913℃이다.
㉰ 조밀육방격자의 회백색 금속이다.
㉱ 아연의 제련에는 증류법, 직류법, 교류법이 있다.

해설 아연의 특성

① 비중이 7.3이고, 용융 온도가 420℃인 조밀 육방 격자의 회백색 금속
② 철강 재료의 부식 방지의 피복용으로서 가장 많이 사용된다.
③ 주조성이 좋아 다이 캐스팅용 합금으로서 광범위하게 사용된다.
④ 조밀 육방 격자이지만 가공성이 비교적 좋아 실온에서의 냉간 가공도 가능하다. 아연판으로 건전지 재료나 인쇄용 등에 사용된다.
⑤ 수분이나 이산화탄소의 분위기에서는 표면에 염기성 탄산아연의 피막이 발생되어 부식이 내부로 진행되지 않으므로 철판에 아연 도금을 하여 사용한다.
⑥ 건조한 공기 중에서는 거의 산화되지 않지만, 산, 알칼리에 약하며 Cu, Fe, Sb 등의 불순물은 아연의 부식을 촉진시키고, Hg은 부식을 억제
⑦ 주조한 상태의 아연은 결정립경이 커서 인장 강도나 연신율이 낮고 취약하므로 상온 가공을 할 수가 없다. 그러나 열간 가공하여 결정립을 미세화하면 상온에서도 쉽게 가공할 수가 있다.
⑧ 순수한 아연은 가공 후 연화가 일어나지만 불순물이 많으면 석출 경화가 일어난다.

259 아연과 그 합금에 대한 설명으로 틀린 것은?

㉮ 조밀육방 격자형이며 백색으로 연한 금속이다.
㉯ 전해아연은 전해법으로 만들어진다.
㉰ 주조성이 나쁘므로 다이캐스팅에 사용되지 않는다.
㉱ 증류아연은 증류법으로 만들어진다.

260 납에 관한 설명으로 틀린 것은?

㉮ 납은 전성이 크고 연하며, 공기 중에서는 거의 부식되지 않는다.
㉯ 납은 주물을 만들어 축전지 등에 쓰인다.
㉰ 납은 질산 및 고온의 진한 염산에도 침식되지 않는다.
㉱ X선 등의 방사선을 차단하는 힘이 크다.

해설 납의 성질

① 납은 비중이 11.36인 회백색 금속으로 용융 온도가 327.4℃로 낮고 연성이 좋아 가공하기 쉬워 오래 전부터 사용되어 왔다.
② 불용해성 피복이 표면에 형성되기 때문에 대기 중에서도 뛰어난 내식성을 가지고 있으므로 광범위하게 사용된다.
③ 납은 자연수와 바닷물에는 거의 부식되지 않으며, 황산에는 내식성이 좋으나 순수한 물에 산소가 용해되어 있는 경우에는 심하게 부식되며, 질산이나 염산에도 부식된다.
④ 알칼리 수용액에 대해서는 철보다 빨리 부식된다.
⑤ 열팽창 계수가 높으며, 방사선의 투과도가 낮다.
⑥ 축전지의 전극, 케이블 피복, 활자 합금, 베어링 합금, 건축용 자재, 땜납, 황산용 용기 등에 사용되며, X선이나 라듐 등의 방사선 물질의 보호재로도 사용된다.

261 주석(Sn)에 대한 설명 중 틀린 것은?

㉮ 은백색의 연한 금속으로 용융점은 232℃정도이다.
㉯ 독성이 없으므로 의약품, 식품 등의 튜브로 사용된다.
㉰ 고온에서 강도, 경도, 연신율이 증가된다.
㉱ 상온에서 연성이 풍부하다.

해설 주석의 특성

① 주석은 비중이 7.3인 용융 온도가 231.9℃인 은색의 유연한 금속이다.
② 13.2℃이상에서는 체심 정방격자의 백색 주석(β-Sn)이지만 그 이하에서는 면심입방격자의 회색 주석(α-Sn)이다. 13.2℃가 변태점이다.
③ 불순물 중에는 납, 비스무트, 안티몬 등은 변태를 지연시키고, 아연 알루미늄, 마그네슘, 망간 등은 변태를 촉진시킨다.
④ 주석은 상온에서 연성이 풍부하므로 소성 가공이 쉽고, 내식성이 우수하고, 피복 가공 처리가 쉬우며, 독성이 없어 강판의 녹 방지를 위하 피복용, 의약품, 식품 등의 포장용 튜브, 장식품에 널리 쓰인다.
⑤ 주석 주조품의 인장 강도는 30MPa 정도로서 고온에서는 온도의 증가에 따라 강도, 경도 및 연신율이 모두 저하한다.

262 저용융점 합금이란 어떤 원소보다 용융점이 낮은 것을 말하는가?

Answer 258.㉰ 259.㉰ 260.㉰ 261.㉰ 262.㉰

㉮ Zn ㉯ Cu ㉰ Sn ㉱ Pb

해설 저용융점 합금이란 Sn보다 융점이 낮은 합금으로 퓨즈 활자 정밀 모형에 사용

263 베어링 합금의 필요조건과 상반되는 것은?

㉮ 하중에 견딜 수 있는 경도와 내압력을 가질 것
㉯ 충분한 점성과 인성이 있을 것
㉰ 주조성이 좋고 열전도율이 클 것
㉱ 마찰계수가 크고, 저항력이 작을 것

해설

① 베어링용 합금의 특성
 ㉠ 베어링용으로 사용되는 합금에는 화이트 메탈, 구리계 합금, 알루미늄계 합금, 주철, 소결 합금 등이 있다.
 ㉡ 금속 접촉의 발열로 인한 베어링의 소착에 대한 저항력이 커야 한다.
 ㉢ 사용 중에 윤활유가 산화하여 산성이 되고, 또 베어링의 온도가 높아져서 부식률이 높아지기 때문에 내식성이 좋아야 한다.
② 베어링용 합금의 종류
 ㉠ 주석계 화이트 메탈 : 배빗메탈이라고 하며, 안티몬 및 구리의 함유량이 많아짐에 따라 경도, 인장 강도, 항압력이 증가한다.
 ㉡ 납계 화이트 메탈 : 납 - 안티몬 - 주석 합금이 이계에 속한다.
 ㉢ 구리계 베어링 합금 : 켈밋이라고 하는 구리 - 납 합금 이외에 주석 청동, 인 청동, 납 청동이 있다.
 ㉣ 알루미늄계 합금 : 내하중성, 내마멸성, 내식성이 우수하지만, 내 소착성이 약하고 열팽창률이 큰 결점이 있어 널리 사용되지 않는다.
 ㉤ 카드뮴계 합금 : 카드뮴은 값이 비싸기 때문에 사용 범위가 제한되어 있지만, 미국에서는 SAE 규격의 합금이 다소 사용되고 있다.

264 배빗 메탈(babbit metal)이란?

㉮ Pb를 기지로한 화이트 메탈
㉯ Sn을 기지로한 화이트 메탈
㉰ Sb를 기지로한 화이트 메탈
㉱ Zn을 기지로한 화이트 메탈

265 전연성이 매우 커서 10 - 6cm 두께의 박판으로 가공할 수 있으며 왕수(王水)이외에는 침식, 산화되지 않는 금속은?

㉮ 구리(Cu) ㉯ 알루미늄(Al)
㉰ 금(Au) ㉱ 코발트(Co)

해설 금과 그 합금

㉠ 금은 아름다운 광택을 가진 면심입방격자로 비중이 19.3이고, 용융 온도는 1,063℃이다.
㉡ 순금은 내식성이 좋으므로 왕수 이외에는 침식되지 않으며, 상온에서는 산화되지 않으나 350℃ 이상에서는 약간 산화된다.
㉢ 금의 순도는 캐럿(carat K)이라는 단위를 사용하며, 24K이 100%의 순금이다.
㉣ 종류로는 Au - Cu계(반지나 장신구), Au - Ag - Cu계(치과용이나 금침), Au - Ni - Cu - Zn계(은백색으로 화이트 골드라 불리며 치과용이나 장식용에 쓰인다.), Au - Pt계(내식성이 뛰어나 노즐 재료로 사용된다.)

266 고장력강의 용접시 일반적인 주의사항으로 잘못된 것은?

㉮ 용접봉은 저수소계를 사용한다.
㉯ 용접 개시 전 이음부 내부를 청소한다.
㉰ 위빙 폭을 크게 하지 말아야 한다.
㉱ 아크 길이는 최대한 길게 유지한다.

해설

① 일반적으로 피복제 계통은 기계적 성질이 우수한 저수소계를 사용한다.
② 결함 발생면에서 아크 길이는 가능한 짧게 위빙 폭은 가능한 작게 하는 것이 좋다.

267 고장력강 용접시 주의사항 중 틀린 것은?

㉮ 용접봉은 저수소계를 사용한다.
㉯ 아크 길이는 가능한 짧게 유지한다.
㉰ 위빙 폭은 용접봉 지름의 3배 이상으로 한다.
㉱ 용접개시 전에 용접할 부분을 청소한다.

268 고장력강(HT)의 용접성을 가급적 좋게 하기 위해 줄여야 할 합금원소는?

㉮ C ㉯ Mn ㉰ S ㉱ Cr

269 일반 구조용 탄소강의 아크용접시 최대 얼마까지의 탄소가 함유될 때 예열 등의 특별한 조치 없이 용접이 가능한가?

Answer 263.㉱ 264.㉯ 265.㉰ 266.㉱ 267.㉰ 268.㉮ 269.㉯

㉮ 0.08%　　　　　　㉯ 0.22%
㉰ 0.40%　　　　　　㉱ 0.8%

해설 일반적으로 탄소량이 적을수록 용접성이 좋다. 일반 구조용 강의 탄소함유량은 0.3%정도의 저탄소강이 쓰여 약간의 탄성을 가지고 있다.

270 아크용접에서 고탄소강의 용접에 균열을 방지하는 방법이 아닌 것은?

㉮ 용접시 200℃ 이상의 예열이 필요하다.
㉯ 용접 직후에는 650℃ 이상의 후열처리 한다.
㉰ 일반적으로 용접봉은 일미나이트계를 사용한다.
㉱ 용접 후 급냉을 피하여야 한다.

해설 고 탄소강의 용접
① 탄소 함유량의 증가로 급냉 경화, 균열 발생이 생긴다.
② 균열을 방지하기 위하여 전류를 낮게 하며, 용접 속도를 느리게 하며 용접 후 신속히 풀림 처리를 한다. 또한 예열 후 열을 한다.
③ 용접봉은 저수소계를 사용

271 고탄소강이나 후판 용접시 예열 및 후열을 하는 목적은?

㉮ 쇳물의 유동성을 좋게 하기 위해
㉯ 균열이나 기공의 발생을 방지하기 위해
㉰ 담금질 되도록 하기 위해
㉱ 변형을 방지하기 위해

272 고 탄소강의 단층용접에서 예열하지 않았을 때에는 어떻게 되는가?

㉮ 열 영향부가 담금질 조직이 되며, 경도는 대단히 높아진다.
㉯ 열 영향부가 뜨임 조직이 되며, 경도는 대단히 높아진다.
㉰ 열 영향부가 담금질 조직이 되며, 경도는 대단히 낮아진다.
㉱ 열 영향부가 뜨임 조직이 되며, 경도는 대단히 낮아진다.

273 주철의 용접시 주의사항으로 옳은 것은?

㉮ 냉각되어 있을 때 피닝 작업을 하여 변형을 줄이는 것이 좋다.
㉯ 가스 용접시 중성 불꽃 또는 산화 불꽃을 사용하고 용제는 사용하지 않는다.
㉰ 큰 물건이나 두께가 다른 것의 용접에는 예열과 후열 후 서냉 작업을 반드시 행한다.
㉱ 용접전류는 약간 높게 하고 운봉하여 곡선비드를 배치하며 용입을 깊게 한다.

해설 주철의 용접시 주의 사항
① 보수 용접을 행하는 경우는 본 바닥이 나타날 때까지 잘 깍아낸 후 용접한다.
② 파열의 끝에 작은 구멍을 뚫는다.
③ 용접 전류는 필요이상 높이지 말고, 직선 비드를 사용하며, 깊은 용입을 얻지 않는다.
④ 될 수 있는 대로 가는 지름의 것을 사용한다.
⑤ 비드 배치는 짧게 여러 번 한다.
⑥ 피닝 작업을 하여 변형을 줄인다.
⑦ 가스 용접을 할 때는 중성불꽃 및 탄화불꽃을 사용하며, 플럭스를 충분히 사용한다.
⑧ 두꺼운 판에 경우에는 예열과 후열 후 서냉한다.

274 주철 용접시 예열 및 후열하는 목적은?

㉮ 뒤틀림 방지를 위해
㉯ 작업하기 편하도록 하기위해
㉰ 탄소량을 줄여 균열 방지를 위해
㉱ 냉각속도를 느리게 하여 균열 방지를 위해

275 주철 용접이 곤란한 이유 중 맞지 않는 것은?

㉮ 수축이 많아 균열이 생기기 쉽다.
㉯ 용융금속 일부가 연화된다.
㉰ 용착 금속에 기공이 생기기 쉽다.
㉱ 흑연의 조대화 등으로 모재와의 친화력이 나쁘다.

해설
① 수축이 크고 균열이 발생하기 쉽고 기포 발생이 많으며, 급열 급랭으로 용접부의 백선화로 절삭 가공이 곤란하며 이런 이유로 용접이 곤란하다.
② 일산화탄소 가스가 생겨 기공이 생기기 쉽다.
③ 장시간 가열로 흑연이 조대화 된 경우 주철 속에 흙, 모래

Answer 270.㉰ 271.㉯ 272.㉮ 273.㉰ 274.㉱ 275.㉯

등이 있는 경우 용착이 불량하거나 모재와의 친화력이 나쁘다.
④ 주철은 다량의 탄소 함유로 균열 발생 우려가 있다.

276 주철 용접시 고려해야 할 주의 사항 중 틀린 것은?

㉮ 파열의 보수는 파열의 연장을 방지하기 위하여 파열의 끝에 작은 구멍을 뚫는다.
㉯ 비드의 배치는 가능한 길게 하여 단시간에 끝내도록 한다.
㉰ 가열되어 있을 때 피닝 작업을 하여 변형을 줄이는 것이 좋다.
㉱ 용접봉은 되도록 가는 지름의 것을 사용한다.

277 주철의 용접시 주의사항으로 틀린 것은?

㉮ 용접 전류는 필요 이상 높이지 말고 지나치게 용입을 깊게 하지 않는다.
㉯ 비드의 배치는 짧게 해서 여러번의 조작으로 완료한다.
㉰ 용접봉은 가급적 지름이 큰 것을 사용한다.
㉱ 용접부를 필요이상 크게 하지 않는다.

278 주철용접은 연강용접에 비해 어렵다. 그 이유는?

㉮ 쉽게 응고하고 취약하기 때문에
㉯ 변형이 작고 응고폭이 적으므로
㉰ 연강보다 용융점이 낮으므로
㉱ 인성이 커지므로

해설 주철은 용접시 탄소가 많으므로 기포발생에 주의하여야 하며, 예열 및 후열 등의 용접 조건을 충분하게 지켜 시멘타이트층이 생기지 않도록 하여야 한다. 또한 용접시 수축이 많아 균열이 생기기 쉽고 용접 후 잔류 응력 발생에 주의하여야 한다.

279 탄화물의 입계 석출로 인하여 입계 부식을 가장 잘 일으키는 스테인리스강은?

㉮ 펄라이트계 ㉯ 페라이트계
㉰ 마텐자이트계 ㉱ 오스테아니트계

해설 오스테나이트(18 - 8) 스테인리스강의 용접시 주의 사항
① 예열을 하지 않는다.
② 층간 온도가 320℃ 이상을 넘어서는 안 된다.
③ 용접봉은 모재와 같은 것을 사용하며, 될수록 가는 것을 사용한다.
④ 낮은 전류치로 용접하여 용접 입열을 억제한다.
⑤ 짧은 아크 길이를 유지한다.(길면 카바이드 석출)
⑥ 크레이터를 처리한다.
⑦ 용접 후 급냉하여 입계 부식을 방지한다.

280 다음 스테인리스강 중 입계부식 현상이 특히 많이 생기는 것은?

㉮ 18%Cr – 8%Ni 스테인리스강
㉯ 22%Cr – 10%Ni 스테인리스강
㉰ 고 Cr강
㉱ 페라이트계 스테인리스강

281 스테인리스강의 용접부에 발생하는 입계부식의 방지 대책으로서 적합하지 않은 것은?

㉮ 고용화 열처리를 한다.
㉯ 탄소량을 감소시킨다.
㉰ 안정화 원소로서 Nb, Ti 등을 첨가한다.
㉱ 예열 등으로 용접입열을 높인다.

해설 크롬 니켈 스테인리스강의 용접(18 - 8 스테인리스강)은 탄화물이 석출하여 입계 부식을 일으켜 용접 쇠약을 일으키므로 냉각속도를 빠르게 하든지, 용접 후에 용체화 처리를 하는 것이 중요하다. 또한 티탄 니오브 등을 첨가하기도 한다.

282 오스테나이트계 스테인리스강을 용접열로 480 - 800℃로 장시간 유지하든가 이온도 범위로 서냉하면 크롬탄화물이 결정립계에 석출되어 내식성저하 및 부식이 생기는 것은?

㉮ 결정성장 ㉯ 입계부식
㉰ 입계조밀 ㉱ 재결정

해설 결정립계 또는 입계근방을 따라 선택적으로 진행하는 부식형태를 입계부식이라고 하며, 스테인레스강을 약 500 ~ 800℃로 가열하거나 이 온도 범위를 서냉하면 결정립계에 크롬 탄화물이 석출하게 됨에 따라 입계부식이 발생한다.

Answer 276.㉯ 277.㉰ 278.㉮ 279.㉱ 280.㉮ 281.㉱ 282.㉯

283 오스테나이트계 스테인리스강을 용접할 때 용접하여 가열 한 후 급냉시키는 이유로 가장 적합한 것은?

㉮ 고온크랙(crack)을 예방하기 위하여
㉯ 기공의 확산을 막기 위하여
㉰ 용접 표면에 부착한 피복제를 쉽게 털어내기 위하여
㉱ 입간 부식을 방지하기 위하여

284 오스테나이트계 스테인리스강의 용접부에 발생하는 부식결함을 방지하기 위하여 첨가하는 화학성분이 아닌 것은?

㉮ Ti ㉯ Nb ㉰ Ta ㉱ C

해설 Ti, Nb, Ta 등은 오스테나이트계 스테인리스강의 부식결함 방지 성분이다.

285 오스테나이트계 스테인리스강의 용접시 고온균열의 원인이 아닌 것은?

㉮ 아크 길이가 짧을 때
㉯ 크레이터처리를 하지 않을 때
㉰ 모재가 오염되어있을 때
㉱ 구속력을 가해해진 상태에서 용접할 때

해설 오스테나이트계 스테인리스강을 용접할 때 고온균열(Hot crack)의 원인
① 모재가 오염되어 있을 때
② 아크 길이가 길 때
③ 크레이터 처리를 하지 않았을 때
④ 구속력이 가해진 상태에서 용접할 때

286 오스테나이트계 스테인리스강을 용접할 때 고온균열(Hot crack)이 발생하기 쉬운 원인이 아닌 것은?

㉮ 아크 길이가 너무 길 때
㉯ 크레이터 처리를 하지 않았을 때
㉰ 모재가 오염되어 있을 때
㉱ 자유로운 상태에서 용접할 때

287 오스테나이트계 스테인리스 강의 용접시 발생하기 쉬운 고온 균열에 영향을 주는 합금원소 중에서 균열의 증가에 가장 관계가 깊은 원소는?

㉮ C ㉯ Mo ㉰ Mn ㉱ S

해설 고온 균열에 영향을 주는 원소는 황(S)이다.

288 순수한 알루미늄을 용접할 때, 가장 부적당한 용접법은?

㉮ 불활성 가스 아크 용접
㉯ 서브머지드아크 용접
㉰ 점 용접
㉱ 산소-아세틸렌 가스 용접

해설 서브머지드 아크 용접은 잠호 용접이라 불리며 용제 속에서 아크를 발생시켜 용접하는 자동 용접방법으로 주로 강 용접에 사용한다.

289 알루미늄과 알루미늄 합금의 용접성이 불량한 이유로서 가장 적당한 것은?

㉮ 비열이 작다.
㉯ 열전도가 작다.
㉰ 용점이 860℃로써 낮은 편이다.
㉱ 산화알루미늄(Al_2O_3)의 용융온도가 알루미늄의 용융온도보다 높다.

해설 알루미늄의 용융점은 660℃, 비중은 2.7이나 알루미늄 표면에 산화막을 형성하는 산화알루미늄은 용융점은 2,050℃, 비중은 4로 알루미늄이 이 산화막 때문에 용접에 어렵다.

290 스테인레스나 알루미늄 합금의 납땜이 어려운 가장 큰 이유는?

㉮ 적당한 용제가 없기 때문에
㉯ 강한 산화막이 있기 때문에
㉰ 융점이 높기 때문에
㉱ 친화력이 강하기 때문에

해설 스테인레스강이나 알루미늄은 표면에 산화피막으로 용접 및 절단이 어렵다.

Answer 283.㉱ 284.㉱ 285.㉮ 286.㉱ 287.㉱ 288.㉯ 289.㉱ 290.㉯

291 알루미늄은 철강에 비하여 일반 용접법으로서는 용접이 극히 곤란한 데, 그 이유 중 틀린 것은?

㉮ 단시간에 용접온도를 높이는 데에는 높은 온도의 열원이 필요하다.
㉯ 지나친 융해가 되기 쉽다.
㉰ 팽창계수가 매우 작다.
㉱ 고온강도가 나쁘며 용접변형이 크다.

292 알루미늄 용접에서 용접부의 청소(Cleaning) 방법이 아닌 것은?

㉮ 야금학적 청소법
㉯ 화학적 청소법
㉰ 끓인 물로 세척
㉱ 찬 물로 세척

293 구리 합금의 용접에 대한 설명으로 잘못된 것은?

㉮ 구리에 비해 예열온도가 낮아도 된다.
㉯ 비교적 루트 간격과 홈 각도를 크게 한다.
㉰ 가접은 가능한 줄인다.
㉱ 용제 중 붕사는 황동, 알루미늄황동, 규소청동 등의 용접에 사용된다.

해설 구리 및 구리합금의 용접
① 열전도율이 커서 균열 발생이 쉽다.
② 티그용접법, 피복 금속 아크 용접, 가스 용접법, 납땜법 등이 사용된다.
③ 가접은 가능한 한 많이 하여 변형을 방지한다.
④ 열이 급속히 달아나므로 예열이 필요
⑤ 경우에 따라 긴 후판의 세로 이음은 양쪽에서 두 명의 용접사가 동시에 작업을 진행
⑥ 용접홈의 각도는 60~90°로 넓게 하고, 경우에 따라 이면의 각도도 넓게 주고 백판을 사용한다.

Answer 291.㉰ 292.㉮ 293.㉰

1-2 Chapter 용접설비 제도

01 제도의 정의

주문자가 의도하는 주문에 따라, 설계자가 제품의 모양이나 크기를 일정한 규칙에 따라 선, 문자, 기호 등을 이용하여 도면으로 작성하는 과정으로 설계자의 의도를 도면 사용자에게 확실하고 쉽게 전달하는데 목적이 있다.

참고 도면 : 제도에 의해 모든 사람이 이해할 수 있도록 정해진 규칙에 따라 제도 용지에 나타낸 것

02 도면의 종류

1 사용목적에 따른 분류

① **계획도** : 만들고자 하는 물품의 계획을 나타낸 도면
② **주문도** : 주문자의 요구 내용을 제작자에 제시하는 도면
③ **견적도** : 제작자가 견적서에 첨부하여 주문품의 내용을 설명하는 도면
④ **승인도** : 제작자가 주문자와 관계자의 검토를 거쳐 승인을 받은 도면
⑤ **제작도** : 설계제품을 제작할 때 사용하는 도면(부품도, 조립도 등)
⑥ **설명도** : 제품의 구조, 원리, 기능, 취급방법 등을 설명한 도면

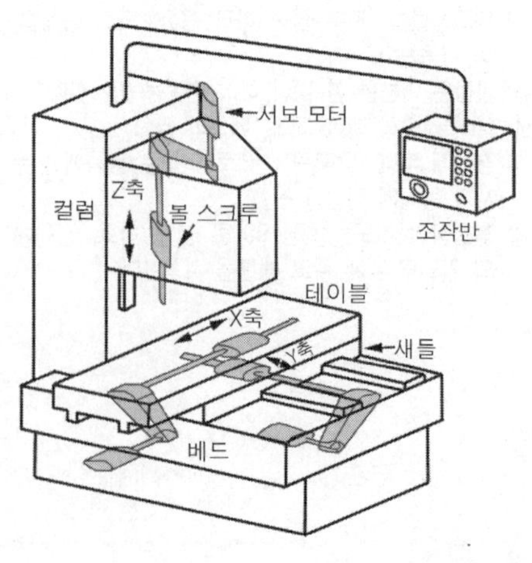

2 내용에 따른 분류

① **조립도** : 기계나 구조물의 전체적인 조립 상태를 나타내는 도면

② **부분 조립도** : 규모가 크거나 복잡한 기계를 몇 개의 부분으로 나누어 그린 도면

③ **부품도** : 물품을 구성하는 각 부품에 대하여 상세하게 나타낸 도면

④ **상세도** : 필요한 부분을 확대 하여 상세하게 나타낸 도면

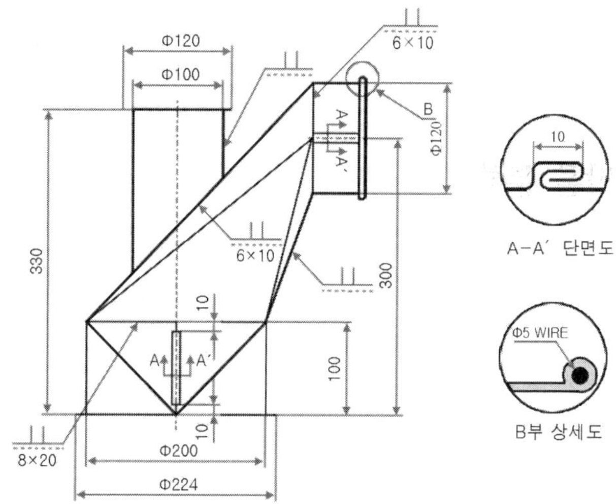

⑤ **전기 회로도** : 전기 회로의 접속을 표시하는 도면

⑥ **전자 회로도** : 전자 부품이 상호 접속된 상태를 나타낸 도면

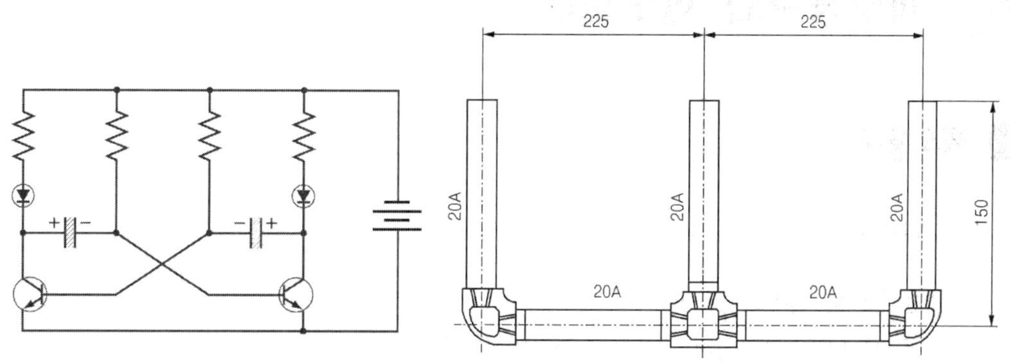

⑦ **배관도** : 관의 배치를 표시하는 도면으로, 관의 굵기와 길이, 펌프 밸브 등의 위치와 설치 방법을 나타낸 도면

⑧ **공정도** : 제조 과정에서 거쳐야 할 공정의 가공 방법, 사용 공구 및 치수 등을 상세히 나타내는 도면

⑨ **배선도** : 전선의 배치를 나타낸 도면

⑩ **전개도** : 입체물을 평면에 전개한 도면
⑪ **곡면 선도** : 유선형 물체인 선박, 자동차 등의 복잡한 곡면을 나타낸 도면
⑫ **기타** : 설치도, 배치도, 장치도, 외형도, 구조선도, 기초도, 구조도, 접속도, 계통도 등

3 작성방법에 따른 분류

① 연필도
② 먹물 제도
③ 착색도

4 도면 성격에 따른 분류

① 원도
② 복사도
③ 트레이스도

03 제도용구와 제도준비

1 제도용구

① **제도기** : 영식, 불식, 독일식의 3종류가 있으며 주로 영식과 독일식이 사용된다.

② **컴퍼스 및 디바이더**

㉠ 연필심은 바늘 끝보다 0.5mm 낮게 끼운다.
㉡ 비임 컴퍼스→대형 컴퍼스→중형 컴퍼스→스프링 컴퍼스→드롭 컴퍼스 순으로 원을 그릴 수 있다.
㉢ 원을 그릴 땐 6시 방향에서 시작하여 시계 방향으로 돌린다.
㉣ 디바이더(분할기)는 원호의 등분, 선의 등분, 길이나 치수를 옮길 때 사용한다.

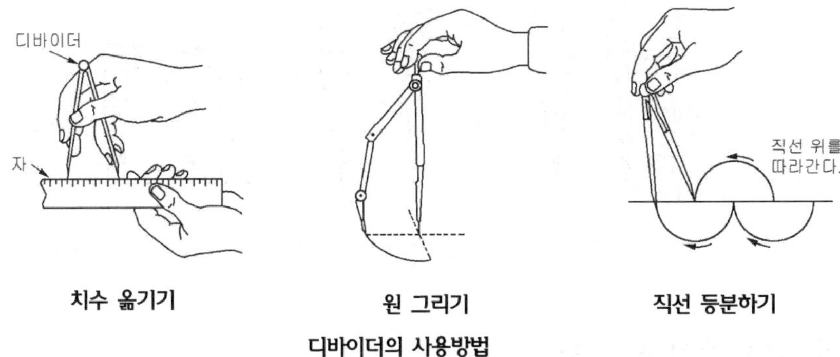

치수 옮기기　　원 그리기　　직선 등분하기

디바이더의 사용방법

③ 자

㉠ 삼각자 : 45°×45°×90°와 30°×60°×90°의 모양으로 된 2개가 1세트로 구성되어 있다.

㉡ T자 : 수평선, 수직선 및 사선을 그을 때 사용, 자의 줄긋는 부분은 완전한 직선이어야 한다.

㉢ 축척자(스케일) : 길이를 잴 때 또는 길이를 줄여 그을 때 사용한다.

㉣ 운형자와 자유곡선자 : 컴퍼스로 그리기 어려운 원호, 곡선을 그을 때 사용한다.

㉤ 형판 : 기본 도형(원, 타원)이나 문자, 숫자 등을 정확히 그릴 수 있다.

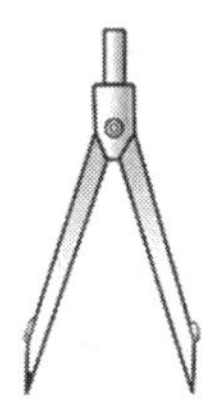
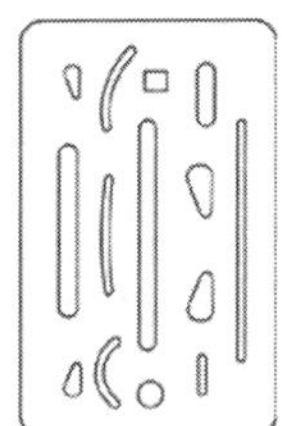
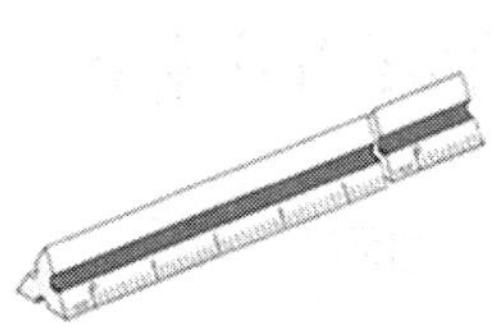

④ 제도용 만년필0

㉠ 선 굵기에 따라 8가지로 구성 : 0.18mm, 0.25mm, 0.35mm, 0.5mm, 0.7mm, 1.0mm, 1.4mm, 2.0mm

㉡ 사용법 : 선을 그을 때 용지에 수직이 되도록 자를 대고 긋는다.

2 제도준비

① **제도용구 준비** : 제도기, 삼각자, T자, 운형자, 자유 곡선자, 삼각 축척자, 각도기, 제도판, 연필, 형판, 지우개, 날개비

② **제도연필 깎는 방법** : 연필심

㉠ 형태에 따라 : 원뿔형(문자용), 쐐기형(선긋기용), 경사형(컴퍼스용)

㉡ 경도에 따라 : 4H ~ 9H(가는선, 트레이싱용), B ~ 3B(선이나 문자용), 2B ~ 7B(스케치용)

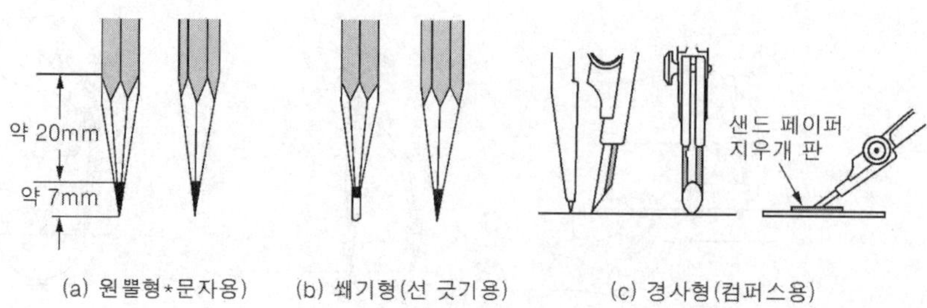

(a) 원뿔형*문자용) (b) 쐐기형(선 긋기용) (c) 경사형(컴퍼스용)

3 제도용구의 점검과 손질

① **제도판**

㉠ 제도판 표면은 평평해야 하고 높낮이와 기울기를 자유롭게 조절 가능하여야 한다. 뒤쪽의 높이는 수평선에 대하여 10°~15°정도 높게 사용한다.

㉡ 제도판의 규격은 1200×900(A_0), 900×600(A_1), 600×450(A_2)이 있다.

② **제도기** : 녹슬지 않게 사용 후 잘 닦아서 보관한다.

4 제도용지의 종류

① **원도지**

㉠ 켄트(Kent)지 : 연필 제도용

㉡ 와트만(Whatman)지 : 채색 제도용

② **트레이싱지** : 반투명지, 미농지, 기름 종이, 합성 수지계 필름

5 삼각자와 T자를 이용한 선 긋기 방법

① 연필심은 수평선과 오른쪽으로 약 60°정도 눕혀서 긋는다.

② **수평선 그을 때** : 왼쪽 → 오른쪽 방향

③ **수직선 그을 때** : 아래 → 위 방향

④ **빗금선 그을 때** : 왼쪽 위 → 오른쪽 아래 방향, 왼쪽 아래 → 오른쪽 위 방향

제도의 규격과 통칙

1 표준 규격

① **국제 규격**

㉠ 국제적인 공동의 이익을 추구하기 위하여 여러 나라가 협의, 심의, 규정하여 국제적으로 적용하는 규격, 한국은 1963년 가입

㉡ 종류 : 국제 표준화 기구(ISO), 국제 전기 표준 회의(IEC)

② **국가 규격** : 한 국가의 모든 이해 관계자들이 협의, 심의, 규정하여 한 국가 내에서 적용하는 규격

국가 규격 명칭	규격기호	기 타
국제 표준화 기구 (International Organization for Standardization)	ISO	ISO International Organization for Standardization
한국 산업 규격 (Korea Industrial Standards)	KS	K Korea Standards Mark KS 마크
영국 규격 (British Standards)	BS	BSi Management Systems
독일 규격 (Deutsches Industrie for Normung)	DIN	DIN
미국 규격 (American National Standards Institute)	ANSI	ANSI American National Standards Institute
스위스 규격 (Schweizerish Normen - Vereinigung)	SNV	
프랑스 규격 (Norme Francaise)	NF	
일본 공업 규격 (Japanese Industrial Standards)	JIS	J : Japan I : Industrial S : Standards

③ **단체 규격** : 사업자 또는 학회 등의 단체 내부 관계자들이 협의, 심의, 규정하여 단체 또는 그 구성원에 적용하는 규격

규격 협회 이름	기호
영국 로이드 선급 협회	LR
미국 선급 협회	ABS
미국 자동차 기술 협회	SAE

규격 협회 이름	기호
프랑스 자동차 규격 협회	BNA
한국 선급 협회	KR
미국 군용 규격	MIL

④ **사내 규격** : 기업이나 공장에서 협의, 심의, 규정하여 해당 기업 또는 공장 내에서 적용하는 규격

2 KS 제도 통칙

① **한국 공업 표준화법** : 1961년에 공포

② **토목 제도 통칙(KS F1001)** : 1962년 제정

③ **건축 제도 통칙(KS F1501)** : 1962년 제정

④ **제도 통칙(KS A0005)** : 1966년 제정 확정

⑤ **제도 규격 체계도** : 한국 산업 규격인 KS로 규정

⑥ **KS의 부문별 기호**

분류기호	KS A	KS B	KS C	KS D	KS E	KS F	KS G	KS H
부문	기본	기계	전기	금속	광산	토건	일용품	식료품
분류기호	KS K	KS L	KS M	KS P	KS R	KS V	KS W	KS X
부문	섬유	요업	화학	의료	수송기계	조선	항공	정보산업

05 도면의 크기와 척도알기

1 도면의 크기와 양식

① **도면의 크기**

㉠ 도면은 반드시 일정한 크기로 만든다.

㉡ 제도 용지의 크기 : 'A계열' 용지의 사용을 원칙으로 한다.

㉢ 신문, 교과서, 공책, 미술 용지 등은 B계열 크기만 사용한다.

㉣ 세로(a)와 가로(b)의 비는 1 : $\sqrt{2}$ (1.414213)

㉤ A_0 용지의 넓이 : 약 1m²

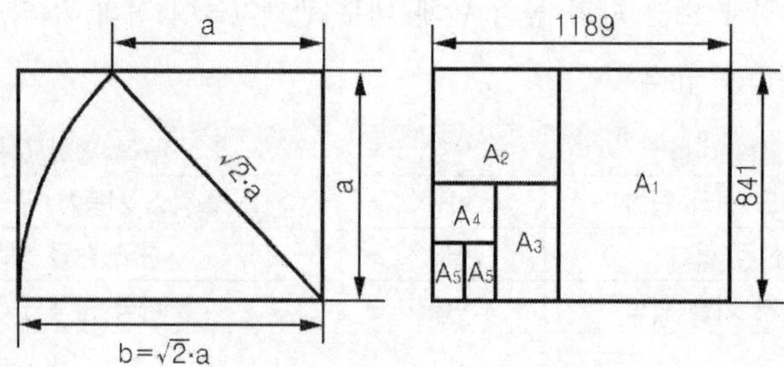

ⓑ A_0 (전지), A_1 (2절지), A_2 (4절지), A_3 (8절지), A_4 (16절지)

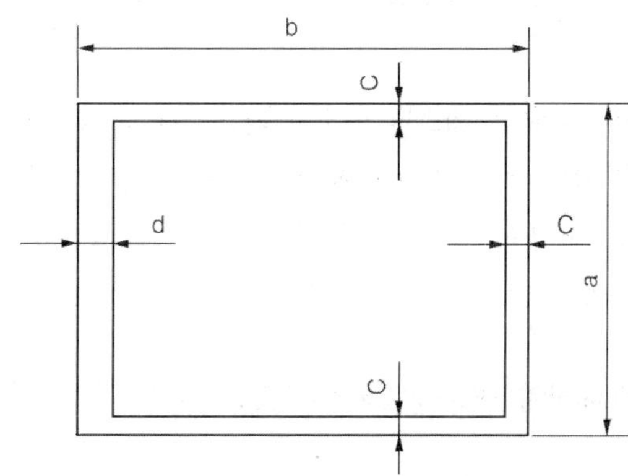

도면의 크기	A_0	A_1	A_2	A_3	A_4
a × b	841 × 1189	594 × 841	420 × 594	297 × 420	297 × 210
c(최소)	20	20	10	10	10
d (철하지 않을 때)	20	20	10	10	10
d (철할 때)	25	25	25	25	25

ⓢ 큰 도면을 접을 때는 A_4크기로 접으며, 표제란이 겉으로 나오도록 한다.(원도는 일반적으로 접어서 보관하지 않고 말아서 보관하며, 복사도 등은 접어서 보관한다.)

② **도면의 양식**

㉠ 윤곽선 : 도면에 그려야 할 내용의 영역을 명확히 하고, 제도 용지의 가장자리에 생기는 손상으로부터 기재 사항을 보호하기 위해 0.5mm이상의 실선을 사용한다.

㉡ 중심마크 : 도면의 사진 촬영 및 복사할 때 편의를 위해 사용, 상하 좌우 중앙의 4개소에 표시한다.

㉢ 표제란

- 위치 : 도면의 오른쪽 아래에 반드시 위치한다.
- 기재 내용 : 도면 번호(도번), 도면 이름(도명), 척도, 투상법, 도면 작성일, 제도자 이름 등을 기입한다.

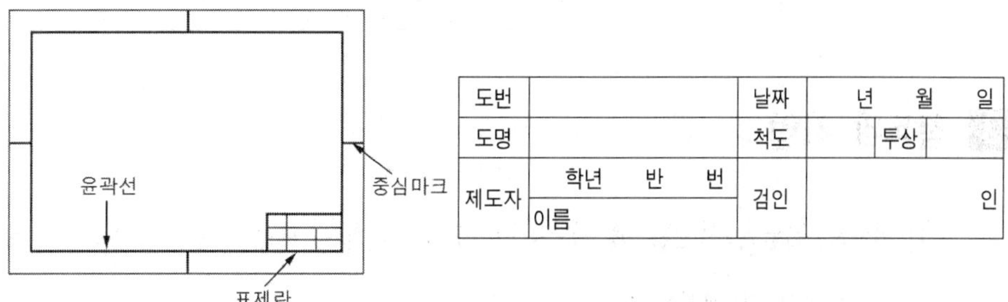

반드시 도면에 윤곽선, 중심 마크, 표제란은 그려 넣어야 한다.

㉣ 재단 마크 : 복사한 도면을 재단할 때의 편의를 위해 도면의 4구석에 표시

㉤ 도면의 구역 : 도면에서 특정 부분의 위치를 지시하는데 편리하도록 표시하는 것

㉥ 도면의 비교 눈금 : 도면의 축소나 확대, 복사의 작업과 이들의 복사 도면을 취급할 때의 편의를 위하여 표시하는 것

재단마크, 도면의 구역, 도면의 비교 눈금을 필요에 따라 그린다.

㉦ 부품란

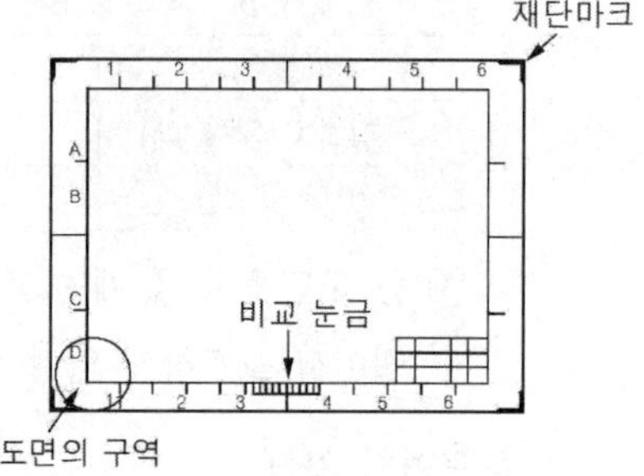

- 부품 번호는 부품에서 지시선을 빼어 그 끝에 원을 그리고 원안에 숫자를 기입한다.
- 숫자는 5 ~ 8mm 정도의 크기를 쓰고 숫자를 쓰는 원의 지름은 10 ~ 16mm로 한다. 한 도면에서는 같은 크기로 한다.
- 위치는 오른쪽 위나 오른쪽 아래에 기입한다. 그 크기는 표제란에 따른 크기로 하고 오른쪽 아래에 기입할 때에는 표제란에 붙여서 아래에서 위로 기입하고 품번, 품명, 재료, 개수, 공정, 무게, 비고 등을 기록한다.

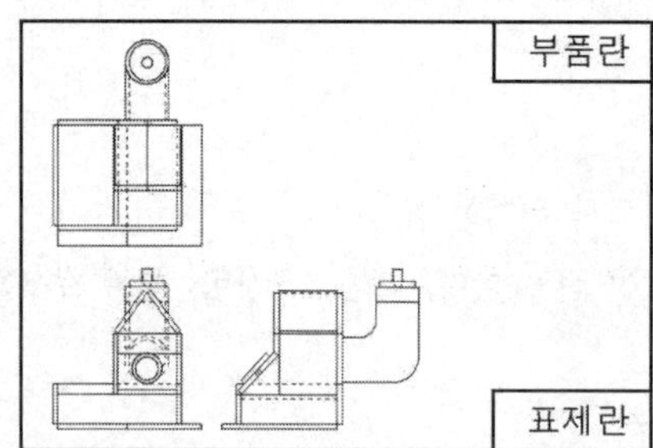

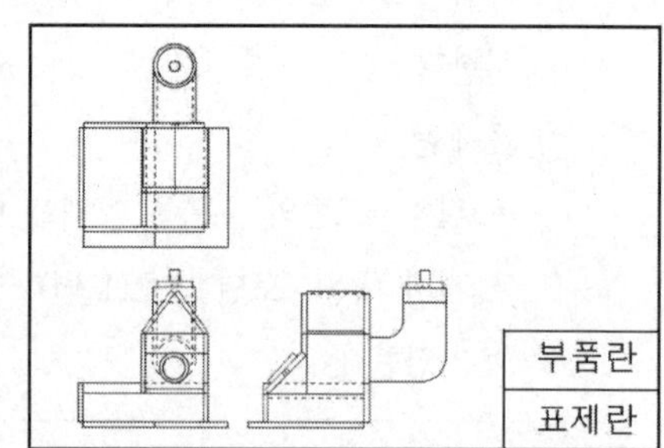

2 척도의 기입

① 척도는 원도를 사용할 때 사용하는 것으로서 축소 확대한 복사도에는 적용하지 않는다.

② 축척, 현척 및 배척이 있다.

척도의 종류	값
축 척	1 : 2, 1 : 5, 1 : 10, 1 : 20, 1 : 50, 1 : 100, 1 : 200, 1 : 500
현 척	1 : 1
배 척	2 : 1, 5 : 1, 10 : 1, 20 : 1, 50 : 1, (100 : 1)

축척과 배척을 구분하고자 할 때는 분수를 생각하면 된다. 즉 1 : 2는 $\frac{1}{2}$이 되어 0.5로 줄이는 축척이며, 2 : 1은 $\frac{2}{1}$과 같이 되어 2배로 확대하는 배척이 된다고 생각하면 된다.

③ A : B(A가 도면에서의 크기, B가 물체의 실제 크기)

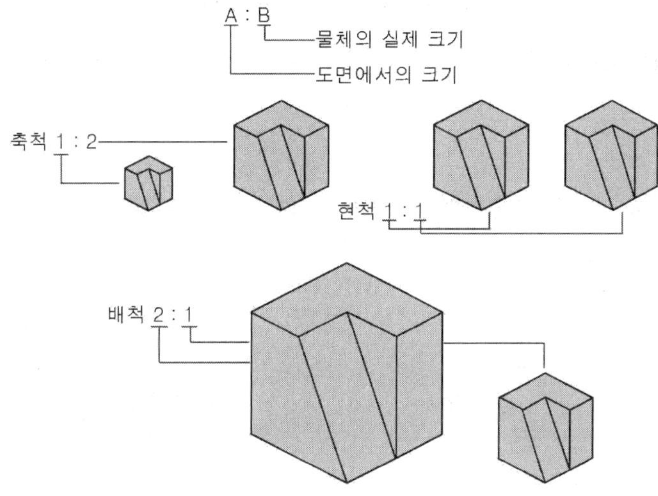

④ 척도의 기입은 표제란에 기입하는 것이 원칙이나 표제란이 없는 경우에도 도명이나 품번에 가까운 곳에 기입한다.

⑤ 치수와 비례하지 않을 때 치수 밑에 밑줄을 긋거나 비례가 아님, 또는 NS(not to scale)등의 문자 기입

⑥ 도면에 기입되는 치수는 축척 및 배척을 하였더라고 현척의 치수를 기입하는 것과 같이 각 부분의 실물의 치수를 그대로 기입하고, 표제란에 척도를 기입한다.

06 선 그리기

1 선

① **굵기에 따른 선의 종류**

㉠ 한국 산업 규격(KS)에서는 8가지로 규정

㉡ 가는 선 : 0.18 ~ 0.35mm

㉢ 굵은 선 : 가는 선의 2배 정도, 0.35 ~ 1.0mm

㉣ 아주 굵은 선 : 가는 선의 4배 정도, 0.7 ~ 2.0mm

② **용도에 따른 선의 종류**

㉠ 실선 : 굵은 실선, 가는 실선

㉡ 파선 : 은선

㉢ 쇄선 : 일점 쇄선, 이점 쇄선

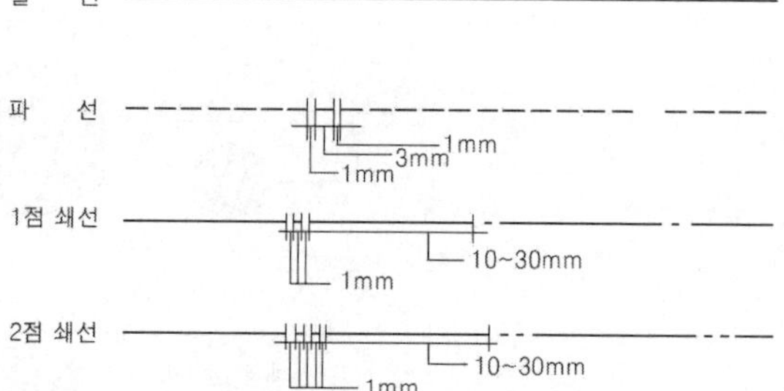

용도에 의한 명칭	표시 방법	선의 종류	용 도
외형선		굵은실선 (0.3 ~ 0.8mm)	물체의 보이는 겉모양을 표시하는 선
은 선		중간 굵기의 파선	물체의 보이지 않는 부분의 모양을 표시하는 선
중심선		가는 일점쇄선 또는 가는 실선	도형의 중심을 표시하는 선

용도에 의한 명칭	표시 방법	선의 종류	용 도
치수선 치수보조선	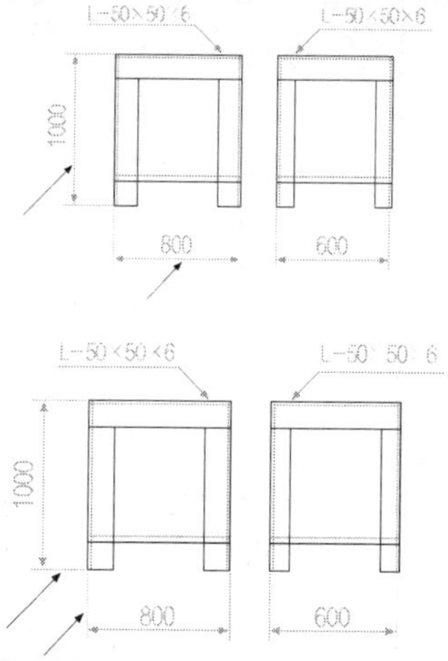 L-50×50×6 L-50×50×6 1000 800 600 L-50×50×6 L-50×50×6 1000 800 600	가는 실선 (0.2mm 이하)	치수를 기입하기 위하여 쓰는 선
지시선	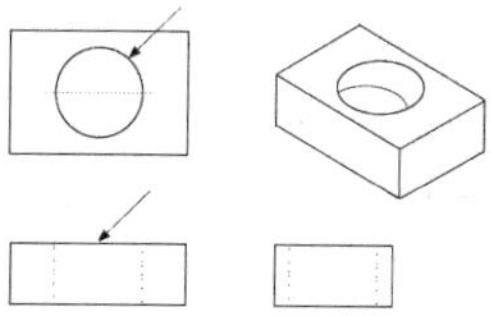	가는 실선 (0.2mm 이하)	지시하기 위하여 쓰는 선
절단선	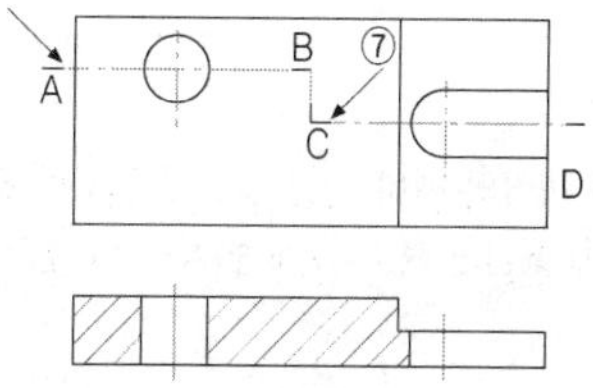 A B ⑦ C D	가는 일점쇄선으로 하고 그 양끝 및 굴곡부 등의 주요한 곳에는 굵은선으로 한다. 또 절단선 양끝에 투상의 방향을 표시하는 화살표를 붙인다.	단면을 그리는 경우 그 절단 위치를 표시하는 선
파단선	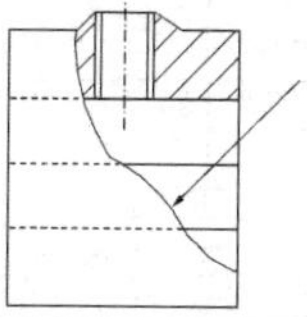	가는 실선 (불규칙하게 그린다)	물체의 일부를 파단한곳을 표시하는 선 또는 끊어낸 부분을 표시하는 선
가상선	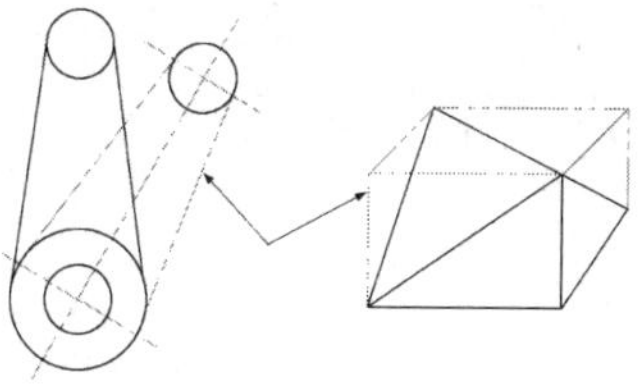	가는 이점쇄선	· 도시된 물체의 앞면을 표시하는 선 · 인접 부분을 참고로 표시하는 선 · 가공 전 또는 가공 후의 모양을 표시하는 선 · 이동하는 부분의 이동 위치를 표시하는 선 · 공구, 지그 등의 위치를 참고로 표시하는 선 · 반복을 표시하는 선

용도에 의한 명칭	표시 방법	선의 종류	용 도
피치선		가는 일점쇄선	· 기어나 스프로킷 등의 이 부분에 기입하는 피치원이나 피치선 · 방향을 변화할 때에는 끝을 굵게 이동하는 부분의 이동 위치를 참고로 표시하는 선
해칭선	외형선 가상선 파단선 숨은선 중심선 A Φ5 지시선 절단선 B 58 단면 A-B 치수 보조선 해칭 치수선	가는 실선 (0.2mm 이하)	절단면 등을 명시하기 위하여 쓰는 선
특수한 용도의 선	화염경화	가는 실선	특수한 가공을 실시하는 부분을 표시하는 선
굵은 일점쇄선			

참고 도면을 작성하다 보면 한 도면에 두 종류 이상의 선이 같은 장소에 겹치는 경우가 있을 경우 ① 외형선 → ② (숨)은선 → ③ 절단선 → ④ 중심선 → ⑤ 무게 중심선 의 순서로 표현한다.

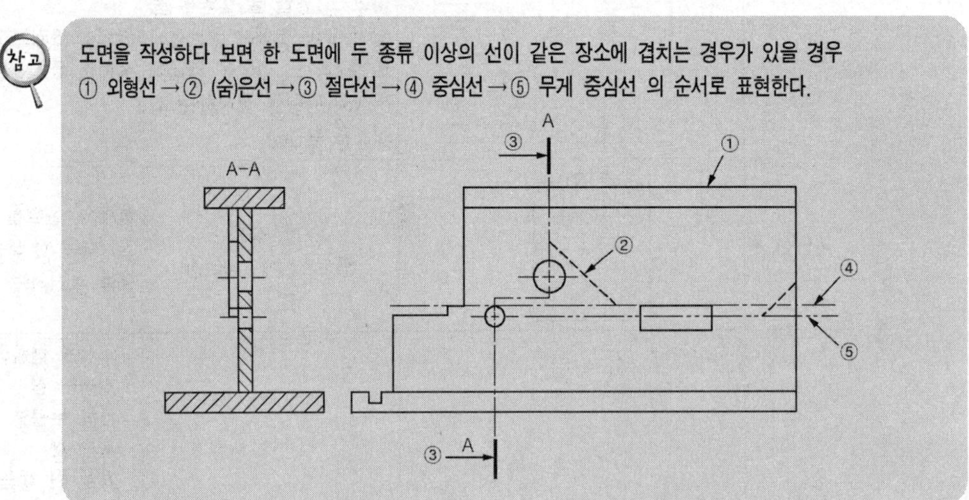

2 선의 접속

① 파선이 외형선인 곳에서 끝날 때에는 이어지도록 한다.
② 파선과 파선이 접속하는 부분은 서로 이어지도록 한다.
③ 외형선의 끝에 파선이 접촉할 때에는 서로 잇지 않는다.
④ 두 파선이 인접될 때에는 파선이 서로 어긋나게 긋는다.

	a	b	c	d
바름				
그름				
설명	파선과 파선이 접속되는 부분은 서로 이어지도록 한다.	파선과 외형선이 만나는 곳은 연결되도록 하고 두 파선이 인접할 때는 파선이 서로 어긋나게 긋는다.	파선과 파선이 만나는 곳은 서로 이어지도록 한다.	파선과 파선이 이어지는 부분은 서로 이어지도록 한다.

3 문자

① **한글서체**

㉠ 종류 : 명조체, 그래픽체, 고딕체

새 마 을 건 축

(a) 명조체

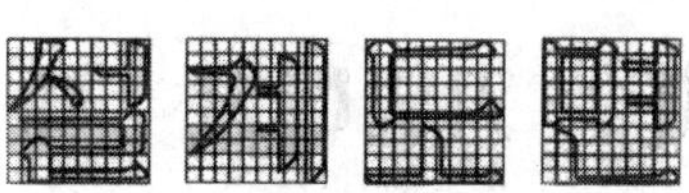

(b) 그래픽체

자연보호운동

(c) 고딕체

㉡ 문자의 크기 : 문자의 높이로 표시

9mm 1234567890

6.3mm 1 2 3 4 5 6 7 8 9 0

4.5mm A B C D E F G H I J K L M

3.15mm 대문 현관 거실 침실 식당 마루 방 온돌방 부엌

2.24mm 기초 벽체 바닥 지붕 처마 창호 걸레받이 천장

② **숫자, 로마자 서체**

㉠ 숫자 : 주로 아라비아 숫자

㉡ 로마자 서체 : 고딕체, 로마체, 이탤릭체, 라운드리체

A B C D	A B C D
(a) 고딕체	(b) 로마체
A B C D	*A B C D*
(c) 이탤릭체	(d) 라운드체

③ **문자판(형판)** : 플라스틱판에 한글, 아라비아 숫자, 로마자를 문자 크기와 선 굵기에 따라 판 것

치수 기입하기

1 치수 기입 요소

① **치수**

㉠ 도면에는 완성된 물체의 치수를 기입한다.

㉡ 길이단위 : mm, 도면에는 기입하지 않는다.

㉢ 각도단위 : 도(°), 분(′), 초(″)를 사용한다.

㉣ 치수 숫자는 치수선에 대하여 수직 방향은 도면의 우변으로부터, 수평 방향은 하변으로부터 읽도록 기입한다.

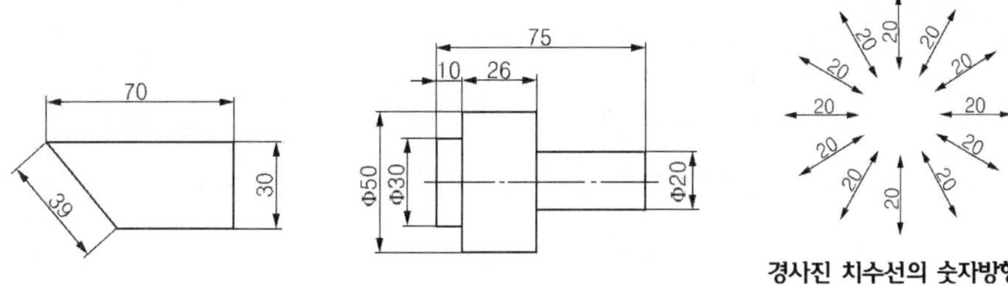

경사진 치수선의 숫자방향

② **치수 보조 기호** : 치수와 함께 치수의 의미를 명확하게 나타내기 위해 사용하며, 치수 앞에 기호를 붙인다.

	기 호	읽 기	사 용 법
지름	∅	파이	지름 치수의 치수 수치 앞에 붙인다.
반지름	R	아르	반지름 치수의 치수 수치 앞에 붙인다.
구의 반지름	SR	에스아르	구의 반지름 치수의 치수 수치 앞에 붙인다.
정사각형의 변	□	사각	정사각형의 한 변의 치수의 치수 수치 앞에 붙인다.
판의 두께	t	티	판 두께의 치수의 수치 앞에 붙인다.
원호의 길이	⌒	원호	원호의 길이 치수의 치수 수치 위에 붙인다.
45° 모따기	C	시	45° 모따기 치수의 치수 수치 앞에 붙인다.
이론적으로 정확한 치수	▭	테두리	이론적으로 정확한 치수의 치수 수치를 둘러싼다.
참고 치수	( )	괄호	참고 치수의 치수 수치(치수 보조 기호를 포함)를 둘러싼다.

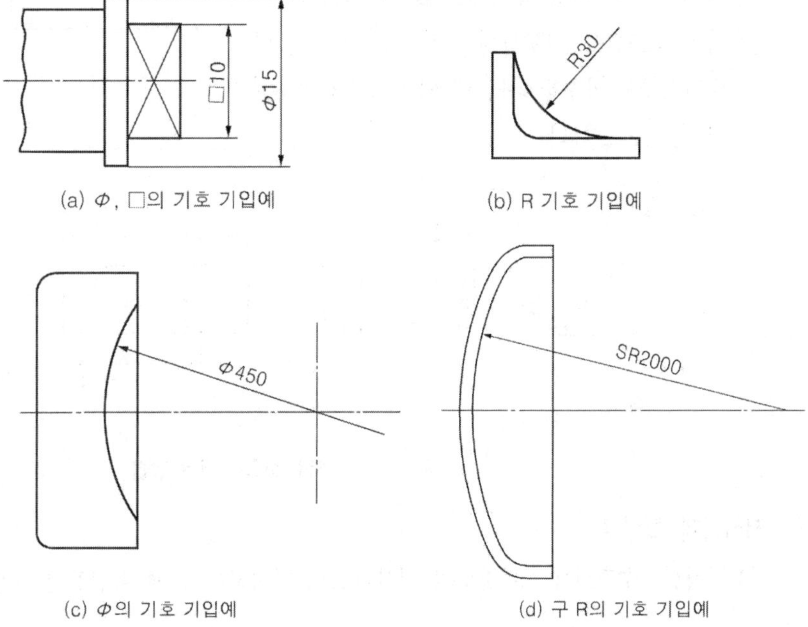

(a) Φ, □의 기호 기입예

(b) R 기호 기입예

(c) Φ의 기호 기입예

(d) 구 R의 기호 기입예

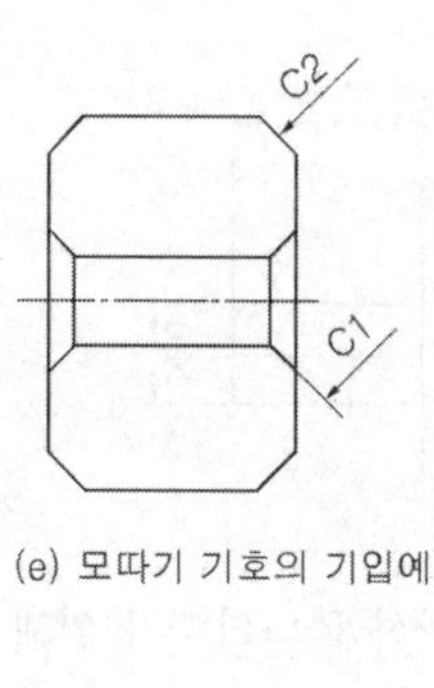

(e) 모따기 기호의 기입예

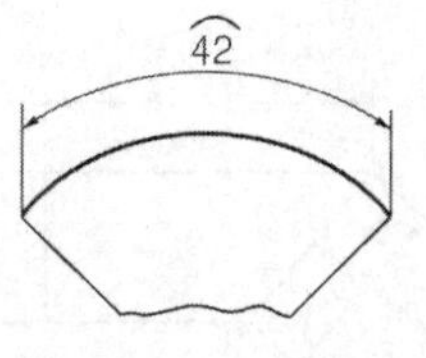

(f) 원호 기호의 기입예

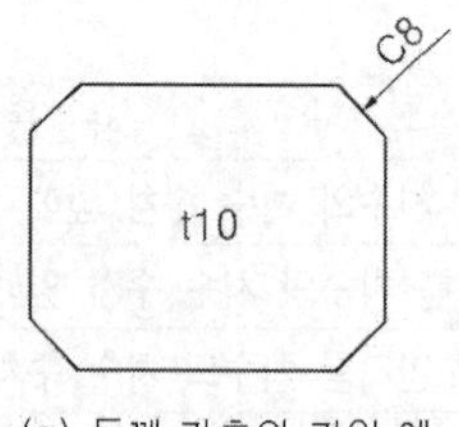

(g) 두께 기호의 기입 예

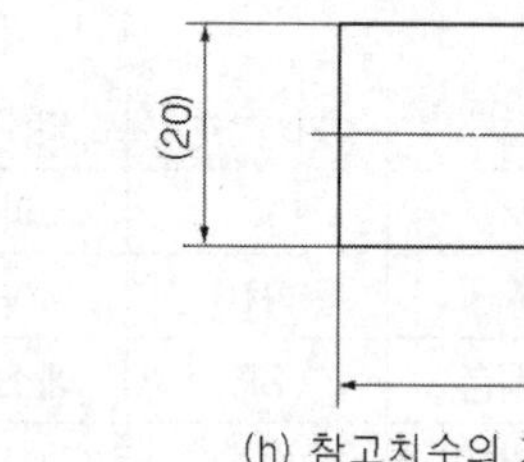

(h) 참고치수의 기입 예

③ **치수선 및 치수 보조선** : 가는 실선을 사용하며, 치수선 양 끝에는 화살표를 붙임

㉠ 치수선 : 일반적으로 외형선과 평행하고, 외형선에서 8~10mm 간격으로 동일하게 그린다.

㉡ 치수 보조선 : 치수선에 수직하게 그리며, 치수선을 지나 약간(2~3mm) 넘도록 그린다. 아울러 외형선에서 1mm 정도 띄어서 시작한다.

㉢ 치수 보조선은 외형선에 직각으로 긋는다. 단 테이퍼부의 치수를 나타 낼 때는 치수선과 60° 의 경사로 긋는다.

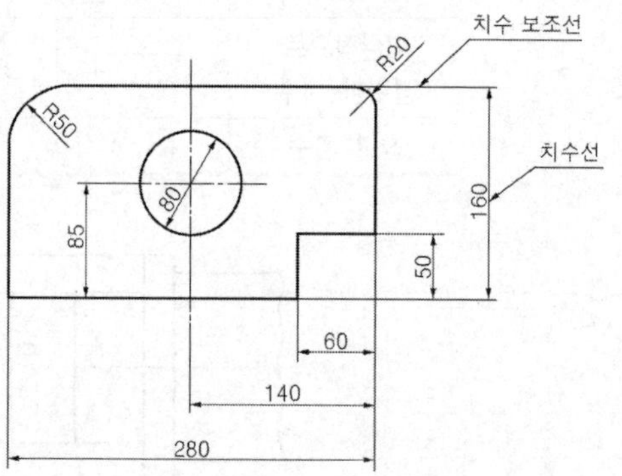

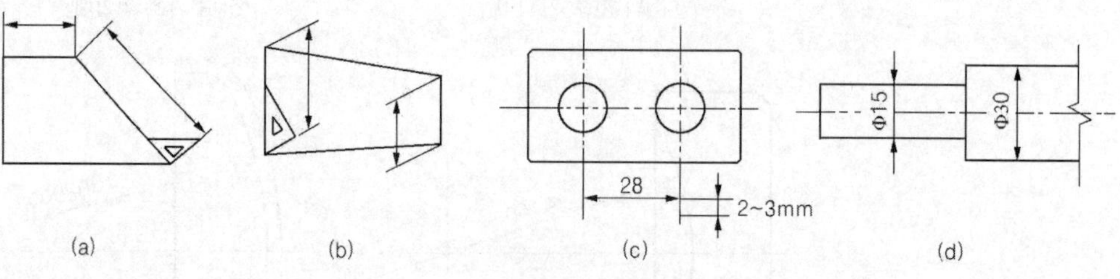

치수 보조선 긋는 방법

④ **지시선과 화살표**

㉠ 지시선 : 수평선에 60°정도의 경사선으로 지시하는 끝에 화살표를 붙임

ⓛ 화살표 : 한계를 표시하기 위해 사용되며, 길이와 나비의 비율은 3 : 1 정도이고, 길이는 2.5 ~ 3mm 정도

ⓒ 치수선의 끝 부분 기호 : 한 도면에서는 동일한 모양의 기호 사용

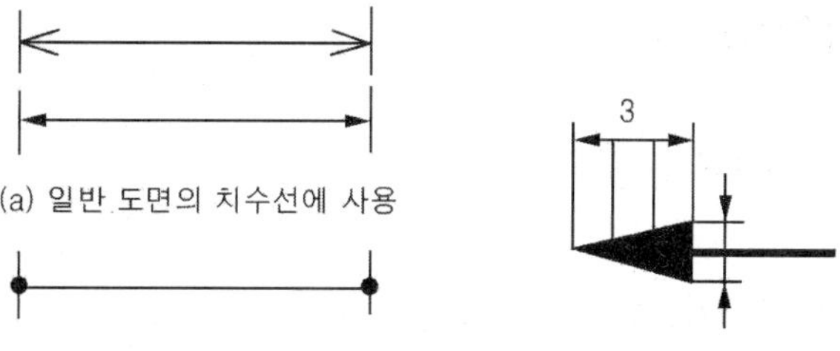

(a) 일반 도면의 치수선에 사용

(b) 치수선의 간격이 좁아 화살표를 그리기가 좋지 않을 때에 사용

(d) 화살표의 크기
화살표 길이와 나비의 비율을 3:1 정도로 하면 좋음. 길이는 도면의 크기에 따라 2.5~3mm 정도

(c) 토목 및 건축 제도에서 주로 사용

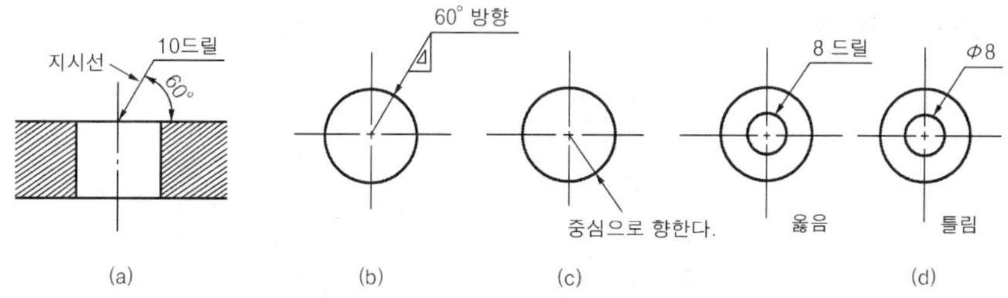

2 치수 기입의 원칙

① 도면에 길이의 크기와 자세 및 위치를 명확하게 표시한다.

② 가능한 한 주투상도(정면도)에 기입한다.

③ 치수의 중복 기입을 피한다.

④ 치수 숫자 세 자리를 끊는 표시인 콤머 등을 사용하지 않는다.

⑤ 치수는 계산할 필요가 없도록 기입한다.

⑥ 관련되는 치수는 한 곳에 모아서 기입한다.

⑦ 참고 치수는 치수 수치에 괄호를 붙인다.

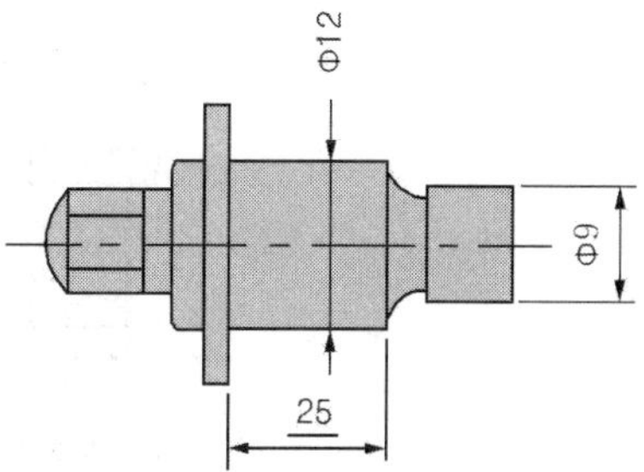

비례척이 아님의 표시 25숫자 밑에 밑줄

⑧ 비례척에 따르지 않을 때의 치수 기입은 치수 숫자 밑에 굵은선을 그어 표시해야 한다. 또는 NS(Not to Scale)로 표기한다.

⑨ 외형치수 전체 길이치수는 반드시 기입한다.

3 치수 기입의 실제

① **일반 치수 기입 방법**

㉠ 치수 보조선과 치수선은 도면의 위쪽과 왼쪽으로 그린다.

㉡ 치수선의 바로 위 중앙에 완성 치수를 기입한다.

㉢ 치수선과 치수 보조선은 가는 실선으로 그린다.

㉣ 치수 보조선은 치수선의 화살표에서 2 ~ 3mm 더 길게 긋는다.

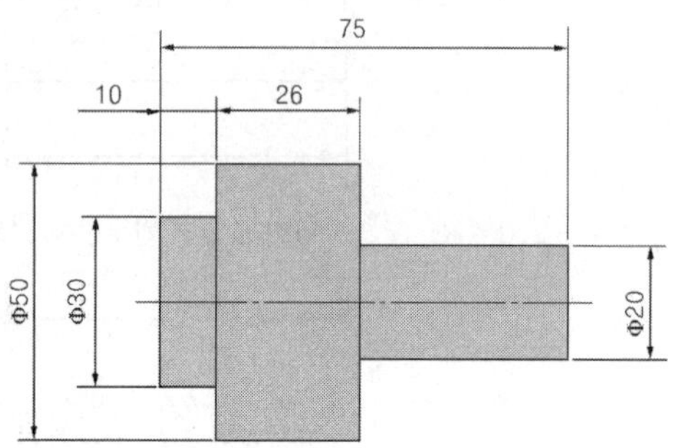

② **정사각형 및 평면의 치수 기입**

㉠ 물체의 단면 모양이 정사각형일 때 : 한 변의 길이를 나타내는 수치 앞에 사각(□)기호를 붙인다.

㉡ 평면을 나타낼 때 : 가는 실선으로 대각선 기호를 그린다.

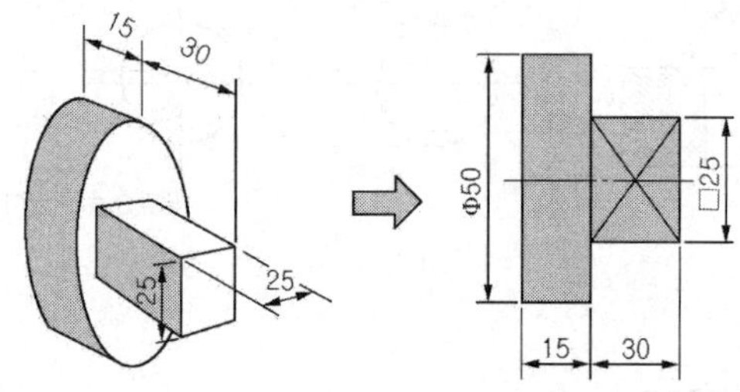

③ **원호의 치수기입**

㉠ 원형이 명확한 경우에는 ∅기호를 생략한다.

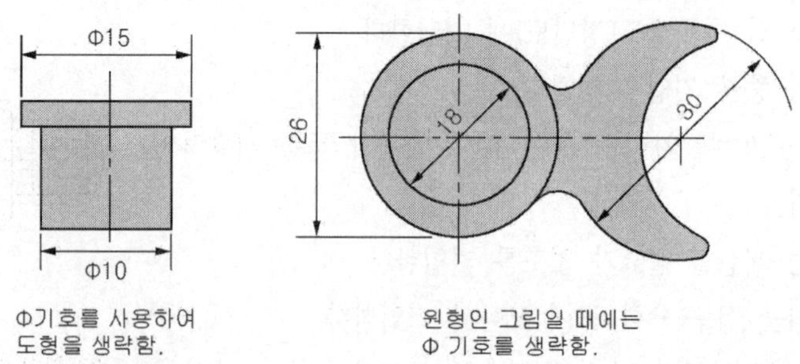

Φ기호를 사용하여 도형을 생략함.

원형인 그림일 때에는 Φ 기호를 생략함.

㉡ 치수선은 원호의 중심을 향해 그으며, 원호 쪽에만 화살표를 기입한다.

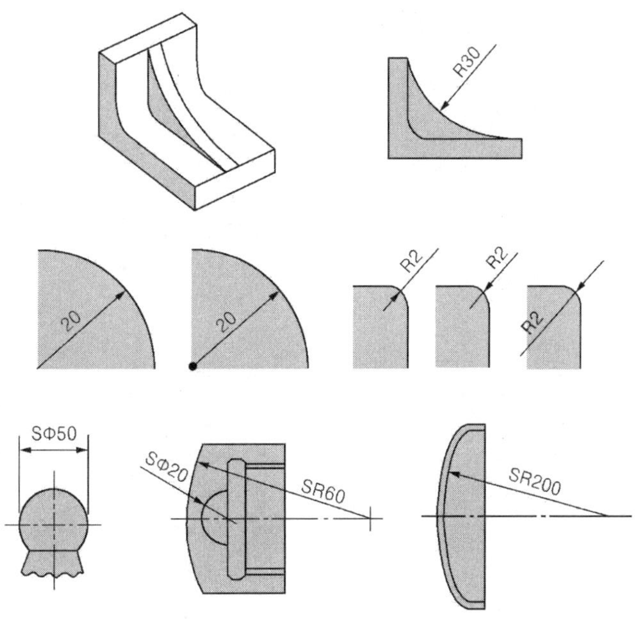

㉢ 중심을 표시할 필요가 있을 때는 + 자로 그 위치를 표시한다.

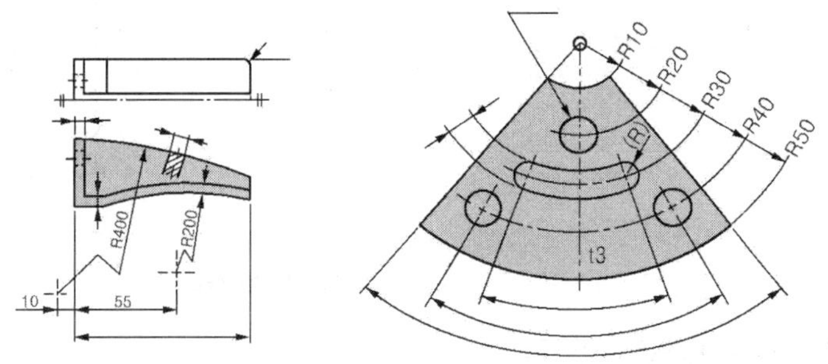

④ 호, 현 및 각도의 치수 기입 방법

㉠ 원호의 길이는 그 원호와 동심인 원호를 치수선으로 사용한다.

㉡ 현의 길이는 그 현에 평행한 수평선을 치수선으로 사용한다.

㉢ 각도 표시는 각도를 구성하는 두 변의 연장선 사이에 그린 원호를 사용한다.

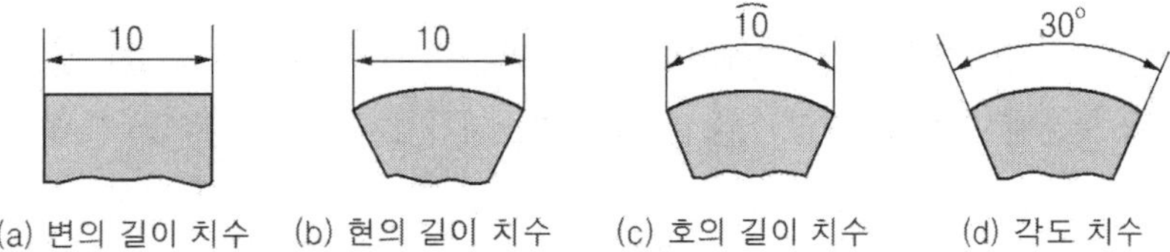

(a) 변의 길이 치수 (b) 현의 길이 치수 (c) 호의 길이 치수 (d) 각도 치수

⑤ 구멍의 치수 기입 : 드릴 구멍, 리머 구멍, 펀칭 구멍, 코어 등의 구별을 표시할 필요가 있을 때에

는 숫자에 그 구별을 함께 기입한다.

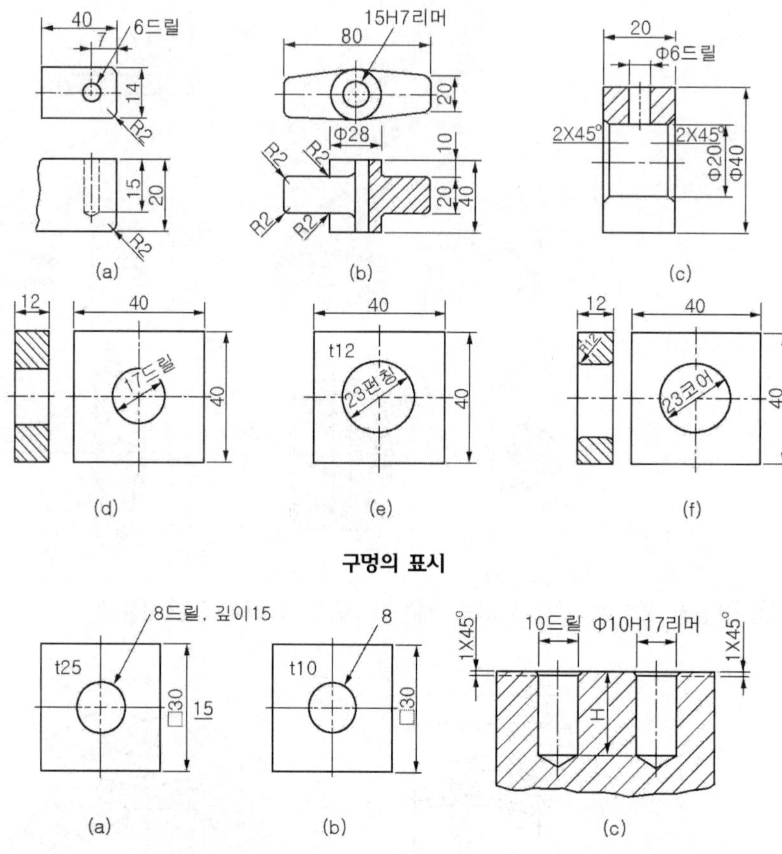

구멍의 표시

구멍 깊이의 표시

⑥ **직렬과 병렬 치수의 기입**

㉠ 직렬치수 기입 : 한 지점에서 그 다음 지점까지의 거리를 각각 치수를 기입한 것

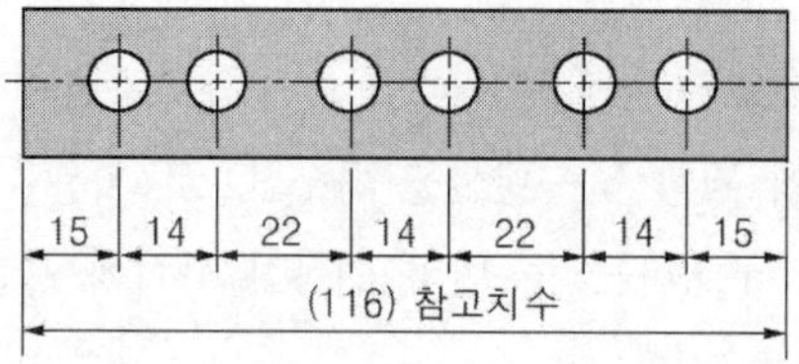

㉡ 병렬치수 기입 : 기준면에서부터 각각의 지점까지 치수를 기입한 것

㉢ 누진치수 기입 : 병렬 치수 기입과 같으면서 1개의 연속된 치수선에 기입한 것

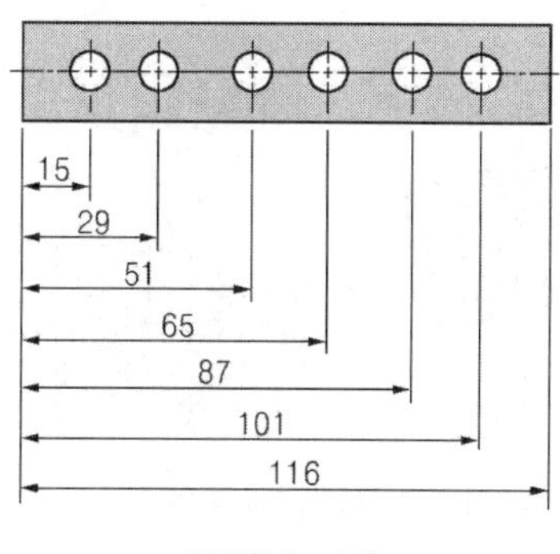

병렬치수 기입

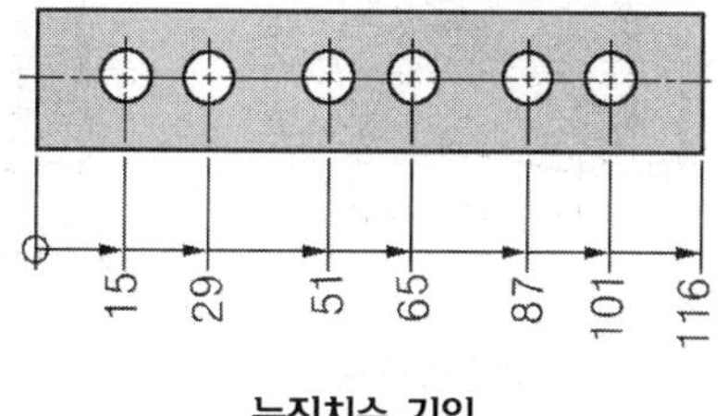

누진치수 기입

⑦ 여러 개의 구멍의 치수의 기입

㉠ 맨 처음 구멍과 두 번째 구멍, 맨 끝 구멍만 그리고, 나머지 구멍은 중심선과 피치선만 그린다.

㉡ 길이가 길 때 : 절단선을 긋고 치수만 기입한다.

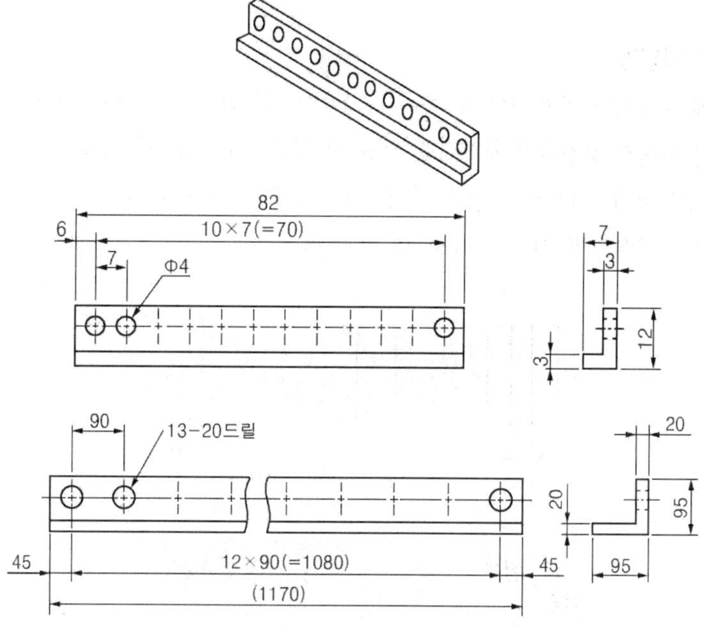

같은 구멍의 치수 표시

⑧ 테이퍼와 기울기

㉠ 한쪽의 기울기를 구배라 하고, 양면의 기울기를 테이퍼라 한다.

㉡ 테이퍼는 중심선 중앙위에 기입하고 기울기는 경사면에 따라 기입한다.

㉢ 테이퍼는 축과 구멍이 테이퍼 면에서 정확하게 끼워 맞춤이 필요한 곳에만 기입하고 그 외는 일반 치수로 기입한다.

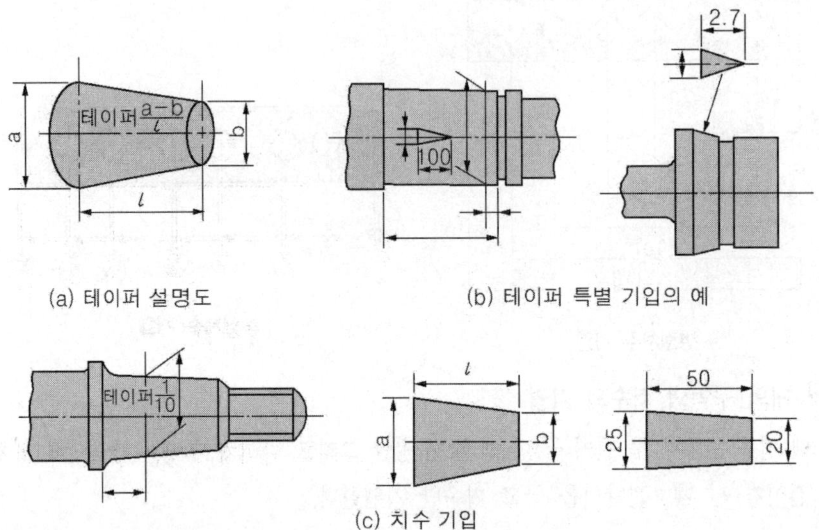

(a) 테이퍼 설명도

(b) 테이퍼 특별 기입의 예

(c) 치수 기입

⑨ 기타 치수 기입법

㉠ 치수에 중요도가 작은 치수를 참고로 나타날 경우에는 치수 숫자에 괄호를 하여 나타낸다.

㉡ 대칭인 도면은 중심선의 한쪽만을 그릴 수 있다. 이 경우 치수선은 원칙적으로 그 중심선을 지나 연장하며, 연장한 치수선 끝에는 화살표를 붙이지 않는다.

㉢ 치수표를 사용하여 치수 기입을 할 수 있다.

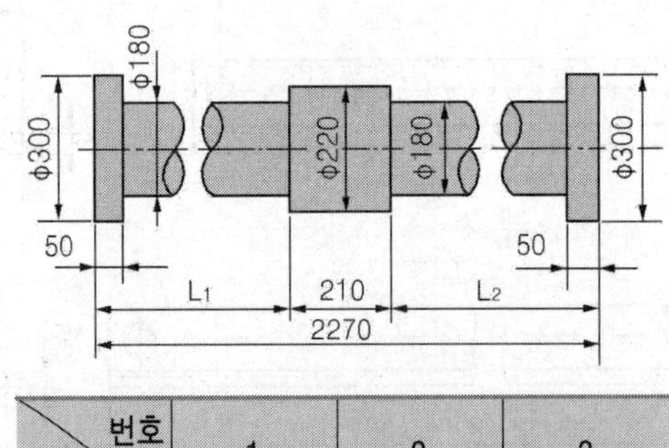

기호 \ 번호	1	2	3
L_1	1100	1200	1350
L_2	960	860	710

08 정투상도 그리기

1 정투상법

- 투상선이 투상면에 대하여 수직으로 투상되는 것
- 정투상법에서는 물체를 정면도, 평면도, 측면도 등으로 나타낸다.

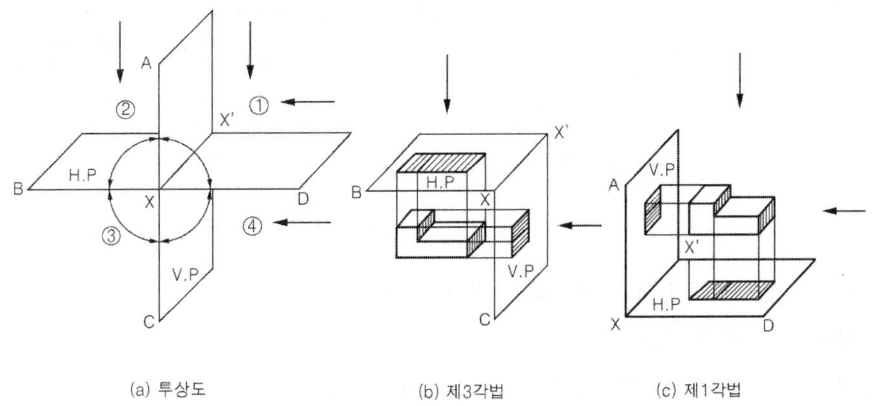

(a) 투상도 (b) 제3각법 (c) 제1각법

- 제 3각법 : 물체를 제3면각에 놓고 정투상법으로 나타낸 것
- 제 1각법 : 물체를 제1면각에 놓고 정투상법으로 나타낸 것
- 한 도면 내에서는 1각법과 3각법을 혼용하지 않는다.

성 명	김철수	학 번	
척 도	1 : 1	투 상	
도 명	정투상도	도 번	

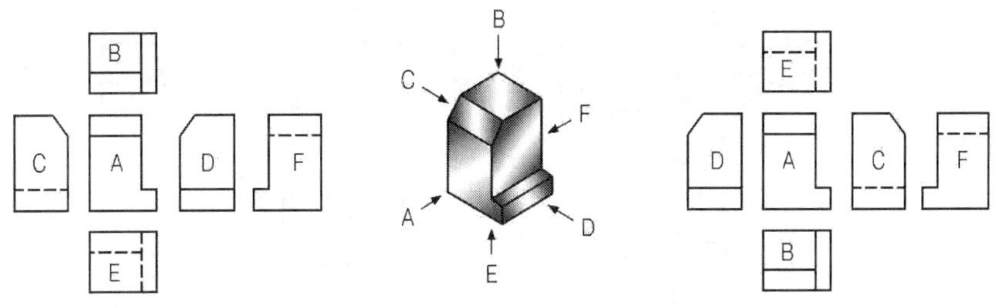

제 3각법 **제1각법**

A : 정면도, B : 평면도, C : 좌측면도, D : 우측면도, E : 저면도, F : 배면도

(가) 3각법

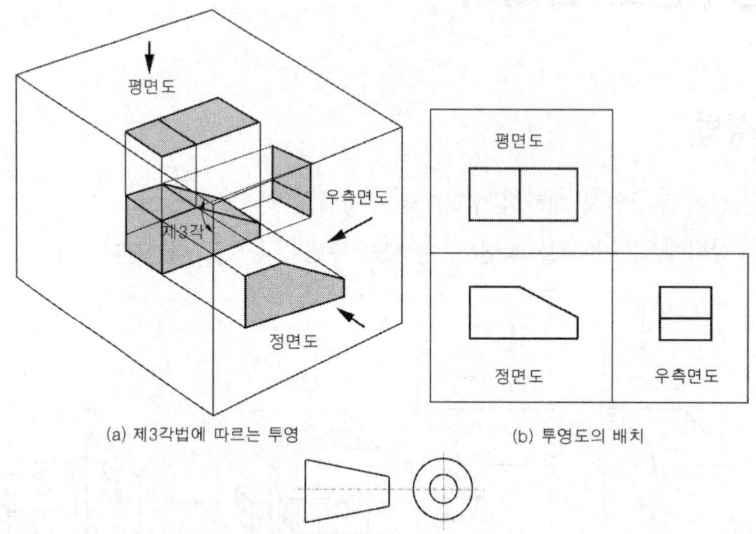

(a) 제3각법에 따르는 투영 (b) 투영도의 배치

① 물체를 제3면각 안에 놓고 투상하는 방법이다.

② 투상방법 : 눈 → 투상면 → 물체

③ 정면도를 기준으로 투상된 모양을 투상한 위치에 배치한다.

④ KS에서는 제 3각법으로 도면 작성하는 것이 원칙이다.

⑤ 도면의 표제란에 표시 기호로 표현 가능하다.

⑥ 장점 : 도면을 보고 물체의 이해가 쉽다.

(나) 1각법

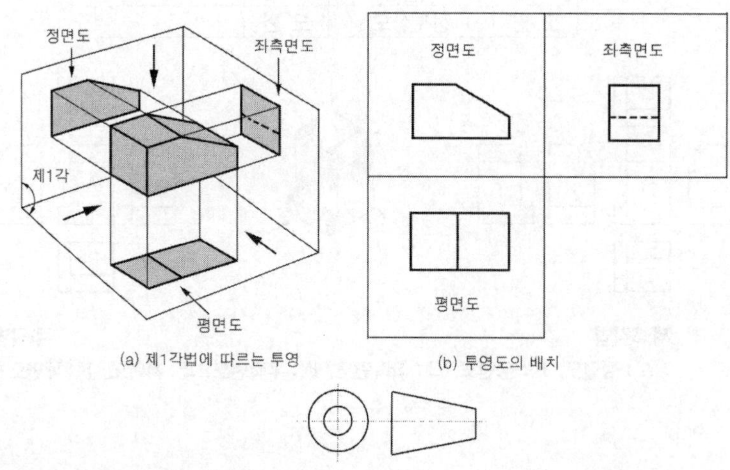

(a) 제1각법에 따르는 투영 (b) 투영도의 배치

① 물체를 제1면각 안에 놓고 투상하는 방법

② 투상방법 : 눈 → 물체 → 투상면

③ 정면도를 기준으로 투상된 모양을 투상한 반대 위치에 배치한다.

④ 정면도 아래 평면도, 정면도 우측에 좌측면도 배치한다.

⑤ 도면의 표제란에 표시 기호로 표현 가능하다.

⑥ 단점 : 실물 파악이 어려워 특수한 경우에만 사용한다.

(다) 직선의 투상

① 한 화면에 수직인 직선은 점이 된다.

② 한 화면에 평행한 직선은 실제 길이를 나타낸다.

③ 한 면에 평행한 면의 경사진 직선은 실제 길이보다 짧게 나타난다.

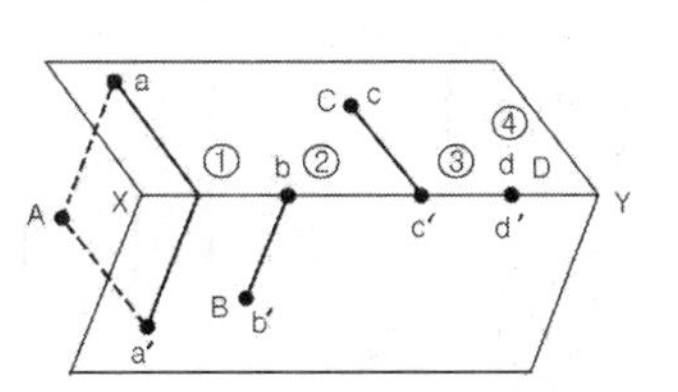

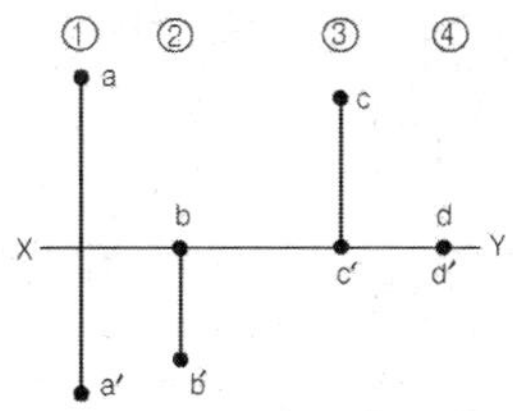

① 점이 공간에 있을 때(점 A) ② 점이 입화면 위에 있을 때(점 B)
③ 점이 평화면 위에 있을 때(점 C) ④ 점이 기선 위에 있을 때(점 D)

(라) 투상의 연습

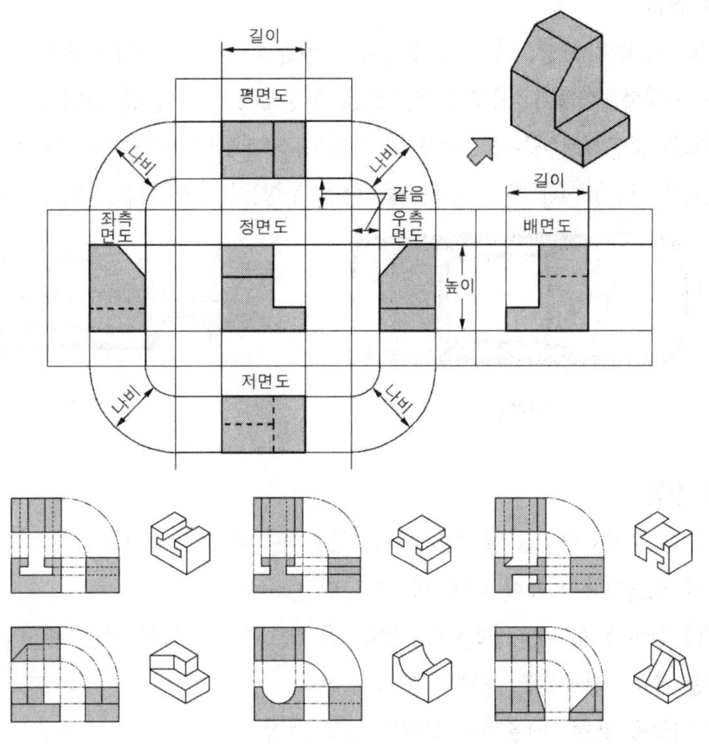

2 도형의 표시 방법

① **투상도의 배치**

㉠ 언제나 정면도 기준으로 평면도, 우측면도, 좌측면도, 배면도, 저면도를 배치한다.

㉡ 평면형 물체 : 정면도와 평면도만 도시

㉢ 원통형 물체 : 정면도와 우측면도만 도시

㉣ 측면도는 가능한 파선이 적은 쪽으로 투상한다.

㉤ 특별한 경우를 제외하고는 제 3각법으로 한다.

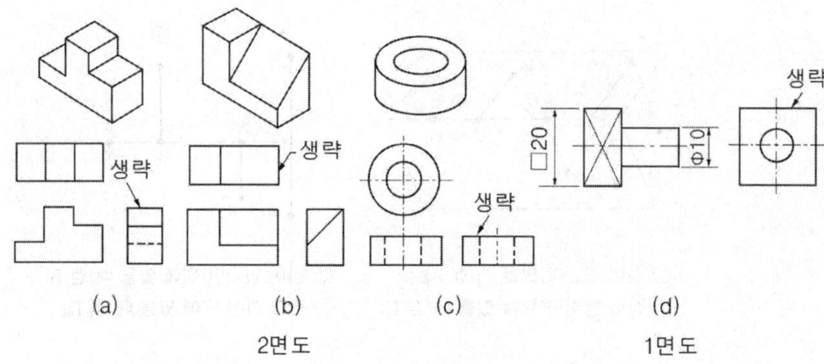

② **정면도의 선정**

㉠ 정면도 : 물체의 모양, 기능 및 특징을 가장잘 나타낼 수 있는 면으로 선택

㉡ 동물, 자동차, 비행기 : 측면을 정면도로 선정해야 특징이 잘 나타남

㉢ 정면도를 보충하는 평면도, 측면도, 저면도, 배면도의 투상수는 가능한 적게

㉣ 정면도만으로 표시할 수 있는 물체 : 다른 투상도는 생략(치수 보조 기호 이용)

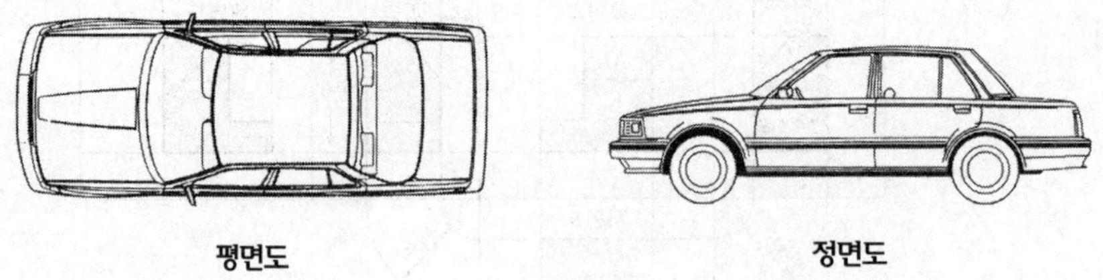

③ **투상도의 선정**

㉠ 정면도와 평면도만으로 물체를 알 수 있을 때 : 측면도 생략

㉡ 물체의 오른쪽과 왼쪽이 같을 때 : 좌측면도 생략

㉢ 물체의 길이가 길 때 : 정면도와 평면도만으로 표시 가능할 때는 측면도 생략

㉣ 가공용 부품 : 가공하는 상태로 놓고 투상

㉤ 주로 기능을 표현 : 사용하는 상태로 놓고 투상

물체

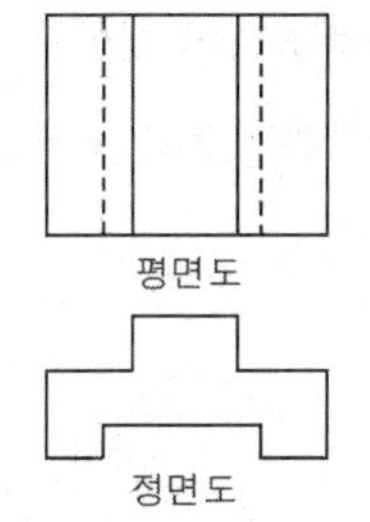

정면도

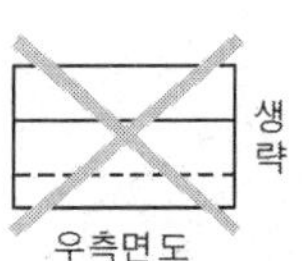

우측면도

3 기타 투상법

① **보조 투상도** : 물체가 경사면이 있어 투상을 시키면 실제 길이와 모양이 틀려져 경사면에 별도의 투상면을 설정하고 이 면에 투상하면 실제 모양이 그려짐

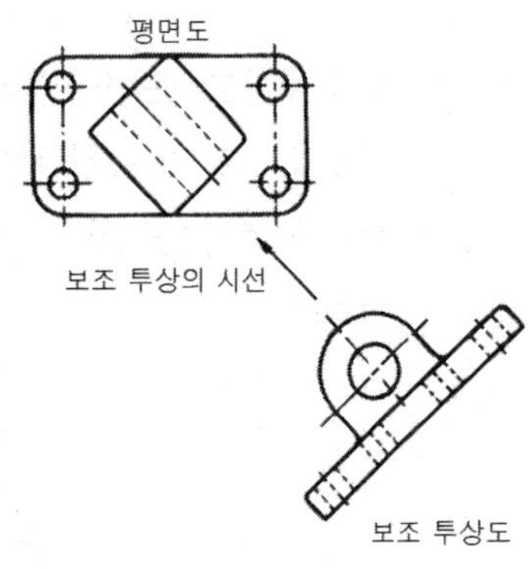

보조 투상도

② **부분 투상도** : 물체의 일부 모양만을 도시해도 충분한 경우

③ **국부 투상도** : 대상물의 구멍, 홈 등 한 국부만의 모양을 도시하는 것으로 충분한 경우에는 그 필요 부분만을 국부 투상도로 나타냄

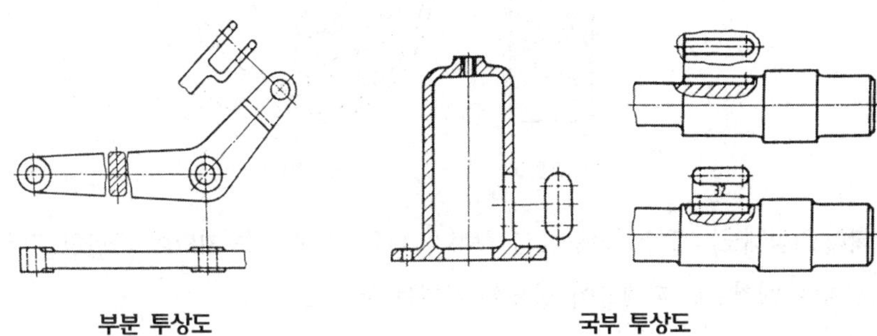
부분 투상도 **국부 투상도**

④ **회전 투상도** : 투상면이 어느 각도를 가지고 있기 때문에 그 실형을 표시하지 못할 때에는 그 부분을 회전해서 실제 길이를 나타내는 것

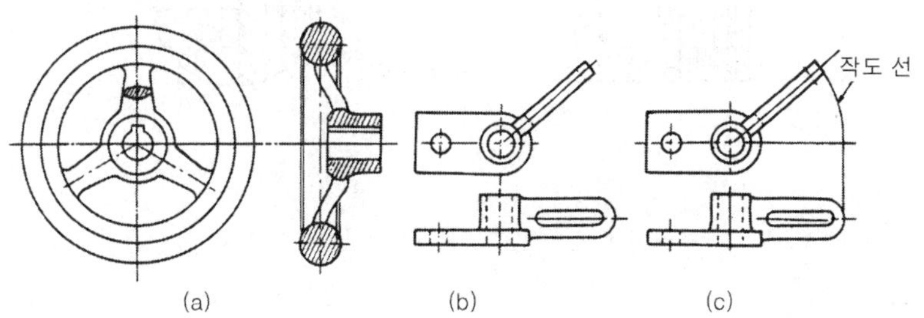

(a) (b) (c)

⑤ **요점 투상도** : 우측면도나 좌측면도에 보이는 부분을 모두 나타내면 오히려 복잡해져서 알아보기 어려울 경우, 왼쪽 부분은 좌측면도에 오른쪽 부분은 우측면도에 그 요점만 투상한다.

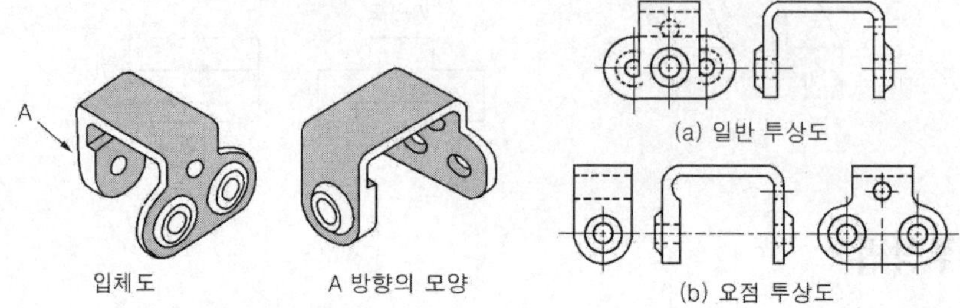

⑥ 복각 투상도 : 도면에 물체의 앞면과 뒷면을 동시에 표현하는 방법으로 정면도를 중심으로 우측면도를 그릴 때 중심선의 왼쪽 반은 제 1각법으로 오른쪽 반은 제 3각법으로 나타낸다. 또한 정면도를 중심으로 좌측면도를 그릴 때 중심선의 왼쪽 반은 3각법으로 오른쪽 반은 제 1각법으로 그린다.

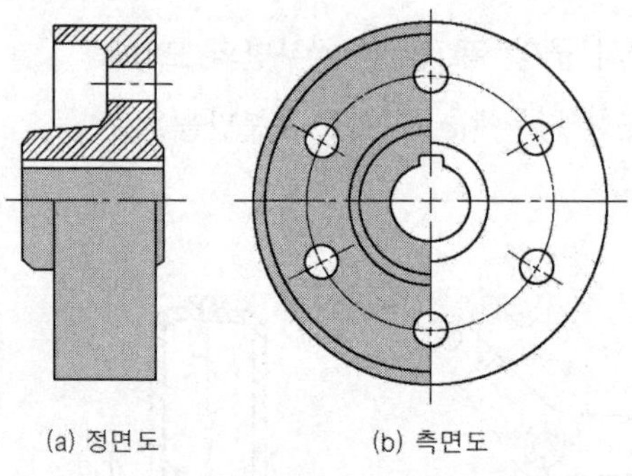

⑦ **확대도(상세도)** : 도면 중에는 그 크기가 너무 작아 치수 기입이 곤란한 경우 그 부분을 적당한 위치에 배척으로 확대하여 상세화 시키는 투상도

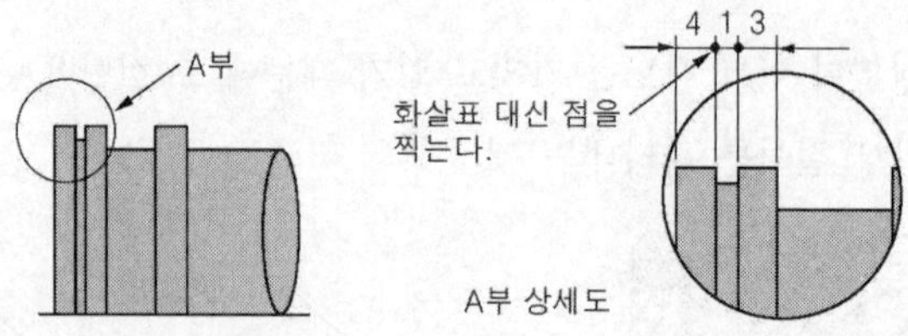

특수 투상도

1 축측 투상도

각 모서리가 직각으로 만나는 물체의 모서리를 세 축으로 하여 입체 모양의 투상도로 나타낸 것

① 등각 투상도

㉠ 물체의 정면, 평면, 측면을 하나의 투상도에서 볼 수 있도록 그린 도법

㉡ 물체의 모양과 특징을 가장 잘 나타냄

㉢ 물체 3개의 세 모서리는 각각 120°

㉣ 용도 : 구상도나 설명도 등

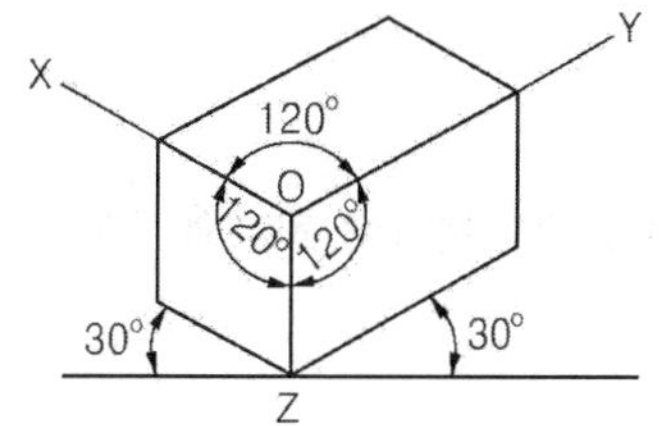

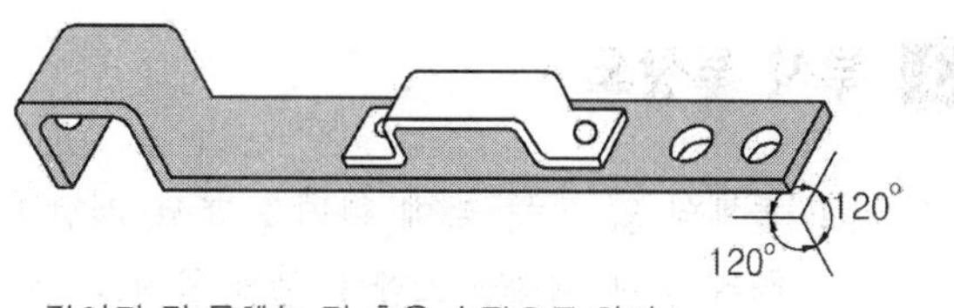

길이가 긴 물체는 긴 축을 수평으로 하여 등각 투상도를 그리는 것이 좋다.

② 부등각 투상도

㉠ 3개의 축선이 서로 만나서 이루는 세 각들 중에서 두 각은 같게, 나머지 한 각을 다르게 그린 투상도

㉡ 수평선과 이루는 각은 30°, 60°를 많이 사용

㉢ 3개의 축선 중 2개의 축선은 같은 척도로, 나머지 한 축선은 $\frac{3}{4}$, $\frac{1}{2}$로 줄여서 그린다.

㉣ 원을 그리기가 어려워 잘 쓰이지 않음

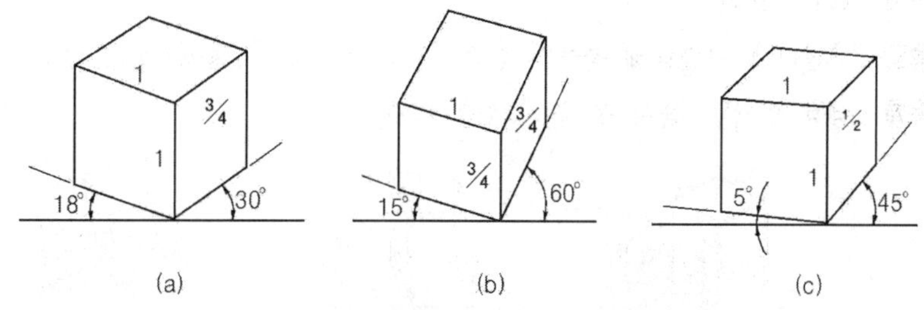

(a) (b) (c)

2 사 투상도

① 물체를 투상면에 대하여 한쪽으로 경사지게 투상하여 입체로 나타낸 것

② 정면의 도형은 정투상도의 정면도와 거의 같은 형태로 투상되므로 물체의 특징이 잘 나타난다.

③ 물체의 입체를 나타내기 위해 수평선에 대하여 30°, 45°, 60°의 경사각을 주어 그린다.

④ 물체의 경사면 길이는 정면과 다르게 하여 물체가 실감이 나도록 $1:1$, $1:\frac{3}{4}$, $1:\frac{1}{2}$이 주로 많이 쓰인다.

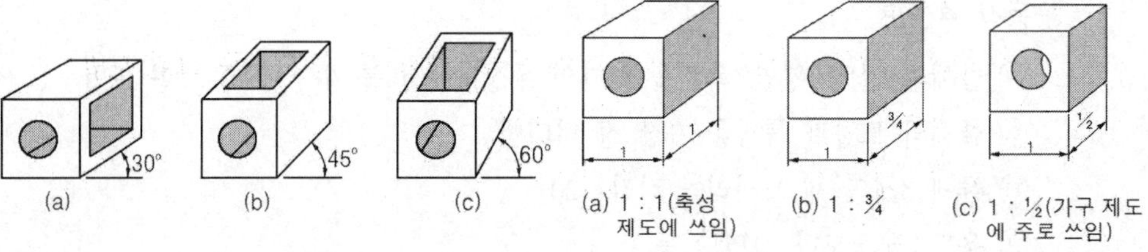

(a) (b) (c) (a) 1 : 1(축성 제도에 쓰임) (b) 1 : ¾ (c) 1 : ½(가구 제도에 주로 쓰임)

3 투시 투상도

① 물체의 앞 또는 뒤에 화면을 놓고 시점에서 물체를 본 시선이 화면과 만나는 각 점을 연결하여 눈에 비치는 모양과 같게 물체를 그리는 것

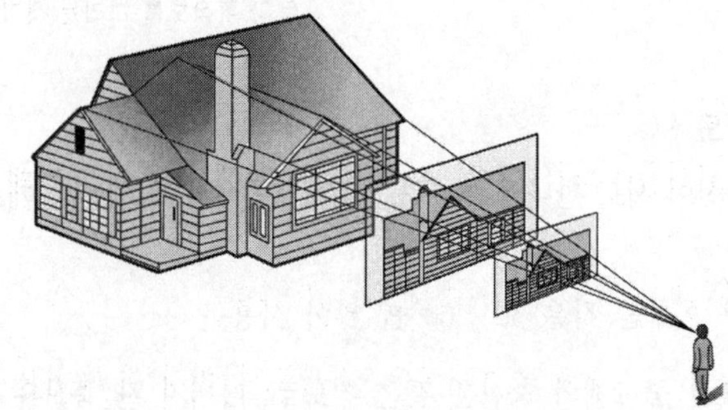

② 물체의 멀고 가까운 거리감을 느낄 수 있도록 하나의 시점과 물체의 각 점을 방사선으로 이어서 그리는 도법

③ **용도** : 사진이나 사생도에 속하는 건축, 교량, 조감도, 도록의 도면 작성

④ **종류** : 평행 투시도, 유각 투시도, 경사 투시도

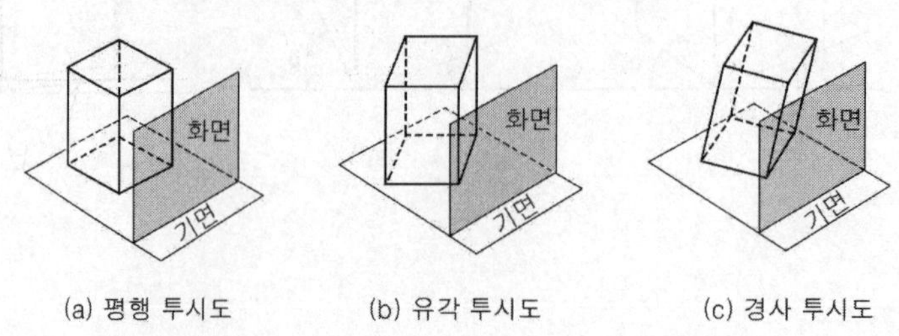

(a) 평행 투시도 (b) 유각 투시도 (c) 경사 투시도

10 단면도 및 여러 가지 도형그리기

1 단면도 그리는 방법

① **단면도** : 보이지 않는 물체 내부를 절단하여 내부의 모양을 그리는 것

② 정면도만 단면도로 도시하고 평면도, 측면도는 단면 도시하지 않는다.

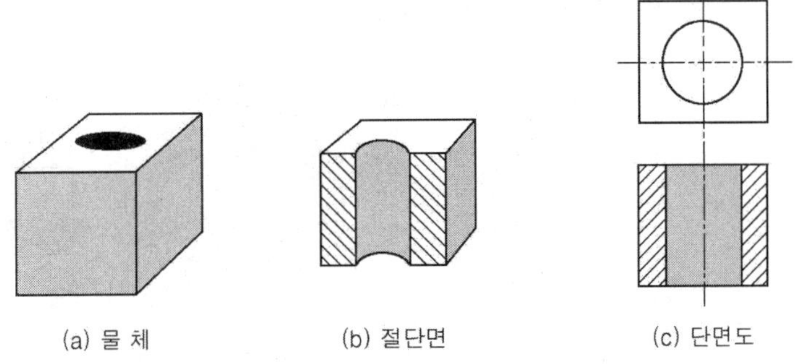

(a) 물 체 (b) 절단면 (c) 단면도

③ 절단면은 중심선에 대하여 45°경사지게 일정한 간격으로 빗금을 긋는다.

④ **절단면 표시** : 해칭, 스머징을 사용한다.

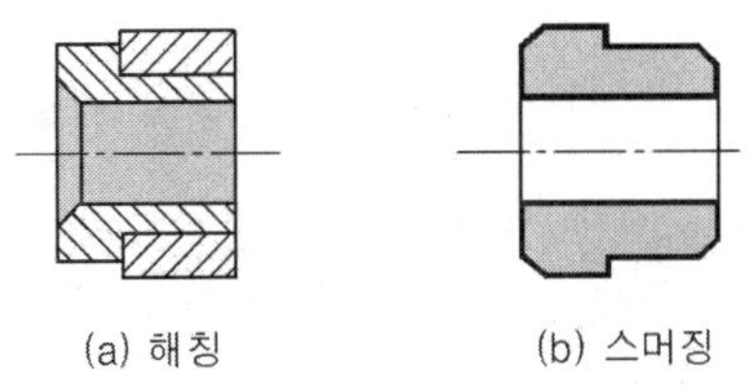

(a) 해칭 (b) 스머징

⑤ 재료를 특별히 나타낼 필요가 있을 때는 아래와 같이 나타낸다.

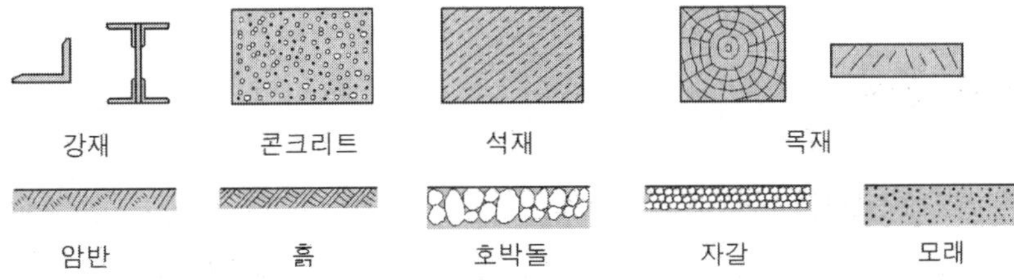

⑥ **절단선** : 끝부분과 꺾이는 부분은 굵은 실선, 나머지는 1점 쇄선을 사용한다.

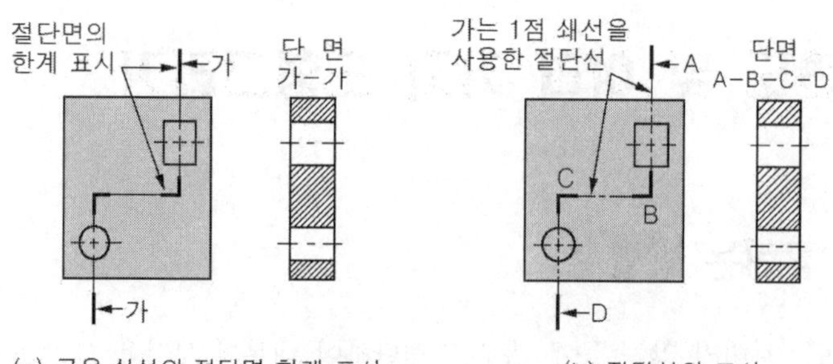

(a) 굵은 실선의 절단면 한계 표시 (b) 절단선의 표시

- **절단면 설치 원리** : 안쪽의 모양을 더 명확하게 나타내기 위해 가상의 절단면을 설치하고 앞부분을 떼어 낸 다음 남겨진 부분의 모양을 그린 것을 단면도라고 한다.

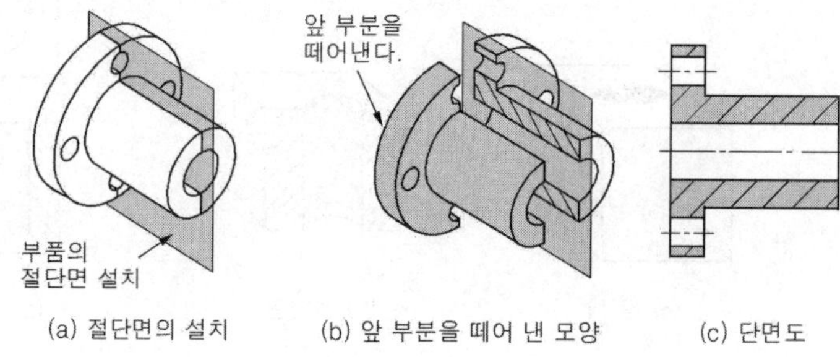

(a) 절단면의 설치 (b) 앞 부분을 떼어 낸 모양 (c) 단면도

⑦ **단면도 그리기**

㉠ 절단면의 뒤에 나타나는 숨은선 중심선 등은 표시하지 않는 것이 원칙이나 부득이한 경우는 표시할 수 있다.

㉡ 절단 뒷면에 나타나는 내부의 모양은 원통면의 한계와 끝이 투상선으로 나타내야 한다.

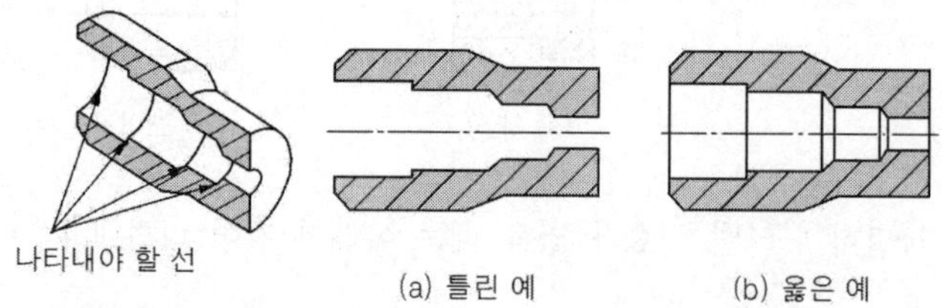

(a) 틀린 예 (b) 옳은 예

2 단면도의 종류

① **전단면도(온단면도)**

㉠ 물체의 중심에서 $\frac{1}{2}$로 절단하여 단면 도시

㉡ 물체 전체를 직선으로 절단하여 앞부분을 잘라내고, 남은 뒷부분을 단면으로 그린 것을 말한다.

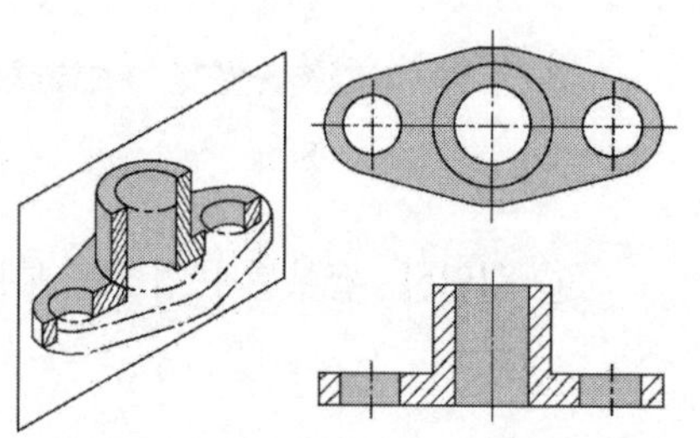

② 반단면도(한쪽단면도)

㉠ 물체의 상하 좌우가 대칭인 물체의 $\frac{1}{4}$을 절단하여 내부와 외형을 동시에 도시

㉡ 단면을 표시하는 해칭은 물체의 왼쪽과 위쪽에 한다.

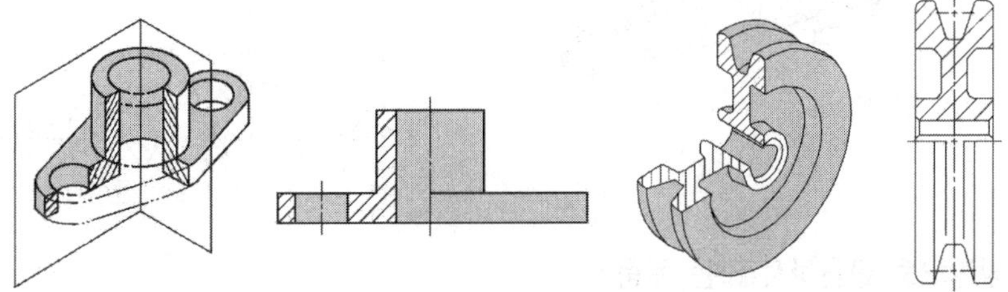

③ **부분 단면도** : 일부분을 잘라내고 필요한 내부 모양을 그리기 위한 방법으로 파단선을 그어서 단면 부분의 경계를 표시한다.

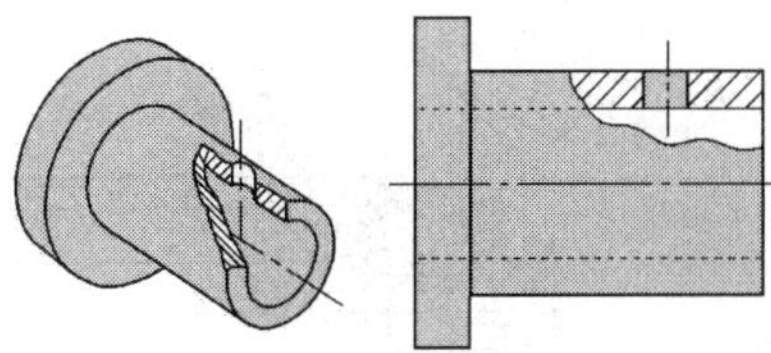

④ 회전 단면도

㉠ 핸들, 축, 형강 등과 같은 물체의 절단한 단면의 모양을 90°회전하여 내부 또는 외부에 그리는 것을 말한다.

㉡ 내부에 표시할 때는 가는 실선을 사용한다.

㉢ 외부에 표시할 때는 굵은 실선을 사용한다.

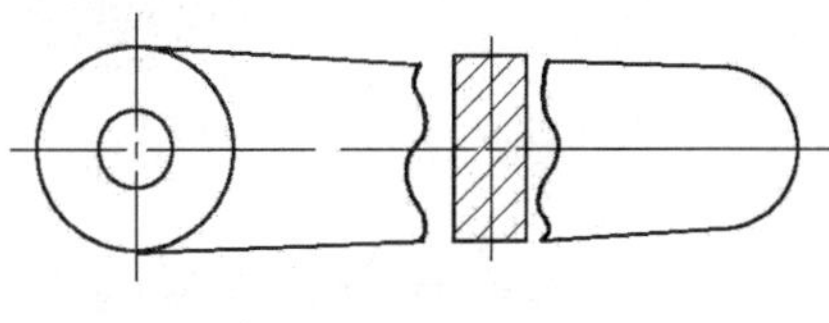

회전단면도

⑤ **계단 단면도 그리기** : 복잡한 물체의 투상도 수를 줄일 목적으로 절단면을 여러 개 설치하여 1개의 단면도로 조합하여 그린 것으로 화살표와 문자 기호를 반드시 표시한다.

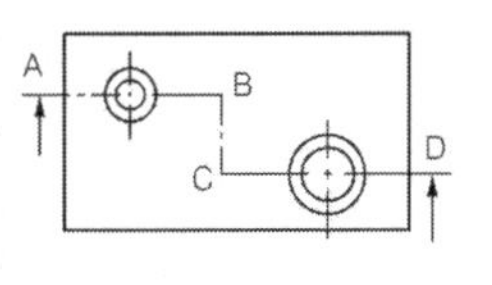

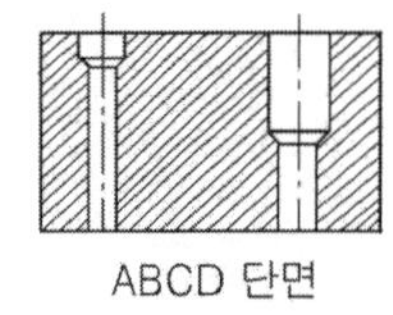

ABCD 단면

⑥ 한줄로 단면도 배치하기

㉠ 투상도 그리기와 치수 기입을 이해하기 쉽도록 단면도의 방향을 같게 배열하여 표시하는 방법이다.

㉡ 도면 여백이 충분한 경우 축의 중심 연장선 위에 단면도를 차례로 배열하며 순서는 반드시 지켜야 한다.

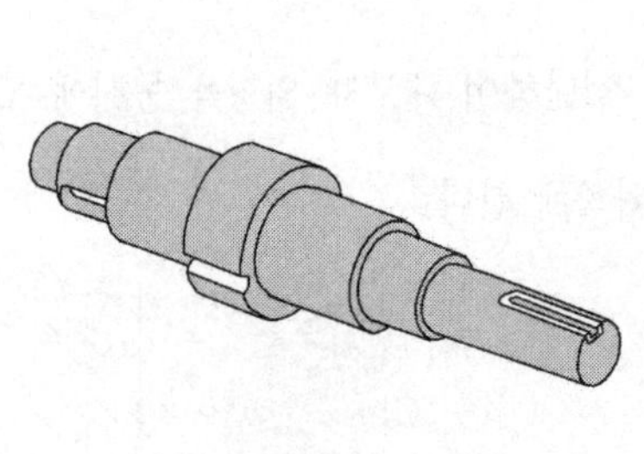

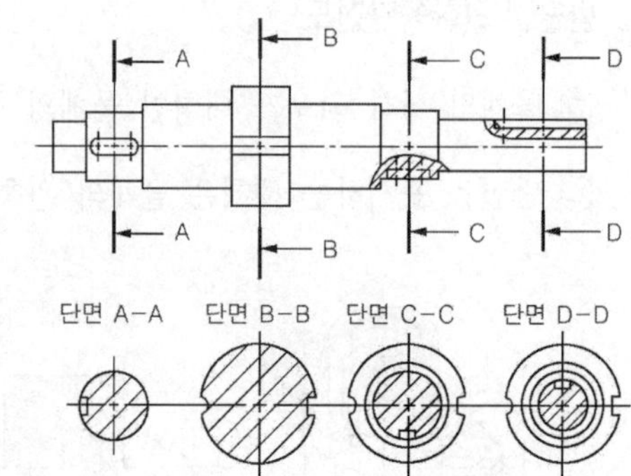

⑦ **길이방향으로 단면하지 않는 부품**

㉠ 길이 방향으로 단면해도 의미가 없거나 이해를 방해하는 부품은 길이 방향으로 단면을 하지 않는다.

㉡ 얇은 물체인 개스킷, 박판, 형강의 경우는 한 줄의 굵은 실선으로 단면 도시

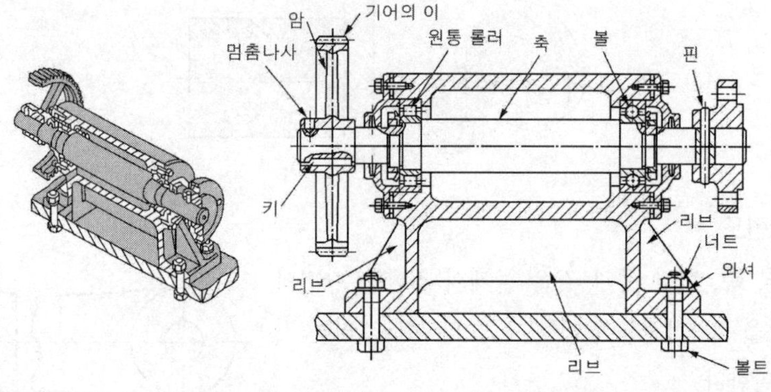

㉢ 얇은 물체의 단면도 : 얇은 판, 형강 등은 단면이 얇아 해칭하기가 어려워 굵은 실선으로 나타낸다.

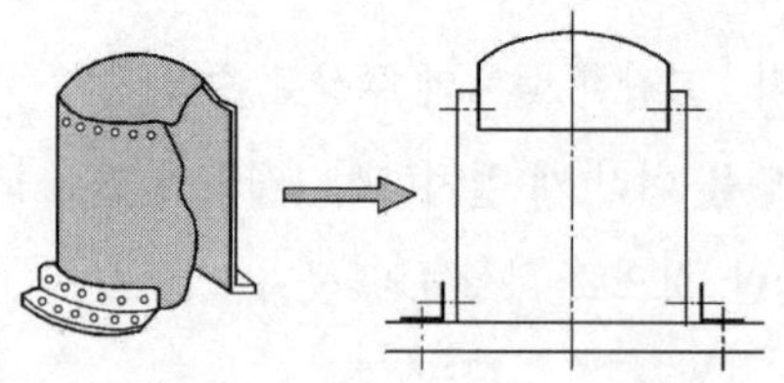

3 기타 도시법

① **대칭 도형의 생략**

㉠ 대칭 기호를 사용하여 도형의 한쪽 생략

㉡ 대칭 기호 : 중심선의 양 끝 부분에 짧은 2개의 평행한 가는 실선으로 표시

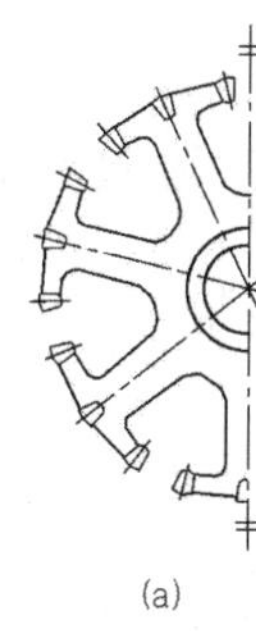

(a)

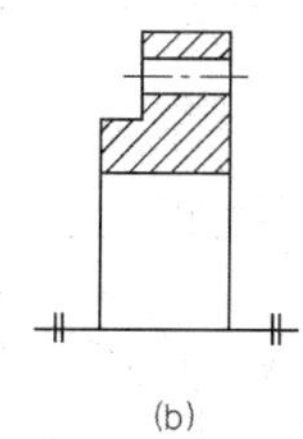

(b)

㉢ 정면도가 단면도로 된 경우에는 정면도에 가까운 곳의 반을 생략하여 그린다.

㉣ 정면도에 외형이 나타나 있을 경우에는 정면도에 가까운 곳의 반을 그린다.

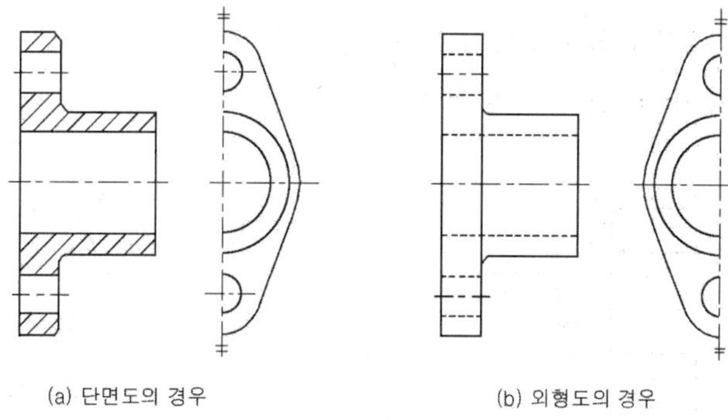

(a) 단면도의 경우　　(b) 외형도의 경우

대칭 도형의 생략

② 중간부의 생략

㉠ 축, 봉, 관, 테이퍼 축 등의 동일 단면형의 부분이 긴 경우에는 중간 부분을 잘라 단축 시켜 그린다.

㉡ 잘라 버린 끝 부분은 파단선으로 나타낸다.

㉢ 원형일 경우에는 끝 부분을 타원형으로 나타낸다.

㉣ 해칭을 한 단면에서는 파단선을 생략해도 좋다.

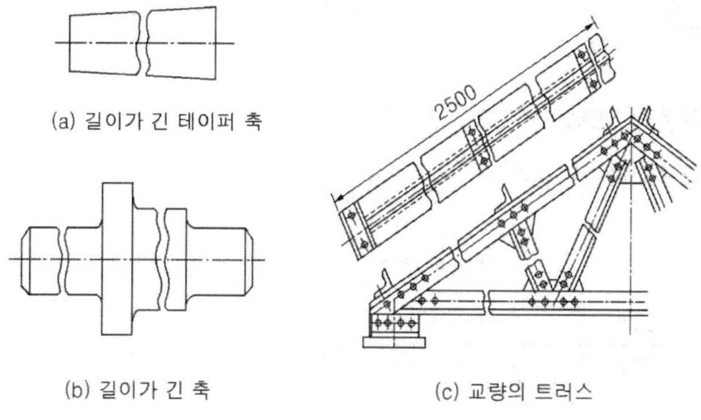

(a) 길이가 긴 테이퍼 축

(b) 길이가 긴 축　　(c) 교량의 트러스

중간부의 생략

③ **연속된 같은 모양의 생략** : 같은 종류의 리벳 구멍, 볼트 구멍, 등과 같이 같은 모양이 연속되어 있을 경우에는 그 양끝 부분 또는 필요 부분만 그리며 다른 곳은 생략하고 중심선만 그려 그 위치를 표시한다.

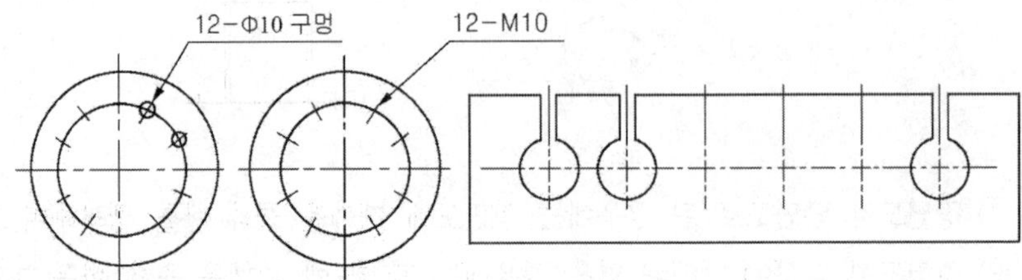

④ **교차부의 도시** : 2면의 교차 부분이 라운드를 가질 경우 그림(a), 교차 부분이 라운드를 가지지 않는 경우 그림 (b)와 같이 굵은 실선으로 그린다.

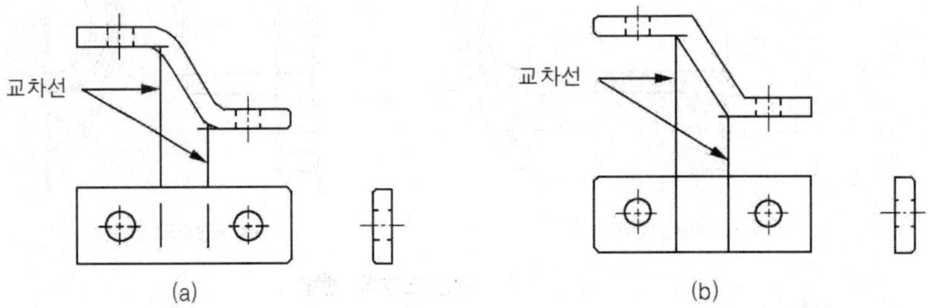

⑤ **일부분에 특수한 모양을 갖는 경우** : 일부분에 특정한 모양 즉 키 홈이 있는 보스 구멍, 홈이 있는 관이나 실린더, 쪼개진 링 등을 가진 것은 그 부분이 그림의 위쪽에 나타나도록 그리는 것이 좋다.

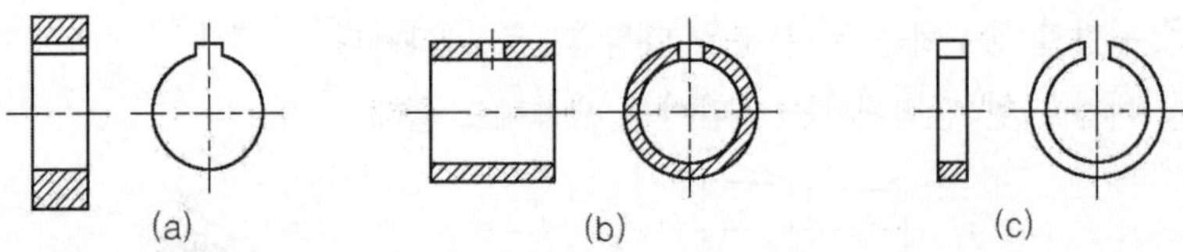

⑥ **특수한 가공 부분의 표시** : 특수한 가공을 하는 경우에는 그 범위를 외형선에 평행하게 약간 떼어서 굵은 1점 쇄선으로 나타낼 수 있다.

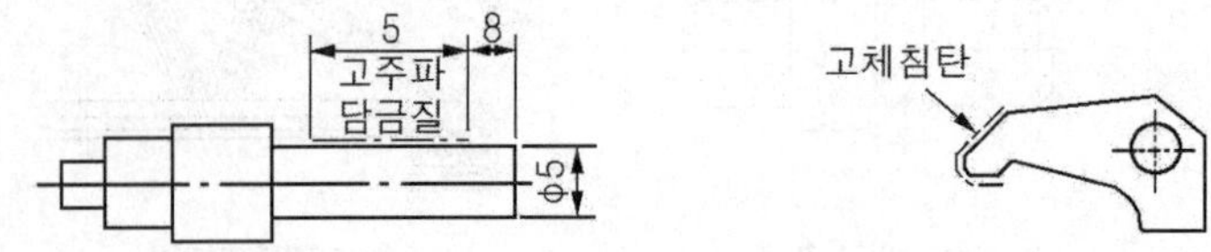

11 상관체 및 상관선

① 상관체 : 2개 이상의 입체가 서로 관통하여 하나의 입체가 된 것

② 상관선 : 상관체가 나타난 각 입체의 경계선

③ 여러 가지 입체의 상관선

④ 각으로 만나는 두 정사각기둥의 3면도를 상관선으로 그린 것

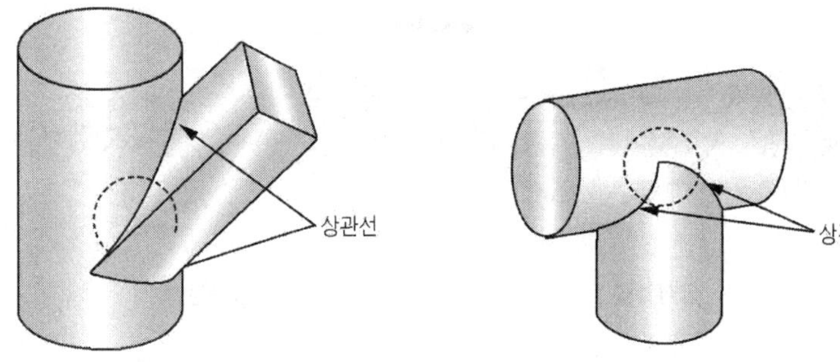

1 전개도

① 입체의 표면을 평면 위에 펼쳐 그린 그림

② 전개도를 다시 접거나 감으면 그 물체의 모양이 됨

③ 용도 : 철판을 굽히거나 접어서 만드는 상자, 철제 책꽂이, 캐비닛, 물통, 쓰레받기, 자동차 부품, 항공기 부품, 덕트 등

원통의 전개원리　　사각통의 전개원리　　원뿔의 전개원리

2 전개도 작성할 때 유의사항

① 실제 치수로 하며, 가장자리, 겹치는 부분 및 접는 부분은 여유 치수를 두어야 함

② 문자나 숫자의 기호 : 전개 순서에 따라 중요 부분만 간략하게 표기

③ 외형선은 0.5mm 이하, 전개선은 0.18mm 이하의 굵기로

④ 전개도법 : 평행선법, 삼각형법, 방사선법

⑤ 복잡한 형상은 3가지 방법을 혼용해서 전개

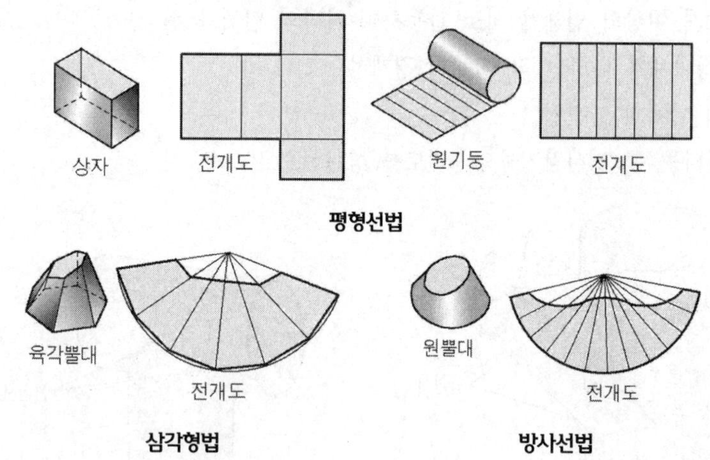

3 평행선 전개법

① 특징 : 물체의 모서리가 직각으로 만나는 물체나 원통형 물체를 전개할 때 사용

② 그리는 방법 : 원둘레(πD)를 구해 수평선을 긋고, 12등분 하여 각 등분점에 수직선을 긋는다.

③ 평면도의 원둘레를 12등분하여 정면도에 내려 긋는다.

④ 정면도의 각 점에서 수평선을 긋는다.

⑤ 정면도와의 교점을 이으면 전개도가 된다.

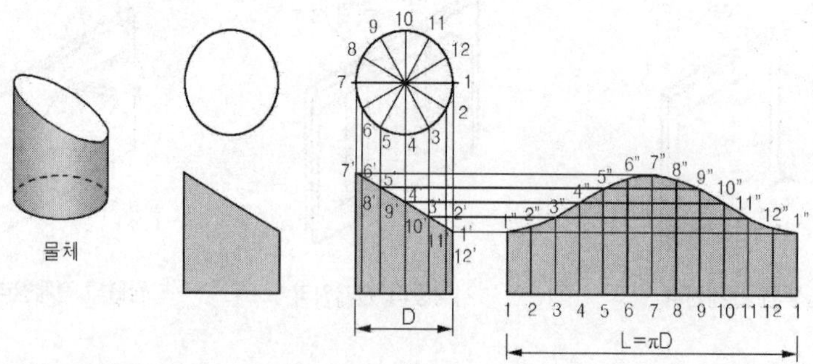

4 방사선 전개법

① 특징 : 각뿔이나 원뿔처럼 꼭지점을 중심으로 부채꼴 모양으로 전개하는 방법

② 그리는 방법 : 정면도와 평면도를 그린 후 평면도의 원둘레(πD)를 12등분한다.

③ 정면도의 빗변과 평행하게 긋는다.

④ 점 O를 중심으로 정면도의 O'을 반지름으로 하여 원을 그린다.

⑤ 평면도 원의 등분 길이(x)를 재어 점 0부터 12등분한다.

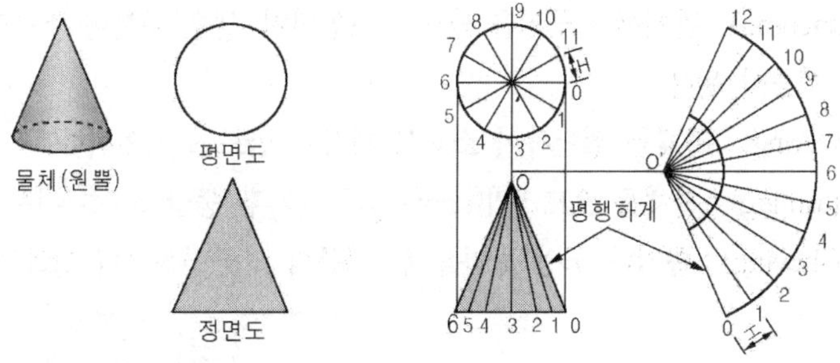

5 삼각형 전개법

① 특징 : 꼭지점이 먼 각뿔이나 원뿔을 전개할 때 입체의 표면을 여러 개의 삼각형으로 나누어 전개하는 방법

② 그리는 방법 : 정면도와 평면도를 그리고, 빗변의 실제 길이를 구한다.

③ 빗변의 실제 길이를 반지름으로 하는 원호를 그린 후 평면도 BC로 원호를 4등분한다.

④ 변 CD = DE 되게 정사각형을 그린다.

⑤ 겹치는 부분을 5mm 정도로 그린다.

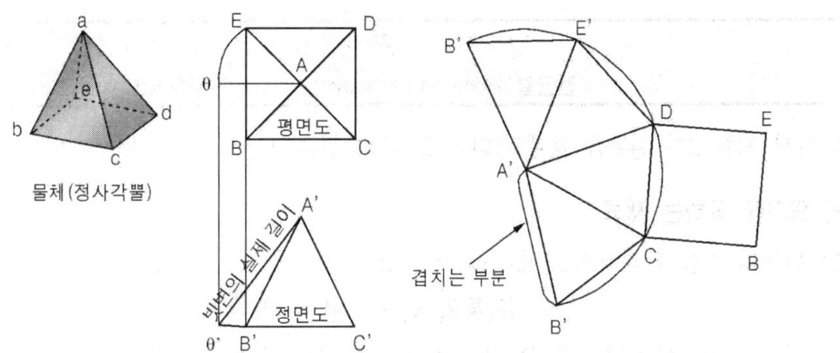

6 두꺼운 판의 전개

① **원통 치수가 외경일 때 판의 길이** : [Π × (바깥지름 − 판 두께)]

② **원통 치수가 내경일 때 판의 길이** : [Π × (바깥지름 + 판 두께)]

③ **구부림 곡선의 길이** : [(지름 + 두께) × Π × 구부러진 각도] ÷ 360

7 판금작업의 종류

① **전단작업의 종류**

㉠ 블랭킹(blanking) : 판재에 펀칭을 하여 소요의 형상을 뽑아내는 작업이다.

㉡ 펀칭(punching) : 판재에서 구멍을 만드는 작업이며, 뽑힌 부분이 스크랩(scrap)이 되며 남은 부분이 제품이 된다.

㉢ 전단(shearing) : 판재를 절단하여 소요의 형상을 만드는 작업이다.

㉣ 트리밍(triming) : 판재를 오므리기(drawing)를 한 후 둥글게 절단하는 작업이다.

㉤ 세이빙(shaving) : 뽑기나 구멍 뚫기를 한 제품의 가공면을 다듬질하는 작업이다.

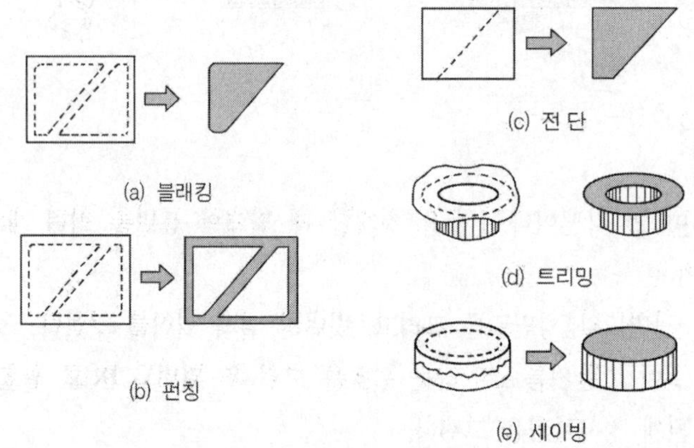
(a) 블래킹 (b) 펀칭 (c) 전 단 (d) 트리밍 (e) 세이빙

② **전단에 요하는 힘** : 펀치와 다이로 블랭킹 또는 펀칭시 필요한 힘 P(kgf)은 다음과 같이 구한다.

$$P = \ell t\tau$$

l : 전단길이(mm), t : 두께(mm), τ : 전단저항(kgf/mm²)

따라서 지름 d인 원판을 블랭킹(타출)할 때의 힘은 $P = \pi d t \tau$이다.

③ **판 뜨기에 요하는 재료**

㉠ 원통의 지름이 외경으로 표시될 때 둥글게 구부리는데 요하는 판재의 길이

(원통의 외경 − 판 두께) × 3.14

㉡ 원통의 지름이 내경으로 표시될 때 둥글게 구부리는데 요하는 판재의 길이

(원통의 내경 + 판 두께) × 3.14

④ **굽힘 또는 늘림에 의한 가공**

㉠ 벤딩(bending) : 굽힘 작업

㉡ 컬링(curling) : 판금제품의 가장자리를 장식과 보강을 목적으로 끝을 마는 작업이다.

⑤ **인발에 의한 가공**

㉠ 디프 드로잉(deep drawing) : 다이와 펀치 사이에 소성재료를 넣고 펀치로 가압하여 성형하는 가공이다.

㉡ 비딩(beading) : 요철(凹凸)형상의 롤러 사이에 판재를 넣고 롤러를 회전시켜 판재에 홈을 만드는 가공이다.

⑥ 압축에 의한 가공

㉠ 엠보싱(embossing) : 재료의 두께를 변화시키지 않고 성형하는 가공이다.

㉡ 코이닝(압인가공 : coining) : 주화, 메달(medal) 등의 표면에 문자나 모양을 찍어 넣는 가공이다.

⑦ 기타 가공

㉠ 스피닝(spinning) : 선반의 주축에 다이를 고정하고 그 다이 사이에 블랭크(blank)를 심압대로 눌러 블랭크를 다이와 함께 회전시켜서 성형하는 가공 방법이다.

㉡ 벌징(bulging) : 원통용기의 입구는 그대로 두고 밑 부분을 볼록하게 하는 가공이다.

스케치선 그리기

- 스케치 : 물체를 보고 용지에 그 모양을 프리핸드로 그리는 것
- 스케치도 : 스케치한 도면에 치수, 재질, 가공법 및 기타 필요한 사항을 기입하여 완성한 도면
- 제품을 만들 때 처음에는 구상한 것을 프리핸드 스케치로 그리고, 다음에 제도 용구를 사용하여 그려서 도면을 작성

① 연필 잡는 법

㉠ 스케치할 때 : 연필 끝에서 30 ~ 40mm 정도 느슨하게 쥔다.

㉡ 직선을 그을 때 : 50 ~ 60° 정도 기울인다.

㉢ 원호를 그을 때 : 30° 정도 기울인다.

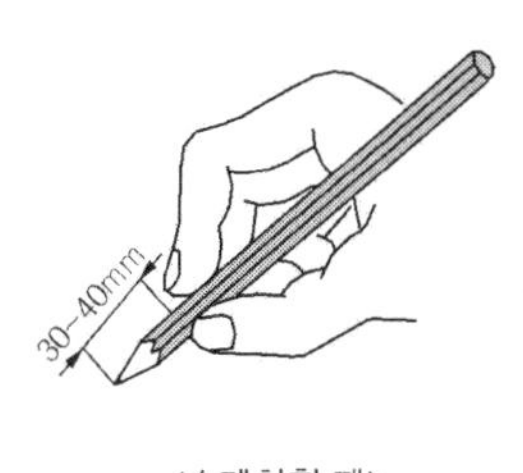

〈스케치할 때〉

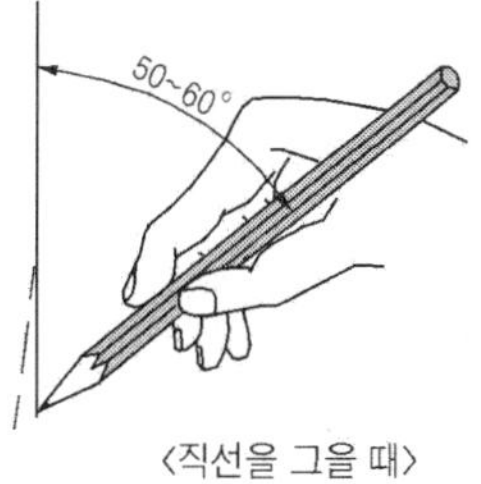

〈직선을 그을 때〉

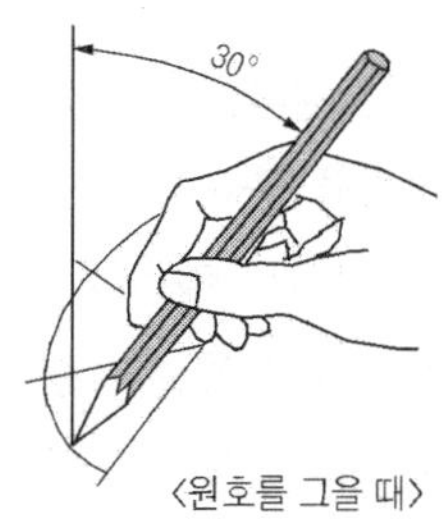

〈원호를 그을 때〉

② 직선 그리기

㉠ 직선을 곧고 바르게 그리려면 먼저 시작점과 끝점을 표시해 놓고 그린다.

㉡ 빗금은 왼쪽에서 오른쪽으로 올려 그리거나 내려 그린다.

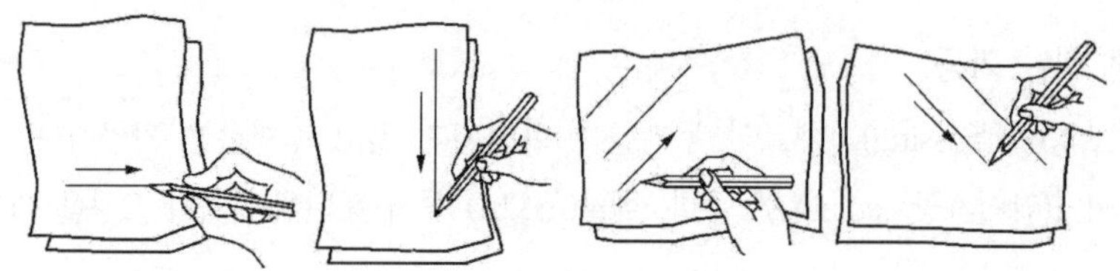

③ 원 그리기

㉠ 원은 중심선과 보조선을 먼저 그린다.

㉡ 반지름 부분을 표시한 후에 그린다.

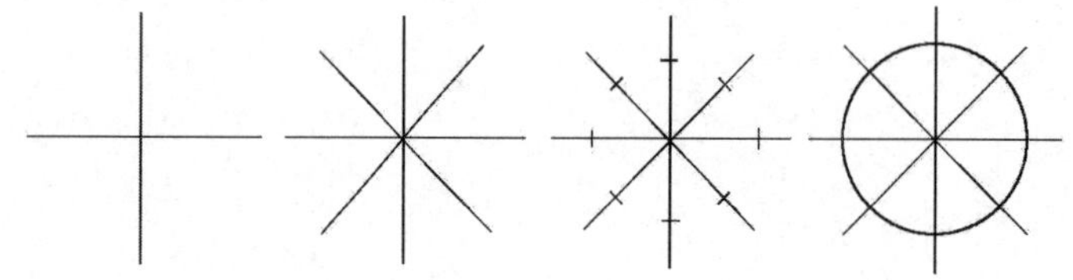

④ 원호 그리기

㉠ 먼저 수직선을 그린다.

㉡ 원호의 시작점과 끝점을 표시한다.

㉢ 시작점과 끝점을 연결하고 중심점을 잡는다.

㉣ 세 점을 원호로 연결한다.

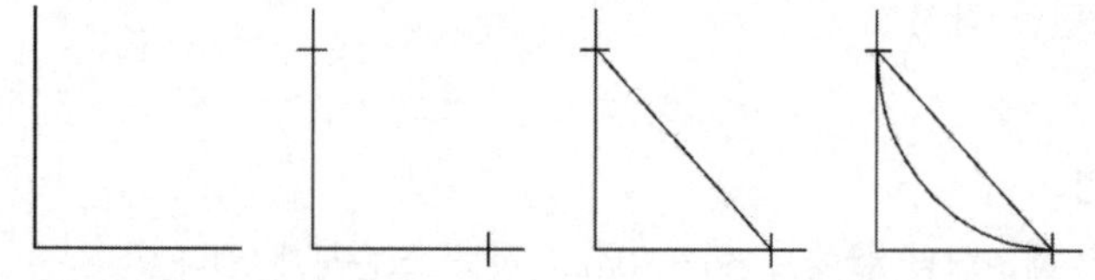

⑤ 경사진 원통을 프리핸드로 그리기

㉠ 중심선인 수평선과 수직선을 그린다.

㉡ 반경을 정하고 수평선과 수직선을 그린다.

㉢ 교차점을 통과하는 중심선을 그린다.

㉣ 원통 길이를 정한다.

㉤ 중심선인 수평선과 수직선을 그린다.

㉥ 원둘레에 점을 찍는다.

ⓢ 가는 실선으로 원통을 그린다.

ⓞ 굵은 실선으로 원통의 외형선을 그린다.

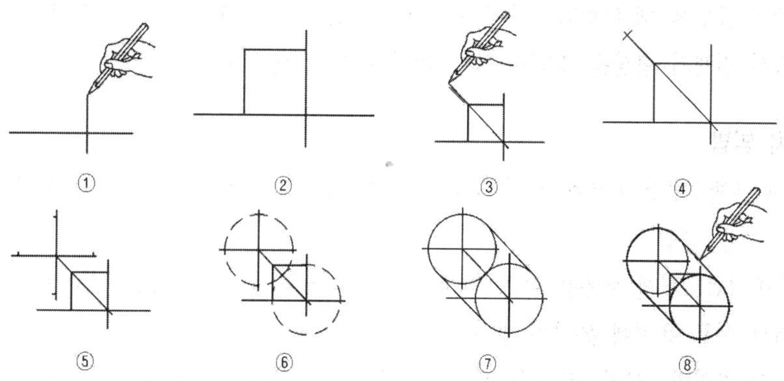

1 스케치도 그리기

① 스케치 용구

㉠ 작도용구 : 스케치 용구(모눈종이 또는 갱지), 연필, 지우개

㉡ 측정용구 : 직선자, 줄자, 캘리퍼스(내경, 외경), 버니어 캘리퍼스, 마이크로미터, 각도기, 게이지(깊이, 나사, 반지름, 틈새), 정반

㉢ 분해용 공구 : 렌치, 플라이어, 드라이버 세트, 스패너, 해머

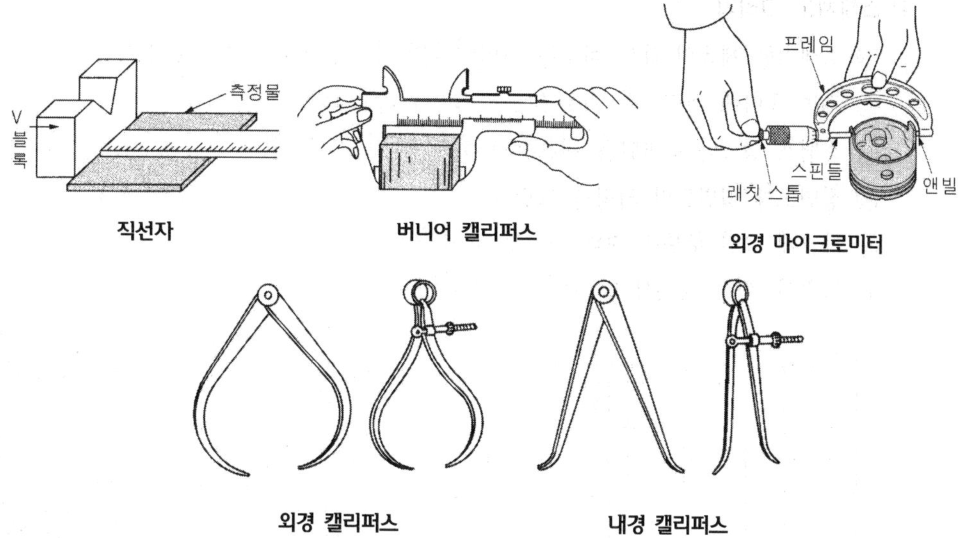

직선자 버니어 캘리퍼스 외경 마이크로미터

외경 캘리퍼스 내경 캘리퍼스

② 스케치 순서

㉠ 먼저 분해하기 전에 조립도를 프리핸드로 그리고, 조립 상태를 표시하며, 주요 치수를 기입

한 후 각 부품을 순서에 따라 분해하고, 부분 조립도를 스케치한다.

㉡ 각부의 부품 조립도와 부품표를 작성하고 세부 치수를 기입한다.

㉢ 각 부품도에 재료(재질), 가공법, 수량, 끼워 맞춤 기호 등을 기입한다.

㉣ 기계 전체의 형상을 명백히 하고 완전 여부를 검토한다.

③ 스케치 방법

㉠ 프린트법 : 부품 표면에 광명단 또는 스탬프잉크를 칠한 후 용지에 찍어 실제 형상으로 모양을 뜨는 방법

㉡ 본뜨기법 : 실제 부품을 용지 위에 올려놓고 본을 뜨는 방법과 부품 표면을 납선으로 본을 떠서 이를 용지에 옮기는 방법

㉢ 사진 촬영법 : 사진기로 실물을 직접 찍어서 도면을 그리는 방법(크거나 복잡한 경우)

㉣ 프리핸드법 : 손으로 직접 그리는 방법

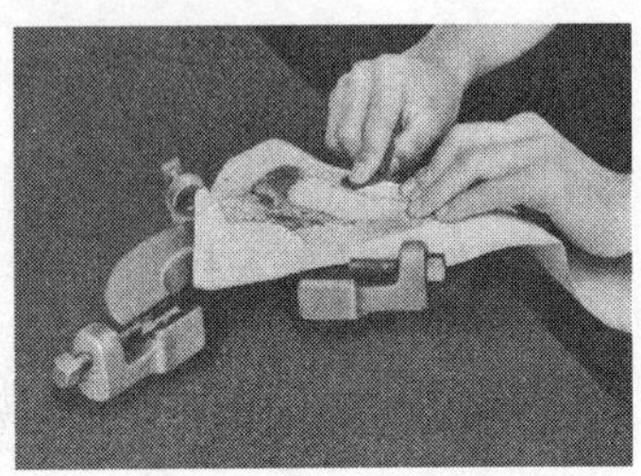
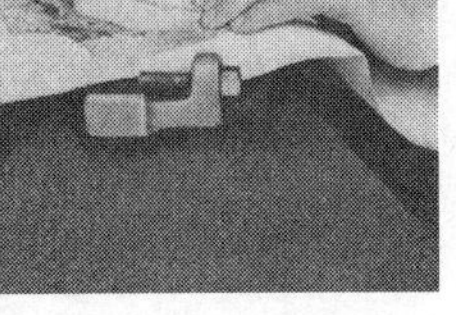

프린트법

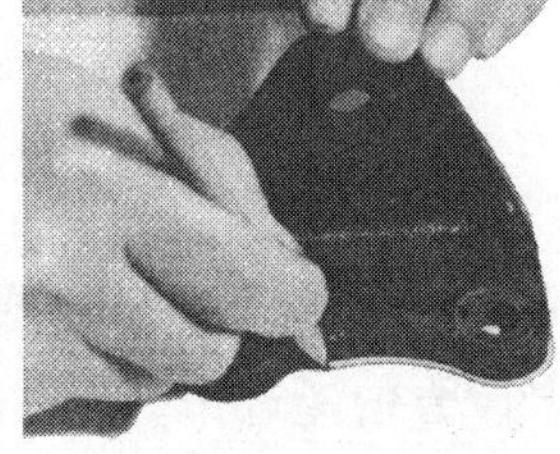

본뜨기법

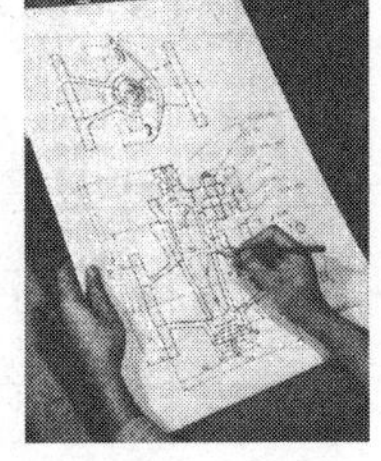

프리 핸드법

④ 스케치도 그리기

㉠ 스케치할 제품의 각부 치수를 버니어 캘리퍼스를 이용하여 측정한다.

㉡ 모눈 종이에 정면도를 기준으로 평면도와 측면도를 배치한다.

㉢ 스탬프 잉크나 광명단을 이용하여 우측면도를 프린트한다.

㉣ 정면도와 평면도의 외형을 그린다.

㉤ 가늘게 그린 부분을 진한 선으로 완성한다.

㉥ 치수선, 치수 보조선 및 치수를 기입한다.

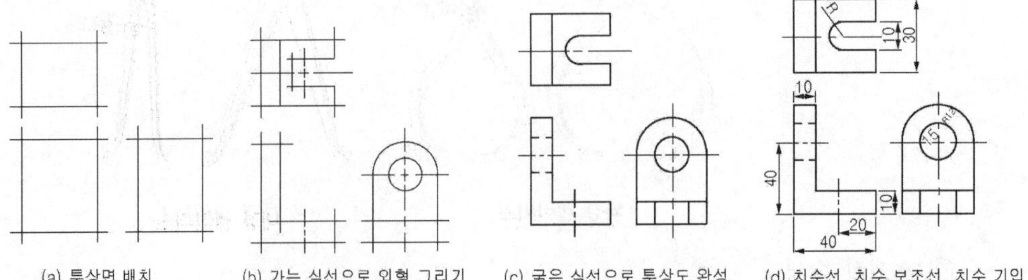

(a) 투상면 배치 (b) 가는 실선으로 외형 그리기 (c) 굵은 실선으로 투상도 완성 (d) 치수선, 치수 보조선, 치수 기입

 13 기계요소 그리기

1 나사

- 2개 이상의 기계 부품을 조립할 때 사용
- 암나사와 수나사의 쌍으로 구성
- 볼트와 너트 : 지름이 큰 경우
- 작은 나사 : 나사의 축 지름이 8mm 이하

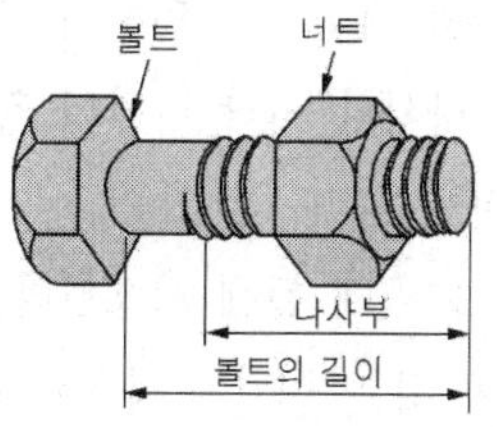

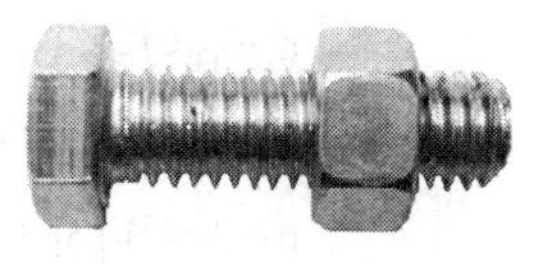

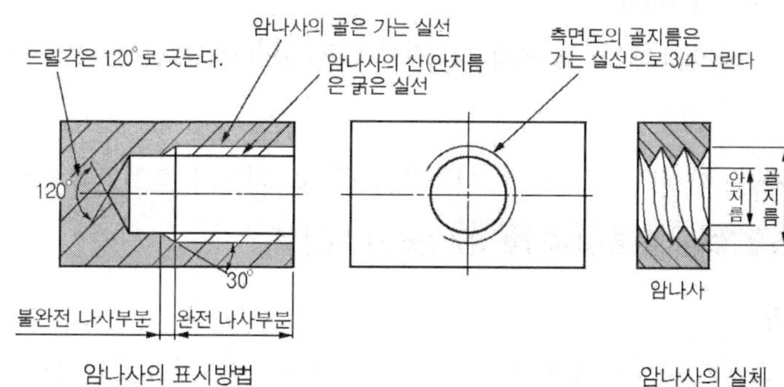

암나사의 표시방법　　암나사의 실체

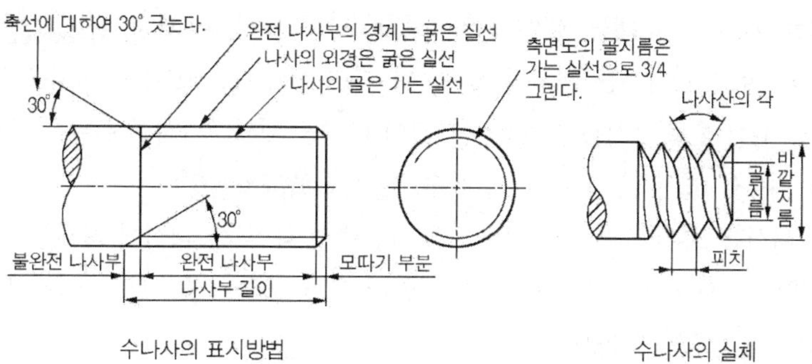

수나사의 표시방법　　수나사의 실체

- 인접한 두산의 직선거리를 측정한 값을 피치라 하고 나사가 1회전하여 축 방향으로 진행한 거리를 리드라 하며 L = NP(L : 리드, N : 줄 수, P : 피치)로 나타낸다.
- 축 방향에서 시계 방향으로 돌려서 앞으로 나아가는 나사를 오른나사, 반대인 경우를 왼나사라 한다.

① 나사의 종류

㉠ 삼각나사

- 미터나사(M) : 각도 60˚, 지름은 mm
- 관용나사 : 각도 55˚, 지름은 인치
- 유니파이나사(UNC, UNF) : 각도 60˚, 지름은 인치

㉡ 사각나사 : 프레스와 같이 큰 힘의 전달에 사용한다.(전동용 나사)

㉢ 사다리꼴나사 : 접촉이 정확하여 선반의 리드스크루 등에 사용한다. 나사산의 각도 30˚(미터계, TM), 나사산의 각도 29˚(인치계 TW)

㉣ 톱니나사 : 삼각 나사와 사각 나사의 장점을 딴 것이며 추력이 한 방향으로 작용하는 곳에 사용한다.(잭, 바이스)

㉤ 둥근나사 : 전구와 소켓 등에 사용한다.

㉥ 관용나사 : 배관용 강관 연결에 사용한다. 테이퍼 나사(PT, PS)와 평행나사(PF)의 2종이 있으며 테이퍼는 1/16이다.

㉦ 볼나사 : 마찰이 매우 작고 백래시가 작아 CNC 공작기계와 같은 정밀 공작기계에 많이 사용된다.

② **나사의 표시법** : 나사의 잠긴 방향, 나사산의 줄 수, 나사의 호칭, 나사의 등급

| 예 | 좌 2줄 M500 × 3 - 2 왼나사 2줄 미터 가는 나사 2급

③ **나사의 호칭**

㉠ 나사의 호칭은 나사의 종류 표시 기호 지름 표시 숫자, 피치 또는 25.4mm에 대한 나사산의 수로써 다음과 같이 표시한다.

㉡ 피치를 mm로 나타내는 경우(나사의 종류, 나사의 지름 × 피치) | 예 | M16 × 2

㉢ 일반적으로 미터나사는 피치를 생략하나 다만 M3, M4, M5에는 피치를 붙여 표시한다.

㉣ 피치를 산의 수로 표시하는 경우(유니파이 나사는 제외) (나사의 종류를 표시하는 기호, 수나사의 지름을 표시하는 숫자, 산, 산수) | 예 | TW 20 산 6

㉤ 관용 나사는 산의 수를 생략한다. 또 각인에 한하여 산 대신에 하이픈을 사용할 수 있다.

㉥ 유니파이 나사 (수나사의 지름을 표시하는 숫자 또는 번호 - 산수, 나사의 종류를 표시하는 기호) | 예 | 1/2 - 13 UNC

④ **나사의 등급** : 나사의 정도를 구분한 것을 나사의 등급이라 하며, 숫자 밑에 문자에 조합으로 나타낸다. 미터나사는 급수가 작을수록, 유니파이 나사는 급수가 클수록 정도가 높다.

| 예 | 3A, 3B 2A, 2B 1A, 1B A : 수나사 B : 암나사 나사의 등급은 필요 없을 경우에는 생략해도 좋으며, 또 암나사와 수나사의 등급을 동시에 표시할 필요가 있을 시에는 암나사의 등급 다음에(/)을 넣고 수나사 등급을 표시한다. | 예 | M10 - 2/1 : 한 줄 미터 보통 나사, 암나사 2급, 수나사 1급

⑤ **볼트와 너트**

㉠ 볼트와 너트의 제도

- 볼트와 너트는 전조하여 다량 생산하므로 제작도는 그리지 않는다.
- 제작도용 약도로 그린다.
- 나사산을 모두 그리지 않고 간략도로 그린다.
- 제작용 약도에서 육각(사각)너트의 암나사부는 가는 실선으로 원을 그리고, 골지름의 $\frac{1}{4}$은 그리지 않는다.

㉡ 제작용 약도 그리는 방법

- 골지름은 가는 실선으로 그린다.
- 안지름은 굵은 실선으로 그린다.
- 완전 나사부와 불완전 나사부의 경계는 굵은 실선으로 그린다.
- 볼트와 너트의 결합을 나타낼 때는 볼트를 기준으로 그린다.
- 불완전 나사부의 골을 나타내는 선은 축선에 대하여 30°의 가는 실선으로 그린다.

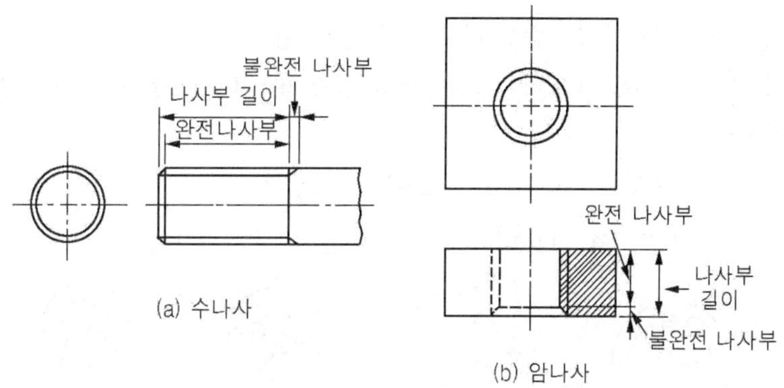

(a) 수나사 (b) 암나사

㉢ 볼트의 호칭 : 규격 번호, 종류, 다듬질 정도, 나사의 호칭×길이 - 나사의 등급, 강도 구분, 재료, 지정 사항으로 표시 **| 예 | KSB 1002 육각 볼트 중 M42 × 150 - 2 SM20C 둥근끝**

- 이중 규격 번호는 생략 가능하며, 지정 사항은 자리 붙이기, 나사부의 길이, 나사 끝 모양, 표면 처리 등을 필요에 따라 표시가 가능하다.

㉣ 너트의 호칭 : 규격 번호, 종류, 모양의 구별, 다듬질 정도, 나사의 호칭 - 나사의 등급, 재료, 지정사항 **| 예 | KSB 1002 육각너트 2종 상 M42 - 1 SM20C H = 42**

- 규격번호는 특별히 필요치 않으면 생략하고 지정 사항은 나사의 바깥지름과 동일한 너트의 높이(H), 한 계단 더 큰 부분의 맞변 거리(B), 표면 처리 등을 필요에 따라 표시한다.

㉤ 작은 나사 보통 지름이 1 ~ 8mm(규격번호, 종류, 나사의 호칭×길이, 나사의 등급, 강도 구분, 재료, 지정사항) **| 예 | + 자 홈 접시머리 작은 나사 M5 × 0.8 25 SM20C 아연 도금**

- 작은 나사의 제도
- 작은 나사의 머리에 (-)홈이 있으면 평면도의 원에 45°방향으로 하나의 굵은 실선으로 그린다.

- 작은 나사의 머리에 (+) 홈이 있으면 평면도의 원에 × 표를 그린다.
- 나사부의 골지름은 가는 실선으로 그린다.

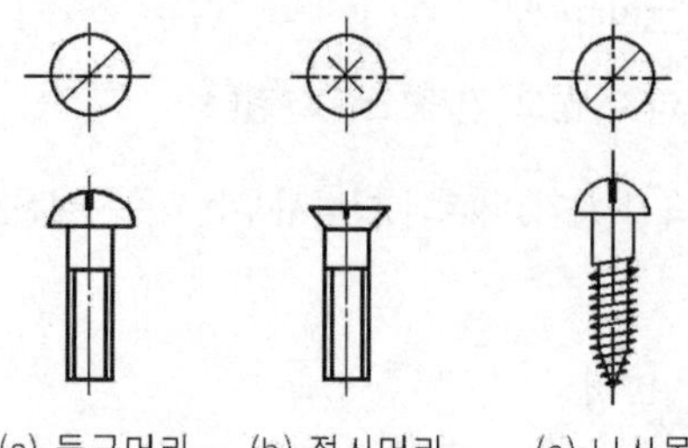

(a) 둥근머리　(b) 접시머리　(c) 나사못

ⓗ 세트 스크루 (머리 모양, 끝 모양, 등급, 나사의 호칭×길이, 재료, 지정 사항)

| 예 | 사각 평행형 2급 M5 × 0.8 10 SM20C 아연 도금

2 핀

① **종류** : 평행 핀, 테이퍼 핀, 슬롯 테이퍼 핀, 분할 핀

② 기계 접촉면의 미끄럼 방지나 너트의 풀림 방지 및 위치 고정용 등 비교적 큰 힘이 걸리지 않는 곳에 사용

③ 규격품이므로 부품도를 그리지 않고 조립도만 그린다.

④ 부품란의 비고에 규격을 기입한다.

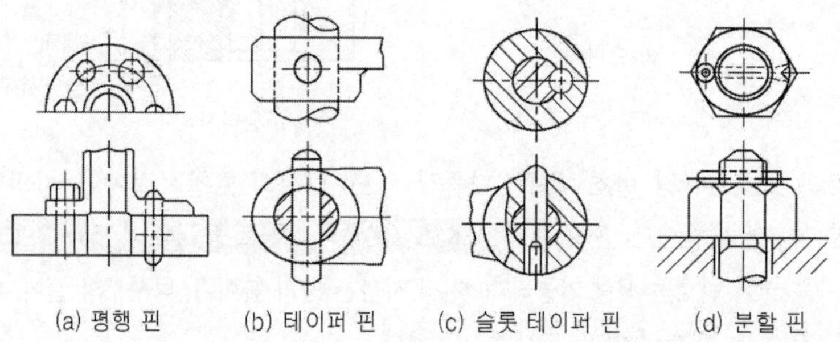

(a) 평행 핀　(b) 테이퍼 핀　(c) 슬롯 테이퍼 핀　(d) 분할 핀

3 키

① **종류** : 평키, 안장 키, 묻힘 키, 반달 키, 원뿔 키, 스플라인

② 축에 풀리, 기어 등의 회전체를 고정시켜 축과 회전체가 미끄러지지 않고 회전을 정확하게 전달하는데 쓰임

③ 규격품이므로 부품도를 그리지 않고 조립도만 그린다.

④ 부품란의 비고에 규격을 기입한다.

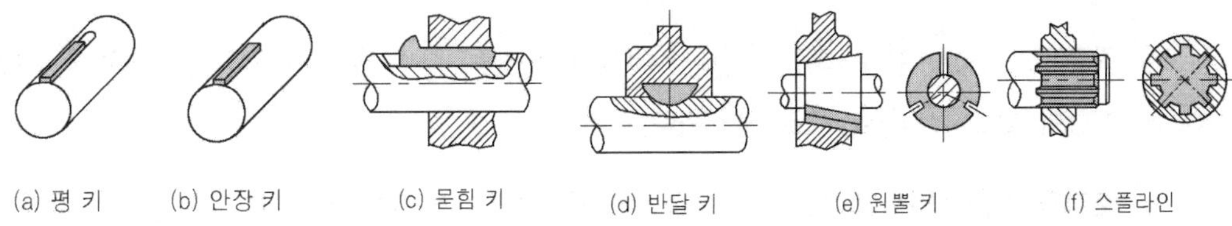

4 코터

축 방향으로 인장력이나 압축력이 작용하는 두 축을 연결하거나 풀어야 될 필요가 있을 때 사용한다. 코터의 테이퍼는 보통 1/20이며, 반영구적인 곳은 1/100, 분해하기 쉽게 한 곳은 1/5~1/10 정도 둔다.

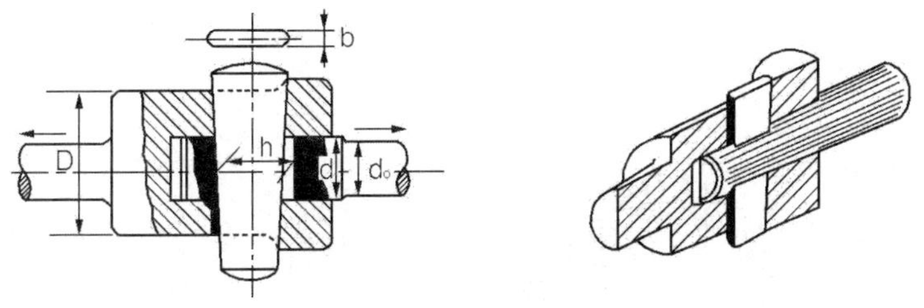

5 벨트풀리

① **종류** : 평 벨트 풀리, V 벨트 풀리
② 동력을 전달하는 두 축 사이의 거리가 길 때에 사용
③ 평 벨트 재질 : 가죽, 고무, 강철 등
④ V벨트는 합성 고무를 압축하여 40°각도 V자 홈으로 만듦. 평 벨트에 비해 미끄럼과 소음 적음

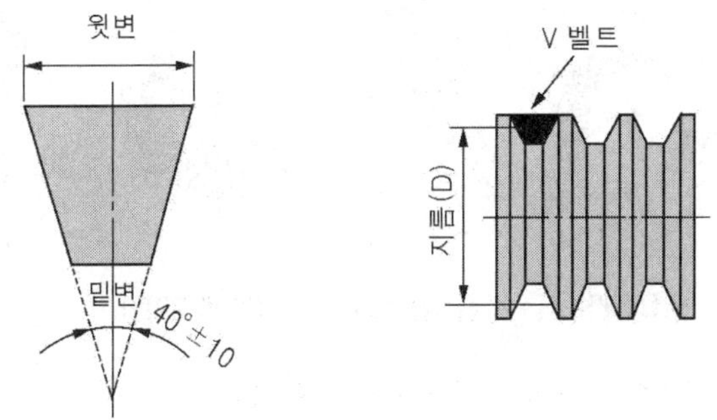

6 스프로킷 휠

오토바이 자전거 등에서 동력을 전달해주는 요소로 축간 거리가 4M 이내이고 회전비가 일정할

필요가 있을 때 사용한다.

① **종류** : 스프로킷 휠의 종류는 형태에 따라 보스 부착 형과 평평한 형이 있고, 치형에 따라 S형과 U형이 있으나, S형이 주로 사용된다.

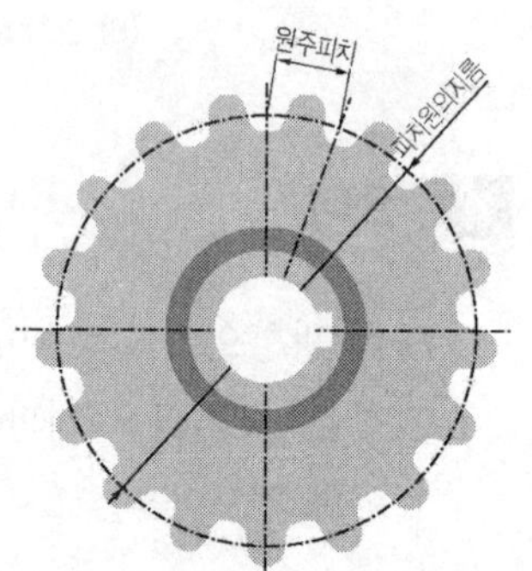

② **호칭과 기준 치수** : 스프로킷의 호칭은 1 줄, 호칭 번호 40, 이수 30개, S 치형인 경우 스프로킷 40 N 30 S로 나타내며, 2줄, 호칭 번호 60, 이수 20개, U 치형인 경우는 스프로킷 60 - 2 N 20 U로 나타낸다.

③ **재질과 표면 거칠기** : 스프로킷 휠의 재질은 주강 또는 고급 주철을 사용하며, 휠의 표면은 매끈하게 다듬질되어 있다.

7 기어

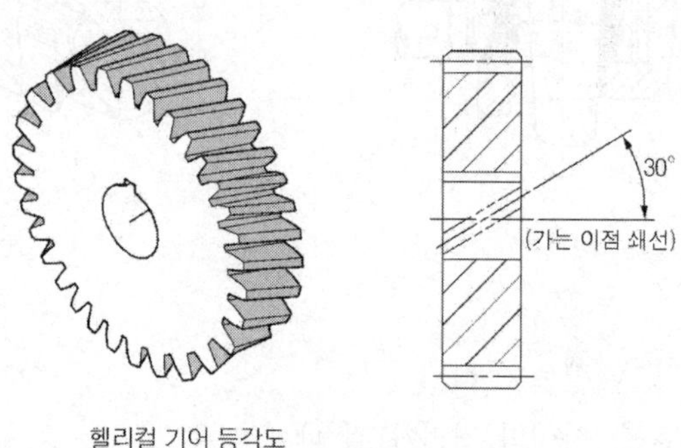

헬리컬 기어 등각도

① **종류** : 스퍼 기어, 내접 기어, 헬리컬 기어, 직선 베벨 기어, 스크루 기어, 래크

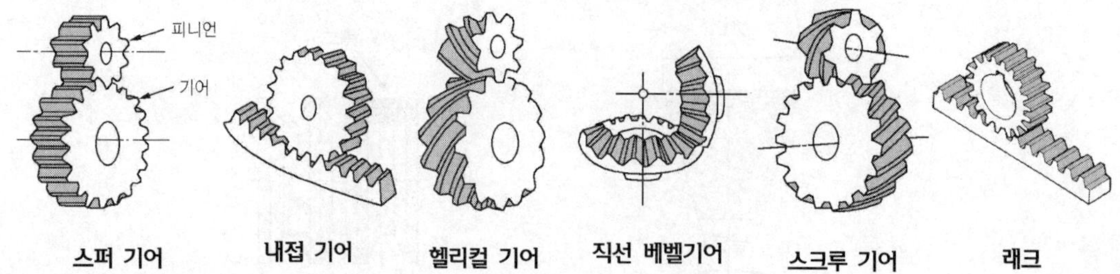

② 동력을 전달하는 두 축 사이의 거리가 짧을 때 사용

③ **특징** : 동력을 일정한 속도비로 정확하게 전달 가능

④ 한 쌍의 기어가 맞물려 돌기 위한 조건은 모듈(module)이 같아야 한다.

⑤ **모듈** : 피치원의 지름을 이수로 나눈 값

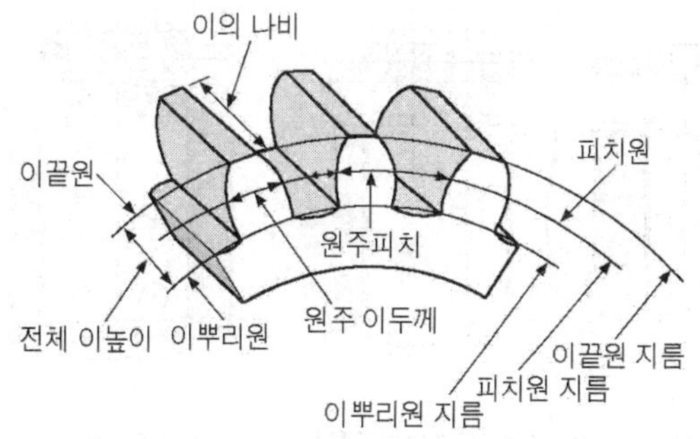

⑥ **기어를 그리는 방법**

㉠ 이끝원은 굵은 실선으로 그린다.

㉡ 피치원은 가는 1점 쇄선으로 그린다.

㉢ 이뿌리원은 가는 실선으로 그린다.

㉣ 헬리컬 기어나 나사 기어 등의 잇줄 방향은 보통 3개의 가는 실선으로 그린다.

㉤ 기어의 부품도에는 요목표를 병행한다.

㉥ 요목표 내용 : 치형, 모듈, 압력각, 이수 등

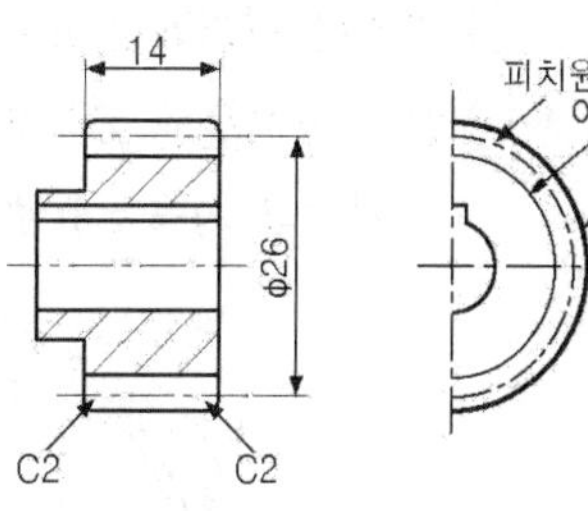

8 리벳

① 용도에 따라 일반용, 보일러용, 선박용 등

② 리벳 머리의 종류에 따라 둥근 머리, 접시 머리, 납작 머리, 둥근 접시 머리, 얇은 납작 머리, 남비 머리 등

③ 리벳의 호칭(규격 번호, 종류, 호칭지름×길이 재료) | 예 | KSB 1102 열간 둥근머리 리벳 12 × 30 SBV 34
규격 번호를 사용하지 않는 경우는 종류의 명칭에 열간 또는 냉간을 앞에 기입한다.

④ 리벳 이음의 도시법

㉠ 리벳의 크기를 도시할 필요가 있을 때에는 아래 그림과 같이 도시한다.

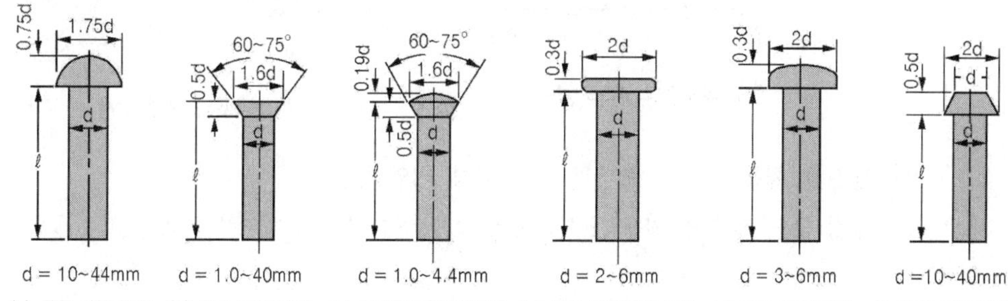

(a) 둥근 머리 리벳 (b) 접시 머리 리벳 (c) 둥근접시 머리 리벳 (d) 얇은 납작머리 리벳 (e) 남비 머리 리벳 (f) 납작 머리 리벳

리벳의 종류

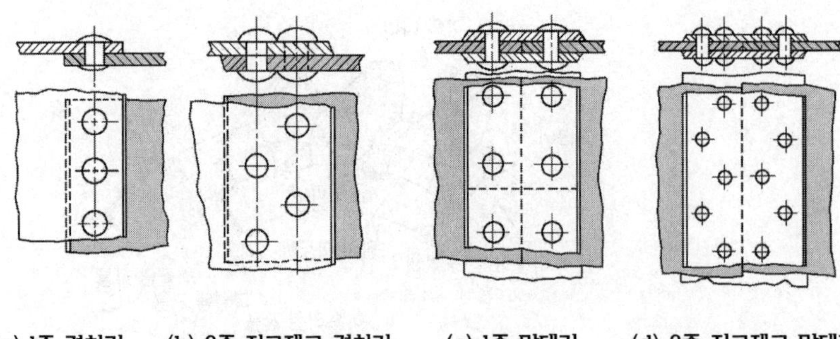

(a) 1줄 겹치기　(b) 2줄 지그재그 겹치기　(c) 1줄 맞대기　(d) 2줄 지그재그 맞대기

겹치기 이음　　맞대기 이음

㉡ 리벳의 위치만을 표시할 때에는 중심선만을 그린다.

㉢ 같은 간격으로 연속하는 같은 종류의 구멍 표시 방법은 아래 그림과 같이 한다.(간격의 수 ×간격의 치수 = 합계 치수)

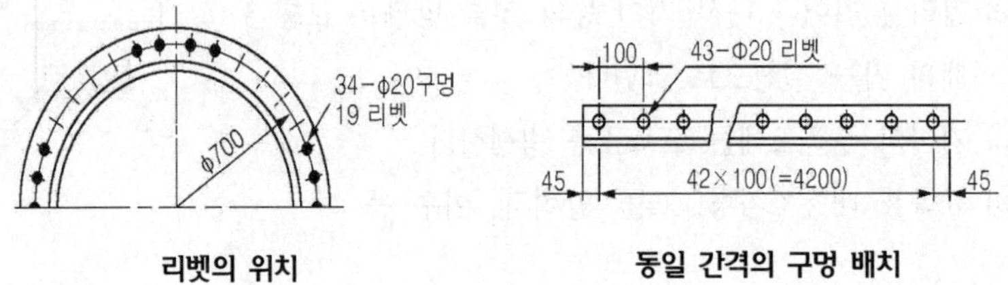

리벳의 위치　　동일 간격의 구멍 배치

㉣ 얇은 판, 형강 등의 단면은 굵은 실선으로 도시한다.

㉤ 여러 장의 얇은 판의 단면 도시에서 각판의 파단선은 서로 어긋나게 긋는다.

㉥ 리벳은 길이 방향으로 절단하여 도시하지 않는다.

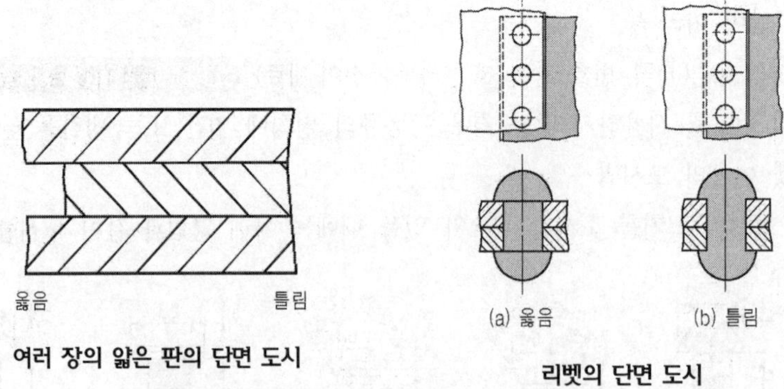

여러 장의 얇은 판의 단면 도시　　리벳의 단면 도시

㉦ 형강의 치수 기입은 형강 도면 위쪽에 기입한다.

㉧ 평강 또는 형강의 치수 표시는(모양 나비×나비×두께 - 길이)로 표시

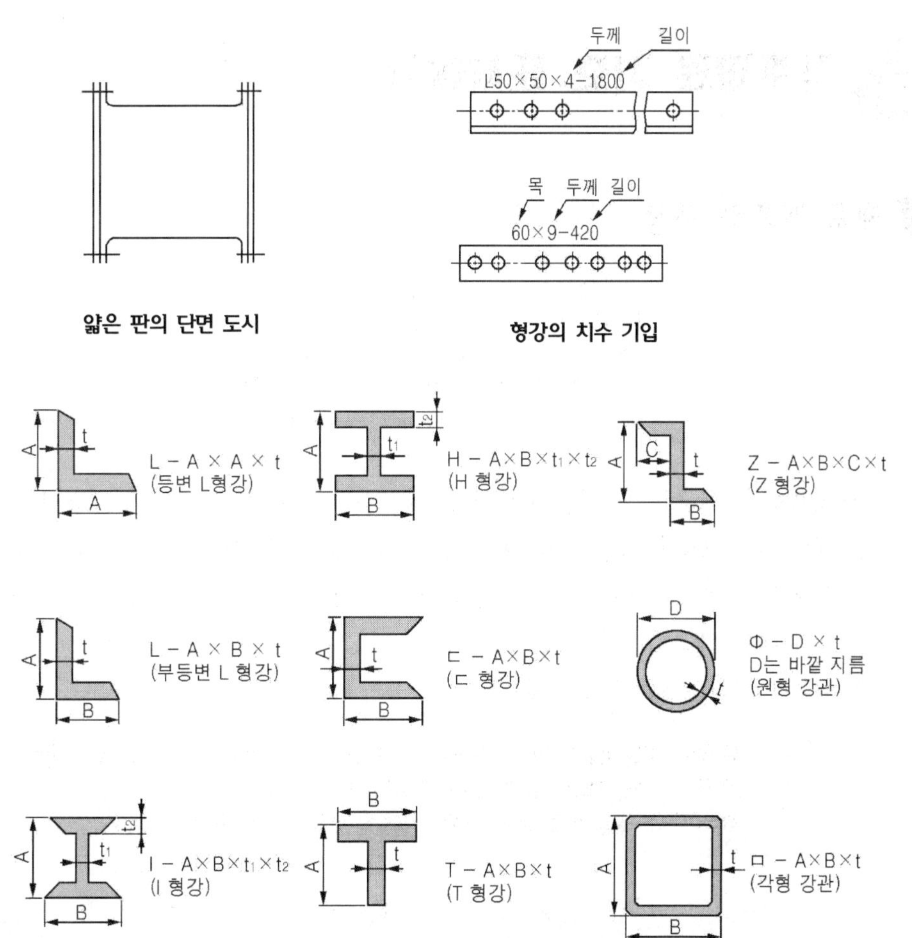

얇은 판의 단면 도시

형강의 치수 기입

㉮ 구조물에 쓰이는 리벳은 기호를 사용한다.

		둥근머리 리벳	접시머리 리벳					납작머리 리벳			둥근 접시머리 리벳		
종 별													
기호 (화살표방향에서 봄)	공장 리벳												
	현장 리벳												

14 기계재료 기호 표시하기

1 재료 기호의 구성

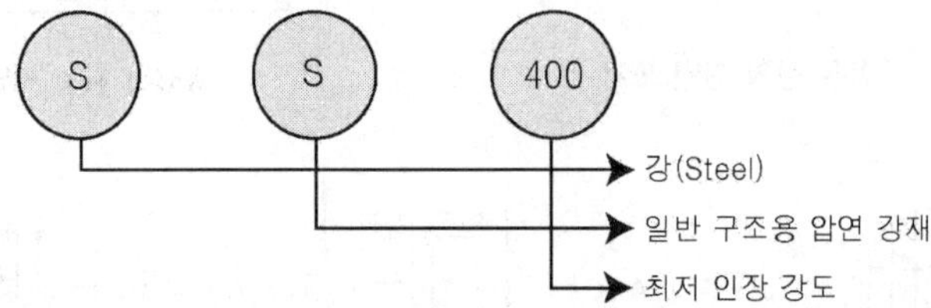

① 첫째자리 : 재질을 나타내는 로마자의 머리글자(대문자)나 원소 기호로 표시
② 둘째자리 : 재료의 이름, 모양, 용도 등을 나타내며, 로마자의 머리글자(대문자)로 표시
③ 셋째자리 : 재료의 종류 번호, 최저 인장강도, 제조방법, 열처리 방법 등을 표시
④ 넷째자리 : 제조법 등을 표시
⑤ 다섯째 자리 : 제품 형상 등을 표시.

(예 SF40 : S는 재질이 강이며, 제품명은 단조품으로 최저 인장 강도가 40kg/mm² 이다.)
(예 FR1-0 : F는 재질이 강이며, R은 봉으로 1종 연질이다.)
(BsBMOR◎ : 황동, 비철 금속 머시인용 봉재로 연질이며, 압출로 만든 파이프이다.)

	기호	기호의 뜻	기호	기호의 뜻
제 1위 기호 (재질 명칭)	Al	알루미늄	K	켈멧 합금
	AlA	알루미늄합금	MgA	마그네슘 합금
	B	청동	NBS	네이벌 황동
	Bs	황동	Nis	양은
	C	초경합금	PB	인청동
	Cu	구리	S	강
	F	철	W	화이트 메탈
	HBs	강력 황동	Zn	아연
제 2위 기호 (규격 및 제품명)	B	바 또는 보일러	R	봉
	BF	단조봉	HN	질화 재료
	C	주조품	J	베어링 재
	BMC	흑심가단주철	K	공구강
	WMC	백심가단주철	NiCr	니켈크롬강
	EH	내열강	KH	고속도강
	FM	단조재	F	단조품

	기호	기호의 뜻	기호	기호의 뜻
제 3위 기호 (종별 및 특성)	O	연질	T_4	담금질 후 상온시효
	$\frac{1}{4}$H	$\frac{1}{4}$경질	EH	특경질
	$\frac{1}{2}$H	$\frac{1}{2}$경질	T_2	담금질 후 풀림
	S	특질	W	담금질한 것
	$\frac{3}{4}$H	$\frac{3}{4}$경질	T_3	풀림
	H	경질	SH	초경질
제 4위 기호 (제조법)	Oh	평로강	Cc	도가니강
	Oa	산성 평로강	R	압연
	Ob	염기성 평로강	F	단련
	Bes	전로강	Ex	압출
	E	전기로강	D	인발
제 5위 기호 (형상 기호)	P	강판	[8]	8각강
	●	둥근강	▱	평강
	◎	파이프	I	I 형강
	□	각재	⊏	채널
	⬡	6 각강	⌊	L 형강

2 재료의 종류

① 냉간 압연 강판(SCP) : 1종, 2종, 3종이 있다.

② 열간 압연 강판(SHP) : SHP1, SHP2, SHP3이 있다.

③ 일반 구조용 압연강(SS) : SS330, SS400, SS490, SS540이 있다.

④ 기계 구조용 탄소강(SM) : SM0C, SM12C,

- SM15C, SM17C, SM20C, SM22C, SM25C, SM28C, SM30C, SM33C, SM35C, SM38C, SM40C, SM43C, SM45C

⑤ 탄소 공구강(STC) : STC1, STC2, STC3, STC4, STC5, STC6, STC7이 있다. 단, 불순물로서는 0.25% Cu, 0.25% Ni, 0.3% Cr을 초과해서는 안 된다.

⑥ 용접 구조용 압연강재 : SM400A · B · C, SM490A · B · C, SM490YA · YB, SM520B · C, SM570, SM490 TMC, SM520 TMC, SM 570 TMC(용접구조용 압연강재(KS D 3515)의 SWS 표기는 한국산업규격의 개정('97.10.22)에 의하여 SM으로 변경되었다. 즉 SM400 A, B, C가 있으며, 400은 인장강도를 의미한다.)

⑦ 보일러용 압연강재 SB 등

CAD (Computer Aided Design)

1 CAD의 개요

① CAD(Computer Aided Design) : 컴퓨터를 이용한 설계, 제품의 제도, 해석, 시뮬레이션(Simulation) 등을 행하고, 모니터로 보면서 프린터로 출력

- **모델링의 종류**

㉠ 와이어 프레임 모델링 : 2차원 윤곽, 도면 작성

㉡ 서피스 모델링 : 자유 곡면 형상 제품 설계, CNC 가공

㉢ 솔리드 모델링 : 체적, 무게 중심의 계산, 유한 요소 메시 생성

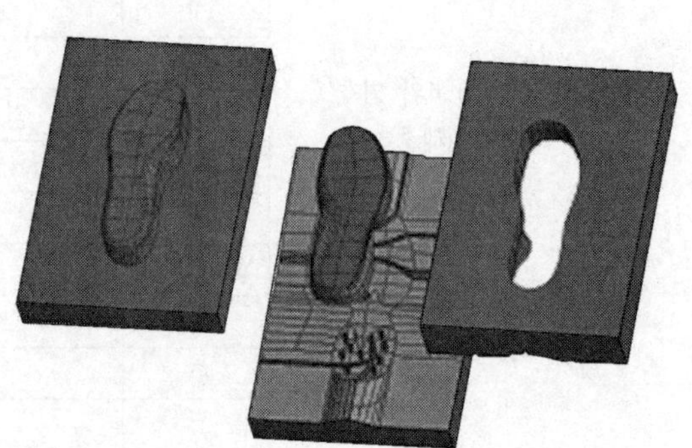

모델링 기법

2 CAD의 좌표계

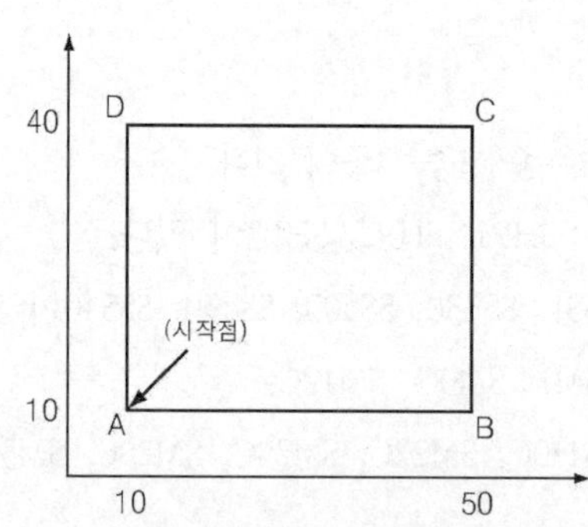

절대좌표계		상대좌표계(증분좌표계)		극좌표계	
시작점	10,10	시작점	10,10	시작점	10,10
A→B	50,10	A→B	@40,0	A→B	@40<0
B→C	50,40	B→C	@0,30	B→C	@30<90
C→D	10,40	C→D	@-40,0	C→D	@40<180
D→A	10,10	D→A	@0,-30	D→A	@30<270

3 그리기 명령어

① 선 그리기(Line)
② 호 그리기(Arc)
③ 원 그리기(Circle)
④ 문자 쓰기(Text)
⑤ 사각형 그리기(Rectang)
⑥ 다각형 그리기(Polygon)

4 기하학적 특이점

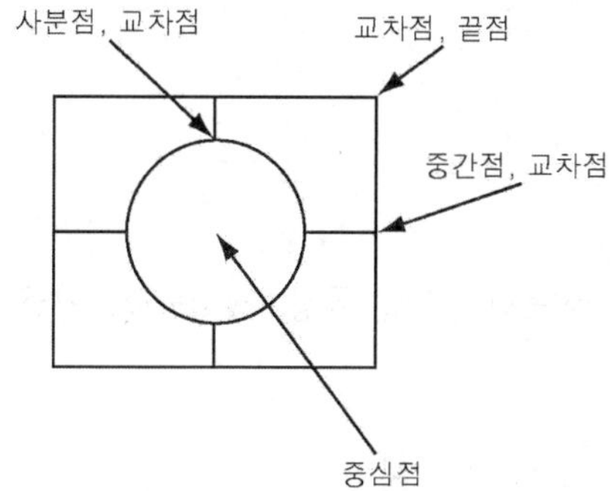

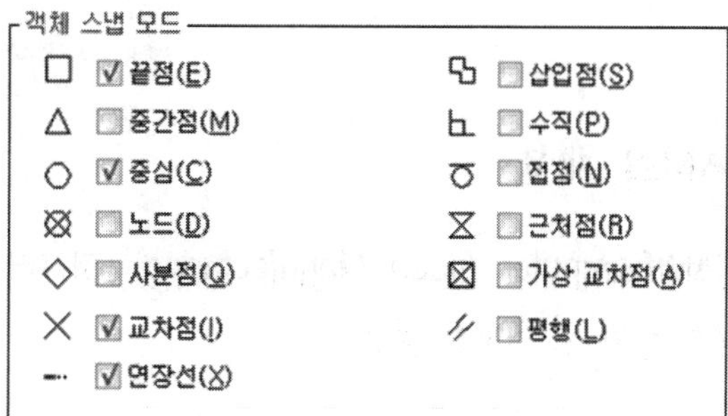

5 편집 명령어

편집 명령어를 사용하면 도면을 쉽게 편집할 수 있다.

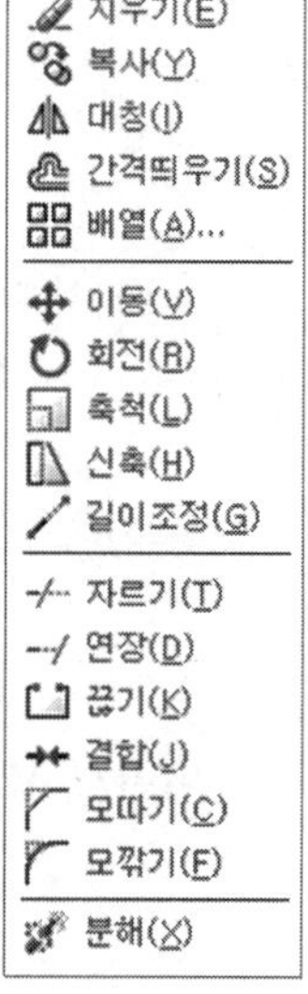

7 치수기입

다음과 같은
치수 기입 명령어를 선택하여
원활한 치수 기입을 할 수 있다.

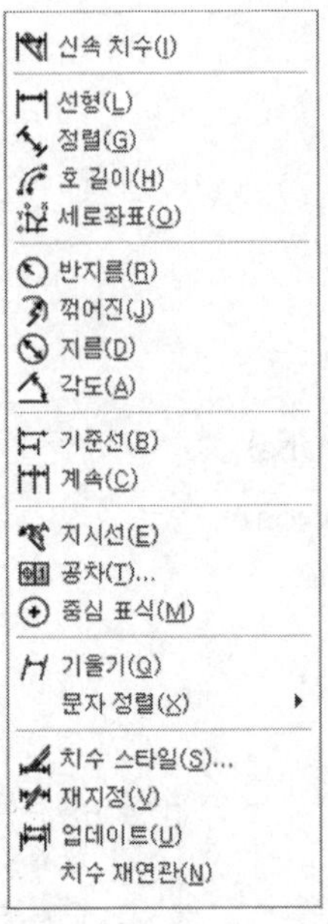

8 CAM의 개요

CAM(Computer Aided Manufacturing) : 컴퓨터를 이용한 제조, 공정, 작업방법, 가공, 검사, 조립 등의 전 과정을 포함.

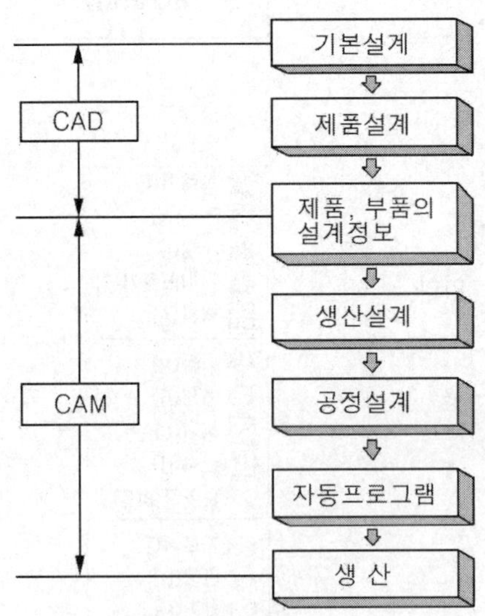

CAD / CAM의 구분

16 배관도면 그리기

1 도면의 일반적인 사항

도면의 작성 전 도면 목록표, 범례표, 장비일람표 등을 작성하여 건설 현장에 종사하면서 도면을 보는 사람뿐만 아니라 그 장치를 운전하는 사람도 쉽게 이해할 수 있도록 하여야 한다.

2 배관(配管)의 표시 방법

① **관의 표시** : 관은 원칙적으로 1줄의 실선으로 도시하고, 동일 도면 내에서는 같은 굵기의 선을 사용한다. 다만 관의 계통, 상태, 목적을 표시하기 위하여 선의 종류를 바꾸어 도시하여도 된다. 이 경우, 각각의 선 종류의 뜻을 도면상의 보기 쉬운 위치 또는 아래 표와 같은 범례표에 명기한다. 치수 표시는 mm(A)를 단위로 하고 각도는 보통 도로 표시한다.

② 배관도의 종류로는 평면 배관도, 입면 배관도, 입체 배관도, 조립도, 부분 조립도 등이 있다. 관의 높이 표시는 관의 중심을 기준으로 하는 EL, 관 외경의 아래면을 기준으로 하는 BOP, 관 외경의 윗면을 기준으로 하는 TOP, 지표면을 기준으로 하는 GL, 1층 바닥면을 기준으로 하는 FL이 있다.

위생 배관		
──◆──	급수관 COLD WATER	KS D5301 (동관 "L" 타입)
──◆◆──	급탕관 HOT WATER SUPPLY	KS D5301 (동관 "L" 타입)
──◆◆◆──	환탕관 HOT WATER RETURN	KS D5301 (동관 "L" 타입)
──PD──	배수양수관 PUMPING DRAIN WATER	KS D3507 (백강관)
── D ──	배수관 DRAIN	입상 KS D4307 - EPOXY TYPE 횡주 KS D4307 - NO - HUB TYPE
── S ──	오수관 SOIL	
---V---	통기관 VENT	KS D3507 (백강관)

② **복관(複管)으로 그리기** : 관은 아래 그림과 같이 복관으로 그려 상세히 표현하기도 한다.

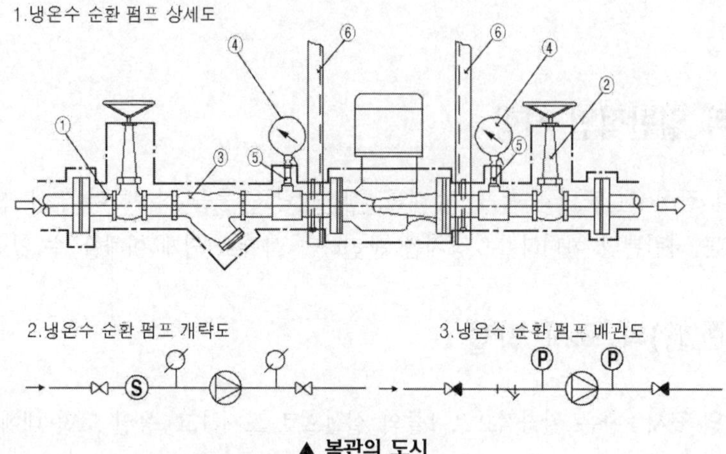

▲ 복관의 도시

3 배관에 흐르는 유체의 종류 상태 표시 방법

① **표시** : 표시 항목은 원칙적으로 다음 순서에 따라 필요한 것을 글자, 글자기호를 사용하여 표시한다. 또한, 추가할 필요가 있는 표시항목은 그 뒤에 붙이며, 글자기호의 뜻은 도면상의 보기 쉬운 위치에 명기한다.

㉠ 관의 호칭지름

㉡ 유체의 종류, 상태, 배관계의 식별 (공기 A, 가스 G, 기름 O, 수증기 S, 물 W)

㉢ 배관계의 시방(관의 종류, 두께, 배관계의 압력구분 등)

㉣ 관의 외면에 실시하는 설비재료

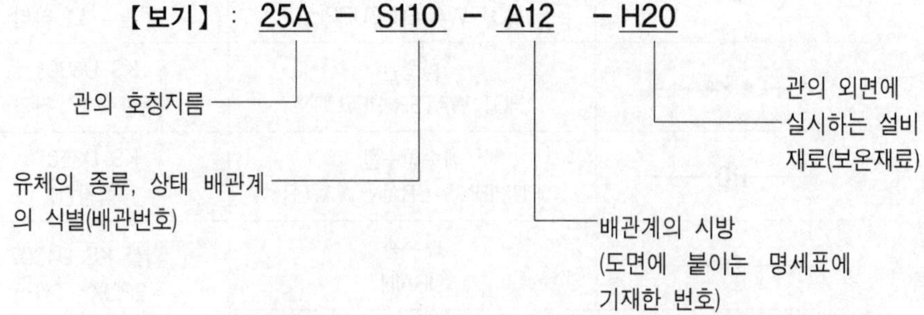

② **표시 내용 표현 방법** : 표시 내용을 관에 표시하는 경우는 관의 위쪽 또는 왼쪽에 도시하거나 복잡한 경우에는 지시선을 사용하여 인출하여 기입한다.

【보기】 25A - S110 - A12 - H20

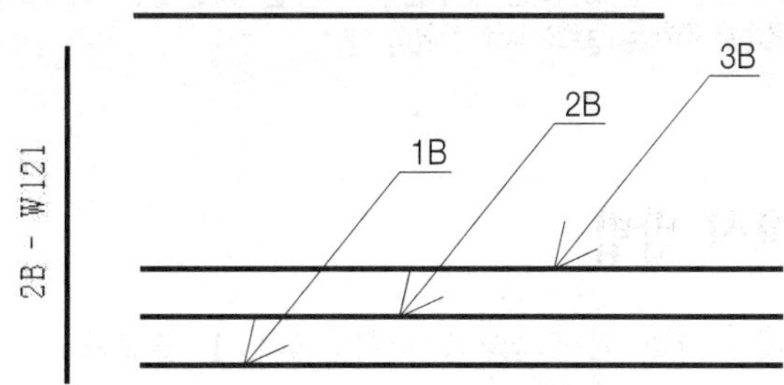

4 유체 흐름의 표시 방법

① **배관내 흐름의 방향** : 배관내 흐름의 방향은 관을 표시하는 선에 화살표를 붙여 방향을 표시한다.

【보기】

② **배관도의 부속품 부품 구성품 및 기기내의 흐름의 방향** : 배관도의 부속품기기내의 흐름의 방향을 특히 표시할 필요가 있는 경우는 그 그림기호에 따르는 화살표로 표시한다.

【보기】 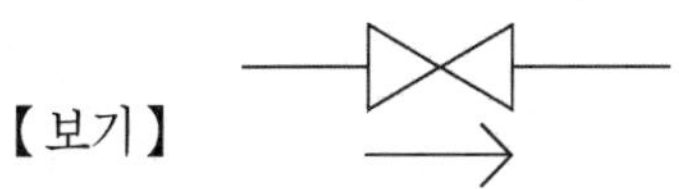

5 관 접속 상태의 표시 방법

관을 표시하는 선이 교차하고 있는 경우에는 아래의 표와 같은 표시 방법에 따라 각각의 관이 접속하고 있는지, 접속하고 있지 않은지를 표시한다.

관의 접속 상태		도시 방법		
접속하고 있지 않을 때				
접속 하고 있을 때	교차			
	분기			

접속하고 있지 않는 것을 표시하는 선의 끊긴 자리, 접속하고 있는 것을 표시하는 검은 동그라미는 도면을 복사 또는 축소할 때에도 명백하도록 그려야 한다.

6 관 결합 방식의 표시 방법

관의 결합 방식은 아래의 표와 같이 일반(나사식), 용접식, 플랜지식, 턱걸이식, 유니온식으로 구분하여 표시할 수 있다.

결합 방식의 종류	그림 기호
일반(나사식)	
용접식	
플랜지식	
턱걸이식	
유니온식	

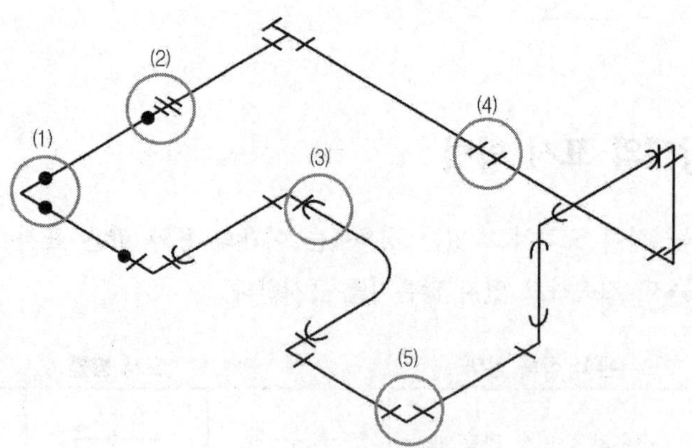

▲ 실제 도면에서의 결합 방식의 표시

방식의 표시 : 그림에서 ①은 용접식, ②는 용접식 및 유니온식인 절연 유니온을 사용한 이음, ③은 턱걸이식, ④는 플랜지식, ⑤는 일반식인 나사이음으로 엘보를 사용한 이음이다.

7 관이음의 표시 방법

① **이음쇠의 사용목적에 따른 종류** : 이음쇠를 사용목적에 따라 분류하면 다음 표와 같다.

목 적	종 류
배관 방향을 바꿀 때	엘보, 벤드
관을 도중에서 분기할 때	티, 와이, 크로스
지름이 같은 관을 직선으로 연결할 때	소켓, 유니온, 플랜지, 니플
지름이 다른 관을 연결할 때	부싱, 이경 소켓, 이경 엘보, 이경 티
관 끝을 막을 때	캡, 플러그
관의 수리, 점검, 교체 필요시	유니온, 플랜지

② **고정식 관 이음쇠** : 고정식 관 이음쇠는 엘보, 벤드, 티, 크로스, 리듀서, 하프커플링 등이 있다.

관 이음쇠의 종류		그림 기호	비 고
엘보 및 벤드			결합방식의 그림기호와 결합하여 사용한다. 지름이 다르다는 것을 표시할 필요가 있을 때는 그 호칭을 인출선을 사용하여 기입한다.
티			
크로스			
리듀서	동심		특히 필요한 경우에는 결합방식의 그림기호와 결합하여 사용한다.
	편심		
하프커플링			

③ **가동식 관 이음쇠** : 가동식 관 이음쇠는 신축 이음쇠 및 플랙시블 이음쇠가 등이 있다.

관 이음쇠의 종류	그림 기호	비 고
신축 이음쇠		특히 필요한 경우에는 결합방식의 그림기호와 결합하여 사용한다.
플랙시블 이음쇠		

신축이음은 루프형, 벨로즈형, 슬리브형, 스위블형이 있다.

이음종류	신축이음			
연결 방법	루프형	벨로즈형	슬리브형	스위블형
도시 기호				

④ 지름이 다른 이음쇠의 호칭 순위

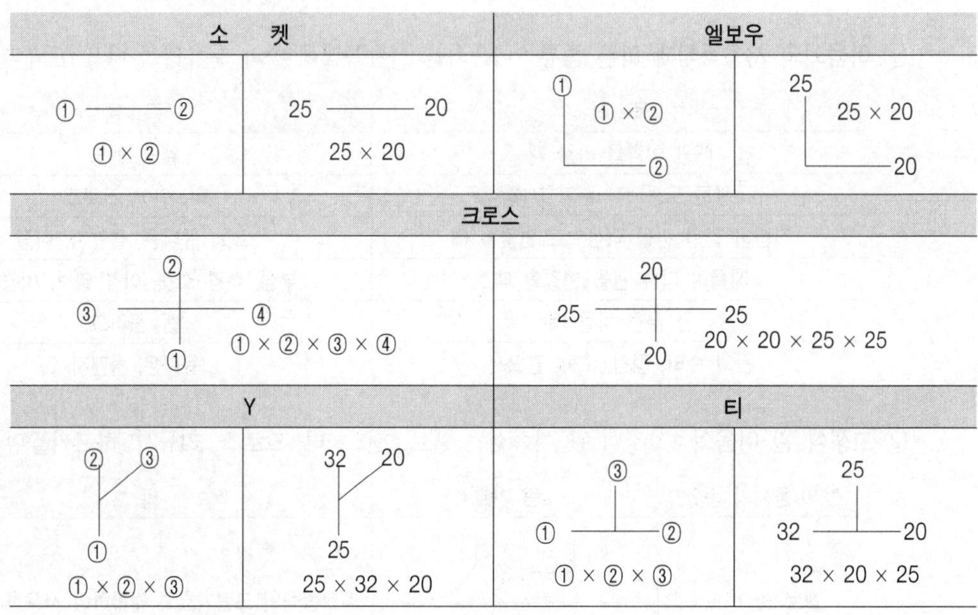

8 관 끝부분의 표시 방법

끝 부분의 종류	그림 기호
막힌 플랜지	
나사박음식 캡 및 나사박음식 플러그	
용접식 캡	

9 밸브 및 콕 몸체의 표시 방법

① 밸브 및 콕의 표시 방법

㉠ 밸브의 종류

- 슬로스 밸브(게이트 밸브) : 나사봉에 의하여 밸브가 파이프의 축선에 직각 방향으로 개폐되는 밸브이며, 이 밸브를 완전하게 열면 유체 흐름의 저항이 작고 밸브의 개폐 시간이 긴 밸브이다.
- 글로브 밸브(스톱밸브) : 파이프 출구와 입구가 일직선이고 밸브 시트에 대하여 수직 방향으로 운동한다.

- 체크밸브 : 유체의 흐름을 한 방향으로만 흐르게 하는 밸브로 종류에는 리프트식과 스윙식이 있다.
- 앵글밸브 : 파이프의 출구와 입구가 직각을 이루는 밸브이다.
- 안전밸브 : 보일러나 압력 용기 등에 사용되며, 사용 중 규정 압력 이상이 되면 밸브가 열려 유체가 대기 중에 방출되는 밸브이다.
- 콕 : 관 속의 유체가 저압일 경우 신속히 개폐할 때 사용한다.

ⓛ 밸브의 표시방법

종 류	그림 기호	종 류	그림 기호
밸브 일반		앵글밸브	
게이트 밸브		3방향 밸브	
글로브 밸브		안전밸브	
체크 밸브			
볼 밸브			
버터플라이 밸브		콕 일반	

② **밸브 및 콕의 닫혀 있는 상태 표시** : 밸브 및 콕이 닫혀 있는 경우에는 그림 기호를 까맣게 칠하거나 닫혀 있다는 것을 표시하는 문자 "폐", "C" 등을 첨가하여 표시한다.

【보기】 

10 밸브 및 콕 조작부의 표시 방법

밸브 및 콕의 개폐조작부의 동력 조작 또는 수동 조작의 구별을 명시할 필요가 있는 경우에는 아래의 표와 같은 그림기호로 표시한다.

개폐 조작	그림 기호	비고
수동 조작		수동으로 개폐를 지시할 필요가 없을 때는 조작부의 표시를 생략한다.
동력 조작		상세에 대하여 표시는 KS A3016에 따른다.

11 계기의 표시 방법

유량계, 압력계 등의 계기를 표시하는 경우에는 관을 표시하는 선에서 분기시킨 가는 선의 끝에 원을 그려서 아래와 같이 표시한다.

【보기】

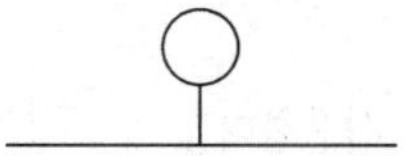

계기의 측정하는 변동량 및 기능 등을 표시하는 글자 기호는 KS A3016에 따른다. 그 보기를 참고도에 표시한다.

【보기】

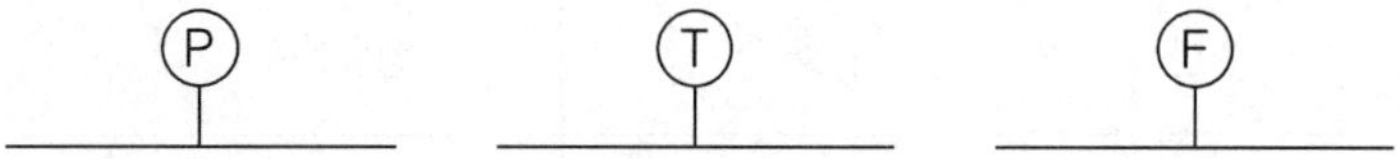

P 압력 지시계 | T 온도 지시계 | F 유량 지시계

12 기기의 표시 방법

종 류	그림 기호
방열기	
고압 증기 트랩	
저압 증기 트랩	
기수 분리기	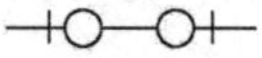
방열기	절 수 / 종류-모양 / 태 핑

13 지지 장치의 표시 방법

지지 장치를 표시하는 경우에는 아래와 같은 그림기호에 따라 표시한다.

【보기】

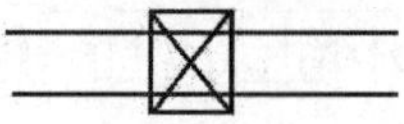

14 투영에 의한 배관 등에 표시 방법

① **관의 입체적 표시 방법**(화면에 직각방향으로 배관되어 있는 경우)

㉠ 관 A가 화면에 직각으로 바로 앞쪽으로 올라가 있는 경우

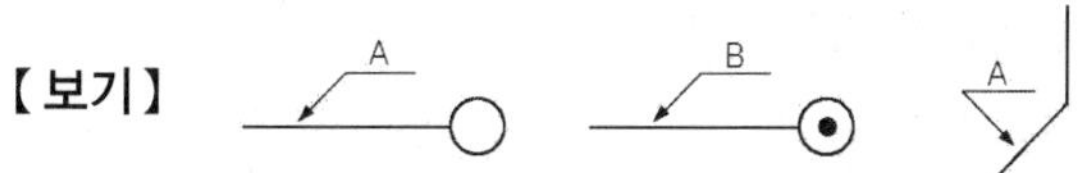

㉡ 관 A가 화면에 직각으로 반대쪽으로 내려가 있는 경우

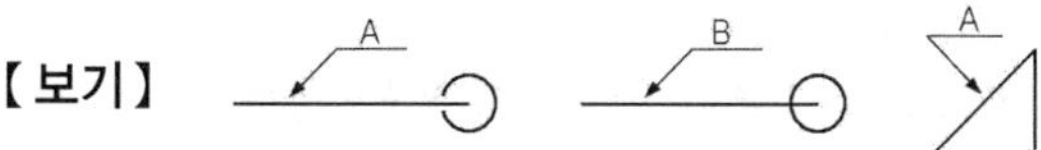

㉢ 관 A가 화면에 직각으로 바로 앞쪽으로 올라가 있고 관 B와 접속하고 있는 경우

【보기】

㉣ 관 A로부터 분기된 관 B가 화면에 직각으로 바로 앞쪽으로 올라가 있으며 구부러져 있는 경우

【보기】

㉤ 관 A로부터 분기된 관 B가 화면에 직각으로 반대쪽으로 내려가 있고 구부러져 있는 경우

【보기】

㉥ 정 투영도에서 관이 화면에 수직일 때 그 부분만을 도시하는 경우

② **관의 입체적 표시 방법**(화면에 직각 이외의 각도로 배관되어 있는 경우)

㉠ 관 A가 위쪽으로 비스듬히 일어서 있는 경우

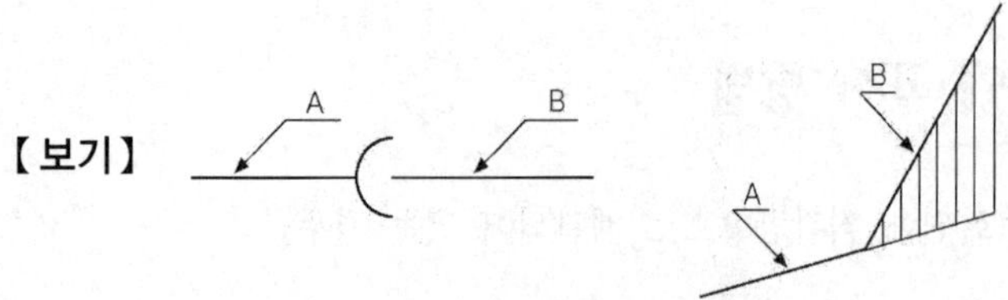

㉡ 관 A가 아래쪽으로 비스듬히 내려가 있는 경우

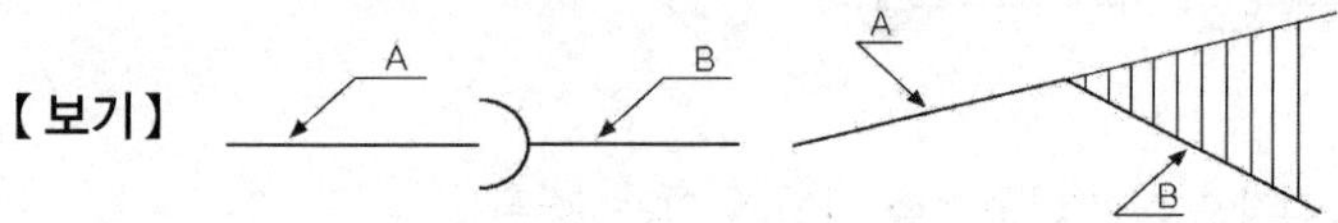

㉢ 관 A가 수평방향에서 바로 앞쪽으로 비스듬히 구부러져 있는 경우

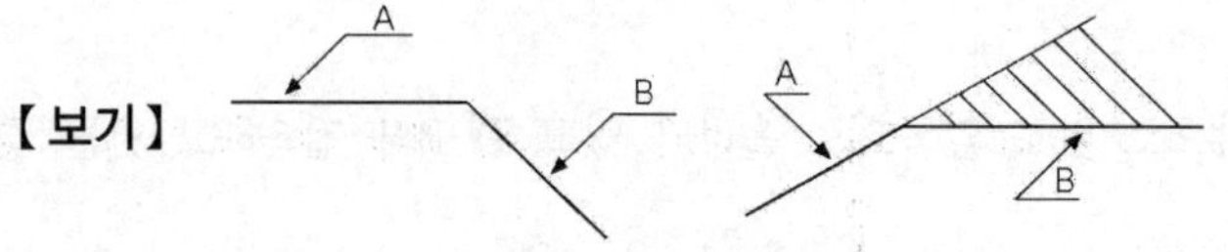

㉣ 관 A가 수평방향으로 화면에 비스듬히 바로 앞쪽 위 방향으로 일어서 있는 경우

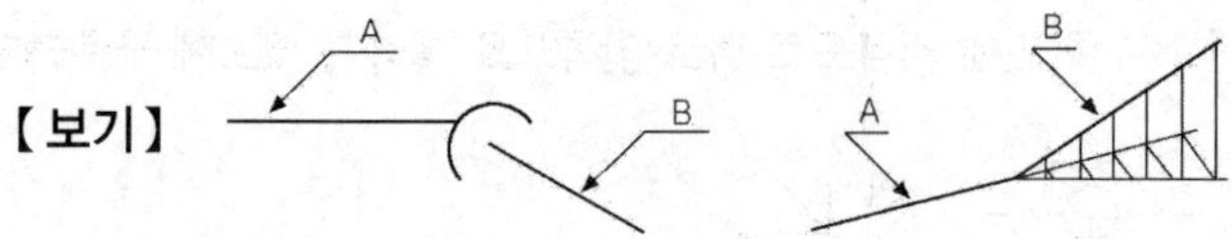

㉤ 관 A가 수평방향으로 화면에 비스듬히 반대쪽 윗방향으로 일어서 있는 경우

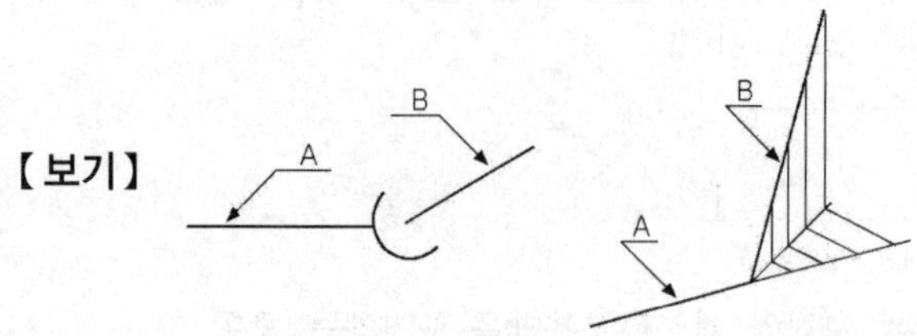

15 공업 배관

① 공업 배관 도면에는 평면 배관도, 입면 배관도, 부분 배관 조립도, 공정도, 계통도, 배치도, 관장치도 등이 있다.

② 계통도, PID(Pipe and Instrument Diagram), 관 장치도가 있다.

17 용접 도면 그리기

1 용접 이음의 종류

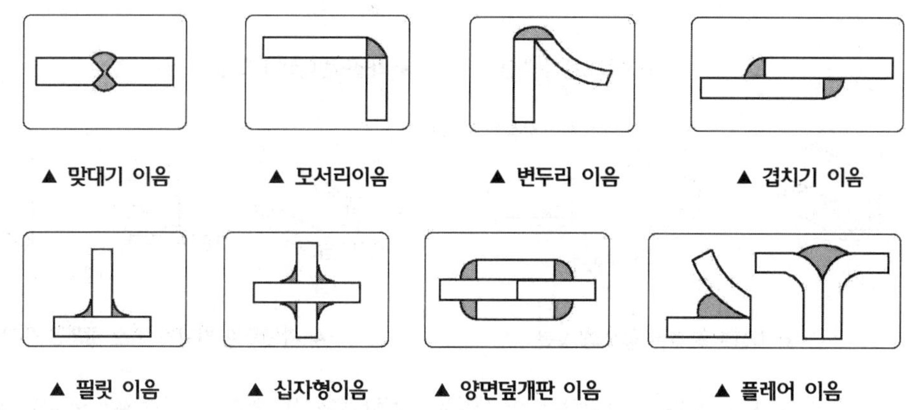

▲ 맞대기 이음 ▲ 모서리이음 ▲ 변두리 이음 ▲ 겹치기 이음

▲ 필릿 이음 ▲ 십자형이음 ▲ 양면덮개판 이음 ▲ 플레어 이음

2 용접 기호의 일반적인 사항

① 용접 기호는 화살표, 기준선, 동일선, 꼬리로 구성되어 있으며, 상세 항목이 없는 경우에는 꼬리는 생략 가능하다.

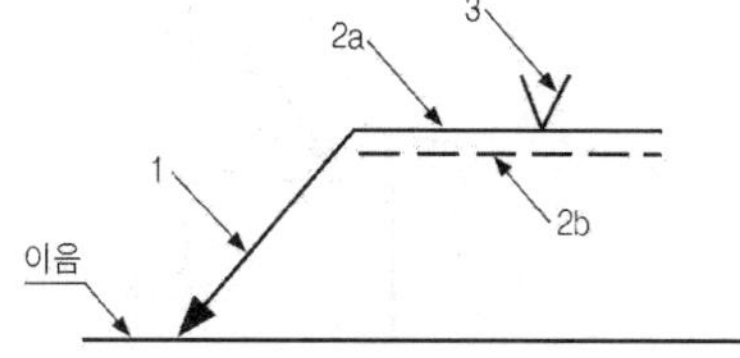

1 = 화살표(지시선)
2a = 기준선(실선)
2b = 동일선(파선)
3 = 용접기호(이음용접)

② 화살표 및 기준선에는 모든 관련 기호를 붙인다. 예를 들면, 용접 방법, 허용 수준, 용접 자세, 용가재 등 상세 항목을 표시하려는 경우에는 기준선의 끝에 꼬리를 덧붙인다.

③ 용접부에 관한 화살표의 위치는 일반적으로는 특별한 의미가 없으며, 기준선에 대하여 각도가 있도록 하여 기준선의 한쪽 끝에 연결한다.

④ 기준선은 도면의 이음부를 표시하는 선에 평행으로 또는 불가능한 경우에는 수직으로 기입하여야만 한다.

⑤ 만일 용접부(용접면)가 이음의 화살표 쪽에 있을 때에는 기호는 실선 쪽의 기준선에 기입한다.

⑥ 만일 용접부(용접면)가 이음의 화살표와는 반대쪽에 있을 때에는 기호는 파선 쪽에 기입한다.

⑦ 부재의 양쪽을 용접하는 경우 용접 기호를 기준선의 상하(좌우)대칭으로 조합시켜 사용할 수 있다.

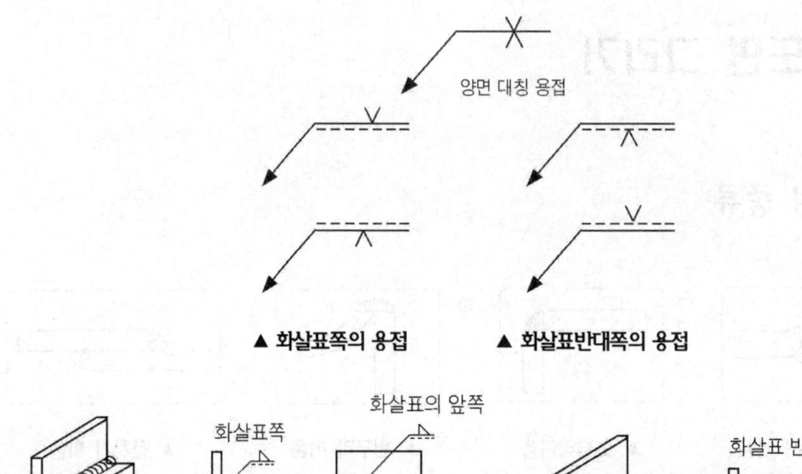

▲ 화살표쪽의 용접 ▲ 화살표반대쪽의 용접

(실형) (기호표시) (실형) (기호표시)

▲ 화살표쪽 또는 앞쪽의 용접 ▲ 화살표의 반대쪽 또는 맞은편 쪽의 용접

⑧ 용접이 부재의 전부를 일주하여 용접하는 일주(온둘레) 용접의 경우에는 아래 그림과 같이 원의 기호로 표시한다.

⑨ 현장 용접의 경우에는 아래 그림과 같이 깃발 기호로 표시한다.

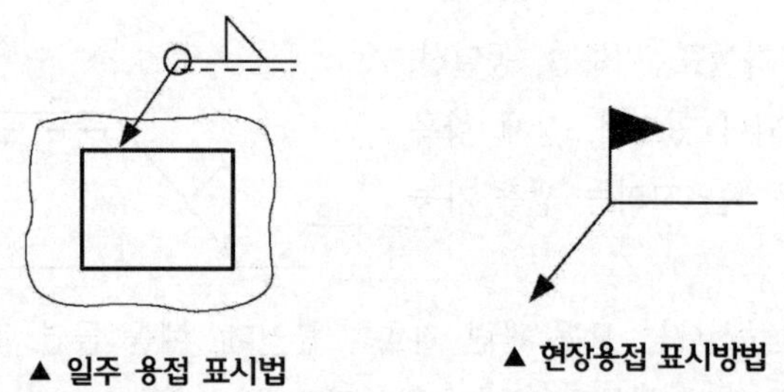

▲ 일주 용접 표시법 ▲ 현장용접 표시방법

⑩ S : 용접부의 단면 치수 또는 강도 R : 루트 간격 A : 홈 각도
L : 단속 필렛 용접의 용접 길이 n : 단속 필렛 용접 등의 수 P : 피치
T : 특별한 지시 사항 - : 표면 모양 G : 다듬질 방법의 보조기호
o : 일주 용접의 보조기호, ▶ : 현장용접 보조기호

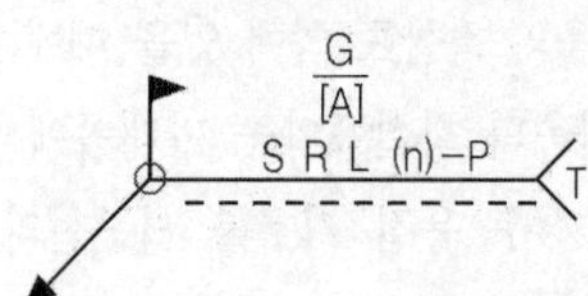

⑪ **용접 방법의 표시** : 용접 방법의 표시가 필요한 경우에는 기준선의 끝의 2개의 꼬리 사이에 숫자로 표시 할 수 있다.

⑫ **참고 표시의 꼬리 안에 있는 정보의 순서** : 이음과 치수에 관한 정보는 다음 순서에 따라 꼬리 안에 한층 상세한 정보를 표시함으로써 보충할 수 있다. 상자형의 꼬리 안에 참고 기호를 표시함으로써 특별한 지시를 표시할 수 있다.

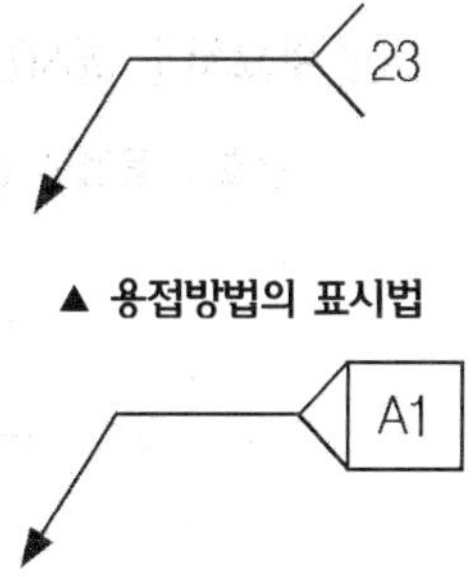

▲ 용접방법의 표시법

▲ 참고 정보의 표시법

⑬ **심 및 스폿 용접 이음**(용접, 브레이징, 솔더링)의 경우에는 계수는 겹쳐진 그 부재의 계면이나 또는 그 부재 중 한 쪽을 관통시켜 접합시킨다.

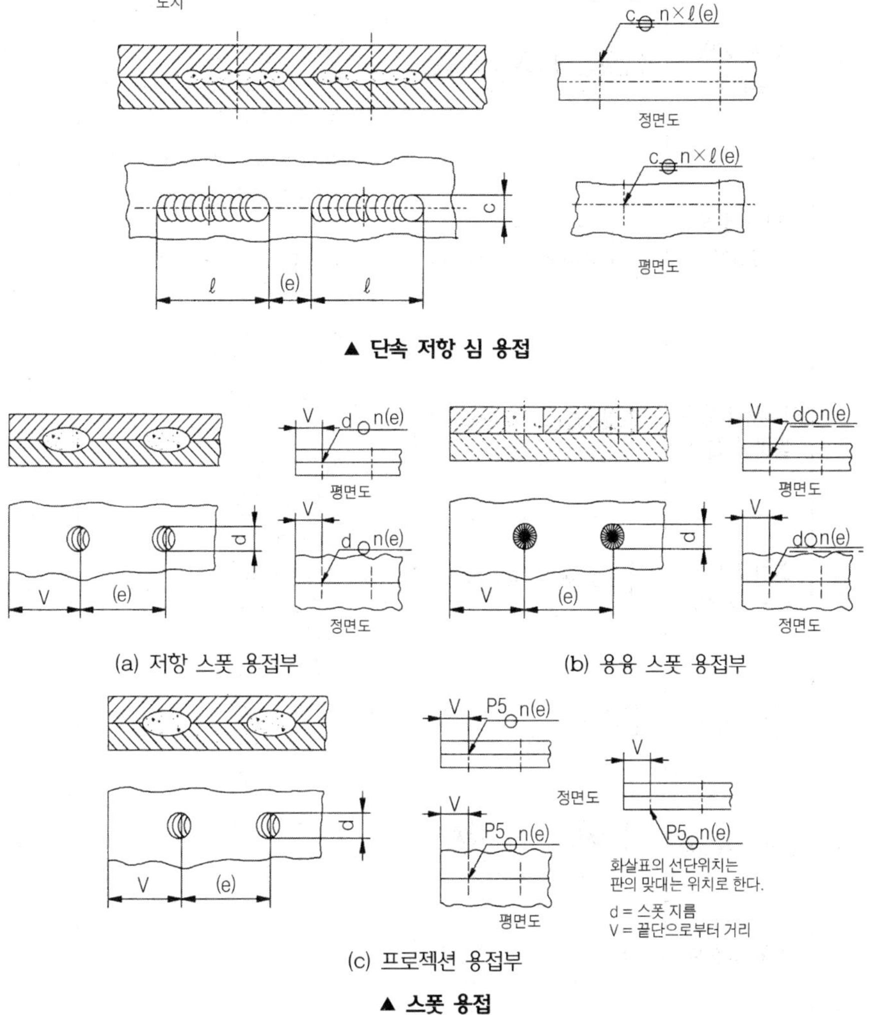

▲ 단속 저항 심 용접

(a) 저항 스폿 용접부

(b) 용융 스폿 용접부

(c) 프로젝션 용접부

▲ 스폿 용접

용접부의 지름 d = mm, 용접수 (n), 간격(e)의 표시 예이다.

⑭ 주요치수 표시방법

번호	용접부 명칭	도시	정의	기호표시
1	맞대기 용접부		s : 판 두께보다 크지 않고 용접부 표면으로부터 용입 바닥까지의 최소 거리	s‖ / sY
2	플랜지형 맞대기 용접부		s : 용접부의 바깥 면으로부터 용입 바닥까지의 최소 거리	s‖
3	연속 필릿 용접부		a : 절단면에 내접하는 최대 2등변 삼각형의 높이 z : 절단면에 내접하는 최대 2등변 삼각형의 변	a◺ / z◺
4	단속 필릿 용접부		l : 용접부 길이(크레이터부 제외) (e) : 인접한 용접부 간의 거리(피치) n : 용접부의 개수(용접 수) a : 번호 3 참조 z : 번호 3 참조	a◺ n×l(e) / z◺ n×l(e)
5	지그재그 단속 필릿 용접부		l : 번호 4 참조 (e) : 번호 4 참조 n : 번호 4 참조 a : 번호 3 참조 z : 번호 3 참조	c⊓ n×l(e)
6	플러그 또는 스폿 용접부		l : 번호 4 참조 (e) : 번호 4 참조 n : 번호 4 참조 c : 슬롯부의 폭	c⊓ n×l(e)
7	심 용접부		l : 번호 4 참조 (e) : 번호 4 참조 n : 번호 4 참조 c : 슬롯부의 폭	c⊖ n×l(e)
8	플러그 용접부		l : 번호 4 참조 (e) : 간격 d : 구멍지름	d⊓ n(e)
9	스폿 용접부		l : 번호 4 참조 (e) : 간격 d : 스폿부의 지금	d○ n(e)

3 용접 이음의 기본 기호

번호	명 칭	도 시	기 호
1	양면 플랜지형 맞대기 이음	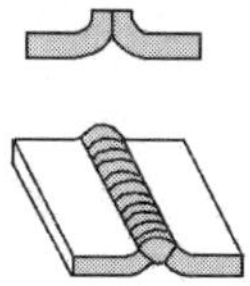	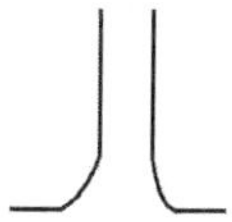
2	평면형 평행 맞대기 이음 용접	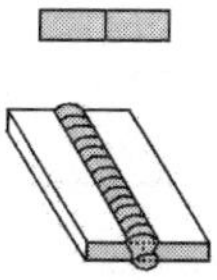	
3	한쪽 면 V형 홈 맞대기 이음 용접	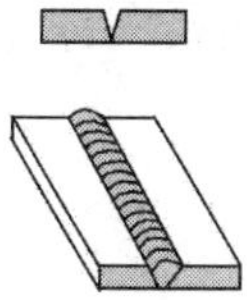	
4	한쪽 면 K형 홈 맞대기 이음 용접	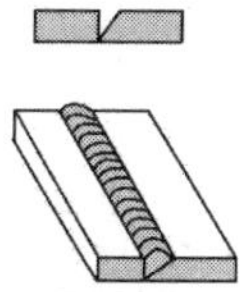	
5	부분용입 한쪽면 V형 맞대기 이음 용접	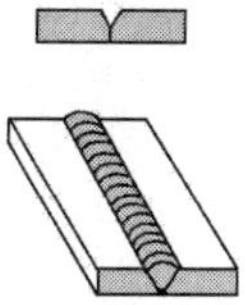	
6	부분 용입 한쪽 면 K형 맞대기 이음 용접	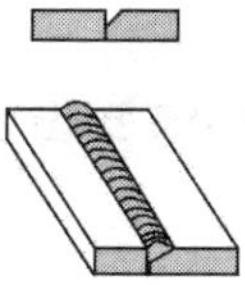	
7	한쪽면 u형 홈 맞대기 이음 용접	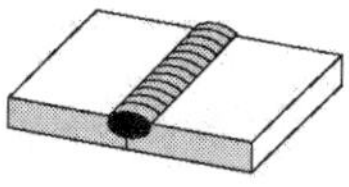	
8	한쪽면 J형 맞대기 이음 용접	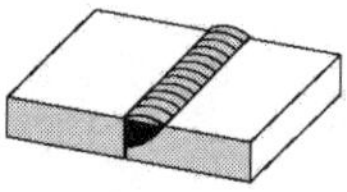	

번호	명 칭	도 시	기 호
9	뒷면 용접	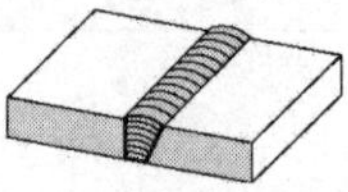	
10	필릿 용접	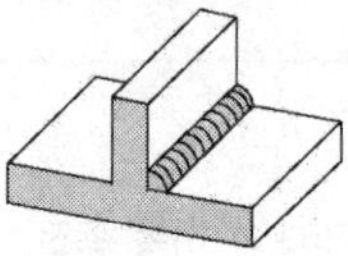	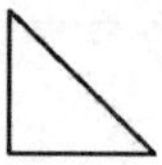
11	플러그 용접 : 플러그 또는 슬롯 용접	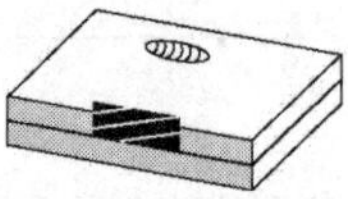	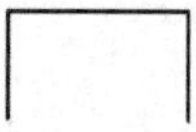
12	스폿 용접	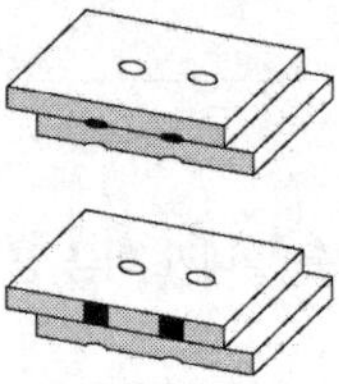	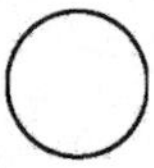
13	심 용접	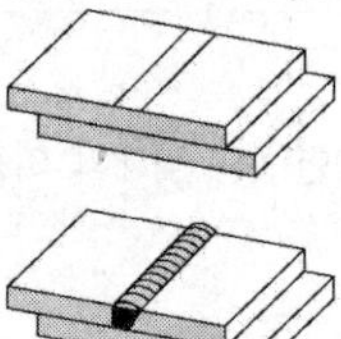	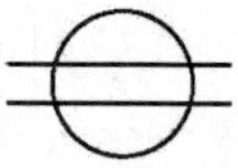
14	급경사면(스팁 플랭크)한쪽면 V형 홈맞대기 이음 용접	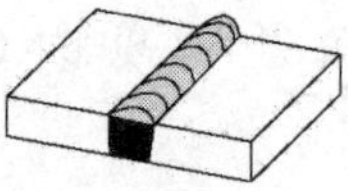	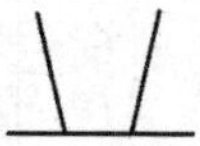
15	급경사면 한쪽 면 K형 맞대기 이음 용접	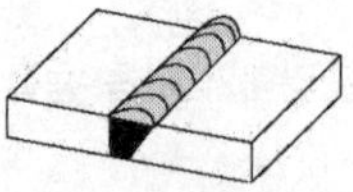	
16	가장 자리 용접		

번호	명 칭	도 시	기 호
17	서페이싱	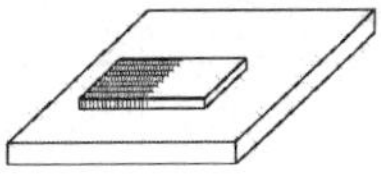	 ⌒⌒
18	서페이싱 용접	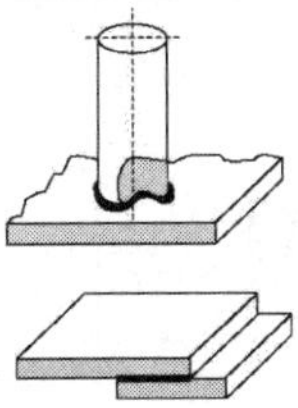	 =
19	경사 이음	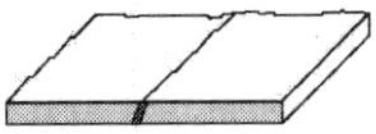	 //
20	겹침 이음		
1. 관의 맞대기 이음 용접에서 완전히 용입되지 않는 경우에는 표 5와 같이 용입 깊이 S를 지시한 2번과 같은 기호로 표시한다.			

4 용접 이음의 대칭적인 조합 기호

명 칭	도 시	기 호
양면 V형 맞대기 용접	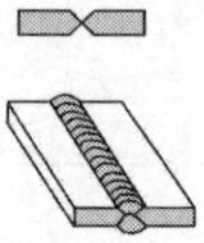	
양면 K형 맞대기 용접	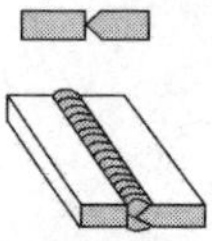	
부분 용입 양면 V형 맞대기 용접 (부분 용입 X형 이음)	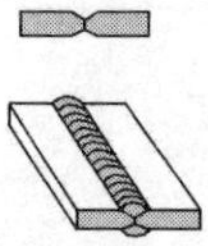	
부분 용입 양면 K형 맞대기 용접 (부분 용입 K형 이음)	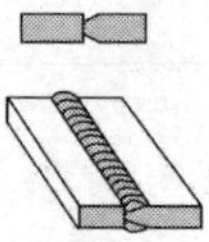	
양면 U형 맞대기 용접 (H형 이음)	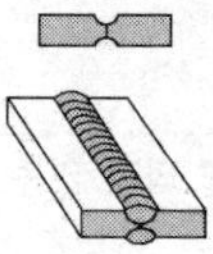	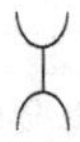

5 용접 이음의 보조 기호

용접부 및 용접부 표면의 형상	기 호
평면(동일 평면으로 다듬질)	
볼록(凸)형	
오목(凹)형	
끝단부를 매끄럽게 함	
영구적인 덮개 판을 사용	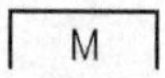 M
제거 가능한 덮개 판을 사용	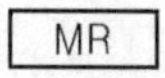 MR

6 필릿 및 +자 이음의 양면 필릿 용접

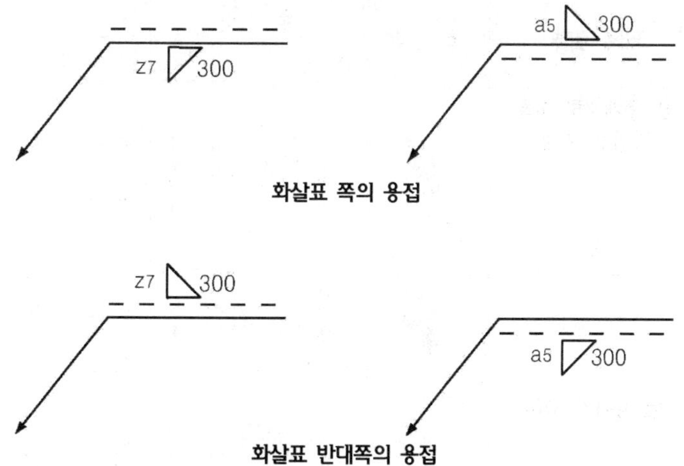

해당하는 치수의 앞에 문자 기호 a 또는 z를 추가 기입하는 것과 같은 필릿 용접부에 대하여 특히 중요하다. 앞에서 설명한 해당 치수, 즉, 다리 길이(z) 또는 목 두께 (a)의 크기 표시는 기준선상의 용접 기호가 연속하도록 표시한다.

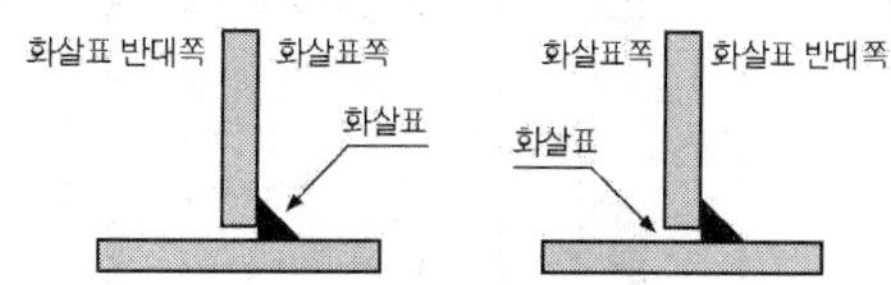

(a) 화살표 쪽 용접 (b) 화살표 반대쪽 용접

▲ 이음의 한쪽면 필릿 용접

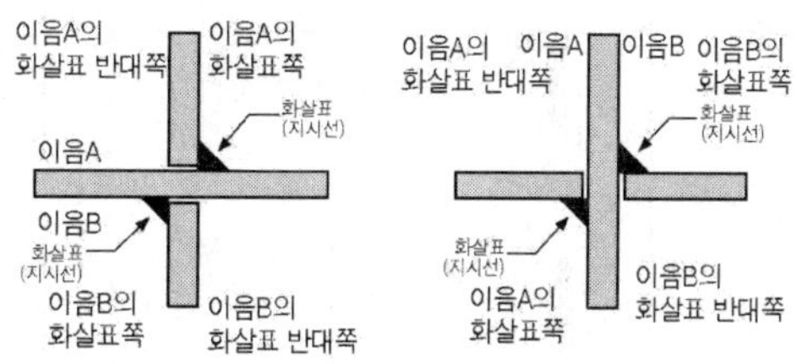

▲ +자 이음의 양면 필릿 용접

7 용접 이음의 기본 사용예(KS B 0052)

번호	기호 명칭	도 시	표 시	기호 표시 (a)	기호 표시 (b)
1	양 플랜지형 이음 맞대기 용접 1	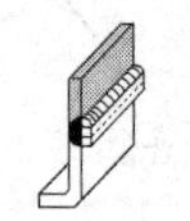	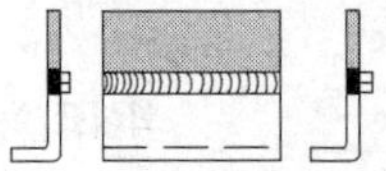	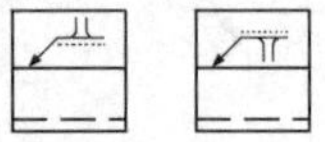	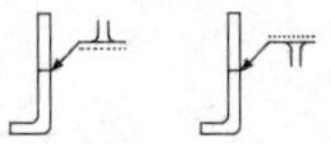
2	I형 맞대기 용접 2	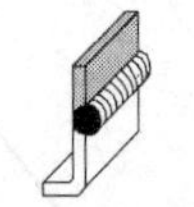	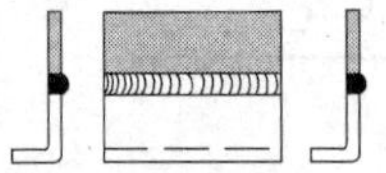	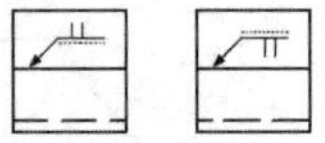	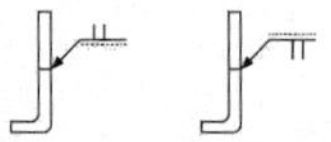
3		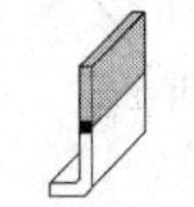	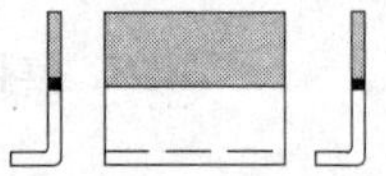	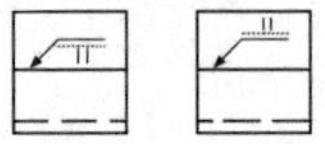	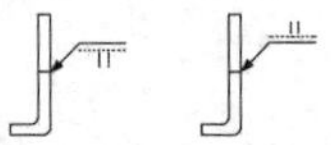
4			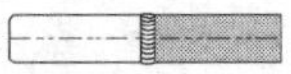	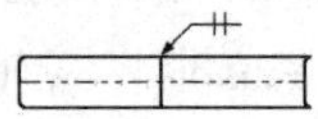	
5	V형 이음 맞대기 용접 3	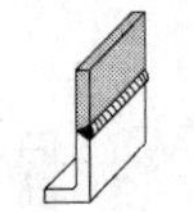	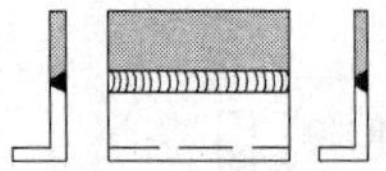	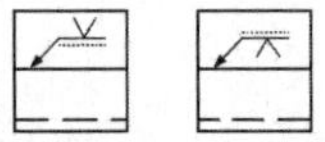	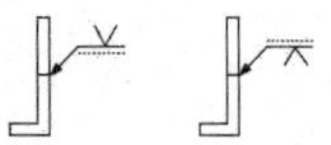
6		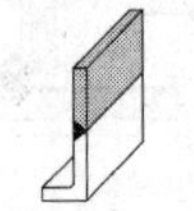	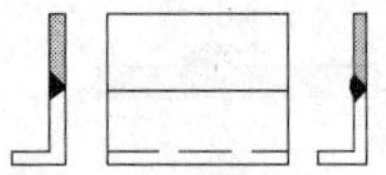	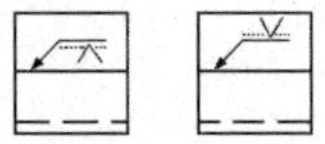	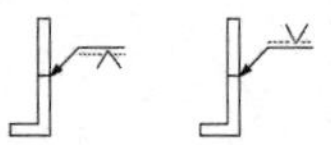
7	베벨형 이음 맞대기 용접 4	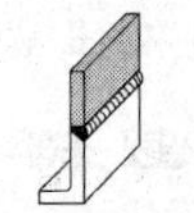	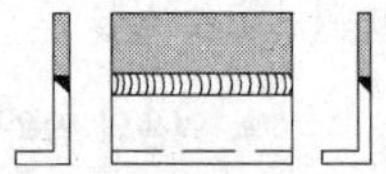	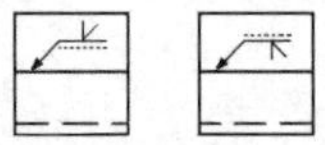	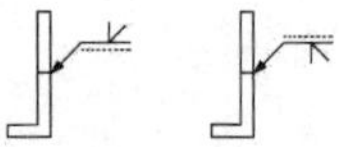
8		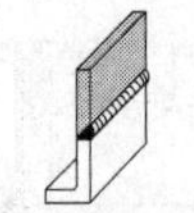	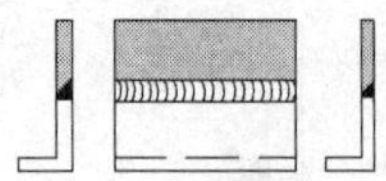	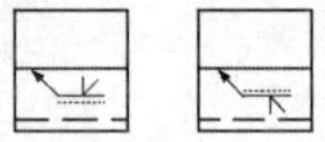	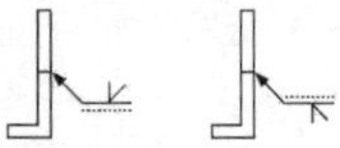
9		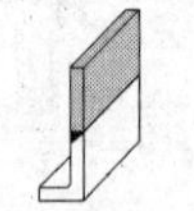	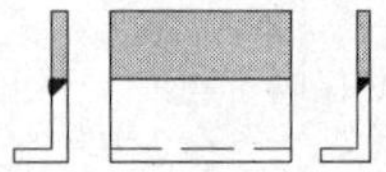	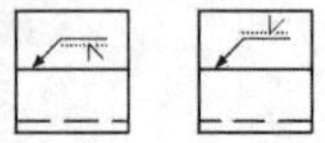	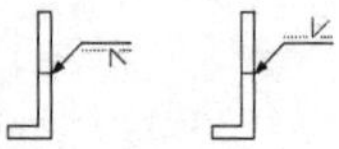

8 용접 이음의 기본 기호의 조합 예

번호	기호 명칭	도 시	표 시	기호 표시	
				(a)	(b)
1	양 플랜지형 이음 맞대기 용접 1 반대쪽 용접 공정 있음 9 1-9	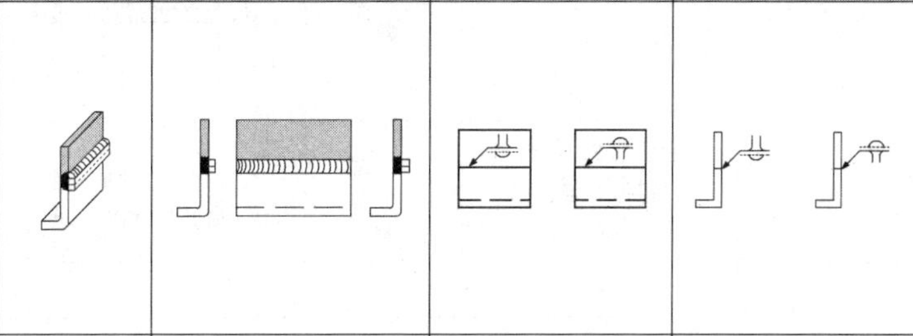			
2	I형 맞대기 용접 2 양면 용접 2-2	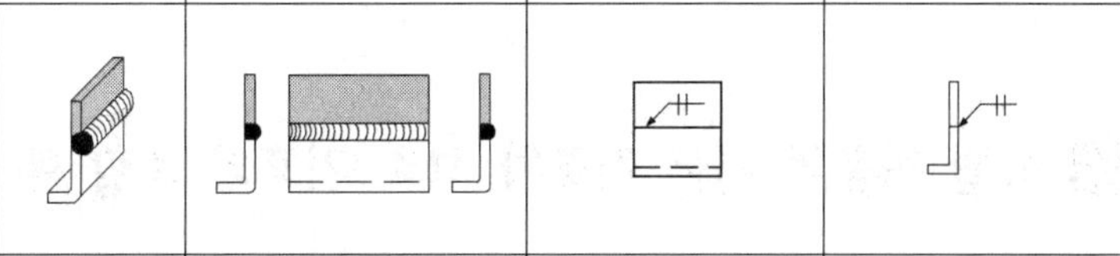			
3	V형 이음 맞대기 용접 3 반대쪽 용접 공정 있음 9 3-9	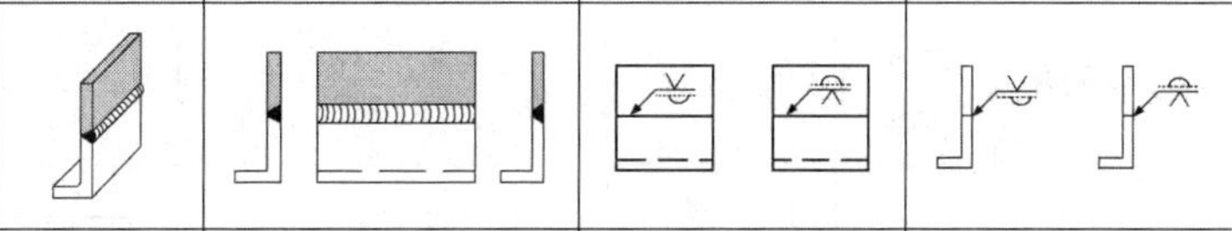			
4		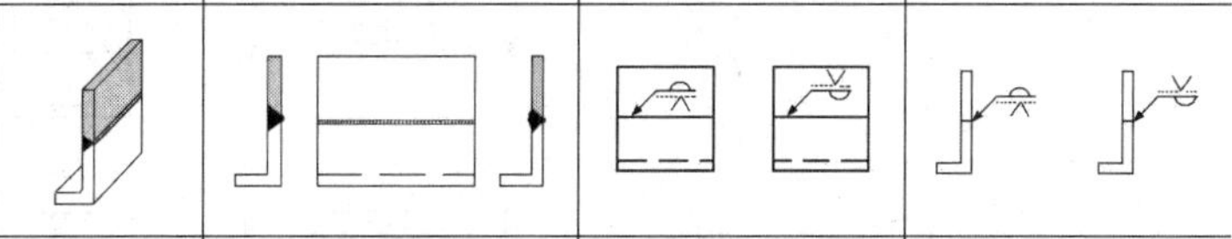			
5	양면 V형 이음 맞대기 용접 3 X형 이음 용접 3-3	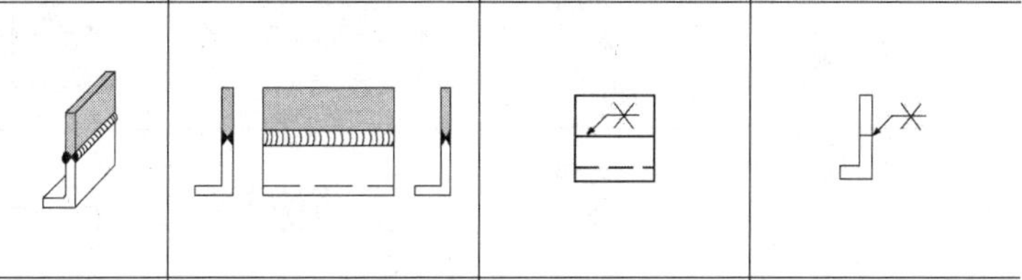			
6	양면 K형 이음 맞대기 용접 4				
7	K형 이음 용접 4-4	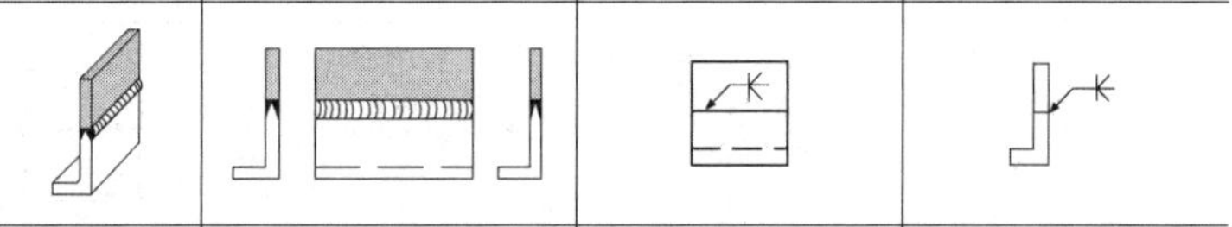			
8	루트면 있는 양면 K형 이음 5 5-5	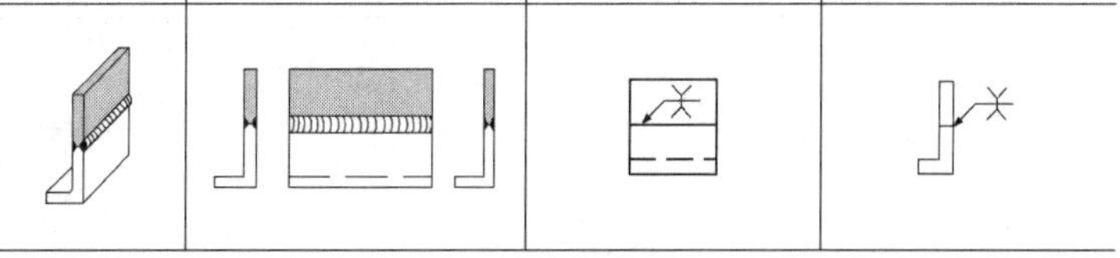			

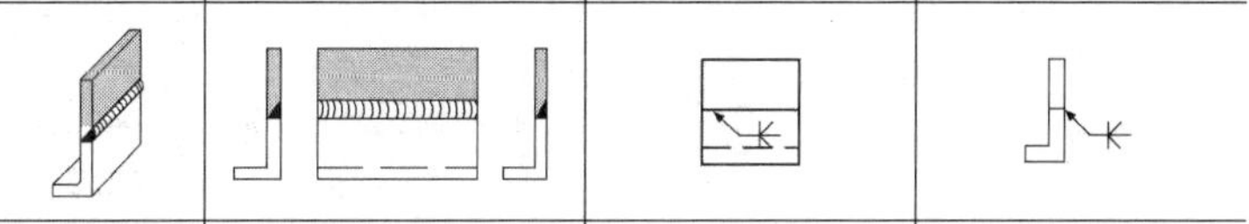

번호	기호 명칭	도 시	표 시	기호 표시	
				(a)	(b)
9	루트면 있는 양면 K형 이음 6 6-6	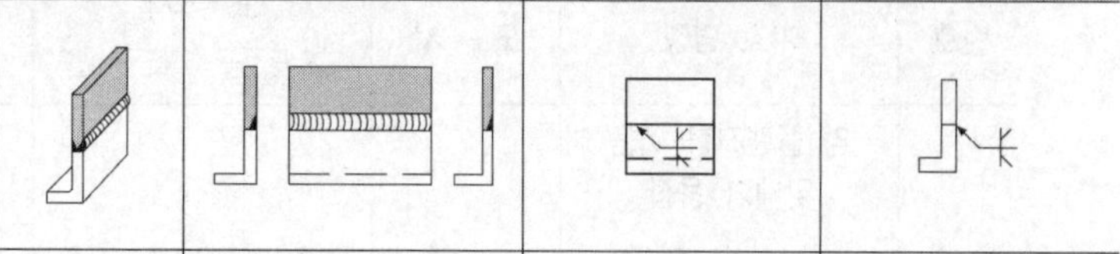			
10	양면 U형 이음 맞대기 용접 7 7-7	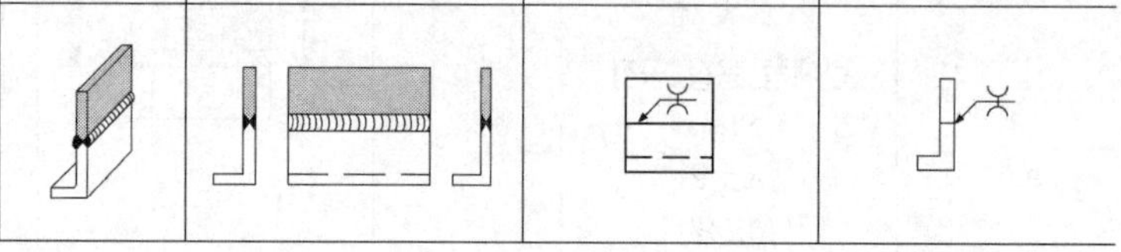			

9 용접 이음의 기본 기호와 보조 기호의 조합 예

번호	기호 명칭	도 시	표 시	기호 표시	
				(a)	(b)
1	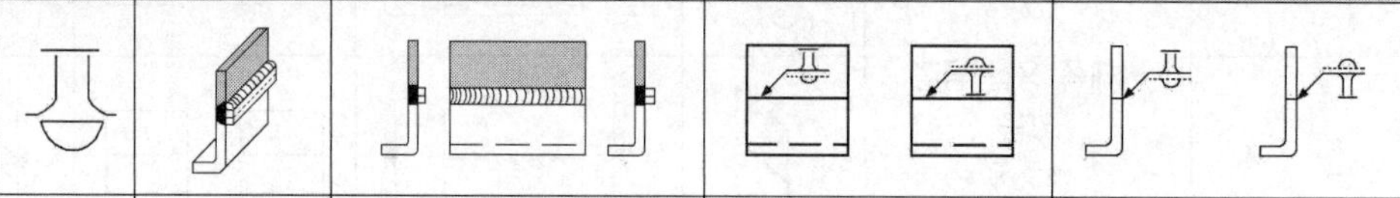				
2	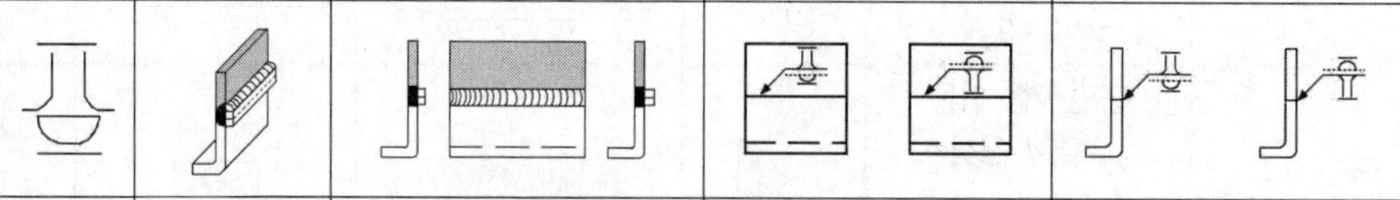				
3	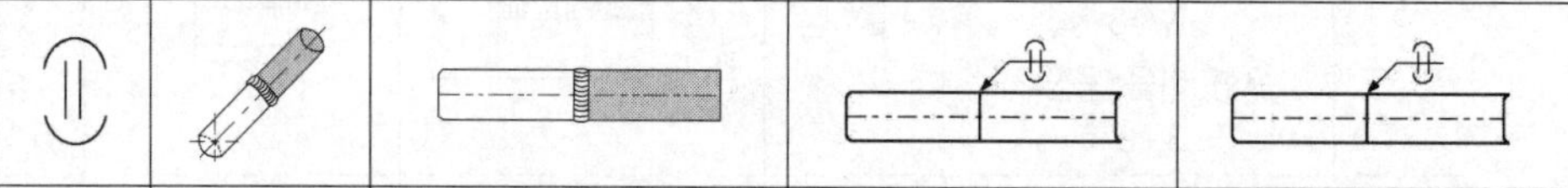				
4	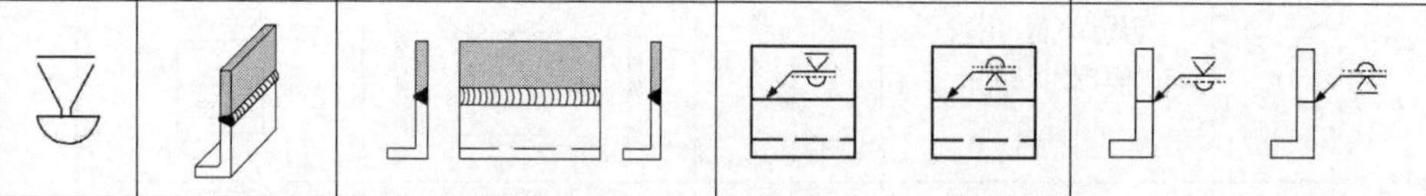				
5	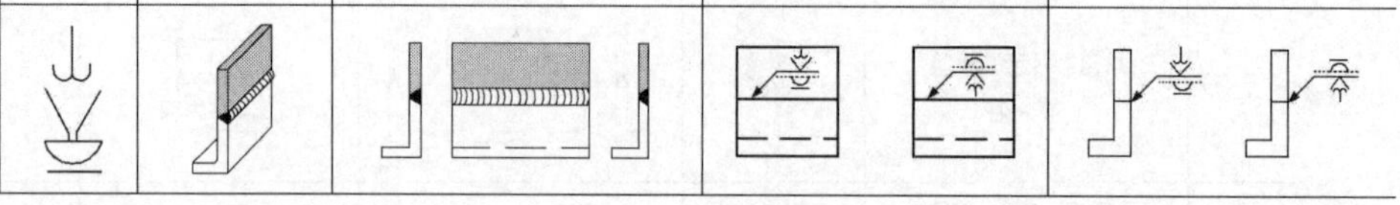				

10 필릿 이음의 사용 예

도시	표시	기호 표시		
		(a)	(b)	틀린 표시
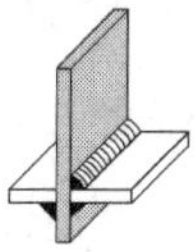	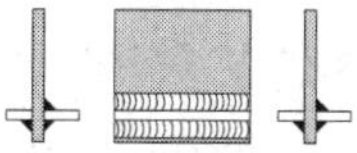	추천하지 않음	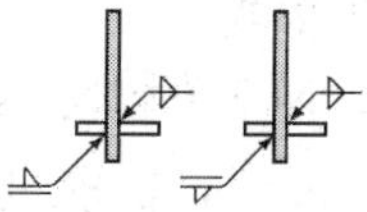	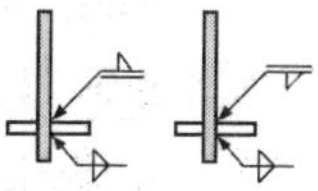
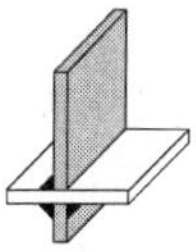	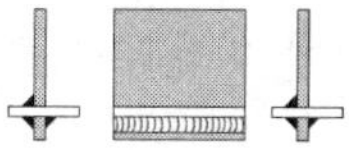	추천하지 않음	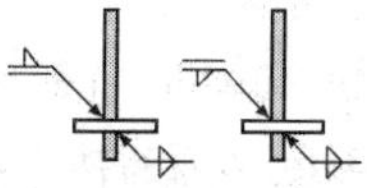	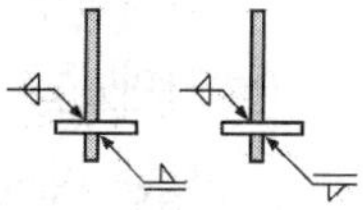
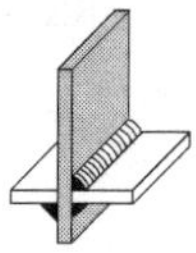	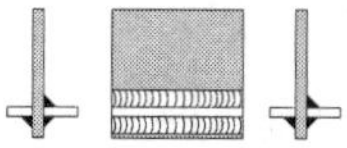	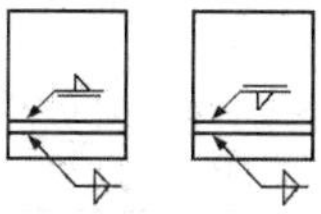	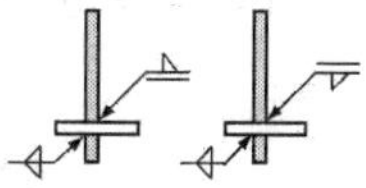	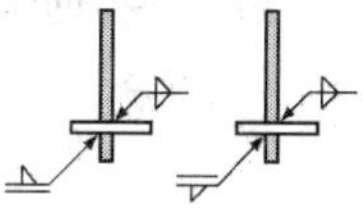
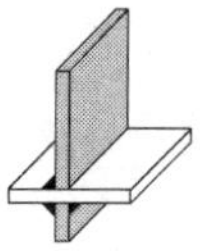	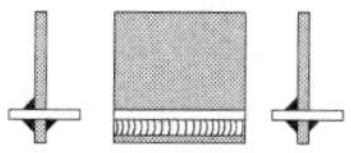	추천하지 않음	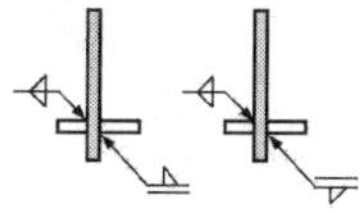	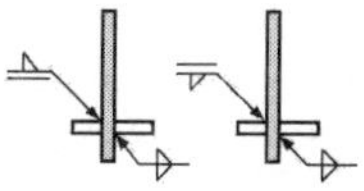

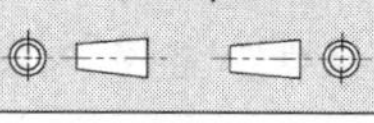

11 보조 기호의 신 규격과 구 규격의 차이

	실제 모양	신 규격	구 규격
플러그 용접 : 플러그 또는 슬롯 용접	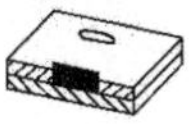	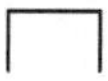	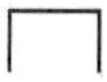
스폿 용접	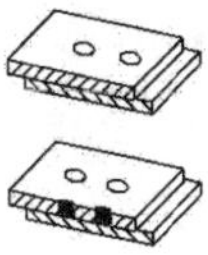	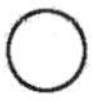	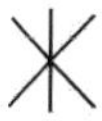
심 용접	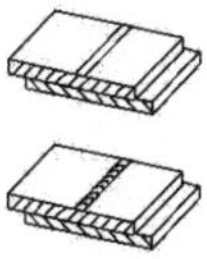	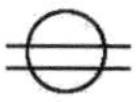	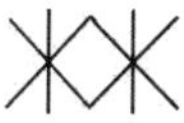

12 용접부 비파괴 검사

① **기본 기호**로는 RT(방사선 투과 시험), UT(초음파 탐상 시험), MT(자분 탐상 시험), PT(침투 탐상 시험), ET(와류 탐상 시험) LT(누설 시험), ST(변형도 측정 시험) VT(육안 시험), PRT (내압 시험)이 있다.

② **보조 기호**로는 N(수직탐상), A(경사각 탐상), S(한 방향으로부터의 탐상), B(양 방향으로부터의 탐상), W(이중 벽 촬영), D(염색, 비형광 탐상시험), F(형광 탐상 시험), O(전둘레 시험), Cm(요구 품질 등급)

③ **기재방법** : 용접 기호의 기재 방법과 동일하다. 기준선에 비파괴 기호를 기입하고 꼬리에 특별한 지시 사항을 기재하면 된다.

④ **기호 해석** : 온둘레를 화살표 쪽은 방사선 검사, 화살표 반대쪽은 초음파 검사, KS B0845규정 적용

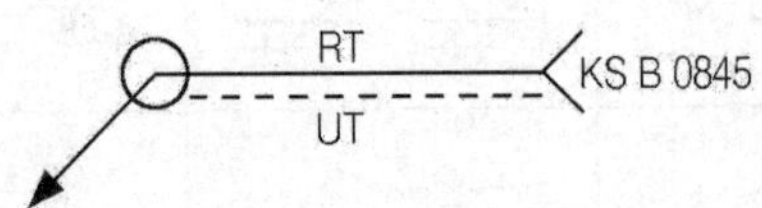

chapter1 예상문제

1-2 용접설비 제도

01 제도의 목적을 달성하기 위한 기본 요건으로 틀린 것은?

㉮ 대상물의 도형이 있으면 필요로 하는 크기, 모양, 자세, 위치의 정보를 포함하지 않아야 한다.
㉯ 애매한 해석이 생기지 않도록 표현상 명확한 뜻을 갖고 있어야 한다.
㉰ 무역 및 기술의 국제 교류의 입장에서 국제성을 갖고 있어야 한다.
㉱ 기술의 각 분야에 걸쳐 가능한 한 정확성, 보편성을 갖고 있어야 한다.

해석 제도란 주문자가 의도하는 주문에 따라, 설계자가 제품의 모양이나 크기를 일정한 규칙에 따라 선, 문자, 기호 등을 이용하여 도면으로 작성하는 과정으로 설계자의 의도를 도면 사용자에게 확실하고 쉽게 전달하는데 목적이 있다.

02 주문하는 사람이 주문하는 물건의 크기, 형태, 정밀도, 정보 등의 주문내용을 나타낸 도면은?

㉮ 계획도 ㉯ 제작도 ㉰ 견적도 ㉱ 주문도

해석 사용목적(용도)에 따른 분류
① 계획도 : 만들고자 하는 물품의 계획을 나타낸 도면
② 주문도 : 주문자의 요구 내용을 제작자에 제시하는 도면
③ 견적도 : 제작자가 견적서에 첨부하여 주문품의 내용을 설명하는 도면
④ 승인도 : 제작자가 주문자와 관계자의 검토를 거쳐 승인을 받은 도면
⑤ 제작도 : 설계제품을 제작할 때 사용하는 도면(부품도, 조립도 등)
⑥ 설명도 : 제품의 구조, 원리, 기능, 취급방법 등을 설명한 도면

03 물, 기름, 가스 등의 배관 접속과 유동 상태를 나타내는 도면의 명칭으로 다음 중 가장 적합한 것은?

㉮ 계통도 ㉯ 배선도 ㉰ 주문도 ㉱ 부품도

해석 내용에 따른 도면 분류(부품도, 배관도, 배선도, 접속도, 공정도, 계통도 등)으로 분류 할 수 있는데 배관 등의 접속과 유동 상태를 나타내는 도면은 계통도이다.

04 도면을 마이크로필름에 촬영하거나 복사할 때에 편의를 위하여 윤곽선 중앙으로부터 용지의 가장자리에 이르는 굵기 0.5[mm]의 수직선으로 그은 선은?

㉮ 중심 마크 ㉯ 비교 눈금
㉰ 도면의 구역 ㉱ 재단 마크

해석 도면의 양식
① 윤곽선 : 도면에 그려야 할 내용의 영역을 명확히 하고, 제도 용지의 가장자리에 생기는 손상으로부터 기재 사항을 보호하기 위해 0.5mm 이상의 실선을 사용한다.
② 중심 마크 : 도면의 사진 촬영 및 복사할 때 편의를 위해 사용, 상하 좌우 중앙의 4개소에 표시한다.
③ 표제란 : 위치는 반드시 도면의 오른쪽 아래에 위치한다. 기재 내용으로는 도면 번호(도번), 도면 이름(도명), 척도, 투상법, 도면 작성일, 제도자 이름 등을 기입한다.

| 참고 | 반드시 도면에 윤곽선, 중심 마크, 표제란은 그려 넣어야 한다.

④ 재단 마크 : 복사한 도면을 재단할 때의 편의를 위해 도면의 4 구석에 표시한다.
⑤ 도면의 구역 : 도면에서 특정 부분의 위치를 지시하는데 편리하도록 표시하는 것
⑥ 도면의 비교 눈금 : 도면의 축소나 확대, 복사의 작업과 이들의 복사 도면을 취급할 때의 편의를 위하여 표시하는 것

05 표제 란에 기입되는 내용이 아니고 부품 란에 기입되어 있는 것은?

㉮ 도명 ㉯ 척도 ㉰ 투상법 ㉱ 재질

해석 부품란
① 부품 번호는 부품에서 지시선을 빼어 그 끝에 원을 그리고 원안에 숫자를 기입한다.
② 숫자는 5 ~ 8mm 정도의 크기를 쓰고 숫자를 쓰는 원의 지름은 10 ~ 16mm로 한다. 한 도면에서는 같은 크기로 한다.
③ 위치는 오른쪽 위나 오른쪽 아래에 기입한다. 그 크기는 표제란에 따른 크기로 하고 오른쪽 아래에 기입할 때에는 표제란에 붙여서 아래에서 위로 기입하고 품번, 품명, 재료,

Answer 1.㉮ 2.㉱ 3.㉮ 4.㉮ 5.㉱

개수, 공정, 무게, 비고 등을 기록하며, 오른쪽 위에서 기입할 때에는 윤곽선에 붙여서 위에서 아래로 부품순서를 나열한다.

06 일반적인 도면의 표제란 위치로 가장 적당한 것은?

㉮ 오른쪽 중앙 ㉯ 오른쪽 위
㉰ 오른쪽 아래 ㉱ 왼쪽 아래

07 다음 중 배척을 표시하는 것은?

㉮ 1 : 2 ㉯ 2 : 1 ㉰ 1 : 25 ㉱ 1 : 100

해설

① 척도의 기입은 표제란에 기입하는 것이 원칙이나 표제란이 없는 경우에도 도명이나 품번에 가까운 곳에 기입한다.
② 척도의 종류는 현척, 축척, 배척이 있는데 항상 분수로 생각하여 구분하면 된다. 즉 1 : 2는 $\frac{1}{2}$로 생각하면 줄여 그리는 축척, 2 : 1은 $\frac{2}{1}$이 2이므로 2배 확대하여 그리는 배척으로 생각하면 된다.표기한다.
③ 치수와 비례하지 않을 때 치수 밑에 밑줄을 긋거나 비례가 아님, 또는 NS(not to scale) 등의 문자 기입
④ 도면에 기입되는 치수는 축척(줄여 그림) 및 배척(확대하여 그림)을 하였더라고 현척(1:1로 그림)의 치수를 기입하는 것과 같이 각 부분의 실물의 치수를 그대로 기입하고, 표제란에 척도를 기입한다.
⑤ 2배 크게 그리면 면적은 4배 커지며, 반대로 1:2로 축소하여 그리면 면적은 4배로 줄어든다.

08 한 변이 10mm 인 정사각형을 2:1로 척도가 도시될 때 도형의 면적은 몇 배가 되는가?

㉮ $\frac{1}{2}$배 ㉯ 2배 ㉰ $\frac{1}{4}$배 ㉱ 4배

09 실제의 길이가 120mm 일 때 척도 1:2인 도면에는 치수가 얼마로 기입되어 있는가?

㉮ 30 ㉯ 60 ㉰ 120 ㉱ 240

10 도면에서 "비례척이 아님" 을 뜻하는 영문자는?

㉮ NS ㉯ SN ㉰ TS ㉱ ST

해설 비례척에 따르지 않을 때의 치수 기입은 치수 숫자 밑에 굵은선을 그어 표시해야 한다. 또는 NS(Not to Scale)로 표시한다.

11 도면에서 표제란의 척도 표시에 표시된 NS 는 무엇을 나타내는가?

㉮ 축척과 무관함을 나타낸다.
㉯ 척도가 생략됨을 나타낸다.
㉰ 비례척이 아님을 나타낸다.
㉱ 현척이 아님을 나타낸다.

12 도형이 비례척이 아닌 경우 치수를 표시하는 방법으로 옳은 것은?

㉮ (125) ㉯ [125] ㉰ SR125 ㉱ 125 (밑줄)

13 표준규격(제도규격)을 제정하는 목적을 설명한 것 중에서 틀린 것은?

㉮ 설계자의 의도를 오해 없이 정확하게 전달하기 위하여
㉯ 생산능률을 향상시키고 제품의 호환성 확보를 위하여
㉰ 품질향상에 기여하고 원가를 절감할 수 있도록 하기 위하여
㉱ 국제 표준화기구와 다른 나라와의 차이를 두기 위하여

해설 국제 규격은 국제적인 공동의 이익을 추구하기 위하여 여러 나라가 협의, 심의, 규정하여 국제적으로 적용하는 규격, 한국은 1963년 가입하였다.

14 KS의 부문별 분류 기호에서 기계분야를 표시하는 기호는?

㉮ A ㉯ B ㉰ C ㉱ D

Answer 6.㉰ 7.㉯ 8.㉱ 9.㉰ 10.㉮ 11.㉰ 12.㉱ 13.㉱ 14.㉯

해설 A기본, B기계, C전기, D금속, E광산, F토건 등으로 분류된다.

15 도면 크기의 종류에서 A2의 치수는 얼마인가?

㉮ 420 × 594 ㉯ 594 × 841
㉰ 297 × 420 ㉱ 841 × 1189

해설

	크기	절지	가장자리로부터 윤곽선까지의 거리	철할 때 여백
A0	841×1189	전지	20	25
A1	594×841	2절지	20	25
A2	420×594	4절지	10	25
A3	297×420	8절지	10	25
A4	210×297	16절지	10	25

| 참고 | 크기 치수에서 큰 쪽을 접으면 아래 치수가 나온다.

16 A0의 도면 치수는 얼마인가?(단, 단위는 mm 이다.)

㉮ 841 × 1189 ㉯ 594 × 841
㉰ 841 × 1783 ㉱ 594 × 1682

17 도면의 크기에서 A4 제도 용지의 크기는?

㉮ 594 × 841 ㉯ 420 × 594
㉰ 297 × 420 ㉱ 210 × 297

해설 복사도 등을 접을 때 그 크기는 A4로 하며 표제란이 겉으로 나오게 한다.

18 일반적인 도면을 보관하는 방법 설명으로 틀린 것은?

㉮ 트레이싱도는 접어서는 안 되므로 펼친 그대로 수평, 수직 또는 말아서 원통으로 보관한다.
㉯ 복사도는 접어서 보관하므로 접을 때에는 도면의 중앙부가 표면에 오도록 한다.
㉰ 복사도를 접을 때에는 A4 크기로 접는다.
㉱ 마이크로 필름은 영구 보존의 정확성을 기한다.

해설 큰 도면을 접을 때는 A4 크기로 접으며, 표제란이 겉으로 나오도록 한다.

19 도면의 윤곽선은 규정된 간격으로 그려야 한다. KS규격에서 도면을 철하는 부분의 경우 A3용지의 가장자리에서부터의 최소 간격은?

㉮ 10mm ㉯ 20mm ㉰ 25mm ㉱ 30mm

20 선을 긋는 방법에 대한 설명 중 틀린 것은?

㉮ 평행선은 선 간격을 선 굵기의 3배 이상으로 하여 긋는다.
㉯ 1점쇄선은 긴쪽 선으로 시작하고 끝나도록 긋는다.
㉰ 파선이 서로 평행할 때에는 서로 엇갈리게 그린다.
㉱ 실선과 파선이 서로 만나는 부분은 띄워지도록 그린다.

해설 실선과 파선이 만나는 부분은 파선의 끝이 실선에 닿아야 한다.

21 도면에서 굵기에 따른 선의 종류가 아닌 것은?

㉮ 아주 굵은 선 ㉯ 굵은 선
㉰ 가는 선 ㉱ 파선

해설

① 굵기에 따른 선의 종류
 ㉠ 한국 산업 규격(KS)에서는 8가지로 규정
 ㉡ 가는 선 : 0.18 ~ 0.35mm
 ㉢ 굵은 선 : 가는 선의 2배 정도, 0.35 ~ 1.0mm
 ㉣ 아주 굵은 선 : 가는 선의 4배 정도, 0.7 ~ 2.0mm
② 용도에 따른 선의 종류
 ㉠ 실선 : 굵은 실선, 가는 실선
 ㉡ 파선 : 은선
 ㉢ 쇄선 : 일점 쇄선, 이점 쇄선

22 대상물의 보이는 부분의 모양을 표시하는 데 쓰이는 선은?

Answer 15.㉮ 16.㉮ 17.㉱ 18.㉯ 19.㉰ 20.㉱ 21.㉱ 22.㉮

㉮ 굵은실선　　　　　　㉯ 가는실선
㉰ 쇄선　　　　　　　　㉱ 은선

해설 대상물의 보이는 부분의 모양을 나타내는 외형선은 굵은 실선을 사용한다.

23 기계제도에서 물체의 보이지 않는 부분을 나타내는 선의 종류는?

㉮ 가는 실선　　　　　㉯ 일점 쇄선
㉰ 이점 쇄선　　　　　㉱ 가는 파선

해설 선의 종류와 용도

① 외형선은 굵은 실선으로 그린다.
② 치수선, 치수 보조선, 지시선, 회전 단면선, 중심선, 수준면선 등은 가는 실선으로 그린다.
③ 은선(숨은선)은 가는 파선 또는 굵은 파선으로 그린다
④ 중심선, 기준선, 피치선은 가는 1점 쇄선으로 그린다.
⑤ 특수 지정선은 굵은 1점 쇄선으로 그린다.
⑥ 가상선 무게 중심선은 가는 2점 쇄선으로 그린다.
⑦ 파단선은 물체의 일부를 파단한 곳을 표시하는 선으로 불규칙한 파형의 가는 실선 또는 지그재그 선으로 그린다.
⑧ 절단선은 가는 1점 쇄선으로 끝 부분 및 방향이 변하는 부분을 굵은 실선으로 그린다.
⑨ 해칭은 가는 실선으로 규칙적으로 줄을 늘어놓은 것
⑩ 특수한 용도의 선으로는 가는 실선 아주 굵은 실선으로 나눌 수 있다.

24 다음 중 일점쇄선이 사용되는 경우인 것은?

㉮ 특수한 가공을 실시하는 부분을 표시하는 선
㉯ 기어나 스프로킷 등의 이 부분에 기입하는 피치선이나 피치원 표시하는 선
㉰ 공구 지그 등의 위치를 참고로 표시하는 선
㉱ 보이지 않은 부분을 나타내기 위하여 쓰는 선

25 대상물의 일부를 파단한 경계 또는 일부를 떼어낸 경계를 표시하는데 사용하는 선은?

㉮ 해칭선　㉯ 절단선　㉰ 가상선　㉱ 파단선

26 기계제도에서 불규칙한 파형의 가는 실선을 사용하는 선은?

㉮ 중심선　　　　　　㉯ 파단선
㉰ 무게 중심선　　　㉱ 기어 피치선

27 용접설비도면에 있는 가는 2점 쇄선의 용도로 가장 적합한 것은?

㉮ 치수선　　　　　　㉯ 가상선
㉰ 지시선　　　　　　㉱ 치수 보조선

해설 가상선(이점 쇄선)

① 도시된 물체의 앞면을 표시하는 선
② 인접 부분을 참고로 표시하는 선
③ 가공 전 또는 가공 후의 모양을 표시하는 선
④ 이동하는 부분의 이동 위치를 표시하는 선
⑤ 공구, 지그 등의 위치를 참고로 표시하는 선
⑥ 반복을 표시하는 선

28 가상선을 이용한 도시에서 대상물의 가공 전의 모양이나 가공 후의 모양 또는 조립 후의 모양을 표시하는 경우에 사용하는 선은?

㉮ 실선　　　　　　　㉯ 은선
㉰ 가는 2점 쇄선　　㉱ 가는 1점 쇄선

29 선의 용도가 특수한 가공을 하는 부분 등 특별한 요구사항을 적용할 수 있는 범위를 표시하는데 사용하는 선의 종류는?

㉮ 가는 2점 쇄선　　㉯ 굵은 1점 쇄선
㉰ 가는 1점 쇄선　　㉱ 굵은 실선

해설

그림에서와 같이 특수한 가공을 표시하는 선은 굵은 1점 쇄선을 쓴다.

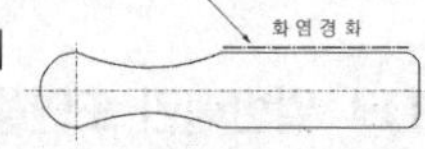

30 선의 종류에 의한 용도에서 가는 실선으로 사용하지 않는 것은?

㉮ 치수를 기입하기 위하여 도형으로부터 끌어내는데 쓰인다.
㉯ 기술·기호 등을 표시하기 위하여 도형으로부터 끌어내는 데 쓰인다.

Answer 23.㉱ 24.㉯ 25.㉱ 26.㉯ 27.㉯ 28.㉰ 29.㉯ 30.㉰

㉰ 물체의 보이는 부분을 표시하는데 쓰인다.
㉱ 치수를 기입하기 위하여 쓰인다.

31 **도면의 작도시에 패킹, 얇은판 등을 표시하는 아주 굵은선의 굵기는 가는선의 몇 배 정도인가?**

㉮ 1 ㉯ 2 ㉰ 3 ㉱ 4

해설 얇은 판의 단면도시에 사용하는 아주 굵은실선은 가는실선의 4배 정도인 0.7 ~ 2.0mm로 그린다.

32 **도면에 2가지 이상이 같은 장소에 겹치어 나타내게 될 경우 다음 중에서 우선순위가 가장 높은 것은?**

㉮ 숨은선 ㉯ 외형선
㉰ 절단선 ㉱ 중심선

해설 선의 우선순위 외형선 → 은선 → 절단선 → 중심선 → 무게 중심선의 순서이며 여기서 외형선과 은선은 실제 물체와 관계가 있어 우선순위에서 앞서는 것이며, 절단선은 절단 위치에 따라 외형을 바꿀 수 있기 때문에 그 다음으로 중요하다.

33 **용접설비제도에 사용하는 문자의 크기에 있어서 일반치수 숫자 및 기술문자의 크기는?**

㉮ 2.24 ~ 4.5mm ㉯ 3.15 ~ 6.3mm
㉰ 6.3 ~ 12.5mm ㉱ 9 ~ 18mm

해설 일반치수 숫자 및 기술 문자의 크기는 3.15 ~ 6.3mm이다.

34 **기계제도에 사용하는 문자의 종류가 아닌 것은?**

㉮ 한글 ㉯ 로마자
㉰ 아라비아 숫자 ㉱ 상형문자

해설 기계제도에 사용되는 문자는 한글, 로마자, 아라비아 숫자가 사용된다.

35 **기계제도에서 치수의 기입의 원칙 설명으로 틀린 것은?**

㉮ 치수는 중복 기입을 피한다.
㉯ 치수는 되도록 주투상도에 집중한다.
㉰ 치수의 단위는 cm를 기준으로 하며 cm의 단위는 기입하지 않는다.
㉱ 도면에 나타난 치수는 특별히 명시하지 않는 한, 그 도면에 도시된 대상물의 다듬질치수를 표시한다.

해설 치수 기입의 원칙
① 도면에는 완성된 물체의 치수 기입한다.
② 길이 단위 : mm, 도면에는 기입하지 않는다.
③ 각도 단위 : 도(°), 분(′), 초(″)를 사용한다.
④ 치수 숫자는 자릿수를 표시하는 콤마 등을 사용하지 않는다.
⑤ 치수 숫자는 치수선에 대하여 수직 방향은 도면의 우변으로부터, 수평 방향은 하변으로부터 읽도록 기입한다.
⑥ 도면에 길이의 크기와 자세 및 위치를 명확하게 표시한다.
⑦ 가능한 한 주투상도(정면도)에 기입한다.
⑧ 치수의 중복 기입을 피한다.
⑨ 치수는 계산할 필요가 없도록 기입한다.
⑩ 관련되는 치수는 한 곳에 모아서 기입한다.
㉠ 참고 치수는 치수 수치에 괄호를 붙인다
㉡ 비례척에 따르지 않을 때의 치수 기입은 치수 숫자 밑에 굵은선을 그어 표시해야 한다. 또는 NS(Not to Scale)로 표기한다.
⑪ 외형치수 전체 길이치수는 반드시 기입한다.

36 **도형의 치수기입에 사용되는 기본적인 요소와 관계없는 것은?**

㉮ 외형선 ㉯ 치수보조선
㉰ 지시선 ㉱ 치수 수치

해설 외형선의 물체의 외형을 나타내는 선이다.

37 **치수보조 기호에 대한 용어의 연결이 틀린 것은?**

㉮ R – 반지름 ㉯ ∅ – 지름
㉰ SR – 구의 반지름 ㉱ C – 치핑

해설 치수에 사용되는 보조기호는 치수 숫자 앞에 사용하며 다음과 같은 의미가 있다.
① ∅ : 원의 지름 기호를 나타내며 명확히 구분 될 경우는 생략할 수 있다.
② □ : 정사각형 기호로 생략 할 수 있다.
③ R : 반지름 기호
④ 구(S) : 구면 기호로 ∅,R의 기호 앞에 기입한다.

Answer 31.㉱ 32.㉯ 33.㉯ 34.㉱ 35.㉰ 36.㉮ 37.㉱

⑤ C : 모따기 기호
⑥ P : 피치 기호
⑦ t : 판의 두께 기호로 치수 숫자 앞에 표시한다.
⑧ ⊠ : 평면기호
⑨ (　) : 참고 치수 기호호이다.

38 치수기입이 □20으로 치수 앞에 정사각형이 표시되었을 경우의 올바른 해석은?

㉮ 이론적으로 정확한 치수가 20mm이다.
㉯ 체적인 20mm인 정육면체이다.
㉰ 면적인 20mm인 정사각형이다.
㉱ 한 변의 길이가 20mm인 정사각형이다.

39 원통이나 축 등의 투상도에서 대각선을 그어서 그 면이 평면임을 나타낼 때에 사용되는 선은?

㉮ 굵은 실선　㉯ 은선
㉰ 가는 실선　㉱ 굵은 일점 쇄선

40 구의 반지름을 나타내는 기호는?

㉮ SE　㉯ SW　㉰ ST　㉱ SR

41 다음 중 호의 길이 치수 표시로 가장 적합한 것은?

㉮ 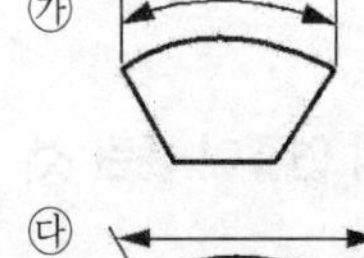
㉯
㉰ 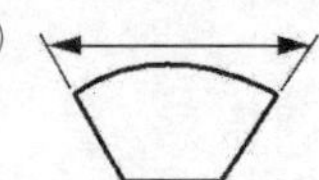
㉱ 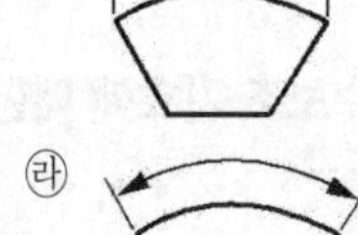

해설 ㉮는 원호의 길이, ㉯는 현의 길이, ㉱는 각도 치수 기입 방법이다.

42 다음 도면에서 A 부분의 치수 값은?

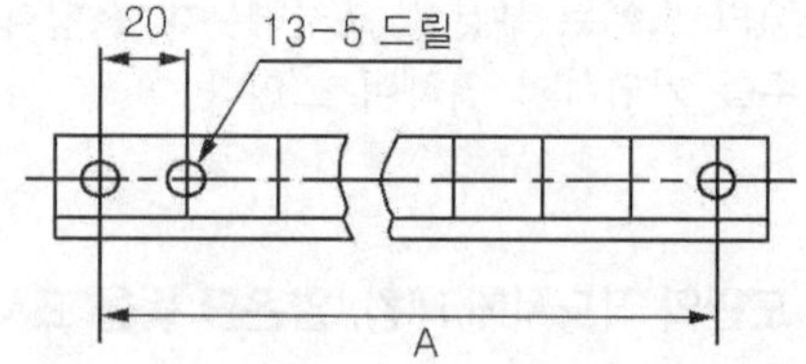

㉮ 100　㉯ 120　㉰ 240　㉱ 260

해설 13-5 드릴의 의미는 지름 5㎜인 구멍이 13개 있다는 의미이다. 같은 간격으로 연속하는 같은 종류의 구멍 표시 방법에서 간격의 수(구멍수 - 1) × 간격의 치수 = 합계 치수 이므로 12(간격의 수)× 20(피치) = 240이 된다.

43 다음과 같은 도면의 설명으로 가장 올바른 것은?

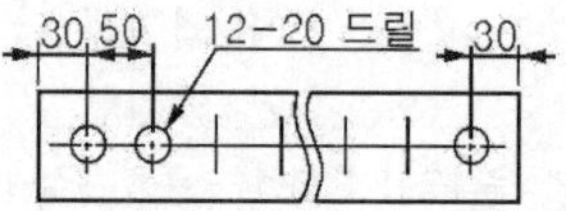

㉮ 전체길이는 660mm이다.
㉯ 드릴 가공 구멍의 지름은 12mm이다.
㉰ 드릴 가공 구멍의 수는 12개이다.
㉱ 드릴 가공 구멍의 피치는 30mm이다.

44 KS 기계제도에서의 치수 배치에서 한 개의 연속된 치수선으로 간편하게 표시하는 것으로 치수의 기점의 위치는 기점 기호(○)로 나타내는 것은?

㉮ 직렬치수 기입법
㉯ 좌표치수 기입법
㉰ 병렬치수 기입법
㉱ 누진치수 기입법

해설 직렬과 병렬 치수의 기입
① 직렬 치수 기입 : 한 지점에서 그 다음 지점까지의 거리를 각각 치수를 기입한 것
② 병렬 치수 기입 : 기준면(기점)에서부터 각각의 지점까지 치수를 기입한 것
③ 누진 치수 기입 : 병렬 치수 기입과 같으면서 1개의 연속된 치수선에 기입한 것

Answer 38.㉱ 39.㉰ 40.㉱ 41.㉮ 42.㉰ 43.㉰ 44.㉱

45 치수의 배치 방법 종류가 아닌 것은?

㉮ 직렬 치수 배치방법
㉯ 병렬 치수 배치방법
㉰ 평행 치수 배치방법
㉱ 누진 치수 배치방법

46 금속재료의 SF340A 규격에서 340은 무엇을 나타내는가?

㉮ 최저인장강도를 340kgf/cm² 로 나타냄
㉯ 최저인장강도를 340kgf/mm² 로 나타냄
㉰ 최저인장강도를 340N/mm² 로 나타냄
㉱ 최저인장강도를 340N/cm² 로 나타냄

해설 최저 인장 강도를 말하며 단위는 N/mm² 로 나타낸다.

47 기계재료 표시방법에서 SF340A에서 340의 표시는 무엇을 나타내는가?

㉮ 강 ㉯ 단조품
㉰ 최저인장강도 ㉱ 최고인장강도

48 KS 재료기호 중 SM25C 에서 25가 의미하는 것은?

㉮ 탄소 함유량 ㉯ 기계구조용 강재
㉰ 최저인장강도 ㉱ 일반구조용 강철

해설 숫자 뒤에 C가 붙으면 탄소 함유량을 의미한다.

49 다음 중에서 일반 구조용 압연강재를 나타내는 ks기호는?

㉮ SS400 ㉯ SM45C
㉰ SWS400 ㉱ SPC

해설
① 냉간 압연 강판(SCP) : 1종, 2종, 3종이 있다.
② 열간 압연 강판(SHP) : SHP1, SHP2, SHP3이 있다.
③ 일반 구조용 압연강(SS) : SS330, SS400, SS490, SS540이 있다.

50 재료 기호 SM400A에서 재질의 설명으로 옳은 것은?

㉮ 일반 구조용 압연 강재
㉯ 연강 선재
㉰ 용접 구조용 압연 강재
㉱ 열간 압연 연강판

해설
기계 구조용 탄소강(SM) :
SM0C, SM12C, SM15C, SM17C, SM20C, SM22C, SM25C, SM28C, SM30C, SM33C, SM35C, SM38C, SM40C, SM43C, SM45C
용접 구조용 압연강재 :
SM 400A · B · C, SM 490A · B · C, SM 490YA · YB, SM 520B · C, SM 570, SM 490TMC, SM 520TMC, SM 570TMC

51 한국 산업 규격에서 용접 구조용 압연 강재를 나타내는 종류의 기호는?

㉮ WSS400A ㉯ SS400A
㉰ SBB400A ㉱ SM400A

52 기계재료의 재질을 표시하는 기호 중 기계 구조용강을 나타내는 기호는?

㉮ AI ㉯ SM
㉰ Bs ㉱ Br

53 KS규격에서 회주철을 의미하는 기호는?

㉮ GC100 ㉯ SC360
㉰ BMC27 ㉱ C1020BE

해설 회주철의 기호는 GC(Gray Cast)

54 물체의 모양을 가장 잘 나타낼 수 있는 투상면은?

㉮ 평면도 ㉯ 정면도
㉰ 우측면도 ㉱ 좌측면도

해설 물체의 모양을 가장 잘 나타낼 수 있는 투상면은 정면도이다.

Answer 45.㉰ 46.㉰ 47.㉰ 48.㉮ 49.㉮ 50.㉰ 51.㉱ 52.㉯ 53.㉮ 54.㉯

55 **다음 그림은 투상법의 기호이다. 몇 각법을 나타내는 기호 인가?**

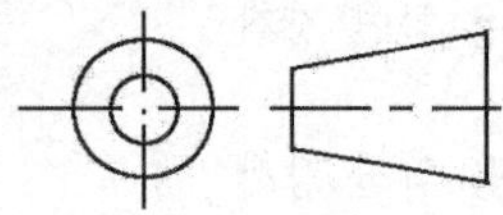

㉮ 제1각법　　　㉯ 제2각법
㉰ 제3각법　　　㉱ 제4각법

해설 ①, ②, ④, ⑤는 3각법, ③은 1각법

① 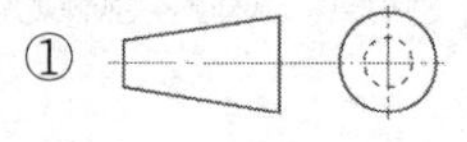　② 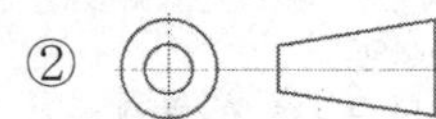

③ 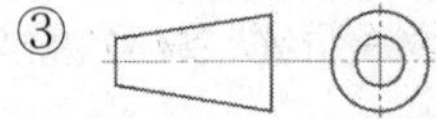　④ 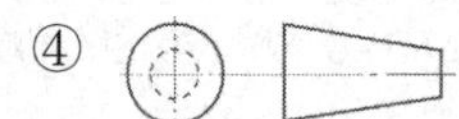

⑤ 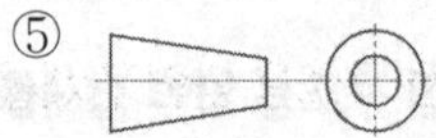

56 **다음 그림과 같은 제 3각법 투상도에서 A가 정면도일 때 배면도는?**

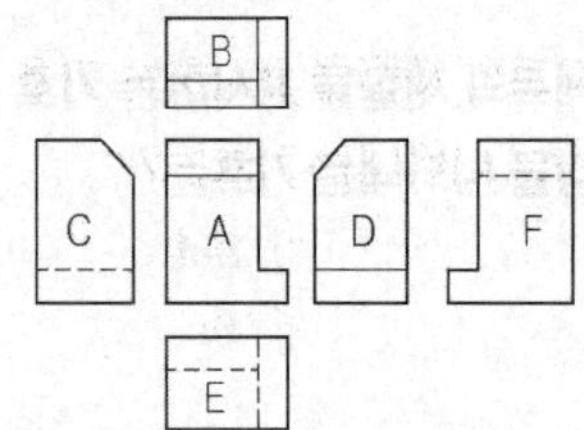

㉮ E　　㉯ C　　㉰ D　　㉱ F

해설 A정면도, B평면도, C좌측면도, D우측면도, F배면도, E저면도

57 **투상도의 명칭에 대한 설명으로 옳지 않는 것은?**

㉮ 정면도는 물체를 정면에서 바라본 모양을 도면에 나타낸 것이다.
㉯ 배면도는 물체를 아래에서 바라본 모양을 도면에 나타낸 것이다.
㉰ 평면도는 물체를 위에서 내려다 본 모양을 도면에 나타낸 것이다.
㉱ 좌측면도는 물체의 좌측에서 바라본 모양을 도면에 나타낸 것이다.

58 **3각법에서 물체의 위에서 내려다 본 모양을 도면에 표현한 투상도는?**

㉮ 정면도　　㉯ 평면도
㉰ 우측면도　　㉱ 좌측면도

59 **제 3각법 투상에서 "하면도" 라고도 하며 물체의 아래쪽에서 바라본 모양을 나타내는 것은?**

㉮ 평면도　㉯ 저면도　㉰ 배면도　㉱ 측면도

60 **제도에서 제1각법과 제3각법의 설명으로 옳지 않은 것은?**

㉮ 제3각법은 대상물을 제3상한에 두고 투상면에 정투상하여 그리는 방법이다.
㉯ 제1각법은 대상물을 제1상한에 두고 투상면에 정투상하여 그리는 방법이다.
㉰ 제3각법은 대상물을 투상면의 앞쪽에 놓고 투상하게 된다.
㉱ 제1각법에서 대상물 투상 순서는 눈 → 물체 → 투상면으로 된다.

해설

3각법( ) 눈 → 투상면 → 물체, 1각법( ) 눈 → 물체 → 투상면의 순서로 물체를 놓고 투상

61 **정투상법의 3각법에서 투상하여 보는 순서는?**

㉮ 눈 → 물체 → 투상면
㉯ 눈 → 투상면 → 물체
㉰ 물체 → 투상면 → 눈
㉱ 투상면 → 물체 → 눈

Answer 55.㉰ 56.㉱ 57.㉯ 58.㉯ 59.㉯ 60.㉰ 61.㉯

62 투상법에서 시점과 대상물의 각 점을 연결하고 대상물의 형태를 투상면에 찍어내기 위하는 선은?

㉮ 투상면　　㉯ 시점
㉰ 시선　　㉱ 투상선

해설 시점과 대상물의 각 점을 연결하고 대상물의 형태를 투상면에 찍어내기 위한 선을 투상선이라고 한다.

63 다음 입체도의 화살표방향 정면도에서 실제와 동일 형상으로 표시되는 투상면 만으로 표시된 항은?

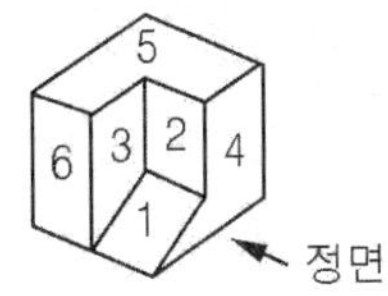

㉮ 3과 4　㉯ 4와 6　㉰ 2와 6　㉱ 1과 5

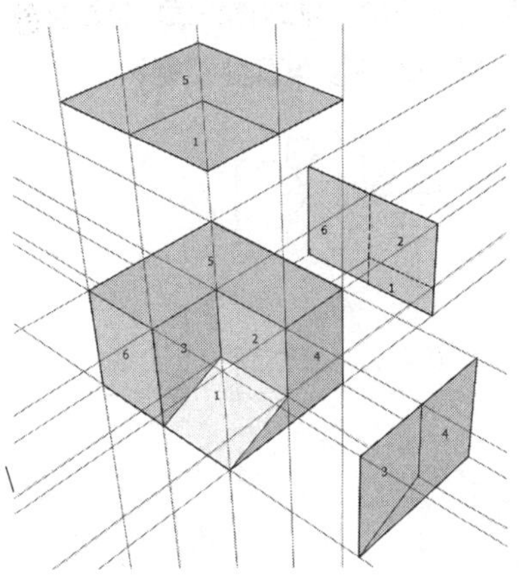

64 다음 입체도에서 화살표가 지시한 면이 정면일 경우 정면도 가장 적합한 것은?

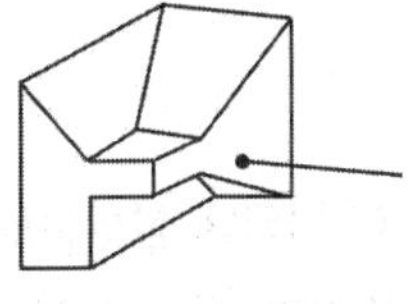

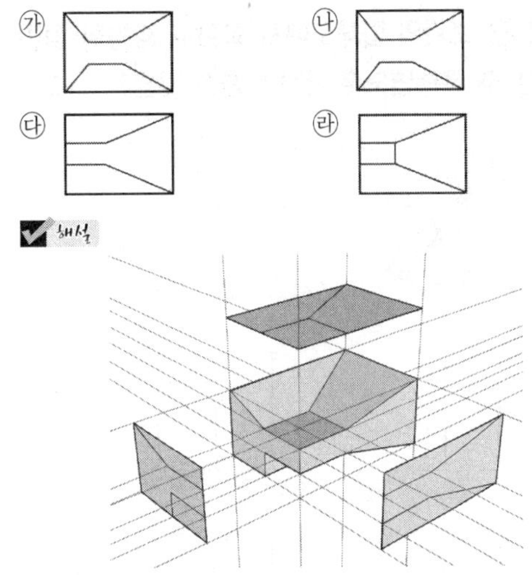

65 다음 입체도의 화살표 방향 투상도로 가장 적합한 것은?

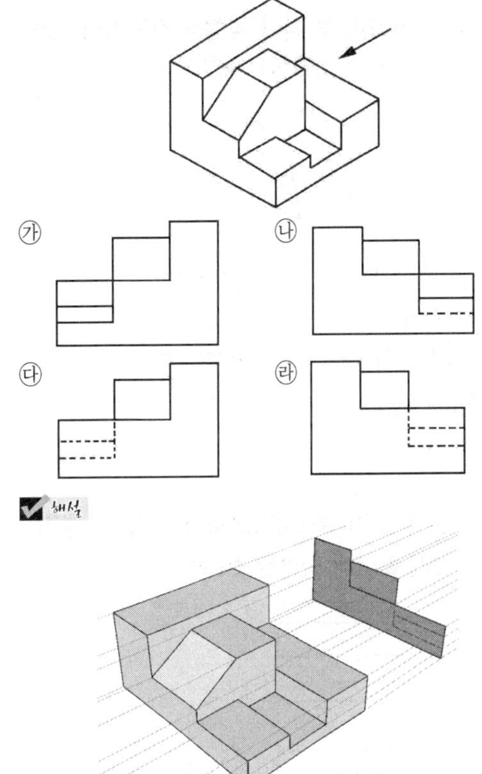

Answer 62.㉱　63.㉮　64.㉰　65.㉰

66 다음 보기의 입체도에서 화살표 방향이 정면 일 때 우측면도로 가장 적합한 것은?

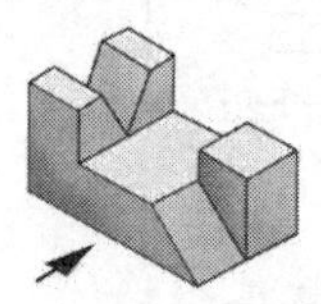

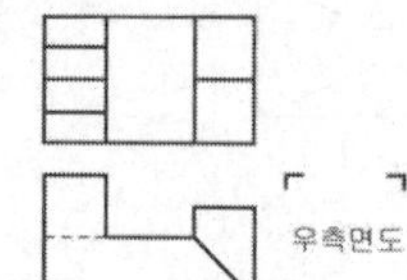

㉮

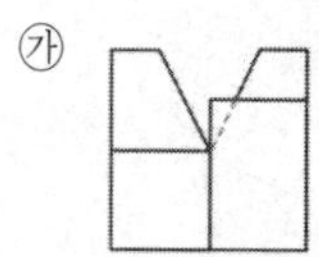

㉯

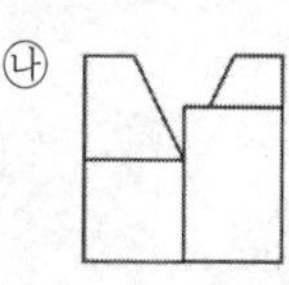

㉰

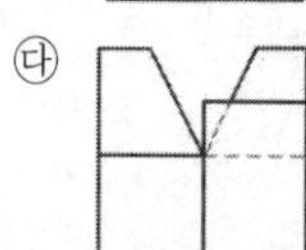

㉱

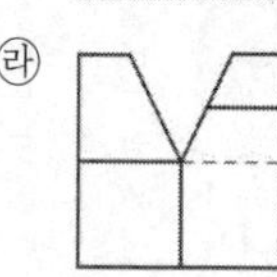

67 다음 보기의 입체도에서 화살표 방향이 정면 일 때 평면도로 가장 적합한 것은?(단, 밑면 의 홈은 모두 관통하는 홈임)

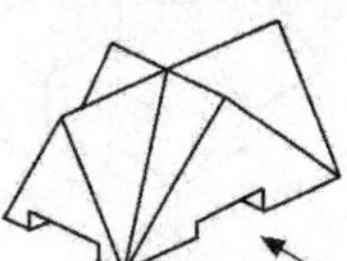

㉮

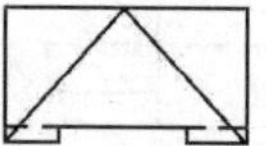

㉯

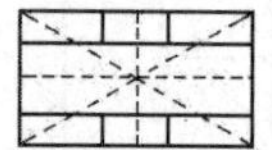

㉰

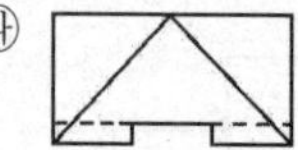

㉱

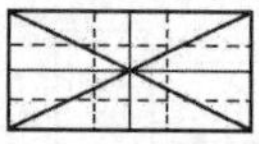

68 다음과 같이 제3각법으로 정투상한 도면의 입체도로 가장 적합한 것은?

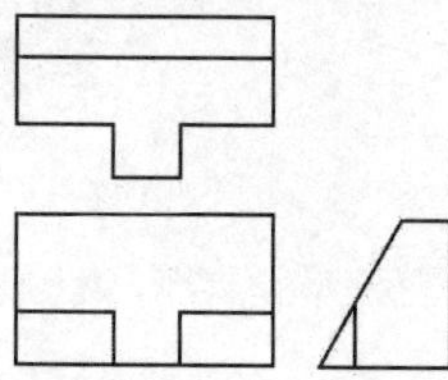

㉮ 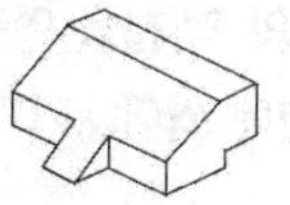 ㉯

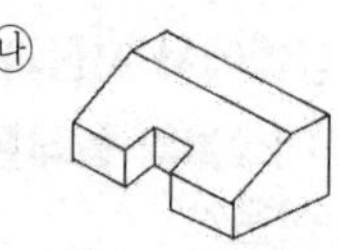

㉰ 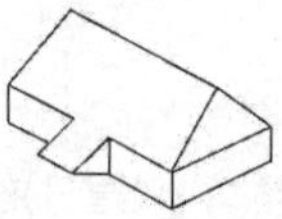 ㉱

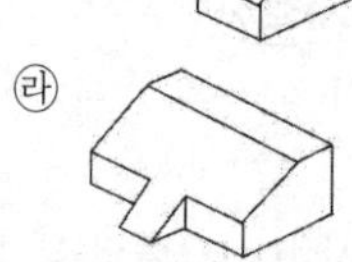

해설

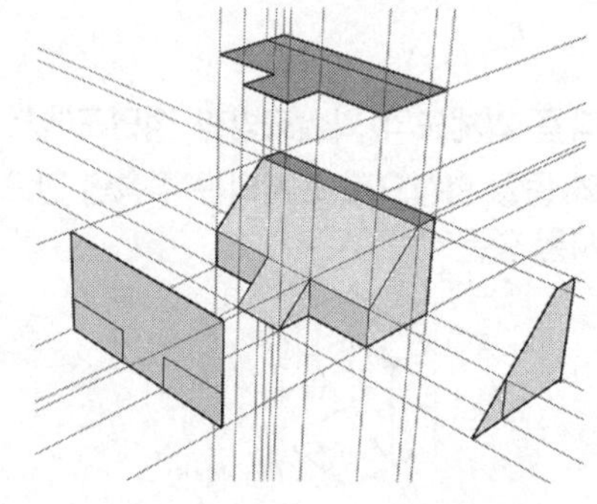

69 다음과 같이 제3각법으로 정투상한 도면의 입체도로 가장 적합한 것은?

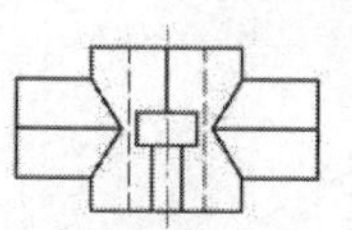

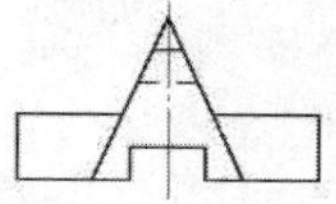

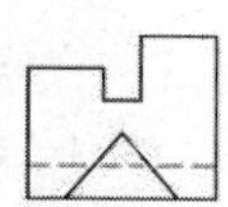

㉮

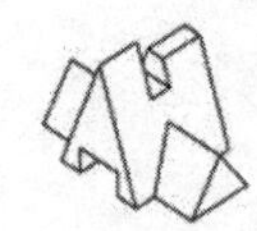

㉯

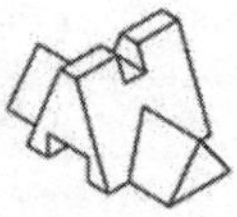

㉰

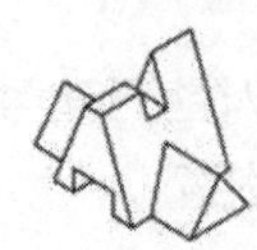

㉱

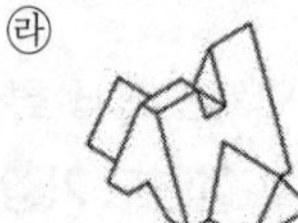

70 제3각법으로 나타낸 정투상도이다. 평면도를 완성하기 위하여 필요한 선의 종류 중 틀린 것은?

Answer 66.㉰ 67.㉱ 68.㉱ 69.㉰ 70.㉯

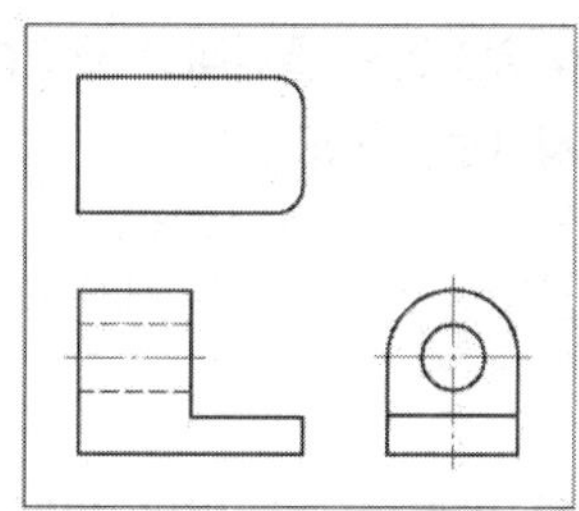

㉮ 중심선 ㉯ 파단선 ㉰ 은선 ㉱ 외형선

해설
완성된 평면도에서 필요한 선은 외형선, 은선, 중심선이 필요하다.

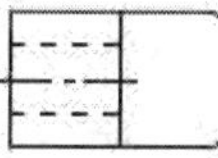

71 경사면부가 있는 물체에서 그 경사면의 실제 모양을 전체 또는 일부분으로 표시하는 투상도는?

㉮ 회전 투상도 ㉯ 보조 투상도
㉰ 주 투상도 ㉱ 정 투상도

해설 정투상도 이외의 투상도
① 보조 투상도(부투상도) : 물체가 경사면이 있어 투상을 시키면 실제 길이와 모양이 틀려져 경사면에 별도의 투상면을 설정하고 이 면에 투상하면 실제 모양이 그려짐
② 부분 투상도 : 물체의 일부 모양만을 도시해도 충분한 경우
③ 국부 투상도 : 대상물의 구멍, 홈 등 한 국부만의 모양을 도시하는 것으로 충분한 경우에는 그 필요 부분만을 국부 투상도로 나타냄
④ 회전 투상도 : 투상면이 어느 각도를 가지고 있기 때문에 그 실형을 표시하지 못할 때에는 그 부분을 회전해서 실제 길이를 나타내는 것

72 도형의 표시방법 중 보조 투상도의 설명으로 맞는 것은?

㉮ 그림의 일부를 도시하는 것으로 충분한 경우에 그 필요 부분만을 그리는 투상도
㉯ 대상물의 구멍, 홈 등 한 국부만의 모양을 도시하는 것으로 충분한 경우에 그 필요부분만을 그리는 투상도
㉰ 대상물의 일부가 어느 각도를 가지고 있기 때문에 투상면에 그 실형이 나타나지 않을 때에 그 부분을 회전해서 그리는 투상도
㉱ 경사면부가 있는 대상물에서 그 경사면의 실형을 나타낼 필요가 있는 경우에 그리는 투상도

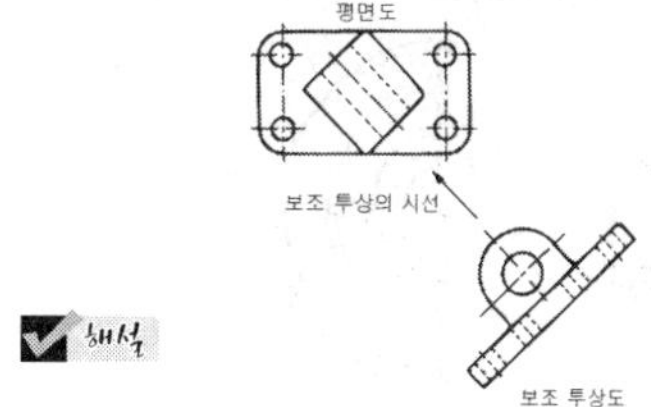

해설

73 대상물의 구멍, 홈 등과 같이 한 부분의 모양을 도시하는 것으로 충분한 경우에 그 부분만을 그리는 투상도는?

㉮ 정투상도 ㉯ 회전 투상도
㉰ 사투상도 ㉱ 국부 투상도

74 기계제도에서 단면도에 관한 설명으로 틀린 것은?

㉮ 가상의 절단면을 정 투상법에 의하여 나타낸 투상도를 말한다.
㉯ 주로 대칭인 물체의 중심선을 기준으로 내부 모양과 외부 모양을 동시에 표현하는 방법이 한쪽 단면도이다.
㉰ 단면 부분은 단면이란 것을 표시하기 위하여 해칭 또는 스머징을 한다.
㉱ 해칭은 주된 중심선에 대해서 60°로 굵은 실선으로 등 간격으로 표시한다.

해설
해칭은 45°로 각도로 가는 실선의 등간격으로 그어 60°로 그리는 지시선과의 혼동을 피한다.

75 도면에서 해칭 (hatching)을 하는 경우는?

㉮ 움직이는 부분을 나타내고자 할 때
㉯ 회전하는 물체를 나타내고자 할 때
㉰ 절단 단면 부분을 나타내고자 할 때
㉱ 이웃하는 부품과의 경계를 나타낼 때

해설 절단면 표시 : 해칭, 스머징을 사용한다.

Answer 71.㉯ 72.㉱ 73.㉱ 74.㉱ 75.㉰

76 다음 그림은 어떤 단면을 나타내고 있는가?

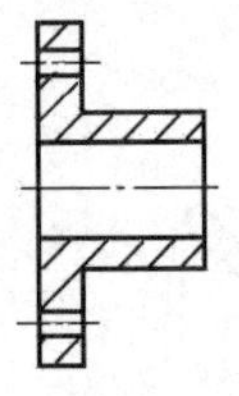
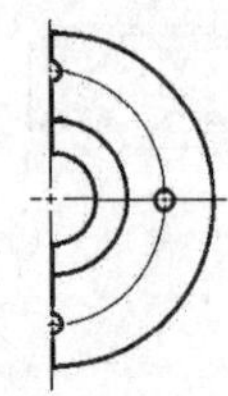

㉮ 한쪽 단면도(반단면) ㉯ 온 단면도(전단면도)
㉰ 부분 단면도 ㉱ 계단 단면도

해설 단면도의 종류

① 전단면도(온단면도)
 ㉠ 물체의 중심에서 $\frac{1}{2}$로 절단하여 단면 도시
 ㉡ 물체 전체를 직선으로 절단하여 앞부분을 잘라내고, 남은 뒷부분을 단면으로 그린 것

② 반단면도(한쪽단면도)
 ㉠ 물체의 상하 좌우가 대칭인 물체의 $\frac{1}{4}$을 절단하여 내부와 외형을 동시에 도시

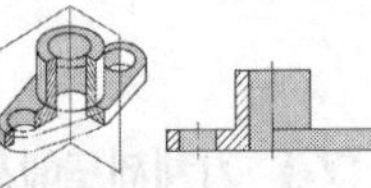

 ㉡ 단면을 표시하는 해칭은 물체의 왼쪽과 위쪽에 한다.

③ 부분 단면도
 ㉠ 일부분을 잘라내고 필요한 내부 모양을 그리기 위한 방법으로 파단선을 그어서 단면 부분의 경계를 표시한다.

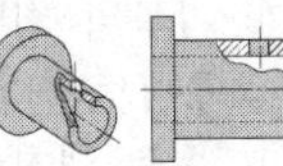

④ 회전 단면도
 ㉠ 핸들, 축, 형강 등과 같은 물체의 절단한 단면의 모양을 90°회전하여 내부 또는 외부에 그리는 것

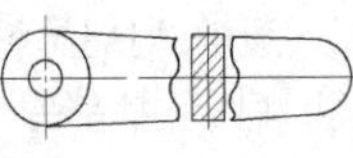

 ㉡ 내부에 표시할 때는 가는 실선을 사용한다.
 ㉢ 외부에 표시할 때는 굵은 실선을 사용한다.

⑤ 계단 단면도 그리기
 ㉠ 복잡한 물체의 투상도 수를 줄일 목적으로 절단면을 여러 개 설치하여 1개의 단면도로 조합하여 그린 것으로 화살표와 문자 기호를 반드시 표시한다.

77 핸들이나 바퀴 등의 암 및 리브, 훅, 축, 구조물의 부재 등의 절단면을 표시하는데 가장 적합한 단면도는?

㉮ 부분 단면도 ㉯ 회전도시 단면도
㉰ 온 단면도 ㉱ 한쪽 단면도

78 도면의 일부분을 잘라내고 필요한 내부모양을 도시하는 단면도는?

㉮ 계단단면도 ㉯ 전단면도
㉰ 회전단면도 ㉱ 부분단면도

79 KS규격 기계제도에서 얇은 부분의 단면 도시를 명시하는데 사용하는 선은?

㉮ 아주 가는 실선 ㉯ 아주 굵은 실선
㉰ 아주 가는 파선 ㉱ 아주 굵은 파선

해설 얇은 물체인 개스킷, 박판, 형강의 경우는 한 줄의 굵은 실선으로 단면 도시

80 다음과 같은 리벳이음(Rivet Joint) 단면의 표시법에서 KS 기계제도 통칙으로 올바르게 투상된 것은?

㉮
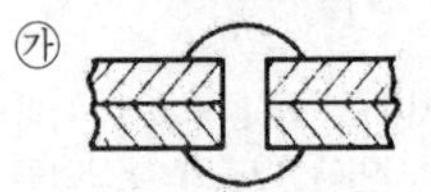
㉯
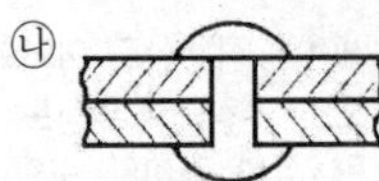
㉰
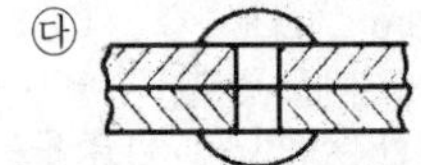
㉱
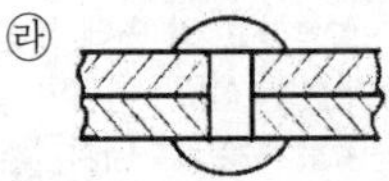

해설 길이방향으로 단면하지 않는 부품

길이 방향으로 단면해도 의미가 없는 거나 이해를 방해하는 부품인 축, 리벳 등은 길이 방향으로 단면을 하지 않는다. 그러므로 리벳을 단면하지 않은 ㉱가 정답이 된다.

81 다음 중 평면도법에서 인벌류트곡선에 대한 설명이다. 올바른 것은?

㉮ 원기둥에 감긴 실의 한 끝을 늦추지 않고 풀어나갈 때 이 실의 끝이 그리는 곡선이다.
㉯ 1개의 원이 직선 또는 원주 위를 굴러갈 때 그 구르는 원의 원주 위의 1점이 움직이며 그려 나가는 자취를 말한다.
㉰ 전동원이 기선 위를 굴러갈 때 생기는 곡선을 말한다.
㉱ 원뿔을 여러 가지 각도로 절단하였을 때 생기는 곡선이다.

Answer 76.㉯ 77.㉯ 78.㉱ 79.㉯ 80.㉱ 81.㉮

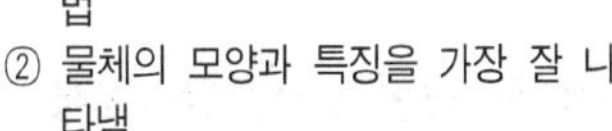

해설 실을 감고 잡아당기면서 풀어나가면 실의 끝점이 그리는 곡선을 인벌류트 곡선이라 하며, 일직선 위를 한 원이 미끄러지지 않고 굴러갈 때 이 원의 중심을 지나는 직선 위의 고정된 점이 굴러가는 원주상에 있을 때의 자취를 사이클로이드라 한다.

82 원 또는 다각형에 감긴 실을 잡아당기면서 풀어갈 때 실위의 한 점이 그려가는 것을 이어서 얻은 선을 무엇이라 하는가?

㉮ 포물선 ㉯ 쌍곡선
㉰ 인벌류트곡선 ㉱ 사이클로이드곡선

83 하나의 그림으로 물체의 정면, 우(좌)측면, 평(저)면의 3면의 실제모양과 크기를 나타낼 수 있어 기계의 조립, 분해를 설명하는 정비 지침서나, 제품의 디자인도 등을 그릴 때 사용되는 3축이 120°의 등각이 되도록 한 입체도는?

㉮ 사 투상도 ㉯ 분해 투상도
㉰ 등각 투상도 ㉱ 정투상도

해설 등각 투상도

① 물체의 정면, 평면, 측면을 하나의 투상도에서 볼 수 있도록 그린 도법
② 물체의 모양과 특징을 가장 잘 나타냄
③ 물체 3개의 세 모서리는 각각 120°
④ 용도 : 구상도나 설명도 등

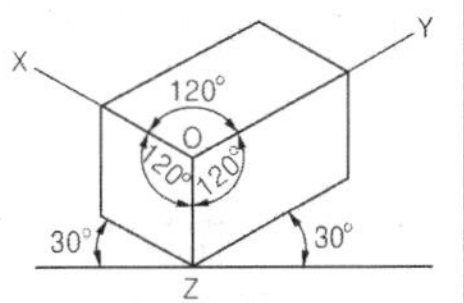

84 투상법 중 등각투상도법에 대한 설명으로 가장 적합한 것은?

㉮ 한 평면 위에 물체의 실제모양을 정확히 표현하는 방법이다.
㉯ 정면, 측면, 평면을 하나의 투상면 위에서 동시에 볼 수 있도록 입체도로 그려진 투상도이다.
㉰ 물체의 정면을 투상면에 평행하게 놓고, 투상면에 대하여 수직보다 다소 옆면에서 보고 나타낸 투상도이다.
㉱ 도면에 물체의 앞면과 뒷면을 동시에 표시하는 방법이다.

85 다음 중 사투상도를 설명하는 내용으로 틀린 것은?

㉮ 투상도의 정면은 수평선과 평행하게, 옆면은 수평선과 임의의 각도로 그린다.
㉯ 3개의 축선이 서로 만나서 이루는 세 각들 중에서 두 각은 같게, 나머지 한 각을 다르게 그린다.
㉰ 옆면의 길이는 정면과 다르게 하여 입체감이 나도록 그린다.
㉱ 물체의 특징인 정면 모양이 실제 크기로 표시한다.

해설 사투상도

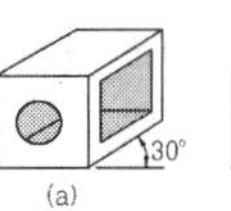

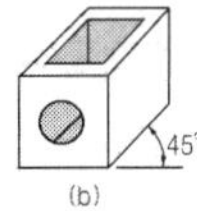

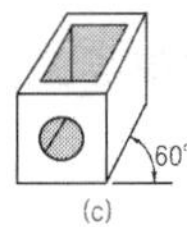

① 물체를 투상면에 대하여 한쪽으로 경사지게 투상하여 입체로 나타낸 것
② 정면의 도형은 정투상도의 정면도와 거의 같은 형태로 투상되므로 물체의 특징이 잘 나타난다.
③ 물체의 입체를 나타내기 위해 수평선에 대하여 30°, 45°, 60°의 경사각을 주어 그린다.
④ 물체의 경사면 길이는 정면과 다르게 하여 물체가 실감이 나도록 1:1, 1:$\frac{3}{4}$, 1:$\frac{1}{2}$이 주로 많이 쓰인다.

86 다음 중 사투상도를 표현한 것은?

㉮
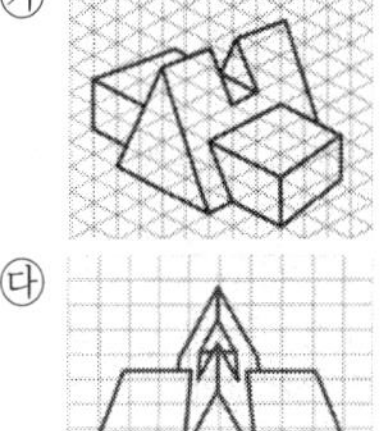

㉯
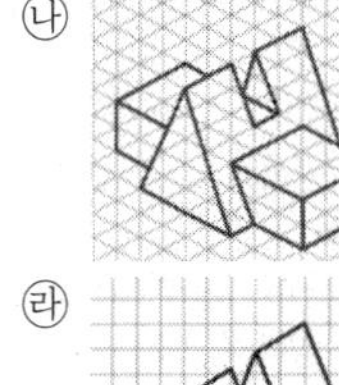

㉰

㉱
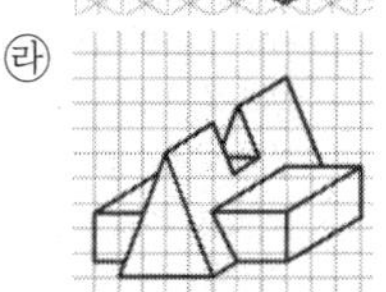

Answer 82.㉰ 83.㉰ 84.㉯ 85.㉯ 86.㉱

87 다음이 표현하고 있는 투상도로 옳은 것은?

㉮ 등각 투상도 ㉯ 부등각 투상도
㉰ 사투상도 ㉱ 투시 투상도

해설 투시 투상도
① 물체의 앞 또는 뒤에 화면을 놓고 시점에서 물체를 본 시선이 화면과 만나는 각 점을 연결하여 눈에 비치는 모양과 같게 물체를 그리는 것
② 물체의 멀고 가까운 거리감을 느낄 수 있도록 하나의 시점과 물체의 각 점을 방사선으로 이어서 그리는 도법
③ 용도 : 사진이나 사생도에 속하는 건축, 교량, 조감도, 도록의 도면 작성
④ 종류 : 평행투시도, 유각투시도, 경사투시도

88 기계부품의 스케치도에 관한 설명 중 틀린 것은?

㉮ 기계나 기계부품을 스케치하여 각부의 치수, 재질, 가공법 등을 기입한다.
㉯ 적합한 계측기기의 사용법을 알아야 정확하게 도면화 시킬 수 있다.
㉰ 제도 용구와 측정 용구로서 정확한 1 : 1 척도로만 도면화 하여야 한다.
㉱ 기계부품에 대한 충분한 사전 지식을 갖추어야 신속 정확하게 도면화 시킬 수 있다.

해설
① 스케치 용구
㉠ 작도 용구 : 스케치 용구(모눈종이 또는 갱지), 연필, 지우개
㉡ 측정 용구 : 직선자, 줄자, 캘리퍼스(내경, 외경), 버니어 캘리퍼스, 마이크로미터, 각도기, 게이지(깊이, 나사, 반지름, 틈새),정반
㉢ 분해용 공구 : 렌치, 플라이어, 드라이버 세트, 스패너, 해머
② 스케치 순서
㉠ 먼저 분해하기 전에 조립도를 프리핸드로 그리고, 조립 상태를 표시하며, 주요 치수를 기입 한 후 각 부품을 순서에 따라 분해하고, 부분 조립도를 스케치한다.
㉡ 각부의 부품 조립도와 부품표를 작성하고 세부 치수를 기입한다.
㉢ 각 부품도에 재료(재질), 가공법, 수량, 끼워 맞춤 기호 등을 기입한다.
㉣ 기계 전체의 형상을 명백히 하고 완전 여부를 검토한다.

89 스케치도의 작성법에 관한 설명으로 올바른 것은?

㉮ 다듬질 정도나 재료명은 기입할 필요가 없다.
㉯ 가공방법이나 끼워 맞춤 정도는 기입할 필요가 없다.
㉰ 부품표를 만들어 부품번호, 품명, 수량 등을 기입한다.
㉱ 스케치도는 반드시 1 : 1 현척으로 그려야 한다.

90 평면이면서 복잡한 윤곽을 갖는 부품일 경우 물체의 표면에 기름이나 광명단을 얇게 칠하고 그 위에 종이를 대고 눌러서 실제의 모양을 뜨는 방법은?

㉮ 프린트법 ㉯ 모양뜨기법
㉰ 프리핸드법 ㉱ 사진법

해설 스케치 방법
① 프린트법 : 부품 표면에 광명단 또는 스탬프 잉크를 칠한 후 용지에 찍어 실제 형상으로 모양을 뜨는 방법
② 본뜨기법 : 실제 부품을 용지 위에 올려놓고 본을 뜨는 방법과 부품 표면을 납선으로 본을 떠서 이를 용지에 옮기는 방법
③ 사진 촬영법 : 사진기로 실물을 직접 찍어서 도면을 그리는 방법(크거나 복잡한 경우)
④ 프리핸드법 : 손으로 직접 그리는 방법

91 스케치도의 필요성에 관한 설명으로 관계가 먼 것은?

㉮ 동일한 기계를 제작할 필요가 있는 경우
㉯ 제작도면을 오래도록 보존할 필요가 있는 경우
㉰ 사용중인 기계의 부품이 파손된 경우
㉱ 사용중인 기계의 부품 개조가 필요한 경우

92 기계나 장치 등의 실체를 보고 프리핸드로 그린 도면은?

㉮ 배치도 ㉯ 기초도
㉰ 장치도 ㉱ 스케치도

Answer 87.㉱ 88.㉰ 89.㉰ 90.㉮ 91.㉯ 92.㉱

93 **대상물을 구성하는 면을 평면으로 펼쳐서 그린 그림은?**

㉮ 외관도 ㉯ 전개도 ㉰ 곡면선도 ㉱ 선도

해설 전개도
① 입체의 표면을 평면 위에 펼쳐 그린 그림
② 전개도를 다시 접거나 감으면 그 물체의 모양이 됨
③ 용도 : 철판을 굽히거나 접어서 만드는 상자, 철제 책꽂이, 캐비닛, 물통, 쓰레받기, 자동차 부품 , 항공기 부품, 덕트 등

94 **일반적인 판금전개도를 그릴 때 전개 방법이 아닌 것은?**

㉮ 사각형 전개법 ㉯ 평행선 전개법
㉰ 방사선 전개법 ㉱ 삼각형 전개법

해설
① 평행선 전개법 특징 : 물체의 모서리가 직각으로 만나는 물체나 원통형 물체를 전개할 때 사용
② 방사선 전개법 특징 : 각뿔이나 원뿔처럼 꼭짓점을 중심으로 부채꼴 모양으로 전개하는 방법
③ 삼각형 전개법 특징 : 꼭지점이 먼 각뿔이나 원뿔을 전개할 때 입체의 표면을 여러 개의 삼각형으로 나누어 전개하는 방법

95 **다음과 같은 원통을 경사지게 절단한 제품을 제작할 때 다음 중 어떤 전개법이 가장 적합한가?**

㉮ 혼합형법 ㉯ 평행선법
㉰ 삼각형법 ㉱ 방사선법

96 **다음 전개도법에서 원뿔의 전개에 가장 적합한 것은?**

㉮ 평행 전개법 ㉯ 방사 전개법
㉰ 삼각 전개법 ㉱ 정 다각형법

97 **다음과 같은 밑면이 정원인 원뿔을 수직선에 경사지게 절단한 단면에 직각으로 시선을 주었을 때, 절단면의 모양으로 다음 중 가장 적합한 형상은?**

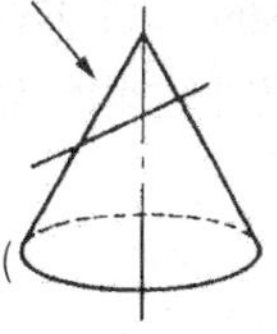

㉮ 3각형 ㉯ 동심원
㉰ 타원 ㉱ 다각형

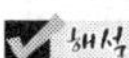
해설
원뿔을 평행하게 절단하면 동심원이 되나
그림과 같이 경사지게 절단하면 타원이 나온다.

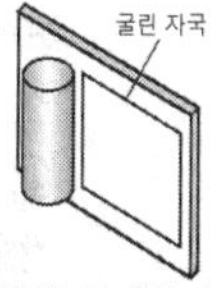

원통의 전개원리

98 **절단된 원추를 3각법으로 정투상한 정면도와 평면도가 보기와 같은 때, 가장 적합한 전개도 현상은? (단, 철판의 두께와 치수는 무시함)**

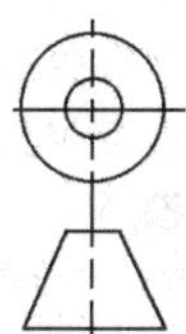

㉮ 
㉯ 
㉰ 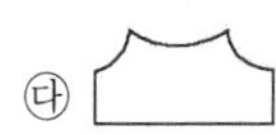
㉱ 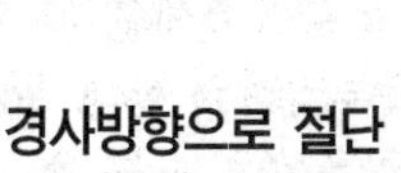

99 **다음과 같이 경사방향으로 절단된 원뿔을 전개할 때 전개도 형상으로 가장 적합한 것은?**

㉮ 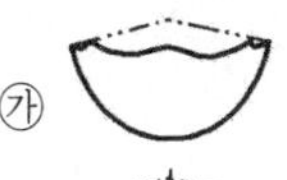
㉯ 
㉰ 
㉱ 

100 **보기와 같은 원뿔 전개도에서 원호의 반지름 ℓ은 얼마인가?**

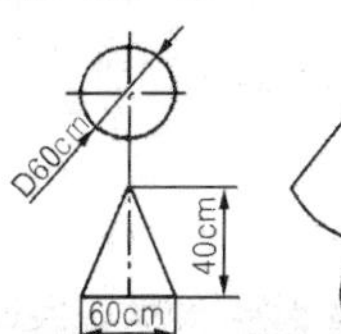
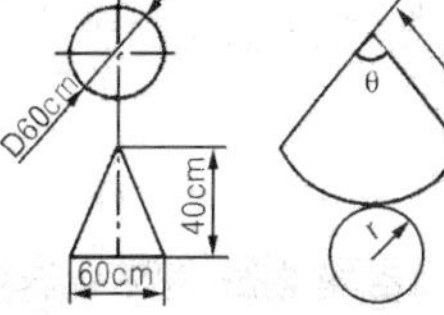

Answer 93.㉯ 94.㉮ 95.㉯ 96.㉯ 97.㉰ 98.㉮ 99.㉯ 100.㉮

㉮ 50cm　㉯ 60cm　㉰ 45cm　㉱ 55cm

해설 피타고라스 정리에 의하여 밑변 30, 높이 40이므로 빗변은 50cm가 나온다.

101 오른쪽 그림과 같이 외경은 550mm, 두께가 6mm, 높이는 900mm인 원통을 만들려고 할 때, 소요되는 철판의 크기로 다음 중 가장 적합한 것은?(단, 양쪽 마구리는 없는 상태이며 이음매 부위는 고려하지 않음)

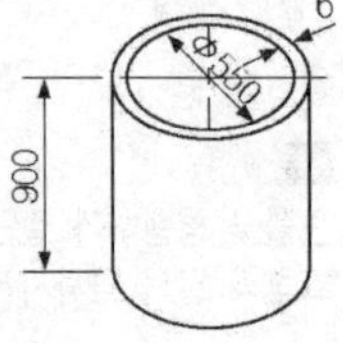

㉮ 900 × 1,709　㉯ 900 × 1,749
㉰ 900 × 1,705　㉱ 900 × 1,800

해설
원의 둘레를 구하는 공식은 $2\pi r$이다. 즉 πd로도 계산할 수도 있다. 여기서는 안지름이 550으로 나와 있으므로 두께 6mm를 뺀 544로 계산하여 보면 3.14 × 544가 되어 1708.16정도 나오게 된다.

102 그림과 같이 판재를 90°로 중립면의 변화 없이 구부리려고 한다. 판재의 총 길이는 몇 mm인가?(단, π는 3. 14로 하고, 단위는 mm임)

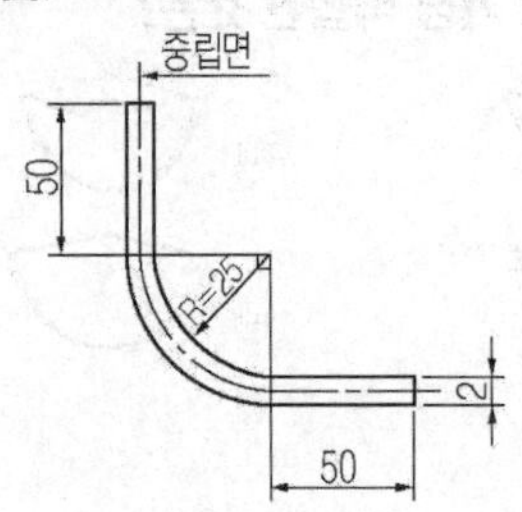

㉮ 135.42　㉯ 137.68　㉰ 140.82　㉱ 142.39

해설

$$l = L1+L2+\frac{90\times2\times\pi\times r}{360} = 50+50+\frac{2\times3.14\times26}{4} = 140.82$$

103 다음 중 그림과 같은 리벳 이음의 명칭은?

㉮ 1줄 맞대기이음
㉯ 1줄 겹치기이음
㉰ 1줄 지그재그 맞대기이음
㉱ 1줄 지그재그 겹치기이음

해설

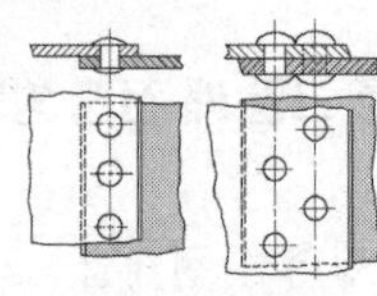

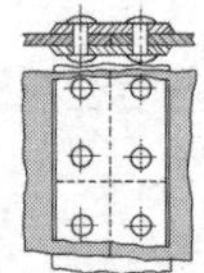

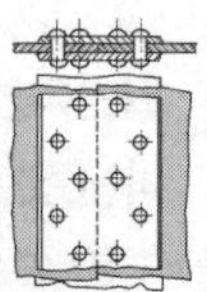

ⓐ 겹치기 이음　ⓑ 맞대기 이음

ⓐ 겹치기 이음 : 1줄 겹치기, 2줄 지그재그 겹치기
ⓑ 맞대기 이음 : 1줄 맞대기, 2줄 지그재그 맞대기

104 보기 그림의 형강을 올바르게 나타낸 치수 표시법은? (단, 길이는 L로 표시함)

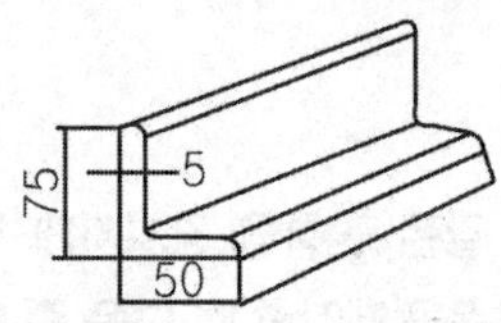

㉮ L75 × 50 × 5 × L
㉯ L75 × 50 × 5 – L
㉰ L75 × 50 – 5 – L
㉱ L50 × 75 × 5 × L

해설 평강 또는 형강의 치수 표시는 (모양 나비 × 나비 × 두께 - 길이)로 표시

105 기계설비 도면에서 1층 바닥면을 기준하여 높이를 나타낼 때 사용하는 기호는?

㉮ CL　㉯ EL　㉰ FL　㉱ GL

해설
배관의 치수를 표시하는 방법은 관 중심을 기준으로 할 때는 EL, 관외경의 위 EOP, 관 외경의 아래 BOP, 1층 바닥면 기준 FL 등이 있다.

Answer 101.㉮　102.㉰　103.㉯　104.㉯　105.㉰

106 배관 설비 계통의 계기를 표시하는 기호 중 온도계는?

㉮ Ⓒ ㉯ Ⓛ ㉰ Ⓟ ㉱ Ⓣ

해설 온도계와 압력계 표시는 계기의 표시기호를 ○안에 기입한다. 온도계(thermometer)는 원안에 T, 압력계(Pressure) 원안에 P, 유량계는 F를 기입한다.

107 배관 도시기호 중 체크밸브를 나타낸 것은?

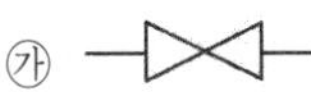

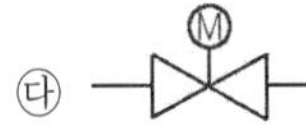

해설 체크 밸브는 유체를 한쪽 방향으로 흐르게 하는 밸브로 체크 밸브는 유체의 흐름을 한 쪽 방향으로 흐르게 하는 것으로 스윙식과 리프트식이 있다. ㉱와 같은 모양이나 밸브의 한쪽이 까맣게 칠해진 밸브( )로 표시한다. 밸브에서 까맣게 칠해지면 닫혀있다는 의미이다.

108 다음 그림은 배관용 밸브의 도시 기호이다. 어떤 밸브의 도시 기호인가?

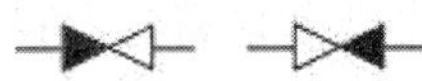

㉮ 앵글 밸브 ㉯ 체크 밸브
㉰ 게이트 밸브 ㉱ 안전 밸브

109 배관설비 도면에서 다음과 같은 관 이음의 도시 기호가 의미하는 것은?

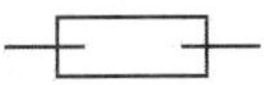

㉮ 신축관 이음 ㉯ 하프 커플링
㉰ 슬루스 밸브 ㉱ 플렉시블 커플링

해설 배관 도면에서 신축 이음은 루프형, 벨로즈형, 슬리브형, 스위블형 이음이 있다. 여기서 그림 ㉮는 신축관 이음의 도시기호를 보여주고 있다.

110 다음의 용접기호 중에서 플러그용접을 나타내는 기호는?

㉮ ㉯ ㉰ ㉱

해설

	실제 모양	기호 모양
플러그 용접 : 플러그 또는 슬롯 용접		
스폿 용접		
심 용접		

111 용접 기호 중에서 스폿 용접을 표시하는 기호는?

㉮ ㉯ ㉰ ㉱

112 KS규격 용접도시기호에서 플러그(plug) 용접기호는?

㉮ ㉯ ㉰ ㉱

해설 ㉮는 점용접, ㉯는 비드 덧붙임 ㉰는 현장 용접을 뜻하는 보조기호

113 용접의 기본기호 중 가장자리 용접을 나타내는 것은?

㉮ ㉯ ㉰ ㉱

해설 는 서페이싱, 는 서페이싱 용접을, 가장자리 용접은 이다.

Answer 106.㉱ 107.㉱ 108.㉯ 109.㉮ 110.㉮ 111.㉰ 112.㉱ 113.㉯

114 **다음 용접의 명칭과 기호가 맞지 않는 것은?**

㉮ 겹침 이음 : \/ ㉯ 가장자리 용접 : |||

㉰ 서페이싱 : ⌒⌒ ㉱ 서페이싱 이음 : ═

해설 ㉮는 뒷면 용접 공정이 없는 경우의 보조기호 표시이다.

115 **KS 용접 기호 중 뒷면 용접 기본기호는?**

㉮ |/ ㉯ \/ ㉰ ◡ ㉱ ⫫

해설 ㉮는 부분 용입 한쪽 면 K형 맞대기 이음 용접, ㉯는 반대쪽 즉 뒷면 용접 공정이 없는 기호, ㉱는 끝단부를 매끄럽게 하는 보조 기호이다.

116 **용접 기본기호 중 맞대기 이음 용접기호가 아닌 것은?**

㉮ I ㉯ V ㉰ Y ㉱ L

해설 ㉮는 I형, ㉯는 V형, ㉰는 루트면 있는 양면 K형, L형 맞대기 이음은 없다.

117 **한쪽면 K형 맞대기 이음 용접의 기본기호는?**

㉮ || ㉯ X ㉰ |/ ㉱ Y

해설 ㉮는 평면형 평행 맞대기 이음 즉 I형, ㉯는 양면 V형, ㉱는 부분 용입 한쪽 면 V

118 **다음 그림 중에서 용접 기호(이음용접)를 나타내는 부분은?**

㉮ A ㉯ B ㉰ C ㉱ D

해설 A화살로 용접 방향을 결정하는 곳이며, B부분에는 현장 또는 공장 용접의 기호를 표시하는 곳이며, C부분에는 용접 기호를 D부분 즉 꼬리 부분은 특수한 상황 등을 기입한다.

119 **그림과 같은 용접기호의 설명으로 올바른 것은?**

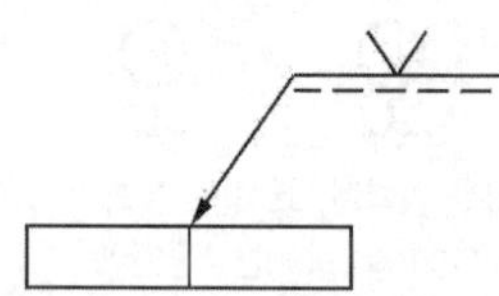

㉮ 이음의 화살표 쪽에 용접을 한다.

㉯ 양쪽에 용접을 한다.

㉰ 화살표 반대쪽에 용접을 한다.

㉱ 어느 쪽에 용접을 해도 무방하다.

해설 실선에 기호가 붙으면 화살표쪽을 의미한다. 화살표 쪽 V형 용접을 뜻하는 기호이다.

120 **KS규격(3각법)에서 용접 기호의 해석으로 옳은 것은?**

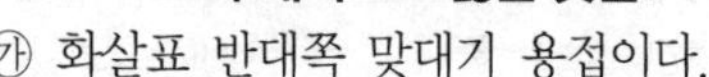

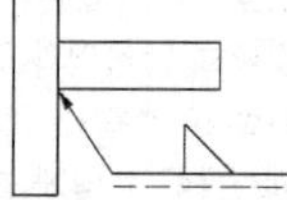

㉮ 화살표 반대쪽 맞대기 용접이다.

㉯ 화살표 쪽 맞대기 용접이다.

㉰ 화살표 쪽 필릿 용접이다.

㉱ 화살표 반대쪽 필릿 용접이다.

121 **다음 그림과 같은 용접도시기호에 의하여 용접할 경우 설명으로 틀린 것은?**

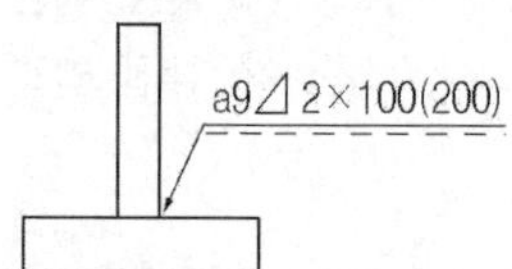

㉮ 화살표쪽에 필릿용접한다.

㉯ 목두께는 9[mm]이다.

㉰ 용접부의 개수는 2개이다.

㉱ 용접부의 길이는 200[mm]이다.

해설 용접도시기호에서 용접부의 길이는 100mm, 간격이 200mm이다.

122 **다음과 같은 용접도시기호의 설명으로 올바른 것은?**

Answer 114.㉮ 115.㉰ 116.㉱ 117.㉰ 118.㉰ 119.㉮ 120.㉰ 121.㉱ 122.㉰

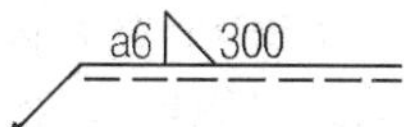

㉮ 필릿 용접부의 용입 깊이는 6mm이다.
㉯ 필릿 용접을 화살표 반대쪽에서 한다.
㉰ 필릿 용접부의 목 두께는 6mm이다.
㉱ 필릿 용접부의 길이는 200mm이다.

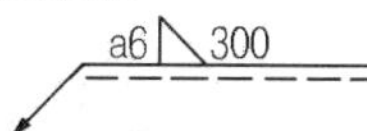

에서 a6는 필릿 용접에서 목 두께가 6mm임을 뜻한다.

123 KS 스폿용접 기호 중 3이 의미하는 것은?

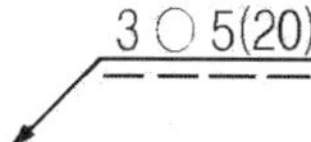

㉮ 스폿 길이　　　　㉯ 스폿 개수
㉰ 스폿부의 지름　　㉱ 간격

해설 용접부의 지름 3mm, 용접수 5, 간격(20)의 표시 예이다.

124 다음 용접 기호를 설명한 것으로 틀린 것은?

a ▷ n×ℓ (e)
a ▷ n×ℓ (e)

㉮ 목두께가 a인 지그재그 단속필릿 용접이다.
㉯ n은 용접부의 개수를 말한다.
㉰ ℓ 은 용접부의 길이로 크레이터부를 포함한다.
㉱ (e)는 인접한 용접부간의 거리를 표시한다.

해설

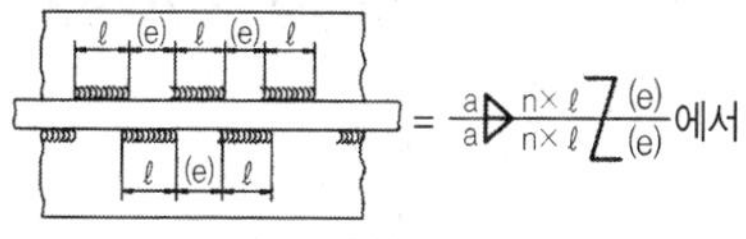

에서 ℓ 은 용접부 길이(크레이터부 제외)를 뜻한다.

125 다음 용접기호를 설명한 것으로 올바른 것은?

C ⊓ n× ℓ (e)

㉮ C = 슬롯부의 폭
㉯ ℓ = 용접부의 개수(용접수)
㉰ n = 용접부 길이
㉱ (e) = 크레이터 길이

해설

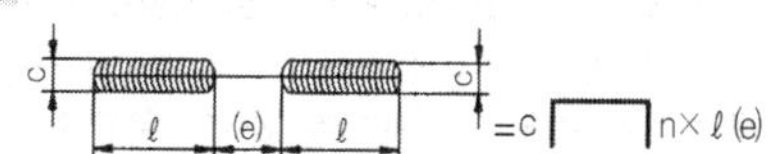

그러므로 C는 슬롯의 폭, n은 용접부의 개수, ℓ 이 용접부의 길이이다.

126 아래 용접 기호 설명 중 틀린 것은?

C ⊖ n×ℓ(e)

㉮ C : 용접부 너비
㉯ n : 용접부 수
㉰ ℓ : 용접부 길이
㉱ (e) : 단속용접 길이

해설 용접부의 너비 C, ℓ 용접부의 길이, 용접부의 개수 n, 간격(e)의 표시다.

127 다음 그림의 용접 기호를 바르게 설명한 것은?

㉮ 경사 접합부
㉯ 겹침 접합부
㉰ 점 용접
㉱ 플러그 용접

해설

겹침이음		⊂⊃

Answer 123.㉰ 124.㉰ 125.㉮ 126.㉱ 127.㉯

128 **화살표 쪽을 용접하는 필릿 용접기호로 맞는 것은**

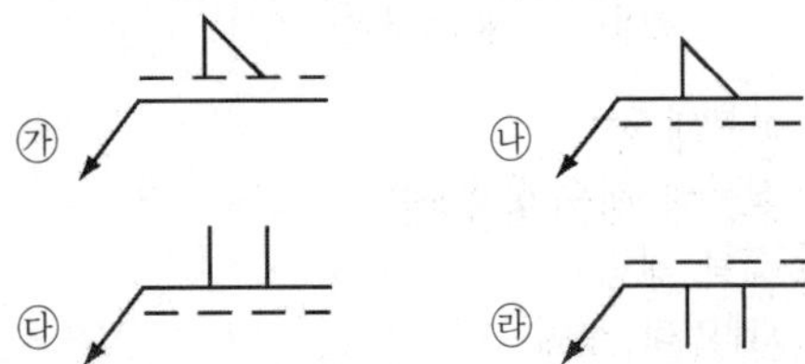

✔ 해설 실선에 기호가 붙으면 화살표 쪽 용접이며, 파선에 붙으면 화살표 반대쪽이다. 화살표 쪽인 ㉯, ㉰ 중에서 정답을 찾아야 된다. ㉯는 필릿 용접이며, ㉰는 I형 맞대기 용접의 표시이다.

129 **전체 둘레 용접의 보조기호는?**

✔ 해설 ㉮는 일주 용접, ㉱는 일주(온둘레) 현장 용접의 보조기호 , ㉯는 현장 용접

130 **용접부 보조 기호 중 끝단부를 매끄럽게 처리하도록 하는 기호는?**

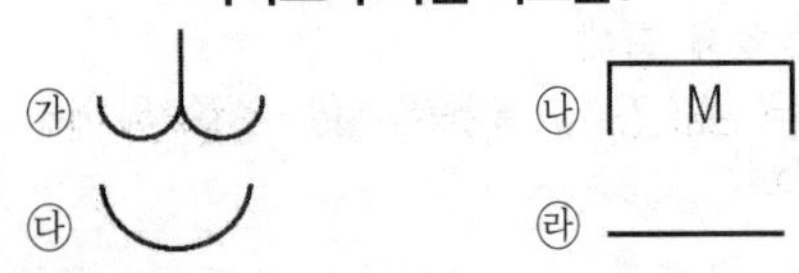

✔ 해설

용접부 및 용접부 표면의 형상	기 호
평면(동일 평면으로 다듬질)	
볼록(凸)형	
오목(凹)형	
끝단부를 매끄럽게 함	
영구적인 덮개 판을 사용	M
제거 가능한 덮개 판을 사용	MR

131 **다음과 같이 용접부 및 용접부 표면의 형상을 나타내는 기호의 설명으로 올바른 것은?**

MR

㉮ 영구적인 덮개 판을 사용한다.
㉯ 제거 가능한 덮개 판을 사용한다.
㉰ 끝단부를 매끄럽게 한다.
㉱ 동일한 평면으로 다듬질한다.

132 **다음과 같은 KS 용접 보조기호의 명칭으로 가장 적합한 것은?**

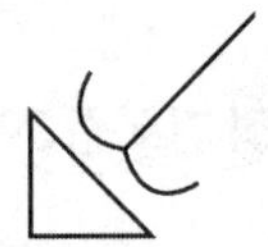

㉮ 필렛 용접 끝단부를 2번 오목하게 다듬질
㉯ K형 맞대기 용접 끝단부를 2번 오목하게 다듬질
㉰ K형 맞대기 용접 끝단부를 매끄럽게 다듬질
㉱ 필렛 용접 끝단부를 매끄럽게 다듬질

133 **KS규격에서 용접부 및 용접부의 표면 형상 설명으로 옳지 않은 것은?**

㉮ ____ : 동일 평면으로 다듬질함
㉯ : 끝단부를 오목하게 함
㉰ M : 영구적인 덮개판을 사용함
㉱ MR : 제거 가증한 덮개판을 사용함

134 **용접기호의 보조기호 중 다듬질 방법의 표시 기호가 아닌 것은?**

㉮ 치핑(C) ㉯ 연삭(G)
㉰ 절삭(M) ㉱ 보링(B)

✔ 해설 보링은 정밀한 구멍 뚫기 작업을 말한다.

Answer 128.㉯ 129.㉮ 130.㉮ 131.㉯ 132.㉱ 133.㉯ 134.㉱

135 KS 규격에서 용접부 비파괴시험기호의 설명으로 틀린 것은?

㉮ RT – 방사선 투과 시험
㉯ PT – 침투 탐상 시험
㉰ LT – 누설 시험
㉱ PRT – 변형도 측정 시험

해설 변형률 측정 시험은 시험체에 하중을 가하여 그 변형의 정도에 의해 응력 분포의 상태 및 세기를 조사하는 파괴시험 방법이다.

136 다음 용접부 비파괴 시험기호 중에서 아코스틱 에밋션 시험을 의미하는 것은?

㉮ ST ㉯ ET ㉰ VT ㉱ AET

해설 음향방출법(AET : acoustic emission test) : 재료의 내부에서 파괴가 발생하여 새로운 파단면이 발생하는 순간에 방출하는 음향파를 말한다.

Answer 135.㉱ 136.㉱

CHAPTER 02 용접구조 설계

2-1 용접설계

2-2 용접시공 및 결함

2-1 Chapter 용접설계

01 용접 설계

용접 설계는 용접 시공의 중요한 부분으로 적합한 이음 선택과 더불어 용접 방법, 순서, 용접 후의 검사 및 후처리 방법을 결정하는 것이다.

용접 설계자는 용접 재료에 대한 물리적 성질, 용접 구조물의 변형, 열응력에 의한 잔류 응력 발생, 용접 구조물이 받는 하중의 종류, 정확한 용접 비용 산출 및 용접부의 검사법 등을 알고 있어야 된다.

1 용접 순서

① 용접전 용접이 불가능한 곳이 없도록 충분히 검토한다.

② 용접물 중심에 대하여 대칭으로 용접하여 변형이 생기지 않도록 한다.

③ 동일 평면내에 많은 이음이 있을 때에는 수축은 가능한 자유단으로 보낸다.

④ 수축이 큰 이음을 먼저하고 작은 이음은 나중에 한다.

⑤ 중립축에 대하여 모멘트 합이 0이 되도록 한다.

2 용접 진행 방향에 따른 분류

① **전진법** : 용접 시작 부분보다 끝나는 부분이 수축 및 잔류 응력이 커서 용접 이음이 짧고, 변형 및 잔류 응력이 그다지 문제가 되지 않을 때 사용

② **후진법** : 용접을 단계적으로 후퇴하면서 전체 길이를 용접하는 방법으로 수축과 잔류 응력을 줄이는 방법

③ **대칭법** : 용접 전 길이에 대하여 중심에서 좌우로 또는 용접물 형상에 따라 좌우 대칭으로 용접하여 변형과 수축 응력을 경감한다.

④ **스킵법** : 비석법이라고도 하며 짧은 용접 길이로 나누어 놓고 간격을 두면서 용접하는 방법으로 특히 잔류 응력을 적게 할 경우 사용한다.

⑤ **교호법** : 열 영향을 세밀하게 분포시킬 때 사용

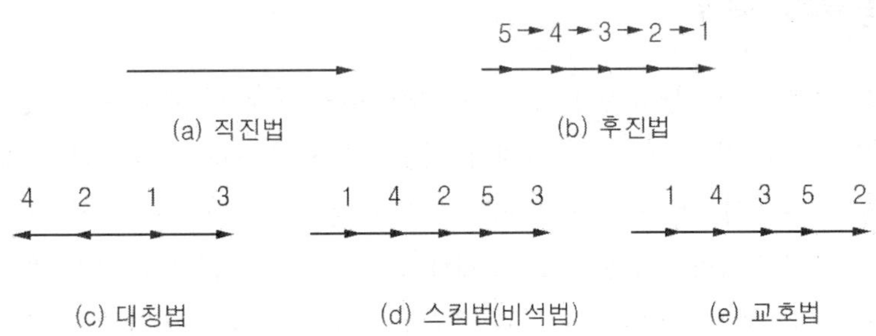

(a) 직진법 (b) 후진법
(c) 대칭법 (d) 스킵법(비석법) (e) 교호법

3 다층 용접에 따른 분류

① **덧살 올림법(빌드업법)** : 열 영향이 크고 슬랙섞임의 우려가 있다. 한냉시, 구속이 클 때 후판에서 첫층에 균열 발생우려가 있다. 하지만 가장 일반적으로 사용되는 방법이다.

② **캐스케이드법** : 한 부분의 몇 층을 용접하다가 이것을 다음부분의 층으로 연속시켜 용접하는 방법으로 후진법과 같이 사용하며, 용접결함 발생이 적으나 잘 사용되지 않는다.

③ **전진 블록법** : 한 개의 용접봉으로 살을 붙일만한 길이로 구분해서 홈을 한 부분에 여러 층으로 완전히 쌓아 올린 다음, 다음 부분으로 진행하는 방법으로 첫 층에 균열 발생 우려가 있는 곳에 사용된다.

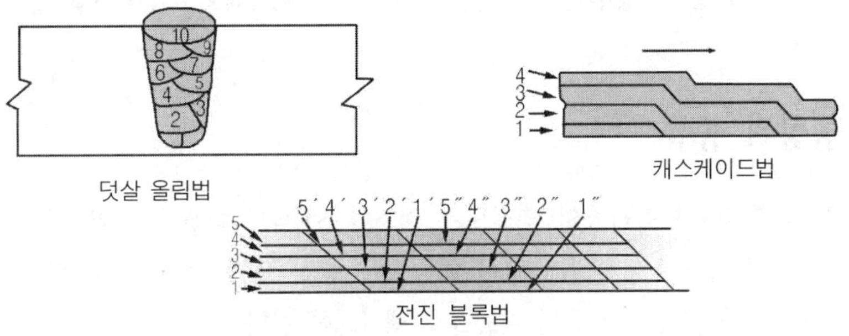

덧살 올림법 캐스케이드법
전진 블록법

그래비티 용접 장치는 모재와 일정한 경사를 갖는 슬라이드바를 따라 용접 홀더가 하강하도록 되어 있다. 아크가 발생되면 용접봉은 점점 소모되면서 중력에 의하여 서서히 하강하기 때문에 자동적으로 용접이 진행된다. 구조가 복잡하여 사용법은 약간 어려우나 용입과 비드 외관이 양호하다.

오토콘 용접은 영구장치 및 스프링을 이용한 간단한 용접장치를 사용하여 용접을 행하는 방법으로서 고능률 및 수평 필릿 전용 용접법이다. 이 장치는 특수 스프링으로 홀더에 압력을 가하여 용접봉이 자동적으로 모재에 밀착되도록 설계되어 있다. 용입은 약간 얕으나 구조가 간단하여 사용이 쉽고 비드 외관이 양호하다.

4 용접 이음부의 종류

용접 이음의 선택은 구조물에 변형 및 응력 기타 여러 가지 영향을 줄 수 있어 매우 중요한 요소이다. 일반적으로 용접 이음 중 겹치기 이음은 가능한 피하고 맞대기 이음을 하여야 한다. 맞대기 이음은 형상이 간단하고 용접하기 쉬우며, 응력 집중이 작고, 하중의 전달도 확실하여 안전성 및 신뢰성이 높아 가능한 구조 설계시 선택하는 것이 바람직 하다. 반면 필릿 이음은 맞대기 이음에 비해 변형이 일어나기 쉽고, 정확한 이음부 형상을 얻기 어려우며, 응력 집중이 일어나기 쉬운 결점을 가지고 있다. 아울러 필릿 용접의 경우에도 전면 필릿 이음은 가능한 피하고 측면 필릿 이음을 하는 것이 좋다.

① 맞대기 이음 ② 모서리 이음 ③ 변두리 이음 ④ 겹치기 이음
⑤ T 이음 ⑥ 십자 이음 ⑦ 필릿 이음 ⑧ 양면 덮개판 이음

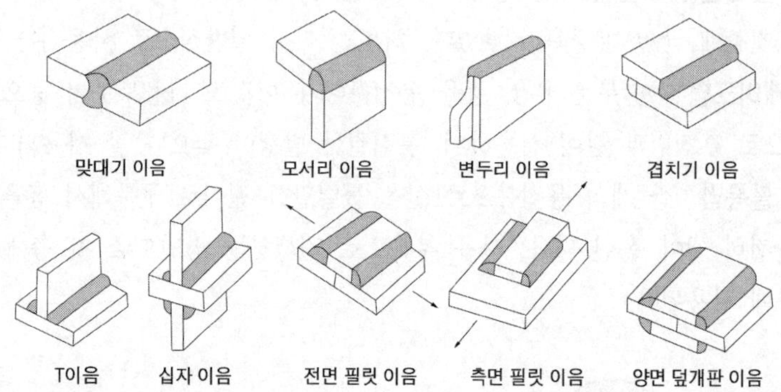

5 용접 홈 형상의 종류

하중이 적고, 충격이나 반복하중의 염려도가 적거나, 부식에 대한 고려가 적을 경우에는 부분 용입 이음을 선택하여도 된다. 하지만 큰 하중이나 충격 또는 반복하중을 받는 이음이나 저온 등에서 사용되는 경우에는 완전 용입 이음을 선택하여야 한다.

또한 필릿 용접 이음의 경우에는 홈 용접에 비하여 준비 작업이 간단하고 용접 변형 및 잔류 응력에 대한 영향이 적고 조립이 쉬워 강도에 문제가 없을 경우에는 필릿 용접 이음을 사용할 수 있다. 하지만 필릿 이음은 루트부에 생기는 결함 제거가 어렵고, 응력 집중이 크게 되어 피로강도가 떨어지므로 굽힘 및 충격하중에는 약하다.

용접 홈 형상을 결정하는 요인은 용착량, 용접 자세, 이면 용접 여부, 용접 방법, 용접 시공 환경 등이 고려되어야 한다.

① **한면 홈이음** : I형, V형, |/형(베벨형), U형, J형

② **양면 홈이음** : 양면 I형, X형, K형, H형, 양면 J형

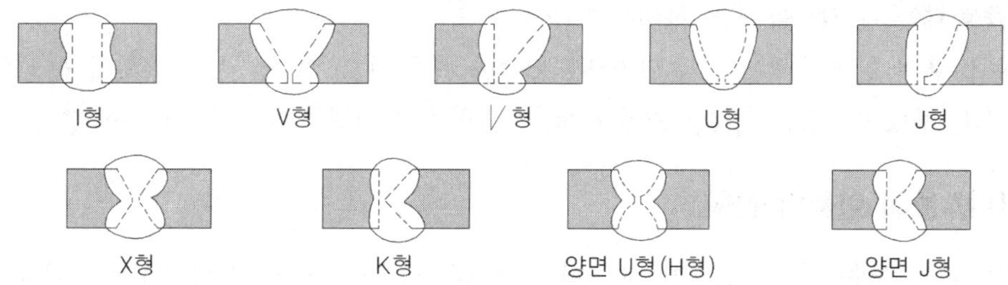

③ 판 두께 6mm까지는 I형, 6~19mm까지는V형, |/형(베벨형), J형, 12mm이상은 X형, K형, 양면 J형이 쓰이고 16~50mm에는 U형 맞대기 이음이 쓰이며 50mm이상에서는 H형 맞대기 이음에 쓰인다.

6 용착부 모양에 따른 분류

모재 2개를 맞대어 용접하는 맞대기 용접, 겹쳐 놓은 T형 이음의 필릿 부분(모살)을 용접하는 필릿 이음, 접합하고자 하는 모재 한쪽에 둥근 구멍을 뚫어 용접하는 플러그 용접, 가늘고 긴 홈을 뚫어 용접하는 슬롯 용접 등이 있다.

① 맞대기 용접 ② 필릿 용접 ③ 플러그 용접 ④ 비드 용접 ⑤ 슬롯 용접 등

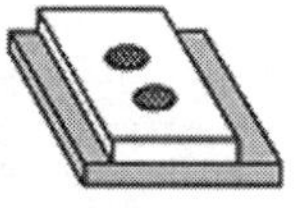
(a) 플러그 용접

(b) 슬롯 용접

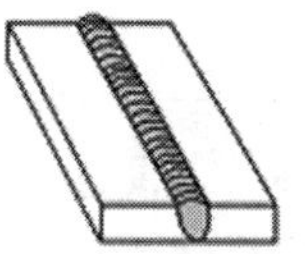
(c) 비드 용접

7 용접 홈의 명칭

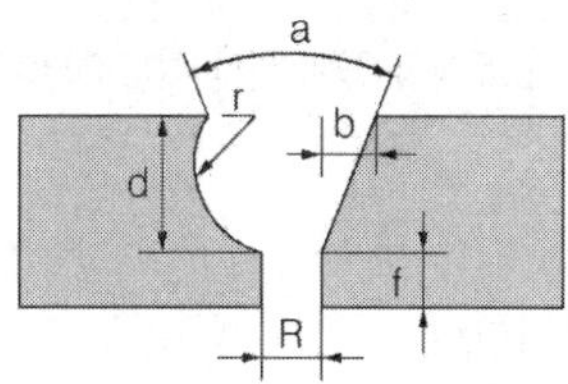

① a : 홈각도 ② d : 홈 깊이 ③ R : 루트 간격
④ r : 루트 반경 ⑤ f : 루트 면 ⑥ b : 베벨각

(가) 홈과 각도의 관계

용접 홈의 각도가 좁을 때는 루트 간격을 넓혀야 충분한 용입을 얻을 수 있다. 반면에 루트 간격이

좁을 때는 홈 각도를 크게 하여야 한다.

용접 홈의 설계 요령은 홈의 단면적은 가능한 작게 하고, 홈각도 또한 용입이 허용하는 한 작게 한다. 루트 반지름은 가능한 크게 하며, 적당한 루트 간격과 루트면을 만들어 준다.

(나) 용접 이음의 선택

작용하는 하중의 종류 및 크기, 판 두께, 각종 이음의 특성, 형상 및 재질 등을 고려하여 용접 이음을 선택하여야 한다. 하지만 어떠한 경우도 이음부의 강도를 얻기 위해서는 각장, 비드 폭, 용입 등을 충분히 확보하여야 한다.

이면 비드 : 홈 표면에서 용접하여 이면으로 나타난 비드로 일명 백비드라고 부른다.
덧붙이 : 계산 또는 필릿 용접의 표면 위에 치수 이상으로 용착된 금속을 말한다.
용접 토 : 모재의 표면과 용접 표면과의 교점을 말한다.

8 필릿 용접의 종류

필릿 이음은 맞대기 용접에 비하여 강도상 중용하지 않는 곳에 사용하는 이음이다. 그 종류에는 전면, 측면, 경사 필릿이 있다.

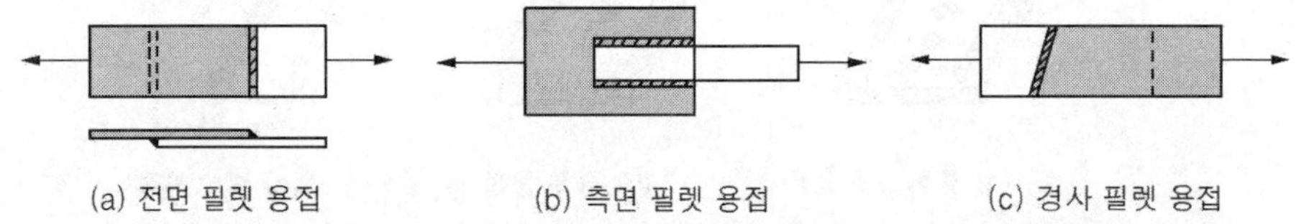

(a) 전면 필렛 용접　　(b) 측면 필렛 용접　　(c) 경사 필렛 용접

각장 : 다리길이라고 하며, 필릿의 루트에서 필릿 용접의 토까지의 거리를 말한다.
목두께 : 용착금속의 단면에서 용접의 루트를 통과하는 최소두께 즉 빗변에서의 높이를 말한다.
단속 필릿 용접 이음 : 용접 길이는 최소 25㎜, 필릿의 크기 4배 정도로 하며, 단속 용접 사이의 거리 즉 용접하지 않는 거리는 최소 판 두께의 30배 이하 최대 300㎜로 한다.

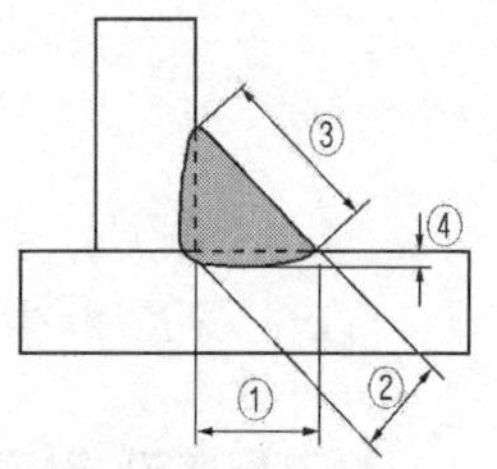

①은 각장, ②는 목두께를 의미한다.

정적 하중이 작용하는 경우 강도 확보를 위한 필릿 용접의 각장(l)과 판 두께(t)의 관계는 다음과 같다.

$$\ell = 1.3\sqrt{t}$$

용접 이음부의 계산

1 강도 계산

(가) 맞대기 이음 및 필릿 이음의 인장 하중의 경우

① 완전 용입

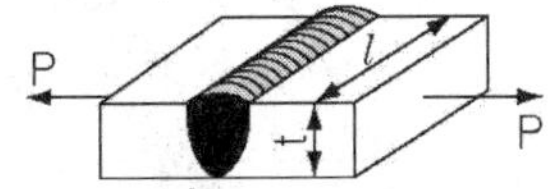

$$\delta(\text{인장응력}) = \frac{P}{A} = \frac{P}{l \times t}$$

② 부분 용입

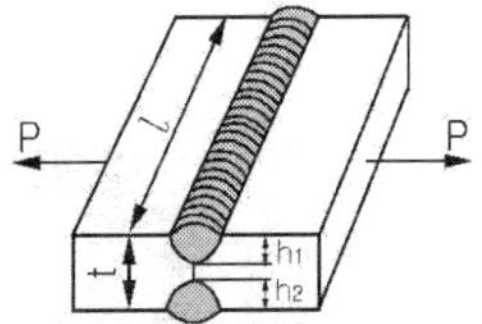

$$\delta_t(\text{인장응력}) = \frac{P}{(h_1 + h_2)l}$$

(나) 겹치기 이음의 필릿 용접

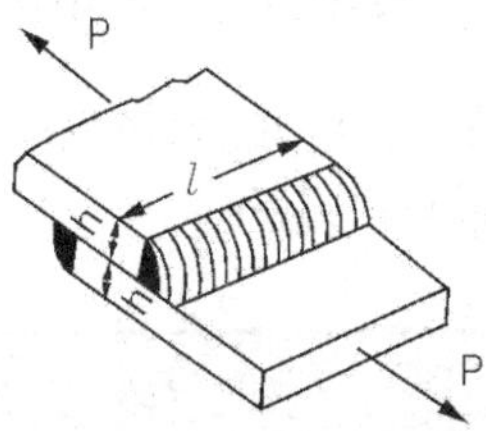

$$\sigma = \frac{0.707P}{lh}$$ (용접 길이 l, 다리 길이 h)

(다) 맞대기 이음의 단순 굽힘의 경우

굽힘 응력과 모멘트의 관계는 다음과 같다.

$$\sigma_b = \frac{M}{W_b}$$ (여기서 σ_b는 굽힘 응력, Wb는 굽힘 단면 계수, M은 모멘트)

① 완전 용입

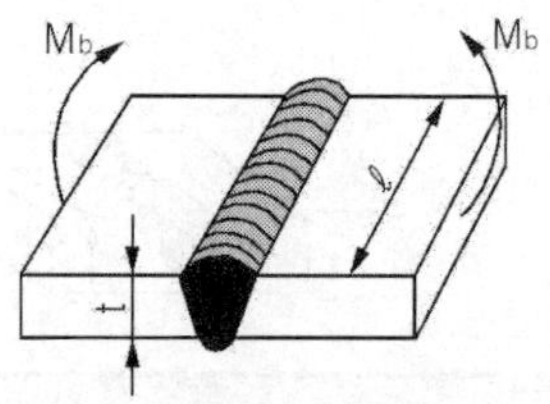

$$W_b = \frac{lt^2}{6} \text{에서 } \sigma_b = \frac{6M}{lt^2}$$

② 부분 용입 (h1=h2)

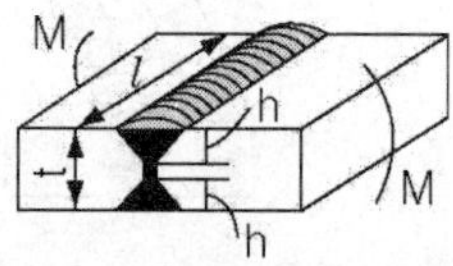

$$W_b = \frac{hl(3t^2 - 6th + 4h^2)}{3t} \text{에서 } \sigma_b = \frac{3tM}{hl(3t^2 - 6th + 4h^2)}$$

(라) 단순 굽힘을 받는 T형 맞대기 용접 이음

T형 맞대기 용접의 경우에는 용접선과 작용하는 하중의 따라 단면계수가 달라질 수 있으며 다음과 같이 용접부의 굽힘 응력은 계산이 된다.

$$\sigma_b = \frac{PL}{W_b} = \frac{M}{W_b}$$

(σ_b는 굽힘 응력, Wb는 굽힘 단면 계수, P는 작용 하중, L은 이음부로부터 하중까지의 거리)

① 하중이 용접선에 수직인 경우

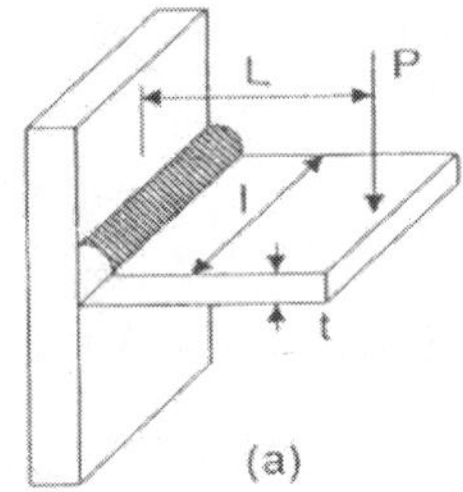

㉠ 완전 용입

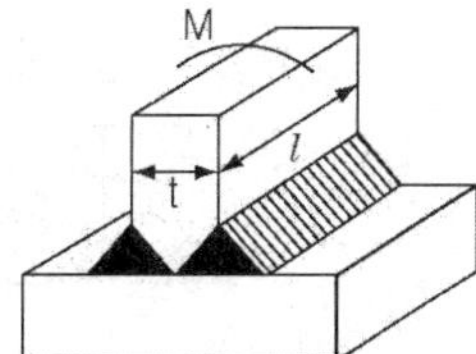

$$W_b = \frac{lt^2}{6} \text{에서 } \sigma_b = \frac{6PL}{lt^2} = \frac{6M}{lt^2}$$

㉡ 부분 용입(h1=h2)

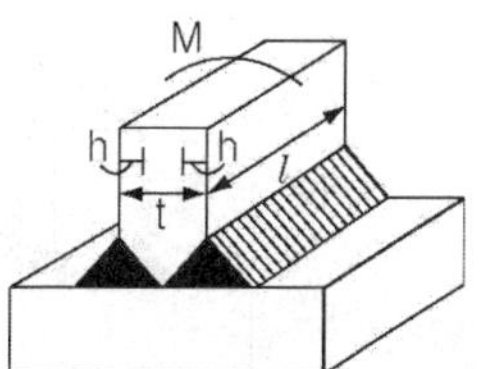

$$W_b = \frac{hl(3t^2 - 6th + 4h^2)}{3t} \text{에서}$$

$$\sigma_b = \frac{3tPL}{hl(3t^2 - 6th + 4h^2)} = \frac{3tM}{hl(3t^2 - 6th + 4h^2)}$$

㉢ 전체 둘레 부분 용입

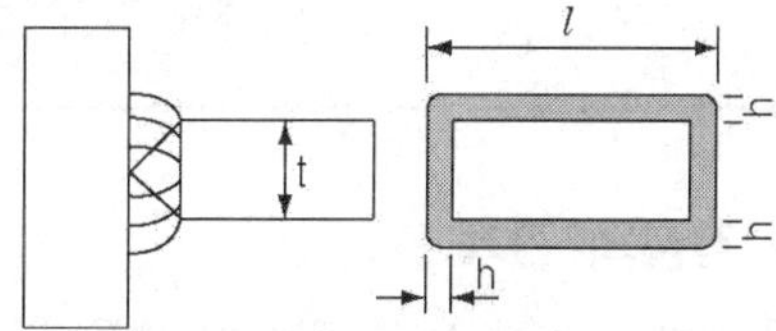

$$W_b = \frac{t^3 l - (l - 2h)(t - 2h)^3}{6t} \text{에서}$$

$$\sigma_b = \frac{6tPL}{t^3 l - (l - 2h)(t - 2h)^3} = \frac{6tM}{hl(3t^2 - 6th + 4h^2)}$$

② 하중이 용접선에 평행인 경우

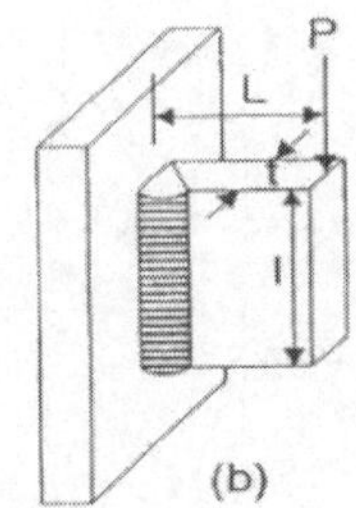

㉠ 완전 용입

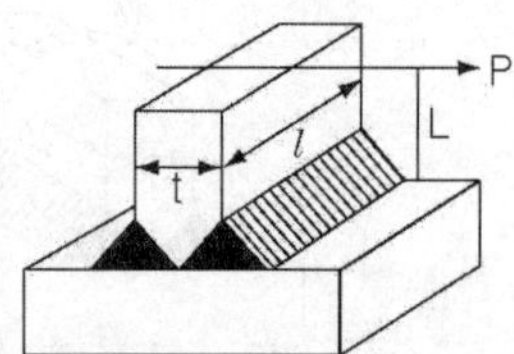

$$W_b = \frac{tl^2}{6} \text{에서 } \sigma_b = \frac{6PL}{tl^2} \quad \tau = \frac{P}{lt}$$

㉡ 부분 용입(h1=h2)

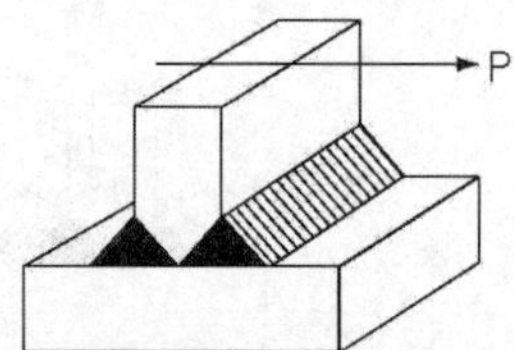

$$\sigma_b = \frac{3tPL}{la(3t^2 - 6ta + 4a^2)}, \ \tau = \frac{P}{2lt}$$

㉢ 전체 둘레 부분 용입

$$W_b = \frac{l^3t - (l-2h)(t-2h)^3}{6t} \text{에서 } \sigma_b = \frac{6tPL}{l^3t - (l-2h)(t-2h)^3}$$

(마) 이론 목두께와 각장의 관계

이론 목두께와 필렛 각장(다리 길이)의 관계는 다음과 같다.

이론상 목두께(ht) = 다리 길이(h) × cos 45˚ = 0.707h

h = 다리길이, ht = 목두께

(바) 전면 필릿 이음의 인장강도

① 완전 용입

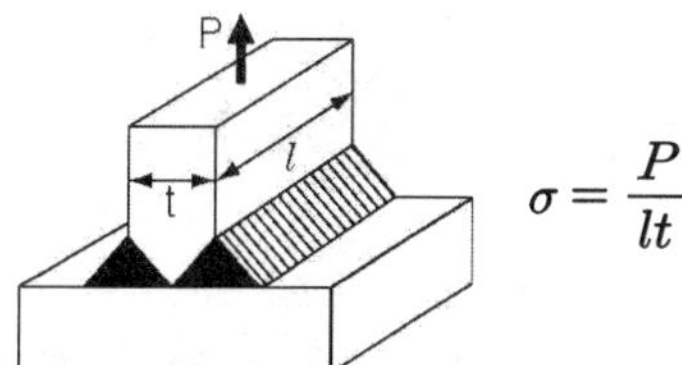

$$\sigma = \frac{P}{lt}$$

δ_t(전면 필릿 이음의 인장 응력)$= \dfrac{P}{A} = \dfrac{P}{l \times h_t}$

δ_t(전면 필릿 이음의 인장 응력)$= 0.9\sigma_w$

σ w 용착 금속의 인장 강도

② 부분 용입(h_1=h_2)

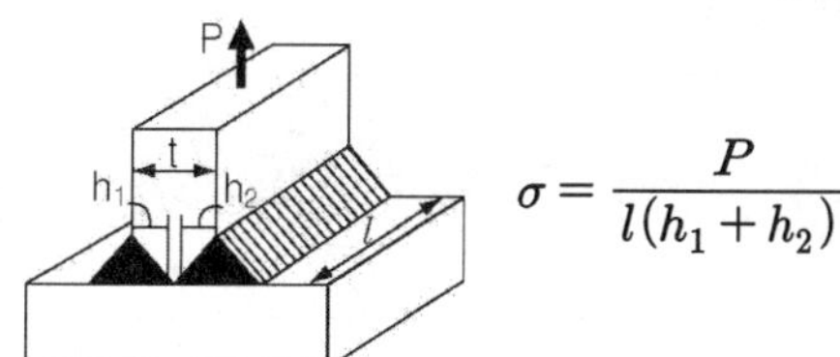

$$\sigma = \frac{P}{l(h_1 + h_2)}$$

(아) 측면 필릿 이음의 전단응력과 용착 금속의 인장강도의 관계

τ(측면 필릿 이음의 전단 응력)$= \dfrac{P}{l \times h_t} = \dfrac{1.414P}{l \times h}$

τ(측면 필릿 이음의 전단 응력) $= 0.7\sigma_w$

σ w 용착 금속의 인장 강도

(자) 기타 제닝의 응력 계산

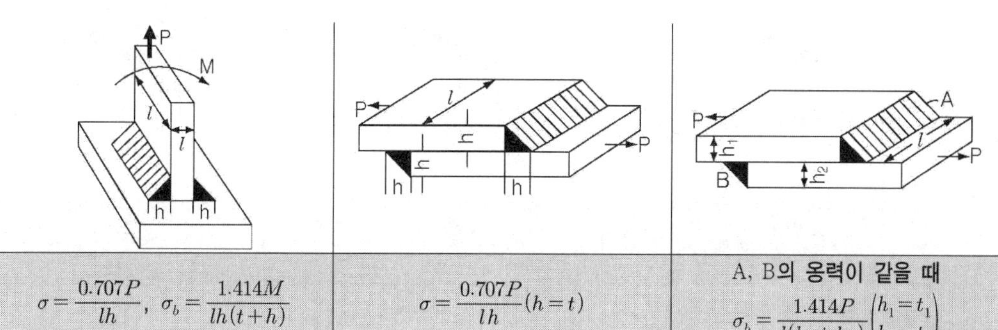

$\sigma = \dfrac{0.707P}{lh}$, $\sigma_b = \dfrac{1.414M}{lh(t+h)}$	$\sigma = \dfrac{0.707P}{lh}(h=t)$	A, B의 응력이 같을 때 $\sigma_b = \dfrac{1.414P}{l(h_1+h_2)}\begin{pmatrix} h_1 = t_1 \\ h_2 = t_2 \end{pmatrix}$

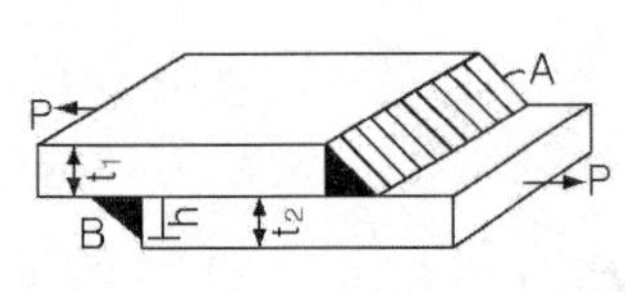	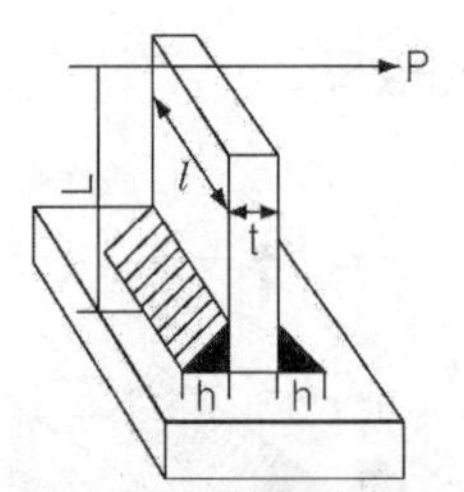	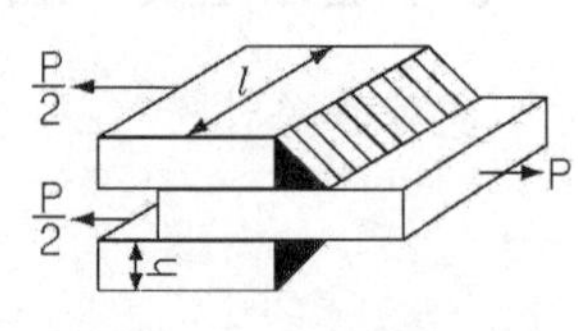
$\sigma_A = \dfrac{1.414P}{l(t_1+t_2)}$ $\sigma_B = \dfrac{1.414l_2}{lh_2(t_1+t_2)}$	$\tau = \dfrac{0.707P}{lh}$ $\sigma_{\max} = \dfrac{P}{lh(t+h)}\sqrt{2L^2 + \dfrac{(l+h)^2}{2}}$	$\sigma = \dfrac{0.707P}{lh}(h=t)$
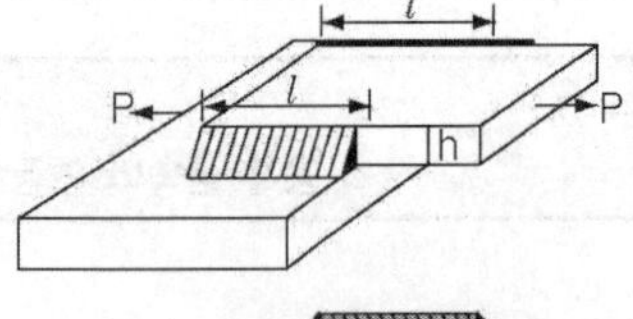	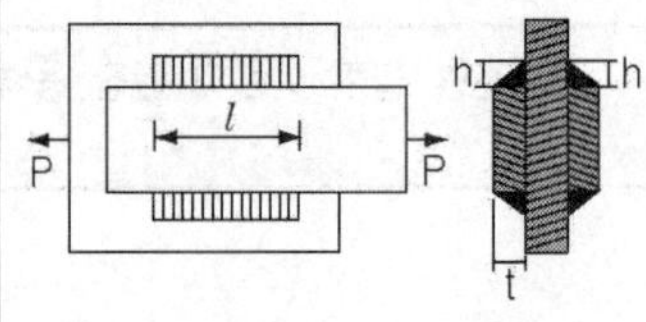	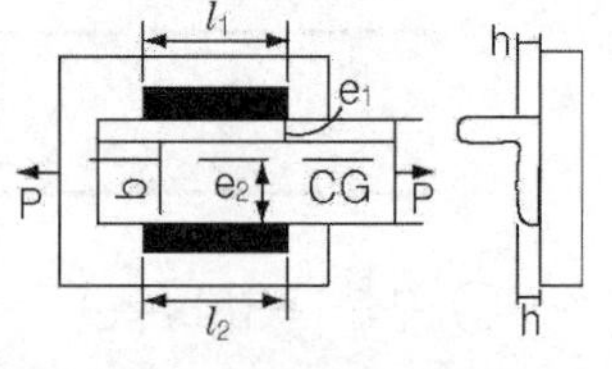
$\tau = \dfrac{0.707P}{lh}(h=t)$	$\sigma = \dfrac{0.354P}{lh}(h=t)$	$\tau = \dfrac{1.414P}{(l_1+l_2)h}$ $l_1 = \dfrac{1.414Pe^2}{\sigma hb},\ l_2 = \dfrac{1.414Pe_1}{\sigma hb}$
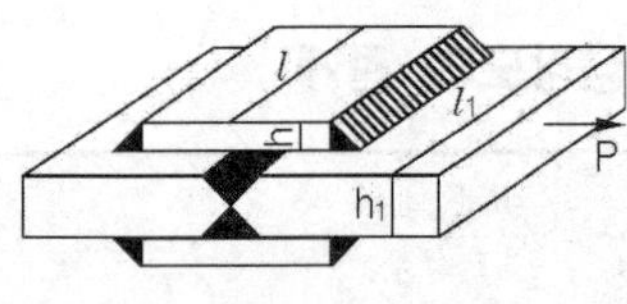	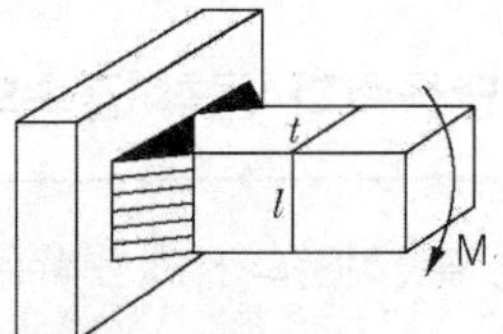	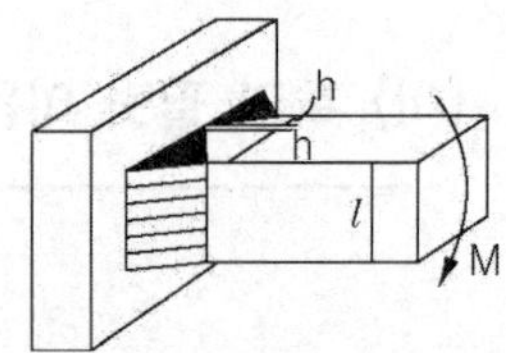
필렛 $\sigma = \dfrac{1.414P}{2lh + l_1 h_1}$ 맞대기 $\sigma = \dfrac{P}{2lh + l_1 h_1}$	$\sigma_b = \dfrac{6M}{l^2 t}$	$\sigma_b = \dfrac{3M}{l^2 h}$
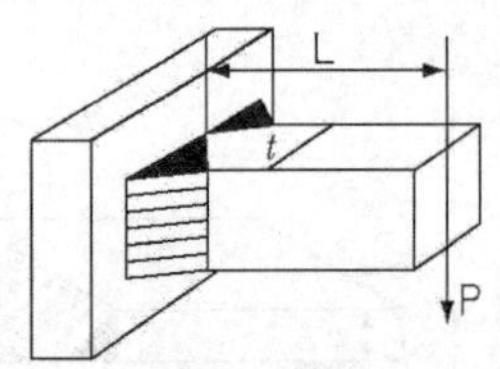	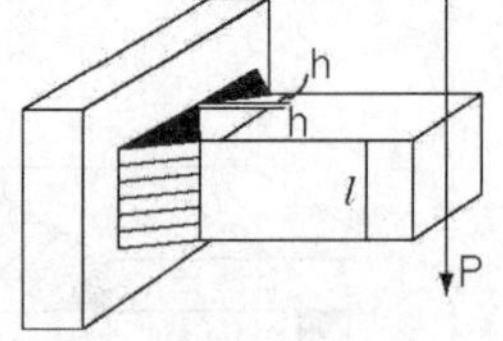	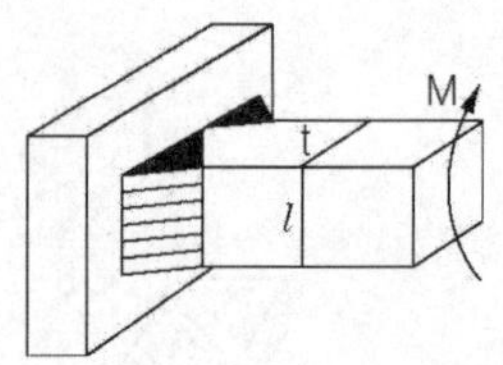
$\sigma_b = \dfrac{6PL}{l^2 t},\ \tau = \dfrac{P}{lt}$	$\sigma_b = \dfrac{3PL}{l^2 h},\ \tau = \dfrac{P}{2lh}$	$\tau = \dfrac{M(3l+1.8t)}{l^2 t^2}$

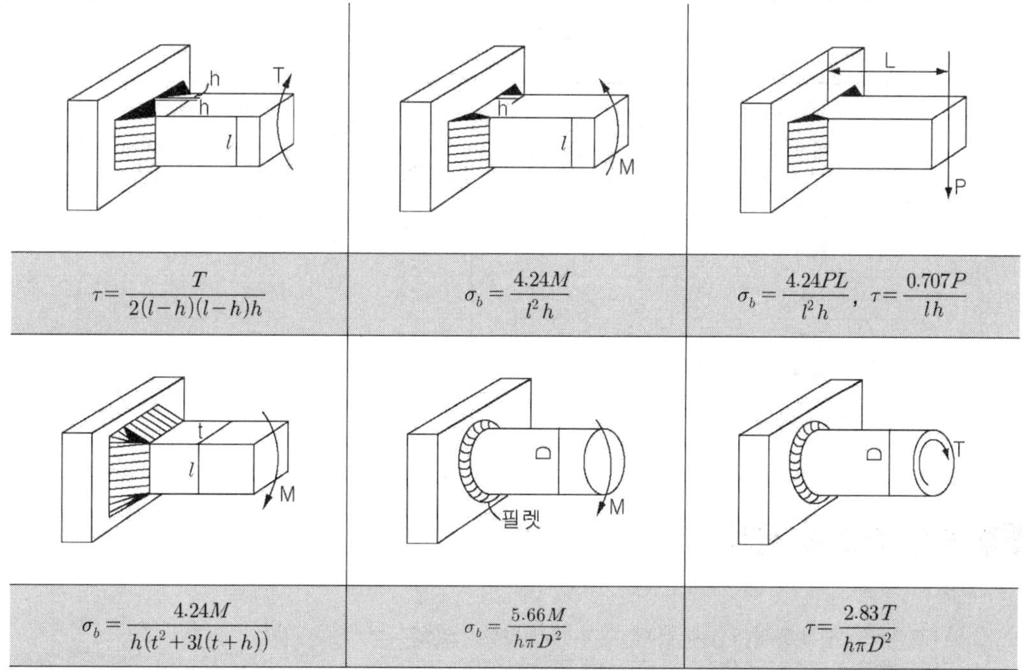

2 용접 이음부의 피로강도

피로 시험에서 작용하는 하중은 반복하중인 양진 하중, 편진 하중, 반복 인장 하중을 작용하여 시험한다.

시험편의 응력(S)와 파단까지의 반복 회수(N)의 관계를 나타낸 S-N곡선에서 어떤 반복회수 이상에서는 평탄하게 되는 데 이를 피로한도 또는 내구한도라 한다. 즉 피로한도 이하의 응력이 작용하는 경우에는 아무리 많은 반복회수의 하중을 가하여도 파단 되지 않는다.

연강 맞대기 용접의 경우 피로강도는 하중을 용접부의 단면적으로 나눈 응력으로 표시하고 덧살의 크기, 용접 결함의 유무에 따라 그 값은 영향을 받는다. 뒷면의 용접이 불충분하면 일반적으로 20~50% 이상 피로강도는 떨어지며, 뒷면 용접을 하지 않는 경우는 감소율은 더 커진다.

피로 강도는 시험편 단면적당 결함의 총면적인 결함도에 증가에 따라 급격히 저하된다.

3 용접 이음의 안전율과 허용응력

용접 구조물을 설계할 경우 실제로 가해지는 하중을 계산하고 용접 이음의 형상과 치수를 안전상 허용될 수 있는 응력 범위를 결정하여야 한다.

일반적으로 재질 및 모양이 불균일하고 강도상 신뢰성이 적거나, 큰 동하중 및 충격하중이 작용될 염려가 있을 때, 응력 집중이 있을 때, 피로 파괴의 염려가 있을 대 안전율을 고려하여야 한다.

$$안전율 = \frac{(인장강도)}{(허용응력)}$$

재질	정하중	동하중		충격하중
		반복하중	교번하중	
연강	3	5	8	12
주강	3	5	8	12
주철	4	6	10	15
구리	5	6	9	15
목재	7	10	15	20
납(鉛)과 석재	20	30	-	-

4 용접 치수의 계산

내력(F)와 허용응력(σa)와 유효 목두께(ht)와의 관계는 다음과 같다.

$$h_t = \frac{F}{\sigma_b}$$

(ht는 맞대기 용접에서는 모재의 두께와 같고 필릿 용접에서는 치수는 1.414ht)

(가) 수직응력과 전단 응력을 받는 경우

$$F = \frac{P}{l}$$

(F는 내력, l은 용접선 전체의 길이, P는 인장, 압축, 전단력)

(나) 굽힘 응력을 받는 경우

$\sigma_b = \frac{My}{I}$, F=σ bht에서 $F = \frac{Myh_t}{I}[\mathrm{kgf/cm}]$

(σ b는 굽힘 응력, M은 굽힘 모멘트, I는 관성 모멘트, y는 중립면으로 부터의 거리)

단위 목두께 일 때 내력 $F = \frac{My}{I}[\mathrm{kgf/cm}]$

관성 모멘트 $I = a \times \left(\frac{d}{2}\right) \times d = \frac{ad^2}{2}[\mathrm{cm^3}]$, 단면계수 $Z = \frac{I}{y} = \frac{\frac{ad^2}{2}}{\frac{d}{2}} = ad[\mathrm{cm}]$

(다) 비틀림 응력을 받는 경우

$$\tau_{tmax} = \frac{M_t r}{I_p},$$

(τ tmax 는 최대 비틀림 응력, Mt는 비틀림 모멘트,
Ip는 극관성모멘트, r은 회전 중심에서 용접부 까지의 거리)

$$F = \frac{M_t r}{I_p} h_t$$

(τ tmax 는 최대 비틀림 응력, Mt는 비틀림 모멘트,
Ip는 극관성모멘트, r은 회전 중심에서 용접부 까지의 거리)

(라) 용접부를 선으로 가정할 때의 단면 특성치

	중립축 [cm]	단면계수 Z [cm^2]	극 관성모멘트 I_p' [cm^3]
X — d — X		$\frac{d^2}{6}$	$\frac{d^3}{12}$
X — a — d X		$\frac{d^2}{3}$	$\frac{d(3a^2+d^2)}{6}$
a, X — d — X		ad	$\frac{a^3+3ad^2}{6}$
Y a, X — X, d, Y	$N_X = \frac{d^2}{2(a+d)}$ $N_Y = \frac{a^2}{2(a+d)}$	윗부분 $\frac{4ad+d^2}{3}$ 밑부분 $\frac{d^2(4ad+d)}{6(2a+d)}$	$\frac{(a+d)^3-6a^2d^2}{12(a+d)}$
Y a, X — d — X, Y	$N_Y = \frac{a^2}{2a-d}$	$ad+\frac{d^2}{6}$	$\frac{(2a+d)^3}{12} - \frac{d^2(a+d)^2}{(2a+d)}$

	중립축 [cm]	단면계수 Z [cm^2]	극 관성모멘트 I_p' [cm^3]
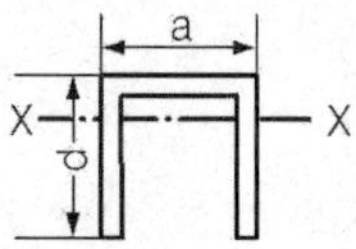	$N_X = \frac{d^2}{2(a+d)}$	윗부분 $\frac{2ad+d^2}{3}$ 밑부분 $\frac{d^2(2a+d)}{3(a+d)}$	$\frac{(a+2d)^3}{12} - \frac{d^2(a+d)^2}{(a+2d)}$
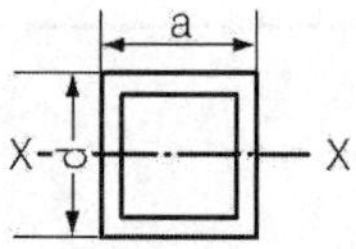		$ad + \frac{d^2}{3}$	$\frac{(a+d)^3}{6}$
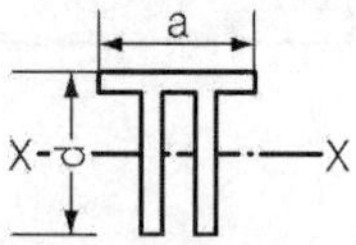	$N_X = \frac{d^2}{a+2d}$	윗부분 $\frac{2ad+d^2}{3}$ 밑부분 $\frac{d^2(2a+d)}{3(a+d)}$	$\frac{(a+2d)^2}{12} - \frac{d^2(a+d)^2}{(a+2d)}$
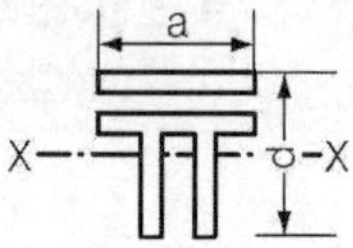	$N_X = \frac{d^2}{2(a+d)}$	윗부분 $\frac{4ad+d^2}{3}$ 밑부분 $\frac{4ad^2+d^3}{6a+3d}$	$\frac{d^3(4a+d)}{6(a+d)} + \frac{a^3}{6}$
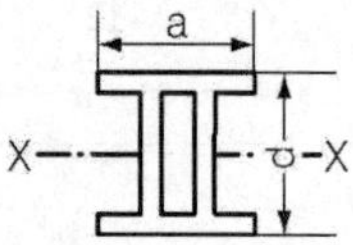		$ad + \frac{d^2}{3}$	$\frac{a^3+3ad^2+d^3}{6}$
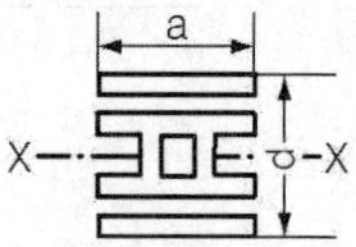		$2ad + \frac{d^2}{3}$	$\frac{2a^3+6ad^2+d^3}{6}$
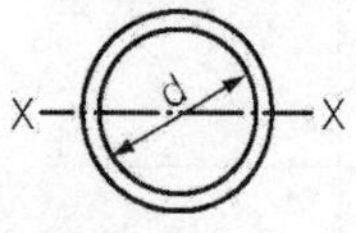		$\frac{\pi d^2}{4}$	$\frac{\pi d^3}{4}$

5 이음 효율

이음의 강도가 모재 강도의 몇 %인지를 나타내는 수치가 이음 효율이다.

현재 일반적으로 연강용 용접봉의 경우 모재보다 10~20%정도 높도록 만들어져 있다.

$$\eta = \frac{(\text{용착금속강도})}{(\text{모재인장강도})} \times 100$$

용접 구조물의 설계

1 용접 최적 설계

① 용접부에 가해지는 여러 종류의 하중을 고려한 기능적 설계가 되어야 된다.
② 용접부에 가해지는 하중의 견딜 수 있는 적당한 이음 형상을 결정하여야 한다.
③ 용접 이음의 효율과 관련하여 이음 크기와 위치 강도 등도 고려하여야 한다.

2 용접 이음의 설계시 주의점

① 아래 보기 용접을 많이 하도록 한다.
② 용접 작업에 지장을 주지 않도록 간격을 두어야 한다
③ 필릿 용접은 되도록 피하고 맞대기 용접을 하도록 한다.
④ 판 두께가 다른 재료의 이음시 구배를 두어 갑자기 단면이 변하지 않도록 한다.($\frac{1}{4}$이하 테이퍼 가공을 함)
⑤ 맞대기 용접에는 이면 용접을 하여 용입 부족이 없도록 하여야 한다.
⑥ 용접 이음부가 한곳에 집중되지 않도록 설계하여야 한다.
⑦ 용접 선은 될 수 있는 한 교차하지 않도록 하여야 한다.
⑧ 결함이 생기기 쉬운 용접은 피하고 구조상의 노치를 피하여야 한다.
⑨ 용접 길이는 가능한 짧게, 용착량도 가능한 최소로 하여야 한다.

맞대기 용접에서 판 두께가 다른 경우 두꺼운 모재쪽을 $\frac{1}{5}$정도 주어 목두께가 얇은 쪽과 같게 가공한 후 용접을 진행한다. 단 6㎜이내로 판두께 차는 제한한다.

chapter2 예상문제

2-1 용접 설계

01 용접 순서에 관한 설명으로 옳은 것은?

㉮ 용접물 중립 축에 대하여 수축력 모멘트의 합이 최대가 되도록 한다.
㉯ 같은 평면 안에 많은 이음이 있을 때에는 수축은 가능한 중앙으로 보낸다.
㉰ 물품의 중심에 대하여 항상 대칭으로 용접을 진행시킨다.
㉱ 수축이 작은 이음을 가능한 먼저 용접하고, 수축이 큰 이음을 뒤에 용접한다.

해설
① 수축이 큰 맞대기 이음을 먼저 용접하고 다음에 필렛 용접
② 큰 구조물은 구조물에 중앙에서 끝으로 향하여 용접
③ 용접선에 대하여 수축력의 화가 영이 되도록 한다.
④ 리벳과 같이 쓸 때는 용접을 먼저 한다.
⑤ 용접 불가능한 곳이 없도록 한다.
⑥ 물품의 중심에 대하여 대칭으로 용접 진행

02 용접이음을 설계할 때 주의할 사항이 아닌 것은?

㉮ 아래보기 용접을 많이 하도록 한다.
㉯ 용접보조기구 및 장비를 사용하여 작업조건을 좋게 만든다.
㉰ 용접진행은 부재의 자유단에서 고정단으로 향하여 용접하게 한다.
㉱ 부재 전체에 가능한 열의 분포가 일정하게 되도록 한다.

03 본 용접에서 용착법의 종류에 해당 되지 않는 것은?

㉮ 대칭법 ㉯ 풀림법
㉰ 후퇴법 ㉱ 스킵법

해설 용착순서
① 전진법 : 용접 시작 부분보다 끝나는 부분이 수축 및 잔류 응력이 커서 용접 이음이 짧고, 변형 및 잔류 응력이 그다지 문제가 되지 않을 때 사용
② 후진법 : 용접을 단계적으로 후퇴하면서 전체 길이를 용접하는 방법으로 수축과 잔류 응력을 줄이는 방법
③ 대칭법 : 용접 전 길이에 대하여 중심에서 좌우로 또는 용접물 형상에 따라 좌우 대칭으로 용접하여 변형과 수축 응력을 경감한다.
④ 비석법 : 스킵법이라고도 하며 짧은 용접 길이로 나누어 놓고 간격을 두면서 용접하는 방법으로 특히 잔류 응력을 적게 할 경우 사용한다.
⑤ 교호법 : 열 영향을 세밀하게 분포시킬 때 사용

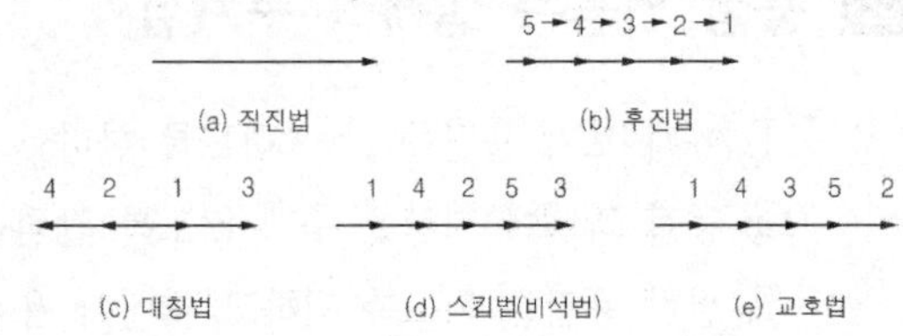

(a) 직진법 (b) 후진법 (c) 대칭법 (d) 스킵법(비석법) (e) 교호법

04 용접변형을 경감하기위해, 용접 비드를 쌓는 방법이 아닌 것은?

㉮ 대칭법 ㉯ 후퇴법
㉰ 억제법 ㉱ 스킵법

해설 억제법 : 모재를 가접 또는 구속 지그를 사용하여 변형을 억제하는 방법

05 아크용접에서 한쪽 끝에서 다른 쪽 끝을 향해 연속적으로 진행하는 용접 방법으로서 용접이음이 짧은 경우나 변형과 잔류응력이 그다지 문제가 되지 않을 때 이용되는 용착 방법은?

㉮ 전진법 ㉯ 전진블록법
㉰ 캐스케이드법 ㉱ 스킵법

해설 전진법 : 용접 시작 부분보다 끝나는 부분이 수축 및 잔류 응력이 커서 용접 이음이 짧고, 변형 및 잔류 응력이 그다지 문제가 되지 않을 때 사용한다.

Answer 1.㉰ 2.㉰ 3.㉯ 4.㉰ 5.㉮

06 용접 길이가 짧아서 변형 및 잔류 응력이 그다지 문제가 되지 않을 때 이용 되며 수축과 잔류 응력이 용접의 시작 부분보다 끝 부분에 더 크게 되는 것은?

㉮ 대칭법 ㉯ 후진법
㉰ 스킵법 ㉱ 전진법

07 이음의 한쪽 끝에서 다른 쪽 끝으로 용접을 진행하는 것으로 용접 이음이 짧거나 변형 및 잔류 응력이 별로 문제가 되지 않는 1층 자동 용접의 경우에 가장 적합한 용착법은?

㉮ 대칭법 ㉯ 전진법
㉰ 후진법 ㉱ 비석법

08 다음 그림과 같이 구간용접 방향이 전체적으로 본용접방향과 진행방향에 반대되는 형식의 용접법은?

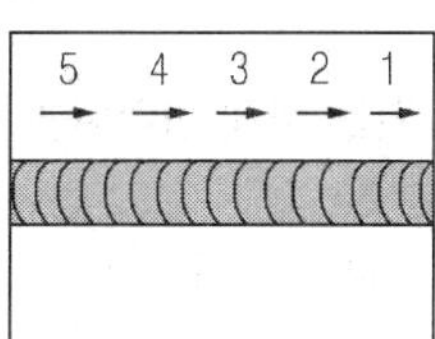

㉮ 대칭법 ㉯ 백 스텝법
㉰ 빌드업 법 ㉱ 스킵법

해설 그림의 형상은 후퇴법 즉 백스텝(back step)이다.

09 주로 용접에 의한 변형을 적게 하기 위하여 띄엄띄엄 용접을 한 다음 냉각된 용접부 사이를 용접하는 방법은?

㉮ 후진법(Back Step) ㉯ 전진법(Forward)
㉰ 스킵법(skip) ㉱ 블록법(Block)

해설 스킵법 : 비석법이라고도 하며 짧은 용접 길이로 나누어 놓고 간격을 두면서 용접하는 방법으로 특히 잔류 응력을 적게 할 경우 사용한다.

10 용접작업시 잔류응력을 될 수 있는 한 적게 하여야 할 경우 어떤 방법을 사용하는 것이 옳은가?

㉮ 대칭법 ㉯ 도열법
㉰ 비석법 ㉱ 후진법

11 대형 탱크 용접시 가장 이상적인 용접 방법은?

㉮ 백스탭 용접(back step welding)
㉯ 비석법(skip welding)
㉰ 캐스케이드법(cascade sequence method)
㉱ 블록법(block sequence)

해설 잔류응력을 경감시키는 스킵법 즉 비석법이 적당하다.

12 비드 층을 쌓아 올리는 법으로 다층 살 올림법에서 가장 많이 사용되는 법은?

㉮ 대칭법 ㉯ 스킵법
㉰ 빌드업법 ㉱ 캐스케이드법

해설 덧살 올림법(빌드업법) 열 영향이 크고 슬랙섞임의 우려가 있다. 한냉시, 구속이 클 때 후판에서 첫층에 균열 발생우려가 있다. 하지만 가장 일반적으로 사용되는 방법이다.

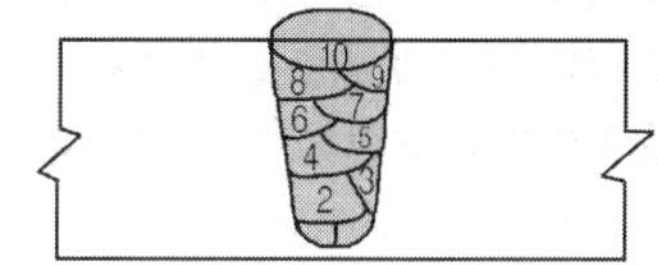

13 한 개의 용접봉으로 살을 붙일만한 길이로 구분해서, 홈을 한 부분씩 여러 층으로 쌓아 올린 다음, 다른 부분으로 진행하는 용착법은?

㉮ 캐스케이드법 ㉯ 빌드업법
㉰ 전진블록법 ㉱ 스킵법

해설 전진 블록법 : 한 개의 용접봉으로 살을 붙일만한 길이로 구분해서 홈을 한 부분에 여러 층으로 완전히 쌓아 올린 다음, 다음 부분으로 진행하는 방법으로 첫 층에 균열 발생 우려가 있는 곳에 사용된다.

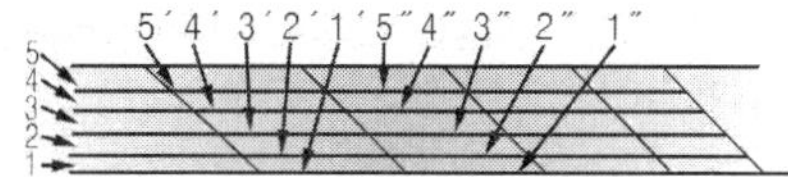

Answer 6.㉱ 7.㉯ 8.㉯ 9.㉰ 10.㉰ 11.㉯ 12.㉰ 13.㉰

14 **한 부분의 몇 층을 쌓아 용접하다가 이것을 다음부분의 층으로 연속시켜 전체가 단계를 이루도록 쌓는 용착법은?**

㉮ 비석법 ㉯ 덧살 올림법
㉰ 블록법 ㉱ 캐스케이드법

해설 캐스케이드법 : 한 부분의 몇 층을 용접하다가 이것을 다음부분의 층으로 연속시켜 용접하는 방법으로 후진법과 같이 사용하며, 용접결함 발생이 적으나 잘 사용되지 않는다.

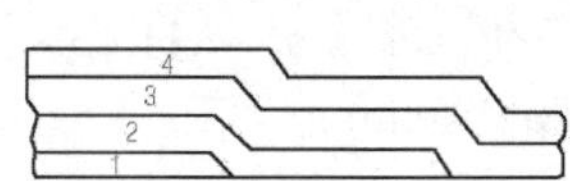

15 **그림과 같은 용착시공 방법은?**

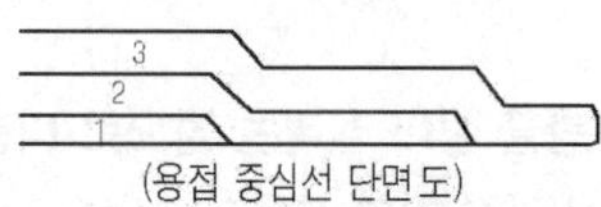

(용접 중심선 단면도)

㉮ 띄움법 ㉯ 캐스케이드법
㉰ 살붙이법 ㉱ 전진블록법

16 **다층용접시 한 부분의 몇 층을 용접하다가 이것을 다음 부분의 층으로 연속시켜 전체가 단계를 이루도록 용착시켜 나가는 방법은?**

㉮ 후퇴법(Backstep method)
㉯ 캐스케이드법(Cascade method)
㉰ 블록법(Block method)
㉱ 덧살올림법(Build - up method)

17 **양면 용접에 의하여 충분한 용입을 얻고 대단히 두꺼운판의 용접에 가장 적합한 맞대기 홈의 형태는?**

㉮ T형 ㉯ H형 ㉰ L형 ㉱ I형

해설 판 두께 6mm까지는 I형, 6~19mm까지는V형, ✓형(베벨형), J형, 12mm이상은 X형, K형, 양면 J형이 쓰이고 16~50mm에는 U형 맞대기 이음이 쓰이며 50mm이상에서는 H형 맞대기 이음에 쓰인다.

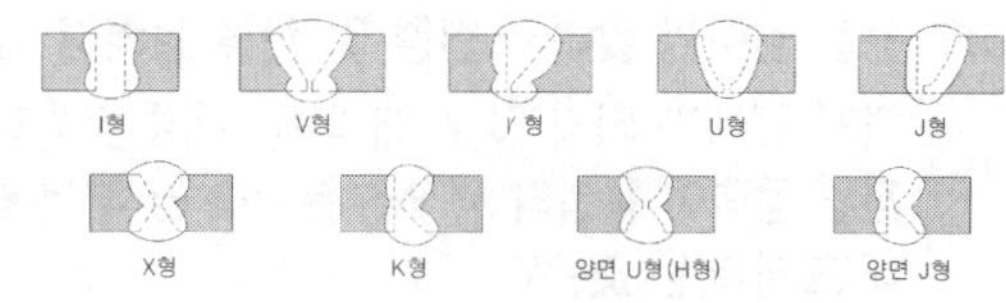

18 **맞대기 용접의 홈의 모양이 아닌 것은?**

㉮ K형 ㉯ X형 ㉰ I형 ㉱ B형

해설 A형, B형, C형, D형, E형, F형, O형 등의 홈 형상은 만들 수 없다.

19 **맞대기 용접에서 변형이 가장 적은 홈의 형상은 어느 것인가?**

㉮ V형 홈 ㉯ U형 홈
㉰ X형 홈 ㉱ 한쪽 J형 홈

해설 대칭적인 홈 형상 즉 양면 V형 홈인 X형이 변형이 가장 적다.

20 **각변형이 가장 적게 일어나는 용접 홈의 형태는?**

㉮ V형 ㉯ X형 ㉰ J형 ㉱ I형

21 **다음 그림과 같은 홈의 종류는 무슨형 용접인가?**

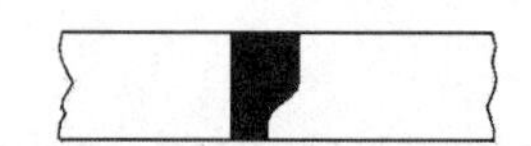

㉮ U형 ㉯ V형 ㉰ 양면 J형 ㉱ J형

22 **용접 홈 형상의 종류가 아닌 것은?**

㉮ V형 ㉯ H형 ㉰ O형 ㉱ K형

해설 홈의 형상은 I형, V형, 양면 V형(X), 베벨형, 양면 베벨형(K), U형, 양면 U형(H형)등이 있다.

Answer 14.㉱ 15.㉯ 16.㉯ 17.㉯ 18.㉱ 19.㉰ 20.㉯ 21.㉱ 22.㉰

23 일반 T형 용접에 적당한 이음의 기본 방식은?

㉮ V형 ㉯ Y형 ㉰ U형 ㉱ K형

해설 T자를 반시계 방향으로 90° 회전하여 보면 위 아래로 용접을 하여야 하므로 K형이 T형 용접 이음에 기본형이라 할 수 있다.

24 용접 이음의 종류 중 맞대기 이음이 아닌 것은?

㉮ I형 이음 ㉯ V형 이음
㉰ T형 이음 ㉱ U형 이음

25 다음 그림과 같이 빗금친 부분의 이음으로 2개 이상이 거의 평행하게 겹친 부재의 끝면 사이의 이음으로 정의 되는 용접용어는?

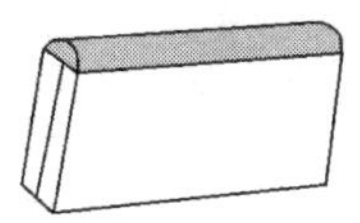

㉮ 변두리 이음 ㉯ T형 이음
㉰ 겹치기 이음 ㉱ I형 이음

해설

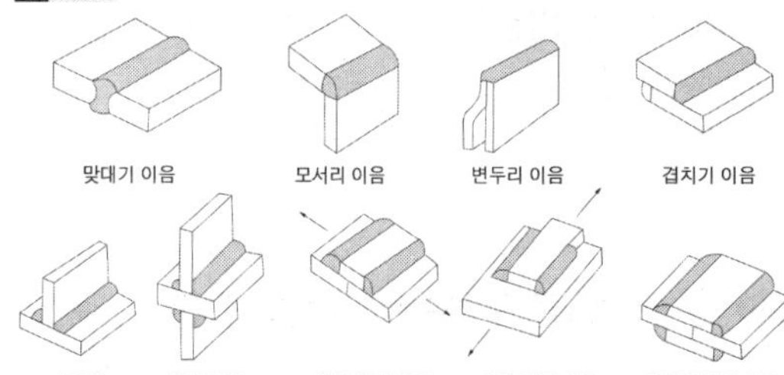

26 다음 그림 중 필릿(용접) 겹치기 이음은?

해설 ㉮는 맞대기 ㉯, ㉰는 T형, ㉱는 필릿 겹치기 이음

27 다음 그림은 어떤 용접이음 인가?

㉮ 맞대기 용접이음
㉯ 양쪽 모서리 용접이음
㉰ 필렛 용접이음
㉱ 겹치기 용접이음

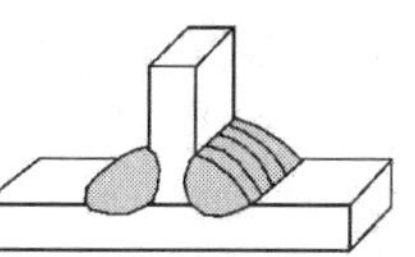

해설 T형 필렛 용접이다.

28 KS 용접용어에서 그림과 같은 용접 이음의 명칭은?

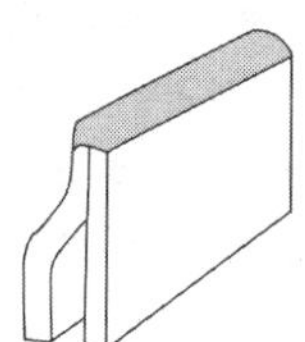

㉮ H형 이음
㉯ 변두리이음
㉰ Y형 이음
㉱ 맞대기이음

29 다음 중에서 플레어 용접은?

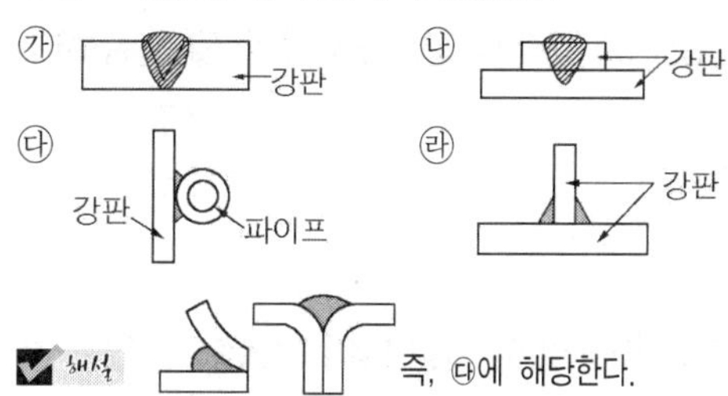

해설 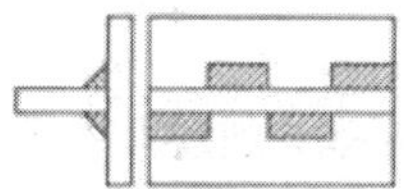 즉, ㉰에 해당한다.

30 두 부재 사이의 휨 부분을 용접하는 것으로 용접부 형상이 V형, X형, K형 등이 있는 용접은?

㉮ 플러그 용접 ㉯ 슬롯 용접
㉰ 플랜지 용접 ㉱ 플레어 용접

해설 두 부재 사이의 휨 부분을 용접하는 것은 플레어 용접이다.

31 아래 그림과 같은 필릿 용접의 종류는?

Answer 23.㉱ 24.㉰ 25.㉮ 26.㉱ 27.㉰ 28.㉯ 29.㉰ 30.㉱

㉮ 연속 병렬 필릿 용접
㉯ 연속 지그재그 필릿 용접
㉰ 단속 병렬 필릿 용접
㉱ 단속 지그재그 필릿 용접

해설 그림은 연속하지 않는 단속이며 지그재그 필릿 용접이다.

32 용접선과 응력의 방향에 수직인 필릿용접은?

㉮ 전면 필릿용접 ㉯ 밑면 필릿용접
㉰ 후면 필릿용접 ㉱ 병용 필릿용접

해설 용접선의 방향이 전달하는 응력의 방향에 거의 직각인 필릿 용접은 전면 필릿 용접이다.

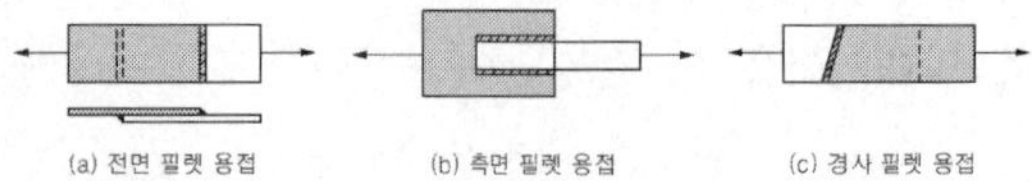
(a) 전면 필렛 용접 (b) 측면 필렛 용접 (c) 경사 필렛 용접

33 용접선과 응력의 방향에 나란한 필릿용접은?

㉮ 전면 필릿용접 ㉯ 측면 필릿용접
㉰ 경사 필릿용접 ㉱ 후면 필릿용접

34 다음 중 균열이 가장 많이 발생할 수 있는 용접이음은?

㉮ 십자이음 ㉯ 경사이음
㉰ 맞대기이음 ㉱ 모서리이음

해설 균열의 관점에서는 십자 이음이 가장 많이 발생할 수 있다.

35 필렛 용접에서 용접부의 크기가 2배가 되면 용착 금속의 무게는 몇 배가 되는가?

㉮ 1배 ㉯ 2배 ㉰ 3배 ㉱ 4배

해설 필렛 용접의 경우 용접부의 크기가 커지면 용착 금속의 무게는 배로 늘어난다.

36 겹쳐진 2부재의 한쪽에 둥근 구멍 대신에 좁고 긴 홈을 만들어 그 곳을 용접하는 것을 어떤 용접 이라고 하는가?

㉮ 겹치기용접 ㉯ 플랜지용접
㉰ T형 용접 ㉱ 슬롯용접

해설 플러그 : 길이가 넓고 깊은 홈, 슬롯 : 길이가 가늘고 얕은 홈

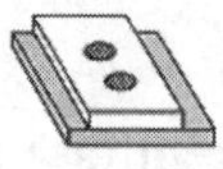
(a) 플러그 용접

(b) 슬롯 용접

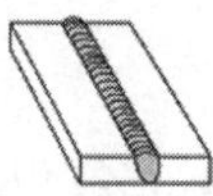
(c) 비드 용접

37 접합하는 부재 한쪽에 둥근 구멍을 뚫고 다른 쪽 부재와 겹쳐서 구멍을 완전히 용접하는 것을 무엇이라고 하는가?

㉮ 심 용접(seam weld)
㉯ 플러그 용접(plug weld)
㉰ 가 용접(tack weld)
㉱ 플레어 용접(flare weld)

38 주로 상하부재의 접합을 위하여 한편의 부재에 구멍을 뚫어, 이 구멍 부분을 채우는 형태의 용접방법은?

㉮ 필릿 용접 ㉯ 맞대기 용접
㉰ 플러그 용접 ㉱ 플래시 용접

39 용착 효율을 구하는 식이 맞는 것은?

㉮ $\text{용착효율}(\%) = \dfrac{\text{용착금속의중량}}{\text{용접봉사용중량}} \times 100$

㉯ $\text{용착효율}(\%) = \dfrac{\text{용접봉사용중량}}{\text{용착금속의중량}} \times 100$

㉰ $\text{용착효율}(\%) = \dfrac{\text{남은용접봉의중량}}{\text{용접봉사용중량}}$

㉱ $\text{용착효율}(\%) = \dfrac{\text{용접봉사용중량}}{\text{남은용접봉의중량}}$

해설 용착 효율 즉 용착률은 용착 금속 중량을 사용 용접봉 총 중량으로 나누어 준 것을 말한다.

Answer 31.㉱ 32.㉮ 33.㉯ 34.㉮ 35.㉯ 36.㉱ 37.㉯ 38.㉰ 39.㉮

40 다음 중 이음 효율을 구하는 식으로 맞는 것은?

㉮ 용접 금속의 인장강도 / 모재의 인장강도×100
㉯ 모재의 인장강도 / 용착금속의 인장강도×100
㉰ 용접재료의 항복강도 / 용접재료의 인장강도×100
㉱ 모재의 인장강도 / 용접시편의 인장강도×100

해설 $\eta = \frac{(용착금속강도)}{(모재인장강도)} \times 100$

41 모재의 인장강도가 50kgf/mm^2 이고 용접 시편의 인장강도가 25kgf /mm^2 으로 나타났을 때 이음효율은?

㉮ 40% ㉯ 50% ㉰ 60% ㉱ 70%

해설 $\eta = \frac{(용착금속강도)}{(모재인장강도)} \times 100 = \frac{25}{50} \times 100 = 50[\%]$

42 용접부의 인장시험에서 모재의 인장강도가 45kgf/mm^2 이고 용접부의 인장강도가 31.5kgf/mm^2 로 나타났다면 이 재료의 이음 효율은 얼마 정도인가?

㉮ 62% ㉯ 70% ㉰ 78% ㉱ 90%

43 연강 맞대기 용접의 완전용입 이음에서 모재 인장강도에 대한 용접 시험편 인장강도의 이음 효율은 보통 얼마인가?

㉮ 100% ㉯ 80% ㉰ 60% ㉱ 40%

해설 $이음효율 = \frac{용접시험편의인장강도}{모재의인장강도} \times 100$ 완전 용입이므로 100%이다.

44 용접이음의 강도는 이음에 어떤 부하가 작용하는지를 생각해야 하는데 그 부하에 속하지 않는 것은?

㉮ 수직력(P) ㉯ 굽힘모멘트(M)
㉰ 비틀림 모멘트(T) ㉱ 응력강도(K)

해설 용접이음의 강도 계산에는 수직력, 굽힘 모멘트, 비틀림 모멘트 등을 고려한다.

45 용접이음의 안전율은?

㉮ $안전율 = \frac{인장강도}{허용응력}$ ㉯ $안전율 = \frac{허용응력}{인장강도}$
㉰ $안전율 = \frac{이음효율}{허용응력}$ ㉱ $안전율 = \frac{허용응력}{이음효율}$

해설 $안전율 = \frac{인장강도}{허용응력}$

① 정하중 : 3 ② 동하중(단진 응력) : 5
③ 동하중(교번 응력) : 8 ④ 충격 하중 : 12

46 용접구조물 이음부의 설계 계산에 사용되는 응력은?

㉮ 최대응력 ㉯ 정적응력
㉰ 동적응력 ㉱ 허용응력

해설 용접 구조물 이음부 설계시 허용 응력과 인장강도를 고려한 안전율을 계산한다.

47 인장강도 P, 사용응력 σ, 허용응력 σ a라 할 때, 안전율 공식으로 옳은 것은?

㉮ 안전율 = P/(σ · σ a) ㉯ 안전율 = P/σ a
㉰ 안전율 = P/(2 · σ) ㉱ 안전율 = P/σ

48 연강재의 용접이음에서 충격하중에 대한 안전율은 일반적으로 얼마 정도인가?

㉮ 3 ㉯ 5 ㉰ 8 ㉱ 12

49 연강을 용접 이음할 때 인장 강도가 21kgf/mm^2 , 허용 응력이 7kgf/mm^2 이다. 정하중에서 구조물을 설계할 경우, 안전율은 얼마인가?

㉮ 1 ㉯ 2 ㉰ 3 ㉱ 4

해설 $안전율 = \frac{인장강도}{허용응력} = \frac{21}{7} = 3$

Answer 40.㉮ 41.㉯ 42.㉯ 43.㉮ 44.㉱ 45.㉮ 46.㉱ 47.㉯ 48.㉱ 49.㉰

50 용접 설계에서 허용응력을 올바르게 나타낸 공식은?

㉮ 허용응력 $= \frac{\text{안전율}}{\text{이완력}}$ ㉯ 허용응력 $= \frac{\text{인장강도}}{\text{안전율}}$

㉰ 허용응력 $= \frac{\text{이완력}}{\text{안전율}}$ ㉱ 허용응력 $= \frac{\text{안전율}}{\text{인장강도}}$

해설 허용응력 $= \frac{\text{인장강도}}{\text{안전율}}$

51 연강의 맞대기 용접이음에서 인장강도가 28kgf/mm^2 이고, 안전율이 5일 때 이음의 허용응력은 약 몇 kgf/mm^2 인가?

㉮ 0.18 ㉯ 1.80 ㉰ 0.56 ㉱ 5.60

해설 안전율 $= \frac{(\text{인장강도})}{(\text{허용응력})}$ 에서 허용응력 $= \frac{28}{5} = 5.6$

52 용접이음의 안전율에 가장 영향을 미치지 아니하는 사항은?

㉮ 모재 및 용착금속의 기계적 성질

㉯ 재료의 용접성

㉰ 초음파 탐상시험

㉱ 하중의 종류

해설 초음파 탐상시험은 용접부를 검사하는 비파괴 검사 방법이다.

53 용접부의 인장시험에서 최초로 표점 사이의 거리 l_0로 하고, 판단 후의 표점 사이의 거리 l_1로 하면, 파단까지의 변형율 δ 를 구하는 식으로 옳은 것은?

㉮ $\delta = \frac{l_1 + l_0}{2l_0} \times 100(\%)$ ㉯ $\delta = \frac{l_1 - l_0}{2l_0} \times 100(\%)$

㉰ $\delta = \frac{l_1 + l_0}{l_0} \times 100(\%)$ ㉱ $\delta = \frac{l_1 - l_0}{l_0} \times 100(\%)$

해설 변형률 $= \frac{\text{나중길이} - \text{처음길이}}{\text{처음길이}} \times 100$

54 용접부 인장시험에서 최초의 길이가 40㎜이고 인장시험편의 파단 후의 거리가 50㎜일 경우에 변형율 ε 는?

㉮10% ㉯ 15% ㉰20% ㉱ 25%

해설 변형률 $= \frac{\text{나중길이} - \text{처음길이}}{\text{처음길이}} \times 100$에서

$\frac{50-40}{40} \times 100 = 25\%$

55 용접설계에서 인장강도의 계산식은?

㉮ 인장강도 $= \frac{\text{인장하중}}{\text{시험편의단면적}}$

㉯ 인장강도 $= \frac{\text{시험편의단면적}}{\text{인장하중}}$

㉰ 인장강도 $= \frac{\text{표점거리}}{\text{연신율}}$

㉱ 인장강도 $= \frac{\text{연신율}}{\text{표점거리}}$

해설 인장력 $= \frac{\text{하중}}{\text{단면적}} = \frac{P}{A}$

인장력은 단위 면적당 작용하는 힘으로 다음과 같은 식으로 구한다.

56 동일한 탄소강판으로 두께가 서로 다른 V형 맞대기 용접이음에서 얇은 쪽의 강판 두께 T_1 , 두꺼운 쪽의 강판 두께 T_2 , 인장응력 σ_t이고, 용접길이 L이라면 용접부의 인장하중 P를 구하는 식은?

㉮ $P = \sigma_t \cdot T_2 \cdot L$ ㉯ $P = 2\sigma_t \cdot T_2 \cdot L$

㉰ $P = \sigma_t \cdot T_1 \cdot L$ ㉱ $P = 2\sigma_t \cdot T_1 \cdot L$

해설 판두께가 다른 이음의 허용응력을 계산할 때는 일반적으로 얇은판을 기준으로 단면적을 구한다.

즉 $\sigma = \frac{P}{A(\text{얇은판} \times \text{용접길이})}$

그러므로 인장하중 (P) = $\sigma t \cdot T_1 \cdot L$

57 강판의 두께 15㎜, 폭 100㎜의 V형 홈을 맞대기 용접이음 할 때 이음효율을 80%, 판의 허용응력을 35kgf/㎟로 하면 인장력(kgf)은

Answer 50.㉯ 51.㉱ 52.㉰ 53.㉱ 54.㉱ 55.㉮ 56.㉰ 57.㉱

얼마까지 허용할 수 있는가?

㉮ 35000 ㉯ 38000 ㉰ 40000 ㉱ 42000

해설 $\sigma = \frac{P}{tl}$ 에서 P = σ × t × l =35×15×100=52,500에서 이음효율이 80%이므로 52500×0.8=42,000이 계산된다.

58 항복점에서 하중을 증가시키면 변형율이 증가되어 최후에는 파단하게 된다. 이 때 발생한 최대하중을 원단면적으로 나눈 값을 무엇이라고 하는가?

㉮ 굽힘강도 ㉯ 인장강도
㉰ 최후강도 ㉱ 비례한도

59 그림과 같은 용접부에 발생하는 인장응력 (σ_t)은 약 몇 kgf/mm² 인가?

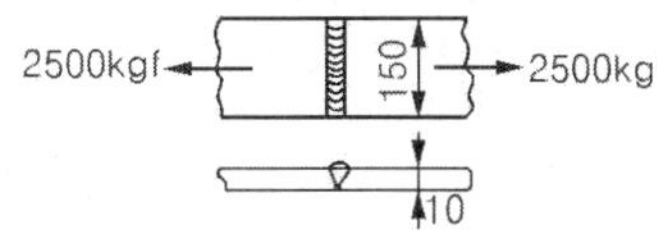

㉮ 1.46 ㉯ 1.67 ㉰ 2.16 ㉱ 2.66

해설 $\sigma_t = \frac{2500}{10 \times 150} = 1.67$

60 그림과 같이 강판의 두께가 9mm이고 용접길이가 200mm이며, 최대 인장하중이 72000kgf이 작용하고 있을 때 용접부에 발생하는 인장응력은 약 kgf/mm² 인가?

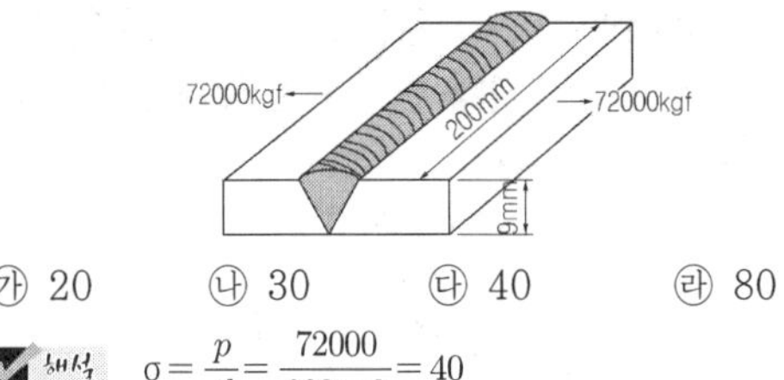

㉮ 20 ㉯ 30 ㉰ 40 ㉱ 80

해설 $\sigma = \frac{p}{tl} = \frac{72000}{200 \times 9} = 40$

61 용착부의 인장응력이 5kgf/mm², 용접선유효길이가 80mm이며, V형 맞대기 용접을 완전 용입인 경우 하중 8000kgf에 대한 판 두께는 몇 mm인가?

㉮ 10 ㉯ 20 ㉰ 30 ㉱ 40

해설 $\sigma = \frac{p}{tl}$ 에서 $t = \frac{8000}{5 \times 80} = 20$

62 V형 맞대기 용접(완전한 용입)에서 판 두께가 10mm 용접선의 유효길이가 200mm일 때, 여기에 5.0Kgf/mm² 의 인장(압축)응력이 발생한다면 용접선에 직각방향으로 몇 Kgf의 인장(압축)하중이 작용하겠는가?

㉮ 2,000Kgf ㉯ 5,000Kgf
㉰ 10,000Kgf ㉱ 15,000Kgf

해설 P = σ × t × l = 5 × 10 × 200 = 10,000

63 두께가 6.4mm인 두 모재의 맞대기 이음에서 용접 이음부가 4,536kgf의 인장하중이 작용할 경우 필요한 용접부의 최소 허용길이(mm)는?(단, 용접부의 허용인장응력은 14.06Kg/mm² 이다.)

㉮ 50.4 ㉯ 40.3 ㉰ 30.1 ㉱ 20.7

해설 $\sigma = \frac{P}{tl}$ 에서 $l = \frac{p}{t\sigma} = \frac{4536}{6.4 \times 14.06} = 50.4$

64 용접부에 인장, 압축의 반복하중 30ton이 작용하는 폭 600mm의 두 장의 강판을 I형 맞대기 용접 하였을 때, 두 강판의 두께가 몇 mm이면 견딜 수 있겠는가?(단, 허용 응력 σ N = 630kgf/cm² 로 한다.)

㉮ 약 1mm ㉯ 약 2mm
㉰ 약 6mm ㉱ 약 8mm

해설 $\sigma = \frac{P}{tl},\ t = \frac{P}{\sigma l} = \frac{30000}{630 \times 60} = 0.79\text{cm}$
그러므로 약 8mm

Answer 58.㉯ 59.㉯ 60.㉰ 61.㉯ 62.㉰ 63.㉮ 64.㉱

65 용접선에 수직하게 인장, 압축의 반복하중이 50ton이 작용하는 폭 500mm의 두 강판을 맞대기 V형 용접을 할 때, 허용응력이 600kgf/cm^2 이라면 필요한 강판의 최소 두께는?

㉮ 약 5mm ㉯ 약 13mm
㉰ 약 17mm ㉱ 약 28mm

66 다음 그림과 같은 두께12[mm]의 연강판을 겹치기 용접이음을 하고, 인장하중8000[kgf]를 작용시키고자 할 경우 용접선의 길이 ℓ [mm]는?
(단 용접부의 허용 응력은 4.5kgf/mm^2)

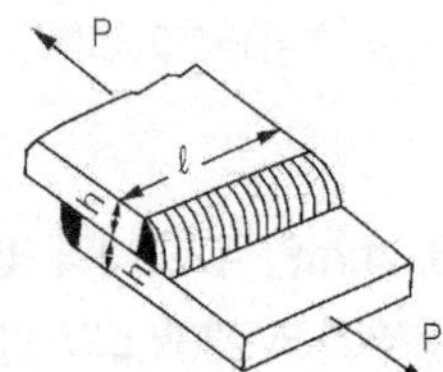

㉮ 224.7 ㉯ 184.7 ㉰ 104.7 ㉱ 204.7

해설 $\sigma = \frac{0.707P}{lh}$ 여기서 하중은 8000, 응력은 4.5, t와 h는 12로 같다. 그러므로 용접선의 길이(L)은 $\frac{0.707 \times 8000}{4.5 \times 12} = 104.74$

67 단면이 가로7mm, 세로12mm인 직사각형의 용접부를 인장하여 파단시켰을 때 최대하중이 3,444kgf 이었다면 용접부의 인장강도는 몇 kgf/mm^2 인가?

㉮ 31 ㉯ 35 ㉰ 41 ㉱ 46

해설 $\text{용접부의인장강도} = \frac{\text{최대하중}}{\text{단면적}} = \frac{3444}{7 \times 12} = 41$

68 용접부에 인장, 압축의 반복하중 30ton 이 작용하는 폭이 600mm 인 두 장의 강판을 I 형 맞대기 용접 하였을 때, 두 강판의 두께가 몇 mm이면 견딜 수 있겠는가?(단, 허용응력 σ a = 63kgf/mm^2 로 한다.)

㉮ 약 1mm ㉯ 약 2mm
㉰ 약 6mm ㉱ 약 8mm

해설 $\text{허용응력} = \frac{\text{하중}}{\text{단면적}}$ 에서 하중 30ton을 kgf로 환산하면 30,000 × 9.8 = 294,000이 된다. 또한 단면적은 폭과 두께를 이용하여 구할 수 있는데 여기서 두께를 구하려면 주어진 허용응력과 폭을 곱한 값 63 × 600 = 37800을 이용한다.
즉 294000 ÷ 37800 ≒ 7.78에서 약 8mm가 답이 된다.

69 그림에서 보는 바와 같이 맞대기 이음에서 불완전한 용입일 때, 인장응력(δ t)을 구하는 식은?

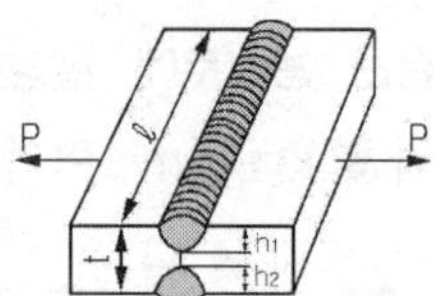

㉮ $\delta_t = \frac{P}{(h_1 + h_2)\ell}$ ㉯ $\delta_t = \frac{(h_1 + h_2)\ell}{P}$
㉰ $\delta_t = \frac{t \cdot \ell}{P}$ ㉱ $\delta_t = \frac{P}{t \cdot \ell}$

해설 $\delta_t = \frac{P}{(h_1 + h_2)\ell}$ 는 부분용입, $\delta_t = \frac{P}{t \cdot \ell}$ 는 완전용입일 때 인장 응력을 구하는 식이다.

70 그림과 같이 불용착부가 있는 맞대기용접에서 용접부길이 ℓ = 240mm, 용접깊이 h = 5mm, 판두께 t = 15mm, 강재의 인장강도가 50kgf/mm^2 , 용접부의 허용응력이 9.5kgf/mm^2 일때 하중 P는 몇 kgf까지 사용할 수 있는가?

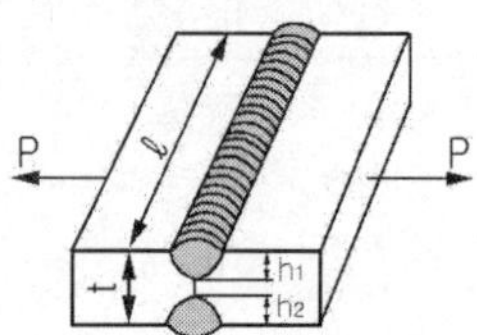

㉮ 120,000 ㉯ 34,200
㉰ 22,800 ㉱ 180,000

Answer 65.㉰ 66.㉰ 67.㉰ 68.㉱ 69.㉮ 70.㉰

해설 $\delta_t = \frac{P}{(h_1+h_2)\,\ell}$ 에서
P = σt × l × (h₁ + h₂) = 9.5 × 240 × (5 + 5) = 22,800

71 강판두께 t = 19mm, 용접선의 유효길이 ℓ = 200mm이고, h_1, h_2 가 각각 8mm일 때, 하중 P = 7,000kgf에 대한인장응력은 몇 kgf/mm^2 인가?

㉮ 약 0.2 ㉯ 약 2.2
㉰ 약 4.8 ㉱ 약 6.8

72 강판 두께 9mm, 용접선 유효길이 150mm, 홈의 깊이 h_1, h_2 가 각각 3mm인 V형 맞대기 용접을 불완전 용입으로 용접하고, 9000kgf의 하중이 용접선과 직각 방향으로 작용하는 경우 압축 응력은 몇 kgf/mm^2 인가?

㉮ 20 ㉯ 15 ㉰ 10 ㉱ 5

해설 $\sigma = \frac{p}{((h1+h2)\times l)} = \frac{9000}{((3+3)\times 150)} = 10$

73 형상(응력집중)계수에 대한 설명 중 가장 옳은 것은?

㉮ 노치의 형상과 작용하는 하중의 종류에 따라 영향을 받는다.
㉯ 용접재의 크기나 재질에 크게 영향을 받는다.
㉰ 형상계수는 X선투과 시험으로 계산할 수 있다.
㉱ 같은 모양의 노치일 경우 인장보다 비틀림을 받는 경우가 더욱 크다.

해설 물체에 외력을 가했을 때 불규칙한 모양의 부분, 특히 예리하게 도려진 밑부분에는 평활한 부분에 비해 국부적으로 매우 큰 응력이 생긴다. 그 최고 응력 σmax와 평활한 부분의 응력 σ0 과의 비, 또는 그 밑면 최소단면적에 대한 평균응력 σn과의 비를 응력집중계수라 하며, 특히 $\frac{\sigma_{max}}{\sigma_n}$를 형상계수라 한다. 필렛용접에서 형상계수가 가장 큰부위는 용접되는 루트부이다.

74 다음 그림에서 필릿 용접의 실제 목 두께(actual throat)를 나타내는 것은?

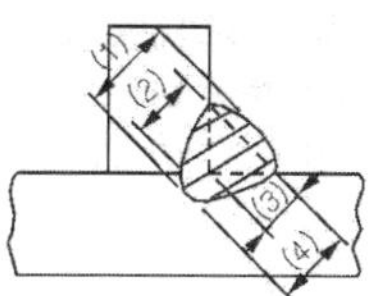

㉮ (1) ㉯ (2) ㉰ (3) ㉱ (4)

해설 실제 목두께는 (1), 이론 목두께는 (4)이다.

75 그림과 같은 필릿 용접에서 목 두께를 나타내는 것은?

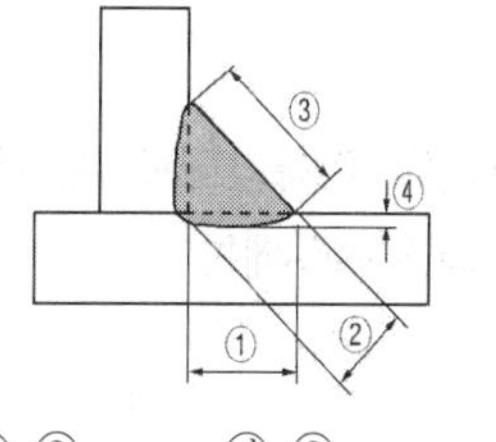

㉮ ① ㉯ ② ㉰ ③ ㉱ ④

해설 ①은 각장 즉 다리길이, ②는 목두께를 의미한다.

76 그림과 같은 필렛용접부에 대한 다음 여러 설명 중 옳지 못한 것은?

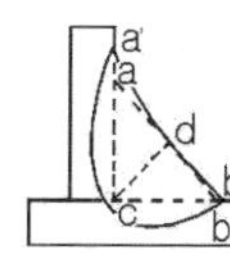

a, b, c, d : 접직선의 교점
Δ abc : 용착금속에 내접하는 삼각형
a', b' : 용착 금속이 만나는 점

㉮ a'c는 각장 ㉯ b'c는 각장
㉰ cd는 각장 ㉱ cd는 이론 목두께

77 측면 필릿 용접 이음에서 필릿 용접의 크기와 h와 이론 목두께h_t와의 관계식으로 옳은 것은?

㉮ $h = \frac{h_t}{\cos 45°}$ ㉯ $h = h_t \cdot \cos 45°$
㉰ $h = \frac{\cos 45°}{h_t}$ ㉱ $h = h_t \cdot \sin 30°$

Answer 71.㉯ 72.㉰ 73.㉮ 74.㉮ 75.㉯ 76.㉰ 77.㉮

해설 필릿 용접의 가로 단면에 내접하는 이등변 삼각형의 루트부터 빗변까지의 수직거리를 이론 목두께라 하고, 용입을 고려한 루트부터 표면까지의 최단거리를 실제 목두께라 하여 이음부의 강도를 계산할 때 기준으로 삼는다.
이론 목두께와 실제 목두께는 $h_1 = h \cdot \cos 45°$의 관계가 있다. 즉 측면 필릿 용접의 경우는 ㉮, 일반적인 필릿 용접의 경우는 ㉯이다.

78 측면 필릿 용접 이음에서 필릿의 크기가 h라면 이론 목두께 h_1 를 나타내는 식으로 옳은 것은?

㉮ $h_1 = h \cdot \cos 90°$　㉯ $h_1 = h \cdot \cos 60°$
㉰ $h_1 = h \cdot \cos 45°$　㉱ $h_1 = h \cdot \cos 30°$

79 필릿용접의 이음강도를 계산할 때, 각장이 10mm라면 목두께는?

㉮ 약 3mm　㉯ 약 7mm
㉰ 약 11mm　㉱ 약 15mm

해설 목두께 = 다리길이 ×cos 45° =10×0.707=7.07

80 필릿 용접 이음부의 강도를 계산할 때 기준으로 삼아야 하는 것은?

㉮ 루트 간격　㉯ 각장 길이
㉰ 목의 두께　㉱ 용입 깊이

해설 필릿 용접의 가로 단면에 내접하는 이등변 삼각형의 루트부터 빗변까지의 수직거리를 이론 목두께라 하고, 용입을 고려한 루트부터 표면까지의 최단거리를 실제 목두께라 하여 이음부의 강도를 계산할 때 기준으로 삼는다.

81 계산 또는 필릿용접의 치수 이상으로 표면 위에 용착된 금속은?

㉮ 이면비드　㉯ 덧붙이
㉰ 개선 홈　㉱ 용접의 루트

해설 필릿 용접의 치수 이상으로 표면 위에 용착된 금속을 덧붙이라 한다.

82 그림과 같은 T형 용접이음에서 하중 P = 25kgf, 다리길이 h = 10mm, 용접길이 L = 60mm일 때, 허용 인장응력은 약 몇 kgf/cm² 인가?

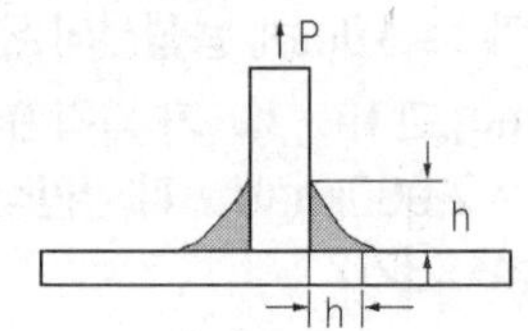

㉮ 3　㉯ 6　㉰ 9　㉱ 12

해설 $\sigma = \frac{0.707P}{hl} = \frac{0.707 \times 25}{1 \times 6} = 2.94$

83 다음 그림과 같은 필릿이음의 용접부 인장응력 (kgf/mm²)은 얼마 정도 인가?

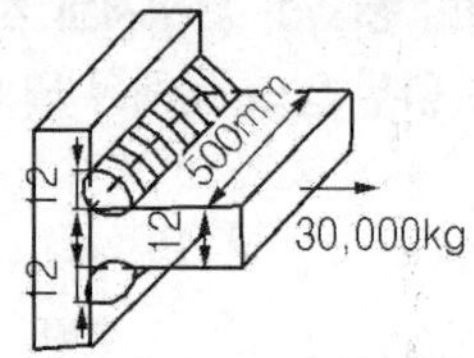

㉮ 약 1.4　㉯ 약 3.5　㉰ 약 5.2　㉱ 약 7.6

해설 $\sigma = \frac{0.707 \times P}{hl} = \frac{0.707 \times 30000}{12 \times 500} = 3.53$

84 그림과 같이 폭 60mm, 두께 10mm의 강판을 40mm만을 겹쳐서 온 둘레 필릿 용접을 할 때, 여기에 10ton의 하중을 작용시킨다면 필릿 용접의 최소 용접 다리길이는 얼마인가?(단, 용접의 허용 응력은 1,020kgf/cm² 으로 한다.)

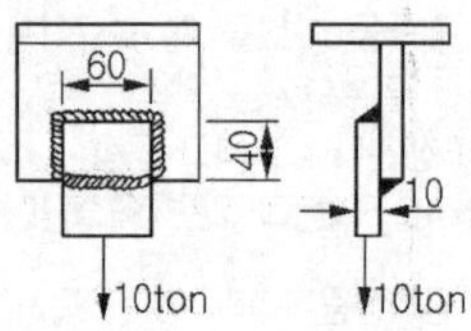

㉮ 4mm　㉯ 7mm　㉰ 12mm　㉱ 15mm

해설 필릿 용접의 다리길이는 10 × COS 45° = 7.07

Answer 78.㉰ 79.㉯ 80.㉰ 81.㉯ 82.㉮ 83.㉯ 84.㉯

85 폭 50mm, 두께 12.7mm인 강판 두장을 38mm만큼 겹쳐서 전주 필릿용접을 하였다. 여기에 외력 P = 9000kgf의 하중을 작용시킬 때 필요한 필릿용접 이음의 치수(목길이)는 몇 cm인가?(단, 용접부의 허용응력은 σ_a =1020kgf/cm² 이다.)

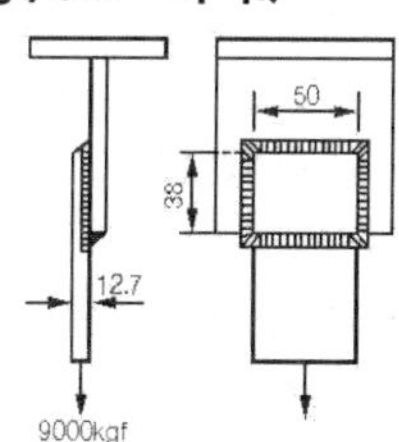

㉮ 0.99　㉯ 1.4　㉰ 0.49　㉱ 0.7

해설

$\sigma_b = \dfrac{1.414 \times F}{h}$ 에서 $F = \dfrac{9000}{(2\times5)+(2\times3.8)} = 511.36$

그러므로 $h = \dfrac{1.414 \times 511.36}{1020} = 0.7$

86 그림에서 보는 바와 같이 T형 이음에서 불완전한 용입일때, 인장응력(σ t)을 구하는 식은?

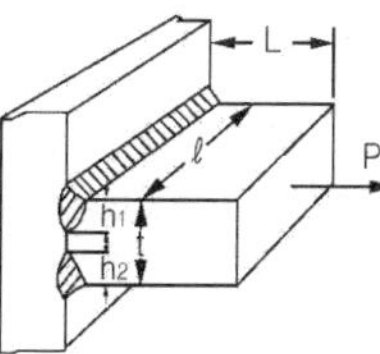

㉮ $\sigma_t = \dfrac{P_1}{(h_1 \times h_2)\ell}$　㉯ $\sigma_t = \dfrac{P_1}{L + \ell}$

㉰ $\sigma_t = \dfrac{P_1}{(h_1 - h_2)\ell}$　㉱ $\sigma_t = \dfrac{P_1}{(h_1 + h_2)\ell}$

해설 불완전한 용입이므로 제닝의 응력계산식에서 ㉱에 해당된다.

87 다음과 같은 옆면 필렛(Fillet) 용접이음에서 인장하중을 W, 전단응력을τ , 필렛다리의 길이를 f(= h), 용접부의 목두께를 t라고 할 때 전단응력을 구하는 식은?

㉮ $\tau = 1.414\dfrac{W}{f\ell}$　㉯ $\tau = 1.414\dfrac{W}{\ell}$

㉰ $\tau = 0.707\dfrac{W}{f\ell}$　㉱ $\tau = f\dfrac{\ell}{0.707W}$

해설

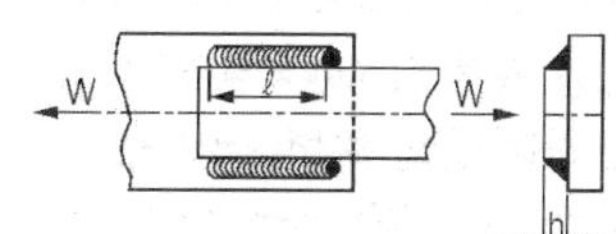

제닝의 응력 계산법에서 필렛 용접의 전단 응력과 인장 응력의 관계는 $\tau = 0.707\dfrac{W}{f\ell}$ 와 같다.

88 다음 그림과 같은 완전 용입된 연강판 맞대기 이음부에 굽힘모멘트 MB-10000kgf·cm가 작용할 때 용접부에 발생하는 최대 굽힘응력은 약 kgf/cm² 인가?(단, 용접길이 300mm 이고, 판두께는 10mm이다.)

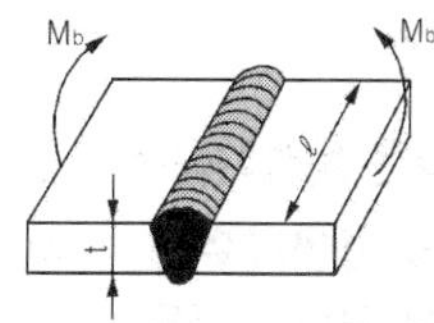

㉮ 0.2　㉯ 20　㉰ 200　㉱ 2000

해설 단위에 주의한다. $\sigma_b = \dfrac{6M}{lt^2} = \dfrac{(6\times10000)}{(30\times1^2)} = 2000$

89 그림과 같은 V형 맞대기 용접에서 굽힘 모멘트가(Mb)가 10,000kgf·cm 작용하고 있을 때, 최대 굽힘 응력은?(다만, ℓ = 150mm, t = 20mm 이고 완전 용입일 때이다.)

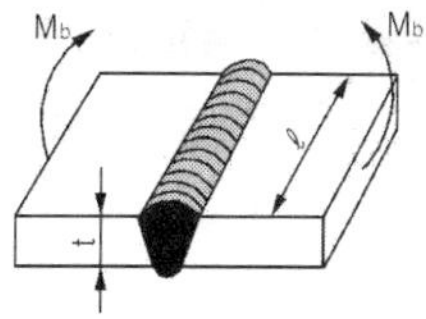

㉮ 10[kgf/cm²]　㉯ 100[kgf/cm²]

㉰ 1,000[kgf/cm²]　㉱ 10,000[kgf/cm²]

해설 단위에 주의한다. 즉 150mm는 15cm, 20mm는 2cm로 놓고 계산하여야 한다.

$\sigma_b = \dfrac{6M}{lt^2} = \dfrac{(6\times10000)}{(15\times2^2)} = 1000$

Answer 85.㉱ 86.㉱ 87.㉰ 88.㉱ 89.㉰

90 그림과 같이 완전용입 T형 맞대기용접 이음에 굽힘 모멘트 Mb = 9,000kgf·cm가 작용할 때 최대 굽힘 응력(kgf/cm^2)은?(단, L = 400mm, ℓ = 300mm, t = 20mm, P(kgf)는 하중이다.)

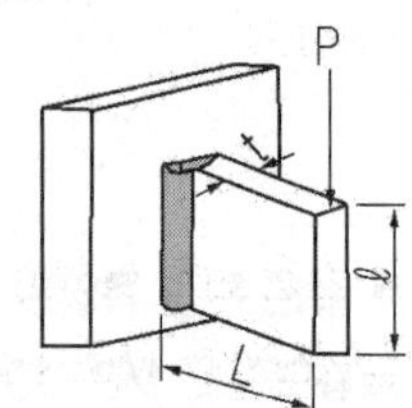

㉮ 30 ㉯ 300 ㉰ 45 ㉱ 450

해설 $\sigma_b = \frac{6M}{tl^2} = \frac{(6\times 9000)}{(2\times 30^2)} = 30$

91 그림과 같은 용접이음에서 굽힘 응력을 σ_b라 하고, 굽힘 단면계수를 W_b라 할 때, 굽힘 모멘트 M_b를 구하는 식은?

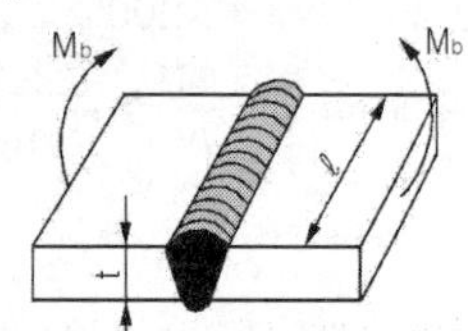

㉮ $M_b = \sigma_b \cdot W_b$ ㉯ $M_b = \frac{\sigma_b}{W_b}$

㉰ $M_b = \frac{\sigma_b \cdot W_b}{l}$ ㉱ $M_b = \frac{\sigma_b \cdot W_b}{t}$

해설 굽힘 응력을 σ_b와, 굽힘 단면계수를 W_b, 굽힘 모멘트M_b의 관계는 $\sigma_b = \frac{M_b}{W_b}$로 구할 수 있다. 즉 $M_b = \sigma_b \cdot W_b$

92 용접구조 설계의 순서를 다음과 같이 할 때 4번째 항은 어느 것인가?

보기

1. 구조계획 2. 이음방법 3. 구조계산
4. ( ) 5. 공 작 도 6. 재료계산
7. 시방서

㉮ 계획설계 ㉯ 주문설계
㉰ 구조설계 ㉱ 지그설계

해설 구조 계산 뒤에는 구조 설계가 이루어 져야 된다.

93 용접구조물의 설계 요령으로 틀린 것은?

㉮ 가능한 표준규격의 재료를 이용한다.
㉯ 재료는 쉽게 구입할 수 있는 것으로 한다.
㉰ 고장이 났을 때 편의성을 고려한다.
㉱ 용접할 조각의 수를 많게 한다.

해설 용접은 가능하다면 적게 적은 개소에 사용하는 것이 용접 구조물 설계 요령이다.

94 용접 홈의 설계 요령으로 틀린 설명은?

㉮ 홈의 단면적을 가능한 작게 한다.
㉯ 루트의 반지름을 가능한 작게 한다.
㉰ 적당한 루트 간격과 루트 면을 만들어 준다.
㉱ 홈의 각도를 작게 한다.

해설 용접 홈을 만드는 이유는 용입을 양호하게 하고 이음 강도를 높이기 위해서이다. 일반적으로 용입이 허용하는 한 홈 각도는 작은 것이 좋다. 피복아크 용접에서 54 ~ 70°정도로 한다. 또한 용접 균열에 관점에서는 루트 간격은 좁을수록 좋으며 루트 반지름은 되도록 크게 한다.

95 용접이음의 설계시 가장 좋은 것은?

㉮ 용착량이 많은 설계
㉯ 용접선이 집중되는 설계
㉰ 용접자세의 최소거리가 유지되는 설계
㉱ 잔류 응력 발생이 많은 설계

96 용접설계시 홈의 모양을 선택할 경우, 고려할 점이 아닌 것은?

㉮ 완전한 용접부가 얻어질 것
㉯ 홈가공이 쉬울 것
㉰ 용접금속의 양이 많을 것
㉱ 경제적일 것

해설 용접금속의 양이 많으면 열영향부 등이 커질 수 있다.

Answer 90.㉮ 91.㉮ 92.㉰ 93.㉱ 94.㉯ 95.㉰ 96.㉰

97 용접이음의 설계를 할 때 주의할 사항이 아닌 것은?

㉮ 아래보기용접을 많이 하도록 한다.
㉯ 용접작업에 지장을 주지 않도록 공간을 두어야 한다.
㉰ 맞대기용접은 될 수 있는 대로 피하고 필릿용접을 하도록 한다.
㉱ 충격과 반복하중 그리고 저온과 인장강도 등에 대한설계를 하여야 한다.

✔ 해설

① 수축이 큰 맞대기 이음을 먼저 용접하고 다음에 필렛 용접
② 큰 구조물은 구조물에 중앙에서 끝으로 향하여 용접
③ 용접선에 대하여 수축력의 화가 영(0)이 되도록 한다.
④ 리벳과 같이 쓸 때는 용접을 먼저 한다.
⑤ 용접 불가능한 곳이 없도록 한다.
⑥ 물품의 중심에 대하여 대칭으로 용접 진행
⑦ 가능한 아래보기 용접을 할 수 있도록 한다.

98 용접 이음설계에 관한 설명 중 옳지 않은 것은?

㉮ 이음부의 홈 모양은 응력 및 변형을 억제하기 위하여 될 수 있는 한 용착량이 적게 할 수 있는 모양을 선택하여야 한다.
㉯ 용접 이음의 형식과 응력 집중의 관계를 항상 고려하여 될 수 있는 한 이음을 대칭으로 하여야 한다.
㉰ 용접물의 중립축을 생각하고, 그 중립축에 대하여 용접으로 인한 수축 모멘트의 합이 1이 되게 한다.
㉱ 국부적으로 열이 집중하는 것을 방지하고 재질의 변화를 적게한다.

99 용접 이음을 설계 할 때 주의 사항으로 옳지 않은 것은?

㉮ 맞대기 용접에는 뒷면 용접을 할 수 있도록 하여 용입 부족이 없도록 한다.
㉯ 용접 이음을 1개소로 집중시키고 접근하여 설계하지 않도록 한다.
㉰ 용접금속이 다듬질 부분에 포함되지 않도록 한다.
㉱ 수평자세 용접을 많이 하도록 한다.

100 용접구조물을 설계할 때 주의해야 할 사항 중 틀린 것은?

㉮ 구조상의 불연속부 및 노치부를 피한다.
㉯ 용접금속은 가능한 다듬질 부분에 포함되지 않게 한다.
㉰ 용접구조물은 가능한 균형을 고려한다.
㉱ 가능한 용접이음을 집중, 접근 및 교차하도록 한다.

101 용접구조물 작업시 고려하여야 할 사항으로 틀린 것은?

㉮ 변형 및 잔류응력을 경감시킬 수 있어야 한다.
㉯ 변형이 발생될 때 변형을 쉽게 제거할 수 있어야 한다.
㉰ 가능한 구속용접을 한다.
㉱ 구조물의 형상을 유지할 수 있어야 한다.

102 용접이음을 설계할 때 옳은 사항은?

㉮ 맞대기 용접을 될 수 있는 대로 피하고, 필렛 용접을 하도록 한다.
㉯ 판두께가 다른 경우의 용접이음은 판두께의 단면 변화를 주지 않고 용접한다.
㉰ 용접이음을 여러 개로 하고, 용접부위를 접근하여 설계한다.
㉱ 용접작업에 지장을 주지 않도록 공간을 남긴다.

103 용접이음을 설계할 때 주의사항으로 틀린 것은?

㉮ 용접작업에 지장을 주지 않도록 공간을 남긴다.
㉯ 맞대기 용접은 될 수 있는 대로 피하고, 필렛 용접을 하도록 한다.
㉰ 가능한 경우 아래보기 용접을 많이 하도록 한다.

Answer 97.㉰ 98.㉰ 99.㉱ 100.㉱ 101.㉰ 102.㉱ 103.㉯

㉱ 용접이음을 한 쪽으로 집중되게 접근하여 설계하지 않도록 한다.

104 용접이음을 설계할 때 옳은 사항은?

㉮ 맞대기 용접을 될 수 있는 대로 피하고, 필릿 용접을 하도록 한다.
㉯ 용접길이는 될 수 있는 대로 길게 하고 용착 금속량도 되도록 최대로 한다.
㉰ 용접이음이 한 곳으로 집중되거나, 접근되도록 한다.
㉱ 결함이 생기기 쉬운 용접 방법은 피한다.

105 두께 차이가 있는 강판을 맞대기 용접할 때 가장 알맞은 설명은?

㉮ I형 그루브로 용접한다.
㉯ T형 모서리 용접을 한다.
㉰ 단면의 변화율을 적게 하고 되도록 대칭을 이루도록 용접한다.
㉱ 그루브에 관계없이 용접한다.

해설 두께가 서로 다른 두 부재를 용접할 때 급격한 변화로 응력이 집중되게 해서는 안 되고 일반적으로 맞대기 용접의 경우 그 구배율은 $\frac{1}{5} \sim \frac{1}{8}$정도로 한다.

106 반복 하중을 받는 부재를 맞대기 용접하고자 한다. 다음 이음 형식중 가장 적합한 것은?

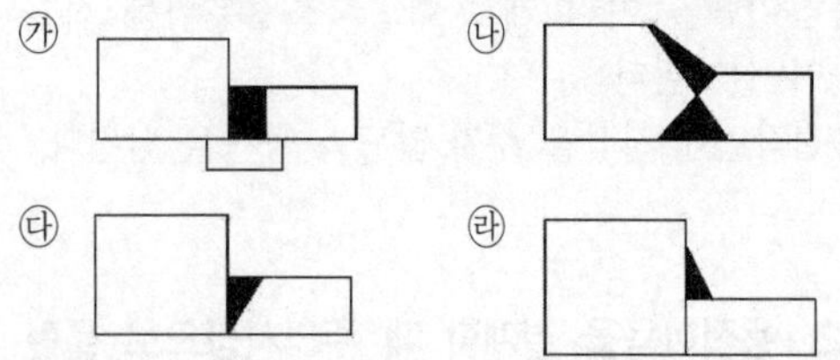

해설 대칭적인 이음 형식이 적당하며, 급격한 구배를 피해야 된다.

Answer 104.㉱ 105.㉰ 106.㉯

Chapter 2-2 용접 시공 및 결함

01 용접 시공 및 결함

1 용접시공, 경비 및 용착량 계산

(가) 용접 시공

설계서 및 시방서에 따라 요구하는 용접 이음의 품질을 얻는 것을 용접 시공이라고 정의 할 수 있다. 용접 시공에 포함되는 것은 기술관리, 품질 관리, 공정 관리, 안전 관리, 원가 관리, 재고 관리 등을 포함하고 있다. 효율적인 시공을 위해서는 공정, 시공 방법 및 순서 사후 관리, 작업 관리 등에 대한 다음 내용을 알고 있어야 된다.

① 용접의 공사량 및 설비 능력을 바탕으로 공정표, 작업 방법 및 인원 관리 등을 시행한다.
② 재료로 부터 최종 제품을 능률적인 방법으로 생산할 수 있도록 공정 및 일정계획을 세우고 작업을 분배한 후 작업 진행을 관리하는 공정관리 목적은 납기를 준수하고 가동률을 향상시키며, 재료가 공장에 입고되어서 제품으로 출하되기까지의 시간을 단축시키는데 있다.
③ 작업 공정의 흐름이 원활히 진행 될 수 있는 설비 및 인원 배치 계획을 작성하여야 한다.
④ 안전과 환경에 영향을 주지 않는 시스템을 갖추고 있어야 된다.
⑤ 정확한 공사량 산출 및 원가 절감을 할 수 있는 시스템을 갖추고 있어야 된다.

용접 전원 변압기 용량(C) : $C=\sqrt{n\times a}\times\sqrt{1+(n-1)}\,a\times b\times p$ [KVA]
(n : 용접기 대수, a는 용접기 사용율, b는 부하율, p는 용접기 1대 최대 용량)
용기기가 1대인 경우 : $C=\sqrt{a}\times b\times p$
용접기가 2~10대 인 경우 : $C=\sqrt{n\times a}\times\sqrt{1+(n-1)}\,a\times b\times p$
용접기가 10대 이상인 경우 : $C=n\times a\times b\times p$

(나) 용접 비용

용접 비용을 계산하는 방법은 용접 길이 1m당 단가로 계산하는 방법과 용접봉 1개당으로 계산하는 방법이 있다. 일반적으로 용접비용은 아래와 같이 구할 수 있다.

용접 비용(W) = 용접재료비(M) + 인건비(Pe) + 전력비(E) + 감가상각비(D)

- 용접봉가격 $= \dfrac{1}{\text{용접봉사용율} \times \text{용착률}} \times$ 용접봉단가(원/kg)
- 인건비 = 작업시간 $\left(\text{용접작업시간} = \dfrac{\text{아크시간}}{\text{아크시간율}}\right) \times$ 노임 단가
- 전력량$(Wh) = \dfrac{\text{용접전류} \times \text{용접전압}}{\text{용접기효율}} \times$ 아크시간(교류 용접기 효율 50%, 직류 용접기 75%)
- 감가상각비 = 상각비$\left(\dfrac{\text{용접기가격}}{\text{상각시간}(5 \sim 7\text{년})}\right)$ +보수비$\left(\dfrac{\text{연간보수비}}{\text{연가사용시간}}\right)$

① 용접 비용을 절감하기 위해서는 가능한 용접 이음부를 줄이고, 용접부 단면적을 감소시키는 용접 설계를 하여야 한다.

② 쉬운 용접 방법을 택하고, 용착 속도가 최대인 용접 방법을 통해 용접 비용을 줄 일 수 있다.

③ 일상적인 장비 점검과 정기적인 장비 점검을 통해 용접 비용을 줄 일 수 있다.

(다) 용착량 계산

용접부의 단면적은 용접 이음 형상에 따라 달라진다. 또한 용접 이음의 홈 면적은 수추량, 용접봉 사용량 등에 따라 달라 질 수 있다.

이음 형식	모 양	단 면 적
I 형	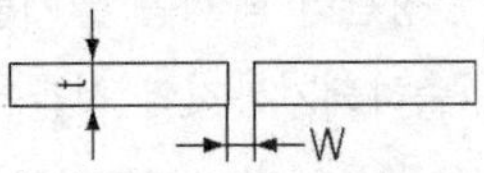	Wt
V 형	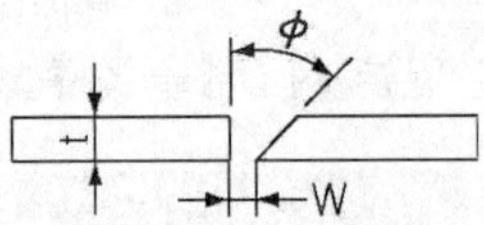	$t(W+1/2t \tan\phi)$
K 형	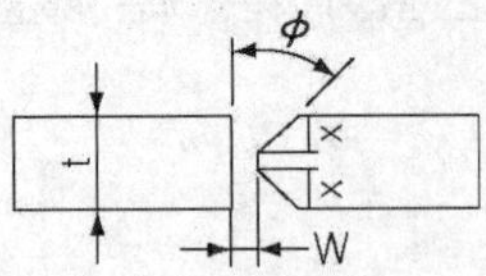	$Wt+x^2\tan\phi$
V 형	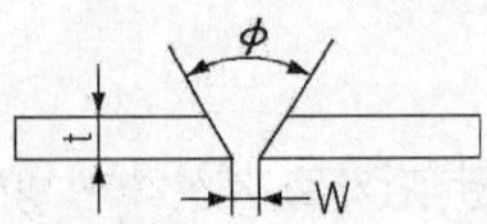	$t\left(W+t\tan\dfrac{1}{2}\phi\right)$

▲ 용접부 단면적 계산식

이음 형식	모 양	단 면 적
X 형	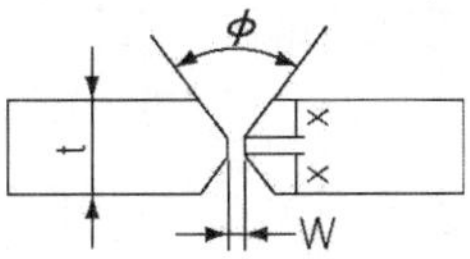	$Wt+2X^2\tan\frac{1}{2}\phi$
J 형	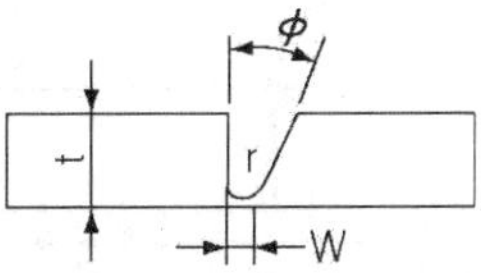	$(W+r)(X-r)+\frac{\pi r^2}{4}+Wr+\frac{1}{2}(X+r)^2\tan\phi$
U 형	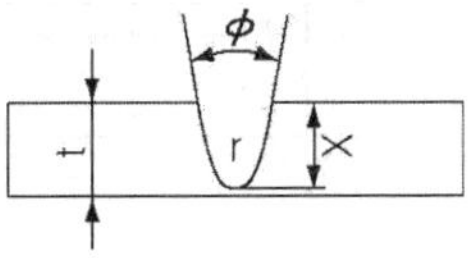	$2Xr-2r^2+\frac{\pi r^2}{2}+(X-r^2)\tan\frac{1}{2}\phi$
H 형	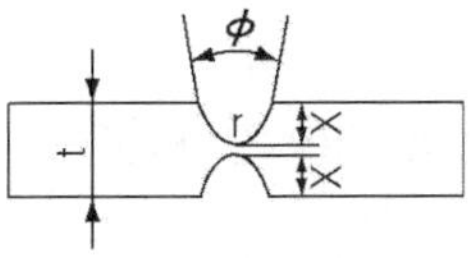	$2\left[2Xr-2r^2+\frac{\pi r^2}{2}+(X-r)^2\tan\frac{1}{2}\phi\right]$

▲ 용접부 단면적 계산식

아울러 용착 효율 및 용접봉 소요량 등은 다음 식에 의하여 계산된다.

$$\text{용착효율}=\frac{\text{용착금속의 중량}}{\text{용접봉의 사용중량}}\times 100,$$

$$\text{단위길이당용접봉소요량}=\frac{\text{단위용접길이당용착금속중량}}{\text{용착률}}$$

2 용접 준비

(가) 홈 가공

① 용입이 허용하는 한 홈 각도는 작은 것이 좋다. (일반적으로 피복아크 용접에서 54~70°)

② 용접 균열에 관점에서는 루트 간격은 좁을수록 좋으며 루트 반지름은 되도록 크게 한다.

(나) 조립

① 수축이 큰 맞대기 이음을 먼저 용접하고 다음에 필릿 용접을 한다.

② 큰 구조물은 구조물에 중앙에서 끝으로 향하여 용접한다.

③ 용접선에 대하여 수축력의 화가 영이 되도록 한다.

④ 리벳과 용접을 같이 쓸 때는 용접을 먼저 한다.

⑤ 용접 불가능한 곳이 없도록 한다.

⑥ 물품의 중심에 대하여 대칭으로 용접 진행을 한다.

⑦ 가능한 구속 용접은 피한다.

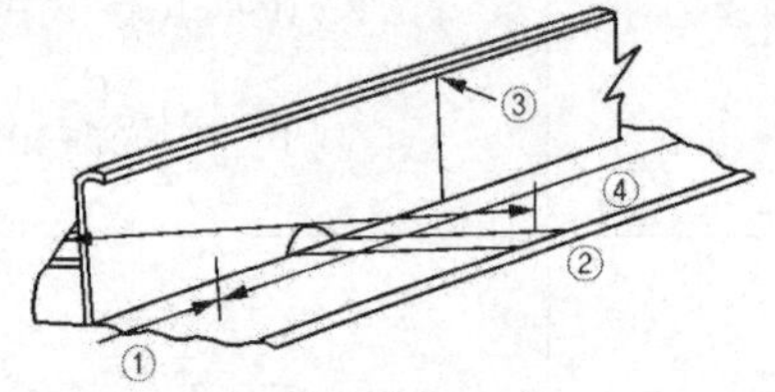

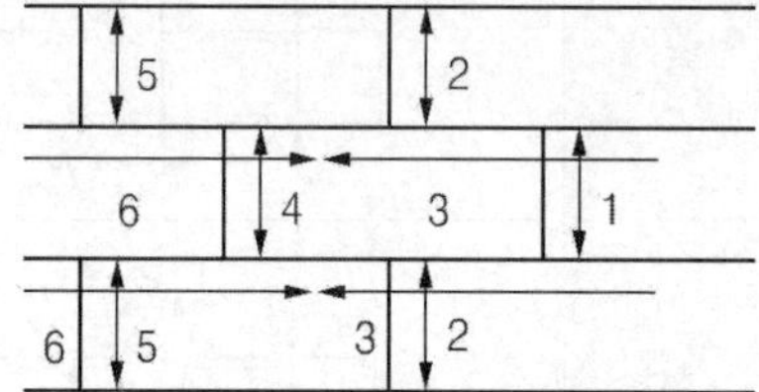

(다) 가접

① 홈안에 가접은 피하고 불가피한 경우 본 용접 전에 갈아낸다.

② 응력이 집중하는 곳은 피한다.

③ 전류는 본 용접보다 높게 하며, 용접봉의 지름은 가는 것을 사용한다. 또한 너무 짧게 하지 않는다.

④ 시·종단에 엔드탭을 설치하기도 한다.

⑤ 가접사도 본 용접사에 비하여 기량이 떨어지면 안 된다.

⑥ 가접용 지그 등을 사용하여 부재의 형상을 유지한다.

(라) 용접 지그

① 조립 시간을 단축하고 용접 작업을 효과적으로 하기 위하여 이용되는 장치를 용접 지그라고 한다.

② 지그를 사용하면 공수절감에 효과가 있으며, 품질의 신뢰성을 확보할 수 있다.

③ 지그는 물체를 고정시켜 줄 크기와 힘이 있고 변형을 막아줄 만큼 견고하게 제작되어야 한다.

④ 물체의 고정과 분해가 용이하여야 하며, 청소가 편리해야 된다.

(마) 이음부의 청소

이음부의 녹, 수분, 스케일, 페인트, 유류, 먼지, 슬랙 등은 기공 및 균열에 원인이 되므로 와이어 브러시, 그라인더, 쇼트 블라스트, 화학약품 등으로 제거한다.

(바) 홈의 보수

① 맞대기 용접 : 판 두께 6mm 이하 한쪽 또는 양쪽에 덧살 올림 용접을 하여 깎아 내고 규정 간격으로 홈을 만들어 용접하며, 6 ~ 16mm인 경우는 두께 6mm정도의 뒤판을 대서 용접하여 용락을

방지한다. 또한 16mm이상에서는 판의 전부 혹은 일부(약 300mm)를 대체한다.

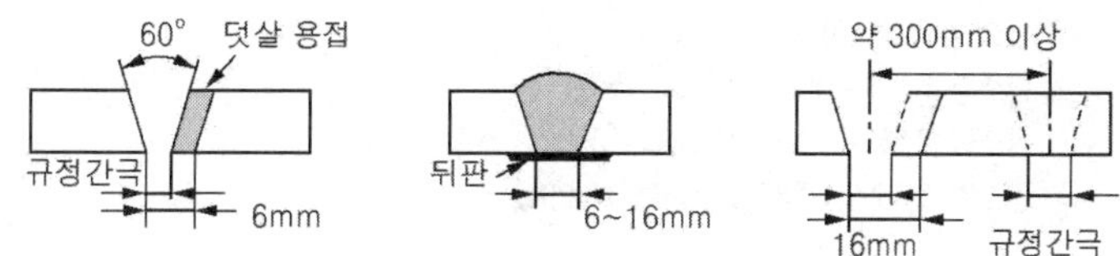

② 필릿 용접 : 용접물의 간격이 1.5mm 이하에서는 규정의 각장으로 용접하며, 1.5 ~ 4.5mm인 경우는 그대로 용접해도 좋으나 각장을 증가시킬 수 도 있다. 4.5mm 이상에서는 라이너를 넣는다거나 또는 부족한 판을 300mm이상 잘라내서 대체한다.

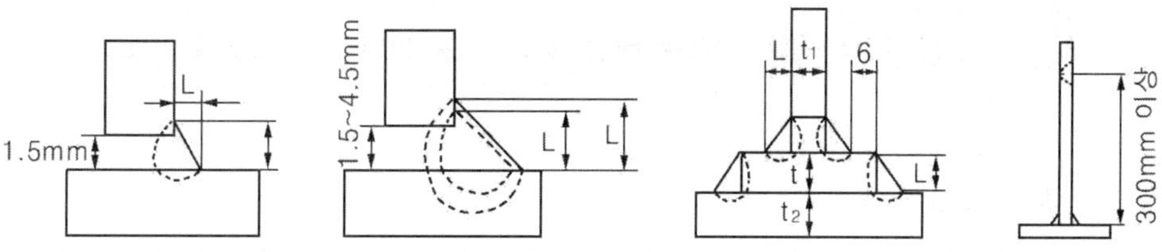

3 본 용접 및 후처리

① 저온 균열이 일어나기 쉬운 재료에 대하여 용접전에 피용접물의 전체 또는 이음부 부근의 온도를 올리는 것을 예열이라고 한다.

② **예열의 목적**

㉠ 용접부와 인접된 모재의 수축응력을 감소하여 균열 발생을 억제한다.

㉡ 냉각속도를 느리게 하여 모재의 취성을 방지한다.

㉢ 용착금속의 수소 성분이 나갈 수 있는 여유를 주어 비드 밑 균열을 방지한다.

③ **예열의 방법**

㉠ 연강의 경우 두께 25mm이상의 경우나 합금 성분을 포함한 합금강 등은 급랭 경화성이 크기 때문에 열 영향부가 경화하여 비드 균열이 생기기 쉽다. 그러므로 50 ~ 350℃정도로 홈을 예열하여 준다.

㉡ 기온이 0℃이하에서도 저온 균열이 생기기 쉬우므로 홈 양끝 100mm 나비를 40 ~ 70℃로 예열한 후 용접한다.

㉢ 주철은 인성이 거의 없고 경도와 취성이 커서 500 ~ 550℃로 예열하여 용접 터짐을 방지한다.

㉣ 용접시 저수소계 용접봉을 사용하면 예열 온도를 낮출 수 있다.

㉤ 탄소 당량이 커지거나 판 두께가 두꺼울수록 예열 온도는 높일 필요가 있다.

㉥ 주물의 두께 차가 클 경우 냉각 속도가 균일하도록 예열

탄소량에 따른 예열 온도 : 탄소량이 늘어날수록 예열 온도는 높게 한다.
① 탄소량 0.2% 이하 : 90℃ 이하
② 탄소량 0.2% ~ 0.3% : 90℃ ~ 150℃
③ 탄소량 0.3% ~ 0.45% : 150℃ ~ 260℃
④ 탄소량 0.45% ~ 0.83% : 260℃ ~ 420℃

④ **후열의 목적**

㉠ 용접 후 급랭에 의한 균열 방지

㉡ 용접 금속의 수소량 감소 효과

후열은 용접후의 급랭을 피하는 목적의 후열, 응력을 제거하기 위한 후열 등이 있다.

⑤ 보수 용접(육성 용접)

㉠ 기계 부품 등의 일부 마멸된 부분을 깎아 내거나 그대로 다시 원래 상태가 되도록 덧붙임 용접을 하는 방법을 말한다.

㉡ 열처리 없이 경도가 높은 것을 만들 수 있는데 망간강, 크롬, 코발트, 텅스텐 등을 기본으로 하는 합금계 심선이 필요하다.

㉢ 용사법 : 용융된 금속을 고속기류에 불어 붙임 이용한다.

⑥ 표면경화 용접법(오베레이 용접)

㉠ 표면 경화 용접은 모재에 약 1㎜이상의 두께로 내식, 내열, 내마모성이 우수한 용접금속을 입히는 방법이다.

㉡ 오버레이 용접은 용착속도가 높고 작업능률이 양호한 모재와 완전합 융합을 하기 때문에 모재보다 접합강도가 높다.

㉢ 인성이 높고 가격이 저렴한 모재를 사용하므로 경제적이고 조금 높은 하중을 사용하더라도 효율이 증가된다.

㉣ 손상된 부분을 복구함으로써 유지비용을 절감시킬 수 있으며, 불활성 가스 분위기에서 용접하여 품질이 우수한 용접금속을 얻을 수 있다.

㉤ 오버레이 용접방법은 산소-아세틸렌 용접, 피복아크 용접, 불활성 가스 아크 용접, 서브머지드 용접, 플라즈마 아크 용접, 전자빔 용접 등을 사용할 수 있다.

⑦ 용접 후의 가공

㉠ 용접 후 기계가공을 하는 경우에 용접부에 잔류 응력이 풀려지는 경우에 변형우려가 있으므로 잔류 응력 제거를 한다.

ⓛ 굽힘 가공할 것은 균열 발생 우려가 있으므로 노내 풀림 처리를 실시한다.

ⓒ 철강 용접의 천이 온도의 최고가열 온도는 400 ~ 600℃ 이다.

천이온도란 재료가 연성 파괴에서 취성 파괴로 변하는 온도범위를 말한다.

4 용접 온도 분포, 잔류 응력, 변형, 결함 및 그 방지 대책

(가) 용접 온도 분포

① 열영향부(HAZ : Heat Affected Zone)

㉠ **용착 금속부(1500)** : 용융응고한 부분으로 수지상(dendrite) 조직을 나타낸다.

㉡ **Bond부(1450)** : 모재의 일부가 녹고 일부는 고체 그대로 아주 조립한 위드만 조직 조직을 나타낸다.

㉢ **조립부(1,450 ~ 1,250℃)** : 과열로 조립화 된다. 일부는 위드만 조직으로 나타나고 급랭 경화함으로 경도가 최대인 구역이다

㉣ **혼입부(1,250 ~ 1,100℃)** : 조립과 미세립의 중간부분

㉤ **입상펄라이트부(900 ~ 750℃)** : Pearlite가 세립상으로 분해된 부분

㉥ **취화부(750 ~ 200℃)** : 기계적 성질이 취화하나 현미경 조직검사로는 거의 변화가 없는 구역

㉦ **원질부(200 ~ 상온)** : 용접열을 받지 않는 소재부분이다.

② 냉각 속도는 얇은 판보다는 두꺼운 판에서 크다.

③ 냉각 속도는 맞대기 이음보다는 T형 이음의 경우가 크다. 즉 열의 확산 방향이 많을수록 크다.

④ 열전도율이 클수록 냉각속도는 크다.

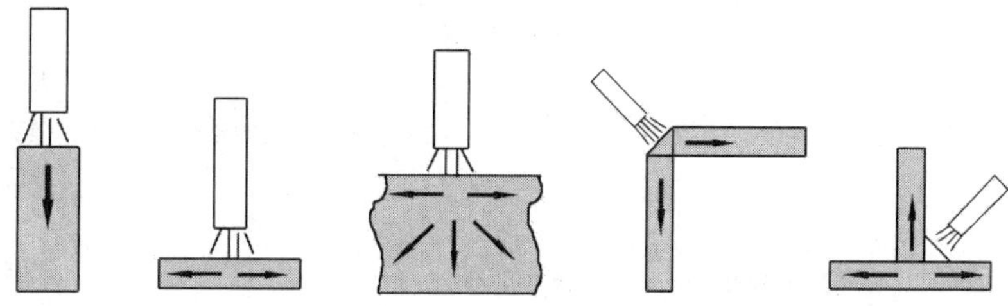

(나) 잔류 응력

① 잔류 응력의 영향 : 용접 구조물의 파괴, 취성, 피로, 좌굴, 응력부식, 시효 변형 등의 중요한 원인이 된다.

② 잔류 응력 경감법

㉠ **노내 풀림법** : 유지 온도가 높을수록, 유지 시간이 길수록 효과가 크다. 노내 출입 허용 온도는 300℃를 넘어서는 안된다. 일반적인 유지 온도는 625±25℃, 판두께 25mm 1시간이다. 가열 및 냉각 속도의 식은 다음과 같다.

$$냉각속도(R) \leq 200 \times \frac{25}{t}(\mathrm{deg}/h)$$

㉡ **국부 풀림법** : 큰 제품, 현장 구조물 등과 같이 노내 풀림이 곤란할 경우 사용하며 용접선 좌우 양측을 각각 약 250mm 또는 판 두께 12배 이상의 범위를 가열한 후 서냉한다. 하지만 국부 풀림은 온도를 불균일하게 할 뿐 아니라 이를 실시하면 잔류 응력이 발생될 염려가 있으므로 주의하여야 한다. 유도가열 장치를 사용한다.

㉢ **기계적 응력 완화법** : 용접부에 하중을 주어 약간의 소성 변형을 주어 응력을 제거한다. 실제 큰 구조물에서는 한정된 조건하에서만 사용할 수 있다.

㉣ **저온 응력 완화법** : 용접선 좌우 양측을 정속도로 이동하는 가스 불꽃으로 약 150mm의 나비를 약 150~200℃로 가열 후 수냉하는 방법으로 용접선 방향의 인장 응력을 완화시키는 방법

㉤ **피닝법** : 끝이 둥근 특수 해머로 용접부를 연속적으로 타격하며 용접 표면에 소성 변형을 주어 인장 응력을 완화한다. 첫층 용접의 균열 방지 목적으로 700℃정도에서 열간 피닝을 한다.

일반적인 유지 온도는 625 ± 25℃ 이다. 판 두께 25mm 1시간이 적당하며, 고온 배관용 탄소강관, 고압 배관용 탄소강관, 보일러 및 열교환기용 탄소강 강관 (6, 7, 8종) 등은 유지온도 725 ± 25℃ 판 두께 25mm 2시간이 적당하다.

③ 잔류 응력 측정법

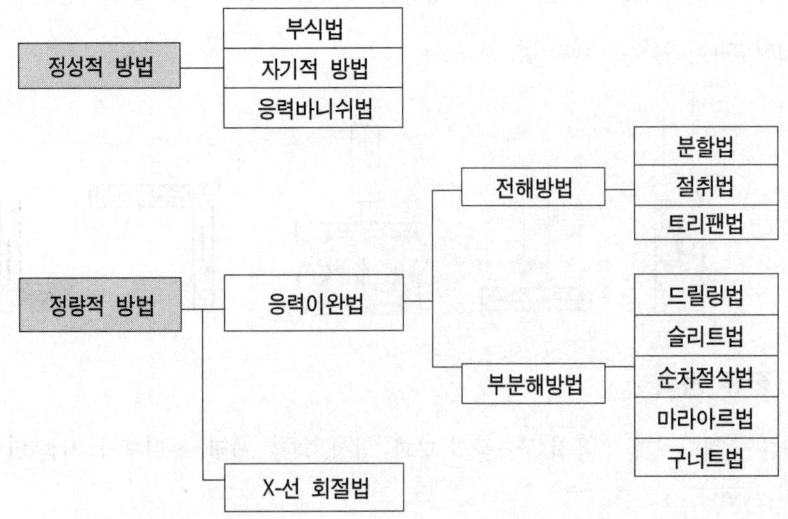

㉠ 단면 절단법(변형률 게이지를 이용하는 방법) : 용접 재료를 절단하여 발생하는 변형률로부터 잔류 응력을 측정

㉡ 구멍 뚫기 방법 : 잔류 응력이 존재하는 물체에 구멍을 뚫어 잔류 응력을 측정

㉢ X-선 회절을 이용한 방법 : 금속의 응력은 결정입자의 미세한 변형에 의해 발생하는 원리를 이용하여 X-선을 이용하여 원자 위치의 변위를 측정

㉣ 유한 요소법 : 열에 의한 탄소성 해석을 통해 응력과 변형률 관계를 측정

(다) 용접 변형

용접 변형은 용접열에 의한 과도 변형과 냉각 상태에서의 잔류 변형으로 구분할 수 있다.

① 설계단계에서 변형 방지 대책

㉠ 용접 길이와 용접 중량을 가능한 한 줄일 수 있는 설계를 한다.

㉡ 변형이 작은 이음부의 설계 및 변형을 억제할 수 있는 구조설계를 한다.

② 용접 시공 중 변형 방지 대책

㉠ 변형을 방지할 수 있는 적당한 조립 및 용접 순서를 결정하여 시공한다.

㉡ 역변형법, 구속법 등을 이용하여 변형을 방지한다.

㉢ 용접 변형을 방지하는 지구를 사용하여 시공한다.

③ 변형 방지법

㉠ **억제법** : 모재를 가접 또는 구속 지그를 사용하여 변형억제

㉡ **역변형법** : 용접전에 변형의 크기 및 방향을 예측하여 미리 반대로 변형시키는 방법

㉢ **도열법** : 용접부 주위에 물을 적신 석면, 동판을 대어 열을 흡수시키는 방법

㉣ **용착법** : 대칭법, 후퇴법, 스킵법 등을 사용한다.

④ **수축변형의 종류**

㉠ 면내의 수축 변형 : 가로 수축, 세로 수축, 회전 수축

㉡ 면외의 수축 변형 : 가로 굽힘 변형(각변형), 종굽힘 변형, 좌굴 변형, 비틀림 변형

㉢ 용접 변형을 줄이려면 용접 입열을 적게 하며, 열량을 한 개소에 집중시키지 않도록 하여야 한다. 아울러 일정한 거리에 가접 등을 통하여 처짐 변형 등을 방지한다.

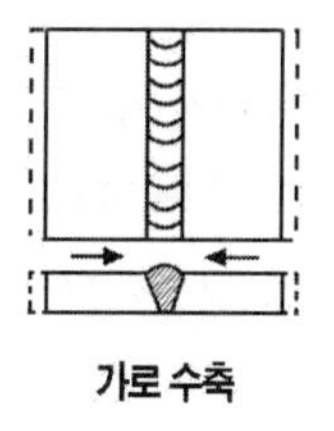
가로 수축

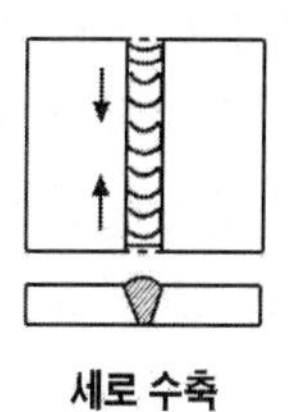
세로 수축

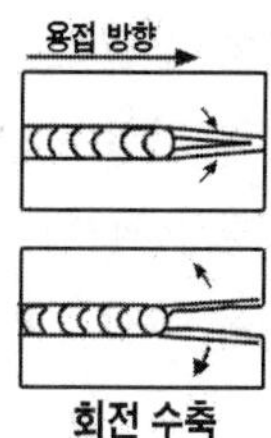

회전 수축

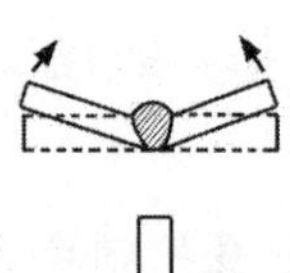

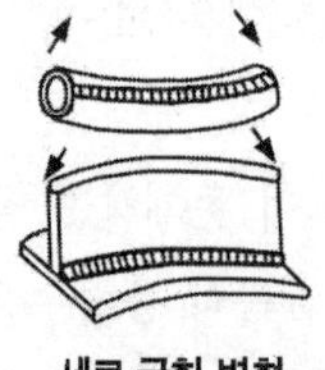

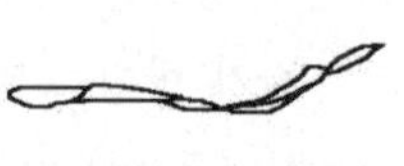

▲ 수축과 변형의 종류

루트 간격이 크면 수축이 크다. 한 쪽면 용접 즉 V형 등이 X형 보다 크다. 위빙을 하면 수축이 작다. 구속도가 크면 수축이 작다. 피닝을 하면 수축을 줄일 수 있다.

각변형을 줄이려면 가접 간격을 줄이거나 역변형을 취한 후 용접한다. 또한 용접 속도는 빠르게 비드는 가능한 낮고 좁게, 전류는 낮게 서냉한다.

⑤ 변형의 교정

㉠ 박판에 대한 점 수축법 : 가열온도 500~600℃, 가열시간은 30초 정도, 가열부지름 20~30mm, 가열 즉시 수냉한다.

㉡ 형재는 대한 직선 수축법을 사용한다.

㉢ 가열 후 해머질 하여 변형을 교정한다.

㉣ 후판에 대해 가열 후 압력을 가하고 수냉하는 방법으로 변형을 교정한다.

㉤ 롤러에 걸어 변형을 교정한다.

㉥ 절단하여 정형 후 재 용접하여 변형을 교정한다.

㉦ 피닝법을 사용하여 변형을 교정한다.

⑥ 가열 방법의 종류와 특징

㉠ 점(點)형 가열 : 수축력이 큰 6㎜ 이하의 박판 교정에 사용한다. 표면에서 녹아 날라가기 쉽기 때문에 주의를 요한다.

㉡ 선(線)상 가열 : 변형 교정의 가열 방법 중 기본으로 배면 열처리에 많이 이용되며, 주로 가로 굽힘 변형에 이용된다.

㉢ 분산식 가열 : 각 방향으로 변형 교정의 효과가 커서 균일하게 교정되고 마무리가 우수하다. 비슷한 방법으로는 십자형 가열 방법이 있다.

㉣ 격자형 가열 : 큰 변형 교정에 사용되나 표면이 타서 상하기 쉽기 때문에 주의를 요한다.

㉤ 삼각형상(쐐기) 가열 : 굽힘 변형이나 굽힘 가공에 주로 이용한다.

㉥ 고리형 가열 : 마무리가 우수한 방법으로 효과적인 가열 방법이다.

(라) 용접 결함

① 결함의 분류

㉠ **치수상 결함** : 변형, 치수 및 형상 불량

㉡ **성질상 결함** : 기계적, 화학적 성질 불량

㉢ **구조상 결함** : 언더컷, 오버랩, 기공, 용입 불량 등

② 구조상 결함의 종류

결함의 종류	원 인	대 책
언더컷 (언더컷, 언더컷)	· 용접 전류가 너무 높을 때 · 부적당한 용접봉 사용시 · 용접 속도가 너무 빠를 때 · 용접봉의 유지 각도가 부적당 할 때	· 용접 전류를 낮춤 · 조건에 맞는 용접봉 종류와 직경 선택 · 용접 속도를 느리게 함 · 유지 각도를 재조정함
오버랩 (오버랩, 오버랩)	· 용접 전류가 너무 낮을 때 · 부적당한 용접봉 사용시 · 용접 속도가 너무 늦을 때 · 용접봉의 유지 각도가 부적당 할 때	· 용접 전류를 높임 · 조건에 맞는 용접봉 종류와 직경 선택 · 용접 속도를 빠르게 함 · 유지 각도를 재조정함
용입 부족 (용입불량)	· 용접 전류가 낮을 때 · 용접 속도가 빠를 때 · 용접홈의 각도가 좁을 때 · 부적합한 용접봉 사용시	· 슬랙 피복성을 해치지 않은 범위에서 전류 높임 · 용접 속도를 느리게 함 · 이음 홈의 각도, 루트 간격을 크게 하고 루트면의 치수를 적게 함 · 용입이 깊은 용접봉을 선택함
균열	· 이음의 강성이 너무 클 때 · 부적당한 용접봉 사용 할 때 · 모재의 탄소, 망간 등의 합금 원소 함량이 많을 때 · 모재의 유황 함량이 많을 때 · 전류가 높거나 속도가 빠를 때	· 예열, 후열 시공 · 저수소계 용접봉 사용과 건조 관리 · 적절한 속도로 운봉 · 용접 금속 중의 불순물 성분을 저하 · 용접 조건의 선택에 의해 비드 단면 형상을 조정
기공	· 수소 또는 일산화탄소 과잉 · 용접부의 급속한 응고 · 모재 가운데 유황함유량 과대 · 기름 페인트 등이 모재에 묻어 있을 때 · 아크 길이, 전류 조작의 부적당 · 용접 속도가 너무 빠를 때	· 저수소계 용접봉 등으로 용접봉을 교환 · 위빙을 하여 열량을 높이거나 예열 · 이음의 표면을 깨끗이 청소 · 정해진 전류 범위 안에서 약간 긴 아크를 사용하거나 용접법을 조절 · 적당한 전류를 사용 · 용접 속도를 늦춤

결함의 종류	원 인	대 책
슬랙 혼입	· 이음의 설계가 부적당 할 때 · 봉의 각도가 부적당 할 때 · 전류가 낮을 때 · 슬랙 융점이 높은 봉을 사용 할 때 · 용접 속도가 너무 느려 슬랙이 선행할 때 · 전층의 슬랙 제거가 불완전 할 때	· 루트 간격을 넓혀 용접 조작을 쉽게 하고, 아크 길이 또는 조작을 적당히 함 · 봉 각도를 조절함 · 전류를 높임 · 용접부를 예열하고, 슬랙 융점이 낮은 것을 선택 · 용접 전류를 약간 높이고 용접 속도를 조절하여 슬랙의 선행을 막음 · 전층 비드의 슬랙을 깨끗이 제거할 것
스패터	· 전류가 높을 때 · 건조되지 않은 용접봉 사용시 · 아크 길이가 너무 길 때 · 봉각도가 부적당 할 때	· 적정 전류를 사용 · 봉을 충분히 건조하여 사용 · 아크 길이를 조절 · 봉각도를 조절
용락	· 이음의 형상이 부적당 할 때 · 용접 전류가 너무 높을 때 · 아크 길이가 길 때 · 용접 속도가 너무 느릴 때 · 모재가 과열되었을 때	· 루트 면을 크게 하고 루트 간격을 조절 · 용접 전류를 조절 · 아크 길이를 조절 · 열량이 너무 커지지 않도록 용접 속도를 조절
선상 조직	· 용착 금속의 냉각 속도가 빠를 때	· 용착 금속을 서냉한다. · 모재의 재질에 맞는 용접봉을 선택한다.
피트	· 모재에 탄소, 망간, 황 등의 함유량이 많을 때 · 습기, 녹, 페인트가 있을 때 · 용착 금속의 냉각 속도가 빠를 때	· 저수소계 용접봉 등 재질에 맞는 용접봉을 선택한다. · 이음부를 청소하고 봉을 건조시킨다. · 예열을 한다.

고온 균열(응고 크랙) : 탄소 함유량이 높거나 모재에 황과 인이 과다 함유되어 있을 때 응고시 미세조직이 조대화 되어 가는 균열로 저탄소강을 사용하거나 황과 인의 함유를 0.02~0.03 이내로 하거나 예열 및 후열 처리를 하여 예방할 수 있다.

저온 균열(냉각 크랙) : 수소가 원인으로 조직이 잔류 응력과 슬랙이 혼입되어 있어 균열이 발생하는 것으로 수소 응력 완화나 슬랙 혼입 방지, 잔류 응력 경감, 예열 등을 통해 예방 할 수 있다.

③ 결함의 보수

㉠ 기공 또는 슬랙 섞임이 있을 때는 그 부분을 깎아 내고 재 용접

㉡ 언더컷이 있을 때는 가는 용접봉을 사용하여 파인 부분의 용접

㉢ 오버랩이 있을 때는 덮인 일부분을 깎아내고 재 용접

㉣ 균열일 때는 균열 끝에 정지 구멍을 뚫고 균열부를 깎아 낸 후 홈을 만들어 재 용접

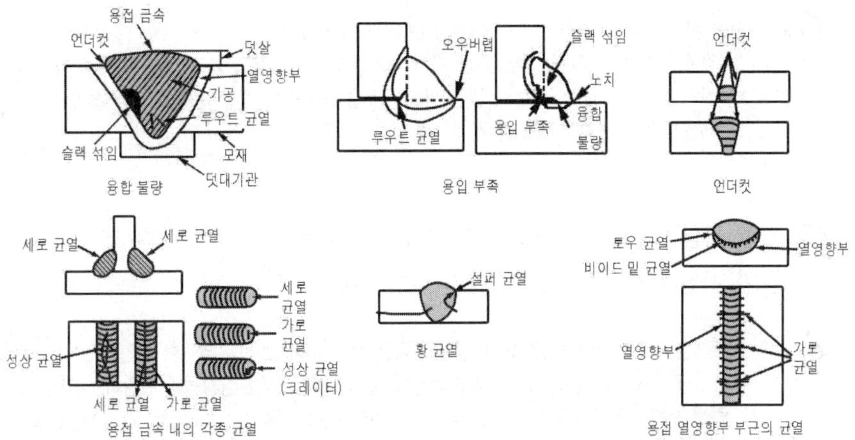

균열의 발생 원인

- 수소의 의한 균열, 내·외적인 힘에 의한 균열, 노치에 의한 균열, 변태에 의한 균열, 용착 금속의 화학 성분에 의한 균열
- 용접을 끝낸 직후의 크레이터 부분의 생기는 크레이터 균열, 용접선 위에 나타나는 비드 균열, 너무 작아 육안으로는 확인 곤란한 마이크로 균열, 외부에서는 볼 수 없는 비드 밑 균열, 열영향부 균열, 비드 표면과 모재와의 경계부에 발생하는 토 균열, 비틀림이 주원이 되어 발생하는 힐 균열, 저온 균열에서 가장 주의하여야 할 균열인 첫층 용접의 루트 근방에서 발생하는 루트 균열, 모재의 재질 결함으로서의 균열인 래미네이션 균열 등이 있다.
- 비드 밑 균열은 용접 비드 바로 아래에 용접선 아주 가까이 거의 이와 평행되게 모재 열영향부에 생기는 균열로 고탄소강이나 저합금강과 같은 담금질에 의한 경화성이 강한 재료를 용접했을 때 생기는 균열
- 토 균열은 맞대기 용접 및 필릿 용접 의 어느 경우나 비드 표면과 모재와의 경계부에 생기는 균열로 예열을 하거나 강도가 낮은 용접봉을 사용하면 효과적이다.
- 설퍼 균열은 강중에 황이 층상으로 존재하는 고온 균열을 말한다.

02 용접성 시험

1 용접성 시험

용접성이란 모재의 용접 난이도를 나타내는 것으로 모재의 재질평가와 선성을 위하여 실시하는 표준적인 용접성 시험과 실제 용접 구조물의 시공 방법과 조건의 선정을 위한 실용적인 용접성 시험이 있다.

용접봉의 조건 : 기계적 성질이 우수할 것, 작업성이 좋을 것
① 전류 : 판 두께, 이음 형상, 용접 자세, 용접봉의 종류, 용접 속도 등에 따라 선택
② 전압 및 아크 길이 : 가능한 짧은 아크 길이를 사용해야 좋은 용접부를 얻을 수 있다.
③ 용접자세 : 가능한 아래보기 자세를 취할 수 있도록 한다.

① **용접 연성 시험** : 용접부의 최고 경도 시험, 용접 비드의 굽힘 시험(코메렐 시험), 용접 비드의 노치 굽힘 시험(킨젤 시험), T형 필릿 굽힘 시험

· 코메렐 시험 : 시험편 표면에 반원형의 작은 홈을 파서 그곳에 일정한 조건으로 비드를 용접한 후 소정의 지그를 구부리는 방법으로 용접부의 균열 발생 여부 및 그 상황등을 관찰하는 시험
· 킨젤 시험 : 표면에 세로 길이로 비드 용접하여 이에 직각으로 V노치를 붙인 시험편을 구부리는 시험으로 노치 굽힘 시험방법이다.

② **용접 균열 시험** : 리하이형 구속 균열 시험, CTS 균열 시험, 피스코 균열 시험, T형 필릿 용접 균열 시험

· 리하이형 구속 균열 시험 : 저온 균열 시험으로 맞대기 용접 균열 시험으로 냉각 중에 균열이 일어나는 구속의 정도를 정량적으로 구하기 위한 시험. 시험 비드 용접 후 2일(48시간)이 지난 후 시험편 표면, 이면, 측면에서 균열 조사
· 피스코 균열 시험 : 고온 균열 시험으로 맞대기 구속균열 시험법으로 연강, 고장력강, 스테인리스강, 비철금속에 대한 용접봉의 균열시험에 이용된다.

③ **노취 취성 시험** : 용접부의 노치 충격 시험(샤르피 시험), 로버트슨 시험, 밴더 빈 시험, 칸 티어 시험, 슈나트 시험, 티퍼 시험 등

· T형 필릿 굽힘 시험 : 시험편을 규정의 지그로 일정한 각도까지 굽힘에 필요한 최대 하중과 균열 등을 검사하는 방법
· 로버트슨 시험 : 시험편의 노치부를 액체 질소를 채우고 반대쪽에서 가스불꽃으로 가열하여 거의 직선적인 온도 구배를 부여해 놓고 시험편의 양단에 하중을 건채로 노치부에 충격을 가해서 균열을 발생시켜, 시험편에 전파되는 균열이 정지하는 온도의 위치를 구하여 취성 균열의 정지 온도로 정하고 인장응력과 이온도와의 관계를 알아내는 시험
· 티버 시험 : 시험편을 저온에서 인장 파단 시켜 파면의 천이 온도를 구한다.

2 용접 검사의 종류

① **용접 전의 검사** : 용접 설비, 용접봉, 모재, 용접 준비, 시공 조건, 용접사의 기량 등

② **용접 중의 검사** : 각 층의 융합 상태, 슬랙 섞임, 균열, 비드 겉모양, 크레이터 처리, 변형 상태, 용접봉 건조, 용접 전류, 용접 순서, 운봉법, 용접 자세, 예열 온도, 층간 온도 점검 등

③ **용접 후의 검사** : 후열 처리 방법, 교정 작업의 점검, 변형, 치수 등의 검사

3 비파괴 시험

① **외관 검사(Visual Test VT)** : 비드의 외관, 나비, 높이 및 용입불량, 언더컷, 오버랩 등의 외관 양부를 검사

② **누설 검사(Leak Test LT)** : 기밀, 수밀, 유밀 및 일정한 압력을 요하는 제품에 이용되는 검사로 주로 수압, 공기압을 쓰나 때에 따라서는 할로겐, 헬륨가스 및 화학적 지시약을 쓰기도 한다.

③ **침투 검사(Penetration Test PT)** : 표면에 미세한 균열, 피트 등의 결함에 침투액을 표면 장력의 힘으로 침투시켜 세척한 후 현상액을 발라 결함을 검출하는 방법으로 형광 침투 검사와 염료 침투 검사가 있는데 후자가 주로 현장에서 사용된다.

침투 검사의 장점으로는 다른 비파괴 검사법에 비하여 간단하며 숙련이 요구되지 않는 점을 들 수 있다. 아울러 미세한 균열도 검사 가능하며, 판독도 쉽고 검사비도 저렴하다는 점도 꼽을 수 있다.

침투 탐상 검사법의 순서는 전처리 → 침투처리 → 제거처리 → 현상처리 → 건조처리→지시 모양의 관찰 및 판독의 순으로 진행된다.

④ **자기 검사(Magnetic Test MT)** : 철강 재료 등 강자성체를 자기장에 놓았을 때 시험편 표면이나 표면 근처에 균열, 편석, 기공, 용입불량 등의 결함이 있으면 결함 부분에는 자속이 통하기 어려워 누설자속이 생긴다. 비자성체는 사용이 곤란하다. 그 종류로는 축 통전법, 직각 통전법, 관통법, 코일법, 극간법이 있다.

자기 검사의 장점으로는 검사가 신속 정확하며, 결함 지시 모양이 표면에 직접 나타나기 때문에 육안으로 관찰할 수 있으며, 검사 방법이 쉽다는 것을 들 수 있다.

⑤ **초음파 검사(Ultrasonic Test UT)** : 0.5 ~ 15MHz의 초음파를 내부에 침투시켜 내부의 결함, 불균일 층의 유무를 알아냄. 종류로는 투과법, 펄스 반사법(가장 일반적), 공진법이 있다. 장점으로는 위험하지 않으며 두께 및 길이가 큰 물체에도 사용가능하나 결함위치의 길이는 알 수 없으며 표면의 요철이 심한 것 얇은 것은 검출이 곤란하다.

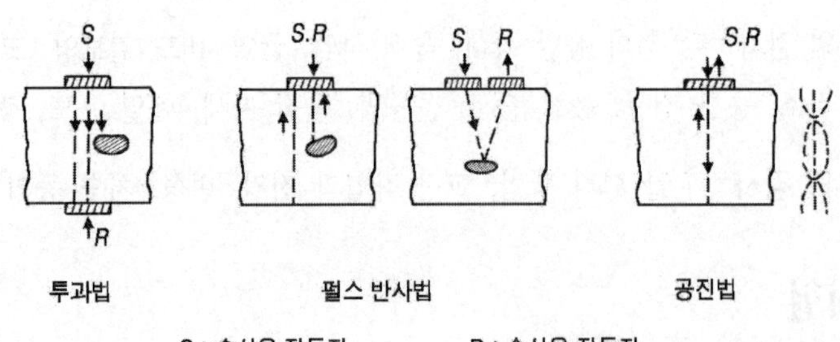

탐상 방법으로는 초음파의 진행방향을 검사체의 수직하게 전달시켜 내부 결함의 상태를 알아보는 두께 측정의 원리를 이용한 수직탐상과 탐상면에 대하여 사각으로 초음파를 주사하여 탐촉자에서 멀리 떨어진 결함이나 불연속한 곳을 감지하는 사각탐상법이 있다.

⑥ **방사선 투과 검사(Radiograph Test RT)** : 가장 확실하고 널리 사용됨

㉠ X선 투과 검사 : 균열, 융합불량, 기공, 슬랙 섞임 등의 내부 결함 검출에 사용된다. X선 발생 장치로는 관구식과 베타트론 식이 있다. 단점으로는 미소 균열이나 모재면에 평행한 라미네이션 등의 검출은 곤란하다.

결함의 등급 판정은 KS B 0845에 따르며 제 1종 ~ 제 4종이 있다.

㉡ γ선 투과 검사 : X선으로 투과하기 힘든 후판에 사용한다. γ선원으로는 Ra, Co^{60}, Ce^{134}, Th^{170}, Ir^{192} 등이 사용된다.

구분	X선	γ선
전원	있다.	없다
선의 크기	크다	작다
가격	비싸다.	싸다
모재 두께	얇다	두껍다
촬영 장소	비교적 넓다.	협소한 곳도 가능
에너지원	임의 선택 가능	고정

㉢ 현상 → 정지 → 정착 → 세척 → 건조 → 판독의 순으로 진행된다.

⑦ **와류 검사(Eddy Current Test ECT)** : 금속 내에 유기된 와류 전류(맴돌이 전류)를 이용한 검사법으로 장점으로는 검사 장비의 자동화가 쉬우며, 두꺼운 제품도 검사 가능하며, 자성 및 비자성 물체 모두를 검사할 수 있어 자기 탐상이 곤란한 제품 검사에도 사용된다.
와전류 탐상이 가장 많이 적용되는 분야로는 튜브 혹은 파이프 검사 분야이다.

⑧ 음향 탐상 검사(Acoustic Emission Test, AET) : 고체가 파괴 또는 소성 변형될 때 변형 상태로 축척되어 있던 에너지를 탄성파의 형태로 방출하는 현상을 이용하는 검사법으로 현재 진행 중인 결함의 양상을 파악 평가할 수 있는 검사법이다.

카이저 효과라고 하여 시험편에 응력을 가하여 AE를 발생시킨 다음에 응력을 제거하고 다시 응력을 가하면 먼저 가해진 응력 범위까지는 AE를 발생하지 않으나 그 응력값이 넘으면 다시 AE가 생기는 것을 말한다.

4 파괴 시험

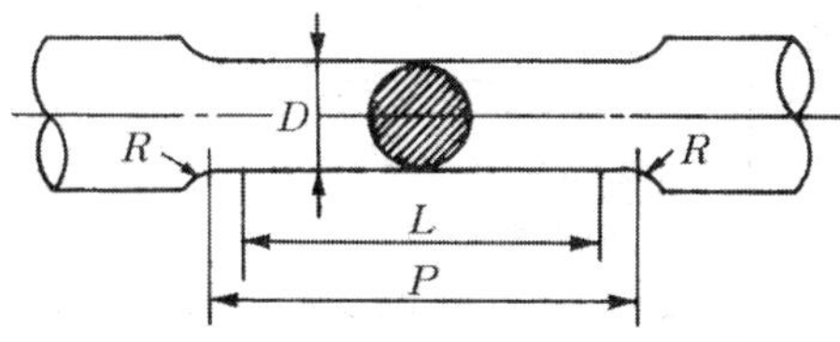

표점거리 : L = 50(mm)
평행부 길이 : P = 60(mm)
직경 : D = 14(mm)
부의 반경 : R = 15(mm)이상

(가) 기계적 시험

① 인장 시험

㉠ 항복점 : 하중이 일정한 상태에서 하중의 증가 없이 연신율이 증가되는 점

㉡ 영률 : 탄성한도 이하에서 응력과 연신율은 비례(후크의 법칙)하는데 응력을 연신율로 나눈 상수

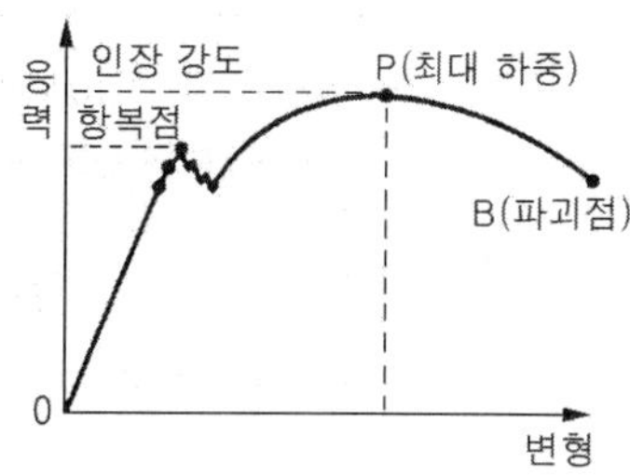

㉢ 인장강도= $\frac{\text{최대하중}}{\text{원단면적}}$

㉣ 연신율 : $\frac{\text{시험후늘어난길이}(A'-A)}{\text{원래길이}(A)} \times 100$ (A : 원래길이, A' : 늘어난 길이)

- 인장 변형률(tensile strain) : $\epsilon_t = \frac{\ell' - \ell}{\ell} = \frac{\lambda}{\ell}$
- 압축 변형률 : $\varepsilon_c = -\frac{\ell' - \ell}{\ell} = -\frac{\lambda}{\ell}$

여기서, l : 재료의 원래 길이
l' : 재료가 늘어난 길이
λ : 변형된 길이

㉤ 내력 : 주철과 같이 항복점이 없는 재료에서는 0.2%의 영구 변형이 일어날 때의 응력값을 내력으로 표시

$$안전율 = \frac{인장강도}{허용응력}$$

(정하중 : 3, 동하중(단진 응력) : 5, 동하중(교번 응력) : 8, 충격 하중 : 12)

② **경도 시험**

㉠ 브리넬 경도 : 압입자의 크기

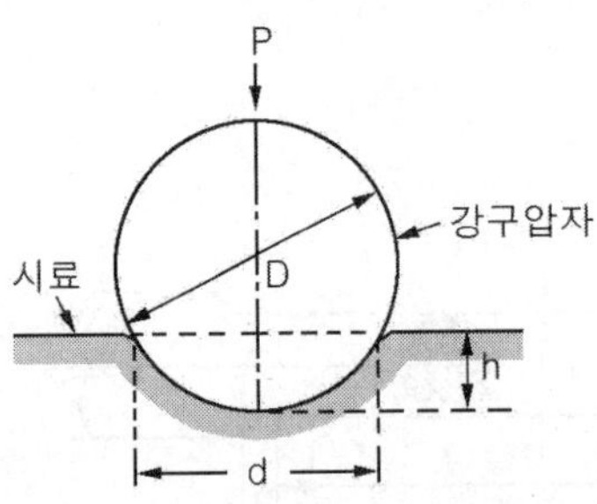

$$HS = \frac{P}{A} = \frac{P}{\pi Dh} = \frac{2P}{\pi D(D-\sqrt{D^2-d^2})} \text{ [kg/mm}^2\text{]}$$

W : 하중[kg] A : 오목 부분의 표면적[mm²]

D : 강구의 지름 d : 오목 부분의 지름[mm]

h : 오목 부분의 깊이[mm]

㉡ 비커스 경도 : 내면 각이 136°인 다이아몬드 사각뿔의 압입자에 대각선 길이로 측정

$$Hv = \frac{하중[kg]}{자국의표면적[mm^2]} = 1.8544\frac{P}{d^2} = \frac{2P^{\sin}\frac{\theta}{2}}{d^2} \text{[kg/mm}^2\text{]}$$

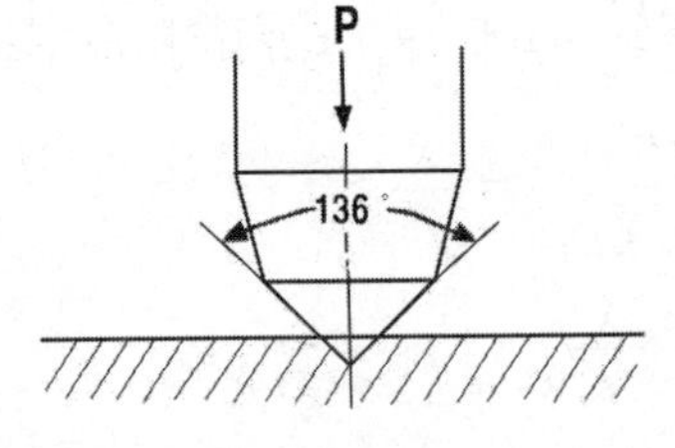

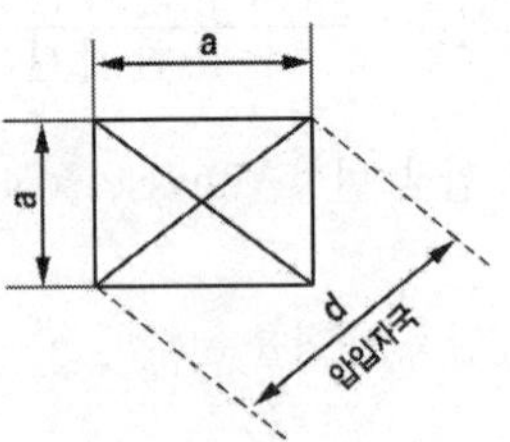

㉢ 로크웰 경도 : B스케일(하중이 100kg), C스케일(꼭지각이 120° 하중은 150kg)이 있다.

스케일	압 입 체	시험가중	경도계산식	적 용	기호
B 스케일	지름 약 1.5mm(1/16″)	100kg	130 - 500⊿t	풀림한 연질 재료	HRB
C 스케일	꼭지각 120° 다이아몬드 원추	150kg	100 - 500⊿t	담금질된 굳은 재료	HRC

㉣ 쇼어 경도 : 추를 일정한 높이에서 낙하시켜 반발한 높이로 측정한다. 완성품의 경우 많이 쓰인다.

$$Hs = \frac{10000}{65} \times \frac{h}{h_0}$$

h : 튀어 오른 높이[mm], h_0 : 떨어뜨린 높이[mm]

③ **굽힘 시험**

㉠ 모재 및 용접부의 연성, 결함의 유무를 시험한다.

㉡ 종류로는 표면, 이면, 측면 굴곡시험이 있다.

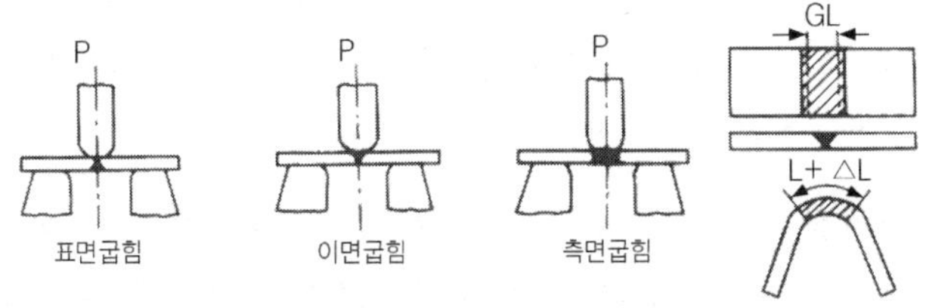

▲ 굽힘 시험 방법

④ **동적 시험**

㉠ 충격 시험 : 재료의 인성과 취성을 알아본다.

㉡ 종류 : 샤르피식, 아이조드식이 있다.

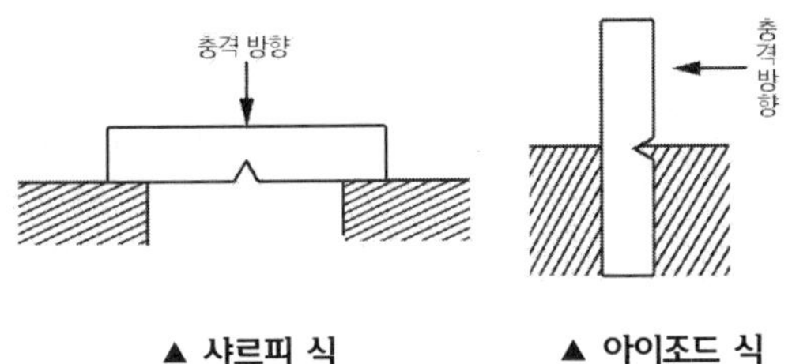

▲ 샤르피 식 ▲ 아이조드 식

㉢ 피로 시험 : 반복되어 작용하는 하중(안전하중) 상태에서의 성질(피로 한도, S-N 곡선)을 알아낸다.

⑤ **크리프 시험** : 재료의 인장강도보다 적은 일정한 하중을 가했을 때 시간의 경과와 더불어 변화하는 현상인 크리프 현상을 이용하여 변형을 검사하는 방법

(나) 화학적 시험

① **화학 분석**

② **부식 시험** : 습 부식, 고온 부식(건 부식), 응력 부식 시험 → 내식성 검사위해 사용

③ **수소 시험** : 45℃ 글리세린 치환법, 진공 가열법, 확산성 수소량 측정법, 수은에 의한 방법

설퍼 프린트란 철강 재료에 존재하는 황의 분포상태를 검사하는 방법으로 1 ~ 5%의 황산 수용액에 브로마이드 인화지를 담금 후 수분을 제거한 다음 이것을 시험면에 부착하여 브로마이드 인화지에 흑색 또는 흑갈색으로 착색시키는 것을 보고 철강 중의 황의 분포를 알아내는 방법이다.

(다) 금속학적 시험

① **파면시험** : 결정의 조밀, 균열, 슬랙섞임, 기공, 은점 등을 육안으로 관찰한다.

② **매크로 조직 시험** : 용접부 단면을 연삭기 또는 샌드페이퍼로 연마하여 적당한 매크로 에칭을 한 다음 육안이나 저 배율의 확대경으로 관찰하여 용입의 양부 및 열 영향부 등을 검사한다. 철강의 에칭액으로는 (염산 : 물), (염산 : 황산 : 물), (초산 : 물)등이 쓰이며, 시험 순서로는(시편 채취 → 마운팅 → 연마 → 부식 → 검사)

③ **현미경 조직 시험** : 시험편을 충분히 연마하여 고배율로 미소결함을 관찰한다. 부식액으로는 철강용은 피크로산 알콜 용액 ,초산 알콜 용액을 쓰며, 스테인리스강은 왕수알콜 용액을 구리, 구리합금용은 염화철액, 염화암모늄액, 과황산 암모늄 액이 쓰인다. 알루미늄 및 그 합금은 플로오르화수소액, 수산화나트륨이 쓰인다.

chapter2 예상문제

2-2 용접 시공 및 결함

01 용접작업에 필요한 용접비용의 계산내용에 포함되지 않는 항목은?

㉮ 용접 재료비 또는 용착금속 1kg당 비용
㉯ 작업시간의 인건비와 전력요금
㉰ 기계 상각비와 보수비
㉱ 운반비와 탁송비

해설 운반비와 탁송비는 용접 작업에 필요한 직접경비가 아니다.

02 용접공사의 공정계획을 세우기 위해서 만들어야 하는 표가 아닌 것은?

㉮ 공정표(工程表) ㉯ 산적표(山積表)
㉰ 인원배치표 ㉱ 강재중량표

해설 공정 계획이란 작업의 순서라 할 수 있다. 즉 작업순서 계획을 잡을 때 강재 중량표는 필요성에서 거리가 멀다.

03 용접 조립된 대형 H형강을 들어올리기 위해 리프팅러그(lifting lug)를 H형강에 붙이고저 한다. 그런데 플랜지와 웨브의 두께는 전체 형강의 치수에 비하여 상당히 작다. H형강을 올바르게 들어올리기 위해서는 리프팅러그(lifting lug)를 어떤 요령으로 붙여야 하는가?

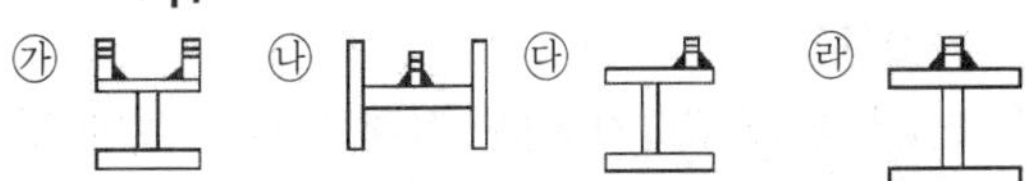

해설 형강을 들어올리기 위해 형강에 붙이는 것을 리프팅러그라고 하는 들어 올릴 때 중심을 맞춰 흔들리지 않게 하여야 한다.

04 금속의 용접성을 지배하는 인자로 옳게 짝지어진 것은?

㉮ 모재의 특성, 입열량, 용접전처리, 용접방법
㉯ 용접봉 및 그 적응성, 용접조건, 입열량, 용접방법
㉰ 용접봉 및 그 적응성, 용접전처리, 입열량, 기후상태
㉱ 모재의 특성, 용접봉 및 그 적응성, 용접조건, 용접설계

해설 용접성이란 모재를 어떤 용접법으로 용접할 때 만족한 접합결과를 얻을 수 있는 여부를 말하며, 용접봉의 종류, 작업 조건, 입열량, 용접 방법 등에 따라 달라질 수 있다.

05 동일 용접 조건에서 구속이 없을 경우 열팽창계수가 커지면 용접성에 미치는 영향으로 가장 잘 표현한 것은?

㉮ 용접부의 유연성을 확보하므로 열영향부의 연성이 모재보다 증가한다.
㉯ 변형이 많이 발생한다.
㉰ 용접부의 경도가 크게 증가한다.
㉱ 더 많은 입열량을 요구한다.

해설 열팽창이란 일정한 압력 하에서 온도의 상승에 따라 체적이 증가하는 현상을 말하며, 열팽창계수는 실용상 가열 및 냉각을 할 때 온도가 변화하는 경우 재료의 상태를 알기위해서 필요하다.

06 다음 금속 중 냉각속도가 가장 큰 금속은?

㉮ 연강 ㉯ 알루미늄
㉰ 구리 ㉱ 스텐레스강

해설
① 냉각 속도는 얇은 판보다는 두꺼운 판에서 크다.
② 냉각 속도는 맞대기 이음보다는 T형 이음의 경우가 크다. 즉 열의 확산 방향이 많을수록 크다.
③ 열전도율이 클수록 냉각속도는 크다.

07 똑같은 두께의 재료를 다음 보기와 같이 용접할 때 냉각 속도가 가장 빠른 이음은?

Answer 1.㉱ 2.㉱ 3.㉱ 4.㉯ 5.㉯ 6.㉰ 7.㉰

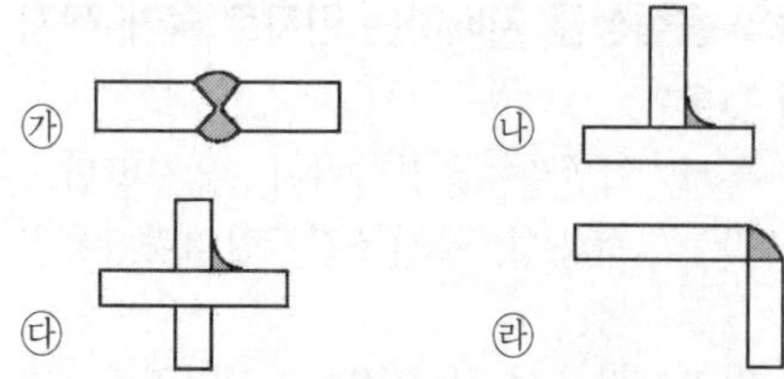

08 다음 그림과 같은 각종 용접이음의 형상 및 열의 확산(화살표)을 나타낸 것 중 냉각이 가장 빠른 것은?

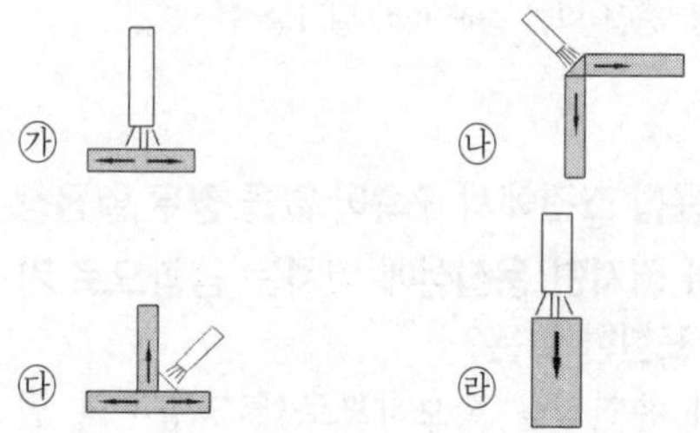

09 용접부의 냉각속도에 관한 설명 중 맞지 않는 것은?

㉮ 예열은 냉각속도를 완만하게 한다.
㉯ 동일 입열에서 판두께가 두꺼울수록 냉각속도가 느리다.
㉰ 동일 입열에서 열전도율이 클수록 냉각속도가 빠르다.
㉱ 맞대기 이음보다 T형 이음용접이 냉각속도가 빠르다.

해설
① 냉각 속도는 얇은 판보다는 두꺼운 판에서 크다.
② 냉각 속도는 맞대기 이음보다는 T형 이음의 경우가 크다. 즉 열의 확산 방향이 많을수록, 판 두께가 두꺼울수록 냉각속도가 빠르다.
③ 열전도율이 클수록 냉각속도는 크다.

10 용접부의 냉각속도에 관한 설명 중 맞지 않는 것은?

㉮ 예열은 냉각속도를 완만하게 한다.
㉯ 동일 입열에서 판 두께가 두꺼울수록 냉각속도가 느리다.
㉰ 열전도율이 클수록 냉각속도가 빠르다.
㉱ 맞대기 이음보다 T형 이음용접이 냉각속도가 빠르다.

11 용접 열영향부의 냉각속도를 표시하는 경우는, 편의상 어떤 일정한 온도에서의 열 사이클 곡선의기울기로 표시하고 있다. 다음 중 철강의 용접에서 냉각속도의 값으로 취하고 있지 않는 것은 어느 것인가?

㉮ 300℃ ㉯ 540℃ ㉰ 700℃ ㉱ 1,000℃

해설 냉각속도는 단위시간당 온도변화로 철강용접의 경우 변태와 관련 있는 800~500℃에서 냉각속도가 중요시 취급된다. 부분적으로 저온균열과 관계있는 300℃, 용접부 경화(탄소강이나 저합금강)와 관련된 540℃, 700℃는 18:8 스테인리스강의 열영항과 관계가 있다.

12 용접 지그의 사용 목적이 아닌 것은?

㉮ 용접작업을 쉽게 하여 작업능률을 높인다.
㉯ 용접공의 기능 수준을 높이고 숙련기간을 단축한다.
㉰ 대량생산을 하기 위하여 사용한다.
㉱ 제품의 정밀도와 용접부의 신뢰성을 높인다.

해설 용접 지그 사용 효과
① 용접을 하기 쉬운 자세를 취할 수 있다. 즉 아래보기 자세로 용접 할 수 있다.
② 제품의 정밀도 향상을 가져 올 수 있다.
③ 용접 조립 작업을 단순화 또는 자동화를 할 수 있게 하여 작업 능률이 향상된다.

13 용접지그(welding jig)에 대한 설명 중 틀린 것은?

㉮ 용접물을 용접하기 쉬운 상태로 놓기 위한 것이다.
㉯ 용접제품의 치수를 정확하게 하기 위해 변형을 억제하는 것이다.
㉰ 작업을 용이하게 하고 용접능률을 높이기 위

Answer 8.㉰ 9.㉯ 10.㉯ 11.㉱ 12.㉯ 13.㉱

한 것이다.
㉣ 잔류 응력을 제거하기 위한 것이다.

해설 용접 지그는 잔류응력을 제거하기 위하여 사용되는 것은 아니라 용접 작업의 능률을 높이기 사용되는 것이다.

14 용접지그(Welding jig)에 대한 설명 중 틀린 것은?

㉮ 용접물을 용접하기 쉬운 상태로 놓기 위한 것이다.
㉯ 용접제품의 치수를 정확하게 하기 위한 것이다.
㉰ 변형을 억제하는 역할을 하기 위한 것이다.
㉣ 잔류응력을 제거하기 위한 것이다.

15 용접 지그를 적절히 사용할 때의 이점이 가장 거리가 먼 것은?

㉮ 용접작업을 쉽게 한다.
㉯ 용접균열을 방지한다.
㉰ 제품의 정밀도를 높인다.
㉣ 대량 생산할 때 사용한다.

16 용접지그를 선택하는 기준 설명 중 틀린 것은?

㉮ 청소하기 쉬워야 한다.
㉯ 용접변형을 억제할 수 있는 구조이어야 한다.
㉰ 피용접물의 고정과 분해가 어려운 구조라야 한다.
㉣ 작업능률이 향상되어야 한다.

17 용접물을 용접하기 쉬운 상태로 위치를 자유자재로 변경하기 위해 만든 지그는?

㉮ 스트롱 백(strong back)
㉯ 워크 픽스처(work fixture)
㉰ 포지셔너(positioner)
㉣ 클램핑 지그(clamping jig)

해설 포지셔너는 용접 지그의 일종으로 일반적으로 아래보기 자세로 용접하기 편리하도록 제작된 것이다.

18 용접지그의 사용에는 ( )자세가 적당하다. 용접의양부는 용접전의 준비에 밀접한 관계가 있다. 또한 용접변형의 양을 최소로 줄일 수가 있는 것이 중요한 사항이다. ( )에 가장 적당한 용어는?

㉮ 위보기 ㉯ 수평필렛
㉰ 수직필렛 ㉣ 아래보기

19 용접준비 사항 중 부품을 눌러주는 고정구에 속하는 것은?

㉮ 용접지그(welding jig)
㉯ 포시셔너(positioner)
㉰ 스트롱백(strong back)
㉣ 앤빌(anvil)

해설 앤빌은 모루로 단조 판금 작업 등을 할 때 공작물을 올려놓는 주강제 성형대이다. 스토롱백은 맞대기 용접을 할 때 판 상호간의 단차를 수정함과 동시에 각변형이나 뒤틀림을 방지하기 위하여 일시적으로 설치하는 지그이다.

20 용접전 꼭 확인해야 할 사항이 아닌 것은?

㉮ 예열 후열의 필요성을 검토한다.
㉯ 용접전류 용접순서 용접조건을 미리 선정한다.
㉰ 양호한 용접성을 얻기 위해서 용접부에 물로 분무한다.
㉣ 홈면에 페인트 기름 녹 등의 불순물이 없는지 확인한다.

해설
① 용접 전의 검사 : 용접 설비, 용접봉, 모재, 용접 준비, 시공 조건, 용접사의 기량 등
② 용접 중의 검사 : 각 층의 융합 상태, 슬랙 섞임, 균열, 비드 겉모양, 크레이터 처리, 변형 상태, 용접봉 건조, 용접 전류, 용접 순서, 운봉법, 용접 자세, 예열 온도, 층간 온도 점검등
③ 용접 후의 검사 : 후열 처리 방법, 교정 작업의 점검, 변형, 치수 등의 검사

21 용접 작업이 다음과 같은 과정으로 진행되는 경우 ( )속에 가장 적합한 것은?

Answer 14.㉣ 15.㉯ 16.㉰ 17.㉰ 18.㉣ 19.㉰ 20.㉮ 21.㉮

보기

"용접재료준비 → 절단 및 가공 → 용접부청소 → (　　) → 본용접 → 검사 및 판정 → 완성"

㉮ 가접　　㉯ 용접자세
㉰ 도장　　㉱ 전개도

해설 가접은 본 용접을 실시하기 전에 좌우의 홈 부분을 잠정적으로 고정하기 위한 짧은 용접으로 가접시 용접 응력이 집중하는 곳은 피하며, 전류는 본 용접보다 높게 하며, 용접봉의 지름은 가는 것을 사용한다. 또한 너무 짧게 하지 않는다. 용접부의 청소가 끝나고 본 용접을 하기 전 가접 작업을 실시하여야 한다.

① 홈안에 가접은 피하고 불가피한 경우 본 용접 전에 갈아낸다.
② 응력이 집중하는 곳은 피한다.
③ 전류는 본 용접보다 높게 하며, 용접봉의 지름은 가는 것을 사용하여 본 용접이 용이하게 하며, 너무 짧게 하지 않는다.
④ 시·종단에 엔드탭을 설치하기도 한다.
⑤ 가접사도 본 용접사에 비하여 기량이 떨어지면 안 된다.

22 맞대기 용접부의 접합면에 홈(groove)을 만드는 가장 큰 이유는?

㉮ 용접 결함 발생을 적게 하기 위하여
㉯ 제품의 치수를 맞추기 위하여
㉰ 용접부의 완전한 용입을 위하여
㉱ 용접 변형을 줄이기 위하여

해설 용접부에 완전한 용입을 위하여 홈가공을 하나 용입이 허용하는 한 홈 각도는 작은 것이 좋다. 일반적으로 피복아크 용접에서 54~70°를 사용한다. 초보자일수록 원활한 용입을 위하여 홈각도를 넓게 사용한다. 또한 용접 균열에 관점에서는 루트 간격은 좁을수록 좋으며 루트 반지름은 되도록 크게 한다.

23 용접 접합면에 홈을 만드는 이유 중 가장 타당한 것은?

㉮ 용접변형을 작게하고, 수축을 크게 하기 위해
㉯ 용접면을 깨끗이 하고 용접봉 소모를 적게 하기 위해
㉰ 용접금속이 잘 녹게하고 열 영향부를 크게 하기 위해
㉱ 용입을 양호하게 하고 이음강도를 높이기 위해

24 용접 접합면에 홈(groove)을 만드는 주된 이유는?

㉮ 제품의 치수를 조절하기 위하여
㉯ 완전한 용입을 위하여
㉰ 변형을 줄이기 위하여
㉱ 재료를 절약하기 위하여

25 본 용접을 시행하기 전에 좌우의 이음 부분을 일시적으로 고정하기 위한 짧은 용접은?

㉮ 후용접　　㉯ 가용접
㉰ 점용접　　㉱ 선용접

26 가접시 주의할 사항으로 틀린 것은?

㉮ 본 용접시와 동등한 기량을 가져야 한다.
㉯ 본 용접 보다 훨씬 낮은 온도에서 예열한다.
㉰ 본 용접 보다 약간 가는 용접봉을 사용한다.
㉱ 응력이 집중하는 곳은 피한다.

27 가접시 사용하는 용접봉은 어느 것이 좋은가?

㉮ 본용접과 지름이 같은 용접봉
㉯ 본용접보다 지름이 작은 용접봉
㉰ 본용접보다 지름이 큰 용접봉
㉱ 어느 용접봉이나 관계가 없음

28 가용접에 대한 설명으로 잘못된 것은?

㉮ 가용접은 2층 용접을 말한다.
㉯ 본 용접봉보다 가는 용접봉을 사용한다.
㉰ 루트 간격을 소정의 치수가 되도록 유의 한다.
㉱ 본 용접과 비등한 기량을 가진 용접공이 작업한다.

29 용접이음 준비에 관한 설명으로 옳은 것은?

㉮ 용접 이음 홈의 가공에는 가스 가공과 기계

Answer 22.㉰ 23.㉱ 24.㉯ 25.㉯ 26.㉯ 27.㉯ 28.㉮ 29.㉮

가공이 있다.
㉯ 가용접에는 본용접보다 지름이 약간 굵은 용접봉을 사용하는 것이 일반적이다.
㉰ 조립 및 가용접은 용접 시공상 중요한 공정으로 볼 수 없다.
㉱ 조립 순서는 수축이 큰 맞대기 이음을 나중에 용접하고, 그 다음에 아래보기 자세 용접을 한다.

30 가용접(tack welding)에 대한 사항 중 틀린 것은?

㉮ 부재 강도상 중요한 장소는 가용접을 피한다.
㉯ 가용접용의 용접봉은 본용접보다 지름이 약간 굵은 것을 사용한다.
㉰ 본 용접 전에 좌우의 홈부분을 잠정적으로 고정하기 위한 짧은 용접이다.
㉱ 가용접은 본용접 못지않게 중요하다.

31 용접 준비에서 조립 및 가용접에 관한 설명으로 옳은 것은?

㉮ 변형 혹은 잔류응력을 될 수 있는 대로 크도록 해야 한다.
㉯ 가용접은 본 용접을 실시하기 전에 좌우의 홈 부분을 잠정적으로 고정하기 위한 짧은 용접이다.
㉰ 조립 순서는 수축이 큰 이음을 나중에 용접한다.
㉱ 용접물의 중립축에 대하여 용접으로 인한 수축력 모멘트의 합이 100이 되도록 한다.

32 홈 가공을 끝낸 판을 제품으로 제작하기 위하여 조립하는 순서로서 적합하지 않는 것은?

㉮ 수축이 큰 맞대기 이음을 먼저 용접하고 다음에 필릿 용접을 한다.
㉯ 큰 구조물에서는 구조물의 중앙에서 끝으로 향하여 용접을 행한다.
㉰ 불필요한 변형 혹은 잔류응력이 남지 않도록 조립 순서를 정한다.
㉱ 조립 및 가접은 용접 결과에 영향을 미치지 않는다.

33 용접작업에서 가접 시 주의하여야 할 사항으로 틀린 것은?

㉮ 용접봉은 본 용접 작업 시에 사용하는 것 보다 약간 굵은 것을 사용한다.
㉯ 본 용접과 동일한 기량을 갖는 용접자로 하여금 가접하게 한다.
㉰ 본 용접과 같은 온도에서 예열을 한다.
㉱ 가접의 위치는 부품의 끝, 모서리, 각 등과 같이 단면이 급변하여 응력이 집중되는 곳은 가능한 피한다.

34 가접(Tack welding)에 대한 설명 중 틀린 것은?

㉮ 가접은 본용접을 하기 전에 좌우의 홈부분을 잠정적으로 고정하기 위한 짧은 용접이다.
㉯ 가접은 슬래그섞임, 기공 등의 결함이 수반하기 때문에 이음의 끝부분, 모서리 부분을 피해야 한다.
㉰ 가접은 쉬운 용접이므로 기초 용접공에 의해 실시하여 용접기량을 향상 시킨다.
㉱ 가접에는 본용접보다도 지름이 약간 작은 용접봉을 사용한다.

해설 가접사도 본 용접사에 비하여 기량이 떨어지면 안된다. 미국에서는 가접사를 따로 뽑는 시험도 있다.(Q4)

35 엔드탭(end tab)의 설명 중 틀린 것은?

㉮ 모재를 구속 시킨다.
㉯ 엔드탭은 모재와 다른 재질을 사용해야 한다.
㉰ 용접이 불량하게 되는 것을 방지한다.
㉱ 용접 끝단부에서의 자기쏠림 방지 등에도 효과가 있다.

해설 엔드탭이란 용접선의 시작부와 끝 부분에 설치하는 보조판으로 모재와 같은 재질 및 홈의 형상도 같아야 한다. 즉

Answer 30.㉯ 31.㉯ 32.㉱ 33.㉮ 34.㉰ 35.㉯

시작 및 끝(크레이터)부분의 충분한 용입을 얻어 결함을 방지하기 위하여 설치한다.

36 엔드텝(END TAB)을 붙여 용접하는 이유는?

㉮ 기공의 방지
㉯ 용접변형 방지
㉰ 크레이터(CRATER)부의 용접결함 방지
㉱ 용접 목두께의 증가

37 용접작업에서 예열의 목적이 아닌 것은?

㉮ 용접부의 냉각속도를 빠르게 한다.
㉯ 용접부의 기계적 성질을 향상시킨다.
㉰ 용접부의 변형과 잔류응력 발생을 적게 한다.
㉱ 용접부의 열영향부와 용착금속의 경화를 방지한다.

해설 예열의 목적
① 용접부와 인접된 모재의 수축응력을 감소하여 균열 발생을 억제한다.
② 냉각속도를 느리게 하여 모재의 취성을 방지한다.
③ 용착금속의 수소 성분이 나갈 수 있는 여유를 주어 비드 밑 균열을 방지한다.

38 연강을 0℃ 이하에서 용접할 경우 예열하는 요령으로 올바른 것은?

㉮ 용접 이음의 양쪽 폭 100mm정도를 40 ~ 70℃로 예열한다.
㉯ 용접 이음부를 약 500 ~ 600℃로 예열한다.
㉰ 용접 이음부의 홈 안을 700℃전후로 예열한다.
㉱ 연강은 예열이 필요 없다.

해설 예열
① 연강의 경우 두께 25mm이상의 경우나 합금 성분을 포함한 합금강 등은 급랭 경화성이 크기 때문에 열 영향부가 경화하여 비드 균열이 생기기 쉽다. 그러므로 50 ~ 350℃정도로 홈을 예열하여 준다.
② 기온이 0℃이하에서도 저온 균열이 생기기 쉬우므로 홈 양 끝 100mm 나비를 40 ~ 70℃로 예열한 후 용접한다.
③ 주철은 인성이 거의 없고 경도와 취성이 커서 500 ~ 550℃로 예열하여 용접 터짐을 방지한다.
④ 용접시 저수소계 용접봉을 사용하면 예열 온도를 낮출 수 있다.
⑤ 탄소 당량이 커지거나 판 두께가 두꺼울수록 예열 온도는 높일 필요가 있다.
⑥ 주물의 두께 차가 클 경우 냉각 속도가 균일하도록 예열

39 두께 30mm이상의 연강판이라도 기온이 0℃ 이하로 떨어지면 저온 균열을 일으키기 쉬우므로 용접이음의 양쪽 약 100mm 폭을 가열하는데 다음 중 약 몇 ℃로 가열하는 것이 좋은가?

㉮ 약 40 ~ 70℃ ㉯ 약 70 ~ 100℃
㉰ 약 100 ~ 130℃ ㉱ 약 130 ~ 170℃

40 다음 각종 금속의 예열에 관한 설명 중 잘못된 것은?

㉮ 고장력강, 저합금강은 50 ~ 350℃로 예열한다.
㉯ 연강으로 두께 25mm이상인 경우 50 ~ 350℃로 예열한다.
㉰ 연강으로 기온이 0℃ 이하에서는 용접할 경우 이음의 양쪽폭 100mm정도를 40 ~ 75℃로 예열한다.
㉱ 알루미늄 합금, 구리 합금은 보통 예열을 하지 않는다.

해설 구리 및 알루미늄 합금의 경우에도 열전도가 빨라 냉각속도 빠르므로 예열이 필요하다.

41 각종 금속의 예열에 관한 설명으로 잘못된 것은?

㉮ 고장력강, 저합금강, 주철의 경우 용접 홈을 50 ~ 350℃로 예열한다.
㉯ 연강을 0℃ 이하에서 용접할 경우 이음의 폭 100mm 정도를 40 ~ 75℃ 정도로 예열한다.
㉰ 열전도가 좋은 구리합금, 알루미늄 합금은 예열이 필요 없다.
㉱ 고급 내열 합금에서도 용접균열 방지를 위해 예열을 한다.

Answer 36.㉱ 37.㉮ 38.㉮ 39.㉮ 40.㉱ 41.㉰

42 다층용접시의 예열온도 및 층간온도는 초층 용접시에 비하여 어떻게 하는 것이 가장 좋은가?

㉮ 높게 해야 한다. ㉯ 같게 해야 한다.
㉰ 낮게 해야 된다. ㉱ 재료에 따라 다르다.

해설 다층 용접시 예열 온도 및 층간 온도는 초층용접에 비하여 낮아야 된다. 왜냐하면 계속 해서 용접을 하면 온도가 높아지기 때문이다.

43 탄소량 0.2% 이하인 용접재료의 적당한 예열온도는?

㉮ 90℃ 이하 ㉯ 90 ~ 150℃
㉰ 150 ~ 260℃ ㉱ 260 ~ 420℃

해설 탄소량에 따른 예열 온도
① 탄소량 0.2% 이하 : 90℃ 이하
② 탄소량 0.2% ~ 0.3% : 90℃ ~ 150℃
③ 탄소량 0.3% ~ 0.45% : 150℃ ~ 260℃
④ 탄소량 0.45% ~ 0.83% : 260℃ ~ 420℃
즉 탄소량이 늘어날수록 예열 온도는 높게 한다.

44 다음 중 용접 후열처리 효과가 아닌 것은?

㉮ 잔류응력 및 변형의 완화
㉯ 용접 열영향부의 연화
㉰ 함유가스의 저하
㉱ 용착금속 강도의 증가

해설 후열의 목적
① 용접 후 급랭에 의한 저온 균열 방지
② 용접 금속의 수소량 감소 효과

45 열처리 고장력강의 후열처리 온도에 관한 설명 중 옳은 것은?

㉮ 후열처리는 강도나 인성의 저하를 방지하기 위하여 주로 뜨임(tempering)온도 이하에서 행한다.
㉯ 후열처리는 강도를 증가시키기 위하여 주로 뜨임(tempering)온도 이상에서 행한다.
㉰ 후열처리는 인성을 증가시키기 위하여 주로 뜨임(tempering)온도 이상에서 행한다.
㉱ 후열처리는 온도와 무관하다.

해설 후열처리의 목적은 인성(질긴 성질)의 저하를 막기 위하여 뜨임 온도 이하에서 실시한다.

46 고장력강이나 극후강판의 용접에서는 후열을 하는 데 그 목적으로 가장 적합한 것은?

㉮ 고온균열 방지 ㉯ 용접결함 제거
㉰ 저온균열 방지 ㉱ 슬래거 제거

47 일반 연강(C = 0.15%)의 아크 용접부에서 경도가 가장 높은 부분은 어느 부위인가?

㉮ 용착비드 중앙부
㉯ 용접 열영향부의 결정립 조대화 부분
㉰ 용접 열영향부의 결정립 미세화 부분
㉱ 용접 열영향부의 입상 펄라이트 부분

해설 조립부(1,450 ~ 1,250℃) : 과열로 조립화 된다. 일부는 위드만 조직으로 나타나고 급랭 경화함으로 경도가 최대인 구역이다

48 용접부에서 모재쪽의 온도구배의 불균일에 의한 원인 등으로 열응력이 발생되며 이것이 실온 상태까지 냉각될 때 일어나는 응력은?

㉮ 휨 응력 ㉯ 전단 응력
㉰ 잔류 응력 ㉱ 실 응력

해설 잔류응력이란 절삭, 압연, 단조, 가열, 용접 등에 의한 급격한 변화로 생긴 불균일한 소성 변형의 결과로 금속 내에 발생되는 응력을 말한다. 잔류 응력의 영향으로 변형, 부식, 파괴 등이 생길 수 있다.

49 재료의 내부에 남아 있는 응력은?

㉮ 좌굴응력 ㉯ 변동응력
㉰ 잔류응력 ㉱ 공칭응력

50 용접시 발생되는 잔류응력의 영향과 관계없는 것은?

Answer 42.㉰ 43.㉮ 44.㉱ 45.㉮ 46.㉰ 47.㉯ 48.㉰ 49.㉰ 50.㉮

㉮ 경도 감소　　　　　㉯ 좌굴 변형
㉰ 부식　　　　　　　㉱ 취성 파괴

51 용접부의 부식에 대한 설명으로 틀린 것은?

㉮ 입계부식은 용접 열영향부의 오스테나이트입계에 Cr이 색출될 때 발생한다.
㉯ 용접부의 부식은 전면부식과 곡부부식으로 분류 한다.
㉰ 틈새부식은 오버랩이나 언더컷들의 틈 사이의 부식을 말한다.
㉱ 용접부의 잔류응력은 부식과 관계없다.

52 용접비드 부근이 부식하기 가장 쉬운 이유는 무엇인가?

㉮ 탄소함량이 많아지므로
㉯ 담금질 효과가 있으므로
㉰ 모재의 두께가 변화되므로
㉱ 잔류응력의 증가로 변질부가 되므로

53 용접비드 부근이 특히 부식이 잘 되는 이유는 무엇인가?

㉮ 과다한 탄소함량 때문에
㉯ 담금질 효과의 발생 때문에
㉰ 소려효과의 발생 때문에
㉱ 잔류응력의 증가 때문에

54 용접구조물에서 잔류응력의 영향을 설명한 것 중 잘못된 것은?

㉮ 구속하여 용접을 하면 잔류응력이 감소한다.
㉯ 용접구조물에서 취성파괴의 원인이 된다.
㉰ 용접구조물에서 응력 부식의 원인이 된다.
㉱ 기계부품에서는 사용 중에 변형이 발생한다.

해설 변형을 방지하기 위하여 재료를 고정하여 용접하면 재료에 오히려 잔류 응력을 증가시킬 수 있다.

55 용접에 의한 잔류응력을 가장 적게 받는 것은?

㉮ 정적강도　　　　　㉯ 취성파괴
㉰ 피로강도　　　　　㉱ 횡 굴곡

해설 정적 강도의 경우에는 재료에 연성이 있어 파괴되기까지 소성변형이 약간 있어 잔류 응력이 존재하여도 강도에는 영향이 적다.

56 용접의 시작부분에 비하여 끝나는 부분 쪽의 잔류응력은 어떻게 다른가?

㉮ 크다.　　　　　㉯ 작다.
㉰ 양쪽이 같다.　　㉱ 생기지 않는다.

해설 입열이 시점 보다 종점이 크므로 잔류 응력 또한 크다고 할 수 있다.

57 잔류 응력의 측정법을 정량법과 정성법으로 분류할 때 정량법에 해당하는 것은?

㉮ 부식법　　　　　㉯ 분할법
㉰ 자기적법　　　　㉱ 응력 와니스법

해설 정성적방법 : 자기적방법, 부식법, Varnish법 등
정량적방법 : 분활법, 절취법, 드릴링법 등

58 용접시 잔류응력을 경감시키기 위한 시공법이 아닌 것은?

㉮ 용접부의 수축을 억제한다.
㉯ 용착금속을 적게 한다.
㉰ 예열을 한다.
㉱ 비석법에 의한 비드 배치를 한다.

해설 잔류 응력을 경감시키는 방법으로는 용착 금속을 줄여 열 영향을 줄이거나 예열 등으로 급속한 온도변화를 주지 않거나 적절한 용접순서를 이용한 비석법 등으로 작업하면 경감될 수 있다.

59 잔류응력을 경감시키는 방법으로 틀린 것은?

㉮ 용착 금속량의 증가
㉯ 용착법의 적절한 선정

Answer 51.㉱ 52.㉱ 53.㉱ 54.㉮ 55.㉮ 56.㉮ 57.㉯ 58.㉮ 59.㉮

㉰ 적절한 용접순서의 선정
㉱ 적당한 예열

60 용접 잔류응력을 경감하는 방법들이다. 옳지 못한 것은?

㉮ 용접부착물을 적게 한다.
㉯ 용접부착물을 많게 한다.
㉰ 깊은 용입(Penetration)을 시킨다.
㉱ 반대측변에 용접부착물을 만든다.

61 용접 잔류응력의 완화법인 응력 제거풀림(annealing)에서 적정온도는 625 ± 25℃(탄소강)를 유지한다. 이 때 유지시간은 판 두께 25mm에 대하여 약 몇 시간이 알맞은가?

㉮ 30분 ㉯ 1시간
㉰ 2시간 30분 ㉱ 3시간

해설 일반적인 유지 온도는 625 ± 25℃ 이다. 판 두께 25mm 1시간이 적당하며, 고온 배관용 탄소강관, 고압 배관용 탄소강관, 보일러 및 열교환기용 탄소강 강관 (6, 7, 8종) 등은 유지온도 725 ± 25℃ 판 두께 25mm 2시간이 적당하다.

62 용접 후 처리에서 일반 구조용 압연강재의 노내 및 국부 풀림의 유지온도와 시간으로 가장 적당한 것은?

㉮ 유지온도 : 625 ± 25℃, 판두께 25mm에 대해 유지시간 2시간 동안 행한다.
㉯ 유지온도 : 725 ± 25℃, 판두께 25mm에 대해 유지시간 2시간 동안 행한다.
㉰ 유지온도 : 625 ± 25℃, 판두께 25mm에 대해 유지시간 1시간 동안 행한다.
㉱ 유지온도 : 725 ± 25℃, 판두께 25mm에 대해 유지시간 1시간 동안 행한다.

63 일반 구조용 압연 강재의 응력제거방법 중 노내의 국부풀림(annealing)유지 온도는?

㉮ 350 ± 25℃ ㉯ 550 ± 25℃
㉰ 625 ± 25℃ ㉱ 725 ± 25℃

64 용접 후 제품의 잔류 응력을 제거하는 방법이 아닌 것은?

㉮ 저온 응력 완화법 ㉯ 노내 풀림법
㉰ 국부 풀림법 ㉱ 오스템퍼링

해설 잔류 응력 경감법

① 노내 풀림법 : 유지 온도가 높을수록, 유지 시간이 길수록 효과가 크다. 노내 출입 허용 온도는 300℃를 넘어서는 안된다. 일반적인 유지 온도는 625 ± 25℃ 이다. 판두께 25mm 1시간
② 국부 풀림법 : 큰 제품, 현장 구조물 등과 같이 노내 풀림이 곤란할 경우 사용하며 용접선 좌우 양측을 각각 약 250mm 또는 판 두께 12배 이상의 범위를 가열한 후 서냉한다. 하지만 국부 풀림은 온도를 불균일하게 할 뿐 아니라 이를 실시하면 잔류 응력이 발생될 염려가 있으므로 주의하여야 한다. 유도가열 장치를 사용한다.
③ 기계적 응력 완화법 : 용접부에 하중을 주어 약간의 소성 변형을 주어 응력을 제거한다. 실제 큰 구조물에서는 한정된 조건하에서만 사용할 수 있다.
④ 저온 응력 완화법 : 용접선 좌우 양측을 정속도로 이동하는 가스 불꽃으로 약 150mm의 나비를 약 150 ~ 200℃로 가열 후 수냉하는 방법으로 용접선 방향의 인장 응력을 완화시키는 방법
⑤ 피닝법 : 끝이 둥근 특수 해머로 용접부를 연속적으로 타격하며 용접 표면에 소성 변형을 주어 인장 응력을 완화한다. 첫층 용접의 균열 방지 목적으로 700℃정도에서 열간 피닝을 한다.

65 용접 후 잔류응력의 경감 방법이 아닌 것은?

㉮ 노멀라이징(normalizing)법
㉯ 노내 풀림법
㉰ 피닝(peening)법
㉱ 저온 응력완화법

해설 노멀라이징은 조직를 표준화하는 불림 열처리방법이다.

66 용접에서 잔류 응력의 완화법이 아닌 것은?

㉮ 노내 풀림법 ㉯ 국부 풀림법
㉰ 기계적 응력완화법 ㉱ 고온 응력 완화법

Answer 60.㉯ 61.㉯ 62.㉰ 63.㉰ 64.㉱ 65.㉮ 66.㉱

67 **용접부의 잔류응력을 경감시키기 위한 방법이 아닌 것은?**

㉮ 저온 응력 완화법　㉯ 응력제거 풀림
㉰ 피닝법　㉱ 냉각법

68 **용접부의 잔류응력 제거 방법에 해당되지 않는 것은?**

㉮ 노내 풀림법　㉯ 국부 풀림법
㉰ 피닝　㉱ 코킹

69 **용접 후 잔류 응력을 완화하는 방법은?**

㉮ 피닝(peening)
㉯ 치핑(chipping)
㉰ 담금질(quenching)
㉱ 노멀라이징(normalizing)

70 **응력제거 풀림의 효과에 대한 설명으로 틀린 것은?**

㉮ 치수틀림의 방지
㉯ 열영향부의 템퍼링 연화
㉰ 충격저항의 감소
㉱ 크리이프 강도의 향상

해설 응력 제거 풀림 : 주조, 단조, 압연, 용접 및 열처리에 의해 생긴 열응력과 기계가공에 의해 생긴 내부 응력을 제거할 목적으로 150~600℃정도의 비교적 낮은 온도에서 실시하는 풀림으로 충격저항의 감소효과는 없다.

71 **용접 금속의 응력제거 풀림 균열에 관여하는 원소가 아닌 것은?**

㉮ Cr　㉯ Mo　㉰ Mn　㉱ V

해설 응력제거 풀림 균열(SR 균열) : 고장력강 용접부의 후열처리 등 용접 열영향부에 생기는 입계 균열을 의미한다. 주로 Cr-Mo강 등에서 많이 발생한다. 응력 집중이 되지 않도록 설계하는 것이 방지책이다.

72 **응력제거 풀림의 의해 얻어지는 효과에 해당되지 않는 것은?**

㉮ 용접 잔류 응력이 제거된다.
㉯ 응력부식에 대한 저항력이 증대된다.
㉰ 용착 금속 중의 수소 제거에 의한 연성이 증대된다.
㉱ 충격저항이 감소하고 크리프 강도가 향상된다.

73 **내열합금 용접 후 냉각 중이나 열처리 등에서 발생하는 용접구속 균열은?**

㉮ 내열균열　㉯ 냉각균열
㉰ 변형시효균열　㉱ 결정입계균열

해설 내열합금 등 용접 후 시효에 의해 발생하는 균열을 변형 시효 균열이라 한다.

74 **용접선에 따라 응력을 제거할 목적으로서 압축응력 부분을 가스불꽃 가열한 직후에 수냉하여 그 부위를 소성변형시켜 잔류 응력을 감소시키는 것은?**

㉮ 억제법　㉯ 역 변형법
㉰ 도열법　㉱ 저온응력 제거법

75 **저온 응력 완화법은 일정한 온도로 가열하고, 급냉시켜 용접선 방향의 인장 잔류 응력을 완화하는 방법이다. 이때 가스염은 용접선을 중심으로 폭 몇 mm를 정속도 이동하며, 몇 ℃ 정도로 가열시키는가?**

㉮ 50mm, 50℃　㉯ 100mm, 100℃
㉰ 150mm, 200℃　㉱ 200mm, 300℃

76 **잔류응력 경감법 중 용접선의 양측을 가스불꽃에 의해 약 150mm에 걸쳐 150~200℃로 가열한 후에 즉시 수냉함으로써 용접선 방향의 인장응력을 환화시키는 방법은?**

Answer 67.㉱ 68.㉱ 69.㉮ 70.㉰ 71.㉰ 72.㉱ 73.㉰ 74.㉱ 75.㉰ 76.㉯

㉮ 국부응력 제거법 ㉯ 저온응력 완화법
㉰ 기계적 응력 완화법 ㉱ 노내응력 제거법

77 용접선의 양측을 일정속도로 이동하는 가스 불꽃에 따라 나비 약 150mm를 150~200℃로 가열한 후 바로 수냉하는 응력 제거방법은?

㉮ 기계적 응력 완화법 ㉯ 피닝법
㉰ 저온 응력 완화법 ㉱ 국부 풀림법

78 용접 후 제품의 응력제거 풀림을 하려고 하는데 제품이 커서 노 내에 넣을 수가 없을 때 하는 열처리 방법은?

㉮ 항온 풀림법 ㉯ 항온 뜨임법
㉰ 국부 풀림법 ㉱ 오스템퍼링

79 선박과 같이 큰 구조물의 용접 잔류 응력 경감에 가장 많이 사용되는 방법은?

㉮ 노(爐)내 응력제거 어닐링(annealing)
㉯ 저온응력 완화법
㉰ 점수축법
㉱ 도열법

해설 선박과 같은 큰 구조물은 노안에 넣을 수 없게 때문에 저온 응력 완화나 국부 풀림법등을 사용한다.

80 잔류 응력이 존재하는 용접 구조물에 어떤 하중을 걸어 용접부를 약간 소성변형 시킨 다음 하중을 제거하면 잔류응력이 감소하는 현상을 이용하는 방법은?

㉮ 국부 응력 제거법
㉯ 저온 응력 완화법
㉰ 피닝법
㉱ 기계적 응력 완화법

81 피닝(peening)법의 설명으로 옳은 것은?

㉮ 잔류 응력이 있는 제품의 용접부에 탄성 변형을 일으킨 다음 하중을 제거하는 방법
㉯ 특수 해머로 용접부를 두드려 표면상에 소성변형을 주는 방법
㉰ 용접선의 양측을 가스불꽃에 의해 가열한 다음 곧 수냉하는 방법
㉱ 용접부 근방만을 국부 풀림하는 방법

82 피닝(Peening)법에 관한 설명 중 옳은 것은?

㉮ 용접 전 해머로 모재를 두드려 변형을 방지하는 법
㉯ 용접부에 냉각속도를 느리게 하기 위해서 다른 재료로 모재를 덮어놓는 법
㉰ 맞대기 용접할 때 홈간격이 벌어지거나 수축되는 것을 방지하는 법
㉱ 용접직후 비드가 고온일 때 비드를 두드려 용접금속부의 인장응력을 완화하는 법

83 특수한 구면상의 선단을 갈는 해머(hammer)로서 용접부를 연속적으로 타격해 줌으로서 용접 표면에 소성 변형을 생기게 하는 것은?

㉮ 노내 풀림법 ㉯ 국부 풀림법
㉰ 저온응력 완화법 ㉱ 피닝 법

84 피닝(peening)에 대한 설명으로 맞는 것은?

㉮ 특수해머로 용착부를 1번 정도 때려 용착부의 균열을 점검한다.
㉯ 특수해머로 용착부를 1번 정도 때려 용착부의 굽힘 응력을 완화시킨다.
㉰ 특수해머로 용착부를 연속으로 때려 용착부의 기공을 점검한다.
㉱ 특수해머로 용착부를 연속으로 때려 용착부의 인장응력을 완화시킨다.

Answer 77.㉰ 78.㉰ 79.㉯ 80.㉱ 81.㉯ 82.㉱ 83.㉱ 84.㉱

85 끝이 구면인 특수한 해머로써 용접부를 연속적으로 때려 용접표면상에 소성변형을 주어 인장응력을 완화하는 방법은?

㉮ 전진법 ㉯ 스킵법
㉰ 후퇴법 ㉱ 피닝법

86 용접에서 사용되는 피닝이란 어떤 작업인가?

㉮ 다듬질 작업이다.
㉯ 잔류응력을 제거하는 작업이다.
㉰ 슬래그를 제거하는 작업이다.
㉱ 모양을 수정하는 작업이다.

87 금속재료의 용접에서 용접변형을 일으키는 가장 큰 원인은?

㉮ 용접자세 ㉯ 금속의 수축과 팽창
㉰ 용접홈의 모양 ㉱ 용접속도

해설 용접 변형의 가장 큰 원인은 용접 열 영향에 의한 용착 금속의 수축과 팽창으로 발생한다.

88 용접에서 변형이 생기는 가장 큰 이유는?

㉮ 용착 금속의 연화
㉯ 이음부의 가공 불량
㉰ 용착 금속의 용착 불량
㉱ 용착 금속의 수축과 팽창

89 수축변형에 영향을 주는 요소 중 그 영향이 제일 적은 것은?

㉮ 용접입열 ㉯ 판의 예열온도
㉰ 용접봉의 재질 ㉱ 판두께와 이음형상

해설 용접열에 의한 수축 변형이 크므로 열과 관련된 것을 찾으면 된다. 또한 판 두께 및 이음 형상에 따라서도 수축 변형은 달라질 수 있다. 즉 판 두께가 두꺼울수록 냉각속도는 빠르며, 이음의 형상이 대칭적인 것이 수축 변형이 적다.

90 설계단계에서의 일반적인 용접변형 방지법으로 틀린 것은?

㉮ 용접 길이가 감소될 수 있는 설계를 한다.
㉯ 용착금속을 증가시킬 수 있는 설계를 한다.
㉰ 보강재 등 구속이 커지도록 구조 설계를 한다.
㉱ 변형이 적어질 수 있는 이음 부분을 배치한다.

해설 용착금속을 증가시키면 용접 열영향부 등이 커져 용접변형은 오히려 커질 수 있다.

91 판의 홈 용접에서 용접의 진행과 더불어 이동하는 열원의 전방 홈 간격이 열렸다 닫혔다 하는 현상으로 주로 열원 이동 중에 있어서 용융지 부근 모재의 용접선 방향에의 열팽창에 기인하여 생기는 용접 변형은?

㉮ 팽창변형 ㉯ 회전변형
㉰ 세로 굽힘 변형 ㉱ 비틀림 변형

해설 변형의 종류
① 면내의 수축 변형 : 가로 수축, 세로 수축, 회전 수축
② 면외의 수축 변형 : 굽힘 변형(가로, 세로 방향), 좌굴 변형, 비틀림 변형
용융지 부근 모재의 용접선 방향에 열팽창에 의해 생기는 용접 변형은 회전 변형이다.

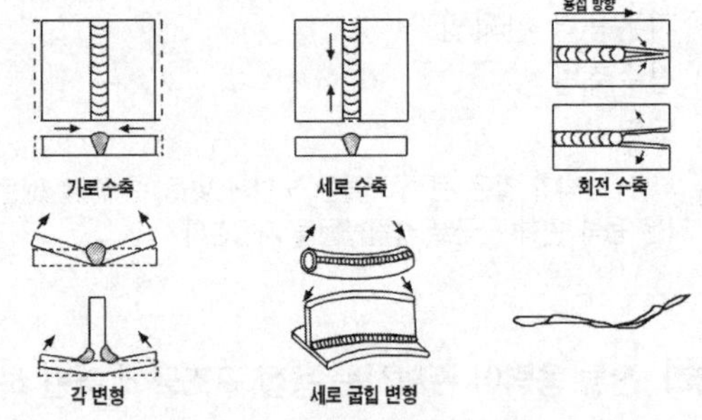

92 용접에서 수축변형의 종류에 해당 되지 않는 것은?

㉮ 횡굴곡 ㉯ 역변형
㉰ 종굴곡 ㉱ 좌굴변형

Answer 85.㉱ 86.㉯ 87.㉯ 88.㉱ 89.㉰ 90.㉯ 91.㉯ 92.㉯

93 일반적인 각변형의 방지 대책으로 틀린 것은?

㉮ 역변형의 시공법을 사용한다.
㉯ 용접속도가 빠른 용접법을 이용한다.
㉰ 판 두께가 얇을수록 첫 패스 측의 개선 깊이를 크게 한다.
㉱ 개선각도는 작업에 지장이 없는 한도 내에서 크게 하는 것이 좋다.

해설 각변형이란 용접에 의해 부재 또는 구조물에 생기는 가로(횡) 방향의 굽힘 변형을 말한다. 맞대기 용접의 경우는 상부쪽의 수축량이 크기 때문에 위쪽으로 오므라들게 되며, 필릿 용접의 경도 수평판의 상부쪽이 오므라드는 것을 말한다. 이와 같은 각변형을 줄이려면 용접 층수는 가능한 적게 하는 것이 좋으며, 용접 개선 각도는 작업에 지장이 없는 한 작게 한다.

94 필릿 용접 이음의 수축 변형에서 모재가 용접선에 각을 이루는 경우를 각변형이라고 하는데 이와 똑같은 용어는?

㉮ 횡굴곡　　㉯ 종굴곡
㉰ 회전수축　　㉱ 종수축

95 용접선에 직각 방향으로 수축한 변형을 무엇이라 하는가?

㉮ 횡수축　　㉯ 종수축
㉰ 회전수축　　㉱ 좌굴변형

96 필릿용접에서, 모재가 용접선에서 각을 이루는 경우의 변형은?

㉮ 종 수축　　㉯ 좌굴 변형
㉰ 회전 변형　　㉱ 횡 굴곡

97 용접시 발생하는 각변형의 방지 대책을 잘못 설명한 것은?

㉮ 용접 개선 각도는 작업에 지장이 없는 한 작게 한다.
㉯ 구속지그를 활용하고 속도가 빠른 용접법을 이용한다.
㉰ 판두께와 개선현상이 일정할 때 용접봉 지름이 작은 것을 이용하여 패스의 수를 많게 한다.
㉱ 역변형의 시공법을 사용하도록 한다.

98 수축량이 미치는 용접시공 조건의 영향 설명 중 틀린 것은?

㉮ 루트 간격이 클수록 수축이 크다.
㉯ 구속도가 클수록 수축이 작다.
㉰ 용접봉의 직경이 클수록 수축이 크다.
㉱ 위빙을 하는 쪽이 수축이 작다.

해설 용접열에 의한 수축 변형이 크므로 열과 관련된 것을 찾으면 된다. 즉 루트 간격이 크면 그 만큼 용접량이 증가되어 수축은 커질 수 있으며, 구속도가 크면 수축이 억제될 수 있다. 아울러 위빙을 하면 수축을 줄일 수 있다. 하지만 용접봉 직경이 커지면 전류밀도가 낮아져 오히려 수축은 줄어 들 수 있다.

99 다음 중 용접변형 방지법이 아닌 것은?

㉮ 역변형법　　㉯ 피닝법
㉰ 휘핑법　　㉱ 도열법

해설 변형 방지법
① 억제법 : 모재를 가접 또는 구속 지그를 사용하여 변형억제
② 역변형법 : 용접전에 변형의 크기 및 방향을 예측하여 미리 반대로 변형시키는 방법
③ 도열법(냉각법) : 용접부 주위에 물을 적신 석면, 동판을 대어 열을 흡수시키는 방법
④ 용착법 : 대칭법, 후퇴법, 스킵법 등을 사용한다.

100 용접 변형의 경감 및 교정방법에서 용접부에 구리로 된 덮개판을 두든지 뒷면에서 용접부를 수냉 또는 용접부근처에 물기 있는 석면, 천 등을 두고 모재에 용접입열을 막음으로써 변형을 방지하는 방법은?

㉮ 롤링법　　㉯ 피닝법
㉰ 도열법　　㉱ 억제법

Answer 93.㉱ 94.㉮ 95.㉮ 96.㉱ 97.㉰ 98.㉰ 99.㉯ 100.㉰

101 용접부에 대한 변형의 경감 및 교정에서, 도열법의 설명은?

㉮ 용접 금속 및 모재의 수축에 대하여 용접전에 반대방향으로 굽혀 놓은 것이다.
㉯ 용접부에 구리로 된 덮개판을 두든지, 뒷면에서 용접부 근처에 물이 묻은 석면을 두고, 모재에 용접 입열을 막는 것이다.
㉰ 공작물을 가접 또는 지그 홀더 등으로 장착하고 변형의 발생을 억제하는 방법이다.
㉱ 용접직후 해머로 비드를 두드려서 용접금속의 변형을 방지하는 방법이다.

102 용접에서 역변형법의 설명에 해당되는 것은?

㉮ 공작물을 가접 또는 지그로 고정하여 변형의 발생을 방지하는 법
㉯ 용접 금속 및 모재의 수축에 대하여 용접 전에 반대 방향으로 굽혀 놓고 용접 작업하는 법
㉰ 비드를 좌우대칭으로 놓아 변형을 방지하는 법
㉱ 용접 진행 방향으로 뒴 용접을 하여 변형을 방지하는 법

103 용접전 변형량을 대략 예측할 수 있을 때 사용할 수 있는 변형 방지법은?

㉮ 역변형법 ㉯ 피닝법
㉰ 냉각법 ㉱ 국부 긴장법

104 연강판의 맞대기 용접 이음에서 굽힘 변형 방지법이다. 부적당한 것은?

㉮ 스트롱 백(strong back)에 의한 구속 방법
㉯ 지그(jig)로 정반에 고정하는 주변 고착법
㉰ 이음부에 미리 역각도를 주는 방법
㉱ 특수해머로 두들겨서 변형하는 방법

105 용접 변형의 방지책을 열거한 것 중 틀린 것은?

㉮ 비드 배치법 ㉯ 억제법
㉰ 역변형법 ㉱ 제약법

106 강판을 가스 절단하면 국부적인 급열 급냉을 받기 때문에 절단 끝이 팽창, 수축에 의하여 변형이 생긴다. 이 변형의 방지법 중 부적당한 것은?

㉮ 피절단재를 고정하는 방법
㉯ 수냉에 의하여 열을 제거하는 방법
㉰ 열응력이 대칭이 되도록 예열하는 방법
㉱ 절단부에 역각도를 주는 방법

해설 용접을 할 경우에는 변형을 예측하고 미리 역변형을 주는 방법이 있으나 절단을 할 경우에는 변형을 방지하고자 역각도를 줄 수 있는 방법은 없다.

107 맞대기 이음 용접부의 굽힘 변형 방지법 중 부적당한 것은?

㉮ 스트롱 백(Strong back)에 의한 구속
㉯ 주변 고착
㉰ 이음부에 역각도를 주는 방법
㉱ 수냉각법

108 용접변형 방지법 중 냉각법에 속하지 않는 것은?

㉮ 살수법 ㉯ 수냉동판 사용법
㉰ 비석법 ㉱ 석면포 사용법

109 용접 변형의 교정에서 가열하는 방법으로 옳은 것은?

㉮ 얇은 판에 대한 물 가열법
㉯ 형재에 대하여 직선 가열법
㉰ 가열 전 해머로 두드리는 법
㉱ 두꺼운 판에 대하여 수냉시킨 후, 압력을 걸고 가열하는 방법

Answer 101.㉯ 102.㉯ 103.㉮ 104.㉱ 105.㉱ 106.㉱ 107.㉱ 108.㉰ 119.㉯

✔ 해설
① 박판에 대한 점 수축법 : 가열온도 500~600℃, 가열시간은 30초 정도, 가열부지름 20~30mm, 가열 즉시 수냉한다.
② 형재는 대한 직선 수축법을 사용한다.
③ 가열 후 해머질 하여 변형을 교정한다.
④ 후판에 대해 가열 후 압력을 가하고 수냉하는 방법으로 변형을 교정한다.
⑤ 롤러에 걸어 변형을 교정한다.

110 용접 후 처리에서, 가열하여 발생되는 열응력으로 소성변형을 일으키게 하여 변형을 교정하는 방법은?

㉮ 롤러 가공법
㉯ 가열 후 해머로 두드리는 법
㉰ 피닝법
㉱ 형재에 대한 직선 수축법

111 용접작업시 발생한 변형을 교정할 때 가열하여 열응력을 이용하고 소성변형을 일으키는 방법은?

㉮ 박판에 대한 점 수축법
㉯ 숏 피닝법
㉰ 롤러에 거는 방법
㉱ 절단 성형 후 재용접법

112 용접 후 처리에서 외력만으로 소성변형을 일으켜 변형을 교정하는 방법은?

㉮ 박판에 대한 점 수축법
㉯ 가열 후 해머링 하는 법
㉰ 롤러에 거는 법
㉱ 형재에 대한 직선 수축법

✔ 해설 변형 교정 방법 중 외력만으로 소성변형을 일으켜 변형을 교정하는 방법은 롤러에 거는 방법이 있다. 나머지는 열응력을 이용하여 변형을 교정하는 방법이다.

113 용접할 때 발생하는 변형을 교정하는 방법으로서 가장 적합하지 않은 것은?

㉮ 박판에 대한 직선 수축 및 가열 팽창하는 방법
㉯ 변형부를 절단하여 재용접하는 방법
㉰ 가열 후 해머질 하는 방법
㉱ 후판에 대하여 가열 후 압력을 걸고, 수중 냉각하는 방법

114 용접변형 교정법의 종류가 아닌 것은?

㉮ 형재에 대한 직선 수축법
㉯ 얇은판에 대한 곡선 수축법
㉰ 가열 후 해머질 하는 법
㉱ 롤러에 의한 법

115 용접 후처리에서 변형을 교정할 때 가열방법에 대한 설명으로 적당하지 않은 것은?

㉮ 형재에 대한 직선 가열법
㉯ 가열한 후 해머로 두드리는 법
㉰ 두꺼운 판에 대한 점가열법
㉱ 형강에 대한 쐐기 가열법

116 용접할 때 발생하는 변형을 교정하는 방법으로서 틀린 것은?

㉮ 두꺼운 판에 대한 점 수축법
㉯ 절단에 의하여 성형하고 재용접하는 방법
㉰ 가열 후 해머링 하는 방법
㉱ 두꺼운 판에 대하여 가열 후 압력을 가하고 수냉하는 방법

117 다음 용접 변형 교정 방법 중 적합하지 않은 것은?

㉮ 얇은 판에 대한 점 수축법
㉯ 형재에 대한 직선 수축법
㉰ 가열 후 해머질 하는 법
㉱ 변형 된 부위를 줄질 하는 법

Answer 110.㉱ 111.㉮ 112.㉰ 113.㉮ 114.㉯ 115.㉰ 116.㉮ 117.㉱

118 다음 중 용접 모재 균열 방지 대책으로 맞지 않는 것은?

㉮ 예열을 한다.
㉯ 후열을 한다.
㉰ 용접봉을 새 것으로 한다.
㉱ 저수소계 용접봉을 사용한다.

해설 잘못 선정된 용접봉을 새 것으로 교환 사용한다고 해서 균열이 방지된다고 말할 수 없다.

119 용접부의 균열을 방지하기 위한 방법이 아닌 것은?

㉮ 잔류응력을 작게 한다.
㉯ 냉각속도를 늦게 한다.
㉰ 탄소의 량을 많게 한다.
㉱ 예열을 한다.

해설 탄소량이 많은 고탄소강 등은 균열 발생의 우려가 있어 용접성이 떨어진다.

120 용접부 고온 균열 원인으로 가장 적합한 것은?

㉮ 낮은 탄소 함유량
㉯ 응고 조직의 미세화
㉰ 모재에 유황성분이 과다 함유
㉱ 결정 입내의 금속간 화합물

해설 고온 균열은 발생 장소에 따라 비드균열, 크레이터 균열로 분류하기도 하며, 가장 큰 원인은 황 함유량이 많은 경우, 냉각 속도가 빠른 경우에 발생한다. 온도 300℃이하에서 발생하는 저온 균열은 수축 응력이나 열 변형에 의한 응력 집중 등의 원인으로 인하여 발생하며, 수소가 원인이다.

121 고온 크랙의 발생원소 중 이에 속하지 않는 것은?

㉮ 유황(S) ㉯ 규소(Si)
㉰ 니켈(Ni) ㉱ 수소(H)

122 용착금속의 고온균열을 감소시키는 것은?

㉮ 규소(Si) ㉯ 인(P)
㉰ 탄소(C) ㉱ 망간(Mn)

해설 고온 균열의 원인은 황으로 황의 해를 제거해주는 것이 망간이다.

123 용접균열은 고온균열과 저온균열로 구분된다. 저온균열(cold cracking)은 다음 중 몇℃이하에서 생기는가?

㉮ 약 200℃ ㉯ 약 300℃
㉰ 약 400℃ ㉱ 약 500℃

해설 용접 입열량이 커지면 저온 균열의 위험이 커지는 것은 아니다.

124 강 용접부의 저온균열 발생에 관계되는 원소는?

㉮ 망간 ㉯ 규소
㉰ 산소 ㉱ 수소

125 저온 균열의 발생에 영향을 주는 주요인은?

㉮ 용접변형
㉯ 후열
㉰ 용착 금속의 확산성 수소
㉱ 가용접

126 저온균열(cold cracking)에 관한 설명이다. 다음 중 틀린 것은?

㉮ 입열량이 커지면 저온균열의 발생위험이 커진다.
㉯ 수소의 혼입이 많아지면 균열발생율은 커진다.
㉰ 탄소당량이 큰 모재는 균열발생 위험성이 커진다.
㉱ 구속도가 커지면 균열발생율은 커진다.

127 용접부의 결함 중 미세균열(0.01 ~ 0.1mm)은 다음 중 어떤 원소의 영향으로 생기는가?

㉮ 산소 ㉯ 수소 ㉰ 질소 ㉱ 규소

Answer 118.㉰ 119.㉰ 120.㉰ 121.㉮ 122.㉱ 123.㉯ 124.㉱ 125.㉰ 126.㉮ 127.㉯

128 다음 중 수소로 인한 용접결함은?

㉮ 고온균열 ㉯ 저온균열
㉰ 언더컷 ㉱ 오버랩

129 용접부의 저온균열이 아닌 것은?

㉮ 루트 균열 ㉯ 토 균열
㉰ 언더비드 균열 ㉱ 크레이터 균열

130 용접균열은 고온 균열과 저온균열로 구분된다. 크레이터균열과 비드 밑 균열에 대하여 옳게 나타낸 것은?

㉮ 크레이터 균열 - 고온균열
비드 밑 균열-고온균열
㉯ 크레이터 균열 - 저온균열
비드 밑 균열-저온균열
㉰ 크레이터 균열 - 저온균열
비드 밑 균열-고온균열
㉱ 크레이터 균열 - 고온균열
비드 밑 균열-저온균열

해설 용접을 끝낸 직후의 크레이터 부분의 생기는 크레이터 균열, 외부에서는 볼 수 없는 비드 밑 균열, 열영향부 균열, 비드 표면과 모재와의 경계부에 발생하는 토 균열, 비틀림이 주원이 되어 발생하는 힐 균열, 저온 균열에서 가장 주의하여야 할 균열인 첫 층 용접의 루트 근방에서 발생하는 루트 균열, 모재의 재질 결함으로서의 균열인 래미네이션 균열 등이 있다.

131 용접부 고온균열에 대한 설명으로 틀린 것은?

㉮ 고온균열은 주로 결정립내에 존재하는 고융점 불순물이 그 원인이다.
㉯ 고온균열은 결정립계를 통하여 주로 전파하기 때문에 입계균열이라고도 한다.
㉰ P, S 등은 고온균열의 발생을 촉진하는 원소이다.
㉱ 크레이터 균열은 전형적인 고온균열이다.

132 다음에서 가로균열(transverse crack)에 관계가 없는 것은?

㉮ 저온균열 ㉯ 수소
㉰ 수시간 경과후 발생 ㉱ 고온 균열

133 맞대기 용접이음의 가접 또는 첫 층에서 보이는 세로균열의 일종으로 약 200℃ 이하의 저온에서 발생하는 균열은?

㉮ 설퍼 균열 ㉯ 라미네이션 균열
㉰ 루트 균열 ㉱ 헤어 균열

해설 루트 균열은 세로 균열의 일종인 저온 균열이다. 수소 취화가 그 원인이다.

134 용접결함에 해당되지 않는 용어는?

㉮ 비드 톱 균열(top bead crack)
㉯ 비드 밑 균열(under bead crack)
㉰ 토우 균열(toe crack)
㉱ 설퍼 균열(sulphur crack)

해설

① 비드 밑 균열은 용접 비드 바로 아래에 용접선 아주 가까이 거의 이와 평행되게 모재 열영향부에 생기는 균열로 고탄소강이나 저합금강과 같은 담금질에 의한 경화성이 강한 재료를 용접했을 때 생기는 균열
② 토 균열은 맞대기 용접 및 필릿 용접 의 어느 경우나 비드 표면과 모재와의 경계부에 생기는 균열로 예열을 하거나 강도가 낮은 용접봉을 사용하면 효과적이다.
③ 설퍼 균열은 강중에 황이 층상으로 존재하는 고온 균열을 말한다.

135 T이음 등에서 강의 내부에 강판 표면과 평행하게 층상으로 발생되는 균열로 주요 원인은 모재의 비금속 개재물인 것은?

㉮ 재열균열
㉯ 루트균열(root crack)
㉰ 라멜라테어(lamellar tear)
㉱ 래미네이션균열(lamination crack)

해설 라멜라테어란 십자형 맞대기 이음부 및 필릿 다층용접 이음부와 같이 모재 표면에 직각방향으로 강한 인장 구속

Answer 128.㉯ 129.㉱ 130.㉮ 131.㉮ 132.㉱ 133.㉰ 134.㉮ 135.㉰

응력이 형성되는 이음부의 경우 용접열영향부 및 그 인접부에 모재 표면과 평행하게 계단형상으로 발생하는 균열을 말한다. 라멜라테어 균열을 방지하기 위해서는 적절한 강재의 선정, 두께 방향으로의 구속 응력을 완화시킬 수 있는 이음부의 설계, 용접봉의 건조, 적정한 입열 및 예열, 층간 온도의 선정 등이 필요하다.

136 용접부 내부에 모재 표면과 평행하게 층상으로 형성되어 있는 균열은?

㉮ 라멜라테어(lamellar tear)균열
㉯ 라미네이션(lamination crack)균열
㉰ 재열균열(stress relief cracking)균열
㉱ 힐(heel crack)균열

137 맞대기나 필릿 용접부의 비드표면과 모재와의 경계부에 발생하는 용접균열은?

㉮ 힐 균열(heel crack)
㉯ 토 균열(toe crack)
㉰ 비드 및 균열(under bead crack)
㉱ 루트 균열(root crack)

해설 용접을 끝낸 직후의 크레이터 부분의 생기는 크레이터 균열, 외부에서는 볼 수 없는 비드 밑 균열, 열영향부 균열, 비드 표면과 모재와의 경계부에 발생하는 토 균열, 비틀림이 주원이 되어 발생하는 힐 균열, 저온 균열에서 가장 주의하여야 할 균열인 첫층 용접의 루트 근방에서 발생하는 루트 균열, 모재의 재질 결함으로서의 균열인 래미네이션 균열 등이 있다.

138 모재의 열 영향부가 경화할 때, 비드 가장자리(끝단)에 일어나기 쉬운 균열은?

㉮ 유황균열 ㉯ 토우균열
㉰ 비드 밑 균열 ㉱ 은점

해설 용접 토부위(비드 표면과 모재와의 경계)에 발생하는 균열로 주로 모재의 열영향부에서 발생한다. 저합금강의 용접에서 주로 잘 나타나며, 경화조직의 생성과 용접 응력, 수소 등이 발생 주요원인이라 할 수 있다.

139 필릿 용접이음부의 루트 부분에 생기는 저온균열로 모재의 열팽창 및 수축에 의한 비틀림이 주원인이 되는 균열은?

㉮ 토(toe) 균열
㉯ 힐(heel) 균열
㉰ 루트(root) 균열
㉱ 비드 밑(under bead) 균열

해설 필릿 용접 이음부와 루트 부분에 생기는 휠 균열은 저온 균열로 모재의 열팽창 및 수축에 의한 비틀림이 주원인이다.

140 스테인리스 강 (Stainless Steel) 이나 고장력 강의 용접에서 잔류응력에 의해 결정 입계에 따라 발생되는 균열은?

㉮ 응력 부식 균열 ㉯ 재열 균열
㉰ 횡 균열 ㉱ 종 균열

해설 응력이 집중되는 상태에서 부식이 현저하게 진행됨으로써 발생하는 균열을 말하며, 오스테나이계 강에서 많이 발생하는 균열이 응력 부식 균열이다.

141 용접에서 파괴의 종류 중 입계(grain boundary)를 따라 전파되는 것은?

㉮ 연성파괴 ㉯ 피로파괴
㉰ 취성파괴 ㉱ 응력부식파괴

142 용접부의 응력부식균열(SCC)을 최소화 할 수 있는 방법 중 가장 거리가 먼 것은?

㉮ 후판재의 다층용접에서 냉각속도의 지연을 위해 입열량은 가능한 크게 한다.
㉯ 오스테나이트 스테인리스강의 경우 페라이트 조직과 공존하는 조직을 가지면 효과가 있다.
㉰ 응력제거 열처리를 한다.
㉱ 인장강도가 낮은 모재를 선정한다.

해설 응력 제거 열처리를 하여 응력 부식 균열을 줄일 수 있으나 입열량을 크게 하면 오히려 열영향부가 커지므로 응력 부식 균열을 최소화 할수 있다고 할 수 없다.

143 비드 바로 밑에서 용접선에 아주 가까이 거의 이와 평행되게 모재 열영향부에 생기는 균열은?

㉮ 비드 밑 균열 ㉯ 루트 균열

Answer 136.㉮ 137.㉯ 138.㉯ 139.㉯ 140.㉮ 141.㉱ 142.㉮ 143.㉮

㉰ 래미네이션 균열　　㉱ 층상 균열

해설 비드 밑 균열은 용접 비드 바로 아래에 용접선 아주 가까이 거의 이와 평행되게 모재 열영향부에 생기는 균열로 고탄소강이나 저합금강과 같은 담금질에 의한 경화성이 강한 재료를 용접했을 때 생기는 균열

144 시험편의 왼쪽을 액체 질소로 냉각하고 오른쪽을 가스 불꽃으로 가열하여 거의 직선적인 구배를 주고, 시험편의 양 끝에 하중을 가한 상태로 노치부에 충격을 가하여 균열 상태를 알아보는 시험법은?

㉮ 노치 충격 시험
㉯ T형 용접 균열 시험
㉰ 슬릿형 용접 균열 시험
㉱ 로버트슨 시험

해설 시험편의 노치부를 액체 질소를 채우고 반대쪽에서 가스불꽃으로 가열하여 거의 직선적인 온도 구배를 부여해 놓고 시험편의 양단에 하중을 건채로 노치부에 충격을 가해서 균열을 발생시켜, 시험편에 전파되는 균열이 정지하는 온도의 위치를 구하여 취성 균열의 정지 온도로 정하고 인장응력과 이온도와의 관계를 알아내는 시험이 로버트슨 시험이다.

145 용접 결함의 종류 중 구조상 결함이 아닌 것은?

㉮ 기공, 슬래그 섞임
㉯ 변형, 형상불량
㉰ 용입불량, 융합불량
㉱ 표면결함, 언더컷

해설 용접 결함의 종류
① 치수상 결함 : 변형, 치수 및 형상 불량
② 성질상 결함 : 기계적, 화학적 성질 불량
③ 구조상 결함 : 언더컷, 오버랩, 기공, 용입 불량 등

146 용접결함을 크게 3분류할 때, 구조상의 결함에 해당되는 것은?

㉮ 변형　　㉯ 치수불량
㉰ 형상불량　　㉱ 슬랙섞임

147 용접 결함 중 구조상 결함에 해당되지 않는 것은?

㉮ 융합불량　　㉯ 언더컷
㉰ 오버랩　　㉱ 연성부족

148 용접금속의 결함이 아닌 것은?

㉮ 기공　　㉯ 은점
㉰ 선상조직　　㉱ 라미네이션

해설 라미네이션은 얇은 판과 판상의 조직이 소정의 방향으로 층을 이루어 겹쳐져 만나는 것으로 용접 결함은 아니다.

149 용접사에 의해 발생될 수 있는 결함이 아닌 것은?

㉮ 용입불량　　㉯ 스패터
㉰ 라미네이션　　㉱ 언더컷

150 용접결함 중 언더컷의 발생 원인이 아닌 것은?

㉮ 전류가 너무 높을 때
㉯ 용접속도가 느릴 때
㉰ 아크 길이가 길 때
㉱ 부적당한 용접봉을 사용할 때

해설 언더컷은 전류가 높을 때, 아크 길이가 길거나 부적당한 용접봉 사용 시 용접부가 파이는 결함을 말한다.

151 고전류, 고속도 용접일 때, 가장 일어나기 쉬운 용접결함은?

㉮ 언더컷　　㉯ 오우버 랩
㉰ 스패터　　㉱ 용입불량

152 피복 아크 용접시 전류가 과대할 때 생기기 쉬운 결함이 아닌 것은?

㉮ 기공　　㉯ 스패터
㉰ 언더 컷　　㉱ 슬랙 섞임

Answer 144.㉱ 145.㉯ 146.㉱ 147.㉱ 148.㉱ 149.㉰ 150.㉯ 151.㉮ 152.㉱

해설 슬랙 섞임은 이음의 설계가 부적당 할 때, 봉의 각도가 부적당 할 때, 전류가 낮을 때, 슬랙 융점이 높은 봉을 사용할 때, 용접 속도가 너무 느려 슬랙이 선행할 때, 전층의 슬랙 제거가 불완전 할 때

153 피복금속 아크 용접에서 운봉 속도가 너무 느리면 나타나는 결함은?

㉮ 언더컷 ㉯ 용입불량
㉰ 고운 비드 ㉱ 오버랩

해설 오버랩은 전류가 낮거나 속도가 느릴 때 생기는 구조상의 결함이다.

154 용접부 외부에서 주어지는 열량을 용접입열(weld heat input)이라 하는데 용접입열이 충분하지 못할 때 발생하는 용접 결함은?

㉮ 용입불량(lack of penetration)
㉯ 선상조직(ice flower structure)
㉰ 용접균열(welding crack)
㉱ 은점(fish eye)

해설 용입불량은 홈 각도가 좁다, 용접 속도가 너무 빠르다, 용접 전류가 낮을 때 나타나는 결함으로 즉 용접 입열이 충분하지 못할 때 용입이 되지 않는 결함이다.

155 피복 아크 용접봉에 습기가 많을 때 나타나는 것은?

㉮ 아크가 안정해 진다.
㉯ 용접부에 기공이나 균열이 생기기 쉽다.
㉰ 용접 비드 폭이 넓어지고 비드가 깨끗해진다.
㉱ 용접 후 각 변형이 작아진다.

해설 용접봉에 습기가 있으면 기공이나 균열이 생기기 쉽다. 그러므로 사용 전에 건조한 후 사용한다.

156 습기가 있는 용접봉을 사용하여 용접할 경우 가장 많이 나타나는 용접결함 현상은?

㉮ 언더컷(undercut) ㉯ 스팩터링(spattering)
㉰ 오버랩(over lap) ㉱ 슬래그 혼입

해설 스펙터의 발생 원인
① 전류가 높을 때
② 건조되지 않은 용접봉 사용시
③ 아크 길이가 너무 길 때
④ 봉각도가 부적당 할 때

157 금속의 응고 과정에서 방출된 기체가 빠져나가지 못하여 생긴 결함을 무엇이라고 하는가?

㉮ 슬래그 ㉯ 설파 프린트
㉰ 홀인 ㉱ 기공

158 용접봉의 피복제에 습기가 있을 때 용접하면 나타나는 결함은?

㉮ 기공(blow hole)의 발생
㉯ 크레이터(crater)의 발생
㉰ 슬래그 섞임(slag inclusion)의 발생
㉱ 오우버 랩(over lap)의 발생

159 Ni 용접시 발생하는 기공결함과 관계가 가장 적은 원소는 어느 것인가?

㉮ N ㉯ C
㉰ O ㉱ H

160 용접 전 홈에 수분이나 기름기를 없애는 방법 중 가장 좋은 방법은 어느 것인가?

㉮ 걸레로 닦는다.
㉯ 쇠솔로 닦는다.
㉰ 증발될 때까지 놔둔다.
㉱ 가습불꽃으로 80℃정도 온도가 될 때까지 가열한다.

해설 불꽃 즉 화염에 의해 수분이나 기름을 증발시키는 것이 가장 좋다.

Answer 153.㉱ 154.㉮ 155.㉯ 156.㉯ 157.㉱ 158.㉮ 159.㉮ 160.㉱

161 용착금속 내부에 기공이 발생하는 원인을 설명한 것이다. 가장 관계가 적은 것은?

㉮ 용접부의 급속한 응고
㉯ 과대전류 사용
㉰ 빠른 용접속도
㉱ 용접순서

해설 기공의 원인
① 수소 또는 일산화탄소 과잉
② 용접부의 급속한 응고
③ 모재 가운데 유황함유량 과대
④ 기름 페인트 등이 모재에 묻어 있을 때
⑤ 아크 길이, 전류 조작의 부적당
⑥ 용접 속도가 너무 빠를 때

162 용접부에 발생하는 기공(porosity) 생성 원인의 대부분이라고 할 수 있는 것은?

㉮ CO 가스　㉯ 산소 가스
㉰ 염소 가스　㉱ 알곤 가스

163 용접의 여러 결함 중 내부결함에 해당되지 않는 것은?

㉮ 크레이터 처리 불량　㉯ 슬래그 혼입
㉰ 선상조직　㉱ 기공

해설 크레이터는 용접이 끝나는 점에서 움푹 페이는 것을 말한다.

164 용접부의 내부결함이 아닌 것은?

㉮ 기공(氣孔)　㉯ 슬랙 혼입
㉰ 언더 컷　㉱ 은점

165 피복아크 용접봉에 탄소(C)량을 적게 하는 가장 주된 이유는?

㉮ 스패터 방지　㉯ 용락 방지
㉰ 산화방지　㉱ 균열방지

해설 탄소량이 많은 고탄소강 등은 균열 발생의 우려가 있어 용접성이 떨어진다.

166 용접 전 작업 검사가 아닌 것은?

㉮ 용접사의 기량 확인
㉯ 용접기기의 적합성 검사
㉰ 루트 간격
㉱ 크레이터 처리

167 용접봉이 짧아지거나 비드가 끊어져서 용접이 중단 되었을 때 그 끝이 오목하게 되는 것은?

㉮ 스패터(Spatter)　㉯ 크레이터(Crater)
㉰ 피트(Pit)　㉱ 오버랩(Over lap)

168 다음 그림과 같이 피복아크 맞대기 한쪽면 용접에서 뒷쪽(BACK SIDE), 루우트(ROOT) 부위에 가장 많이 나타나는 결함은?

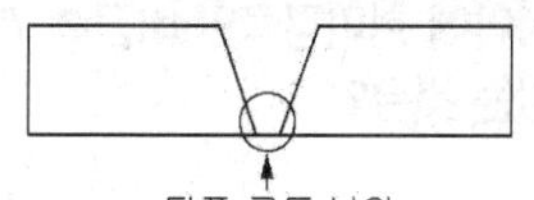

㉮ 기공(BLOW HOLE, POROSITY)
㉯ 슬래그 잠입(SLAG INCLUSION)
㉰ 용합부족(INCOMPLETE FUSION)
㉱ 얇은 균열(LAMELLAR TEAR)

해설 뒷쪽 루트부위에 가장 많이 나타나는 결함은 융합부족이다.

169 용접시 발생하는 결함 중 선상조직 (ice – flower structure)이란?

㉮ 용접비드의 표면에 발생하는 은점(fish eye)의 일종이다.
㉯ 용접비드 토우부에 발생하는 균열(crack)의 일종이다.
㉰ 용접금속의 파면에 극히 미세한 주상정이 서리 모양으로 나타난 것으로 수소가 원인이다.
㉱ 용접금속부의 파단시 파단면에 물고기의 눈모양으로 나타난 것으로 수소가 원인이다.

Answer 161.㉱ 162.㉮ 163.㉮ 164.㉰ 165.㉱ 166.㉱ 167.㉯ 168.㉰ 169.㉰

해설 선상 조직은 용접부를 파단시켰을 때 파면에 나타나는 가늘고 긴 방향성을 가진 용접부에 생기는 특이한 조직으로 미세한 주상정 사이에 미세한 기공 또는 비금속 개재물이 있어 결정 사이의 결합력이 약해져서 생긴다. 이때 발생한 기공은 수소가 용해도 변화에 의하여 방출, 흡착함으로써 형성된다.

170 선상조직(ice - flower structure)이란?

㉮ 은점(fish - eye)의 일종이다.
㉯ 맞대기 용접 파면에 나타나는 서리 조직으로 그 원인은 산소이다.
㉰ 필렛용접 파면에 나타나는 서리조직으로 그 원인은 수소이다.
㉱ 기공(porosity)의 별명이다.

171 용착부의 파단면의 나타나며 아주 미세한 기둥 모양 결정이 서리모양으로 나란히 있고 그 사이에 현미경적인 비금속 개재물과 기공이 있는 것은?

㉮ 융합불량 ㉯ 비금속 개재물
㉰ 은점 ㉱ 선상 조직

172 아크 용접에서 전류의 세기와 무관한 것은?

㉮ 용입불량 ㉯ 선상조직
㉰ 오버랩 ㉱ 언더 컷

173 용접금속의 파면에 매우 미세한 주상정이 서릿발 모양으로 병립하는 선상조직을 형성하는데, 이것은 다음 중 어느 원소의 영향이라고 할 수 있는가?

㉮ 산소 ㉯ 수소
㉰ 질소 ㉱ 일산화탄소

174 은점(fish eye)에 관하여 설명한 것 중 틀린 것은?

㉮ 용접결함의 일종이다.
㉯ 속이 비고 둘레에 취화부가 있는 원형의 결함이다.
㉰ 발생원인은 수소이다.
㉱ 결함대책으로는 피닝 방법이 있다.

해설 은점은 용접금속의 파면에 나타나는 은백색을 띈 물고기 눈 모양의 결함을 말한다. 은점은 작은 기공 또는 원형의 밝은 영역으로 둘러싸인 개재물로 이루어져 있으며, 수소가 원인이다.

175 용착금속의 인장 또는 굽힘시험했을 경우 파단면에 생기며, 은백색 파면을 갖는 결함은?

㉮ 기공 ㉯ 크레이터 ㉰ 오버랩 ㉱ 은점

해설 수소 때문에 머리카락 모양처럼 생기는 헤어 크랙과 고기 눈처럼 빛나는 은점이 생긴다.

176 용접부의 내부결함 중 용착금속의 파단면에 고기눈 모양의 은백색 파단면을 나타내는 것은?

㉮ 피트(pit)
㉯ 은점(fish eye)
㉰ 슬랙 섞임(slag inclusion)
㉱ 선상조직(ice flower structure)

177 용접금속의 인장시험 또는 굽힘 파면시험 때에 나타나는 고기의 눈과 같이 빛나는 부분인 은점의 원인은?

㉮ 수소 ㉯ 질소 ㉰ 탄소 ㉱ 불소

178 용접부에 수소가 미치는 영향에 대하여 설명한 것 중 틀린 것은?

㉮ 저온 균열원인
㉯ 언더 비드 크랙(Under - bead crack)발생
㉰ 은점 발생
㉱ 슬래그 발생

Answer 170.㉰ 171.㉱ 172.㉯ 173.㉯ 174.㉱ 175.㉱ 176.㉯ 177.㉮ 178.㉱

해설 슬래그는 용접부를 보호하기 위하여 생기는 것으로 여러 가지 성분이 섞여 있다.

179 용접분위기 중에서 발생하는 수소의 원인이 될 수 없는 것은?

㉮ 플럭스 중의 무기물
㉯ 고착제(물유리 등)포함한 수분
㉰ 플럭스에 흡착된 수분
㉱ 대기중의 수분

해설 수분이 수소의 근원이다.

180 다음 용접결함 중 용접사의 기량과 가장 관계가 없는 것은?

㉮ 슬래그 잠입　　㉯ 용입 불량
㉰ 비드 밑 터짐　　㉱ 언더 컷

해설 비드 밑 터짐은 중·고탄소강 용접, 저합금강 등에서 잘 발생하는 것으로 주로 수소가 외부로 방출되지 못하면 생긴다.

181 맞대기 이음에서 초층의 용입 불충분 등의 결함 방지 및 제거를 위해 사용하는 방법이 아닌 것은?

㉮ 밑면 따내기(back chipping)
㉯ 백 가우징(back gouging)
㉰ 뒷받침(back plate)
㉱ 버터링(buttering)

해설 버터링은 맞대기 용접을 하는 경우 모재의 영향을 방지하기 위하여 홈 한쪽 또는 양쪽을 모재와 다른 용접금속으로 오버레이 용접하는 것을 말한다.

182 용접 결함의 보수 방법 중 옳지 않은 것은?

㉮ 결함이 언더컷일 경우는 가는 용접봉을 사용하여 재용접 한다.
㉯ 결함이 균열인 경우는 가는 용접봉을 사용하여 재용접 한다.
㉰ 결함이 오우버랩인 경우 일부분을 깎아내고 재용접 한다.
㉱ 결함이 균열인 경우는 균열 양단에 드릴로써 정지구멍을 뚫고 균열부위를 깎아내고 재용접 한다.

해설 결함의 보수 방법
① 기공 또는 슬로그 섞임이 있을 때는 그 부분을 깎아 내고 재 용접
② 언더컷 : 가는 용접봉을 사용하여 파인 부분을 용접
③ 오버랩 : 덮인 일부분을 깎아내고 재 용접
④ 균열일 때는 균열 끝에 정지 구멍을 뚫고 균열부를 깎아 낸 후 홈을 만들어 재 용접

183 주철의 보수 용접시 사용되는 방법이 아닌 것?

㉮ 버터링법　　㉯ 비녀장법
㉰ 스터드법　　㉱ 스톱홀법

해설 주철의 보수 용접 방법
① 버터링법은 처음에 모재와 잘 융합하는 용접봉을 사용하여 적당한 두께까지 용착시키고 난 후 다른 용접봉으로 용접하는 방법
② 비녀장법은 균열의 수리 및 가늘고 긴 용접을 할 때 용접선에 직각이 되게 6~10mm정도의 ㄷ자형의 강봉을 박고 용접한다.
③ 로킹법은 용접부 바닥면에 둥근홈을 파고 이 부분에 걸쳐 힘을 받도록 하는 방법
④ 스터드 법은 용접 경계부 바로 밑 부분의 모재까지 갈라지는 결점을 보강하기 위하여 스터드 볼트를 사용하여 조이는 방법이다. 비드의 배치는 가능한 짧게 하는 것이 좋다.

184 주철 보수 용접시 균열의 연장을 방지하기 위하여 용접전에 균열의 끝에 하는 조치로 다음 중 가장 적합한 것은?

㉮ 정지 구멍을 뚫는다.
㉯ 가접을 한다.
㉰ 직선 비드를 쌓는다.
㉱ 리베팅을 한다.

185 응력측정 방법에 대한 설명으로 옳은 것은?

㉮ 초음파 탐상 실험 장치로 응력측정을 한다.
㉯ 와류(Eddy current)실험 장치로 응력측정을 한다.
㉰ 만능 인장시험 장치로 응력측정을 한다.
㉱ 저항선 스트레인 게이지로 응력측정을 한다.

Answer 179.㉮　180.㉰　181.㉱　182.㉯　183.㉱　184.㉮　185.㉱

해설 부재의 내부에서 발생하는 각 부위의 응력을 측정하는 것을 말하며 통상 변형률을 측정하여 그 값으로부터 환산하여 구한다. 그 방법으로는 전기저항 변형률 게이지법과 자기 변형률법이 있다.

186 용접부의 시험 및 검사법의 분류에서 전기, 자기 특성시험은 무슨 시험에 속하는가?

㉮ 기계적 시험 ㉯ 물리적 시험
㉰ 야금학적 시험 ㉱ 용접성 시험

해설
① 기계적 시험 : 인장, 경도, 응력 등
② 화학적 시험 : 부식 시험 등
③ 물리적 시험 : 전자기적 시험 등

187 용접부의 기계적 성질을 조사할 때 파괴 시험법에 해당되는 것은?

㉮ 용접부의 X선 투과 시험
㉯ 용접부의 자기 탐사 시험
㉰ 용접부의 초음파 시험
㉱ 용접부의 인장 시험

188 용접부의검사법 중 비파괴 검사(시험)법에 해당되지 않는 것은?

㉮ 외관검사 ㉯ 침투검사
㉰ 화학시험 ㉱ 방사선 투과시험

해설 화학시험은 부식 시험 등을 말하며 파괴 시험이다.

189 용접부를 검사하는 비파괴 시험이 아닌 것은?

㉮ X선 시험 ㉯ 자기(磁氣) 시험
㉰ 초음파 시험 ㉱ 인장 시험

해설 인장시험은 재료의 변형률 및 인장 강도 등을 알아보기 위한 파괴 시험방법이다.

190 용접부의 비파괴검사(NDT) 기본기호중에서 잘못 표기된 것은?

㉮ RT : 방사선 투과 시험
㉯ UT : 초음파 탐상 시험
㉰ MT : 침투탐상 시험
㉱ ET : 와류탐상 시험

해설 UT는 초음파, PT는 침투, MT는 자분, RT는 방사선 검사, PT는 침투탐상, LT 누설 시험

191 용접부의 기공검사는 어느 시험법으로 가장 많이 하는가?

㉮ 경도 시험 ㉯ 인장 시험
㉰ X선 시험 ㉱ 침투탐상 시험

해설 X선 투과 검사 : 균열, 융합불량, 기공, 슬랙 섞임 등의 내부 결함 검출에 사용된다. X선 발생장치로는 관구식과 베타트론 식이 있다. 단점으로는 미소 균열이나 모재면에 평행한 라미네이션 등의 검출은 곤란하다.

192 용접 작업 후 제품의 비파괴 검사를 실시하는 검사방법 중 방사선 투과 검사에 해당되는 것은?

㉮ γ 선 투과 검사 ㉯ 형광 침투 검사
㉰ 맴돌이전류 검사 ㉱ 초음파 검사

해설 방사선 투과 검사에는 X선과 γ선 투과 검사방법이 있다.

193 전 용접 길이에 X선 검사를 하여 결함이 1개도 발견되지 않았을 때 용접이음의 효율은?

㉮ 85% ㉯ 90% ㉰ 100% ㉱ 30%

해설 무결함이므로 100%라고 말할 수 있다.

194 초음파탐상법 중 가장 많이 사용되는 검사법은?

㉮ 투과법 ㉯ 펄스반사법
㉰ 공진법 ㉱ 자기검사법

해설 초음파 검사(UT) : 0.5 ~ 15MHz의 초음파를 내부에 침투시켜 내부의 결함, 불균일 층의 유무를 알아냄. 종류로는 투과법, 펄스 반사법(가장 일반적), 공진법이 있다.

Answer 186.㉯ 187.㉱ 188.㉰ 189.㉱ 190.㉰ 191.㉰ 192.㉮ 193.㉰ 194.㉯

195 **용접부 검사에서 초음파 탐상 시험법에 속하는 것은?**

㉮ 펄스 반사법　㉯ 코머렐 시험법
㉰ 킨젤 시험법　㉱ 슈나트 시험법

196 **탐촉자로부터 시험편으로 진행하는 초음파의 전파율을 높이기 위하여, 탐상면과 탐촉자의 면 사이에 바르는 것은?**

㉮ 현상제　㉯ 세척제
㉰ 침투제　㉱ 접촉 매질

해설 초음파의 전파율을 높여주기 위해 탐촉자와 탐상면 사이에 바르는 것을 접촉 매질이라고 한다.

197 **다음 검사법 중 시험편의 내부결함을 전혀 검사할 수 없는 검사방법은?**

㉮ 자기검사　㉯ 침투탐상검사
㉰ 초음파검사　㉱ 방사선검사

해설 침투 탐상 검사(PT)는 현장에서 주로 많이 쓰이는 검사방법으로 표면의 결함 등을 알아보는 데 사용되는 비파괴 검사방법이다.

198 **다음 용접부의 검사 중 비파괴 검사법에 해당하는 것은?**

㉮ 인장시험　㉯ 침투검사
㉰ 피로시험　㉱ 화학분석

199 **탱크나 용기의 용접부에 기밀·수밀을 검사하는데, 가장 적합한 검사 방법은?**

㉮ 외관검사　㉯ 누설검사
㉰ 침투검사　㉱ 초음파검사

해설 누설 검사(LT) : 기밀, 수밀, 유밀 및 일정한 압력을 요하는 제품에 이용되는 검사로 주로 수압, 공기압을 쓰나 때에 따라서는 할로겐, 헬륨가스 및 화학적 지시약을 쓰기도 한다.

200 **자성을 띤 물체의 조직 내부의 단절부를 발견해내는 방법은?**

㉮ 누수검사　㉯ 현미경 조직검사
㉰ 자분 탐상 검사　㉱ 침투 검사

해설 자기(자분 탐상) 검사(MT) : 철강 재료 등 강자성체를 자기장에 놓았을 때 시험편 표면이나 표면 근천에 균열, 편석, 기공, 용입불량 등의 결함이 있으면 결함 부분에는 자속이 통하기 어려워 누설자속이 생긴다. 시험편에 형상과 크기에는 구애를 받지 않지만 비자성체는 사용이 곤란하다. 그 종류로는 축통전법, 직각 통전법, 관통법, 코일법, 극간법이 있다.

201 **자분 탐상법의 특징 설명으로 틀린 것은?**

㉮ 시험편의 크기, 형상 등에 구애를 받는다.
㉯ 내부결함의 검사가 불가능하다.
㉰ 작업이 신속 간단하다.
㉱ 정밀한 전처리가 요구되지 않는다.

202 **자기검사에서 피검사물의 자화방법은 물체의 형상과 결함의 방향에 따라서 여러 가지가 사용된다. 그 중 옳지 않은 것은?**

㉮ 투과법　㉯ 축통전법
㉰ 직각 통전법　㉱ 극간법

203 **비파괴 검사중 자기 검사법을 적용할 수 없는 것은?**

㉮ 오스테나이트계 스테인리스강
㉯ 연강
㉰ 고속도강
㉱ 주철

해설 자기 검사(MT)는 자성이 있는 재료만을 검사할 수 있다. 오스테나이트 스테인레스강은 18:8 (Cr:Ni)의 조성으로 비자성체로 검사가 곤란하다.

204 **자기검사(MT)에서 피검사물의 자화방법이 아닌 것은?**

㉮ 코일법　㉯ 극간법
㉰ 직각 통전법　㉱ 펄스 반사법

Answer 195.㉮ 196.㉱ 197.㉯ 198.㉯ 199.㉯ 200.㉰ 201.㉮ 202.㉮ 203.㉮ 204.㉱

205 다음 중 자분탐상 시험을 의미하는 것은?

㉮ UT ㉯ PT ㉰ MT ㉱ RT

206 연강의 인장시험에서 변형이 커짐에 따라 나타나는 변화과정이 맞는 것은?

㉮ 탄성한도 → 비례한도 → 항복점 → 극한강도 → 파단
㉯ 비례한도 → 항복점 → 탄성한도 → 극한강도 → 파단
㉰ 비례한도 → 극한강도 → 항복점 → 탄성한도 → 파단
㉱ 비례한도 → 탄성한도 → 항복점 → 극한강도 → 파단

해석

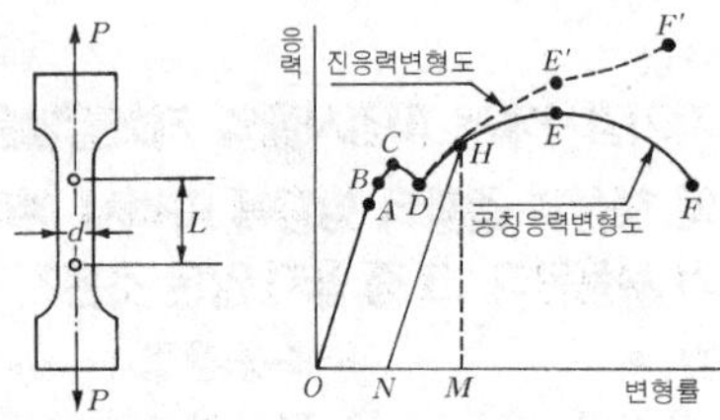

A : 비례한도(比例限度 : proportional limit)
B : 탄성한도(彈性限度 : elastic limit)
C : 상항복점(上降伏点 : upper yield point)
D : 하항복점(下降伏点 : lower yield point)
E : 극한강도(極限强度 : ultimate strength)

207 인장 시험 결과에서 산출되지 않는 것은?

㉮ 항복 강도 ㉯ 연신율
㉰ 단면 수축률 ㉱ 압축 강도

208 다음 중 인장시험으로 측정할 수 없는 것은?

㉮ 비례한도 ㉯ 항복점
㉰ 탄성한도 ㉱ 피로한도

209 훅의 법칙(Hooke's law)을 설명한 것은?

㉮ 재료의 비례한도 내에서 응력과 변형율은 비례한다.
㉯ 재료의 비례한도 내에서 응력과 변형율은 반비례한다.
㉰ 재료의 탄성한도 내에서 응력과 변형율은 비례한다.
㉱ 재료의 탄성한도 내에서 응력과 변형율은 반비례한다.

해석 훅의 법칙 : 재료의 비례한도 내에서 응력과 변형율은 비례한다. $\sigma \propto \epsilon$ $\sigma = E\epsilon$ 또는 $\epsilon = \frac{\sigma}{E}$

210 응력 - 변형율 선도에서 후크의 법칙이 적용되는 구간은?

㉮ 비례한도 ㉯ 항복점
㉰ 인장강도 ㉱ 파단점

211 탄성구역에서 변형이 발생할 때 세로방향으로 증가하면 가로방향으로 수축이 생기는데, 이 때 세로방향 증가율과 가로방향 감소율의 비를 무엇이라 하는가?

㉮ 영율 ㉯ 탄성비
㉰ 프와송비 ㉱ 탄성율

해석 축직각방향 변형률의 비를 프와송비라 하고 그 역수를 프와송 상수라 한다.

212 브리넬 경도계의 경도값의 정의는 무엇인가?

㉮ 하중을 압입자국의 깊이로 나눈값
㉯ 하중을 압입자국의 표면적으로 나눈값
㉰ 하중을 압입자국의 지름으로 나눈값
㉱ 하중을 압입자국의 체적으로 나눈값

해석 경도 시험

① 브리넬 경도는 담금질된 강구를 일정하중으로 시험편의 표면에 압입한 후 이때 생긴 오목자국의 표면적을 측정하여 구한다.

$$HS = \frac{W}{A} = \frac{W}{\pi Dh} = \frac{2W}{\pi D(D - \sqrt{D^2 - d^2})} \ [\text{kg/mm}^2]$$

(W : 하중[kg], A : 오목 부분의 표면적[mm²], D : 강구의 지

Answer 205.㉰ 206.㉱ 207.㉱ 208.㉱ 209.㉮ 210.㉮ 211.㉰ 212.㉯

름, d : 오목 부분의 지름[mm], h : 오목 부분의 깊이[mm])

② 비커스 경도는 꼭지각인 136°인 다이아몬드 4각추의 압자를 일정하중으로 시험편에 압입한 후 생긴 오목자국의 대각선을 측정하여 경도를 산출한다. 그 공식으로는 $1.854 \times \frac{P}{d^2}$로 구한다.

③ 로크웰 경도 : B스케일(하중이 100kg), C스케일(꼭지각이 120° 하중은 150kg)이 있다.

④ 쇼어 경도 : 추를 일정한 높이에서 낙하시켜 반발한 높이로 측정한다. 완성품의 경우 많이 쓰인다.

$Hs = \frac{10,000}{65} \times \frac{h}{h_0}$ (h_0 : 추의 낙하 높이(25cm), h : 추의 반발 높이)

213 B스케일과 C스케일 두 가지가 있는 경도 시험법은?

㉮ 브리넬 경도 ㉯ 로크웰 경도
㉰ 비커스 경도 ㉱ 쇼어 경도

214 p는 하중(kgf), d는 피라밋 자국의 표면적일 때, 비커즈 경도시험 산출 기본공식(Hv)으로 다음 중 옳은 것은?

㉮ $1.1 \times \frac{P}{D}$ ㉯ $1.854 \times \frac{P}{d^2}$
㉰ $1.1 \times \frac{P}{d^2}$ ㉱ $1.854 \times \frac{d^2}{P}$

215 KS규격의 용접열영향부 최고 경도 시험방법(비커스경도 시험)에 있어서 경도 측정선의 간격은 몇 mm인가?

㉮ 0.5 ㉯ 1.0 ㉰ 1.5 ㉱ 2

해설 비커스 시험에 있어 경도 측정선의 간격은 0.5mm이다.

216 시료의 시험면 위에 일정한 높이에서 낙하시킨 해머의 튀어 올라가는 높이에 비례하는 값으로 구한 경도는?

㉮ 쇼어경도 ㉯ 비커스경도
㉰ 브리넬경도 ㉱ 로크웰경도

해설 쇼어 경도는 추를 일정한 높이에서 낙하시켜 반발한 높이로 측정한다. 완성품의 경우 많이 쓰인다.

217 용접부의 연성 결함을 조사하기 위하여 주로 사용되는 시험법은?

㉮ 인장시험 ㉯ 굽힘시험
㉰ 피로시험 ㉱ 충격시험

해설 굽힘 시험은 모재 및 용접부의 연성, 결함의 유무를 시험하는 방법으로 종류로는 표면 굽힘, 이면 굽힘, 측면 굽힘 시험이 있다. 국가기술자격 검정에서 사용하는 방법이다.

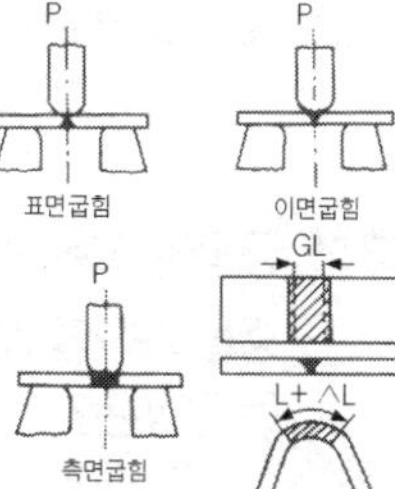

218 형틀 굽힘 시험은 다음과 같은 시험 방법으로 용접부의 연성과 안전성을 조사하는 것인데, 형틀 굽힘 시험의 내용에 해당되지 않는 것은?

㉮ 표면 굽힘 시험 ㉯ 이면 굽힘 시험
㉰ 롤러 굽힘 시험 ㉱ 측면 굽힘 시험

219 용접부의 시험법에서 시험편에 V형 또는 U형 등의 노치(notch)를 만들고, 하중을 주어 파단시키는 시험방법은?

㉮ 경도 시험 ㉯ 인장 시험
㉰ 굽힘 시험 ㉱ 충격 시험

해설 충격 시험 : (샤르피식, 아이조드식) 재료의 인성과 취성을 알아보는 시험으로 시험편의 파단에 필요한 흡수에너지가 크면 클수록 인성이 크다.

220 용착금속의 충격시험에 대한 설명 중 옳은 것은?

㉮ 시험편의 파단에 필요한 흡수에너지가 크면 클수록 인성이 크다.
㉯ 시험편의 파단에 필요한 흡수에너지가 작으면

Answer 213.㉯ 214.㉯ 215.㉮ 216.㉮ 217.㉯ 218.㉰ 219.㉱ 220.㉮

작을수록 인성이 크다.

㉰ 시험편의 파단에 필요한 흡수에너지가 크면 클수록 취성이 크다.

㉱ 시험편의 파단에 필요한 흡수에너지는 취성과 상관관계가 없다.

221 충격시험과 관계가 있는 것은?

㉮ 로크웰 ㉯ 브리넬 ㉰ 비커스 ㉱ 샤르피

222 금속에 고온으로 장시간동안 일정한 인장하중을 가하면 시간과 더불어 변형도가 증가되는 현상은?

㉮ 석출 ㉯ 공석 ㉰ 공정 ㉱ 크리프

해설 크리프 시험은 재료의 인장강도보다 적은 일정한 하중을 가했을 때 시간의 경과와 더불어 변화하는 현상인 크리프 현상을 이용하여 변형을 검사하는 방법이다.

223 금속 현미경에 의한 시편의 조직검사 중 검사순서가 올바르게 제시된 것은?

㉮ 시료채취 – 검사 – 세척 – 연마 – 검사

㉯ 시료채취 – 연마 – 부식 – 검사 – 세척

㉰ 시료채취 – 연마 – 세척 – 부식 – 검사

㉱ 시료채취 – 검사 – 연마 – 부식 – 세척

해설 현미경 조직검사는 파괴 검사로 시료채취 → 연마 → 부식 → 검사 → 세척의 순으로 진행된다.

224 다음의 노치 효과 설명 중 잘못된 것은?

㉮ 불완전 용입은 노치 효과를 가져 올수 있다.

㉯ 두께가 다른 두 모재를 접합 할 경우 두꺼운 쪽의 여유 두께는 3 : 1 이상 모따기(Tapering)를 하여 노치효과를 억제한다.

㉰ 용접부의 덧살은 용접부의 낮은 이음 효율을 메꾸어 주는 것으로서 피로 수명을 연장시킨다.

㉱ 온둘레 용접은 어느 정도 내(耐) 노치 효과도 있으나 대개는 누수안전과 부식방지가 우선이다.

해설 노치의 존재가 재료의 강도 연성 등에 미치는 효과를 노치효과라고 하며, 노치가 존재하지 않는 연강의 인장시험편을 180℃ 또는 그 이하의 온도로 냉각하게 되면 연성을 나타내지 않고 취성파괴를 나타낸다. 여기서 또한 노치란 구조물의 불연속부, 용접 금속과 모재와의 재질적 불연속 및 용접 결함 등과 같이 응력이 집중 될 수 있은 원인이 되는 것을 말한다. 그러므로 덧살은 응력이 집중 될 수 있기 때문에 노치가 증대된다고 할 수 있다.

225 용접 열영향부의 노치취성에 대한 성질 중 틀리는 것은?

㉮ 노치취성은 온도가 낮을수록, 노치가 클수록, 변형속도가 클수록 생기기 쉽다.

㉯ 노치취성에 영향을 미치는 화학성분으로 C, P, S은 유해하다.

㉰ 담금질이나 시효처리는 노치취성을 일으키기 쉽다.

㉱ 단층용접은 다층용접보다 노치인성이 좋다.

해설 노치 인성이란 재료의 취성파괴에 대한 저항력을 말한다. 즉 노치 인성이란 저온 충격 하중 또는 노치의 응력 집중 등에 견딜 수 있는 성질을 말한다. 노치 취성은 온도가 낮을수록 커지므로 단층 용접이 다층 용접보다 노치 인성이 좋다고 말할 수 없다.

226 용접 후처리에서, 노치인성의 설명으로 옳은 것은?

㉮ 수소량이 적어지면 연성의 저하가 심해지는 성질

㉯ 용접 전, 굽힘 가공하여 용접부에 균열이 생기는 성질

㉰ 강이 저온 충격하중 또는 노치의 응력 집중 등에 대하여 견딜 수 있는 성질

㉱ 강이 고온 충격 하중 또는 노치의 응력 분산 등에 의해서 메지게 되는 성질

227 용접이음의 충격강도에서 취성파괴의 일반적인 특징이 아닌 것은?

㉮ 온도가 높을수록 발생하기 쉽다.

Answer 221.㉱ 222.㉱ 223.㉯ 224.㉰ 225.㉱ 226.㉰ 227.㉮

㉯ 거시적 파면 상황은 판 표면에 거의 수직이고 평탄하게 연성이 작은 상태에서 파괴된다.
㉰ 파괴의 기점은 각종 용접결함, 가스절단부 등에서 발생된 예가 많다.
㉱ 항복점이하의 평균응력에서도 발생한다.

해설 취성파괴란 재료의 연성이 부족하여 소성변형이 되지 않고 파괴되는 것으로 저온 취성 파괴에 미치는 요인은 온도의 저하, 잔류 응력, 노치 등의 원인이 있다.

228 저온 취성 파괴에 미치는 요인과 가장 관계가 먼 것은?

㉮ 온도의 저하
㉯ 인장 잔류 응력
㉰ 예리한 노치
㉱ 강재의 고온 특성

229 강 용접부의 노치취성(notch brittleness)이 생기기 쉬운 경우가 아닌 것은?

㉮ 온도가 낮을수록 생기기 쉽다.
㉯ 노치가 클수록 생기기 쉽다.
㉰ 온도가 높을수록 생기기 쉽다.
㉱ 변형속도가 클수록 생기기 쉽다.

230 취성파괴를 방지하려고 할 때, 유의할 점으로 틀린 것은?

㉮ 설계적으로 응력집중이 생기지 않게 유의해야 한다.
㉯ 공작상 결함이 생기지 않게 유의해야 한다.
㉰ 잔류응력을 제거해야 한다.
㉱ 사용재료의 천이온도가 높은 것을 택하여야 한다.

231 강의 충격시험시의 천이온도에 대해 가장 올바르게 설명한 것은?

㉮ 재료가 연성 파괴에서 취성 파괴로 변화하는 온도 범위를 말한다.
㉯ 충격 시험한 시편의 평균 온도를 말한다.
㉰ 시험 시편 중 충격치가 가장 크게 나타난 시편의 온도를 말한다.
㉱ 재료의 저온 사용한계 온도이나 각 기계장치 및 재료 규격집에서는 이 온도의 적용을 불허하고 있다.

해설 천이온도란 재료가 연성 파괴에서 취성 파괴로 변하는 온도범위를 말한다. 철강 용접의 천이 온도의 최고가열 온도는 400 ~ 600℃ 이다.

232 천이온도는 재료가 연성파괴에서 무슨 파괴로 변화하는 온도범위를 말하는가?

㉮ 취성파괴 ㉯ 탄성파괴
㉰ 인성파괴 ㉱ 피로파괴

233 노치가 붙은 각 시험편을 각 온도에서 파괴하면, 어떤 온도를 경계로 하여 시험편이 급격히 취성 화하는 것을 알 수 있다. 이온도를 무엇이라 하는가?

㉮ 천이 온도 ㉯ 노치 온도
㉰ 파괴 온도 ㉱ 취성 온도

234 용접이음의 안전성에 가장 큰 영향을 미치는 것은?

㉮ 적열취성 ㉯ 청열취성
㉰ 노치취성 ㉱ 탄성여효

235 철사를 구부렸다 폈다를 반복하면 결국 철사가 끊어진다. 이런 현상은?

㉮ 가공경화 ㉯ 시효경화
㉰ 시효균열 ㉱ 가공균열

해설 피로 시험 : 반복되어 작용하는 하중(안전하중) 상태에서의 성질(피로 한도, S-N 곡선)을 알아낸다.
가공 경화에 의한 피로 파괴가 된다.

Answer 228.㉱ 229.㉰ 230.㉱ 231.㉮ 232.㉮ 233.㉮ 234.㉰ 235.㉮

236 용접 이음의 피로 강도는 다음의 어느 것을 넘으면 파괴되는가?

㉮ 연신율 ㉯ 최대하중
㉰ 응력의 최대값 ㉱ 최소하중

해설 응력의 최대값을 넘으면 용접 이음은 파괴된다.

237 강의 용접 이음부의 피로강도를 증가시키는 대책이 아닌 것은?

㉮ 용접 토우(toe)부를 연마하여 평활하게 한다.
㉯ 맞대기 용접시 비드접촉각을 작게 한다.
㉰ 용접부를 적당히 열처리 한다.
㉱ 덧살을 많게 하고 필렛에서 凸형 용접을 한다.

해설 피로 강도를 개선하는 방법은 비드 접촉각을 작게 하거나 토우부를 연마하여 평활하게 한다.

238 다음과 같은 맞대기 이음 용접부의 피로강도와 관련된 설명 중 맞는 것은?

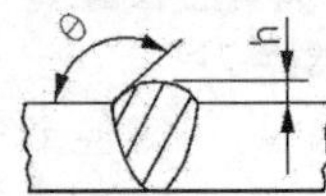

㉮ θ 가 작을수록, h가 클수록 피로강도는 향상된다.
㉯ θ 가 작을수록, h가 작을수록 피로강도는 향상된다.
㉰ θ 가 클수록, h가 작을수록 피로강도는 향상된다.
㉱ 피로강도는 θ , h와 무관하다.

해설 피로강도는 θ 가 클수록, h가 작을수록 향상된다.

239 반복하중을 받는 용접이음의 강도 즉, 피로강도에 영향을 주는 인자가 아닌 것은?

㉮ 용접기의 종류 ㉯ 이음형상
㉰ 용접부의 표면상태 ㉱ 하중상태

해설 이음 형상, 하중의 종류, 용접부 표면 상태 등은 각종 용접강도에 영향을 주는 요소이다.

240 파괴 시험에 해당되는 것은?

㉮ 음향시험 ㉯ 누설시험
㉰ 형광 침투시험 ㉱ 함유수소시험

해설 수소 시험 : 45℃ 글리세린 치환법, 진공 가열법, 확산성 수소량 측정법, 수은에 의한 방법
즉 수소시험은 파괴 시험이라 할 수 있다.

241 용접부 시험법을 열거한 것 중 파괴시험법에 해당 되는 것은?

㉮ 와류 시험 ㉯ 현미경조직 시험
㉰ X선 투과 시험 ㉱ 형광침투 시험

해설 현미경 조직검사는 파괴 검사로 시료채취 → 연마 → 부식 → 검사 → 세척의 순으로 진행된다.

242 용접부의 시험에서 확산성 수소량을 측정하는 방법은?

㉮ 기름 치환법 ㉯ 글리세린 치환법
㉰ 수분 치환법 ㉱ 충격 치환법

해설 수소 시험 : 45℃ 글리세린 치환법, 진공 가열법, 확산성 수소량 측정법, 수은에 의한 방법 등이 있다.

243 용접결함인 접합 불량을 검사하고자 할 때 일반적으로 쓰이는 대표적인 시험과 검사방법이 아닌 것은?

㉮ 부식시험 ㉯ 외관 육안검사
㉰ 방사선검사 ㉱ 굽힘시험

해설 부식 시험 : 습 부식, 고온 부식(건 부식), 응력 부식 시험 → 내식성 검사위해 사용

Answer 236.㉰ 237.㉱ 238.㉰ 239.㉮ 240.㉱ 241.㉯ 242.㉯ 243.㉮

CHAPTER 03

용접일반 및 안전관리

3-1 용접, 피복 아크용접 및 가스용접의 개요 및 원리

3-2 기타 용접 및 용접의 자동화/용접 자동화/연납땜 및 경납땜

3-3 안전관리

Chapter 3-1 용접, 피복 아크용접 및 가스용접의 개요 및 원리

01 용접의 개요 및 원리

1 용접의 개요

용접이란 접합하고자 하는 2개 이상의 물체나 재료의 접합 부분을 냉간, 반용융 또는 용융 상태로 하여 직접 접합 시키거나 또는 접합하고자 하는 두 가지 이상의 물체 사이에 용융된 용가재를 첨가하여 간접적으로 접합 시키는 것을 말한다. 이것은 뉴턴의 만유인력의 법칙에 따라 접합하고자 하는 두 금속간의 간격이 10^{-8}cm(Å) 즉 1억분의 1cm정도 접근시키면 인력이 작용되어 결합되는 것이다.

그러므로 금속 표면이 평활하게 보여도 크게 확대시켜 보면 오목, 볼록하게 되어 있기 때문에, 넓은 면적에서는 그대로 원자 사이의 인력이 작용되어 결합되지 않는다. 따라서 접합의 목적을 달성하기 위해서는 금속 표면에 산화막을 제거하고 산화물의 발생을 방지하면 표면 원자들이 접근할 수 있도록 만들어 주어야 된다.

(가) 접합의 종류

① **기계적 접합법** : 볼트, 리벳, 나사, 핀 등으로 결합하는 방법

② **야금적 접합법** : 고체 상태에 있는 두 개의 금속 재료를 열이나 압력, 또는 열과 압력을 동시에 가해서 서로 접합하는 것으로 용접은 이에 속한다.

(나) 용접의 장·단점

① **장점**

㉠ 작업 공정을 줄일 수 있다.
㉡ 형상의 자유화를 추구 할 수 있다.
㉢ 이음 효율을 향상(기밀 수밀 유지)시킬 수 있다.
㉣ 중량 경감, 재료 및 시간이 절약된다.
㉤ 이종 재료의 접합이 가능하다.
㉥ 보수와 수리가 용이하다.(주물의 파손부 등)

② 단점

㉠ 품질 검사가 곤란하다.

㉡ 제품의 변형을 가져 올 수 있다.(잔류 응력 및 변형에 민감)

㉢ 유해 광선 및 가스 폭발 위험이 있다.

㉣ 용접사의 기능과 양심에 따라 이음부 강도가 좌우한다.

(다) 용접의 역사

용접 사용의 역사는 금속 사용의 역사라 할 수 있다. 본격적인 용접의 발달은 패러디(Faraday)가 19세기에 들어서 발전기를 만들었고 1873년에 전동기가 발명되면서 약진을 가져왔다.

① **제 1기(1885 ~ 1902)** : 탄소 아크 용접, 전기 저항 용접, 금속 아크 용접, 테르밋 용접, 가스 용접

② **제 2기(1926 ~ 1936)** : 불활성 가스 아크 용접, 서브머지드 용접, 원자 수소 용접

③ **제 3기(1948 ~ 1967)** : 이산화탄소 아크 용접, 일렉트로 슬랙 용접, 초음파 용접, 마찰 용접, 전자빔 용접

2 용접의 분류

(가) 융접(Fusion Welding)

접합 부분을 용융 또는 반용융 상태로 하고 여기에 용접봉 즉 용가재를 첨가하여 접합하는 방법

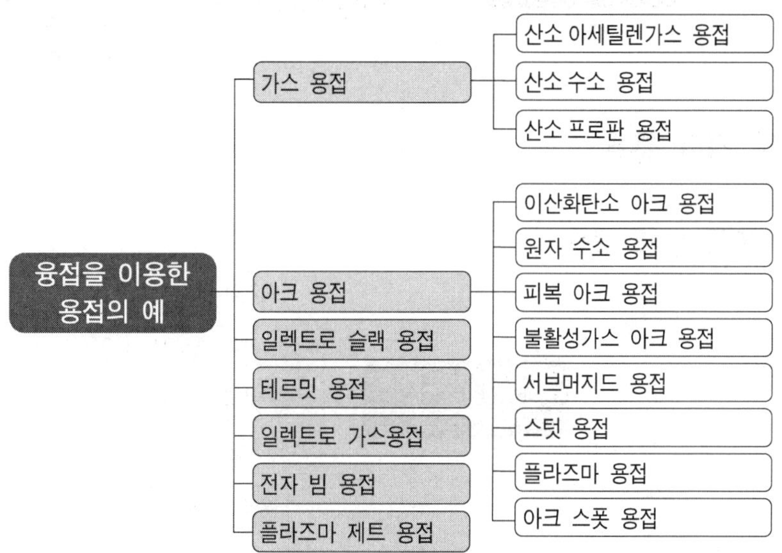

(나) 압접(Pressure Welding)

접합 부분을 열간 또는 냉간 상태에서 압력을 주어 접합하는 방법

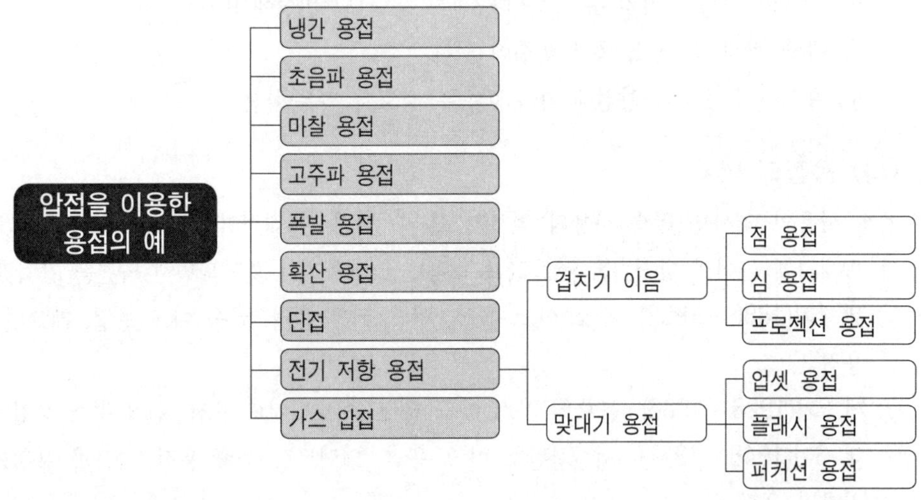

(다) 납땜(Brazing and Soldering)

접합하고자 하는 재료 즉 모재는 녹이지 않고 모재보다 용융점이 낮은 금속을 녹여 표면 장력으로 접합시키는 방법

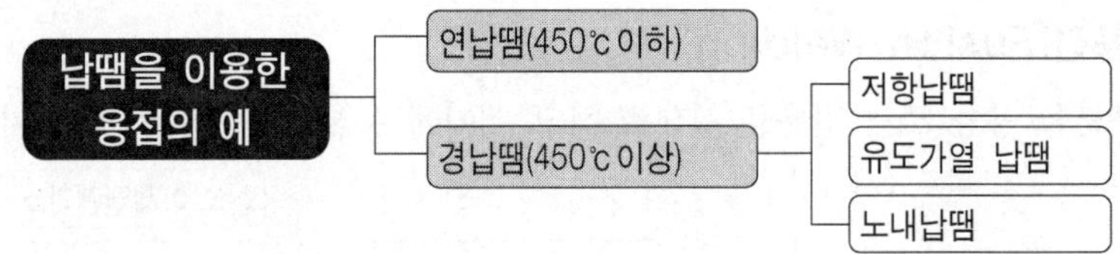

3 용접의 기타 분류

① 에너지원에 따른 분류

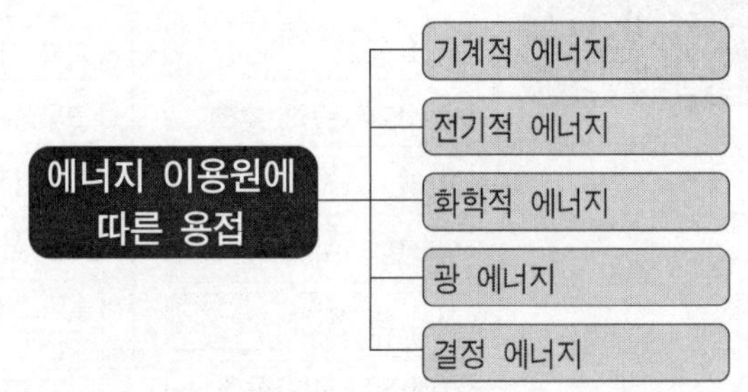

㉠ 기계적 에너지 : 진동에너지를 이용하는 초음파, 마찰력을 이용하는 마찰 용접, 가압력을 이용하는 냉간 및 열간 압접, 단접 등

㉡ 전기적 에너지 : 아크열을 이용하는 아크 용접, 저항 발열을 이용하는 스폿 용접, 플래시 버트 용접, 플라즈마 용접, 전자 빔 용접 등

㉢ 화학적 에너지 : 충격력을 이용하는 폭발 압접, 연소열을 이용하는 테르밋 용접, 가스 용접 등

㉣ 광 에너지

㉤ 결정 에너지

② 작업방법에 따른 분류

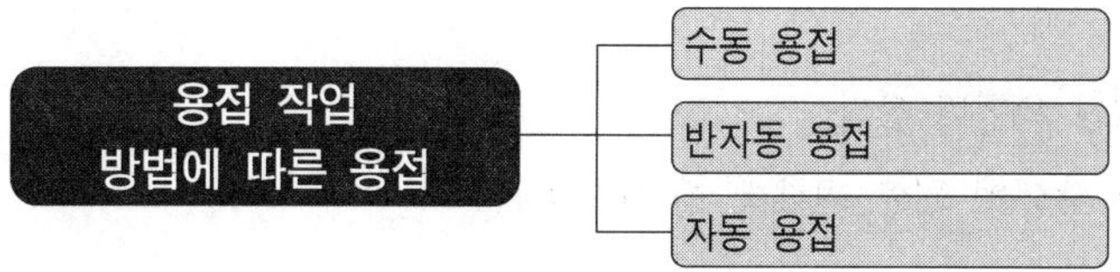

㉠ 수동 용접 : 피복 아크 용접, 가스 용접 등

㉡ 반자동 용접 : 이산화탄소 아크 용접, 미그 용접 등

㉢ 자동 용접 : 서브머지드 용접, 일렉트로 가스 용접 등

02 피복아크 용접 및 가스 용접

1 피복아크 용접 일반

(가) 피복아크 용접의 개요

(+)전극과 (−)전극이 만나면 열과 소리와 빛을 수반하는데 용접은 그 사이의 아크열을 이용하여 접합하는 것이다.

피복 아크 용접은 피복제를 입힌 용접봉과 모재 사이에서 발생하는 5,000℃ 정도의 아크열을 이용하여 모재의 일부와 용접봉을 녹여서 용접하는 용극식 용접방법으로 전기 용접이라고도 불린다.

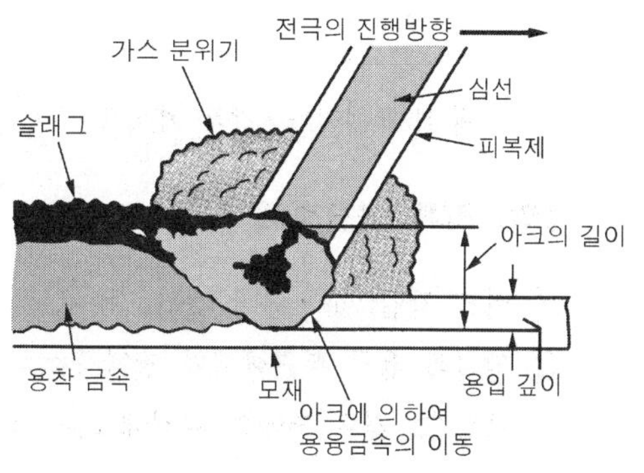

(나) 피복아크 용접의 장·단점

① **장점**

㉠ 열효율이 높고 효율적인 용접을 할 수 있다.

㉡ 폭발의 위험이 없다.

㉢ 변형이 적고 기계적 성질이 양호한 용접부를 얻을 수 있다.

② **단점**

㉠ 전격의 위험이 있다.

㉡ 아크 광선에 의한 피해를 줄 수 있다.

(다) 피복아크 용접 용어 정의

① **아크** : 기체 중에서 일어나는 방전의 일종으로 피복 아크 용접에서의 온도는 5,000 ~ 6,000℃이다.

② **용용지(용융 풀)** : 모재가 녹은 쇳물 부분

③ **용적** : 용접봉이 녹아 모재로 이행되는 쇳물 방울

④ **용착** : 용접봉이 녹아 용융지에 들어가는 것

⑤ **용입** : 모재가 녹은 깊이

⑥ **용락** : 모재가 녹아 쇳물이 떨어져 흘러내려 구멍이 나는 것

(라) 용접 회로(Welding Cycle)

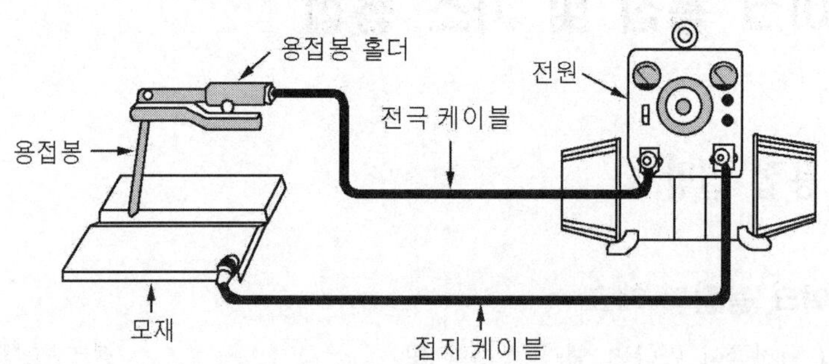

용접기(전원) → 전극 케이블 → 홀더 → 용접봉 및 모재 → 접지 케이블 → 용접기(전원)

(마) 직류 아크중의 전압 분포

① 아크 전압(Va) = 음극 전압 강하(Vn) + 양극 전압 강하(Vp) + 아크 기둥 전압 강하(Vc)

② 양극과 음극 부근에서의 전압강하는 전극 표면이 극히 짧은 길이의 공간에 일어나는 전압강하로 그 값은 전극의 재질에 따라 변한다.

③ 아크 기둥 전압 강하는 플라스마라고도 하며 아크 길이에 비례하여 증가 또는 감소하므로 전극 물질이 일정하다고 가정하면 아크 전압은 아크 길이에 따라 변한다. 즉 아크 길이가 길어지면 아크 전압도 커진다.

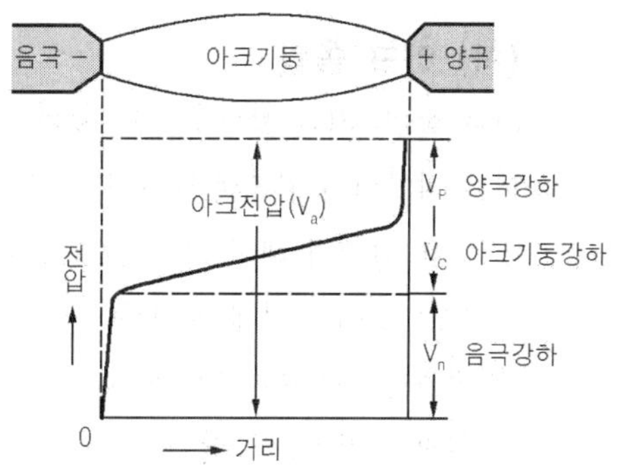

(바) 극성(Polarity)

극성은 직류(DC)에서만 존재하며 종류는 직류 정극성(DCSP : Direct Current Straight Polarity)과 직류 역극성(DCRP : Direct Current Reverse Polarity)이 있다. 또한 양극에서 발열량이 70% 이상 나온다.

극 성	상 태	특 징
직류 정극성 모재(+) 용접봉(-)	용접봉(전극), 아크, 모재, 용접기 ⊖ ⊕	· 모재의 용입이 깊다. · 용접봉의 늦게 녹는다. · 비드 폭이 좁다. · 후판 등 일반적으로 사용된다.
직류 역극성 모재(-) 접봉(+)	용접봉(전극), 아크, 모재, 용접기 ⊕ ⊖	· 모재의 용입이 얕다. · 용접봉이 빨리 녹는다. · 비드 폭이 넓다. · 박판 등의 비철금속에 사용된다.

- **용입의 비교** : 직류 정극성(DCSP) 〉 교류(AC) 〉 직류 역극성(DCRP)

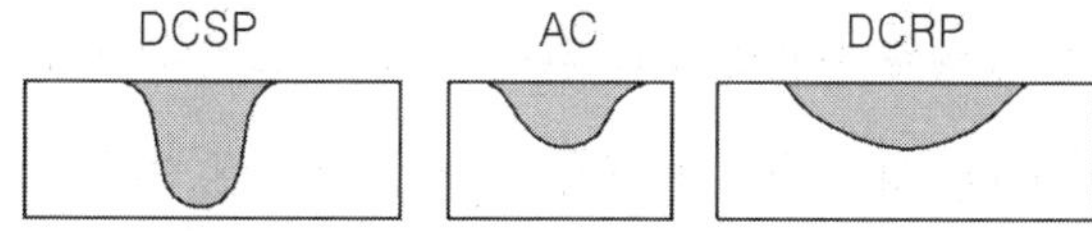

전기에는 양극(+)과 음극(-)이 있는데 색깔로 구분한다. (+)의 경우 빨간색, (-)의 경우는 검정색을 사용한다. 그 이유는 (+)가 위험하기 때문에 빨간색을 사용하는 것이다. 그러므로 여기서는 (+)의 발열량이 (-)에 비하여 높아 위험하다고 생각하고, 직류 정극성의 경우 모재 쪽에 (+)를 연결하므로 모재의 발열량이 높으므로 빨리 녹는다고 이해하면 된다.

일반적으로 모재와 용접봉을 비교하여 볼 때 용접봉 보다 모재가 두껍기 때문에 모재 측에 양극(+)을 용접봉 측에 음극(-)을 연결하는 것이 일반적이며, 이를 정극성이라 부른다.

(사) 아크 쏠림

아크 쏠림, 아크 블로우, 자기불림 등은 모두 동일한 말이며 용접전류에 의한 아크 주위에 발생하는 자장이 용접봉에 대하여 비대칭일 때 일어나는 현상이다.

① 직류 용접기 대신 교류 용접기를 사용한다.
② 아크 길이를 짧게 유지한다.
③ 접지를 용접부로 멀리한다.
④ 접지를 양쪽으로 할 것
⑤ 긴 용접선에는 후퇴법을 사용한다.
⑥ 용접부의 시·종단에는 엔드탭을 설치한다.
⑦ 큰 가접부 또는 이미 용접이 끝난 용착부를 향하여 용접할 것

교류에서는 쏠림이 없으며, 대신에 피복제가 한쪽으로 쏠려있는 편심율이 있다.

(아) 용접 입열(Weld heat input)

외부에서 용접 모재에 주어지는 열량으로 일반적으로 모재에 흡수되는 열량은 입열의 75~85%이다. 용접 입열이 충분하지 못하면 용입 불량 등의 용접 결함을 수반할 수 있다.

$$H = \frac{60EI}{V} \quad \text{[Joule/cm]}$$

H : 용접 입열, E : 아크 전압[V], I : 아크 전류[A], V : 용접 속도[cm/min]

※ 용접에서의 속도는 1분당 몇 cm 이동 했느냐가 의미 있기 때문에 용접 속도의 단위는 [cm/min]이다.

(자) 용융 금속의 이행 형태

용융 금속의 이행 형태에 영향을 주는 요소는 용접 전류, 보호가스, 전압 등이 있다.

① **단락형** : 주기적으로 발생되는 와이어와 모재의 단락에 의해 큰 용적의 용융금속이 이행되며(표면 장력의 작용)평균 전류 및 입력 에너지가 작아 주로 맨 용접봉 및 박 피복봉을 사용할 때 나타난다.

② **글로 불러형(핀치 효과형)** : 원주상에 흐르는 전류 소자간에 흡입력이 작용하여 원기둥이 가늘어지면서 용융방울이 모재로 이행하는 형식으로 비교적 큰 용적이 단락되지 않고 이행하며 전류의 흡입력에 의해 봉끝의 금속이 떨어져 나간다. 주로 저수소계를 사용할 때 많이 나타난다.

③ **스프레이형(분무상 이행형)** : 가스 폭발의 힘과 아크 힘에 의해 용접봉 끝의 용융금속이 아주 미세한 입자로 되어 빠른 속도로 용접부에 이행하는 형식으로 스팩터가 거의 없고 비드 외

관이 아름답고, 용입이 깊다. 주로 일미나이트계, 고산화티탄계, 미그 용접시는 아르곤 가스가 80%이상일 때만 일어난다.

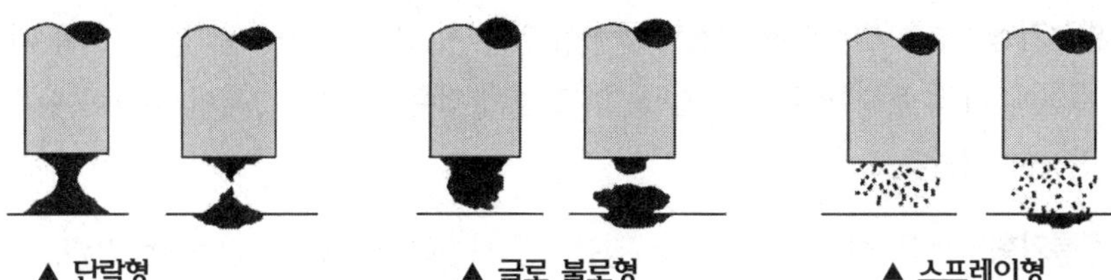

▲ 단락형 ▲ 글로 불로형 ▲ 스프레이형

아크 용접에서 사용되는 용접 전류는 주위에 자기장을 형성하며, 전류와 유도된 자기장에 의하여 아크 기둥의 내부로 가해지는 힘이 발생하게 된다. 이와 같은 현상을 핀치 효과라 하고 발생하는 전자기력을 핀치력 또는 로렌츠의 힘이라고 하며, 용융부나 아크에 큰 영향을 미친다. 전자기력은 전류밀도와 자속밀도의 벡터곱으로 계산된다.

(차) 용접봉의 용융 속도

용접봉의 용융 속도는 단위 시간당 소비되는 용접봉의 길이 또는 무게로 나타낸다.

① 용융속도 = 아크전류 × 용접봉 쪽 전압강하

② 용융속도는 아크 전압 및 심선의 지름과 관계없이 용접 전류에만 비례한다.

(카) 직류 및 교류의 비교

직류는 시간에 관계없이 방향과 크기가 일정한 전기에너지를 공급하므로 안정된 전기를 얻을 수 있다는 장점이 있다. 또한 교류에 비해 전격에 위험이 적다. 하지만 가격이 고가이며, 관리가 복잡하며, 우수한 피복제가 많이 생산되어 근래에는 교류가 많이 쓰이고 있다.

비 교	직 류	교 류
아 크 안 정	안정	불안정
극 성 변 화	가능	불가능
아 크 쏠 림	쏠림	쏠림 방지
무부하 전압	40 ~ 60V	70 ~ 80V
전 격 위 험	적다	크다
비 피 복 봉	사용 가능	사용 불가
구 조	복잡	간단
고 장	많다	적다
역 률	우수	떨어짐
소 음	발전기형은 크다	대체적으로 적음
가 격	고가	저가
용 도	박판	후판

(타) 직류 아크 용접기

① **발전기형** : 전동 발전식과 엔진 구동식이 있으며, 전기가 없는 옥외에서 사용 가능하다. 또한 정류기형에 비해 우수한 직류를 얻을 수 있는 장점은 있으나 가격이 고가이며 소음이 나고 보수와 점검이 어렵다.

② **정류기형** : 셀렌, 실리콘, 게르마늄 정류기를 사용하여 교류를 정류하여 직류를 얻는 용접기로 다른 전기기기에 비해 완전한 직류를 얻지 못하며, 셀렌 등을 정류기로 사용하는 용접기는 특히 먼지에 주의해야 한다. 또한 셀렌 정류기는 80℃이상, 실리콘 정류기는 150℃이상이면 폭발할 우려가 있어 팬으로 바람을 불어 열을 빼내어 주어야한다. 아울러 종류로는 가동철심형, 가동코일형, 가포화리액터형이 있는데 가장 널리 사용되는 것은 가포화리액터형이다.

③ **전지식** : 활용성이 매우 적다.

(파) 교류 아크 용접기

① **탭 전환형** : 코일의 감긴 수에 따라 전류를 조정한다. 하지만 탭과 탭사이의 전류를 조절할 수 없어 미세 전류 조절이 불가능하며, 넓은 범위의 전류 조정이 어렵다. 주로 소형으로 사용되나 적은 전류 조정시에도 무부하 전압이 높아 감전의 위험이 있다.

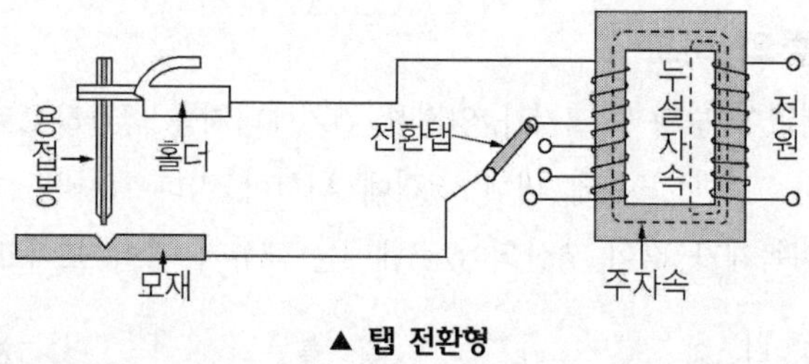

▲ 탭 전환형

② **가동 코일형** : 1차 코일의 거리 조정으로 누설자속을 변화하여 전류를 조정한다. 아크 안정도가 높고 소음은 없으나 가격이 고가여서 현재 거의 사용되지 않고 있다.

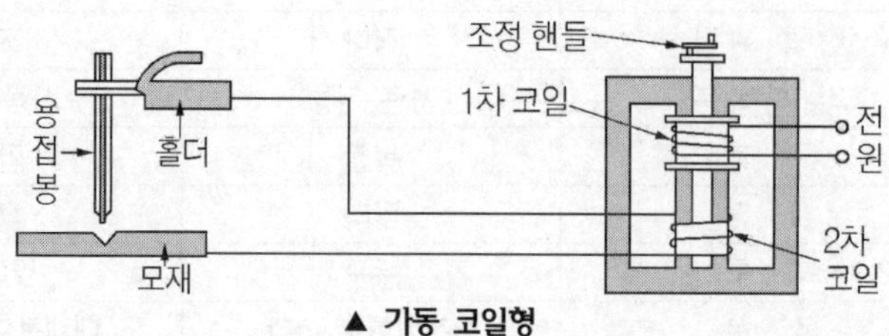

▲ 가동 코일형

③ **가동 철심형** : 가동철심으로 누설자속을 가감하여 전류를 조정하여 광범위한 전류 조절과 더불어

미세 전류 조절이 가능하여 현재 가장 널리 사용되고 있다.

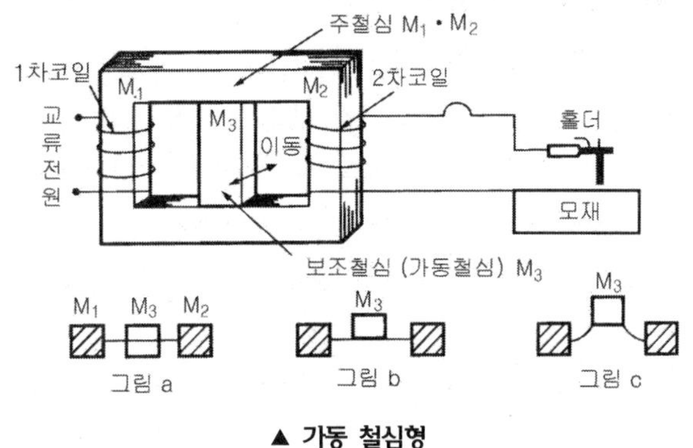

▲ 가동 철심형

④ **가포화 리액터형** : 가변 저항의 변화로 용접 전류를 조정한다. 전기적 전류 조정으로 소음이 없고 원격 제어가 가능하다.

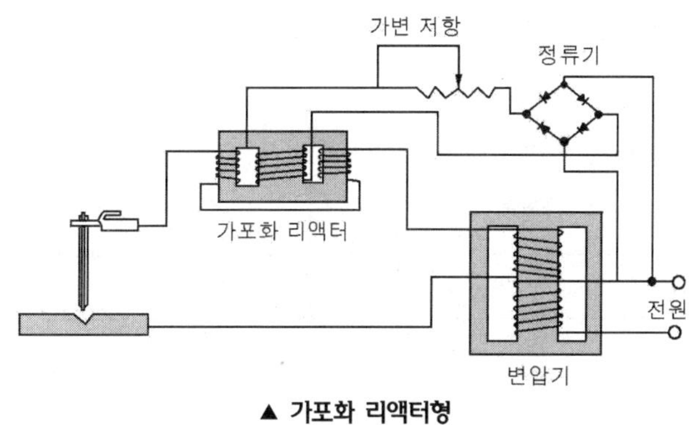

▲ 가포화 리액터형

⑤ **교류 아크 용접기의 특징** : 전원의 무부하 전압이 항상 재점호 전압보다 높아야 아크가 안정된다. 용접기의 용량은 AW(Arc Welder)로 나타내며 이는 정격 2차 전류를 의미한다. 예를 들어 AW200이란 정격 2차 전류가 200A임을 의미한다. 정격 2차 전류의 조정 범위는 20 ~ 110%이다.

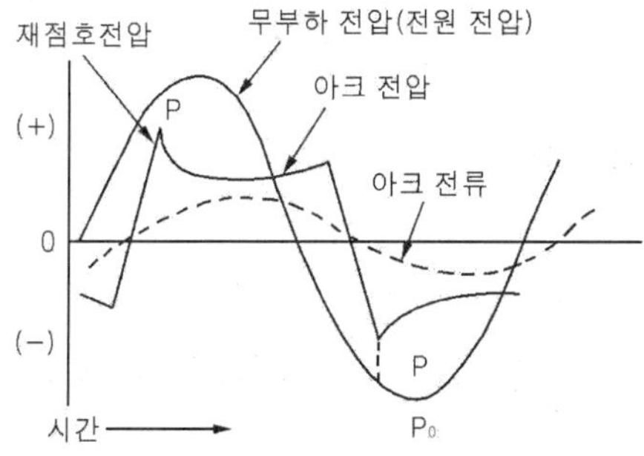

⑥ **교류 용접기를 취급할 때 주의 사항**

㉠ 정격 사용율 이상으로 사용할 때 과열되어 소손이 생긴다.
㉡ 가동 부분, 냉각 팬을 점검하고 주유한다.
㉢ 탭 전환은 아크 발생 중지 후 실시한다.
㉣ 탭 전환의 전기적 접속부는 전기적 접촉 원활을 위하여 자주 샌드페이퍼 등으로 닦아 준다.
㉤ 2차측 단자의 한쪽과 용접기 케이스는 반드시 접지 한다.
㉥ 옥외의 비바람이 부는 곳, 습한 장소, 직사광선이 드는 곳에서 용접기를 설치하지 않는다.
㉦ 휘발성 기름이나 가스가 있는 곳, 유해한 부식성 가스가 존재하는 장소는 용접기 설치를 피한다.
㉧ 용접 케이블 등이 파손된 부분은 절연 테이프로 보수한다.

⑦ 교류 아크 용접기 부속 장치

㉠ 전격 방지기 : 감전의 위험으로부터 작업자를 보호하기 위하여 2차 무부하 전압을 20 ~ 30[V]로 유지하는 장치

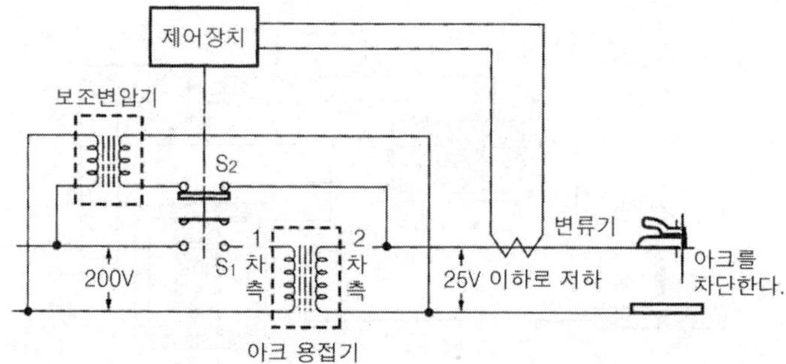

㉡ 고주파 발생 장치 : 아크의 안정을 확보하기 위하여 상용 주파수의 아크 전류 외에, 고전압 3,000 ~ 4,000[V]를 발생하여 용접 전류를 중첩시키는 장치이다.
㉢ 핫 스타트 장치 : 처음 모재에 접촉한 순간의 0.2 ~ 0.25초 정도의 순간적인 대 전류를 흘려서 아크의 초기 안정을 도모하는 장치로 일명 아크 부스터라 한다.
㉣ 원격 제어 장치 : 용접기에서 멀리 떨어진 장소에서 전류와 전압을 조절할 수 있는 장치로 가포화 리액터형과 전동기 조작형이 있다.

(하) 피복아크 용접의 계산

① $\text{사용율}(\%) = \dfrac{(\text{아크시간})}{(\text{아크시간} + \text{휴식시간})} \times 100$

② $\text{허용 사용율}(\%) \times (\text{실제용접전류})^2 = \text{정격 사용율}(\%) \times (\text{정격2차전류})^2$

즉, $\text{허용사용율}(\%) = \dfrac{(\text{정격2차전류})^2}{(\text{실제용접전류})^2} \times \text{정격사용율}$

③ 역률과 효율(단위에 주의한다.)

- 역률 $= \frac{소비전력(kW)}{전원입력(KVA)} \times 100$, 효율 $= \frac{아크출력(kW)}{소비전력(kW)} \times 100$
- 소비전력 = 아크출력 + 내부 손실
- 전원입력 = 무부하전압 × 정격 2차 전류
- 아크출력 = 아크전압 × 정격 2차 전류

④ 교류 용접기에 콘덴서를 병렬로 설치했을 때의 이점

- 역률이 개선된다.
- 전원 입력이 적게 되어 전기 요금이 적게 된다.
- 전압 변동률이 적어진다.(무효전력)
- 여러 개의 용접기를 접속 할 수 있다.
- 배전선의 재료가 적어진다(선의 굵기를 줄일 수 있다.).

역률이 높으면 좋은 용접기라고 말할 수 도 있고 그렇지 않을 수도 있다. 왜냐하면 일반적으로 역률이 높은 용접기는 소비전력이 높아 효율이 떨어지기 때문에 이 경우는 역률이 낮은 경우가 효율이 더 좋다고 할 수 있다. 하지만 소비 전력은 변화 없고 전원 입력을 적게 할 수 있다면 좋은 용접기라 할 수 있다.

(거) 용접기에 필요한 특성

① **부 특성(부저항 특성)** : 전류가 작은 범위에서 전류가 증가하면 아크 저항이 작아져 아크 전압이 낮아지는 특성으로 부저항 특성 또는 부특성이라고 한다. 이 법칙은 일반 전기 회로에서 적용되는 옴의 법칙(Ohm's law)과는 다르다.

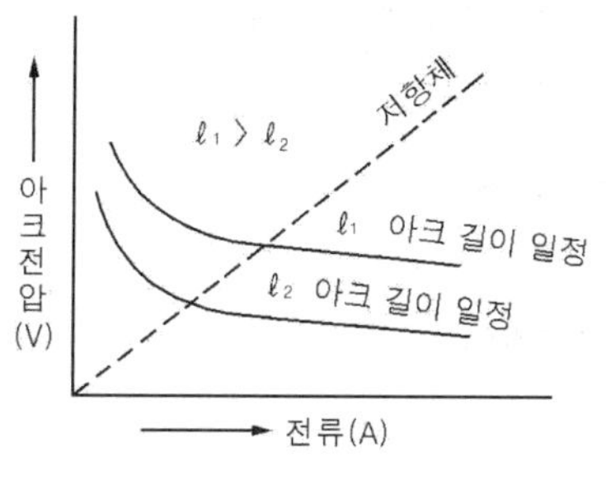

▲ 아크 전압 특성(낮은 전류)

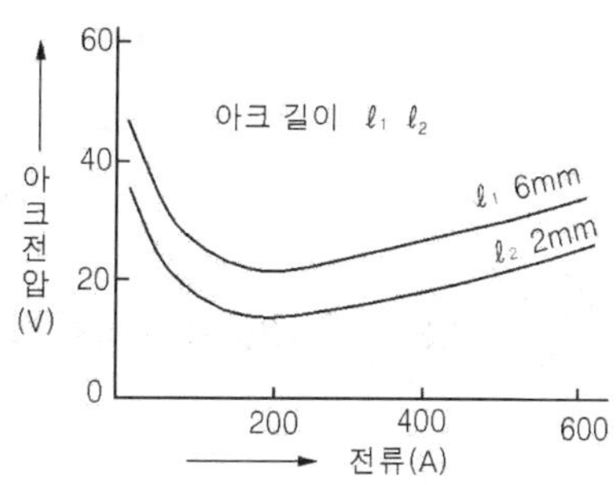

▲ 아크 전압 특성(높은 전류)

② **수하 특성** : 부하 전류가 증가하면 단자 전압이 저하하는 특성을 수하 특성(垂下 特性)이라 한다.

$$V = E - IR$$

V : 단자 전압 E : 전원 전압

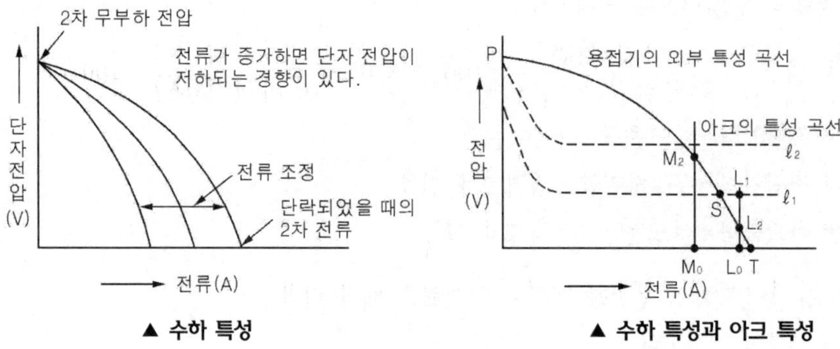

▲ 수하 특성　　　　▲ 수하 특성과 아크 특성

③ **정전류 특성** : 아크 길이가 크게 변하여도 전류 값은 거의 변하지 않는 특성으로 수하 특성 중에서도 전원 특성 곡선에 있어서 작동점 부근의 경사가 상당히 급한 것을 정전류 특성이라 한다.

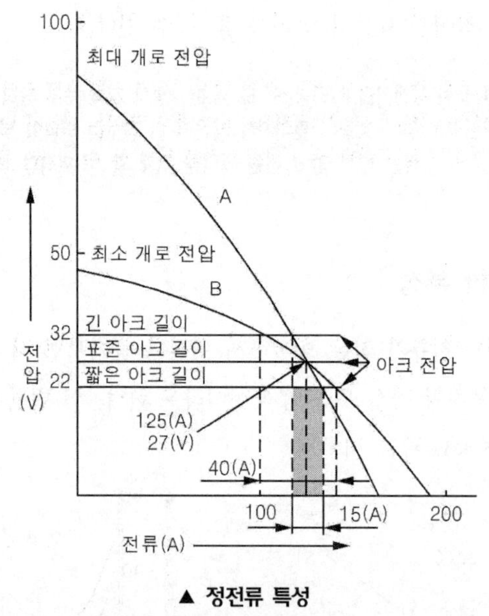

▲ 정전류 특성

이상 ①, ②, ③은 수동 용접에 필요한 특성이다.

④ **상승 특성** : 큰 전류에서 아크 길이가 일정할 때 아크 증가와 더불어 전압이 약간씩 증가하는 특성이다. 이 상승 특성은 반자동 및 자동 용접에서 아크의 안정을 도모하기 위하여 사용되는 특성이다.

⑤ **정전압 특성(자기 제어 특성)** : 수하 특성과는 반대의 성질을 갖는 것으로 부하 전류가 변해도 단자 전압이 거의 변하지 않는 것으로 CP(Constant Potential)특성이라고도 한다. 주로 반자동 및

자동 용접에 필요한 특성이다. 또한 아크 길이가 길어지면 부하 전압은 일정하지만 전류가 낮아져 정상보다 늦게 녹아 정상적인 아크 길이를 맞추고 반대로 아크 길이가 짧아지면 부하 전압은 일정하지만 전류가 높아져 와이어의 녹는 속도를 빨리하여 스스로 아크 길이를 맞추는 것을 자기 제어 특성이라 한다.

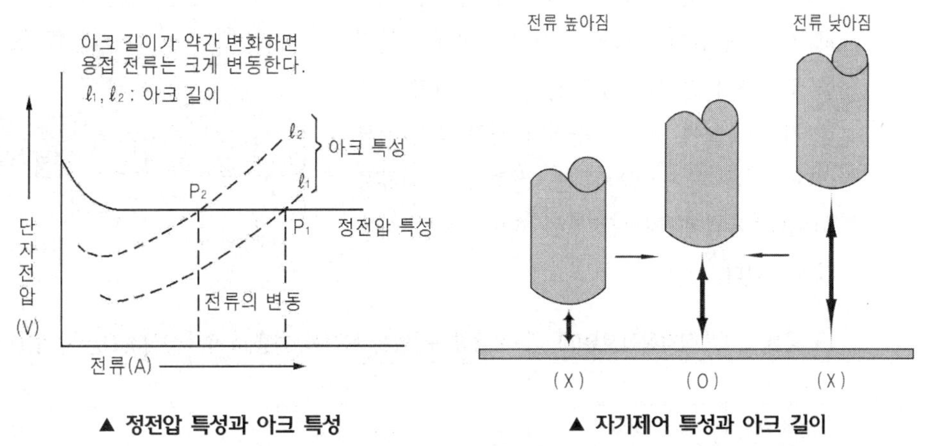

▲ 정전압 특성과 아크 특성　　▲ 자기제어 특성과 아크 길이

④, ⑤는 자동 용접기에 필요한 특성이다.

2 피복아크 용접 설비 및 기구

(가) 피복아크 용접용 기구

① **용접용 케이블** : 케이블의 2차측은 유연성이 요구되므로 전선 지름이 0.2~0.5(mm)의 가는 구리선을 수백선 내지 수천선 꼬아서 만든 캡타이어 전선을 사용한다. 또한 크기의 단위도 1개의 선은 의미가 없으므로 단면적(mm^2)을 사용한다. 하지만 1차측은 고정된 선으로 유동성이 없어야 하므로 단선으로 지름(mm)을 사용하여 그 크기를 표시한다.

	200A	300A	400A
1차측 지름(mm)	5.5	8	14
2차측 단면적(mm^2)	38	50	60

② **케이블 커넥터 및 러그** : 케이블을 이어서 사용하고자 할 때 사용하는 것을 커넥터라고 하며, 케이블을 단자 등에 연결하기 위하여 사용하는 것을 러그(lug)라 한다.

③ **접지 클램프**(Ground clamp) : 모재와 용접기를 케이블로 연결할 때 접속하는 것으로 클램프를 사용하기도 하고 러그 등을 사용하여 작업대에 고정하기도 한다.

④ **홀더**(Holder) : 홀더의 종류로는 A형과 B형이 있다. A형은 안전 홀더로 전체가 절연된 것이고 B형은 손잡이만 절연된 것이나 현재는 안전을 고려해서 잘 사용되지 않는다. 홀더의 규격은 기호 다음에 나오는 숫자가 정격 용접 전류이다. 예를 들어 A200호는 정격 2차 전류를 200(A), 용접봉 지름은 3.2 ~ 5.0(mm)를 사용할 수 있다.

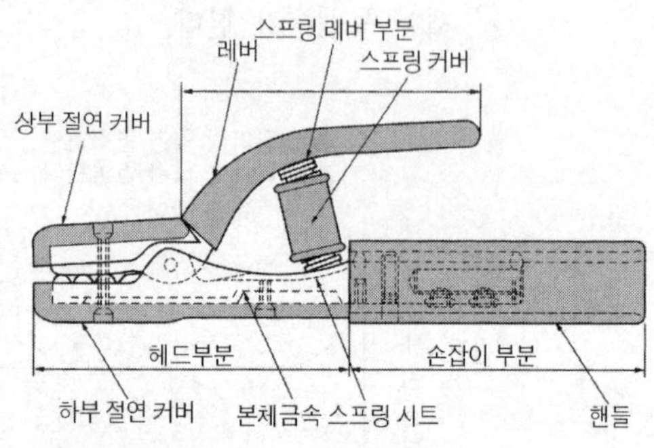

종류	정격용접전류(A)	사용할 수 있는 용접봉 지름(mm)	접속되는 홀더용 케이블(mm^2)
200호	200	3.2 ~ 5.0	38
300호	300	4.0 ~ 6.0	50
400호	400	5.0 ~ 8.0	60
500호	500	6.4 ~ 10.0	80

⑤ **헬멧**(Helmet)**과 핸드 실드**(Hand Shield) : 용접 작업시 아크 광선으로부터 눈이나 얼굴 등을 보호하기 위하여 사용하는 것으로 머리에 착용하는 것을 헬멧, 손으로 잡고 사용하는 것을 핸드 실드라 한다. 헬멧을 사용하면 양손을 다 사용할 수 있다는 장점이 있다.

⑥ **차광 유리**(Filter Glass) : 아크 불빛은 적외선과 자외선을 포함하고 있어 눈을 보호하기 위하여 빛을 차단하는 차광 유리를 사용하여야 한다. 전류와 용접봉의 지름이 커질수록 차광도 번호가 큰 것을 사용하며, 일반적으로 피복 아크 용접에서는 차광도 번호 10 ~ 11(용접봉 지름 2.6 ~ 4.0mm, 사용전류 100 ~ 250A), 가스 용접에서는 차광도 번호 4 ~ 7번 정도의 것이 사용된다.

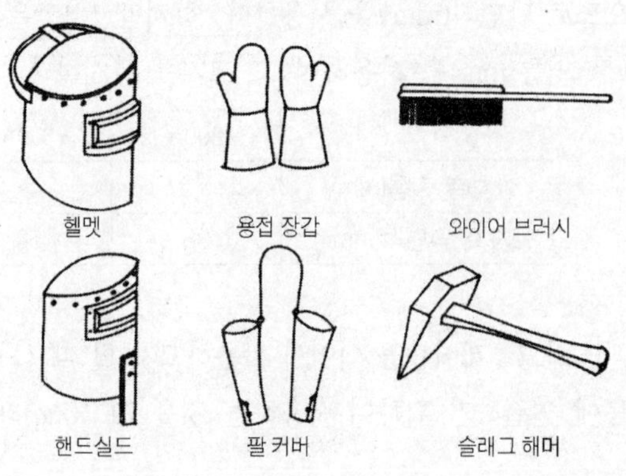

차광도 번호	용접 전류(A)	용접봉 지름(mm)
8	45 ~ 75	1.2 ~ 2.0
9	75 ~ 130	1.6 ~ 2.6
10	100 ~ 200	2.6 ~ 3.2
11	150 ~ 250	3.2 ~ 4.0
12	200 ~ 300	4.8 ~ 6.4
13	300 ~ 400	4.4 ~ 9.0
14	400 이상	9.0 ~ 9.6

⑦ **퓨즈**(Fuse) : 용접기의 1차측에 퓨즈를 붙인 안전 스위치를 사용한다. 퓨즈는 규정 값보다 크거나 구리선 철선 등을 퓨즈 대용으로 사용해서는 안 된다.

$$\text{퓨즈의 용량} = \frac{\text{1차입력(KVA)}}{\text{전원전압(200V)}}$$

⑧ **용접 부스** : 학교 등에서 용접기를 고정하여 놓고 용접을 할 경우에는 차광막, 환기 시설을 갖춘 부스 내에서 용접 작업을 한다.

⑨ **보호구** : 장갑, 앞치마, 팔 덮개, 각반, 안전화 등을 착용하여 용접 중 발생되는 열 또는 스팩터로부터 작업자를 보호한다.

⑩ **기타 공구** : 작업 중 전류를 재기 위한 전류계, 필릿 용접의 다리길이를 재기 위한 각장 게이지, 판 두께 등을 재기 위한 버니어 캘리퍼스, 슬랙을 제거하기 위한 슬랙 망치, 용접 후 모재를 잡기 위한 용접용 집게, 용접 후 비드 표면을 청소하기 위한 와이어 브러시 등이 있다.

(나) 피복아크 용접봉

① 용접봉, 용가재, 전극봉 등은 모두 동일한 말이며, 심선의 재료는 저 탄소 림드강으로 황, 인등의 불순물의 양을 제한하여 제조하며 KSD7004에 규정되어 있다.

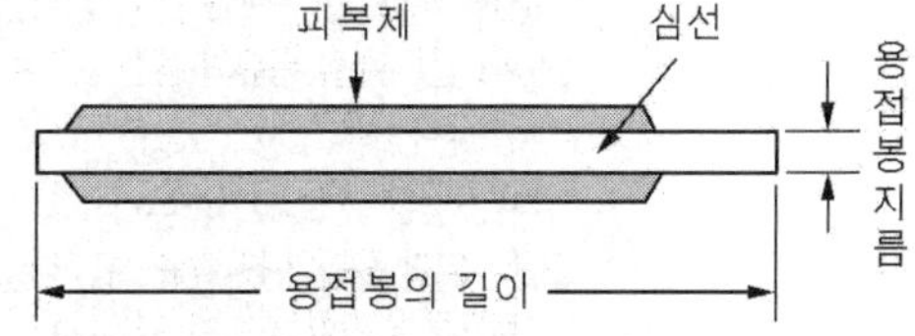

② 피복 용접봉은 수동 용접에 사용되며, 비피복 용접봉은 반자동 또는 자동 용접에 주로 사용된다. 그림과 같이 심선의 길이 약 25mm 정도와 끝 노출부 약 3mm이하를 전류가 통할 수 있도록 피복하지 않는다.

③ 연강용 피복 금속 아크 용접봉은 심선의 굵기에 따라 길이가 규격화되어 있으며, 일반적으로 심선 지름 굵기의 허용 오차는 ±0.05mm이고, 길이에 따른 허용 오차는 보통 ±3mm이다. 즉

3.2mm의 경우 길이는 350mm ± 3mm이다. 아울러 편심률은 3.2mm 이상인 용접봉에서는 3%이하이여야 한다.

④ 용접봉을 홀더에 끼우는 용접봉의 접촉부 길이는 2.6mm이하인 것은 20 ± 5mm이며, 3.2mm이상이고 길이가 550mm 이하인 것은 25 ± 5mm, 길이 700mm 이상인 것은 30 ± 5mm이다. 아울러 용접봉의 앞 끝은 아크 발생을 쉽게 하기 위하여 3mm를 초과하지 않는 범위에서 심선을 노출시키거나 적당한 처리를 하여야 한다.

(다) 용착 금속의 보호 형식

① **슬랙 생성식(무기물형)** : 슬랙으로 산화, 질화 방지 및 탈산 작용

② **가스 발생식** : 대표적으로 셀룰로오스가 있으며 전 자세 용접이 용이하다.

③ **반가스 발생식** : 슬랙 생성식과 가스 발생식의 혼합

용접봉의 지름(길이)는 KS규격으로 1.6(230, 250), 2.0(250, 300), 2.6(300, 350), 3.2(350, 400), 4.0(350, 400, 450, 550), 4.5(400, 450, 550), 5.0(400, 450, 550, 700), 5.5(450, 550, 700), 6.0(450, 550, 700, 900), 6.4(450, 550, 700, 900), 7.0(450, 550, 700, 900), 8.0(450, 550, 700, 900)이 있다.

피복의 종류는 A(산(산화철)), AR(루틸), B(염기), C(셀롤로오스), O(산화), R(루틸(중간 피복), RR(루틸(두꺼운 피복), S(기타 종류)를 표시한다.

- A : 중간 또는 두꺼운 피복제를 가지며, 금속적으로 산 특성을 지니는 산화철 - 산화망간 - 실리카 슬랙을 발생시킨다. 피복제는 철 및 망간의 산화물 외에 상당량의 망간철 및 다른 산화제를 포함한다. 슬랙은 전형적인 벌집 구조로 응고되고 쉽게 분리된다. 이러한 종류의 용접봉은 높은 용해 속도를 가지고 높은 전류 밀도와 함께 사용된다. 피복제가 두꺼울 경우 특히 용입 상태가 좋다. 일반적으로 아래보기 자세에 적합하며, 다른 자세에서도 사용가능하다. 이러한 용접봉은 모재의 용접성이 양호하지 못하면 열균열이 발생할 수 있으며 실제 탄소 함유량이 0.24% 초과할 때 수평 또는 수직 및 수직 필릿 용접에서 현저하게 발생한다. 또한 킬드강이 림드강보다 취약하다. 일반적으로 킬드강에서 황의 함유량이 0.05%를 초과하고 림드강에서 0.06%를 초과할 때 나타난다.
- AR : 산 - 루틸 종류의 용접봉은 두꺼운 피복제를 가지며 A와 비슷한 슬랙을 발생시킨다. 이 슬랙은 유동성이 크다. AR은 A와 비슷하지만 차이점은 피복제에 산화티타늄을 포함하고 있다는 점이다. 아울러 그 함량은 35%를 초과하지 않는다.
- B : 염기 종류의 용접봉은 칼슘 또는 염기성 탄산염과 형석을 포함하는 두꺼운 피복제를 가지고 있어 금속적으로 염기성 특성을 나타낸다. 슬랙은 밀도가 높은 중간 수준이고, 갈색에서 흑갈색에 이르는 색깔과 광택을 나타낸다. 슬랙은 쉽게 떨어지며, 빠른 시간에 용접 표면에 떠오르므로 슬랙 혼입이 될 우려는 적다. 용입은 평균 정도이고 보통 직류 역극성에서 사용되지만 교류를 사용하는 경우도 있다. 이러한 종류의 용접봉은 열간 및 냉각 균열에 강해 두꺼운 단면 및 강성이 높은 연강 구조의 용접에 적합하다. 아울러 기공을 피하기 위해서는 건조해 사용하여야 한다. 이러한 용접봉을 충분히 건조하여 사용하면 열영향부에서 용접강이 현저한 경화를 보일 때 비드 밑 터짐의 위험이 적다. 이 그룹에 속한 용접봉은 수분의 함유량은 0.6% 보다 적다.

- C : 셀롤로오스 종류의 용접용 피복제는 많은 양의 연소성 유기물을 함유하고 이를 아크로 분해하면 많은 가스 피복을 발생시킨다. 슬랙의 발생은 매우 적고 쉽게 떨어진다. 이러한 용접봉은 모든 자세의 용접에 적합하나. 용착 금속의 스패터 손실은 상당히 크고 용접 표면은 불규칙적이다.
- O : 산화 종류의 용접봉은 산화망간과 함께 산화망간 없이 주로 산화철로 구성된 두꺼운 피복제를 가진다. 피복제는 산화슬랙을 발생시키므로 용접 금속은 적은 양의 탄소 및 망간을 함유한다. 슬랙의 밀도는 높으며 스스로 떨어진다. 주로 수평, 수직필릿, 아래보기 필릿 용접자세에 국한적으로 사용된다. 용접의 외형이 용접부의 기계적 강도보다 중요할 경우에 주로 사용된다.
- R : 피복제는 중간의 두께를 가진다. 피복제의 최대 15%로 정도 셀롤로오스 물질이 존재하여 수직 및 위보기 자세 용접에 적당하다. 루틸 종류의 용접봉은 많은 야의 루틸 또는 산화티타늄에서 얻어진 성분을 함유하는 피복제를 가지며 그 양은 질량으로 50% 정도이다.
- RR : R과 같이 루틸 종류로 피복제는 두껍다. 피복제에는 5% 이하의 셀롤로오스 물질이 때때로 존재한다. 슬랙의 밀도는 높고 스스로 떨어지면 용접부의 외형은 O형과 유사하다. 열균열은 산 종류 만큼 높지 않지만 용접 목 두께가 산 용접봉보다 훨씬 작다는 점에서 주의를 요한다. 최대 전류는 녹는 속도가 낮아 AR형보다 낮다.
- S : 기타 종류의 용접봉의 표기를 위하여 남겨 두었고 앞서 밝힌 A, AR, B, C, O, R, RR에서 규정된 것들 이외의 피복제에 해당한다.

(라) 피복제의 작용

① 아크 안정
② 산·질화 방지
③ 용적을 미세화 하여 용착 효율 향상
④ 서냉으로 취성 방지
⑤ 용착 금속의 탈산 정련 작용
⑥ 합금 원소 첨가
⑦ 슬랙의 박리성 증대
⑧ 유동성 증가 등
⑨ 전기 절연 작용

(마) 피복제의 종류

① **가스 발생제** : 용융 금속을 대기로부터 보호하기 위하여 중성 또는 환원성 가스를 발생하여 용융 금속의 산화 및 질화를 방지한다. 가스 발생제로는 녹말, 톱밥, 석회석, 셀룰로오스, 탄산바륨 등이 있다.

② **슬랙 생성제** : 용융점이 낮은 가벼운 슬랙을 만들어 용융 금속의 표면을 덮어서 산화나 질화를 방지하고 용착 금속의 냉각 속도를 느리게 한다. 슬랙 생성제로는 석회석, 형석, 탄산나트륨, 일미 나이트, 산화철, 산화티탄, 이산화망간, 규사 등이 있다.

③ **아크 안정제** : 이온화 하기 쉬운 물질을 만들어 재점호 전압을 낮추어 아크를 안정시킨다. 아크 안정제로는 규산나트륨, 규산칼륨, 산화티탄, 석회석 등이 있다.

④ **탈산제** : 용융 금속 중의 산화물을 탈산 정련하는 작용을 한다. 탈산제로는 페로실리콘, 페로망간, 페로티탄, 알루미늄 등이 있다.

⑤ **고착제** : 심선에 피복제를 달라붙게 하는 역할을 한다. 고착제로는 규산나트륨, 규산칼륨, 아교, 소맥분, 해초 등이 있다.

⑥ **합금 첨가제** : 용접 금속의 여러 가지 성질을 개선하기 위하여 피복제에 첨가한다. 합금 첨가재로는 크롬, 니켈, 실리콘, 망간, 몰리브덴, 구리 등이 있다.

(바) 용접봉의 기호

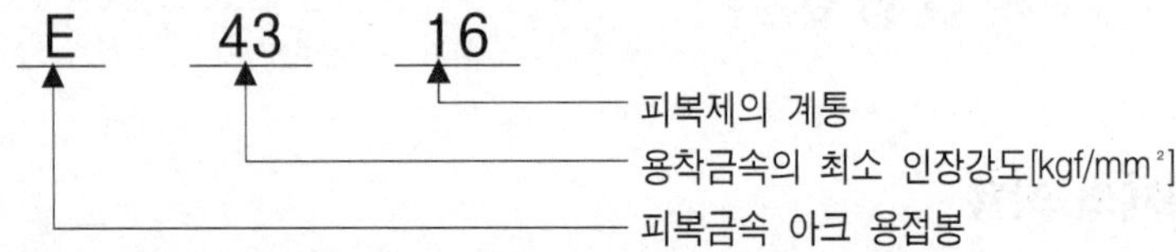

용접 자세(F : 아래보기 자세, V : 수직 자세, H : 수평 자세 또는 수평 필릿 용접 O : 위보기 자세) 아울러 위보기 자세 및 수직 자세는 원칙적으로 심선의 지름 5.0mm를 초과하는 것에는 적용하지 않으며, E4324, E4326 및 E4327의 용접 자세는 주로 수평 필릿 용접으로 한다.
용접봉의 포장에는 종류, 치수, 전류의 종류, 무게 또는 개수, 제조 연월 또는 그 약호, 제조자 명 또는 그 약호를 표시한다. 예를 들어 D4301 - AC - 5.0 - 450 이라고 표시되어 있으며, 앞에서부터 종류, 전원, 봉 지름, 길이를 뜻한다.
세 번째 자리는 샤르피 V - 충격값과 연신율에 기초하여 0, 1, 2, 3, 4, 5로 정의 되었다.

(사) 용접봉의 종류

종류, 자세, 전원	주성분	특성 및 용도
알루미나이트계 (Ilmenite type) E4301 F, V, O, H AC 또는 DC(±)	알루미나이트 ($TiO_2 \cdot FeO$)를 약 30% 이상 포함	· 가격 저렴 · 작업성 및 용접성이 우수 · 25mm 이상 후판 용접도 가능 · 수직·위보기 자세에서 작업성이 우수하며 전 자세 용접이 가능하다. · 일반구조물의 중요 강도 부재, 조선, 철도, 차량, 각종 압력 용기 등에 사용
라임티타니아 계 (Lime - titania type) E4303 F, V, O, H AC 또는 DC(±)	산화티탄(TiO_2) 약 30% 이상과 석회석($CaCO_3$)이 주성분	· 작업성은 고산화 티탄계, 기계적 성질은 일미나이트계와 비슷 · 사용 전류는 고산화 티탄계 용접봉보다 약간 높은 전류를 사용 · 비드가 아름다워 선박의 내부 구조물, 기계, 차량, 일반 구조물 등 사용 · 피복제의 계통으로는 산화티탄과 염기성 산화물이 다량으로 함유된 슬랙 생성식

종류, 자세, 전원	주성분	특성 및 용도
고 셀롤로스계 (High cellulose type) E4311 F, V, O, H AC 또는 DC(±)	가스 발생제인 셀룰로스를 20 ~ 30% 정도 포함	· 아크는 스프레이 형상으로 용입이 크고 비교적 빠른 용융 속도 · 슬랙이 적으므로 비드 표면이 거칠고 스팩터가 많은 것이 결점 · 아연 도금 강판이나 저합금강에도 사용되고 저장 탱크, 배관 공사 등에 사용 · 피복량이 얇고, 슬랙이 적어 수직 상·하진 및 위보기 용접에서 우수한 작업성 · 사용 전류는 슬랙 실드계 용접봉에 비해 10 ~ 15% 낮게 사용되고 사용 전에 70 ~ 100℃에서 30분 ~ 1시간 건조
고산화 티탄계 (High titanium oxide type) E4313 F, V, O, H AC 또는 DC(±)	산화티탄(TiO_2)을 약 35% 정도 포함	· 용도로는 일반 경 구조물, 경자동차 박 강판 표면 용접에 적합 · 기계적 성질에 있어서는 연신율이 낮고, 항복점이 높으므로 용접 시공에 있어서 특별히 유의 · 아크는 안정되며 스팩터가 적고 슬랙의 박리성도 대단히 좋아 비드의 겉모양이 고우며 재 아크 발생이 잘 되어 작업성이 우수 · 1층 용접에 의한 용착 금속은 X선 검사에 비교적 양호한 결과를 가져오나 다층 용접에 있어서는 만족할 만한 결과를 가져오지 못하고, 고온 균열(hot crack)을 일으키기 쉬운 결점
저수소계 (low hydrogen type) E4316 F, V, O, H AC 또는 DC(±)	석회석($CaCO_3$)이나 형석(CaF_2)을 주성분	· 용착 금속 중의 수소량이 다른 용접봉에 비해서 1/10 정도로 현저하게 적은, 우수한 특성 · 피복제는 습기를 흡수하기 쉽기 때문에 사용하기 전에 300 ~ 350℃ 정도로 1 ~ 2시간 정도 건조시켜 사용 · 아크가 약간 불안하고 용접 속도가 느리며 용접 시점에서 기공이 생기기 쉬우므로 후진(back step)법을 선택하여 문제를 해결하는 경우도 있음 · 용접성은 다른 연강봉보다 우수하기 때문에 중요 강도 부재, 고압 용기, 후판 중 구조물, 탄소 당량이 높은 기계 구조용 강, 구속이 큰 용접, 유황 함유량이 높은 강 등의 용접에 결함 없이 양호한 용접부가 얻어짐
철분 산화 티탄계 (Iron powder titania type) E4324 F, H AC 또는 DC(±)	고산화 티탄계 용접봉(E4313)의 피복제에 약 50% 정도의 철분 첨가	· 작업성이 좋고 스팩터가 적으나 용입이 얕다. · 아래 보기 자세와 수평 필릿 자세의 전용 용접봉 · 보통 저 탄소강의 용접에 사용되지만, 저 합금강이나 중·고 탄소강의 용접에도 사용
철분 저수소계 (Iron powder low hydrogen type) E4326 F, H AC 또는 DC(±)	저수소계 용접봉(E4316)의 피복제에 30 ~ 50% 정도의 철분 첨가	· 용착 속도가 크고 작업 능률이 좋다. · 아래 보기 및 수평 필릿 용접 자세에만 사용 · 용착 금속의 기계적 성질이 양호하고, 슬랙의 박리성이 저수소계보다 좋음
철분 산화철계 (Iron powder iron oxide type) E4327 F, H F에서는 AC 또는 DC(±) H에서는 AC 또는 DC(-)	산화철에 철분을 30 ~ 45%첨가하여 만든 것으로 규산염을 다량 함유	· 산성 슬랙이 생성 · 비드 표면이 곱고 슬랙의 박리성이 좋음 · 아래 보기 및 수평 필릿 용접에 많이 사용 · 아크는 스프레이형이고 스팩터가 적으며, 용입도 철분산화티탄계(E4324) 보다 깊음
특수계	특별히 규정하고 있지 않음	

(아) 용접봉의 비교

① **기계적 성질** : E4316 〉 E4301 〉 E4313

② **작업성** : E4313 〉 E4301 〉 E4316

용접봉의 내균열성 : 피복제의 염기도가 높을수록 내균열성이 우수하다.
일반적으로 저수소계, 일미나이트, 티탄계의 순서이다.

종류	인장시험			충격 시험	
	인장강도 N/mm²(kgf/mm²)	항복점 또는 내력 N/mm²(kgf/mm²)	연신율 %	시험 온도 ℃	샤르피 흡수 에너지 J
E4301	420(43) 이상	345(35) 이상	22 이상	0	47 이상
E4303	420(43) 이상	345(35) 이상	22 이상	0	27 이상
E4311	420(43) 이상	345(35) 이상	22 이상	0	27 이상
E4313	420(43) 이상	345(35) 이상	17 이상	-	-
E4316	420(43) 이상	345(35) 이상	25 이상	0	47 이상
E4324	420(43) 이상	345(35) 이상	17 이상	-	-
E4326	420(43) 이상	345(35) 이상	25 이상	0	47 이상
E4327	420(43) 이상	345(35) 이상	25 이상	0	27 이상
E4340	420(43) 이상	345(35) 이상	22 이상	0	27 이상

(자) 고장력강용 피복 아크 용접봉

항복점 32kg/mm², 인장강도 50kg/mm²이상의 강으로 연강의 강도를 높이기 위해 Ni, Cr, Mn, Si, Cu, Ti, V, Mo, B 등을 첨가한 저 합금강 용접봉으로 연강 용접봉에 비해 판 두께를 얇게 할 수 있어 구조물의 자중을 줄일 수 있으며, 기초공사가 간단해지고, 재료의 취급이 용이해진다.

(차) 용접봉의 선택과 보관

편심율은 3%이내에 용접봉을 선택하며, 용접 자세 및 장소, 모재의 재질, 이음의 모양 등을 고려하여 선택하며 보관 시는 특히 습기에 주의해야 된다.

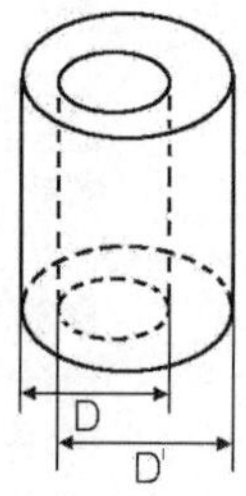

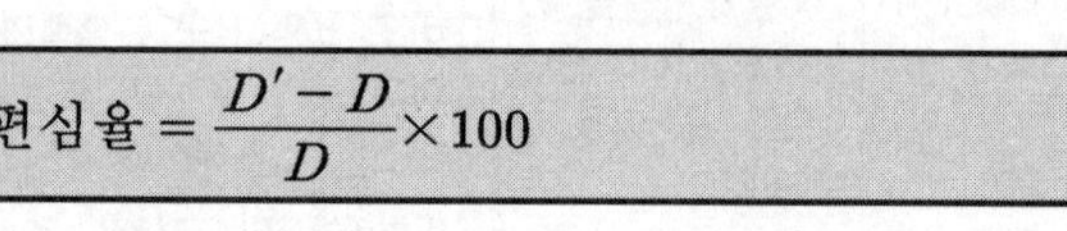

$$\text{편심율} = \frac{D' - D}{D} \times 100$$

피복의 계통	온도	시간	비고
E4301	70~100℃	30~60분	연강 및 고장력강용
E4303	70~100℃	30~60분	연강 및 고장력강용
E4311	70~100℃	30~60분	
E4313	70~100℃	30~60분	연강 및 저합금강용
E4316	300~350℃	60~120분	연강 및 고장력강용

▲ 용접봉의 건조 조건

3 피복아크 용접작업

(가) 용접 자세

① **아래보기 자세(Flat position : F)** : 용접하려는 재료를 수평으로 놓고 용접봉을 아래로 향하여 용접하는 자세

② **수직 자세(Vertical position : V)** : 모재가 수평면과 90° 또는 45°이상의 경사를 가지며, 용접 방향은 수직 또는 수직면에 대하여 45°이하의 경사를 가지고 상하로 용접하는 자세

③ **수평 자세(Horizontal position : H)** : 모재가 수평면과 90° 또는 45°이상의 경사를 가지며 용접선이 수평이 되게 하는 용접 자세

④ **위보기 자세(OverHead position : O)** : 모재가 눈 위로 올려 있는 수평면의 아래쪽에서 용접봉을 위로 향하여 용접 하는 자세.

⑤ **전 자세(All Position : AP)** : 위 자세의 2가지 이상을 조합하여 용접하거나 4가지 전부를 응용하는 자세를 말한다.

맞대기 용접

자 세	KS	ISO	AWS
아 래 보 기	F	PA	1G
수 평	H	PC	2G
수 직 (상향)	V	PF	3G
수 직 (하향)	V	PG	3G
위 보 기	O	PE	4G

(나) 용접봉의 각도

① **작업각** : 용접봉과 이음 방향에 나란하게 세워진 수직 평면과의 각도로 표시

② **진행각** : 용접봉과 용접선이 이루는 각도로 용접봉과 수직선 사이의 각도로 표시

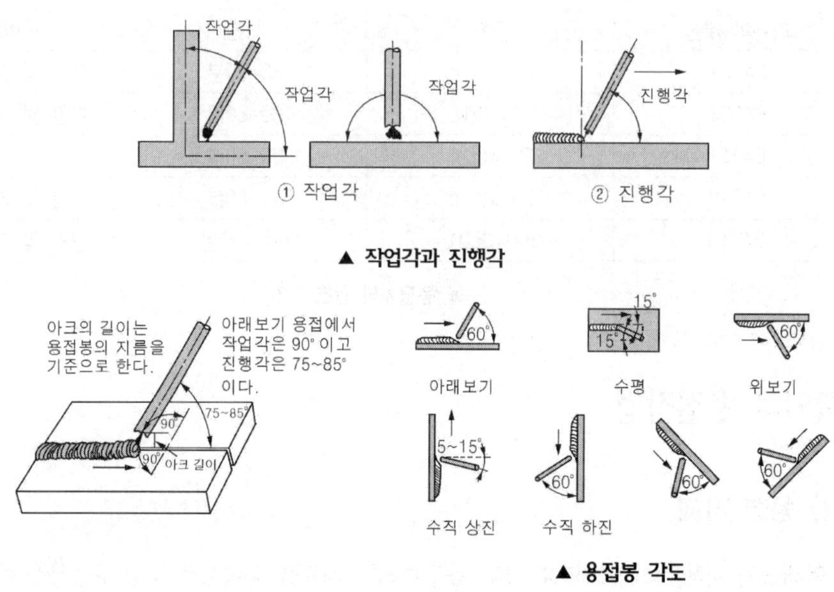

▲ 작업각과 진행각

▲ 용접봉 각도

(다) 용접 전류

① 일반적으로 심선의 단면적 $1mm^2$에 대하여 10 ~ 13A정도로 한다.

② 전류가 적정치 보다 높거나 낮으면 결함을 발생할 수 있다.

용접봉 종류	용접 자세	용접봉 지름(mm) / 용접 전류(A)						
		2.6	3.2	4.0	5.0	6.0	6.4	7.4
E4301	F	50 ~ 85	80 ~ 130	120 ~ 180	170 ~ 240	240 ~ 310	-	300 ~ 370
	V.O.H	40 ~ 70	60 ~ 110	100 ~ 150	130 ~ 200	-	-	-
E4303	F	60 ~ 100	100 ~140	140 ~ 190	200 ~ 60	250 ~ 330	-	310 ~ 390
	V.O.H	50 ~ 90	80 ~ 110	110 ~ 170	140 ~ 210	-	-	-
E4311	F	50 ~ 75	70 ~ 110	110 ~ 155	155 ~ 200	190 ~ 240	-	-
	V.O.H	30 ~ 70	55 ~ 105	90 ~ 140	120 ~ 180	-	-	-
E4313	F	55 ~ 95	80 ~ 130	125 ~ 195	170 ~ 230	230 ~ 300	240 ~ 320	-
	V.O.H	50 ~ 90	70 ~ 120	100 ~ 160	120 ~ 200	-	-	-
E4316	F	55 ~ 85	90 ~ 130	130 ~ 180	180 ~ 240	250 ~ 310	-	300 ~ 380
	V.O.H	50 ~ 80	80 ~ 115	110 ~ 170	150 ~ 210	-	-	-
E4324	F, H-Fil	-	130 ~ 160	180 ~ 220	240 ~ 290	-	350 ~ 450	-
E4326	F, H-Fil	-		140 ~ 180	180 ~ 220	240 ~ 270	270 ~ 300	290 ~ 320
E4327	F, H-Fil	-		170 ~ 200	210 ~ 240	260 ~ 300	280 ~ 330	310 ~ 360

(라) 아크 길이

① 아크 길이는 3mm정도이며 지름이 2.6mm 이하의 용접봉은 심선의 지름과 거의 같은 것이 좋다.
② 아크 길이가 길어지면 전압에 비례하여 증가하며 발열량도 증대된다.

(마) 용접 속도

① 모재에 대한 용접선 방향의 아크 속도 또는 운봉 속도를 말한다.
② **용접 속도에 영향을 주는 요소**
  ㉠ 용접봉의 종류 및 전류 값
  ㉡ 이음 모양
  ㉢ 모재의 재질
  ㉣ 위빙의 유무
③ **아크 전압 및 전류와 용접 속도와의 관계**
  ㉠ 전압 및 전류가 일정할 때 속도가 증가되면 비드의 나비는 감소하며 용입 또한 감소된다.
  ㉡ 실제 작업에서는 비드의 겉모양을 손상시키지 않는 범위 내에서는 약간 빠른 편이 좋다.

(바) 아크 발생 및 중단

① 아크 발생 방법으로는 긁는 법(scratch method)과 찍는 법(tapping method)이 있다.

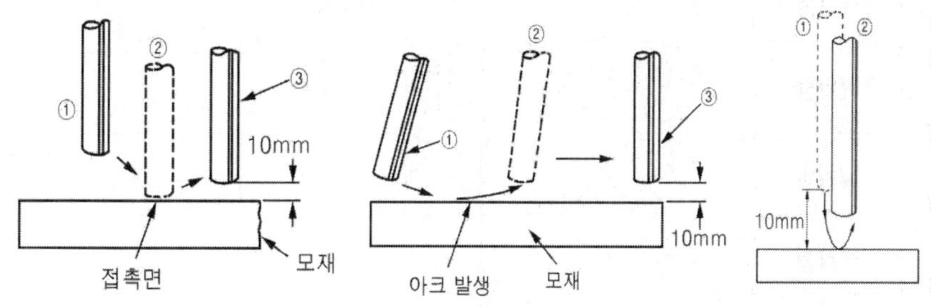

▲ 스크래치법 ▲ 태핑법

② 초보자는 전자를 사용한다.
③ 아크를 처음 발생할 때 아크 길이는 약간 길게 한다(3~4mm).
④ 아크의 중단 시는 아크 길이를 짧게 하여 크레이터를 채운 후 재빨리 든다.

(사) 운봉법

① 넓은 비드 운봉 피치(간격)는 2~3mm, 운봉 속도는 양끝에서는 잠시 멈추어 용입이 되도록 하고 중앙은 빠르게 한다.

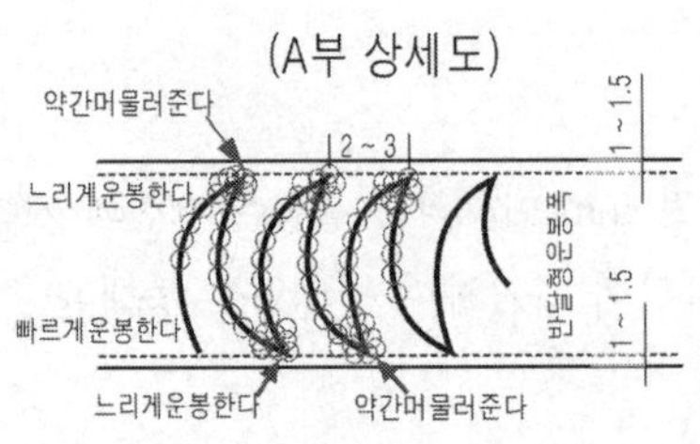

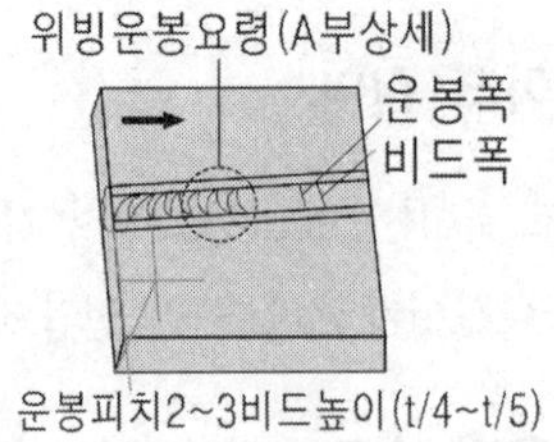

② 운봉폭은 심선 지름의 2 ~ 3배가 적당하며 쌓고자 하는 비드 폭보다 다소 좁게 운봉한다.

③ **자세별 운봉 방법**

아래보기 용접	직 선
	소파형
	대파형
	원 형
	삼각형
	각 형
아래보기T형 용접	대파형
	선전형
	삼각형
	부채형
	지그재그형
경사판 용접	대파형
	삼각형

수평 용접	대파형
	원형
	타원형
	삼각형
위보기 용접	반월형
	8자형
	지그재그형
	대파형
	각 형
수직 용접	파 형
	삼각형
	지그재그형

4 고능률 피복 아크 용접방법

피복 아크 용접의 생산성 향상을 위하여 간단한 장치를 이용하여 고능률을 얻기 위한 방법으로 그래비티 용접과 오토콘 용접이 있다.

(가) 그래비티 용접장치

모재와 일정한 경사를 갖는 슬라이드바를 따라 용접 홀더가 하강하도록 되어 있어 아크가 발생된 후 중력에 의해 용접봉이 하강하여 자동적으로 용접이 진행되도록 한 장치이다.

(나) 오토콘 용접 장치

영구 자석 및 스프링을 이용하는 방법으로 특수 스프링을 홀더에 압력을 가하여 용접봉이 모재에 자동적으로 밀착되도록 해주는 장치이다.

5 가스 용접 일반

(가) 가스 용접의 개요

가스 용접은 가연성 가스(아세틸렌, 석탄 가스, 수소 가스, LPG 등)와 지연성 가스(산소, 공기)의 혼합으로 가스가 연소할 때 발생하는 열(약 3,000℃정도)을 이용하여 모재를 용융 시키면서 용접봉을 공급하여 접합하는 방법이다.

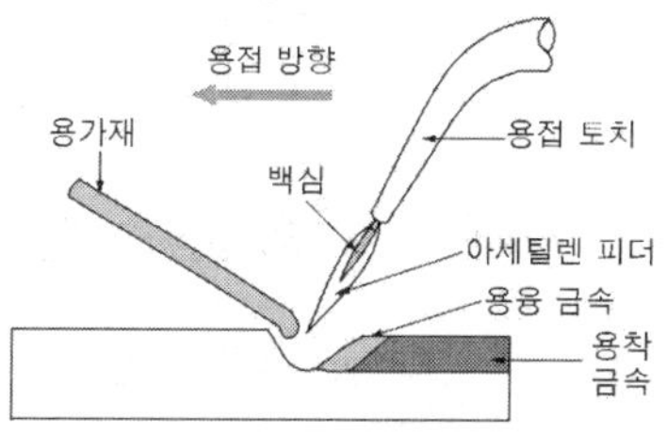

▲ 산소 아세틸렌 용접

연소란 가연성 물질과 지연성 물질이 산화반응에 의해 열과 빛을 수반하고 열의 이동과 기체의 흐름을 일으키는 현상이라고 정의할 수 있다.
연소의 종류로는 표면연소(공기와 접촉하고 있는 고체 또는 액체 표면에서 연소가 일어남), 분해연소(고체 또는 액체가 열분해하여 발생한 가연성 기체가 공기 중에서 연소가 일어남), 증발연소(고체 또는 액체의 증발에 의해 생긴 증기가 공기 중에서 연소하는 경우), 자기연소(가연물과 산화제가 혼합되어 있는 물질의 연소)가 있다.
연소범위란 가연성 가스와 공기와의 혼합가스가 불이 붙을 수 있는 농도로 가연성 가스의 온도나 압력이 높아지면 연소범위는 넓어지고, 공기 중보다 산소 중에서 넓어지며, 불활성 가스가 있는 경우 그에 비례하여 줄어든다. 연소하한이 낮을수록, 상한과 하한의 폭이 클수록, 상한이 클수록 위험하다.

(나) 가스 용접의 장·단점

① 장점

㉠ 전기가 필요 없다.

㉡ 용접기의 운반이 비교적 자유롭다.

㉢ 용접 장치의 설비비가 전기 용접에 비하여 싸다.

㉣ 불꽃을 조절하여 용접부의 가열 범위를 조정하기 쉽다.

㉤ 박판 용접에 적당하다.

㉥ 용접되는 금속의 응용 범위가 넓다.

㉦ 유해 광선의 발생이 적다.

㉧ 용접 기술이 쉬운 편이다.

② **단점**

㉠ 고압가스를 사용하기 때문에 폭발, 화재의 위험이 크다.

㉡ 열효율이 낮아서 용접 속도가 느리다.

㉢ 아크 용접에 비해 불꽃의 온도가 낮다.

㉣ 금속이 탄화 및 산화될 우려가 많다.

㉤ 열의 집중성이 나빠 효율적인 용접이 어렵다.

㉥ 일반적으로 신뢰성이 적다.

㉦ 용접부의 기계적 강도가 떨어진다.

㉧ 가열 범위가 넓어 용접 응력이 크고, 가열 시간 또한 오래 걸린다.

(다) 가스 용접법의 종류

① 산소-아세텔렌 용접

② 산소-수소 용접

③ 산소-프로판

④ 기타(공기-아세틸렌, 산소-석탄가스 등)

(라) 가스 용접용 가스

① 지연성 가스

자신은 타지 않으면서 다른 물질의 연소를 돕는 가스를 지연성 가스 또는 조연성 가스라고 하며 대표적으로 O_2가 있다.

㉠ **산소(Oxygen : O_2)**

- 산소는 공기와 물이 주성분이며, 분자량이 16으로 공기 중에 21%나 존재하며, 일반적으로 대기 중에서 얻거나 또는 물의 전기 분해에 의해 제조하여 사용하고 있다.
- 무색, 무취 무미의 기체로 1 *l* 의 중량은 0℃ 1기압에서 1.429g이다. 또한 비중은 1.105로 공기보다 무겁다.

- 용융점은 -219℃, 비등점은 -183℃이며, -119℃에서 50기압으로 압축하면 담황색의 액체가 된다.
- 산소는 공업용과 의료용이 있으며, 순도가 높을수록 좋다. KS규격에 의하면 공업용 산소의 순도는 99.5% 이상으로 규정하고 있다.
- 금, 백금 등을 제외한 다른 금속과 화합하여 산화물을 만든다.
- 산소는 일반적으로 고압 용기에 35℃에서 150kgf/cm²의 고압으로 압축하여 충전한다.

㉡ 산소의 제조 방법

- 물의 전기 분해에 의한 제조 방법 : 물(H_2O)에 묽은 황산(H_2SO_4)이나 수산화나트륨(NaOH)을 넣고 직류 전기를 통하면 양극에서는 산소가 음극에서는 수소가 각각 발생한다.

$$2H_2O \xrightarrow{\text{전기 분해}} \underset{\text{음극}}{2H_2\uparrow} + \underset{\text{양극}}{O_2\uparrow}$$

- 액체 공기의 비등점 차이에 의한 제조 : 액체 공기 중에는 액체 질소와 액체 산소가 있는데 이 중 액체 질소는 -196℃에서, 액체 산소는 -183℃에서 비등(沸騰)하므로, 먼저 비등점이 낮은 질소가 증발하고 산소는 남게 되어 이것을 기화 압축하여 압력용기에 넣어 제조한다.

② 가연성 가스

가스 용접에 사용되는 가연성 가스는 주로 아세틸렌(C_2H_2)이 많이 사용되며, 용도에 따라 수소(H_2), 도시가스, LP가스, 천연 가스 등이 사용된다.

㉠ 가연성 가스의 조건

- 불꽃 온도가 높을 것
- 연소 속도가 빠를 것
- 발열량이 클 것
- 용융 금속과 화학 반응을 일으키지 않을 것

인화점이란 외부의 직접적인 점화원에 의하여 불이 붙을 수 있는 최저온도로 인화점이 낮은 물질은 그 만큼 위험하다는 의미이다.
발화점이란 외부의 직접적인 점화원 없이도 스스로 가열된 열이 쌓여서 발화되는 최저온도로 같은 물질이라도 발화점은 주어진 환경이나 조건에 따라 달라질 수 있고, 일반적으로 산소와 친화력이 큰 물질 일수록 발화점이 낮다.
연소점이란 연소상태가 중단되지 않고 계속 유지될 수 있는 최저 온도로 일반적으로 인화점보다 10℃ 정도 높은 온도이다.

가스의 종류	완전 연소 반응식	비중	발열량 (kcal/m³)	가스 혼합비 (가연성 가스 : 산소)			산소와 혼합시 불꽃 최고온도(℃)	공기중 기체 함유량
아세틸렌	$C_2H_2 + 2\frac{1}{2}O_2 = 2CO_2 + H_2O$	0.906	12,753.7	1 : 1.1	1 : 1.8	1 : 1.7	3,430	2.5 ~ 80
수소	$H_2 + \frac{1}{2}O_2 = H_2O$	0.070	2,446.4	1 : 0.5	1 : 0.5	1 : 0.5	2,900	4 ~ 74
프로판	$C_3H_8 + 5O_2 = 3CO_2 + 4H_2O$	1.522	20,550.1	1 : 3.75	1 : 4.75	1 : 4.5	2,820	2.4 ~ 9.5
메탄	$CH_4 + 2O_2 = CO_2 + 2H_2O$	0.555	8,132.8	1 : 1.8	1 : 2.25	1 : 2.1	2,700	5 ~ 15

㉡ 아세틸렌(C_2H_2)

- 비중은 0.906으로 공기보다 가볍고, 가연성 가스로 가장 많이 사용한다.
- 카바이드(CaC_2)에 물을 작용시켜 제조한다.

$$CaC_2 + 2H_2O \rightarrow C_2H_2 \uparrow + Ca(OH)_2 + 31872(kcal)$$

- 순수한 것은 무색, 무취의 기체이다. 하지만 인화수소, 유화수소, 암모니아와 같은 불순물 혼합할 때 악취가 난다.

아세틸렌 가스 중의 불순물

종 류	인화수소(PH_3), (%)	황화수소(H_2S), (%)
1 급	0.06이하	0.20이하
2 급	0.10이하	0.20이하

- 15℃ 1기압에서 1 *l* 의 무게는 1.176g이다.
- 여러 가지 액체에 잘 용해되며 물에는 같은 양, 석유에는 2배, 벤젠에는 4배, 알코올에서는 6배, 아세톤에는 25배 용해되며, 그 용해량은 압력에 따라 증가한다. 단 소금물에는 용해되지 않는다.
- 대기압에서 -82℃이면 액화하고, -85℃이면 고체로 된다.
- 산소와 혼합하였을 때 3,000 ~ 3,430℃의 고온을 낸다.

㉢ 수소(H_2)

- 0℃ 1기압에서 1 *l* 의 무게는 0.0899g 가장 가볍고, 확산 속도가 빠르다.
- 무색, 무미, 무취로 불꽃은 육안으로 확인이 곤란하다.
- 납땜이나 수중 절단용으로 사용한다.
- 아세틸렌 다음으로 폭발성이 강한 가연성 가스이다.
- 고온, 고압에서는 취성이 생길 수 있다.
- 제조법으로는 물의 전기 분해 및 코크스의 가스화법으로 제조한다.

㉣ **액화 석유 가스(LPG : Liquefied Petroleum Gas)**

- 석유계 탄화 수소계 혼합물(C_3H_8)로 화염 분위기가 산화되기 때문에 용접용으로는 부적합하여 절단용으로 주로 사용된다.
- 상온에서는 무색, 투명하고, 약간의 냄새가 있다.
- 비중이 1.522로 공기보다 무겁다.
- 프로판(C_3H_8), 부탄(C_4H_{10})이 주성분이며, 이와 같은 가스를 알칸(CnH_2n+_2 : CH_4, C_2H_6, C_3H_8, C_4H_{10}, C_5H_{12}.......)계열의 가스라고도 한다.
- 발열량은 높으나 열의 집중성이 아세틸렌 보다 떨어진다.

㉤ **기타 가연성 가스**

- 액화 천연 가스(LNG)는 대량 수송과 저장이 쉽고, 액화 과정에서 공해가 발생되지 않는 청정 에너지이다.
- 천연 가스의 주성분은 메탄(CH_4)으로, 유전 습지대 등에서 분출한다.

(마) 아세틸렌 발생기

① **카바이드(CaC_2)**

㉠ 산화칼슘(생석회)에 코크스를 가하여 만든다.
㉡ 비중이 2.2이다.
㉢ 무색이나 제조 과정에서 불순물 함유로 회 흑색을 띈다.
㉣ 물과 반응하여 아세틸렌을 만든다.
㉤ 카바이드 1kg을 물과 작용할 때 이론적으로는 475kcal의 열 및 348 l 에 아세틸렌이 발생한다. 하지만 실제 사용할 때는 230 ~ 300 l 를 발생하는 것으로 간주한다.

카바이드와 가스 발생량

종 류	가스 발생량(l / kgf)
1호	290 이상
2호	270 이상
3호	230 이상

② 카바이드를 취급 할 때 주의 사항

㉠ 발생기 밖에서 물이나 습기에 노출되어서는 안 된다.
㉡ 저장하는 통 가까이 빛이나 인화 가능한 어떤 것도 엄금한다.
㉢ 카바이드를 옮길 때는 모넬 메탈이나 목재 공구를 사용한다.

③ 아세틸렌의 제조 방법

㉠ **투입식**(물속에 카바이드를 투입하여 가스를 발생한다.)
- 발생 가스 온도가 낮고, 불순물 발생이 적다.
- 대량 생산에 적당하다.
- 청소 및 취급이 용이하다.
- 물의 사용량이 많고, 설치 면적이 많이 든다.
- 카바이드 덩어리의 크기가 일정해야 한다.

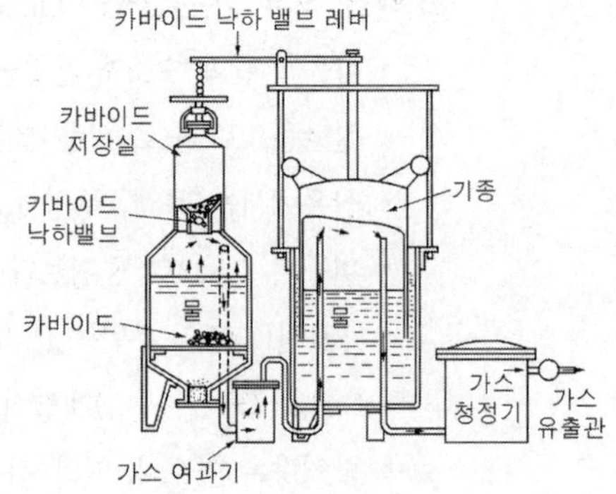

▲ 투입식

㉡ **주수식**(카바이드에 소량에 물을 공급하여 가스를 발생한다.)
- 물의 소비가 적다.
- 취급이 간단하고 안전도가 높다.
- 반응열이 높고 불순물이 많다.
- 청소가 불편하다.
- 지연 가스 발생의 우려가 있다.

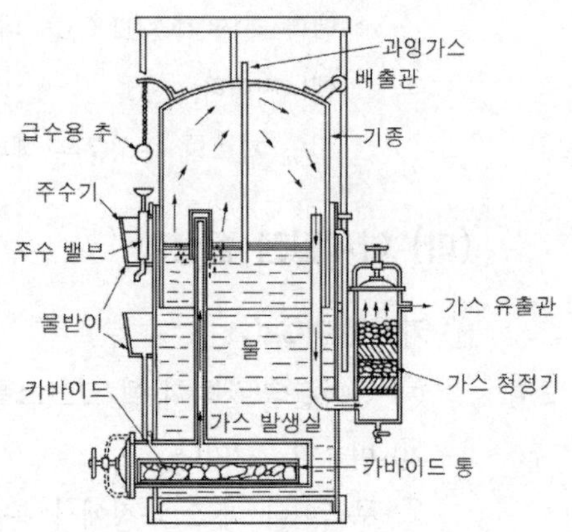

▲ 주수식

㉢ **침지식**(카바이드를 기종의 주머니에 넣고 필요할 때만 물에 접촉하여 가스를 발생한다.)
- 구조가 간단하고, 취급이 용이하여, 이동용에 적합하다.
- 지연 가스 발생이 쉽다.
- 온도 상승이 크다.
- 불순 가스 발생이 많고 폭발 위험이 많다.

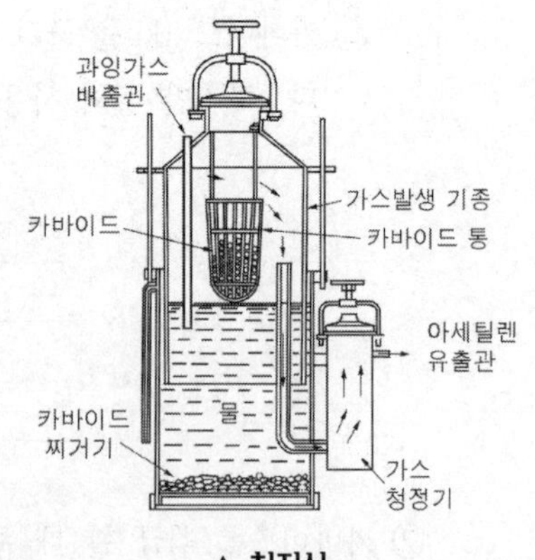

▲ 침지식

④ 발생기 취급

㉠ 빙결되었을 때 온수나 증기를 사용하여 녹인다.

㉡ 충격, 타격, 진동이 없어야 한다.

㉢ 화기가 가까이 있으면 안 된다.

㉣ 발생기 물의 온도는 60℃ 이하로 한다.

㉤ 카바이드의 교환은 옥외에서 작업하며, 검사는 비눗물을 사용하여 검사한다.

㉥ 발생기의 운반 및 보관 사용하지 않을 때 기종 내의 가스 및 카바이드를 제거한다.

(바) 압력에 따라 분류

저압식(0.07kg/cm²이하), 중압식(0.07~1.3kg/cm²), 고압식(1.3이상kg/cm²)으로 분류한다.

(사) 아세틸렌의 폭발성

① 온도

㉠ 406 ~ 408℃ : 자연 발화

㉡ 505 ~ 515℃ : 폭발 위험

㉢ 780℃ : 자연 폭발

② 압력

㉠ 1.3(kgf/cm²) : 이하에서 사용

㉡ 1.5(kgf/cm²) : 충격 가열 등의 자극으로 폭발

㉢ 2.0(kgf/cm²) : 자연 폭발

③ 혼합가스

㉠ 공기 또는 산소가 혼합한 경우 불꽃 또는 불티 등으로 착화, 폭발의 위험성이 있다.

㉡ 아세틸렌 15%, 산소 85%에서 가장 위험하다.

㉢ 인화수소를 포함한 경우 : 0.02%이상 폭발성, 0.06%이상 자연 폭발한다.

④ 기타

㉠ 구리, 구리합금(구리 62% 이상), 은, 수은 등과 접촉하여 120℃ 부근에서 폭발성 화합물이 생성된다.

㉡ 압력이 주어진 아세틸렌가스에 충격, 마찰, 진동 등에 의하여 폭발의 위험성이 있다.

폭발연소는 발열과 발광을 수반하는 산화반응이고, 폭발은 그 반응이 급격히 진행하여 빛을 발하는 것 외에 폭발음과 충격압력을 내며 순간적으로 반응이 완료되는 것이다. 그 종류로는 우선 가스폭발이라 하여 가연성 기체 및 가연성 액체의 증기는 공기, 산소, 염소, 불소, 이산화질소 등의 지연성 기체와 일정한 비율로 혼합하면 가연성 혼합기체를 형성하고 여기에 어떤 점화원이 주어지면 가스폭발에 이른다. 아세틸렌, 에틸렌 등은 단일 성분이라도 폭발을 일으키지 않는데 이를 분해폭발이라 한다. 다음으로는 저온도 액체와 고온도 액체가 접촉해서 고온액체로부터 저온액체로 급속히 열 이동이 일어났기 때문에 저온도의 액체가 과열상태가 되고 그 후 비등 증발하는 것에 의해 급격한 압력상승이 발생한 증기폭발이 있고 끝으로 분진폭발이라 하여 가연성 고체 분진이 공기 중에서 일정농도(폭발범위) 이상으로 부유하다 점화원을 만나면 폭발을 일으키는 것이 있다. 분진 폭발의 특성은 가스폭발과 대개 비슷하며 크기가 0.1mm 보다 작은 밀가루 입자가 공기 1m³당 40 - 4000g 정도 흩어져 있다면 공기가 몹시 축축하거나 산소가 부족하지 않는 한 약간의 불꽃만 있어도 폭발이 일어난다. 같은 종류의 폭발이 설탕, 인스턴트커피, 감자 가루 등에서도 일어날 수 있다.

(아) 용해아세틸렌

① 용해 아세틸렌의 특징

㉠ 아세톤 1 l 에 324 l 에 아세틸렌이 용해된다.

㉡ 용해 아세틸렌 1kg을 기화시키면 905 l 에 아세틸렌가스 발생한다.

0℃ 1기압에서 C_2H_2(12 × 2 + 1 × 2)에서 26 : 22.4 l =1000(1kg) : x x는 861 l 가 나온다.

보일 샤를에 법칙에 의하여 $\frac{P.V}{T}=\frac{P'\cdot V'}{T'}$, $\frac{1\cdot 861}{273}=\frac{1\cdot V'}{273+15}$에서 약 908 l 가 나온다.

하지만, 손실을 고려하여 약 905 l 로 계산한다.

㉢ 압력이 높아 역화에 위험이 적다.

㉣ 저장, 운반이 간단하다.

㉤ 순도를 높일 수 있으며, 가스 압력을 일정하게 할 수 있다.

㉥ 낮은 기온에서도 작업이 가능하다.

② 용해 아세틸렌 용기

㉠ 내용적 15 l , 30 l , 40 l , 50 l 의 4종이 있으며, 30 l 가 가장 일반적이다.

㉡ 15℃ 15기압으로 충전한다. 그러므로 아세톤에 아세틸렌이 25배 녹으므로 25 × 15 = 375(l)가 용해된다.

㉢ 폭발 방지를 위해 105℃ ± 5℃에서 녹는 퓨즈가 2개 있다.

㉣ 규조토, 목탄, 석면의 다공성 물질에 아세톤이 흡수되어 있다. (다공도는 75% 이상, 92% 미만)

㉤ 용기의 색은 황색으로 되어있다.

㉥ 용기의 나사 방향은 왼나사로 되어 있다.

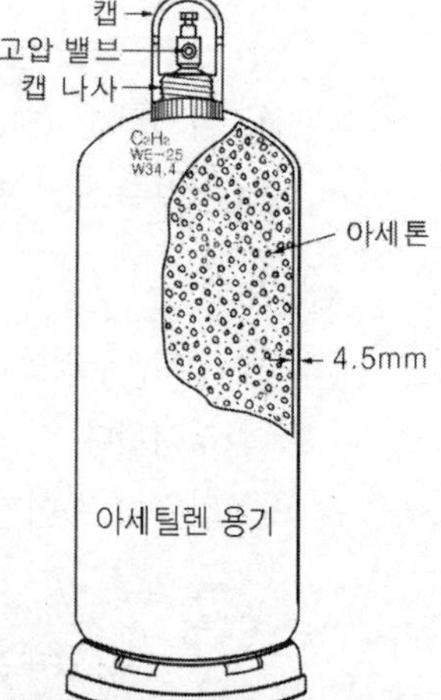

③ 용기 안의 아세틸렌 양

$$C = 905(A - B)$$

C : 아세틸렌가스 양, A : 병 전체의 무게, B : 빈 병의 무게

④ 호스(도관)

㉠ 호스의 색은 적색을 사용한다.

㉡ 10kgf/cm²의 내압 시험에 합격하여야 한다.

⑤ 용해 아세틸렌 취급시 유의사항

㉠ 저장실에는 착화에 위험이 없어야 한다.

㉡ 용기는 반드시 세워서 취급하여야 한다.

㉢ 용기의 온도를 40℃ 이하로 유지하며 이동시에는 반드시 캡을 씌워야 한다.

㉣ 동결 부분은 35℃ 이하의 온수로 녹이며, 누설 검사는 비눗물을 사용한다.

(자) 산소 용기와 호스

① 산소 용기

㉠ 최고 충전 압력(FP)은 보통 35℃에서 150kgf/cm²으로 한다.

㉡ 산소병 또는 봄베(bomb)는 에르하르트법 또는 만네스만법으로 제조하며, 인장강도 57(kgf/cm²)이상, 연신율 18% 이상의 강재가 사용된다.

㉢ 용기의 내압 시험 압력(TP)은 최고 충전 압력의 $\frac{5}{3}$로 한다.

㉣ 산소 용기는 보통 5,000 l, 6,000 l, 7,000 l 의 3종류가 있다. 즉 기압으로 나누어 내용적으로 환산하여 보면, 33.7 l, 40.7 l, 46.7 l가 있다.

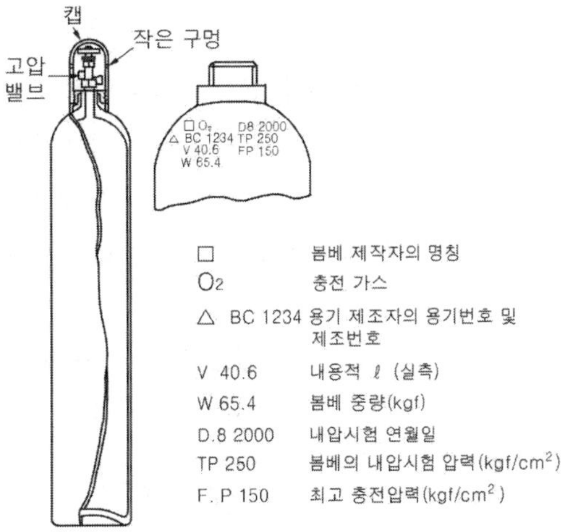

캡
작은 구멍
고압 밸브

□ O_2 D8 2000
△ BC 1234 TP 250
V 40.6 FP 150
W 65.4

□	봄베 제작자의 명칭
O_2	충전 가스
△ BC 1234	용기 제조자의 용기번호 및 제조번호
V 40.6	내용적 ℓ (실측)
W 65.4	봄베 중량(kgf)
D.8 2000	내압시험 연월일
TP 250	봄베의 내압시험 압력(kgf/cm²)
F. P 150	최고 충전압력(kgf/cm²)

㉤ 용기의 색은 공업용은 녹색, 의료용은 백색이다.

㉥ 산소와 아세틸렌을 다량으로 사용할 때는 용기를 한 곳에 모아 놓고 전 수요량에 적합한 압력 조정기를 설치하고 사용처에 감압하여 공급하는 매니폴드(Manifold)가 있다.

㉦ 용기의 나사는 오른나사로 되어있다.

② 산소 용기를 취급할 때 주의 점

㉠ 타격, 충격을 주지 않는다.

㉡ 직사광선, 화기가 있는 고온의 장소를 피한다.

㉢ 용기 내의 압력이 너무 상승(170kgf/cm²)되지 않도록 한다.

㉣ 밸브가 동결되었을 때 더운물 또는 증기를 사용하여 녹여야 한다.

㉤ 누설 검사는 비눗물을 사용한다.

㉥ 용기 내의 온도는 항상 40℃ 이하로 유지하여야 한다.

㉦ 용기 및 밸브 조정기 등에 기름이 부착되지 않도록 한다.

㉧ 저장실에 가스를 보관시 다른 가연성 가스와 함께 보관하지 않는다.

③ 용접용 호스

㉠ 사용 압력에 충분히 견디는 구조여야 된다.

㉡ 도관의 크기는 6.3mm, 7.9mm, 9.5mm의 3종이 있다. 일반적으로 7.9mm가 많이 사용된다.

㉢ 길이는 필요 이상 길게 하지 말고, 5m정도로 한다.

㉣ 충격이나 압력을 주지 말아야 된다.

㉤ 호스 내부의 청소는 압축 공기를 사용한다.

㉥ 빙결된 호스는 더운물로 사용하여 녹인다.

㉦ 가스 누설 검사는 비눗물을 사용한다.

㉧ 도관의 색은 녹색 또는 검정색을 사용한다.

㉨ 90kgf/cm²의 내압 시험에 합격하여야 한다.

㉩ 호스의 연결은 고압 조임 밴드를 사용한다.

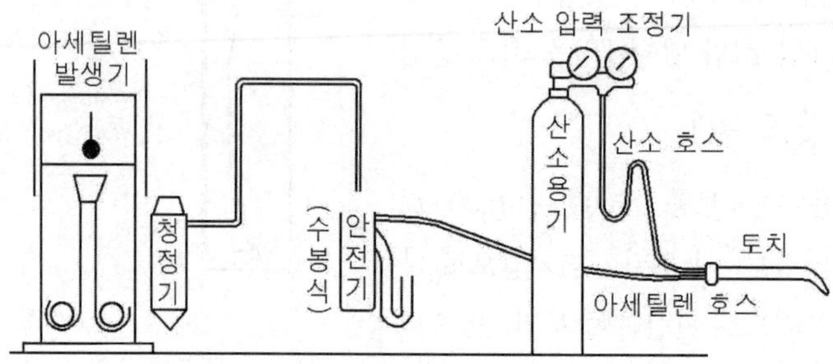

④ 용기의 총 가스량 및 사용시간 계산

㉠ **산소 용기의 총 가스량** : 내용적×기압

㉡ **사용할 수 있는 시간** : 산소용기의 총 가스량÷시간당 소비량

6 가스 용접용 기구 및 재료

(가) 가스 토치

산소와 아세틸렌가스를 일정하게 혼합가스로 만들어 이 가스를 연소시켜 불꽃을 형성하여 용접작업을 할 수 있게 만들어 주는 장치를 가스 용접용 토치라고 한다.

① 토치의 구조 : 밸브, 혼합실, 팁으로 이루어져 있다.

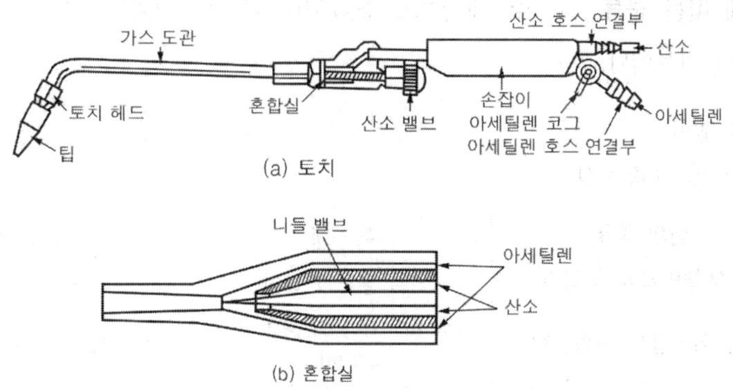

(a) 토치

(b) 혼합실

② 토치의 분류

㉠ 압력에 따른 분류

- 저압식(발생기식 : 0.07kgf/cm², 용해식 0.2kgf/cm²)
- 중압식(0.07kgf/cm² ~ 1.3kgf/cm²)
- 고압식(1.3kgf/cm² 이상)이 있다.

㉡ 불변압식과 가변압식 : 불변압식(독일식)은 1개의 팁에 1개의 인젝터가 있는 형식이며, 가변압식(프랑스식)은 인젝터에 니들 밸브가 있어 유량과 압력을 조절할 수 있다.

- 불변압식 토치 : 토치의 구조가 복잡하고 무겁다. 인화될 위험이 적다.

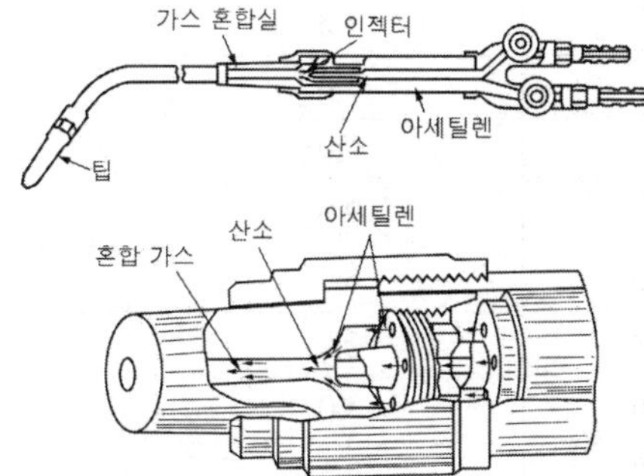

- 가변압식 토치 : 팁이 작아 갈아 끼우기가 편리하고 가벼워 작업이 쉽다.

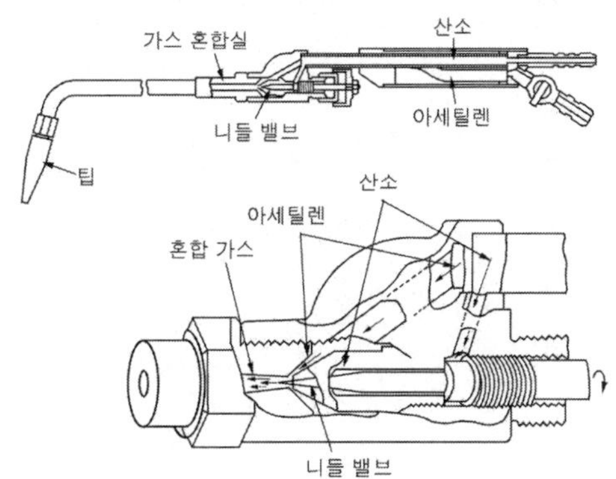

㉢ **크기에 따른 분류** : 소·중·대형으로 분류되며 각각의 크기는 300 ~ 350mm, 400 ~ 450mm, 500mm 이상이다.

③ 토치의 팁 종류

㉠ 독일식 및 프랑스식

팁의 종류	특 징	크 기
A형(불변압식) 독일형	니들 밸브가 없다.	용접할 수 있는 강판의 두께
B형(가변압식) 프랑스형	니들 밸브가 있어 불꽃 조절 용이하다.	1시간당 소비되는 아세틸렌 소비량

- 독일식은 두께 1mm를 1번, 두께 2mm를 2번이라고 한다.
- 프랑스식은 100번 : 표준불꽃으로 용접하였을 때 1시간당 아세틸렌가스 소비량 100 *l* 라는 의미이다.
- 독일식 1번은 프랑스식 100번과 같다고 생각하면 된다.
- KS규격 A형은 A1, A2, A3 B형은 B00, B0, B1, B2이 규정되어 있다.

불변압식(A형) 토치의 팁 번호와 산소 압력

형식	팁 번호	산소 압력(kgf/mm²)	흰 불꽃의 길이(mm)	판 두께(mm)
A1호	1	1.0	5	1.0 ~ 1.5
	2	1.5	8	1.5 ~ 2.0
	3	1.8	10	2.0 ~ 4.0
	5	2.0	13	4.0 ~ 6.0
	7	2.3	14	6.0 ~ 8.0
A2호	10	3.0	15	8.0 ~ 12.0
	13	3.5	16	12.0 ~ 15.0
	16	4.0	17	15.0 ~ 18.0
	20	4.5	18	18.0 ~ 22.0
	25	4.5	18	22.0 ~ 25.0
A3호	30 ~ 50	5.0	21	25이상

가변압식(B형) 토치의 팁 번호와 산소 압력

형식	팁 번호	산소 압력(kgf/mm^2)	흰 불꽃의 길이(mm)	판 두께(mm)
B00호	10 ~ 16	1.5	1 ~ 2	0.5이하
	25~40		4 ~ 5	0.4 ~ 1.0
B0호	50 ~ 70	2	7 ~ 8	0.5 ~ 1.0
	100	2	10	1.0 ~ 1.5
	140	2	11	1.5 ~ 2.0
	200 ~ 230	2 ~ 3	12	2.0 ~ 2.5
B1호	320	3	12 ~ 13	3.2 ~ 4.0
	400	3	13 ~ 14	4.0 ~ 4.5
	500	3	14 ~ 17	4.5 ~ 5.5
B2호	630	4	19	5.5 ~ 8.0
	800	4	19 ~ 20	8.0 ~ 10
	1,000	4	20	10 ~ 12

ⓛ 토치의 구비 조건 및 취급 요령

- 안정성이 높을 것
- 역화가 없을 것
- 기름 또는 그리스를 토치에 바르지 말 것
- 팁의 청소는 팁 클리너를 사용할 것
- 팁을 교환 시는 밸브를 반드시 잠글 것

(나) 안전기

① 가스의 역류, 역화로 인한 위험을 방지 할 수 있는 구조로 되어 있어야 한다.

② 빙결이 되었을 때는 온수나 증기를 사용하여 녹인다.

③ 유효 수주는 25mm이상을 유지 하여야 한다.

④ 종류는 수봉식과 스프링식이 있다.

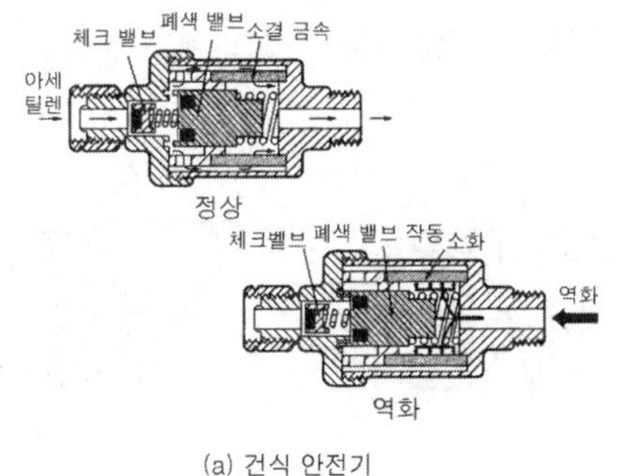

(a) 건식 안전기

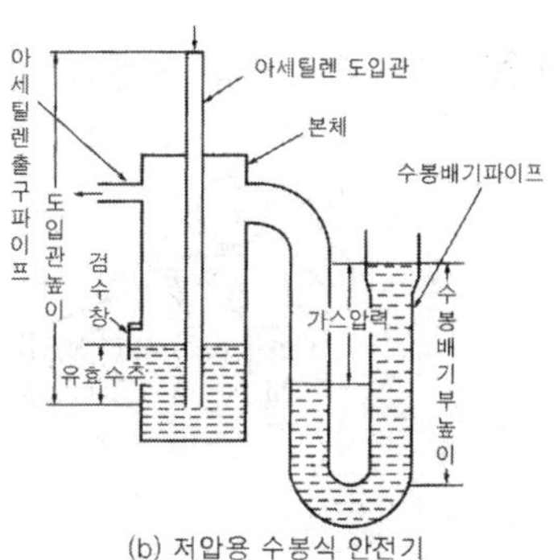

(b) 저압용 수봉식 안전기

(다) 청정기

카바이드에 발생한 아세틸렌가스에 불순물로 인한 용착 금속의 성질의 악화 및 기기의 부식, 불꽃 온도 저하, 역류, 역화, 폭발 위험이 있으므로 불순물을 제거해야 한다.

① **물리적 방법** : 수세법(물속으로 가스통과), 여과법(목탄, 코우크스 등으로 가스통과)

② **화학적 방법** : 헤라톨, 카다리졸, 아카린, 플랑크린 등의 청정제 사용

③ **청정색의 변색** : 황갈색 → 청색, 회색으로 바뀌면 청정 능력 상실

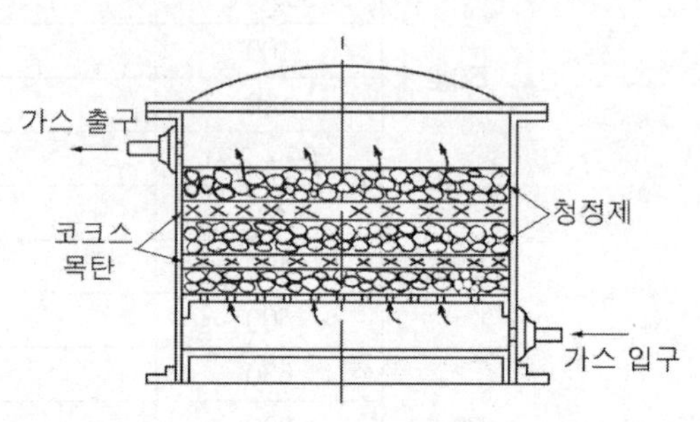

(라) 압력 조정기

① 압력 조정기는 게이지라고도 하며, 산소와 아세틸렌을 사용압력으로 조정하는 것을 말한다.

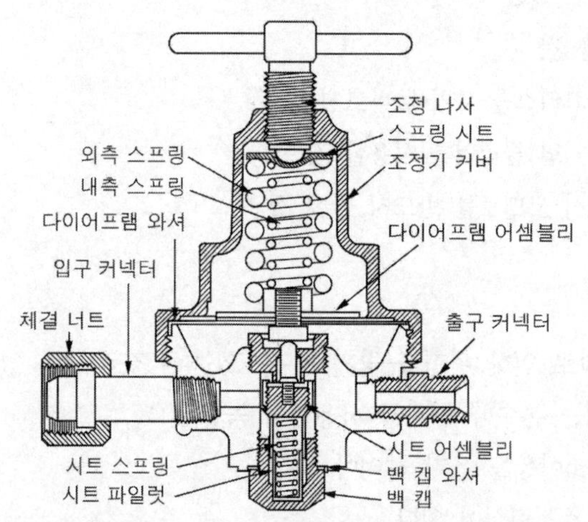

② **작동 순서** : 부르동 관 → 켈리브레이팅 링크 → 섹터 기어 → 피니언 → 눈금판

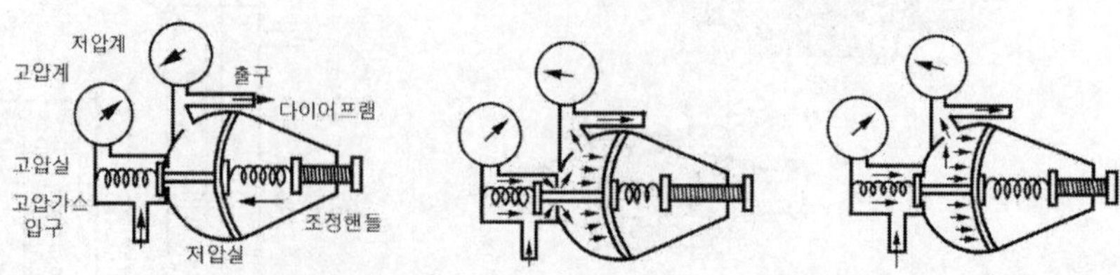

③ **종류**

㉠ 프랑스식(스템형) : 매우 예민한 작동

㉡ 독일식(노즐형) : 고장이 적음

④ **압력 조정기 취급시 유의사항**

㉠ 설치 전 먼지 등을 불어낸 후 연결부에 가스 누설이 없도록 정확하게 연결한다.

㉡ 압력 조정기 설치구의 나사부나 조정기의 각부에 그리스나 기름등을 사용하지 않는다.

㉢ 압력 조정기의 지시 바늘이 잘 보이도록 설치한다.

㉣ 가스의 누설검사는 비눗물을 사용한다.

(마) 가스 용접봉

① 연강용, 주철용, 비철 금속 재료용 등이 있다.

② NSR(용접된 그대로), SR(응력 제거 풀림 625±25℃)이 있다.

연강용 용접봉의 기계적 성질(KS D7005)

용접봉 종류 (끝면의 색)	시험편 처리	인장강도 (kgf/mm²)	연신률 (%)
GA46 (적색)	SR	46 이상	20 이상
	NSR	51 이상	17 이상
GA43 (청색)	SR	43 이상	25 이상
	NSR	44 이상	20 이상
GA35 (황색)	SR	35 이상	28 이상
	NSR	37 이상	23 이상
GB46 (백색)	SR	46 이상	18 이상
	NSR	51 이상	15 이상
GB43 (흑색)	SR	43 이상	20 이상
	NSR	44 이상	15 이상
GB35 (자색)	SR	35 이상	20 이상
	NSR	37 이상	15 이상
GB32 (녹색)	NSR	32 이상	15 이상

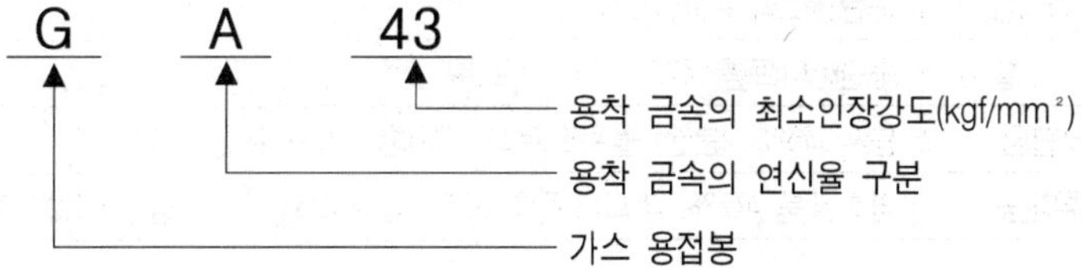

③ 지름은 1.0, 1.6, 2.0, 2.6, 3.2, 4.0, 5.0, 6.0이 있으며 길이는 모두 1,000mm이다.

④ 용접봉을 선택할 경우는 다음의 조건에 맞는 재료를 선택하여야 한다.

㉠ 모재와 같은 재질이어야 하며 충분한 강도를 줄 수 있을 것

㉡ 용융 온도가 모재와 같고, 기계적 성질에 나쁜 영향을 주지 말 것

㉢ 용접봉의 재질 중에 불순물을 포함하고 있지 않을 것

⑤ 가스 용접봉 중에 포함된 성분

㉠ 탄소(C) : 강의 강도를 증가시키나 연신율, 연성 등을 저하시킨다.

㉡ 규소(Si) : 강도를 저하시키나, 기공(blow hole)을 줄일 수 있다.

㉢ 인(P) : 강에 취성을 주며 가연성을 떨어뜨린다.

㉣ 황(S) : 용접부에 저항력을 감소시키며 기공이 발생할 우려가 있다.

⑥ 용접봉 지름과 판 두께와의 관계

$$D=\frac{T}{2}+1$$ (D : 지름, T : 판 두께)

모재에 따른 용접봉의 지름 선택

재료 두께(mm)	2.5 이하	2.5 ~ 6.0	5.0 ~ 8.0	7.0 ~ 10	9.0 ~ 15
용접봉 지름(mm)	1.0 ~ 1.6	1.6 ~ 3.2	3.2 ~ 4.0	4.0 ~ 5.0	4.0 ~ 6.0

(바) 용제

① 모재 표면의 불순물과 산화물의 제거로 양호한 용접이 되도록 도와준다.

② 용접 중에 생기는 산화물과 유해물을 용융시켜 슬랙으로 만들거나, 산화물의 용융 온도를 낮게 하기 위해서 용제를 사용한다.

③ 용제는 분말이나 액체로 된 것이 있으며, 분말로 된 것은 물이나 알코올에 개어서 사용한다.

④ 용제는 사용 후 슬래거 제거가 용이하고 인체에 무해할 것

⑤ 종류

용접 금속	용 제(flux)
연 강	일반적으로 사용하지 않는다.
반 경 강	중탄산소다 + 탄산소다
주 철	중탄산나트륨 70%, 탄산나트륨 15%, 붕사 15%
구리합금	붕사 75%, 붕산, 플로오르화 나트륨, 염화나트륨 25%
알루미늄	염화칼륨 45%, 염화나트륨 30%, 염화리튬 15% 플루오르화 칼륨 7%, 황산칼륨 3%

연강에 경우 때에 따라 충분한 용제 작용을 돕기 위해 규산나트륨, 붕사, 붕산을 사용할 때도 있다.

(사) 보안경(Welding goggles)

① 보안경은 작업 중 유해한 자외선과 적외선의 피해를 방지한다.
② 용접 중 스팩터나 비산하는 불티 등이 눈에 들어가는 것을 방지한다.
③ 일반적으로 연납땜은 2번, 경납땜은 3~4번, 가스용접은 4~8번을 사용한다.

(아) 점화 라이터와 팁 클리너(Tip cleaner)

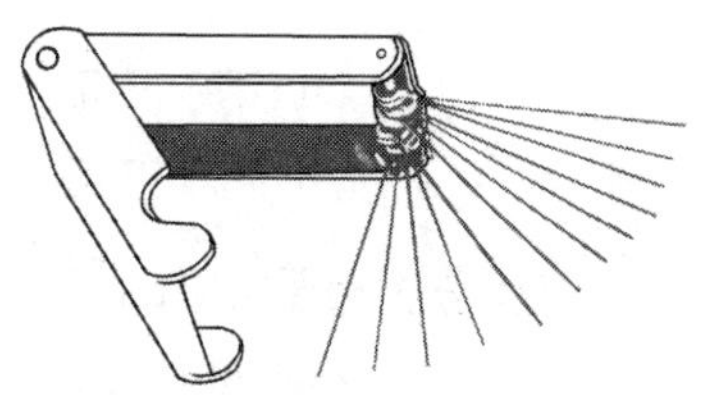

① 가스 용접을 하고자 점화를 할 때는 반드시 전용 점화 라이터를 사용한다.
② 팁의 구멍이 스팩터, 그을음 등으로 막혀 가스 분출이 원활하지 못할 경우 팁 클리너를 사용하여 구멍을 뚫은 후 작업을 하여야 한다. 이때 주의할 점은 팁의 구멍이 늘어나는 것을 방지하기 위하여 구멍보다 약간 지름이 작은 팁 클리너를 사용하여야 한다.

(자) 기타 보호구 및 공구

용접 장갑, 앞치마, 각반, 용접 지그, 집게, 와이어 브러시, 스패너 등이 있다.

7 가스 용접 작업

(가) 불꽃의 구성

① 백심(불꽃심), 속불꽃, 겉불꽃으로 구성되어 있다.
- ㉠ **백심(Flame core)** : 환원성 백색 불꽃이다.
- ㉡ **속불꽃(Inner flame)** : 백심부에서 생성된 일산화탄소와 수소가 공기 중의 산소와 결합 연소되어 고열을 발생하는 부분이다.

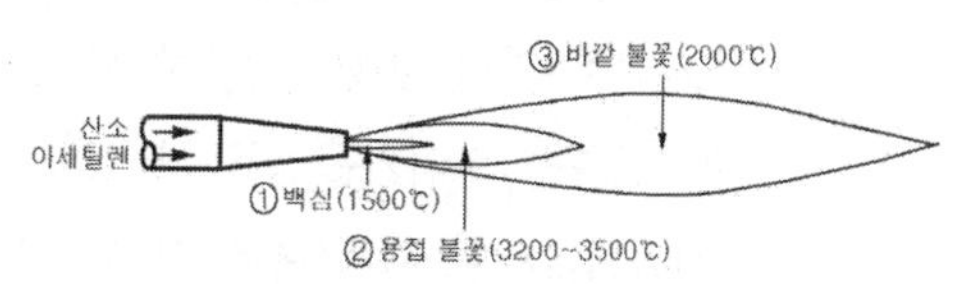

- ㉢ **겉불꽃(Outer flame)** : 연소가스가 다시 주위 공기의 산소와 결합하여 완전연소 되는 부분이다.

② 온도가 가장 강한 부분이 속불꽃으로 3,200~3,450℃이다.

(나) 불꽃의 종류

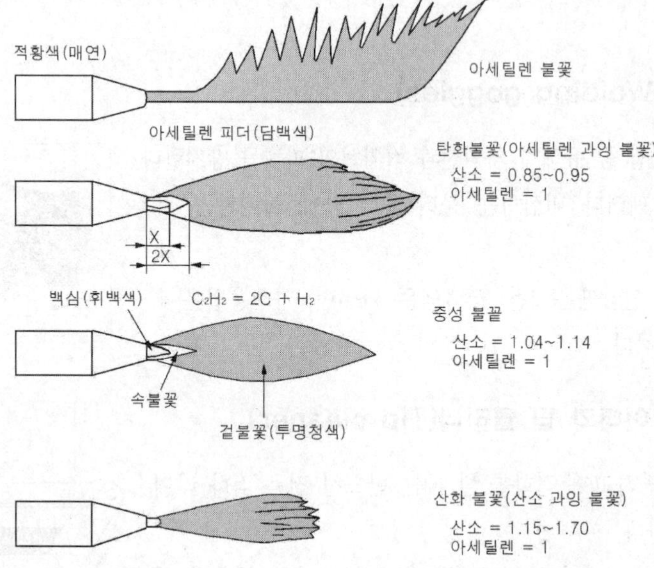

① **중성 불꽃**(neutral flame)

㉠ 산소와 아세틸렌가스의 혼합비가 1 : 1 정도로 이루어질 때 얻어지는 불꽃으로 표준 불꽃이라고도 한다.

㉡ 백심 불꽃과 아세틸렌 깃이 일치될 때를 중성 불꽃이 된다.

㉢ 이론상 산소와 아세틸렌의 혼합비는 2.5 : 1이나 산소의 1.5는 공기 중에서 얻는다.

㉣ 용접 작업에 가장 알맞은 불꽃으로 금속의 용접부에 산화나 탄화의 영향이 가장 적게 미치는 불꽃이다.

㉤ 연강, 반연강, 주철, 구리, 아연, 납, 은, 알루미늄, 니켈, 주강 등에 사용한다.

확산 연소 연료와 공기를 혼합시키지 않고 연료만 버너로부터 분출시켜 연소에 필요한 공기는 모두 화염의 주변에서 확산에 의해 공기와 연료를 서서히 혼합시키면서 연소시키는 방식을 말한다.

② **산성 불꽃**(excess oxygen flame)

㉠ 산소 과잉 불꽃 또는 산화불꽃이라고도 한다.

㉡ 산화성 분위기를 만들어 일반적인 금속의 용접에는 사용하지 않는다.

㉢ 용접을 할 때 금속을 산화시키므로 구리, 황동 등의 용접에 사용한다.

③ **탄화 불꽃**(excess acetylene flame, carbonizing flame)

㉠ 아세틸렌 과잉 불꽃 또는 환원성불꽃이라 한다.

ⓛ 속불꽃과 겉불꽃 사이에 연한 백색의 제3의 불꽃 즉 아세틸렌 깃이 있다.

ⓒ 아세틸렌 밸브를 열고 점화한 후 산소 밸브를 조금만 열게 되면 다량의 그을음이 발생하며 연소하게 되는 경우이다.

ⓔ 이 불꽃은 산소의 량이 부족할 경우에 생기는 것으로 금속의 산화를 방지할 필요가 있는, 스테인리스강, 스텔라이트, 모넬메탈 등의 용접에 사용된다.

산소-아세틸렌 불꽃의 온도

용적비(산소 : 아세틸렌)	불꽃의 형태	불꽃의 온도(℃)
0.8 : 1.0	탄화불꽃	3,070
0.9 : 1.0	탄화불꽃	3,150
1.0 : 1.0	중성불꽃	3,230
1.5 : 1.0	산화불꽃	3,430
2.0 : 1.0	산화불꽃	3,370
2.5 : 1.0	산화불꽃	3,320

(다) 역류, 역화 및 인화

① **역류(Contra flow)** : 가스 용접에서는 일반적으로 산소의 압력이 아세틸렌가스의 압력보다 높게 사용되므로 팁 끝이 막히거나 하여 고압 산소가 밖으로 흐르지 못하고, 산소보다 압력이 낮은 쪽인 아세틸렌 호스 쪽으로 흘러 폭발의 위험이 있는 현상을 말한다. 이러한 현상의 원인으로는 산소 압력 과다, 아세틸렌(C_2H_2)공급량 부족 등을 들 수 있으며, 방지책으로는 팁을 깨끗이 청소한다. 아울러 역류가 발생하였을 경우 산소를 차단한 후 아세틸렌을 차단시키면 된다.

② **역화(Back fire)** : 팁 끝이 모재에 닿아 순간적으로 팁 끝이 막히거나 팁 끝의 가열 및 조임 불량 및 가스 압력의 부적당할 때 폭음이 나며선 불꽃이 꺼졌다가 다시 나타나는 현상을 말한다. 역화를 방지하려면 팁의 과열을 막고, 토치 기능을 점검한다. 역화가 발생하였을 경우는 우선 아세틸렌을 차단 후 산소를 차단하여야 한다.

③ **인화(Flash back)** : 역류, 역화에 비하여 매우 위험한 것으로 팁 끝이 순간적으로 막혀 가스의 분출이 되지 못하고 불꽃이 토치의 가스 혼합실까지 들어오는 현상을 말한다. 인화를 방지하기 위해서는 가스 유량을 적당하게 조정하며, 팁을 항상 깨끗이 청소한다. 아울러 토치 및 각 기구를 항상 점검한다. 인화가 발생하였을 경우 우선 아세틸렌을 차단 후 산소를 차단한다.

역화 방지기(Flashback Arrestor) : 불꽃을 아세틸렌가스 등의 가연성 가스봄베로 들어가는 것을 차단하는 장치

④ **불꽃 변화의 원인과 대책**

㉠ 불꽃이 자주 변함 : 가스 중의 수분이 있을 경우 불꽃이 커졌다 작아졌다 하므로 수분이 호스에 고이지 않도록 수시로 청소한다.

㉡ 점화시에 폭음 발생 : 혼합 가스의 배출이 불완전하거나, 산소 및 아세틸렌의 압력이 부적당할 때 발생하는 현상으로 가스 혼합비를 조절한다.

㉢ 작업 중에 소리가 발생 : 토치의 팁이 과열되면 작업 중'탁탁'소리가 나므로 산소를 분출하면서 팁을 물속에 넣어 식혀 준 뒤 작업한다. 또한 팁과 모재가 접촉하였을 경우에도 소리가 날 수 있다.

(라) 가스 용접 불꽃 조절

① 압력 조정기 설치 전 용기의 밸브를 열어 먼지를 제거한 후 압력 조정기를 가스의 누설이 없도록 설치한다.

② 아세틸렌 압력은 산소 압력의 $\frac{1}{10}$ 수준인 0.1 ~ 0.4kgf/cm²조정하고, 산소 압력은 3 ~ 4kgf/cm²으로 조정한다.

③ 그을음을 방지하기 위하여 아세틸렌 밸브를 열은 후 산소 밸브를 조금 열어 점화 라이터를 이용하여 점화한다.

④ 점화 후 산소 밸브 및 아세틸렌 밸브를 조절하여 사용하고자 하는 불꽃으로 조절한다.

(마) 용접 작업

① **전진법(좌진법)**

㉠ 용접봉이 토치 보다 앞서 나가는 것을 생각하면 된다.

㉡ 오른쪽 → 왼쪽으로 진행한다.

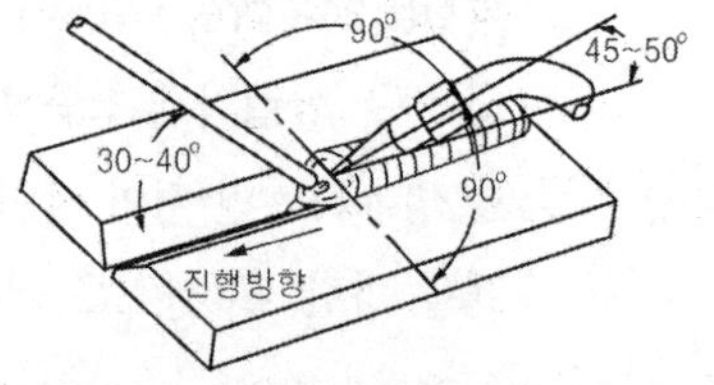

② **후진법(우진법)**

㉠ 용접봉이 토치 뒤에 있는 것을 생각하면 된다.

㉡ 왼쪽 → 오른쪽으로 진행한다.

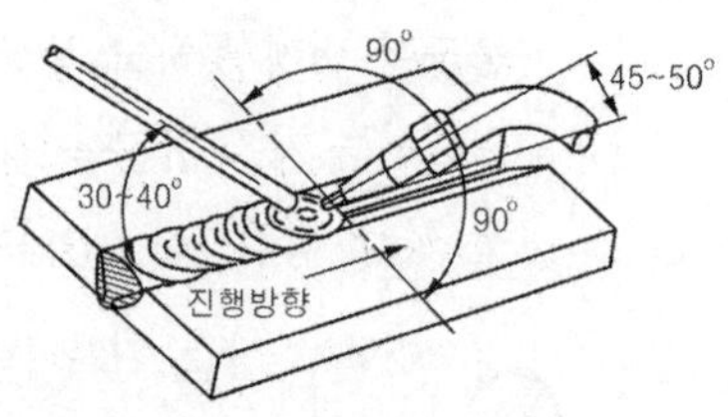

③ 전진법과 후진법에 비교

비교 내용	후진법	전진법
열 이용율	좋다	나쁘다
용접 속도	빠르다	느리다
홈 각도	작다(60°)	크다 (80°)
변형	적다	크다
산화성	적다	크다
비드 모양	나쁘다	좋다
용도	후판	박판

전진법은 비드 모양만 좋고 모든 것은 후진법에 비해 나쁘다고 생각하면 된다.

03 절단

1 아크 절단

(가) 아크 절단의 일반적인 특징

① 전극과 모재 사이에 아크를 발생시켜 그 열로 모재를 용융 절단한다.
② 절단의 온도가 높고 산소 절단보다 비용이 저렴하나 절단면이 거칠다.
③ 정밀도는 가스 절단보다 떨어지나 가스 절단이 곤란한 재료에 사용이 가능하다.
④ 압축 공기, 산소 기류와 함께 쓰면 능률적이다.
⑤ 용도로는 주철, 망간강, 비철금속 등에 적용된다.

2 아크 절단의 종류

① **탄소 아크 절단**

㉠ 탄소(많이 사용하나 소모성이 크다), 흑연(전기적 저항이 적고 높은 사용 전류에 적합) 전극봉과 금속 사이에 아크를 발생하여 절단한다.

㉡ 사용 전원은 직류 정극성이 바람직 하지만 때로는 교류도 사용 가능하다.

② **금속 아크 절단**

㉠ 보통은 용접봉에 값이 비싸 잘 쓰이지 않고 있으나, 토치나 탄소 용접봉이 없을 때 쓰인다. 탄소 전극봉 대신에 특수 피복제를 입힌 전극봉을 써서 절단한다.

㉡ 사용 전원은 직류 정극성이 바람직 하지만 교류도 사용 가능하다.

③ **산소 아크 절단**

㉠ 사용 전원은 직류 정극성이 널리 쓰임, 때로는 교류도 사용된다.

㉡ 중공(속이 빈)의 피복 강전극으로 아크를 발생(예열원)시키고 그 중심부에서 산소를 분출시켜 절단하는 방법으로 절단속도가 크다. 하지만 절단면이 고르지 못하는 단점도 있다.

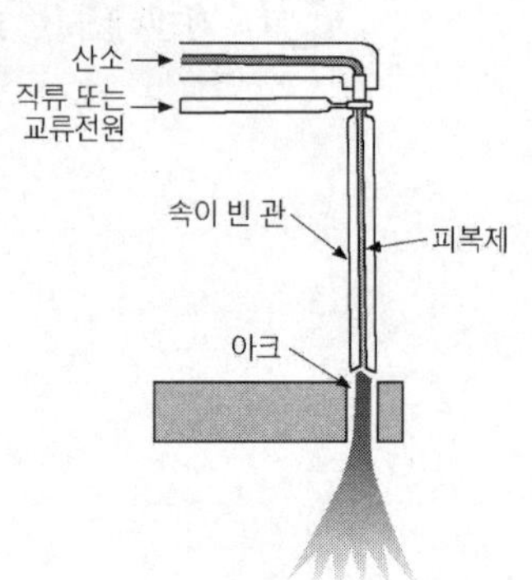

▲ 산소 아크 절단

④ **플라즈마 절단** : 아크 플라즈마의 바깥 둘레를 강제로 냉각하여 발생하는 고온, 고속의 플라즈마를 이용하여 절단한다.

㉠ 무부하 전압이 높은 직류 정극성 이용한다.

㉡ 플라즈마 10,000 ~ 30,000℃를 이용하여 절단한다.

㉢ 아르곤 + 수소(질소 + 공기)가스를 이용한다.

㉣ 특수금속, 비금속, 내화물도 절단 가능하다.

㉤ 절단면에 슬랙이 부착되지 않고 열 영향부가 적어 변형이 거의 없다.

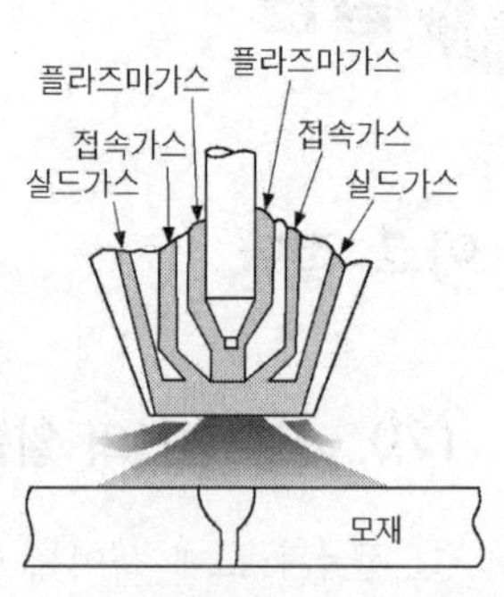

▲ 플라즈마 절단

수소 가스를 사용하면, 열적 핀치 효과를 증대하고 절단 속도를 증가시킬 수 있다.

플라즈마 절단에는 플라즈마 아크 절단(이행형), 플라즈마 제트 절단(비이행형)이 있어 금속 및 비금속의 절단이 가능하다.

플라즈마 소모품의 수명 연장을 위해서는 가능한 사용전류는 낮추고, 가스의 압력과 유량을 철저히 관리하여야 된다. 또한 사용되는 가스의 순도를 유지하고, 토치와 부재와의 간격도 정확히 하여야 한다. 아울러 파일럿 아크 작동시간을 줄이고 수시로 실드 캡(Shield Cap)의 슬래그를 제거하여야 한다.

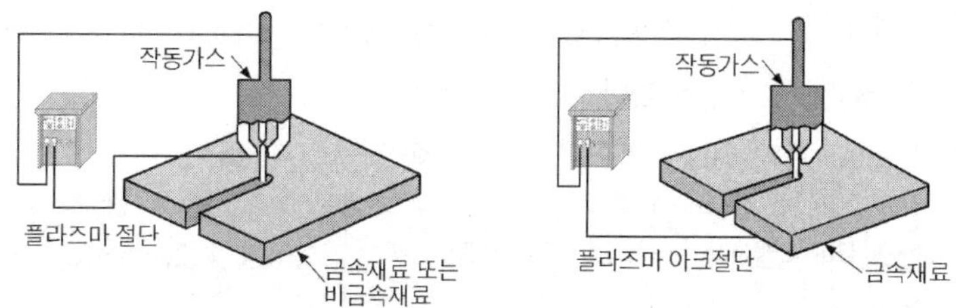

⑤ 티그 및 미그 절단

㉠ 티그 절단은 열적 핀치 효과에 의한 플라즈마로 절단하는 방법으로 전원으로는 직류 정극성이 사용된다. 주로 알루미늄, 구리 및 구리합금, 스테인리스강과 같은 금속 재료에 절단에만 사용하며 사용 가스로는 아르곤과 수소 혼합가스가 사용된다.

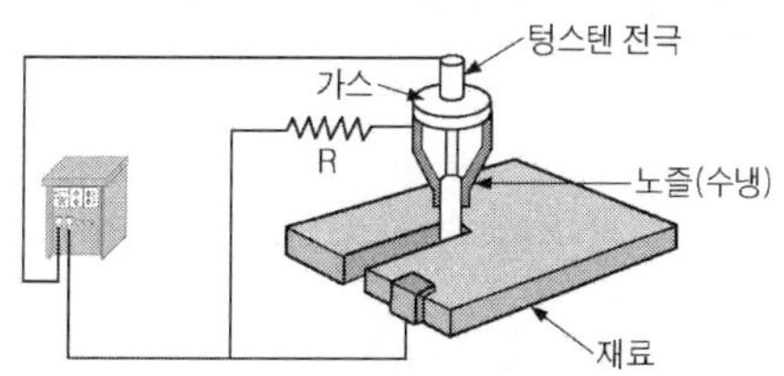

㉡ 미그 절단은 금속전극에 대전류를 흘려 절단, 전원으로는 직류 역극성이 사용된다. 보호가스는 산소를 혼합한 아르곤 가스를 쓰며 효과적이다. 알루미늄과 같이 산화에 강한 금속 절단에 사용 된다.

⑥ 아크 에어 가우징

㉠ 탄소 아크 절단에 압축 공기를 병용하여 결함을 제거(흑연으로 된 탄소봉에 구리 도금을 한 전극 사용), 가스 가우징보다 작업 능률이 2~3배 좋다.

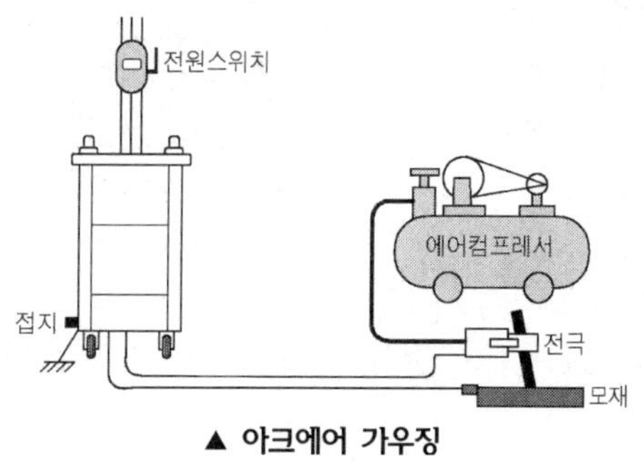

▲ 아크에어 가우징

㉡ 균열의 발견이 특히 쉽다.

㉢ 소음이 없고 경비가 싸다.(단 압축기 소리는 무시한다.)

㉣ 철, 비철금속 어느 경우도 사용된다.

㉤ 전원으로는 직류 역극성이 사용된다.

㉥ 아크 전압 35V, 전류 200 ~ 500A, 압축 공기는 6 ~ 7kg/cm²(4kg/cm²이하로 떨어지면 용융 금속이 잘 불려 나가지 않는다.)

㉦ 폭 10mm, 깊이 6mm 정도의 가우징 속도는 900mm/min

탄소봉의 지름(mm)	사용 전류(A)	가우징 속도(mm/min)	홈의 크기(mm)	
			폭	깊이
5.0	100 ~ 200	900 ~ 1200	7 ~ 9	3 ~ 4
6.0	200 ~ 350	900 ~ 1200	9 ~ 11	4 ~ 5
8.0	250 ~ 400	700 ~ 1000	10 ~ 12	5 ~ 6
9.0	300 ~ 450	400 ~ 700	11 ~ 13	6 ~ 7
11.0	400 ~ 550	300 ~ 400	13 ~ 15	8 ~ 9
13.0	450 ~ 600	200 ~ 300	15 ~ 17	9 ~ 10

3 가스 절단

(가) 가스 절단

일반적으로 산소-아세틸렌 불꽃으로 약 850~900℃정도로 예열하고, 고압의 산소를 분출시켜 철의 연소 및 산화로 절단한다.

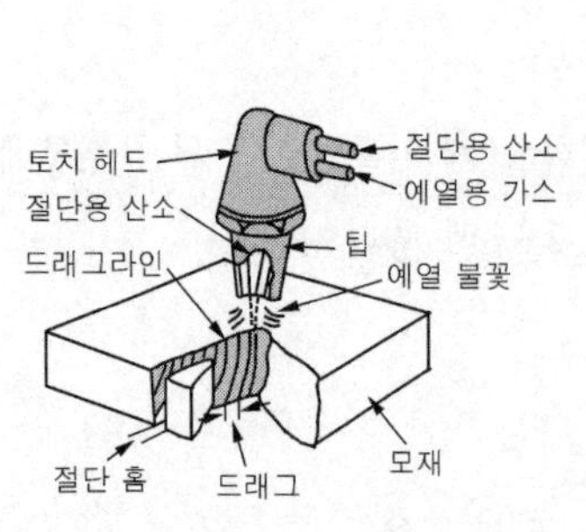

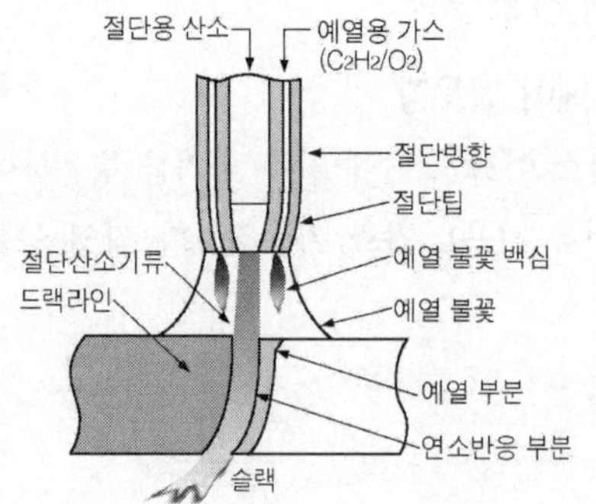

철과 산소의 화학반응식은 다음과 같다.

$$Fe_2 + \frac{1}{2}O_2 = FeO + 64.0\text{kcal}$$

$$2Fe + 1\frac{1}{2}O_2 = Fe_2O_3 + 190.7kcal$$

$$3Fe + 2O_2 = Fe_3O_4 + 266.9kcal$$

예열 불꽃의 역할 : 절단 개시점을 발화온도로 가열, 절단 산소의 순도 저하 방지, 절단 산소의 운동량 유지, 절단재 표면 스케일 등을 제거하여 절단 산소와의 반응을 용이하게 함

① 주로 강 또는 저 합금강의 절단에 널리 이용됨

원활한 절단 조건 : 모재가 산화 연소하는 온도는 그 금속의 용융점보다 낮아야 한다. 생성된 산화물은 유동성이 우수하고 산소 압력에 잘 밀려나가야 된다. 생성된 산화물의 용융점은 모재의 용융점보다 낮아야 된다. 금속의 화합물에는 불연성물질이 적어야 된다.

② 주철, 비철금속, 스테인리스강(10%이상의 크롬 함유)과 같은 고 합금강은 절단이 곤란하다.

알루미늄 및 스테인리스강이 절단이 곤란한 이유는 절단 중에 생기는 산화물 즉 산화알루미늄(Al_2O_3)와 산화크롬(Cr_2O_3)의 용융점이 모재의 용융점 보다 높기 때문이다.

③ **절단에 영향을 주는 요소**

㉠ 팁의 모양 및 크기
㉡ 산소의 순도(99.5%)와 압력
㉢ 절단 속도
㉣ 예열 불꽃의 세기
㉤ 팁의 거리 및 각도
㉥ 사용 가스
㉦ 절단재의 재질 및 두께 및 표면 상태

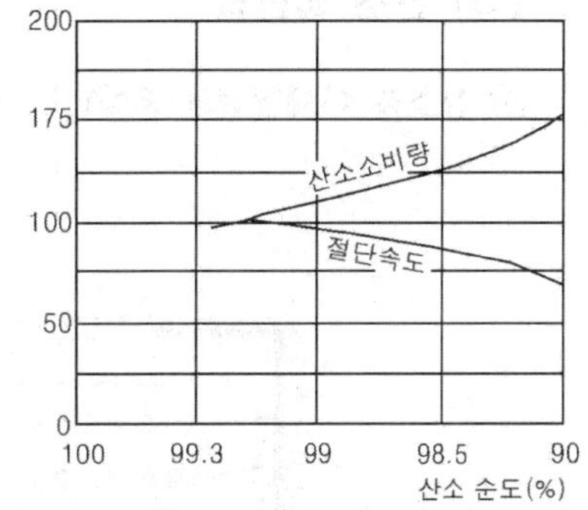

절단 속도는 산소 압력 즉 소비량에 비례한다. 산소의 순도가 높으면 절단 속도를 빨리할 수 있다. 절단 모재의 온도가 높을수록 고속 절단이 가능, 다이버전트 노즐 등을 사용하면 속도를 증가할 수 있다.

- 산소의 순도가 1% 저하하면 절단 속도는 25% 저하한다. 아울러 순도가 저하하면 산소의 소비량도 증가한다.
- 한계 압력은 절단 모재의 두께에 비례하며, 절단 팁 구경에 반비례한다.
- 예열 불꽃의 세기가 세면 절단면 모서리가 용융되어 둥굴게 되고, 절단면이 거칠게 되며 슬래그 중의 철 성분의 박리기 어렵게 된다. 반대로 약해지면 드랙의 길이가 증가하고, 절단 속도가 늦어지며, 역화를 일으키기 쉽다.

④ **가스 절단에 양부 판정**

㉠ 드랙은 가능한 작을 것

㉡ 절단 모재의 표면 각이 예리할 것

㉢ 절단면이 평활 할 것

㉣ 슬랙의 박리성이 우수할 것

㉤ 경제적인 절단이 이루어질 것

⑤ **합금 원소가 절단에 미치는 영향**

㉠ 탄소(0.25% 이하의 강은 절단이 가능하나 4%이상의 것은 분말 절단을 해야 한다.)

㉡ 고 규소, 고 망간 등은 절단이 곤란하다. 하지만 망간의 경우는 예열을 하면 절단이 가능하다.

㉢ 탄소량이 적은 니켈강은 절단이 용이하다.

㉣ 크롬 5% 이하는 절단이 용이하지만 10%이상은 분말 절단을 한다.

㉤ 순수한 몰리브덴은 절단이 곤란하다.

㉥ 텅스텐은 20%이상은 절단이 곤란하다.

㉦ 구리 2%까지는 영향을 받지 않는다.

㉧ 알루미늄 10% 이상은 절단이 곤란하다.

(나) 산소 절단법

① 산소와 아세틸렌의 혼합비는 1.4~1.7 : 1 때 불꽃의 온도가 가장 높다.

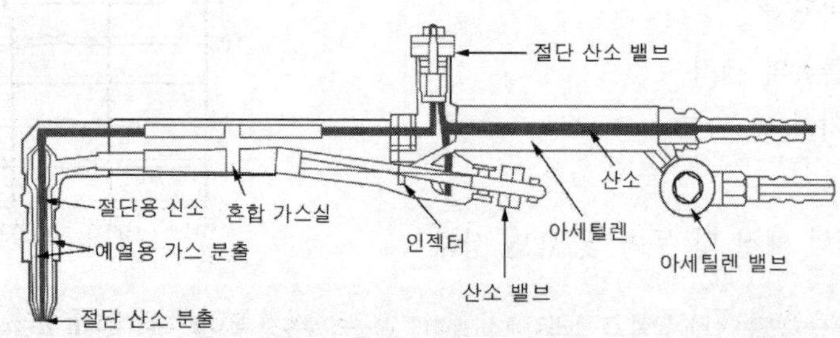

▲ **프랑스식 절단 토치**

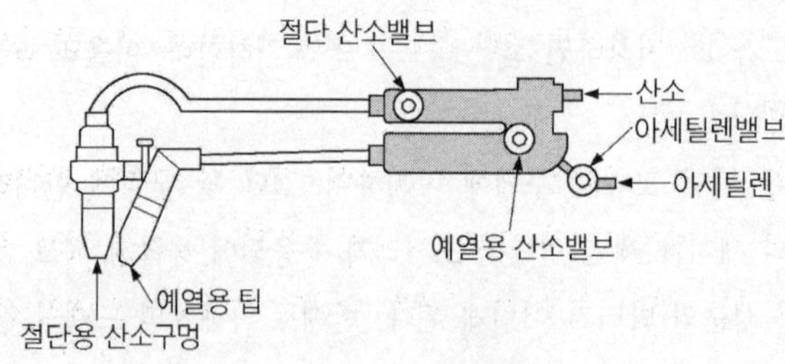

▲ **독일식 절단 토치**

② 아세틸렌 게이지 압력이 보통 저압식(0.07kgf/cm²)이하에서 이용되며 산소 압력이 높다. 하지만 중압식(0.4kgf/cm²)은 아세틸렌가스와 산소 가스의 압력이 거의 같은 압력으로 혼합실에서 공급된다.

③ 절단 속도는 산소의 순도 및 압력, 팁의 모양, 모재의 온도 등에 따라 영향을 받으며, 고속 분출을 얻기 위해서는 다이버전트 노즐(절단 속도 20 ~ 25% 향상)을 사용한다.

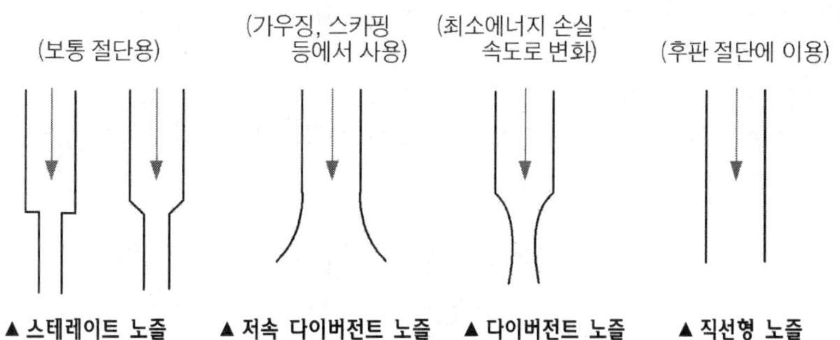

▲ 스테레이트 노즐 ▲ 저속 다이버전트 노즐 ▲ 다이버전트 노즐 ▲ 직선형 노즐

④ 사용 가스의 비교

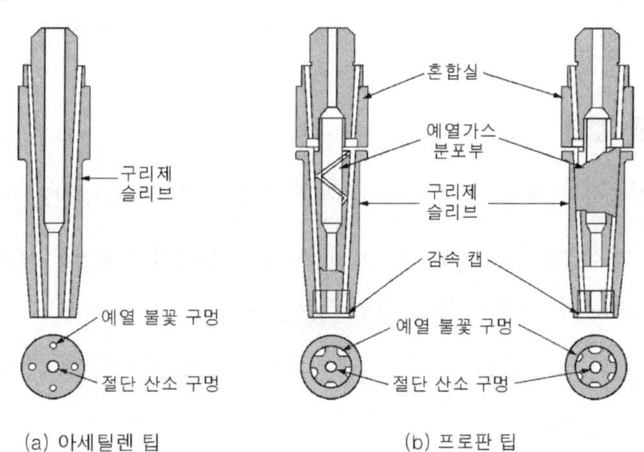

(a) 아세틸렌 팁 (b) 프로판 팁

아세틸렌	프로판
· 혼합비 1 : 1 · 점화 및 불꽃 조절이 쉽다. · 예열 시간이 짧다. · 표면의 녹 및 이물질 등에 영향을 덜 받는다. · 박판의 경우 절단 속도가 빠르다.	· 혼합비 1 : 4.5 · 절단면이 곱고 슬랙이 잘 떨어진다. · 중첩 절단 및 후판에서 속도가 빠르다. · 분출 공이 크고 많다. · 산소 소비량이 많아 전체적인 경비는 비슷하다.

포갬 절단은 두께 12mm 이하의 비교적 얇은 판을 쌓아 포개어 놓고 한 번에 절단하는 방법으로 절단 능률은 우수하나 판과 판 사이에 산화물 또는 틈(0.8mm 이상)이 있으면 밑판에 절단은 곤란하다.

⑤ 드랙의 길이는 판 두께의 $\frac{1}{5}$ 즉, 20% 정도가 좋다 .

$$\text{드랙} = \frac{\text{드랙의 길이(mm)}}{\text{판두께(mm)}} \times 100$$

⑥ 팁 끝과 강판의 거리는 1.5 ~ 2mm 정도로 하여 약 900℃(연강)되었을 때 절단 산소 밸브를 연다. 절단 산소의 분출 압력이 커질수록 분출 속도와 절단 속도는 빨라지지만 너무 빨리 해서는 안 된다.

⑦ 직선 절단의 경우 팁의 각도는 모재와 90˚로 유지하여 절단하고, 홈 절단의 경우는 60˚로 유지하여 절단한다.

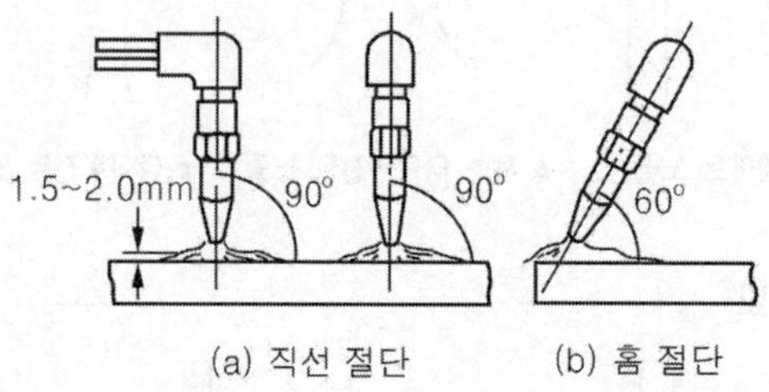

(a) 직선 절단 (b) 홈 절단

(다) 수중 절단

① 주로 침몰선의 해체, 교량 건설 등에 사용되며, 수심 45(M)정도까지 작업이 가능하다.

② 예열용 가스로는 아세틸렌(폭발에 위험), 수소(수심에 관계없이 사용 가능 하나 예열 온도가 낮다), 프로판 가스(LPG), 벤젠 등이 사용된다.

③ 예열 불꽃은 육지 보다 크게(4 ~ 8배), 절단 산소의 압력은 1.5 ~ 2배, 절단 속도는 느리게 한다.

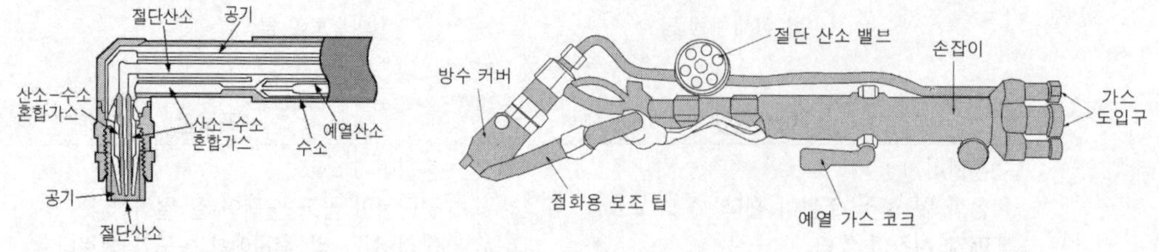

(라) 산소 창 절단

① 토치 대신 내경이 3.2 ~ 6mm, 길이 1.5 ~ 3m의 강관을 통하여 절단 산소를 내보내고 이 강관의 연소하는 발생 열에 의해 절단한다.

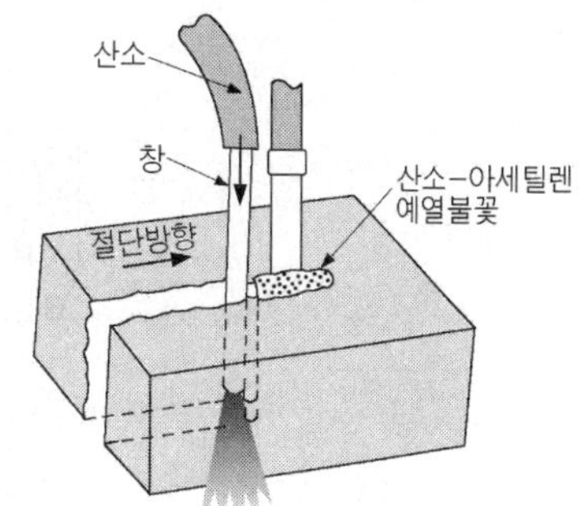

▲ 산소 창 절단

② 사용 목적에 따라 알루미늄 강 또는 마그네슘 강으로 된 선재가 가득 채워진다.

③ 아세틸렌가스가 필요 없으며 강괴 후판의 절단 및 암석의 천공 등에 사용된다.

(마) 가스 가우징

① 용접 뒷면 따내기, 금속 표면의 홈 가공을 하기 위하여 깊은 홈을 파내는 가공법으로 홈의 깊이와 폭의 비는 1 : 2 ~ 3 정도이다.

② 가스 용접에 절단용 장치를 이용할 수 있다. 단지 팁은 비교적 저압으로서 대용량의 산소를 방출할 수 있도록 슬로 다이버전트로 팁을 사용한다.

③ 토치의 예열 각도는 30 ~ 40°를 유지한다.

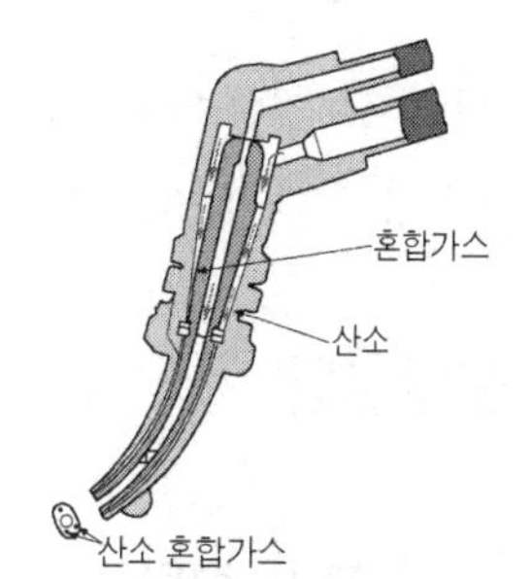

▲ 가스 가우징

(바) 스카핑

① 강재 표면의 탈탄 층 또는 홈을 제거하기 위해 사용

② 가우징과 달리 표면을 얕고 넓게 깎는 것이다.

③ 스카핑의 속도는 냉간재의 경우 5 ~ 7m/min, 열간재의 경우 20m/min로 대단히 빠르다.

④ 작업방법은 스카핑 토치를 75° 경사지게 하고 예열 불꽃의 끝이 표면에 접촉되도록 한다.

스카핑 속도는 스테인리스강의 경우 속도는 탄소강의 약 $\frac{1}{2}$정도 폭은 $\frac{2}{3}$정도로 한다.
가우징은 강재에 국한되나 스카핑은 강재 및 비철금속도 가공이 가능하다.

(사) 가스 절단 장치

① 가스 용접과 모든 장치가 똑같다.

② 팁의 모양

㉠ 동심형(프랑스식)

㉡ 이심형(독일식)

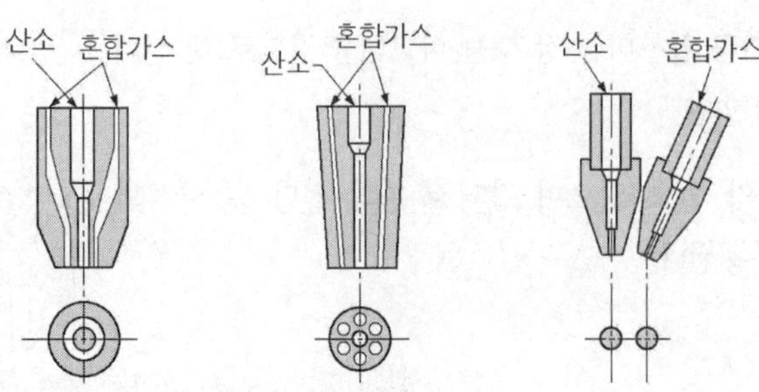

▲ 팁의 모양

③ 자동 절단기가 있어 곧고 긴 직선 절단 등에 사용된다.

④ 형 절단기는 트레이스 형식에 따라 수동식, 기계식, 전 자석식, 광 전관식을 사용하고 있다.

4 분말절단

(가) 분말 절단

① 철분 및 플럭스 분말을 자동적으로 산소에 혼입 공급하여 산화열 혹은 용제 작용을 이용하여 절단하는 방법으로 2종류가 있다.

② 철분 절단은 크롬 철, 스테인리스강, 주철, 구리, 청동에 이용된다. 오스테나이트계는 사용하지 않는다.

③ 분말 절단은 크롬 철, 스테인리스강이 쓰인다.

④ 철, 비철 금속 및 콘크리트 절단에도 쓰인다.

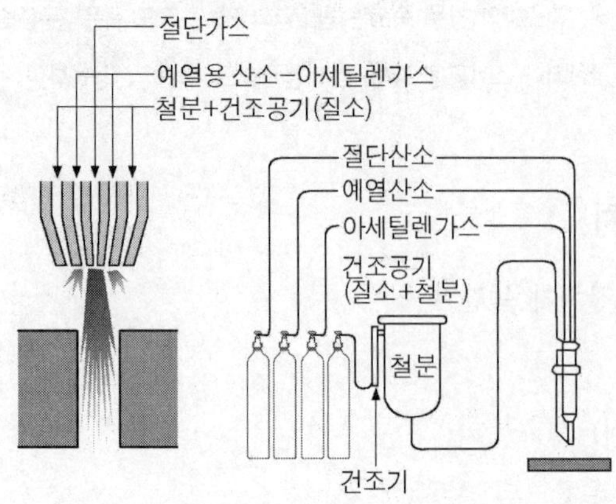

chapter3 예상문제

3-1 용접, 피복 아크용접 및 가스용접의 개요 및 원리

01 2개의 물체를 충분히 접근시키면 그들 사이에 원자 사이의 인력이 작용하여 결합하는데 이 때 원자 사이의 거리는 어느 정도 접근해야 하는가?

㉮ 0.001(㎛) ㉯ 10^{-6}(cm)
㉰ 10^{-8}(cm) ㉱ 0.0001(mm)

해설 용접이란 두 금속간의 간격이 10^{-8}cm(Å) 즉 1억분의 1cm정도 접근시키면 인력이 작용되어 결합된다.

02 용접의 장단점에 대한 각각의 설명으로 옳은 것은?

㉮ 장점 : 용접부의 품질 검사가 용이하다.
㉯ 장점 : 두께에 관하여 거의 무제한으로 접합할 수 있다.
㉰ 단점 : 이음 구조가 복잡하고, 완전한 기밀성, 수밀성을 얻을 수 없다.
㉱ 단점 : 작업공정의 단축이 불가능하여 비경제적이다.

해설 용접의 장·단점
① 장점
㉠ 작업 공정을 줄일 수 있다.
㉡ 형상의 자유화를 추구 할 수 있다.
㉢ 이음 효율을 향상(기밀 수밀 유지)시킬 수 있다.
㉣ 중량 경감, 재료 및 시간이 절약된다.
㉤ 이종 재료의 접합이 가능하다.
㉥ 보수와 수리가 용이하다.(주물의 파손부 등)
② 단점
㉠ 품질 검사가 곤란하다.
㉡ 제품의 변형을 가져 올 수 있다(잔류 응력 및 변형에 민감).
㉢ 유해 광선 및 가스 폭발 위험이 있다.
㉣ 용접사의 기능과 양심에 따라 이음부 강도가 좌우한다.

03 용접의 특징 중에서 잘못 설명된 것은?

㉮ 재료가 절약된다.
㉯ 기밀, 수밀성이 우수하다.
㉰ 변형, 수축이 없다.
㉱ 기공(blow hole), 균열 등 결함이 있다.

04 용접의 특성을 설명한 것 중 틀린 것은?

㉮ 공정이 절감된다.
㉯ 재료가 절약된다.
㉰ 기밀, 수밀성을 얻을 수 있다.
㉱ 용접부는 응력집중에 둔감하다.

05 용접의 장점을 설명한 것이다. 옳지 않은 것은?

㉮ 자재가 절약되어 중량이 감소한다.
㉯ 기밀, 수밀이 좋다.
㉰ 이종 재료의 접합이 가능하다.
㉱ 열 영향으로 이음부의 재질이 변하지 않는다.

06 용접 이음이 기타 이음에 비하여 단점으로 옳은 것은?

㉮ 작업공정이 증가함
㉯ 두께의 제한이 있음
㉰ 잔류 응력의 발생함
㉱ 공기 밀폐와 수분 밀폐가 안 됨

07 단조에 비교하여 용접의 장점이 아닌 것은?

㉮ 재료의 두께에 제한이 없다.
㉯ 시설비가 적게 든다.
㉰ 수축변형 및 잔류응력이 발생한다.
㉱ 서로 다른 금속을 접합할 수 있다.

Answer 1.㉰ 2.㉯ 3.㉰ 4.㉱ 5.㉱ 6.㉰ 7.㉰

08 주조품에 비교한 용접 이음의 장점 설명으로 틀린 것은?

㉮ 이종재료의 접합이 가능하다.
㉯ 용접변형을 교정할 때에는 시간과 비용이 필요치 않다.
㉰ 목형이나 주형이 불필요하고 설비의 소규모가 가능하여 생산비가 적게 된다.
㉱ 제품의 중량을 경감시킬 수 있다.

09 용접이음을 주조와 비교할 때 용접이음의 일반적인 장점으로 틀린 것은?

㉮ 설계변경, 개조, 수리가 용이하다.
㉯ 이종재질의 접합이 불가능하다.
㉰ 목형이나 주형이 불필요하다.
㉱ 중량을 경감시킬 수 있다.

10 용접을 기계적 이음과 비교할 때 그 특징에 대한 설명으로 틀린 것은?

㉮ 이음효율이 대단히 높다.
㉯ 수밀, 기밀을 얻기 쉽다.
㉰ 응력집중이 생기지 않는다.
㉱ 재료의 중량을 절약할 수 있다.

11 금속과 금속을 충분히 접근시키면 금속원자 사이에 인력이 작용하여 그 인력에 의하여 금속을 영구 결합시키는 것이 아닌 것은?

㉮ 융접 ㉯ 압접 ㉰ 납땜 ㉱ 리벳이음

해설

① 융접(Fusion Welding) : 접합 부분을 용융 또는 반용융 상태로 하고 여기에 용접봉 즉 용가재를 첨가하여 접합하는 방법으로 그 종류는 피복 아크 용접, 가스 용접, 불활성 가스 아크 용접, 서브머지드 용접, 이산화탄소 아크 용접, 일렉트로 슬랙 및 일렉트로 가스 용접 등이 있다.
② 압접 (Pressure Welding) : 접합 부분을 열간 또는 냉간 상태에서 압력을 주어 접합하는 방법으로 그 종류는 전기 저항 용접(점용접, 심 용접, 프로젝션 용접, 업셋 용접, 플래시 용접, 퍼커션 용접), 초음파 용접, 마찰 용접, 유도가열 용접, 가스 압접 등이 있다.
③ 납땜(Brazing and Soldering) : 모재보다 용융점이 낮은 용가재(용접봉)를 사용하여 모재는 녹이지 않고 용접봉만 녹여 표면장력으로 접합시키는 방법으로 그 종류는 크게 온도 450℃를 기준으로 그 이하에서 용접하는 연납땜과 그 이상에서 용접하는 경납땜이 있다.

12 용접의 원리상 가스 압접, 단접, 전기저항 용접을 압접이라고 하는데, 가스용접, 아크용접 및 테르밋 용접을 무엇이라고 하는가?

㉮ 가압접 ㉯ 에네르기법
㉰ 영용접 ㉱ 융접

13 다음 중 융접에 속하지 않는 용접은?

㉮ 아크용접 ㉯ 가스용접
㉰ 초음파용접 ㉱ 스터드용접

14 용접을 크게 분류할 때, 압접에 속하지 않는 것은?

㉮ 전기저항 용접 ㉯ 마찰 용접
㉰ 스터드 용접 ㉱ 초음파 용접

15 압접의 종류에 속하지 않는 것은?

㉮ 단접(forged welding)
㉯ 마찰 용접(friction welding)
㉰ 점 용접(spot welding)
㉱ 일렉트로 슬랙 용접(electro slag welding)

16 융접에 해당되지 않는 것은?

㉮ CO_2아크 용접 ㉯ 레이저 용접
㉰ 프로젝션 용접 ㉱ 원자 수소 용접

17 압접에 해당되지 않는 것은?

Answer 8.㉯ 9.㉯ 10.㉰ 11.㉱ 12.㉱ 13.㉰ 14.㉰ 15.㉱ 16.㉰ 17.㉱

㉮ 저항 용접　　㉯ 마찰 용접
㉰ 초음파 용접　　㉱ 전자빔 용접

18 가스 압접의 특징 설명으로 틀린 것은?

㉮ 이음부의 탈탄층이 전혀 없다.
㉯ 장치가 간단하여 설비비, 보수비가 싸다.
㉰ 용가재 및 용제가 불필요하다.
㉱ 작업이 거의 수동이어서 숙련공만 할 수 있다.

해설 가스 압접 : 산소-아세틸렌 불꽃으로 접합하고자 하는 부분을 가열하고 적당한 온도가 되었을 때 가압하여 용접하는 것으로 용접봉이 필요 없고 반자동 자동으로 압접한다. 장비가 간단하여 설비비 등이 저렴하다.

19 가스 압접의 특징 설명으로 틀린 것은?

㉮ 장치가 복잡하고 설비비, 보수비가 비싸다.
㉯ 이음부에 탈탄층이 거의 없다.
㉰ 작업이 거의 기계적이다.
㉱ 용가재 및 용제가 필요 없다.

20 냉간 압접의 장점에 해당 되지 않는 것은?

㉮ 접합부가 가공 경화된다.
㉯ 접합부에 열영향이 없다.
㉰ 압접기구가 간단하다.
㉱ 접합부의 전기저항은 모재와 거의 비슷하다.

해설 접합부가 가공 경화되는 것은 장점이 아니라 오히려 단점이다.

21 모재를 녹이지 않고 접합하는 것은 어느 것인가?

㉮ 가스용접　　㉯ 아크용접
㉰ 액상용접　　㉱ 납땜

22 접합할 모재를 용융시키지 않고 모재보다 용융점이 낮은 금속을 사용하여 두 모재 간의 모세관 현상을 이용하여 금속을 접합하는 것은?

㉮ 특수 용접　　㉯ 납땜
㉰ 아크 용접　　㉱ 압접

23 피복 아크 용접시 아크열 온도로 다음 중 맞는 것은?

㉮ 약 1,500℃　　㉯ 약 2,000℃
㉰ 약 5,000℃　　㉱ 약 9,000℃

해설 피복 아크 용접은 피복제를 입힌 용접봉과 모재 사이에서 발생하는 5,000℃ 정도의 아크열을 이용하여 모재의 일부와 용접봉을 녹여서 용접하는 용극식 용접방법으로 전기 용접이라고도 불린다.

24 왼쪽의 설명과 오른쪽의 용접용어가 각각 일치하지 않는 것은?

㉮ 피용접물 : 모재
㉯ 모재의 일부가 녹은 쇳물 부분 : 용융지
㉰ 모재가 녹은 깊이 : 용락
㉱ 용접봉이 용융지에 녹아들어 가는 것 : 용착

해설 용어 정의
① 아크 : 기체 중에서 일어나는 방전의 일종으로 피복 아크 용접에서의 온도는 5,000 ~ 6,000℃이다.
② 용융지(용융 풀) : 모재가 녹은 쇳물 부분
③ 용적 : 용접봉이 녹아 모재로 이행되는 쇳물 방울
④ 용착 : 용접봉이 녹아 용융지에 들어가는 것
⑤ 용입 : 모재가 녹은 깊이
⑥ 용락 : 모재가 녹아 쇳물이 떨어져 흘러내려 구멍이 나는 것

25 용입의 모양에 가장 크게 영향을 미치는 것은?

㉮ 용접봉　　㉯ 용접홈의 종류
㉰ 용접사　　㉱ 모재

해설 용접 홈 형상에 따라 용입이 달라진다.

26 피복아크의 용접회로가 알맞게 연결된 것은?

㉮ 전원 – 전극케이블 – 용접봉 홀더 – 용접봉 –

Answer 18.㉱ 19.㉮ 20.㉮ 21.㉱ 22.㉯ 23.㉰ 24.㉰ 25.㉯ 26.㉮

모재 – 접지케이블 – 전원
㉯ 전원 – 전극케이블 – 모재 – 용접봉 홀더 – 용접봉 – 접지케이블 – 전원
㉰ 전원 – 접지케이블 – 용접봉 홀더 – 용접봉 – 모재 – 전극케이블 – 전원
㉱ 전원 – 접지케이블 – 전극케이블 – 용접봉 홀더 – 모재 – 전원

✔해설 용접 회로(Welding Cycle)
용접기 → 전극 케이블 → 홀더 → 용접봉 및 모재 → 접지 케이블 → 용접기

27 피복 아크 용접의 용접 조건에 관한 설명으로 옳은 것은?

㉮ 아크 기둥 전압은 아크 길이에 거의 정비례하여 증가한다.
㉯ 아크 길이가 짧아지면, 발열량은 증가한다.
㉰ 차가운 모재를 예열하기 위해 짧은 아크를 이용한다.
㉱ 아크 길이가 길어질수록 아크는 안정된다.

✔해설 아크의 성질
① 아크 전압 (Va) = 음극 전압 강하(Vn) + 양극 전압 강하(Vp) + 아크 기둥 전압 강하)(Vc)
② 양극과 음극 부근에서의 전압강하는 전극 표면이 극히 짧은 길이의 공간에 일어나는 전압강하로 그 값은 전극의 재질에 따라 변한다.
③ 아크 기둥 전압 강하는 플라스마라고도 하며 아크 길이에 비례하여 증가 또는 감소하므로 전극 물질이 일정하다고 가정하면 아크 전압은 아크 길이에 따라 변한다. 즉 아크 길이가 길어지면 아크 전압도 커진다.
④ 아크를 처음 발생할 때 아크 길이는 약간 길게 한다. (3 ~ 4mm)

28 직류 아크 용접에서 정극성의 특징에 해당되는 것은?

㉮ 용접봉의 용융이 빠르다.
㉯ 비드 폭이 넓다.
㉰ 모재의 용입이 깊다.
㉱ 박판 용접에 용이하다.

✔해설 극성의 설명
① 극성은 직류(DC)에서만 존재하며 종류는 직류 정극성(DCSP : Direct Current Straight Polarity)과 직류 역극성(DCRP : Direct Current Reverse Polarity)이 있다.
② 일반적으로 양극(+)에서 발열량이 70%이상 나온다.
③ 정극성일 때 모재에 양극(+)을 연결하므로 모재측에서 열 발생이 많아 용입이 깊게 되고, 음극(-)을 연결하는 용접봉은 천천히 녹는다.
④ 역극성일 때 모재에 음극(-)을 연결하므로 모재측의 열량 발생이 적어 용입이 얕고 넓게 된다. 하지만 용접봉은 양극(+)에 연결하므로 빨리 녹게 된다.
⑤ 일반적으로 모재가 용접봉에 비하여 두꺼워 모재측에 양극(+)을 연결하는 것을 정극성이라 한다.

직류 정극성 : 모재(+), 용접봉(-)	직류 역극성 : 모재(-), 용접봉(+)
① 모재의 용입이 깊다. ② 용접봉의 늦게 녹는다. ③ 비드 폭이 좁다. ④ 후판 등 일반적으로 사용된다.	① 모재의 용입이 얕다. ② 용접봉의 빨리 녹는다. ③ 비드 폭이 넓다. ④ 박판 및 특수 용도로 사용한다.

29 직류 정극성에 대한 설명으로 올바르지 못한 것은?

㉮ 모재를 (+)극에, 용접봉을(–)극에 연결한다.
㉯ 용접봉의 용융이 느리다.
㉰ 모재의 용입이 깊다.
㉱ 용접 비드의 폭이 넓다.

30 피복 아크 용접에서 직류정극성의 설명으로 틀린 것은?

㉮ 모재를 +극에, 용접봉을 –극에 연결한다.
㉯ 모재의 용입이 얕아진다.
㉰ 두꺼운 판의 용접에 적합하다.
㉱ 용접봉의 용융이 늦다.

31 직류 역극성(reverse polarity) 용접에 대한 설명이 옳은 것은?

㉮ 용접봉을 음극(–), 모재를 양극(+)에 설치한다.
㉯ 용접봉의 용융 속도가 느려진다.
㉰ 모재의 용입 (penetration)이 깊다.

Answer 27.㉮ 28.㉰ 29.㉱ 30.㉯ 31.㉱

㉱ 얇은 판의 용접에서 용락을 피하기 위하여 사용한다.

32 직류 정극성과 관련되는 설명은?

㉮ 모재에 +, 용접봉에 -극을 연결한다.
㉯ 모재에 -, 용접봉에 +극을 연결한다.
㉰ 직류정극성은 DCRP로 표시한다.
㉱ 직류정극성으로 용접시 용입이 얕고 비드폭이 넓다.

33 아크 용접(직류사용)에서 모재를 음(-)극에, 용접봉을 양(+)극에 연결하는 극성은?

㉮ 정극성 ㉯ 용극성
㉰ 비용극성 ㉱ 역극성

34 아크 용접에서 직류 역극성으로 용접 할 때의 특성에 대한 설명으로 틀린 것은?

㉮ 전체 발생열량의 70%가 용접봉 쪽에서 발생한다.
㉯ 비드 폭이 좁다.
㉰ 용접봉의 용융이 빠르다.
㉱ 박판 용접에 쓰인다.

35 직류 아크용접기의 특성에 관한 설명 중 틀린 것은?

㉮ 아크가 안정되어 있다.
㉯ 얇은 판, 비철금속 등의 용접시에는 주로 정극성을 이용한다.
㉰ 아크 블로우가 발생한다.
㉱ 보수관리 등 손질을 자주해야 한다.

36 일반적으로 연강용 피복 아크 용접에서 용접봉은 가늘고 모재는 두꺼운 경우가 많으므로 모재와 용접봉이 다 같이 알맞게 녹으려면 어떤 경우가 좋은가?

㉮ 모재에 발열량이 더 많은 것이 좋다.
㉯ 용접봉에 발열량이 2배 더 많은 것이 좋다.
㉰ 용접봉에 발열량이 3배 더 많은 것이 좋다.
㉱ 모재와 용접봉의 발열량이 둘 다 적은 것이 좋다.

해설 모재의 발열량이 높아야 모재가 빨리 녹고 용접봉은 천천히 녹아 후판 용접에 적합한다. 그러므로 직류 정극성이 후판 용접에 좋다.

37 자기 불림(magnetic blow)의 방지책으로서 적합하지 않은 것은?

㉮ 직류 전류 대신에 교류 전류를 사용할 것
㉯ 긴 용접에는 될 수 있는 대로 후진법을 사용할 것
㉰ 접지점을 용접부에서 가까운 곳에 할 것
㉱ 아크 길이를 되도록 짧게 할 것

해설 아크 쏠림, 아크 블로우, 자기불림, 자기쏠림 등은 모두 동일한 말이며 용접전류에 의한 아크 주위에 발생하는 자장이 용접봉에 대하여 비대칭일 때 일어나는 현상이다.

- 쏠림방지책

① 직류 용접기 대신 교류 용접기를 사용한다.
② 아크 길이를 짧게 유지한다.
③ 접지를 용접부로 멀리한다.
④ 긴 용접선에는 후퇴법을 사용한다.
⑤ 용접부의 시 · 종단에는 엔드탭을 설치한다.

38 피복 아크 용접에서 자기 쏠림을 방지하는 대책은?

㉮ 접지점은 용접부에서 가까이 한다.
㉯ 용접봉 끝을 아크 쏠림 방향으로 기울인다.
㉰ 교류를 사용한다.
㉱ 긴 아크를 사용한다.

39 직류용접에서 발생하는 마그네틱 블로우(magneticblow)의 방지책으로 적당치 않는 것은?

Answer 32.㉮ 33.㉱ 34.㉯ 35.㉯ 36.㉮ 37.㉰ 38.㉰ 39.㉯

㉮ 후퇴법으로 용접한다.
㉯ 전류를 적게하여 용접한다.
㉰ 짧은 아크를 사용한다.
㉱ 접지점을 용접부에서 멀리한다.

40 **아크용접에서 자기불림 현상과 관계없는 것은?**

㉮ 접지점은 용접부에서 가까이 한다.
㉯ 직류를 사용한다.
㉰ 교류를 사용한다.
㉱ 긴 아크를 사용할 때 나타난다.

41 **용접부에 외부에서 주어지는 열량을 용접입열이라고 한다. 피복아크 용접에서 아크가 용접의 단위 길이 1cm당 발생하는 전기적 에너지 H는 아크전압 E(Volt), 아크 전류 I(ampere), 용접속도 V(cm/min)라 할 때, 어떤 관계식으로 주어지는가?**

㉮ $H=\frac{EI}{60V}(J/cm)$ ㉯ $H=\frac{60EI}{V}(J/cm)$
㉯ $H=\frac{60V}{EI}(J/cm)$ ㉱ $H=\frac{V}{60EI}(J/cm)$

해설 외부에서 용접 모재에 주어지는 열량으로 일반적으로 모재에 흡수되는 열량은 입열의 75~85%이다. 용접 입열이 충분하지 못하면 용입 불량 등의 용접 결함을 수반할 수 있다.
$H=\frac{60EI}{V}$ [Joule/cm] (H : 용접 입열, E : 아크 전압[V], I : 아크 전류[A], V : 용접 속도[cm/min])

42 **아크용접시 아크 열효율을 바르게 설명한 것은?**

㉮ 용접저항발열양 몇 %가 모재에 흡수되는가 하는 비율
㉯ 용접입열 몇 %가 모재에 흡수되는가 하는 비율
㉰ 용접금속 열전도율 몇 %가 모재에 흡수되는가 하는 비율
㉱ 용접금속량 몇 %가 모재에 흡수되는가 하는 비율

해설 아크 열효율이란 이 용접 입열이 모재에 몇 %가 흡수되는가를 의미한다.

43 **다음 중 열영향부의 냉각속도에 영향을 미치는 용접조건이 아닌 것은?**

㉮ 용접전류 ㉯ 아크전압
㉰ 용접속도 ㉱ 무부하 전압

해설 용접입열을 생각하여 보면 용접부에 주어지는 열은 아크 전압과 전류에 비례하여 증가하나 용접속도에는 반비례한다.

44 **다음 중 용접입열에 미치는 중요 인자가 아닌 것은?**

㉮ 아크전압 ㉯ 용접전류
㉰ 용접속도 ㉱ 용접봉의 길이

45 **용접 열영향부의 입열량을 좌우하는 가장 중요한 요소는?**

㉮ 모재의 화학성분 ㉯ 용접전류
㉰ 용접봉 직경의 크기 ㉱ 용접봉의 종류

46 **아크 전류가 300A 아크 전압이 25V 용접속도가 20cm/min인 경우 용접길이 1cm당 발생 되는 용접 입열은?**

㉮ 20000J/cm ㉯ 22500J/cm
㉰ 25500J/cm ㉱ 30000J/cm

해설 $H=\frac{60\times25\times300}{20}=22500$

47 **용접전류가 120A, 용접전압이 12V, 용접속도가 분당 18cm일 경우에 용접부의 입열량(Joules/cm)은?**

㉮ 3,500 ㉯ 4,000 ㉰ 4,800 ㉱ 5,100

Answer 40.㉰ 41.㉯ 42.㉯ 43.㉱ 44.㉱ 45.㉯ 46.㉯ 47.㉰

48 발생하는 전기적 에너지가 36,000J/cm, 아크 전류 200A, 용접속도 10cm/min로 용접을 할 경우 아크 전압은 몇 V인가?

㉮ 10 ㉯ 30 ㉰ 60 ㉱ 90

해설 $H=\frac{60EI}{V}$[Joule/cm] (H : 용접 입열, E : 아크 전압[V], I : 아크 전류[A], V : 용접 속도[cm/min]) 그러므로

$E=\frac{H\times V}{60\times I}=30$

49 용접봉에서 모재로 용융금속이 옮겨하는 용적이행 상태가 아닌 것은?

㉮ 단락형 ㉯ 탭 전환형
㉰ 스프레이형 ㉱ 핀치효과형

해설 용융 금속의 이행 형태
① 단락형 : 큰 용적이 용융지에 단락 되어 표면 장력의 작용으로 이행되는 형식으로 맨 용접봉, 박피복 용접봉에서 발생한다.
② 글로 불러형 : 비교적 큰 용적이 단락 되지 않고 옮겨가는 형식으로 피복제가 두꺼운 저수소계 용접봉 등에서 발생한다. 핀치 효과형이라고도 한다.
③ 스프레이형 : 미세한 용적이 스프레이와 같이 날려 이행되는 형식으로 고산화티탄계, 일미나이트계 등에서 발생한다. 분무상 이행형이라고도 한다.

50 피복제의 일부가 가스화하여 가스를 뿜어냄으로서 미세한 용적이 날려서 용접봉에서 모재로 용융금속이 옮겨가는 방식은?

㉮ 단락형(short circuiting transfer)
㉯ 글로뷸러형(globular transfer)
㉰ 스프레이형(spray transfer)
㉱ 리액턴스형(reactance transfer)

51 강력한 스프레이형 아크를 발생하며 아연도금 철판의 용접에 가장 효과적으로 사용할 수 있는 용접봉은?

㉮ 고산화티탄계 용접봉 ㉯ 고셀룰로스계 용접봉
㉰ 라임계 용접봉 ㉱ 저수소계 용접봉

52 단위 시간당 소비되는 용접봉의 길이 또는 중량으로 표시되는 것은?

㉮ 용접 길이 ㉯ 용융 속도
㉰ 용접 입열 ㉱ 용접 효율

해설 용접봉의 용융 속도
용접봉의 용융 속도는 단위 시간당 소비되는 용접봉의 길이 또는 무게로 나타낸다.
① 용융속도 = 아크전류 × 용접봉 쪽 전압강하
② 용융속도는 아크 전압 및 심선의 지름과 관계없이 용접 전류에만 비례한다.

53 용접봉의 용융속도는 무엇으로 나타내는가?

㉮ 단위 시간당 용융되는 용접봉의 길이 또는 무게
㉯ 단위시간당 용착된 용착금속의 량
㉰ 단위시간당 소비되는 용접기의 전력량
㉱ 단위시간당 이동하는 용접선의 길이

54 피복아크 용접봉의 용융속도는 어느 식으로 결정되는가?

㉮ 아크 전류 × 용접봉쪽 전압강하
㉯ 아크 전류 × 모재쪽 전압강하
㉰ 아크 전압 × 용접봉쪽 전압강하
㉱ 아크 전압 × 모재쪽 전압강하

55 용접기에 대한 구비 조건에 대한 설명으로 옳은 것은?

㉮ 역률 및 효율이 좋아야 한다.
㉯ 사용중에 온도 상승이 커야 한다.
㉰ 전류 조정이 용이하고 전류 변동이 커야 한다.
㉱ 아크 발생이 잘 되도록 직류일 경우 무부하 전압이 90V 이상이어야 한다.

해설 용접기는 사용 중에 온도 상승이 크면 소손될 수 있다. 전류 조정이 용이하고 전류 변동은 작아야 하며, 직류의 경우 일반적으로 무부하 전압은 40~60V이다. 회전부 즉 냉각팬 등을 점검할 때는 주유해야 한다.

Answer 48.㉯ 49.㉯ 50.㉰ 51.㉮ 52.㉯ 53.㉮ 54.㉮ 55.㉮

56 용접기의 1차선에 비하여 2차선에 굵은 도선을 사용하는 이유는?

㉮ 2차 전압이 1차 전압보다 높기 때문이다.
㉯ 2차선의 방열을 좋게 하기 위함이다.
㉰ 2차 전류가 1차 전류보다 높기 때문이다.
㉱ 전선의 유연성을 좋게하기 때문이다.

해석 용접기는 일반적으로 저전압 대전류 형이며, 2차 전류가 1차 전류보다 높아 굵은 전선을 사용하는데 유연성을 확보하기 위하여 캡타이어 전선을 사용한다.

57 발전형 직류용접기와 비교할 때, 정류기형 직류용접기의 특성이 아닌 것은?

㉮ 직류를 얻는데 소음이 안 난다.
㉯ 정류기의 파손에 주의해야 한다.
㉰ 완전한 직류를 얻지 못한다.
㉱ 보수와 점검이 어렵다.

해석 직류 아크 용접기의 종류

① 발전기형 직류 아크 용접기 : 전동 발전식과 엔진 구동식이 있으며, 전기가 없는 옥외에서 사용 가능하다. 또한 정류기형에 비해 우수한 직류를 얻을 수 있는 장점은 있으나 고가이며 소음이 나고 보수와 점검이 어렵다.
② 정류기형 직류 아크 용접기 : 셀렌, 실리콘, 게르마늄 정류기를 사용하여 교류를 정류하여 직류를 얻는 용접기로 완전한 직류를 얻지 못하며, 셀렌 등을 정류기로 사용하는 용접기는 특히 먼지에 주의해야 한다. 또한 셀렌 정류기는 80℃이상, 실리콘 정류기는 150℃이상이면 폭발할 우려가 있어 팬으로 바람을 불어 열을 빼내어 주어야한다. 아울러 종류로는 가동철심형, 가동코일형, 가포화리액터형이 있는데 가장 널리 사용되는 것은 가포화리액터형이다.
③ 전지식 : 활용성이 매우 적음

58 직류아크 용접기의 장점이 아닌 것은?

㉮ 아크쏠림의 방지가 가능하다.
㉯ 감전의 위험이 적다.
㉰ 아크가 안정하다.
㉱ 극성의 변화가 가능하다.

해석 아크 쏠림은 직류에서 발생하는 것으로 쏠림을 방지하려면 교류를 사용하는 것이 가장 근본적이 대책이다.

59 교류용접기와 비교한 직류용접기 특징 설명으로 맞는 것은?

㉮ 아크안정이 우수하다.
㉯ 전격의 위험이 많다.
㉰ 용접기의 고장이 적다.
㉱ 용접기의 가격이 저렴하다.

해석 직류 용접기와 교류 용접기의 비교

비 교	직 류	교 류
아크 안정	안정	불안정
극성 변화	가능	불가능
아크 쏠림	쏠림	쏠림 방지
무부하전압	40 ~ 60V	70 ~ 80V
전격 위험	적다	크다
비 피복봉	사용 가능	사용 불가
구 조	복잡	간단
고 장	많다	적다
역 률	우수	떨어짐
소 음	발전기형은 크다	대체적으로 적음
가 격	고가	저가
용 도	박판	후판

60 직류 용접기와 교류 용접기에 대한 설명 중 옳은 것은?

㉮ 직류 용접기는 교류보다 가격이 싸다.
㉯ 교류 용접기는 직류보다 구조가 복잡하다.
㉰ 직류 용접기는 교류보다 아크가 안정되어 있다.
㉱ 교류 용접기는 직류보다 전격의 위험이 적다.

61 교류 아크용접기와 비교한 직류 아크용접기에 관한 설명 중 틀린 것은?

㉮ 아크가 안정되어 있다.
㉯ 전격의 위험이 많다.
㉰ 아크 블로우가 발생한다.
㉱ 보수 관리 등 손질을 자주해야 한다.

62 일반적인 교류 아크 용접기의 2차측 무부하 전압은?

㉮ 50 ~ 60V ㉯ 70 ~ 80V
㉰ 90 ~ 100V ㉱ 100 ~ 110V

Answer 56.㉰ 57.㉱ 58.㉮ 59.㉮ 60.㉰ 61.㉯ 62.㉯

63 교류용접기의 특성이 아닌 것은?

㉮ 아크가 안정하다.
㉯ 취급이 쉽고 고장이 적다.
㉰ 보수가 용이하다.
㉱ 직류보다 감전의 위험이 많다.

해설 교류는 전류의 방향이 대한민국의 경우 1초에 60번 바뀌므로 아크가 불안정하다. 교류 아크 용접시 그러므로 피복제에 아크 안정제를 첨가시킨 피복봉을 이용한다.

64 교류 용접기의 장점을 설명한 것이다. 맞는 것은?

㉮ 아크(arc)가 직류 용접기에 비해 안정하다.
㉯ 무부하 전압이 직류 용접기에 비해 낮아서 감전의 위험이 적다.
㉰ 자기 쏠림(arc blow)이 직류 용접기에 비해 거의 없다.
㉱ 역률이 직류 용접기보다 매우 양호하다.

65 교류 아크 용접기에 해당되지 않는 것은?

㉮ 탭 전환형 아크 용접기
㉯ 가동 철심형 아크 용접기
㉰ 가동 코일형 아크 용접기
㉱ 정류기형 아크 용접기

해설 교류 아크 용접기

① 탭 전환형 : 코일의 감긴 수에 따라 전류를 조정한다. 하지만 탭과 탭사이의 전류를 조절할 수 없어 미세 전류 조절이 불가능하며, 넓은 범위의 전류 조정이 어렵다. 주로 소형으로 사용되나 적은 전류 조정시에도 무부하 전압이 높아 감전의 위험이 있다.
② 가동 코일형 : 1차 코일의 거리 조정으로 누설자속을 변화하여 전류를 조정한다. 아크 안정도가 높고 소음은 없으나 가격이 고가여서 현재 거의 사용되지 않고 있다.
③ 가동 철심형 : 가동철심으로 누설자속을 가감하여 전류를 조정하여 광범위한 전류 조절과 더불어 미세 전류 조절이 가능하여 현재 가장 널리 사용되고 있다.
④ 가포화리액터형 : 가변 저항의 변화로 용접 전류를 조정한다. 전기적 전류 조정으로 소음이 없고 원격 제어가 가능하다.

66 교류아크 용접기로서 용접전류의 원격조정이 가능한 용접기는?

㉮ 탭전환형 ㉯ 가포화 리액터형
㉰ 가동철심형 ㉱ 가동코일형

67 철심을 움직여 그로 인하여 발생하는 누설 자속을 변동시켜 전류를 조절하는 용접기는?

㉮ 탭전환형 ㉯ 가동철심형
㉰ 가동코일형 ㉱ 가포화리액터형

68 교류 아크 용접기의 종류 별 특성을 설명한 것 중 바르게 된 것은?

㉮ 가동 철심형은 현재 가장 많이 사용하며 미세 전류 조정이 불가능하다.
㉯ 가동 코일형은 가격이 싸며 현재 많이 사용한다.
㉰ 탭 전환형은 주로 대형에 많고 넓은 범위의 전류 조정이 쉽다.
㉱ 가포화 리액터형은 가변저항의 변화로 용접전류를 조정한다.

69 아크 용접기의 규격 표시 중 AW300은?

㉮ 1차 전압이 300[V]임을 나타낸다.
㉯ 2차 전압이 300[V]임을 나타낸다.
㉰ 정격 1차 전류가 300[A]임을 나타낸다.
㉱ 정격 2차 전류가 300[A]임을 나타낸다.

해설 AW 300이란 정격 2차 전류가 300A임을 의미하며, 여기서 AW란 Arc Welder에 준말이며 정격 2차 전류의 조정 범위는 20 ~ 110%이다

70 교류 아크 용접기에서 용접전류의 조정범위는 정격 2차 전류의 몇 % 정도인가?

㉮ 20 ~ 110% ㉯ 40 ~ 170%
㉰ 60 ~ 190 ㉱ 80 ~ 210%

Answer 63.㉮ 64.㉰ 65.㉱ 66.㉯ 67.㉯ 68.㉱ 69.㉱ 70.㉮

71 용접기의 보수 및 점검시 지켜야 할 사항으로 틀린 것은?

㉮ 2차측 단자의 한쪽과 용접기 케이스는 접지해서는 안 된다.
㉯ 가동부분 냉각팬을 점검하고 주유해야 한다.
㉰ 탭 전환의 전기적 접속부는 자주 샌드페이퍼 등으로 잘 닦아준다.
㉱ 용접 케이블 등의 파손된 부분은 절연 테이프로 감아야 한다.

해설 용접기 취급상 주의사항
① 정격 사용율 이상으로 사용할 때 과열되어 소손이 생긴다.
② 가동 부분, 냉각 팬을 점검하고 주유한다.
③ 탭 전환의 전기적 접속부는 전기적 접촉 원활을 위하여 자주 샌드페이퍼 등으로 닦아 준다.
④ 2차측 단자의 한쪽과 용접기 케이스는 반드시 접지 한다.
⑤ 옥외의 비바람이 부는 곳, 습한 장소, 직사광선이 드는 곳에서 용접기를 설치하지 않는다.
⑥ 휘발성 기름이나 가스가 있는 곳, 유해한 부식성 가스가 존재하는 장소는 용접기 설치를 피한다.
⑦ 용접 케이블 등이 파손된 부분은 절연 테이프로 보수한다.

72 용접기의 유지 보수시에 지켜야 할 사항이다. 옳지 못한 것은?

㉮ 용접기는 습기나 먼지가 많은 곳에 설치하지 말아야 한다.
㉯ 용접기에는 철분이 쌓여서는 안 된다.
㉰ 전환탭 등은 사포로서 깨끗이 청소한다.
㉱ 용접기는 어떤 부분에도 주유해서는 안 된다.

73 교류용접기에서 무부하 전압이 높기 때문에 감전의 위험이 있어 용접사를 보호하기 위하여 설치한 장치는?

㉮ 초음파 장치 ㉯ 전격방지 장치
㉰ 고주파 장치 ㉱ 가동철심장치

해설 교류 용접기의 부속 장치
① 전격 방지기 : 전격이란 전기적인 충격 즉 감전을 말하며, 전격방지기는 감전의 위험으로부터 작업자를 보호하기 위하여 2차 무부하 전압을 20 ~ 30[V]로 유지하는 장치
② 핫 스타트 장치는 처음 모재에 접촉한 순간의 0.2 ~ 0.25초 정도의 순간적인 대 전류를 흘려서 아크의 초기 안정을 도모하는 장치로 일명 아크 부스터라 한다.
③ 고주파 발생 장치 : 아크의 안정을 확보하기 위하여 상용 주파수의 아크 전류 외에, 고전압 3,000 ~ 4,000[V]를 발생하여, 용접 전류를 중첩시키는 방식

74 전격 방지를 위한 준비 작업으로 틀린 것은?

㉮ 피용접물과 용접기 케이스를 접지 시킨다.
㉯ 면장갑을 끼고 그 위에 용접용 장갑을 낀다.
㉰ 우천시에는 용접기의 과열을 방지하기 위하여 비에 젖도록 하는 것이 좋다.
㉱ 전격방지 장치가 설치된 용접기를 사용한다.

해설 습기가 많아지면 저항이 작아져 전류가 더 잘 흘러 전격의 위험은 그 만큼 더 커진다.

75 감전방지에 대한 내용 중에서 맞는 것은?

㉮ 전격방지장치는 매일 점검하여야 한다.
㉯ 피복아크 용접봉은 절연되어 있으므로 통전 중 손으로 붙잡아도 감전되지 않는다.
㉰ 홀더의 절연만 충분하면 전격방지장치는 필요 없다.
㉱ 자동전격방지장치를 붙이지 않은 용접기에서는 용접작업 중 아크가 발생될 때가, 발생되지 않을 때 보다 감전위험이 크다.

76 피복아크 용접용 기구 및 부속장치에 대한 설명 중 옳지 않은 것은?

㉮ 원격제어 장치는 용접기에서 멀리 떨어진 곳에서도 전류를 용이하게 조정하는 장치이다.
㉯ 전격방지기는 작업중에 감전의 위험을 방지한다.
㉰ 전격 방지기는 용접기의 무부하 전압을 높게 한다.
㉱ 홀더는 가볍고 전기 전열이 잘된 안전 홀더를 사용해야 한다.

77 용접에서, 홀더 및 어스의 접속이 불량할 때 생기는 현상 중 올바르지 못한 것은?

Answer 71.㉮ 72.㉱ 73.㉯ 74.㉰ 75.㉮ 76.㉰ 77.㉰

㉮ 전력의 손실이 많아진다.
㉯ 전격을 일으키기 쉽다.
㉰ 용접전류가 많게 된다.
㉱ 아크가 불안정하게 된다.

해설 홀더 및 어스 접속 불량은 용접 전류를 잘 흐르게 하지 못해 아크 안정이 이루어 지지 못하고 아울러 잘못하면 누전으로 인한 감전의 위험이 커질 수 있다.

78 **아크 용접기에 핫 스타트(hot start) 장치를 사용하므로 써 얻어지는 장점에 해당되지 않는 것은?**

㉮ 아크 발생이 쉽다.
㉯ 기공 발생을 방지한다.
㉰ 비드 이음부를 개선한다.
㉱ 크레이터 처리가 용이하다.

79 **용접기에 필요한 전기의 입력은 명판에 기재되어 있으나 만약 기재되어 있지 않을 경우는 그 대략 치를 다음과 같이 산정할 수 있다. 즉 정격 2차 전류 = 300암페어, 최고 2차 무부하 전압 = 85볼트, 정격사용률 = 50%라 하면 필요한 1차 입력은 얼마 정도인가?**

㉮ 18kVA ㉯ 12kVA
㉰ 51kVA ㉱ 25kVA

해설
변압기 용량 = 무부하 전압 × 정격 2차 전류 × $\sqrt{사용율}$
= 300 × 85 × $\sqrt{0.5}$ = 18031.22

80 **아크 용접기의 사용률 공식으로 옳은 것은?**

㉮ 사용률(%) = $\frac{아크시간+휴지시간}{아크시간} \times 100$
㉯ 사용률(%) = $\frac{아크시간}{아크시간+휴지시간} \times 100$
㉰ 사용률(%) = $\frac{휴지시간}{아크시간} \times 100$
㉱ 사용률(%) = $\frac{아크시간}{휴지시간} \times 100$

해설

① 용접 작업시간에는 휴식 시간과 용접기를 사용하여 아크를 발생한 시간을 포함하고 있다.
② 용접기에 사용율이 40%라고 하면 용접기가 가동되는 시간 즉 용접 작업시간 중 아크를 발생시킨 시간을 의미한다.
③ 사용율은 다음과 같은 식으로 계산할 수 있다.

$$사용율(\%) = \frac{(아크시간)}{(전체작업시간)} \times 100 = \frac{(아크시간)}{(아크시간+휴식시간)} \times 100$$

81 **용접기의 통전시간을 6분, 휴식시간을 4분이라 할 때 이 용접기의 사용율은 몇 %나 되겠는가?**

㉮ 20% ㉯ 40%
㉰ 60% ㉱ 80%

해설 사용율= $\frac{아크발생시간}{전체작업시간} \times 100 = \frac{6}{10} \times 100 = 60\%$

82 **정격 사용률(rated duty cycle)이 50%이고, 정격 2차 전류가 300A인 용접기를 사용하여 실제 300A로 용접한다면 이때의 용접기의 요구 사용률은 얼마인가?**

㉮ 50% ㉯ 72% ㉰ 41.7% ㉱ 34.7%

해설 정격 2차 전류 300A, 정격 사용율 50%라고 하는 의미는 2차 전류를 300A를 사용하여 용접할 때 한 시간 작업 중 50% 즉 30분만 아크를 발생시키라는 의미이다. 이 문제의 경우는 실제 전류와 정격 2차 전류가 같으므로 허용사용율이 정격 사용율과 같게 된다.

83 **AW-300[A]의 교류아크 용접기를 실제 200[A]로써, 사용할 경우 허용 사용율은 112%가 되었다. 이것에 대한 옳은 설명은?**

㉮ 위험하다.
㉯ 적당하지 못하다.
㉰ 연속사용이 가능하다.
㉱ 사용 중 띄엄띄엄 쉬었다 해야 한다.

84 **정격 2차 전류가 300A, 정격사용율이 40%**

Answer 78.㉱ 79.㉮ 80.㉯ 81.㉰ 82.㉮ 83.㉰ 84.㉱

인 아크용접기로 200A 의 용접전류를 사용하여 용접하는 경우의 허용사용률(%)은?

㉮ 60 ㉯ 70 ㉰ 80 ㉱ 90

해설

허용사용율(%) × (실제용접전류)^2 = 정격사용율(%) × (정격2차전류)^2

허용사용율 (%)= $\frac{(정격2차전류)^2}{(실제용접전류)^2} \times 정격사용율$

허용사용율 × $(200)^2$ = 40 × $(300)^2$

허용사용율 (%) = 90%

85 정격 2차 전류 300[A], 정격 사용율 50%인 아크 용접기로 실제 200[A]의 전류로 용접할 경우 허용 사용율은 몇 %인가?

㉮ 200 ㉯ 156 ㉰ 112.5 ㉱ 98.7

86 정격2차 전류가 600[A]인 용접기의 정격 사용률이 40%, 허용사용률이 57.6%였다면, 실제 용접 작업시의 용접전류는 몇 [A]인가?

㉮ 500 ㉯ 600 ㉰ 700 ㉱ 800

해설

허용사용율(%)×(실제용접전류)^2 = 정격사용율(%)×(정격2차전류)^2

허용사용율(%)= $\frac{(정격2차전류)^2}{(실제용접전류)^2} \times 정격사용율$

57.6 × (실제용접전류)^2 = 40 × $(600)^2$

실제용접전류 = 500A

87 용접전류 200[A], 전압 40[V]일 때 전력은?

㉮ 2KW ㉯ 4KW

㉰ 6KW ㉱ 8KW

해설 P = VI = 200 × 40 = 8000[W] 그러므로 8[KW]

88 용접기의 효율을 구하는 식 중 맞는 것은?

㉮ (소비 전력 ÷ 아크 출력) × 100%

㉯ (아크 출력 ÷ 소비 전력) × 100%

㉰ (아크 전압 × 전류) × 100%

㉱ (무부하 전압 × 아크 전류) × 100%

해설 역률과 효율(단위에 주의한다.)

$$역률 = \frac{소비전력(kW)}{전원입력(KVA)} \times 100$$

$$효율 = \frac{아크출력(kW)}{소비전력(kW)} \times 100$$

소비 전력 = 아크 출력 + 내부 손실

전원 입력 = 무부하 전압 × 정격 2차 전류

아크 출력 = 아크 전압 × 정격 2차 전류

89 피복아크 용접기에서 AW300, 무부하전압 70V, 아크전압 30V를 사용할 때 역률과 효율은 각각 얼마인가?(단, 내부손실은 3kW 이다.)

㉮ 역률 75.8%, 효율 57.2%

㉯ 역률 72.3%, 효율 64.7%

㉰ 역률 67.4%, 효율 71%

㉱ 역률 57.1%, 효율 75%

해설

전원입력 = 무부하 전압×정격2차 전류=70×300=21000VA = 21KVA

소비전력 = 아크 출력(아크전압 × 정격2차전류) + 내부손실

= 30 × 300 + 3kW = 12kW

그러므로

$$효율 = \frac{9}{12} \times 100 = 75\%,\ 역률 = \frac{12}{21} \times 100 = 57.14\%$$

90 무부하전압 70[V], 아크전압 30[V], 전류 185[A]인 교류용접기를 사용할 때, 역률과 효율은 각각 얼마정도인가?(단, 내부손실은 3[kW] 이다)

㉮ 역률 56.8%, 효율 64.9%

㉯ 역률 65.6%, 효율 64.7%

㉰ 역률 59.4%, 효율 62.9%

㉱ 역률 66.%, 효율 60.0%

91 교류 용접기의 아크 출력이 9.0kW 이고, 내부 손실이 4.0kW 일 때 용접기의 효율은?

㉮ 약 54.1% ㉯ 약 69.2%

㉰ 약 74.3% ㉱ 약 89.5%

Answer 85.㉰ 86.㉮ 87.㉱ 88.㉯ 89.㉮ 90.㉯ 91.㉯

해설 역률과 효율(단위에 주의한다.)

$$역률 = \frac{소비전력(kW)}{전원입력(KVA)} \times 100 \quad 효율 = \frac{아크출력(kW)}{소비전력(kW)} \times 100$$

소비 전력 = 아크 출력 + 내부 손실
전원 입력 = 무부하 전압 × 정격 2차 전류
아크 출력 = 아크 전압 × 정격 2차 전류
여기서 아크 출력 9kW, 소비전력은 9 + 4 = 13kW

그러므로 $효율 = \frac{9}{13} \times 100 = 69.2\%$

92 전류가 작은 범위에서 전류가 증가하면 아크 저항이 작아져 아크 전압이 낮아지는 특성은?

㉮ 정전압 특성 ㉯ 상승 특성
㉰ 부저항 특성 ㉱ 자기제어 특성

해설 용접기에 필요한 특성

① 부 특성(부저항 특성) : 전류가 작은 범위에서 전류가 증가하면 아크 저항이 작아져 아크 전압이 낮아지는 특성으로 부저항 특성 또는 부특성이라고 한다. 이 법칙은 일반 전기회로에서 적용되는 옴의 법칙(Ohm's law)과는 다르다.
② 수하 특성(垂下 特性) : 부하 전류가 증가하면 단자 전압이 저하하는 특성을 수하 특성(垂下 特性)이라 한다.
V = E - IR(V : 단자 전압, E : 전원 전압)
③ 정전류 특성 : 아크 길이가 크게 변하여도 전류 값은 거의 변하지 않는 특성으로 수하 특성 중에서도 전원 특성 곡선에 있어서 작동점 부근의 경사가 상당히 급한 것을 정전류 특성이라 한다.

| 참고 | 이상은 수동 용접에 필요한 특성이다.

④ 상승 특성 : 큰 전류에서 아크 길이가 일정할 때 아크 증가와 더불어 전압이 약간씩 증가하는 특성이다. 이 상승 특성은 반자동 및 자동 용접에서 아크의 안정을 도모하기 위하여 사용되는 특성이다.
⑤ 정전압 특성(자기 제어 특성) : 수하 특성과는 반대의 성질을 갖는 것으로 부하 전류가 변해도 단자 전압이 거의 변하지 않는 것으로 CP(Constant Potential)특성이라고도 한다. 주로 반자동 및 자동 용접에 필요한 특성이다. 또한 아크 길이가 길어지면 부하 전압은 일정하지만 전류가 낮아져 정상보다 늦게 녹아 정상적인 아크 길이를 맞추고 반대로 아크 길이가 짧아지면 부하 전압은 일정하지만 전류가 높아져 와이어의 녹는 속도를 빨리하여 스스로 아크 길이를 맞추는 것을 자기 제어 특성이라 한다.

93 피복 아크 용접에 필요한 특성으로 아크를 안정시키는 데 필요한 특성은?(단, 부하 전류 증가로 단자 전압 저하함)

㉮ 자기제어 특성 ㉯ 수하 특성
㉰ 정전압 특성 ㉱ 회로 특성

94 아크 용접기의 수하특성이란?

㉮ 부하전압 감소시 단자전압이 감소하는 것이다.
㉯ 부하전류 증가시 단자전압이 저하하는 것이다.
㉰ 부하전압 증가시 단자전압이 증가하는 것이다.
㉱ 부하전류 감소시 단자전압이 증가하는 것이다.

95 다음 중에서 용접기의 수하특성과 가장 관련이 깊은 것은?

㉮ 저항 – 열의 특성 ㉯ 전류 – 전력의 특성
㉰ 전압 – 전류의 특성 ㉱ 전력 – 저항의 특성

96 아크 용접기의 특성 중, 아크 길이가 상당히 크게 변해도 전류값은 많이 변하지 않는다는 특성은?

㉮ 정전압특성 ㉯ 부하특성
㉰ 정전류특성 ㉱ 상승특성

97 수동 아크 용접기가 갖추어야 할 용접기 특성은?

㉮ 수하 특성과 상승 특성
㉯ 정전류 특성과 상승 특성
㉰ 정전류 특성과 정전압 특성
㉱ 수하 특성과 정전류 특성

98 정전압 특성에서 부하 전류가 변화하면 단자 전압은 어떻게 화하는가?

㉮ 낮아진다.
㉯ 높아진다.
㉰ 변동하지 않는다.
㉱ 높아지다가 차츰 낮아진다.

Answer 92.㉰ 93.㉯ 94.㉯ 95.㉰ 96.㉰ 97.㉱ 98.㉰

99 AW 200인 용접기의 2차측 케이블로 부적당한 것은?

㉮ 30(mm^2) ㉯ 38(mm^2)
㉰ 50(mm^2) ㉱ 60(mm^2)

해설 케이블의 2차측은 유연성이 요구되므로 전선 지름이 0.2~0.5(mm)의 가는 구리선을 수백선 내지 수천선 꼬아서 만든 캡타이어 전선을 사용한다. 또한 크기의 단위도 1개의 선은 의미가 없으므로 단면적(mm^2)을 사용한다. 하지만 1차측은 고정된 선으로 유동성이 없어야 하므로 단선으로 지름(mm)을 사용하여 그 크기를 표시한다.

	200A	300A	400A
1차측 지름(mm)	5.5	8	14
2차측 단면적(mm^2)	38	50	60

그러므로 38(mm^2)보다 큰 것을 사용하면 된다.

100 피복아크용접의 보호기구가 아닌 것은?

㉮ 핸드실드(hand shield)
㉯ 커넥터(connector)
㉰ 헬멧(helmet)
㉱ 앞치마(apron)

해설 커넥터는 보호기구가 아니라 연결 및 접속기구이다.

101 피복아크 용접홀더 설명으로 틀린 것은?

㉮ 무게가 무겁고 전기 절연이 잘 되어 있지 않는 것이 좋다.
㉯ 용접봉 잡는 기구이다.
㉰ 케이블을 용접봉 홀더에 접속할 때에는 완전하게 연결하여야 한다.
㉱ 케이블의 접촉불량에 의한 저항열이 발생하지 않도록 주의해야 한다.

해설 A형 안전 홀더로 전체가 절연되어 있고 B형은 손잡이 부분만 절연되어 있다.

102 안전 홀더의 사용이 바람직한 이유는?

㉮ 아크 방지 ㉯ 유해가스 중독 방지
㉰ 고무장갑 대용 ㉱ 용접작업 중 전격예방

103 용접봉 홀더 200호로 접속할 수 있는 최대 홀더용 케이블의 도체공칭 단면적은 몇 mm^2 인가?

㉮ 22 ㉯ 30 ㉰ 38 ㉱ 50

해설 홀더 200호는 용접전류를 200A를 의미하므로 케이블 2차측은 38mm^2 을 1차측은 5.5mm이다.

104 핸드 실드 차광유리의 규격에서 100~300A 미만의 아크 용접 시 다음 중 가장 적합한 차광도 번호는?

㉮ 1~2 ㉯ 5~6 ㉰ 7~9 ㉱ 10~12

해설

차광도 번호	용접 전류(A)	용접봉 지름(mm)
8	45~75	1.2~2.0
9	75~130	1.6~2.6
10	100~200	2.6~3.2
11	150~250	3.2~4.0
12	200~300	4.8~6.4
13	300~400	4.4~9.0
14	400 이상	9.0~9.6

105 핸드 실드나 헬밋의 차광 유리 앞에 보통유리를 끼우는 이유로 가장 적합한 것은?

㉮ 차광유리를 강하게 하기 위해
㉯ 차광유리를 보호하기 위해
㉰ 자외선을 방지하기 위해
㉱ 작업상황을 쉽게 보이기 위해

해설 용접 헬멧 또는 핸드 실드를 사용하여 용접 작업을 하게 되면 스팩터가 튄다. 그러므로 차광유리를 보호하기 위하여 맨유리를 차광유리 앞뒤로 일반적으로 끼워 작업한다. 스팩터가 많이 튀어 앞이 보이지 않게 되면 앞에 있는 맨 유리만 갈아 끼우면 된다. 그 이유는 차광유리가 맨 유리보다 고가이기 때문이며, 아울러 용접 작업 중 스팩터 등에 의해 깨지는 것을 방지하기 위함이다.

106 1차 입력이 22kVA인 피복 아크용접기에서 전원 전압이 220V라면 퓨즈는 다음 중 몇 A가 가장 적합한가?

Answer 99.㉮ 100.㉯ 101.㉮ 102.㉱ 103.㉰ 104.㉱ 105.㉯ 106.㉯

㉮ 50　㉯ 100　㉰ 200　㉱ 400

해설 퓨즈의 용량 $= \frac{1차입력(KVA)}{전원전압(200V)} = \frac{22000}{220} = 100$

107 40[kVA]의 교류아크 용접기의 전원 전압은 200[V]일 때 전원스위치에 넣을 퓨즈의 용량은 몇 [A]인가?

㉮ 50　㉯ 100　㉰ 150　㉱ 200

108 피복 아크 용접 작업에서 용접조건에 관한 설명으로 틀린 것은?

㉮ 아크 길이가 길면 아크가 불안정하게 되어 용융금속의 산화나 질화가 일어나기 쉽다.
㉯ 좋은 용접을 얻기 위해서 원칙적으로 긴 아크로 작업한다.
㉰ 아크 길이가 너무 짧으면 피복제나 불순물이 용융지에 섞여 들어가기 쉽다.
㉱ 용접속도를 운봉속도 또는 아크속도 라고도 한다.

해설
① 전압 및 전류가 일정할 때 속도가 증가되면 비드의 나비는 감소하며 용입 또한 감소된다.
② 실제 작업에서는 비드의 겉모양을 손상시키지 않는 범위 내에서는 용접속도는 약간 빠른 편이 좋다.
③ 아크 길이가 길어지면 용접 결함 발생의 우려가 커진다.

109 연강용 피복아크 용접봉 심선의 철(Fe) 이외의 화학 성분에 대하여 KS에서 규정하고 있는 것은?

㉮ C, Si, Mo, P, S, Cu
㉯ C, Si, Cr, P, S, Cu
㉰ C, Si, Mn, P, S, Cu
㉱ C, Si, Mn, Mo, P, S

해설 심선은 저탄소림드강이 사용되고 있으며 탄소강에 5대 원소인 탄소, 규소, 인, 황, 망간과 더불어 구리에 화학 성분을 규정하고 있다.

110 KS규격에 규정된 연강용 피복아크 용접봉 심선의 재질은?

㉮ 킬드강　㉯ 고탄소강
㉰ 주철　㉱ 저탄소 림드강

111 다음 중 연강용 피복 아크 용접봉의 심선재의 재료는?

㉮ 주강　㉯ 합금강
㉰ 저탄소강　㉱ 특수강

112 연강용 피복아크 용접봉에서 피복제의 편심율은 몇 %이내 이어야 하는가?

㉮ 10%　㉯ 15%
㉰ 30%　㉱ 3%

해설 피복 아크 용접봉의 편심율은 3%이내에 용접봉을 선택하며, 용접 자세 및 장소, 모재의 재질, 이음의 모양 등을 고려하여 선택하며 보관 시는 특히 습기에 주의해야 된다.

113 일반적으로 사용되는 피복아크 용접용 ∅3.2의 심선의 길이는 얼마인가?

㉮ 700mm　㉯ 350mm
㉰ 900mm　㉱ 550mm

해설 용접봉은 심선은 규격화 되어 있으며, 일반적으로 심선 지름의 굵기의 허용오차는 ±0.05mm이고, 길이의 허용 오차는 ±3mm이다. 일반적으로 3.2mm의 경우 길이는 350mm ± 3mm이다. 용접봉을 홀더에 끼우는 용접봉의 노출부의 길이는 25 ± 5mm이고, 700 및 900일 때는 30 ± 5mm이다.

114 피복아크 용접봉에서 심선지름 8mm 이하를 사용할 경우 심선길이의 허용오차는 몇 mm로 유지해야 하는가?

㉮ ±0.3　㉯ ±1
㉰ ±3　㉱ ±5

Answer 107.㉱ 108.㉯ 109.㉰ 110.㉱ 111.㉰ 112.㉱ 113.㉯ 114.㉰

115 피복 아크 용접봉의 피복제가 연소한 후 생성된 물질이 용접부를 어떻게 보호하느냐에 따라 세 가지로 분류한다. 적합하지 않은 것은?

㉮ 가스 발생식　　㉯ 합금 첨가식
㉰ 슬랙 생성식　　㉱ 반가스 발생식

해설 용착 금속의 보호 형식
① 슬랙 생성식(무기물형) : 슬랙으로 산화, 질화 방지 및 탈산 작용
② 가스 발생식 : 대표적으로 셀룰로오스가 있으며 전 자세 용접이 용이하다.
③ 반가스 발생식 : 슬랙 생성식과 가스 발생식의 혼합

116 아크용접에서 피복제의 역할에 대하여 틀린 것은?

㉮ 용착금속을 보호
㉯ 용착금속에 산소 및 수소공급
㉰ 아크의 안정
㉱ 용착금속의 급냉방지

해설 피복제의 역할
① 아크 안정
② 산·질화 방지
③ 용적을 미세화 하여 용착 효율 향상
④ 서냉으로 취성 방지
⑤ 용착 금속의 탈산 정련 작용
⑥ 합금 원소 첨가
⑦ 슬랙의 박리성 증대
⑧ 유동성 증가
⑨ 전기 절연 작용 등이 있다.

117 피복 아크 용접봉을 사용할 때 피복제의 효과가 아닌 것은?

㉮ 아크의 안정과 아크의 발생을 돕는다.
㉯ 탈산 정련 작용을 하고, 냉각 속도를 느리게 한다.
㉰ 용적을 조대화하고 용착 효율을 높인다.
㉱ 용착 금속의 표면을 보호하며, 불순물을 제거한다.

118 피복 아크 용접에서 피복제의 역할로 옳은 것은?

㉮ 스패터링(spattering)을 많게 한다.
㉯ 용적(globule)을 조대화 한다.
㉰ 아크를 불안정하게 한다.
㉱ 용착 금속의 탈산 정련 작용을 한다.

119 아크 용접봉에서 피복제의 작용 중 틀리는 사항은?

㉮ 산성 분위기를 만들어 대기 중의 산소의 공급을 돕는다.
㉯ 용착 금속의 응고와 냉각 속도를 느리게 한다.
㉰ 용융점이 낮고, 적당한 점성의 가벼운 슬래그(slag)를 만든다.
㉱ 용착 금속에 적당한 합금 원소의 첨가 역할을 한다.

120 전기 아크용접봉에서 피복제의 작용에 속하지 않는 것은?

㉮ 산화 질화방지
㉯ 아크의 안정
㉰ 용적(droplet)의 미세화
㉱ 용착금속의 급냉

121 피복 아크 용접봉의 선택시 고려해야 할 사항으로 거리가 먼 것은?

㉮ 아크의 안정성
㉯ 용접봉의 내균열성
㉰ 스패터링
㉱ 용착금속 내의 슬래그의 양

해설 피복 아크 용접봉 선택시 아크 안정, 용접봉의 내균열성 및 스패터링 등을 고려하여 선택하여야 한다.

122 피복아크용접에서 사용되는 피복제의 성분

Answer 115.㉯ 116.㉯ 117.㉰ 118.㉱ 119.㉮ 120.㉱ 121.㉱ 122.㉮

을 작용면에서 분류한 것이다. 그 설명으로 틀린 것은?

㉮ 가스발생제 : 가스를 발생시켜 냉각속도를 빠르게 한다.
㉯ 아크안정제 : 아크발생은 쉽게 하고, 아크를 안정시킨다.
㉰ 합금첨가제 : 용강 중에 합금원소를 첨가하여 그 화학성분을 조성한다.
㉱ 고착제 : 피복제를 단단하게 심선에 고착시킨다.

해설

① 가스 발생제 : 용융 금속을 대기로부터 보호하기 위하여 중성 또는 환원성 가스를 발생하여 용융 금속의 산화 및 질화를 방지한다. 가스 발생제로는 녹말, 톱밥, 석회석, 셀롤로오스, 탄산바륨 등이 있다.
② 슬랙 생성제 : 용융점이 낮은 가벼운 슬랙을 만들어 용융 금속의 표면을 덮어서 산화나 질화를 방지하고 용착 금속의 냉각 속도를 느리게 한다. 슬랙 생성제로는 석회석, 형석, 탄산나트륨, 일미 나이트, 산화철, 산화티탄, 이산화망간, 규사 등이 있다.
③ 아크 안정제 : 이온화하기 쉬운 물질을 만들어 재점호 전압을 낮추어 아크를 안정시킨다. 아크 안정제로는 규산나트륨, 규산칼륨, 산화티탄, 석회석 등이 있다.
④ 탈산제 : 용융 금속 중의 산화물을 탈산 정련하는 작용을 한다. 탈산제로는 페로실리콘, 페로망간, 페로티탄, 알루미늄 등이 있다.
⑤ 고착제 : 심선에 피복제를 달라붙게 하는 역할을 한다. 고착제로는 규산나트륨, 규산칼륨, 아교, 소맥분, 해초 등이 있다.
⑥ 합금 첨가제 : 용접 금속의 여러 가지 성질을 개선하기 위하여 피복제에 첨가한다. 합금 첨가제로는 크롬, 니켈, 실리콘, 망간, 몰리브덴, 구리 등이 있다.

123 피복아크용접에서, 피복제의 종류에 속하지 않는 것은?

㉮ 가스 발생제 ㉯ 슬랙(slag)생성제
㉰ 아크 안정제 ㉱ 불활성가스 생성제

124 아크 발생열에 의하여 피복제가 분해되어 일산화탄소, 이산화탄소, 수증기 등의 가스 발생제가 되는 가스 실드식 피복제의 성분은?

㉮ 규산나트륨 ㉯ 셀룰로스
㉰ 규사 ㉱ 일미나이트

125 아크 용접봉의 피복 배합제 중 가스 발생제는?

㉮ 붕사 ㉯ 형석 ㉰ 톱밥 ㉱ 구리

126 피복아크 용접봉의 피복제 중 아크 안정제는?

㉮ 규산칼륨 ㉯ 탄가루
㉰ 마그네슘 ㉱ 페로크롬

127 용접 피복제의 성분 중 아크안정제의 역할을 하는 것은?

㉮ 알루미늄 ㉯ 마그네슘
㉰ 니켈 ㉱ 석회석

128 슬랙 생성제는 슬랙을 생성하여 금속표면을 덮어 산화질화를 방지하고, 냉각을 한다. 다음 중 슬랙 생성제의 종류가 아닌 것은?

㉮ 규산칼륨 ㉯ 석회석
㉰ 페로망간 ㉱ 이산화망간

129 피복 아크용접 봉에서 슬래그 생성의 작용을 하지 않는 것은?

㉮ 일미나이트 ㉯ 이산화망간
㉰ 규산나트륨 ㉱ 셀룰로스

130 피복 배합제의 성질 중 특히 슬랙화를 목적으로 한 성분이 아닌 것은?

㉮ 마그네슘(Mg) ㉯ 붕사($Na_2B_4O_7$)
㉰ 탄산칼륨(K_2CO_3) ㉱ 고토(MgO)

131 소모성 용접봉이 갖고 있어야 할 성질 중 잘못된 것은?

Answer 123.㉱ 124.㉯ 125.㉰ 126.㉮ 127.㉱ 128.㉰ 129.㉱ 130.㉮ 131.㉰

㉮ 용착금속을 보호할 수 있을 것
㉯ 용착시 용접부의 형성에 기여 할 수 있을 것
㉰ 합금원소를 용착금속으로 이동시키지 않을 것
㉱ 용착금속을 탈산할 수 있을 것

132 **아크피복 배합제의 성질을 설명한 것 중 잘못된 것은?**

㉮ 탄산나트륨(Na_2CO_3)은 아크 안정 및 슬랙화한다.
㉯ 탄산칼륨(K_2CO_3)은 탈산제이다.
㉰ 빙정석(Na_3AIF_6)은 슬랙화한다.
㉱ 니켈, 니크롬선, 구리(Gu)는 합금제이다.

133 **피복금속 아크 용접법에서 탈산제는 용융금속 중의 무엇을 제거하는 작용을 하는가?**

㉮ 질소를 제거하는 작용
㉯ 산소를 제거하는 작용
㉰ 탄산가스를 제거하는 작용
㉱ 규소를 제거하는 작용

134 **아크 용접에서 피복 배합제 중 탈산제에 해당되는 것은?**

㉮ 산성 백토　　㉯ 규산나트륨
㉰ 산화티탄　　㉱ 페로망간

135 **용접봉의 기호 E4316에서 43과 16의 뜻을 각각 올바르게 설명한 것은?**

㉮ 용착금속의 최소 인장강도와 용접전류
㉯ 용착금속의 최소 인장강도와 피복제 계통
㉰ 사용 용접전류와 용착금속의 최소 인장강도
㉱ 사용 용접봉의 최소 전류와 용착금속의 최소 인장강도

해설 용접봉의 기호 및 종류

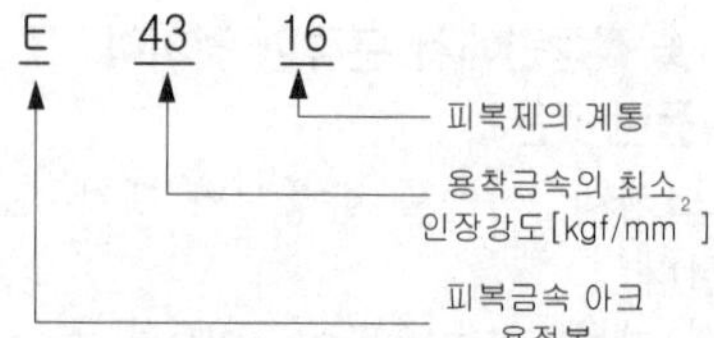

E4301(일미나이트계), E4303(라임 티탄계), E4311(고 셀룰로오스계), E4313(고산화티탄계), E4316(저수소계), E4324(철분 산화티탄계), E4326(철분저수소계), E4327(철분산화철계), E4340(특수계)

136 **용접봉의 KS 규격 표기인 E4313의 앞의 두 숫자 43의 설명을 올바르게 한 것은?**

㉮ 항복강도(psi)를 나타낸다.
㉯ 전단강도(kgf/cm^2)를 나타낸다.
㉰ 인장강도(psi)를 나타낸다.
㉱ 인장강도(kgf/mm^2)를 나타낸다.

137 **보기와 같은 아크 용접봉이 있다. 용접봉의 지름은 얼마인가?**

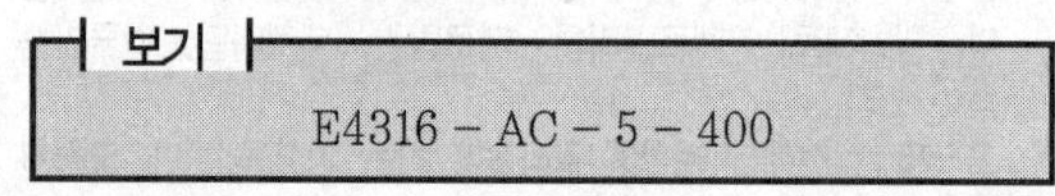
보기

E4316 – AC – 5 – 400

㉮ 5mm　㉯ 43mm　㉰ 400mm　㉱ 16mm

해설 저수소계 교류 용접기, 용접봉 직경 5mm, 용접봉 길이 400mm

138 **피복 아크 용접봉 기호와 피복제 계통을 각각 연결한 것 중 틀린 것은?**

㉮ E4324 – 라임 티타니아계
㉯ E4301 – 일미나이트계
㉰ E4327 – 철분 산화철계
㉱ E4313 – 고산화 티탄계

139 **KS 규격에서 E4324 용접봉의 피복제의 계통으로 맞는 것은?**

㉮ 저수소계　　㉯ 철분산화티탄계

Answer 132.㉯ 133.㉯ 134.㉱ 135.㉯ 136.㉱ 137.㉮ 138.㉮ 139.㉯

㉰ 특수계　　　　㉱ 일루미나이트계

140 연강용 피복아크 용접봉의 종류 중 철분산화철계는 어느 것인가?

㉮ E4311　㉯ E4327　㉰ E4340　㉱ E4303

141 연강용 피복 아크 용접봉의 종류가 E4340이라고 할 때, 이 용접봉의 피복제의 계통은?

㉮ 철분 산화철계　　　㉯ 철분 저수소계
㉰ 특수계　　　　　　㉱ 저수소계

142 고장력강용 피복아크 용접봉 중 피복제의 계통이 특수계에 해당되는 것은?

㉮ D5001　㉯ D5003　㉰ D5026　㉱ D5000

해설 용접구조용 고장력강은 탄소 이외의 합금 원소를 소량 첨가하여 적정한 제조 공정을 적용하여 인장 강도 등을 개선한 강을 말하며 이중 ㉱가 특수계에 해당한다.

143 티탄계의 고장력강용 피복아크 용접봉은?

㉮ D5001　㉯ D5003　㉰ D5300　㉱ D5326

144 용접봉 규격이 D5026으로 표시되었다면 50이란 무엇을 의미하는가?

㉮ 용접자세 분류번호
㉯ 용접봉 피복제의 종류 분류번호
㉰ 용착금속 최저인장강도
㉱ 용접봉 관리상 필요한 번호

145 연강용 피복아크 용접봉으로 용접시 용착금속에 좋은 강인성, 기계적 성질, 내균열성을 주며 피복제 중에 석회석이나 형석이 주성분으로 사용되는 것은?

㉮ 일미나이트계 용접봉
㉯ 고산화티탄계 용접봉
㉰ 저수소계 용접봉
㉱ 고셀룰로스계 용접봉

해설 저수소계(E4316)

① 석회석($CaCO_3$)이나 형석(CaF_2)을 주성분으로 용착 금속 중의 수소량이 다른 용접봉에 비해서 1/10정도로 현저하게 적은 우수한 특성이 있다.
② 피복제는 습기를 흡수하기 쉽기 때문에 사용하기 전에 300~350℃ 정도로 1~2시간 정도 건조시켜 사용한다.
③ 기계적 성질은 다른 연강봉보다 우수하기 때문에 중요 강도 부재, 고압 용기, 후판 중 구조물, 탄소 당량이 높은 기계 구조용 강, 균열의 감수성이 좋고 구속도가 큰 구조물, 유황 함유량이 높은 강 등의 용접에 결함 없이 양호한 용접부가 얻어진다.

146 용접성이 다른 연강봉에 비해 우수하나 흡습하기 쉽고, 비드 시작점과 끝점에서 아크 불안정으로 기공이 생기기 쉬운 용접봉 계열은?

㉮ 저수소계 용접봉
㉯ 일미나이트계 용접봉
㉰ 철분 산화 티탄계 용접봉
㉱ 고산화 티탄계 용접봉

147 내균열성이 가장 좋은 피복 아크 용접봉은?

㉮ 일미나이트계　　　㉯ 저수소계
㉰ 고셀룰로오스계　　㉱ 고산화티탄계

148 저수소계 용접봉을 원래의 하드보드 박스에서 꺼낸 후 저장하는 방법으로 가장 옳은 것은?

㉮ 재포장하여 저장한다.
㉯ 공구 창고내에 사이즈별로 저장한다.
㉰ 건조로에 넣어 저장한다.
㉱ 아무렇게나 저장해도 상관없다.

Answer 140.㉯ 141.㉰ 142.㉱ 143.㉯ 144.㉰ 145.㉰ 146.㉮ 147.㉯ 148.㉰

149 저수소계 용접봉은 사용하기 전 몇℃에서 건조시켜 사용해야 하는가?

㉮ 50℃ ~ 100℃ ㉯ 150℃ ~ 200℃
㉰ 300℃ ~ 350℃ ㉱ 400℃ ~ 450℃

150 저수소계 용접봉으로 용접작업하기 직전에 어떻게 하는 것이 가장 좋은가?

㉮ 구매할 때 들어온 포장박스(BOX) 그대로 뜯지 않고 보관한 후 바로 용접한다.
㉯ 용접봉 관리 창고에서 포장박스를 뜯어서 불출하기 쉽게 한곳에 모아둔 후 바로 용접한다.
㉰ 습기를 제거하기 위하여 건조로 속에 넣어 일정시간 일정온도를 유지 시킨 후 바로 용접한다.
㉱ 포장 박스를 뜯어서 용접봉을 끄집어 낸 후 비닐로 용접봉을 덮어 둔 후 바로 용접한다.

151 모재의 두께 및 탄소당량이 같은 재료로 일미나이트계 용접봉을 사용할 때보다 예열 온도가 낮아도 되는 용접봉은?

㉮ 고산화티탄계 ㉯ 저수소계
㉰ 라임티타니아계 ㉱ 고셀룰로스계

152 강력한 탈산작용이 있으며 고장력강의 용접에 좋고, 기계적 성질, 내균열성이 우수한 용접봉은?

㉮ 일미나이트계 용접봉 ㉯ 고산화티탄계 용접봉
㉰ 저수소계 용접봉 ㉱ 고셀룰로스계 용접봉

153 연강용 피복아크 용접봉 중 일미나이트계(E4301)용접봉은 일미나이트 성분을 몇 % 이상 함유하고 있는가?

㉮ 10 ㉯ 30 ㉰ 15 ㉱ 20

해설 일미나이트계(E4301)
① 일미나이트($TiO_2 \cdot FeO$)를 약 30% 이상 포함
② 작업성 및 용접성이 우수하며 가격이 저렴
③ 25mm 이상 후판 용접도 가능
④ 일반구조물의 중요 강도 부재, 조선, 철도, 차량, 각종 압력용기 등에 사용
⑤ 수직·위보기 자세에서 작업성이 우수하며 전 자세 용접이 가능하다.

154 산화티탄(TiO_2) 약 30%이상과 석회석($CaCO_3$)이 주성분이고, 고산화티탄계의 새로운 형태로써 피복이 비교적 두꺼우며 전자세에 용접이 우수한 용접봉은?

㉮ 라임티타니아계 ㉯ 일미나이트계
㉰ 고셀롤로스계 ㉱ 저수소계

해설 라임티탄계(E4303)
① 산화 티탄(TiO_2) 약 30% 이상과 석회석($CaCO_3$)이 주성분
② 피복제의 계통으로는 산화티탄과 염기성 산화물이 다량으로 함유된 슬랙 생성식
③ 작업성은 고산화 티탄계, 기계적 성질은 일미나이트계와 비슷하다.
④ 비드가 아름다워 선박의 내부 구조물, 기계, 차량, 일반 구조물 등 사용되며, 사용 전류는 고산화 티탄계 용접봉보다 약간 높은 전류를 사용

155 피복제 중 가스 발생제로 셀룰로오스를 20 ~ 30% 정도 포함한 용접봉으로 용입은 깊으나 스패터가 많고 표면이 거친 용접봉의 종류는?

㉮ E4311 ㉯ E4316 ㉰ E4324 ㉱ E4340

해설 E4311(고셀롤로오스계)
① 셀룰로오스를 20 ~ 30% 정도 포함한 용접봉
② 피복량이 얇고, 슬랙이 적어 수직 상 · 하진 및 위보기 용접에서 우수한 작업성
③ 아크는 스프레이 형상으로 용입이 크고 비교적 빠른 용융속도를 낼 수 있으나 슬랙이 적으므로 비드 표면이 거칠고 스패터가 많은 결점이 있다.

156 피복아크 용접봉의 특징 중 틀린 것은?

㉮ E4311 : 가스실드식 용접봉으로 박판용접에 사용된다.
㉯ E4301 : 용접성이 우수하여 일반 구조물의 중요강도 부재 용접에 사용된다.

Answer 149.㉰ 150.㉰ 151.㉯ 152.㉰ 153.㉯ 154.㉮ 155.㉮ 156.㉰

㉰ E4313 : 용입이 깊어서 고장력강 및 중량물 용접에 사용된다.
㉱ E4316 : 연성과 인성이 좋아서 고압용기, 후판 중구조물 용접에 사용된다.

해설 고산화티탄계(E4313)
① 고산화티탄계는 TiO_2 을 약 35%정도 함유
② 아크는 안정되며 스패터가 적고 슬랙의 박리성도 대단히 좋아 비드의 겉모양이 고우며 재 아크 발생이 잘 되어 작업성이 우수.
③ 용도로는 일반 경 구조물, 경자동차 박 강판 표면 용접에 적합
④ 작업성 : E4313 〉 E4301 〉 E4316
⑤ 기계적 성질 : E4316 〉 E4301 〉 E4313

157 표면경화용 피복아크 용접봉으로 표면강화(hard facing)를 할 때 가장 주의해야 할 사항은?

㉮ 용융금속의 이행 ㉯ 스패터 제거
㉰ 슬래그 제거 ㉱ 균열방지

해설 표면을 강화하고자 할 때 잘못하면 오히려 균열을 초래할 수 있다.

158 피복 아크 용접에서 그림과 같은 방법으로 아크를 발생시키는 것은?

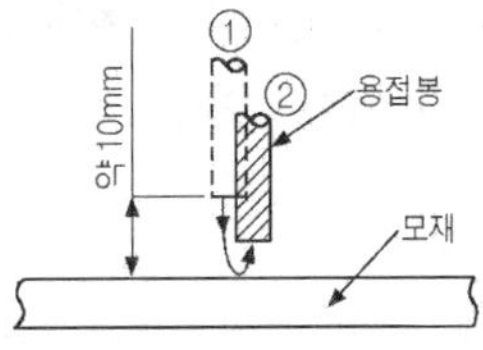

㉮ 긁는법 ㉯ 찍는법 ㉰ 접선법 ㉱ 원주법

해설 아크 발생 및 중단
① 아크 발생 방법으로는 긁는 법(scratch method)과 찍는 법(tapping method)이 있다.
② 초보자는 전자를 사용한다.
③ 아크를 처음 발생할 때 아크 길이는 약간 길게 한다.(3 ~ 4mm)
④ 아크의 중단 시는 아크 길이를 짧게 하여 크레이터를 채운 후 재빨리 든다.

159 용접자세에 사용되는 기호 중 "F" 가 나타내는 것은?

㉮ 아래보기 자세 ㉯ 수직자세
㉰ 위보기 자세 ㉱ 수평자세

해설 용접 자세(F : 아래보기 자세, V : 수직 자세, H : 수평자세 또는 수평 필릿 용접 O : 위보기 자세) 아울러 위보기 자세 및 수직 자세는 원칙적으로 심선의 지름 5.0mm를 초과하는 것에는 적용하지 않으며, E4324, E4326 및 E4327의 용접 자세는 주로 수평 필릿 용접으로 한다.

160 용접자세의 기호와 설명이 맞는 것은?

㉮ V : 수평 ㉯ H : 수직
㉰ F : 위보기 ㉱ AP : 전자세

해설 F는 아래보기, V는 수직, H는 수평, O는 위보기, AP : 전자세

161 용접봉과 용접선이 이루는 각도로 용접봉과 수직선 사이의 각도는?

㉮ 용접각 ㉯ 수직각 ㉰ 작업각 ㉱ 진행각

해설
① 작업각 : 용접봉과 이음 방향에 나란하게 세워진 수직 평면과의 각도로 표시
② 진행각 : 용접봉과 용접선이 이루는 각도로 용접봉과 수직선 사이의 각도로 표시

162 심선 단면적 1㎟에 대한 적절한 용접 전류 값은?

㉮ 10~13A ㉯ 20~26A
㉰ 30~39A ㉱ 40A이상

해설 일반적으로 심선의 단면적 $1mm^2$ 에 대하여 10 ~ 13A정도로 한다.

163 용접봉 심선 지름이 2.6일 때 가장 적절한 아크 길이는?

㉮ 1.0mm ㉯ 2.0mm
㉰ 2.6mm ㉱ 3.2mm이상

해설
① 아크 길이는 3mm정도이며 지름이 2.6mm 이하의 용접봉은

Answer 157.㉱ 158.㉯ 159.㉮ 160.㉱ 161.㉱ 162.㉮ 163.㉰

심선의 지름과 거의 같은 것이 좋다.
② 아크 길이가 길어지면 전압에 비례하여 증가하며 발열량도 증대된다.

164 일반적인 운봉폭은 심선 지름의 어느 정도로 하는가?

㉮ 1~1.5배 ㉯ 2~3배
㉰ 4~5배 ㉱ 5배이상

해설
① 넓은 비드 운봉 피치(간격)는 2 ~ 3mm, 운봉 속도는 양끝에서는 잠시 멈추어 용입이 되도록 하고 중앙은 빠르게 한다.
② 운봉폭은 심선 지름의 2 ~ 3배가 적당하며 쌓고자 하는 비드 폭보다 다소 좁게 운봉한다.

165 아크용접과 비교한 가스용접법의 특징으로 틀린 것은?

㉮ 열원의 온도가 아크 용접에 비하여 낮다.
㉯ 열에너지의 집중이 나쁘다.
㉰ 설비비가 비싸고, 운반이 불편하다.
㉱ 가열 범위가 커서 용접응력이 크고 가열시간이 오래 걸린다.

해설 가스 용접의 장점
① 전기가 필요 없다.
② 용접기의 운반이 비교적 자유롭다.
③ 용접 장치의 설비비가 전기 용접에 비하여 싸다.
④ 불꽃을 조절하여 용접부의 가열 범위를 조정하기 쉽다.
⑤ 박판 용접에 적당하다.
⑥ 용접되는 금속의 응용 범위가 넓다.
⑦ 유해 광선의 발생이 적다.
⑧ 용접 기술이 쉬운 편이다.

166 가스 용접의 단점 및 장점에 관한 각각의 설명으로 틀린 것은?

㉮ 단점 : 불꽃의 온도가 아크 불꽃에 비하여 낮다.
㉯ 단점 : 폭발의 위험성이 크다.
㉰ 장점 : 산소 - 아세틸렌 가스용접은 쉽게 설비할 수 있고 그 설비 비용이 싸다.
㉱ 장점 : 열의 집중성이 좋아서 효율적인 용접을 할 수 있다.

해설 가스 용접은 열량 조절은 자유로우나 열의 집중성이 떨어지는 단점이 있다.

167 가스 용접용 가스가 갖추어야 할 성질에 해당 되지 않는 것은?

㉮ 불꽃의 온도가 높을 것
㉯ 연소속도가 빠를 것
㉰ 발열량이 적을 것
㉱ 용융금속과 화학반응을 일으키지 않을 것

해설 가연성 가스의 구비조건
① 불꽃 온도가 높을 것
② 연소 속도가 빠를 것
③ 발열량이 클 것
④ 용융 금속과 화학 반응을 일으키지 않을 것

168 가스용접 및 가스절단에 사용되는 가연성 가스의 요구되는 성질 중 틀린 것은?

㉮ 불꽃의 온도가 높을 것
㉯ 발열량이 클 것
㉰ 연소속도가 느릴 것
㉱ 용융금속과 화학반응을 일으키지 않을 것

169 가스용접에서 충전가스 용기의 도색을 표시한 것이다. 틀린 것은?

㉮ 산소 - 녹색 ㉯ 수소 - 주황색
㉰ 프로판 - 회색 ㉱ 아세틸렌 - 청색

해설 아세틸렌 용기의 색은 황색이다. 공업용 산소는 녹색, 의료용은 백색이다.

170 가스용접에서 수소가스 충전용기의 도색 표시로 맞는 것은?

㉮ 회색 ㉯ 백색 ㉰ 청색 ㉱ 주황색

171 가스용접장치에서 충전가스 용기의 도색이 잘못 연결된 것은?

Answer 164.㉯ 165.㉰ 166.㉱ 167.㉰ 168.㉰ 169.㉱ 170.㉱ 171.㉯

㉮ 아르곤-회색　　㉯ 염소-백색
㉰ 아세틸렌-황색　　㉱ 탄산가스-청색

172 유전, 습지대에서 분출되며 메탄을 주성분으로 하나, 그 조성은 산지 또는 분출시기에 따라 다른 용접용 가스는?

㉮ 수소가스　　㉯ 천연가스
㉰ 도시가스　　㉱ LP가스

해설 천연 가스의 주성분은 메탄(CH_4)으로, 유전 습지대 등에서 분출한다.

173 수중 절단시 고압에서 사용이 가능하고 수중 절단 중 기포 발생이 적어 가장 널리 사용되는 연료가스는?

㉮ 수소　㉯ 질소　㉰ 부탄　㉱ 벤젠

해설
① 수중 절단에 사용되는 가스는 압력에 영향을 덜 받는 가스이어야 한다.
② 수소(H_2)는 0℃ 1기압에서 1 l 의 무게는 0.0899g 가장 가볍고, 확산 속도가 빠르다.
③ 무색, 무미, 무취로 불꽃은 육안으로 확인이 곤란하다.
④ 납땜이나 수중 절단용으로 사용한다.
⑤ 아세틸렌의 경우 2기압이상이 되면 자연 폭발하므로 수중 절단용으로는 사용하는데 한계가 있다.
⑥ 아세틸렌 다음으로 폭발성이 강한 가연성 가스이다.

174 가스 절단법에 사용되는 프로판가스의 성질을 설명한 것 중 틀린 것은?

㉮ 공기보다 가볍다.
㉯ 액화성이 있다.
㉰ 연소시 수증기를 발생한다.
㉱ 석유정제과정의 부산물이다.

해설 비중이 1.522로 공기보다 무겁다

175 아세틸렌가스의 성질 중 틀린 것은?

㉮ 아세틸렌은 각종 액체에 잘 용해된다.
㉯ 매우 타기 쉬운 기체이므로 화기 또는 불꽃을 접근시키는 일은 위험하다.
㉰ 질소와 탄소의 화합물이며 안정한 가스이다.
㉱ 순수한 아세틸렌가스는 일종의 향기를 내는 가스이다.

해설 아세틸렌은 C_2H_2 이다.

176 아세틸렌가스를 가장 잘 녹일 수 있는 용제는?

㉮ 휘발유　㉯ 벤제　㉰ 아세톤　㉱ 석유

해설 여러 가지 액체에 잘 용해되며 물에는 같은 양, 석유에는 2배, 벤젠에는 4배, 알코올에서는 6배, 아세톤에는 25배 용해되며, 그 용해량은 압력에 따라 증가한다. 단 소금물에는 용해되지 않는다.

177 아센틸렌 가스의 폭발 위험성에 관한 설명으로 틀린 것은?

㉮ 아세틸렌 가스는 매우 타기 쉬운 기체이다.
㉯ 아세틸렌 가스는 매우 안전한 화합물이다.
㉰ 아세틸렌 가스는 충격, 마찰 등의 외력이 작용하면 폭발 위험성이 있다.
㉱ 아세틸렌 가스는 구리, 수은(Hg) 등과 접촉하면 폭발 화합물을 생성한다.

해설

변 수	조 건
온도	· 406 ~ 408℃ : 자연 발화 · 505 ~ 515℃ : 폭발 위험 · 780℃ : 자연 폭발
압력	· 1.3기압 이하에서 사용 · 1.5기압 : 충격 가열 등의 자극으로 폭발 · 2기압 : 자연 폭발
외력	· 압력이 주어진 아세틸렌가스에 충격, 마찰, 진동 등에 의하여 폭발의 위험성이 있다.
혼합 가스	· 공기 또는 산소가 혼합한 경우 불꽃 또는 불티 등으로 착화, 폭발의 위험성이 있다.(아세틸렌 15%, 산소 85%에서 가장 위험하다) · 인화 수소를 포함한 경우 : 0.02% 이상 폭발성, 0.06% 이상 자연 폭발
화합물 영향	· 구리, 구리합금(구리 62% 이상), 은, 수은, 습기, 녹, 암모니아
건조 상태	· 120℃에서 맹렬한 폭발성

Answer 172.㉯ 173.㉮ 174.㉮ 175.㉰ 176.㉰ 177.㉯

178 다음 설명에서 A, B에 들어갈 값으로 맞는 것은?

보기

용해 아세틸렌가스는 15℃에서 (A)kgf/㎠로 충전하며, 15℃ 1kgf/㎠에서 1ℓ 아세톤은 (B)ℓ 의 아세틸렌 가스를 용해한다.

㉮ A = 1.5, B = 10　㉯ A = 25, B = 30
㉰ A = 15, B = 25　㉱ A = 10, B = 15

해설 용해 아세틸렌의 충전은 15℃ 15기압으로 충전하며, 아세톤에 25배 녹는다.

179 15℃에서 15기압을 하면 다음 중 아세톤 1리터에 대하여 아세틸렌가스 몇 리터가 용해되는가?

㉮ 285　㉯ 350　㉰ 375　㉱ 420

해설 1기압 하에서 아세톤에 25배 녹으므로 15기압에서는 15 × 25 = 375

180 동일 체적의 아세틸렌을 용해시키는 것은?

㉮ 아세톤(Acetone)　㉯ 석유
㉰ 알콜　㉱ 물(H_2O)

181 아세틸렌가스의 도관 및 압력 게이지에 사용되는 구리합금 중 구리의 함유량으로 가장 적당한 것은?

㉮ 82% 이하　㉯ 72% 이하
㉰ 62% 이하　㉱ 92% 이하

해설
① 공기 또는 산소가 혼합한 경우 불꽃 또는 불티 등으로 착화, 폭발의 위험성이 있다.
② 아세틸렌 15%, 산소 85%에서 가장 위험하다.
③ 인화수소를 포함한 경우 : 0.02%이상 폭발성, 0.06%이상 자연 폭발한다.
④ 구리, 구리합금(구리 62% 이상), 은, 수은 등과 접촉하여 120℃ 부근에서 폭발성 화합물이 생성된다.

182 용해 아세틸렌을 안전하게 취급하는 방법이다. 잘못된 것은?

㉮ 아세틸렌병은 반드시 세워서 사용한다.
㉯ 아세틸렌가스의 누설은 폭발을 초래하기 쉬우므로 반드시 성냥불로 검사해야 한다.
㉰ 아세틸렌밸브가 얼었을 때는 더운물로 데워야 하며 불꽃을 사용해서는 안 된다
㉱ 밸브고장으로 아세틸렌 누출시는 통풍이 잘되는 곳으로 병을 옮겨 놓아야 한다.

해설 아세틸렌가스 등의 누설검사는 비눗물을 사용하여야 한다.

183 아세틸렌 압력 조정기의 구비조건 설명으로 틀린 것은?

㉮ 가스의 방출량이 많아도 유량이 안정되어 있어야 한다.
㉯ 조정압력은 용기 내의 가스량이 변해도 항상 일정해야 한다.
㉰ 조정압력과 방출압력과의 차이가 클수록 좋다.
㉱ 얼어붙지 않고 동작이 예민해야 한다.

해설 아세틸렌 압력 조정기는 조정압력과 방출압력의 차이가 없어야 된다.

184 산소 호스는 몇 kgf/cm²정도의 압력으로 실시하는 내압 시험에서 이상이 없어야 하는가?

㉮ 90　㉯ 70　㉰ 50　㉱ 10

해설 산소호스는 녹색 또는 검정색으로 90kgf/cm², 아세텔렌 호스는 적색으로 10kgf/cm² 의 내압시험을 한다.

185 내용적 40리터의 산소용기에 조정기의 고압측 압력계가 50kgf/cm²를 지시하고 있다면, 이 용기에는 잔류산소가 몇 리터(L) 있는가?

㉮ 100　㉯ 200　㉰ 1000　㉱ 2000

해설
산소 용기의 총 가스량 : 총 가스량
= 내용적 × 기압 = 40 × 50 = 2,000

Answer 178.㉰　179.㉰　180.㉱　181.㉰　182.㉯　183.㉰　184.㉮　185.㉱

186 산소용기의 용량이 30리터이다. 최초의 압력 150kgf/cm^2 이고, 사용 후 100kgf/cm^{2}으로 되면 몇 리터의 산소가 소비 되는가?

㉮ 1,020 ㉯ 1,500
㉰ 3,000 ㉱ 4,500

해설
① 산소 용기의 총 가스량 = 내용적 × 기압
② 사용할 수 있는 시간 = 산소용기의 총 가스량 ÷ 시간당 소비량
그러므로 소비량은 = 내용적(30) × 기압(150 - 100) = 1500

187 용적 40리터의 산소용기에서 고압력계가 90kgf/cm^2 으로 나타났다면, 300리터의 노즐로서 몇 시간 용접을 할 수 있는가?(단, 산소와 아세틸렌의 혼합비는 1 : 1이다.)

㉮ 6시간 ㉯ 12시간
㉰ 15시간 ㉱ 18시간

해설
총가스량 = 40 × 90 = 3600 사용시간 = 3600 ÷ 300 = 12시간

188 가스용접에서 산소용기에 각인되어 있는 것의 설명이 틀린 것은?

㉮ V – 내용적 ㉯ W – 순수가스의 중량
㉰ TP – 내압시험 압력 ㉱ FP – 최고충전 압력

해설 그림에서 W는 용기 중량을 의미한다.

189 산소병에 새겨진 각인 중 내압 시험 압력의 기호는?

㉮ V ㉯ W ㉰ TP ㉱ FP

해설 V = 내용적, W = 용기 중량, TP = 시험압력, FP = 최고 충전압력

190 산소용기의 취급상 주의사항 설명으로 틀린 것은?

㉮ 용기는 항상 70℃이하를 유지해야 한다.
㉯ 충격을 주지 않아야 한다.
㉰ 밸브, 기타 등에 기름이 묻어서는 안 된다.
㉱ 직사광선에 노출시키지 않아야 한다.

해설 산소 용기 취급상 주의사항
① 타격, 충격을 주지 않는다.
② 직사광선, 화기가 있는 고온의 장소를 피한다.
③ 용기 내의 압력이 너무 상승(170kgf/cm^2)되지 않도록 한다.
④ 밸브가 동결되었을 때 더운물 또는 증기를 사용하여 녹여야 한다.
⑤ 누설 검사는 비눗물을 사용한다.
⑥ 용기 내의 온도는 항상 40℃ 이하로 유지하여야 한다.
⑦ 용기 및 밸브 조정기 등에 기름이 부착되지 않도록 한다.
⑧ 저장실에 가스를 보관시 다른 가연성 가스와 함께 보관하지 않는다.

191 산소병 취급방법에서 틀린 것은?

㉮ 밸브는 기름을 칠하여 항상 유연해야 한다.
㉯ 산소병을 뉘어 두지 않는다.
㉰ 사용 전에 비눗물로 가스 누설검사를 한다.
㉱ 산소병은 화기로부터 멀리한다.

192 산소 용기의 취급에서 잘못된 사항은?

㉮ 운반이나 취급에서 충격을 주지 않는다.
㉯ 가연성 가스와 함께 저장하여 누설되어도 인화되지 않게 한다.
㉰ 기름이 묻은 손이나 장갑을 끼고 취급하지 않는다.
㉱ 운반시 가능한 한 운반기구를 이용한다.

193 가스용접에서 산소압력조정기의 압력조정나사를 오른쪽으로 돌리면 밸브는 어떻게 되는가?

㉮ 잠겨진다. ㉯ 중립상태로 된다.
㉰ 고정된다. ㉱ 열리게 된다.

해설 지연성 가스인 산소는 압력 조정기의 조정나사를 오

Answer 186.㉯ 187.㉯ 188.㉯ 189.㉰ 190.㉮ 191.㉮ 192.㉯ 193.㉱

른쪽으로 돌리면 밸브는 열리게 되어 조정 압력이 올라간다. 밸브는 오른쪽으로 돌리면 잠긴다. 하지만 가연성 가스는 왼나사로 되어 있어 오른쪽으로 밸브를 돌리면 열리게 된다.

194 산소 아세틸렌 불꽃에서 아세틸렌이 이론적으로 완전연소 하는데 필요한 산소 : 아세틸렌의 연소비는?

㉮ 1.5 : 1 ㉯ 1 : 1.5 ㉰ 2.5 : 1 ㉱ 1 : 2.5

해설 $2C_2H_2 + 5O_2 \rightarrow 4CO_2 + 2H_2O + 193.7kcal$
이론상 산소와 아세틸렌의 혼합비는 5 : 2 즉, 2.5 : 1이나 실제 용접시 산소의 1.5는 공기 중에서 얻는다.

195 가스 용접봉 및 용제에 관한 각각의 설명을 틀린 것은?

㉮ 용제는 건조한 분말, 페이스트 또는 용접봉 표면에 피복한 것도 있다.
㉯ 용제의 융점은 모재의 융점보다 낮은 것이 좋다.
㉰ 연강의 가스 용접에는 용제를 필요로 하지 않는다.
㉱ 가스용접은 탄화 불꽃이 되기 쉬운데다 공기 중의 탄소를 흡수하여 용융 금속이 탄화되는 경우가 많다.

196 연료가스 중 실제발열량(kcal/m³)이 가장 많은 것은?

㉮ 아세틸렌㉯ 프로판 ㉰ 메탄 ㉱ 수소

해설

가스의 종류	완전 연소 반응식	비중	산소와 혼합시 불꽃최고 온도(℃)	발열량 (kcal/m²)	공기중 기체 함유량
아세틸렌	$C_2H_2 + 2\frac{1}{2}O_2 = 2CO_2 + H_2O$	0.906	3,430	12,753.7	2.5 ~ 80
수소	$H_2 + \frac{1}{2}O_2 = H_2O$	0.070	2,900	2,446.4	4 ~ 74
프로판	$C_3H_8 + 5O_2 = 3CO_2 + 4H_2O$	1.522	2,820	20,550.1	2.4 ~ 9.5
메탄	$CH_4 + 2O_2 = CO_2 + 2H_2O$	0.555	2,700	8,132.8	5 ~ 15

197 산소와 혼합 불꽃 온도가 가장 높은 가스용접의 연료가스는?

㉮ 아세틸렌 ㉯ 수소
㉰ 프로판 ㉱ 천연가스

198 독일식 가스용접 토치의 팁 번호가 7번일 때 용접할 수 있는 가장 적당한 강판의 두께는 몇 mm인가?

㉮ 4 ~ 5 ㉯ 6 ~ 8 ㉰ 9 ~ 12 ㉱ 13 ~ 15

해설 독일식 팁은 A형으로 7번은 KS규격에서는 A1호 산소압력은 2.3kg/cm² 으로 판 두께 6 ~ 8mm에 사용할 수 있다.

199 가스용접시 사용되는 불변압식(A형) 토치의 종류가 아닌 것은?

㉮ A1호 ㉯ A2호 ㉰ A3호 ㉱ A4호

해설 KS 규격 A형(불변압식)은 A1, A2, A3, B형(가변압식)은 B00, B0, B1,B2로 규정되어 있다.

200 중성불꽃 일 때, B형 가스용접 토치의 팁 번호가 250이면, 이것을 올바르게 설명한 것은?

㉮ 판두께 250[mm]까지 용접한다.
㉯ 1시간에 250리터의 아세틸렌가스를 소비하는 것이다.
㉰ 1시간에 250리터의 산소가스를 소비하는 것이다.
㉱ 1시간에 250[cm]까지 용접한다.

해설 A형은 불변압식으로 판 두께를 B형은 가변압식으로 시간당 소비되는 이세틸렌 가스량으로 크기를 표현한다.

201 가스용접 토치의 팁(Tip) 재료로 가장 적합한 것은?

㉮ 동 합금 ㉯ 알루미늄 합금
㉰ 경강 ㉱ 연강

해설 가스 용접의 팁은 불변압식(독일식)은 1개의 팁에 1개의 인젝터가 있는 형식이며, 가변압식(프랑스식)은 인젝터에 니들 밸브가 있어 유량과 압력을 조절할 수 있다. 재질로는 동합금(동의 함유량 62%이하)를 사용한다.

Answer 194.㉰ 195.㉱ 196.㉯ 197.㉮ 198.㉯ 199.㉱ 200.㉯ 201.㉮

202 연강용 가스 용접봉에 GA46 이라고 표시 되어 있을 경우, 46이 나타내고 있는 의미는?

㉮ 용착금속의 최대 인장강도
㉯ 용착금속의 최저 인장강도
㉰ 용착금속의 최대 중량
㉱ 용착금속의 최소 두께

해설 GA다음에 나오는 숫자는 최소 인장강도를 의미한다.

203 가스용접에서 판두께를 T(mm)라면 용접봉의 지름 D(mm)를 구하는 식으로 옳은 것은?(단, 모재의 두께는 1mm 이상인 경우이다.)

㉮ $D=t+1$　　㉯ $D=\frac{t}{2}+1$

㉰ $D=\frac{t}{3}+2$　　㉱ $D=\frac{t}{4}+2$

해설 가스 용접봉의 지름을 구하고자 할 때는 용접하고자 하는 모재 두께의 반에 1을 더한 것이다. 즉 $D=\frac{t}{2}+1$이 된다.

204 두께 3.2mm 의 연강판을 가스용접하려고 한다. 모재 두께가 1mm 이상일 때 용접봉의 지름을 결정하는 방법에 의한 가스 용접봉의 지름은?

㉮ 1.0mm　㉯ 2.6mm　㉰ 3.2mm　㉱ 4.0mm

해설 $D=\frac{T}{2}+1$ (D : 지름, T : 판 두께)
그러므로 판 두께의 반에 1을 더하면 된다. 즉 3.2에 반이 1.6에 1을 더한 2.6mm가 된다.

205 가스용접에서 전진법과 후진법을 비교할 때 각각의 설명으로 옳은 것은?

㉮ 후진법에서 용접변형이 작다
㉯ 후진법에서 용착금속이 급랭한다
㉰ 전진법에서 열 이용률이 좋다.
㉱ 전진법에서 용접속도는 빠르다.

해설
① 전진법(좌진법)
· 용접봉이 토치 보다 앞서 나가는 것을 생각하면 된다.
· 오른쪽 → 왼쪽으로 진행한다.
② 후진법(우진법)
· 용접봉이 토치 뒤에 있는 것을 생각하면 된다.
· 왼쪽 → 오른쪽으로 진행한다.

비교 내용	후진법	전진법
열 이용율	좋다	나쁘다
용접 속도	빠르다	느리다
홈 각도	작다(60°)	크다(80°)
변형	적다	크다
산화성	적다	크다
비드 모양	나쁘다	좋다
용도	후판	박판

후진법이 비드 모양만 나쁘고 모든 것이 다 좋다.

206 산소 - 아세틸렌 토치로 3.2mm 이하의 모재를 용접 할 때 차광유리의 차광번호로서 가장 적당한 것은?

㉮ 4 ~ 5　㉯ 6 ~ 7　㉰ 8 ~ 9　㉱ 10 ~ 20

해설 산소 - 아세틸렌 즉, 가스 용접의 사용되는 차광도 번호 4 ~ 8번 정도의 것이 사용되며, 3.2mm 모재의 경우는 4 ~ 5번이 적당하다.

207 가스용접 불꽃에서 아세틸렌과 산소의 혼합비율이 1 : (1.15 ~ 1.70)인 불꽃은 무슨 불꽃인가?

㉮ 아세틸렌 불꽃　㉯ 아세틸렌과잉불꽃
㉰ 표준불꽃　㉱ 산소과잉불꽃

해설
① 중성 불꽃(neutral flame)
· 산소와 아세틸렌가스의 혼합비가 1 : 1 정도로 이루어질 때 얻어지는 불꽃으로 표준 불꽃이라고도 한다. 백심 불꽃과 아세틸렌 깃이 일치될 때를 중성 불꽃이 된다.
· 이론상 산소와 아세틸렌의 혼합비는 2.5 : 1이나 산소의 1.5는 공기중에서 얻는다.
· 용접 작업에 가장 알맞은 불꽃으로 금속의 용접부에 산화나 탄화의 영향이 가장 적게 미치는 불꽃이다.
· 연강, 반연강, 주철, 구리, 아연, 납, 은, 알루미늄, 니켈, 주강 등에 사용한다.
· 불꽃의 온도는 3,230℃정도이다.
② 산성 불꽃(excess oxygen flame)
· 산소 과잉 불꽃 또는 산화불꽃이라고도 한다. 백심이 짧아

Answer 202.㉯　203.㉯　204.㉯　205.㉮　206.㉮　207.㉱

지고 속불꽃이 없어 바깥 불꽃만으로 되어 있다.
· 산화성 분위기를 만들어 일반적인 금속의 용접에는 사용하지 않는다.
· 용접을 할 때 금속을 산화시키므로 구리, 황동 등의 용접에 사용한다.
· 불꽃의 온도는 3,320 ~ 3,430℃정도이다.

③ 탄화 불꽃(excess acetylene flame, carbonizing flame)
· 아세틸렌 과잉 불꽃 또는 환원성불꽃이라 한다.
· 속불꽃과 겉불꽃 사이에 연한 백색의 제3의 불꽃 즉 아세틸렌 깃이 있다.
· 아세틸렌 밸브를 열고 점화한 후 산소 밸브를 조금만 열게 되면 다량의 그을음이 발생하며 연소하게 되는 경우이다.
· 이 불꽃은 산소의 량이 부족할 경우에 생기는 것으로 금속의 산화를 방지할 필요가 있는, 스테인리스강, 스텔라이트, 모넬메탈 등의 용접에 사용된다.
· 불꽃의 온도는 3,070 ~ 3,150℃정도이다.

208 가스용접에서 산화 불꽃은 어떤 금속 용접에 가장 적합한가?

㉮ 황동 ㉯ 연강
㉰ 모넬메탈 ㉱ 스텔라이트

209 가스용접에서 아세틸렌이 과잉으로 된 불꽃은?

㉮ 중성산화염 ㉯ 탄화염
㉰ 산화염 ㉱ 중성염

해설 아세틸렌 과잉 불꽃은 환원성 불꽃으로 탄화염이다.

210 가스용접에서 역화의 원인이 될 수 없는 것은?

㉮ 아세틸렌의 압력이 높을 때
㉯ 팁 끝이 모재에 부딪혔을 때
㉰ 스패터가 팁의 끝 부분에 덮였을 때
㉱ 토치에 먼지나 물방울이 들어갔을 때

해설 역화(Back fire) : 팁 끝이 모재에 닿아 순간적으로 팁 끝이 막히거나 팁 끝의 가열 및 조임 불량 및 가스 압력의 부적당할 때 폭음이 나며선 불꽃이 꺼졌다가 다시 나타나는 현상을 말한다. 역화를 방지하려면 팁의 과열을 막고, 토치 기능을 점검한다. 역화가 발생하였을 경우는 우선 아세틸렌을 차단 후 산소를 차단하여야 한다.

211 가스 용접시 팁 끝이 순간적으로 막히면 가스 분출이 나빠지고 토치의 가스 혼합실까지 불꽃이 그대로 전달되어 토치가 빨갛게 달구어지는 현상은?

㉮ 역류 ㉯ 난류 ㉰ 역화 ㉱ 인화

해설 인화

원인	방지책
가스 압력 부적당 팁 끝이 막임	· 팁을 깨끗이 청소한다. · 가스 유량을 적당하게 조정 · 토치 및 각 기구를 점검한다. · 호스의 비틀림이 없게 한다. · 우선 아세틸렌을 차단 한 후 · 산소를 차단한다.

212 아크절단의 종류에 해당하는 것은?

㉮ 철분 절단 ㉯ 수중 절단
㉰ 스카핑 ㉱ 아크 에어 가우징

해설 아크 절단
· 전극과 모재 사이에 아크를 발생시켜 그 열로 모재를 용융 절단
· 압축 공기, 산소 기류와 함께 쓰면 능률적임
· 정밀도는 가스 절단보다 떨어지나 가스 절단이 곤란한 재료에 사용이 가능하다.
· 종류로는 금속아크 절단, 탄소 아크 절단, 티그 아크 절단, 미그 아크 절단, 플라즈마 제트 절단, 아크 에어 가우징 등이 있다.

213 아크 절단법이 아닌 것은?

㉮ 금속아크 절단
㉯ 미그아크 절단
㉰ 플라즈마 제트절단
㉱ 서브머지드 아크 절단

해설 아크 절단의 종류로는 금속아크 절단, 탄소아크 절단, 미그 및 티그아크 절단, 플라즈마제트 절단, 아크 에어 가우징 등이 있다.

214 아크절단법에 해당되는 것은?

㉮ 금속분말절단 ㉯ 플라즈마제트절단
㉰ 수중절단 ㉱ 산소창절단

Answer 208.㉮ 209.㉯ 210.㉮ 211.㉱ 212.㉱ 213.㉱ 214.㉯

215 탄소아크 절단법을 설명한 것 중 틀린 것은?

㉮ 전원은 주로 직류 역극성이 사용된다.
㉯ 절단면은 가스절단면에 비하여 거칠다.
㉰ 중후판의 절단은 전자세로 작업한다.
㉱ 절단면에 약간의 탈탄이 생긴다

해설 탄소 아크 절단
① 탄소(많이 사용하나 소모성이 크다.), 흑연(전기적 저항이 적고 높은 사용 전류에 적합) 전극봉과 금속 사이에 아크를 발생하여 절단하는 방법
② 사용 전원은 직류 정극성이 바람직 하지만 때로는 교류도 사용가능하다.

216 금속 아크 절단법에 대한 설명이다. 틀린 것은?

㉮ 전원은 직류 정극성이 적합하다.
㉯ 피복제는 발열량이 적고 탄화성이 풍부하다.
㉰ 절단면은 가스절단면에 비하여 대단히 거칠다.
㉱ 담금질 경화성이 강한 재료의 절단부는 기계 가공이 곤란하다.

해설 금속 아크 절단
① 보통은 용접봉에 값이 비싸 잘 쓰이지 않고 있으나, 토치나 탄소 용접봉이 없을 때 쓰인다. 탄소 전극봉 대신에 특수 피복제(발열량이 큰)를 입힌 전극봉을 써서 절단한다.
② 사용 전원은 직류 정극성이 바람직 하지만 교류도 사용 가능하다.

217 중공의 피복용접봉과 모재와의 사이에 아크를 발생시키고 이 아크열을 이용하여 절단하는 방법은?

㉮ 산소 아크절단 ㉯ 플라즈마 제트절단
㉰ 산소창 절단 ㉱ 스카핑

해설 산소 아크 절단
· 사용 전원은 직류 정극성이 널리 쓰임, 때로는 교류도 사용
· 중공(속이 빈)의 피복 강전극으로 아크를 발생(예열원)시키고 그 중심부에서 산소를 분출시켜 절단하는 방법으로 절단속도가 크다. 하지만 절단면이 고르지 못하는 단점도 있다.

218 플라즈마 제트의 아크 절단법에 관한 설명이 틀린 것은?

㉮ 알루미늄 등의 경금속에는 작동가스로 알곤과 수소의 혼합가스가 사용된다.
㉯ 가스절단과 같은 화학반응은 이용하지 않고, 고속의 플라즈마를 사용한다.
㉰ 텅스텐전극과 수냉 노즐사이에 아크를 발생시키는 것을 비이행형 절단법이라 한다.
㉱ 기체의 원자가 고온에서 +, - 전자로 분리된 것을 플라즈마라 한다.

해설 기체의 가열로 전리된 전자의 이온이 혼합되어 도전성을 띤 가스체를 플라즈마라고 하며 이때 발생된 온도는 10,000 ~ 30,000℃정도이다. 아크 플라즈마를 좁은 틈으로 고속도로 분출시켜 생기는 고온의 불꽃을 이용해서 절단 용사, 용접하는 방법이다.
플라즈마 절단에는 이행형 즉 텡스텐 전극과 모재에 각각 전원을 연결하는 방식인 플라즈마 제트 절단과 텅스텐 전극과 수냉 노즐에 전원을 연결하고 모재에는 전원을 연결하지 않는 비이행형인 플라즈마 아크 절단이 있다. 비이행형의 경우는 비금속, 내화물의 절단도 가능하다.
① 무부하 전압이 높은 직류 정극성 이용
② 플라즈마10,000 ~ 30,000℃를 이용하여 절단
③ 일반적으로 아르곤 + 수소가스를 사용하나 스테인리스강에는 질소+수소 가스를 사용한다.
④ 특수금속, 비금속, 내화물도 절단 가능
⑤ 절단면에 슬랙이 부착되지 않고 열 영향부가 적어 변형이 거의 없다.

219 스테인리스강에 사용되는 플라즈마 절단 작동가스로 가장 적합한 것은?

㉮ 아세틸렌 ㉯ 프로판
㉰ 아르곤 + 수소 ㉱ 질소 + 수소

220 플라즈마 제트 절단에서 열적 핀치 효과란?

㉮ 아크 단면은 크게 되고 전류 밀도는 증가하여 온도가 상승함
㉯ 아크 단면은 가늘게 되고 전류 밀도도 증가하여 온도가 상승함
㉰ 아크 단면은 변화없고 전류 밀도도 변화없이 온도가 상승함
㉱ 아크 단면은 크게 되고 전류 밀도는 낮아지면서 온도가 상승함

Answer 215.㉮ 216.㉯ 217.㉮ 218.㉱ 219.㉱ 220.㉯

해설 플라즈마 용접 및 절단은 열적 핀치 효과와 자기적 핀치 효과를 이용하는데 전자는 냉각으로 인한 단면 수축으로 전류 밀도 증대하는 방법이고 후자는 방전 전류에 의해 자장과 전류의 작용으로 단면 수축하여 전류 밀도 증대되는 것이다.

221 스테인리스 강이나 절단하기 힘든 합금강을 고속 절단할 수 있으며 1/16"의 공차로 절단 능력이 정확한 것은?

㉮ 아크 에어 가우징(arc air gouging)
㉯ 플라즈마 제트절단(plasma jet cutting)
㉰ 금속 아크 절단(metal arc cutting)
㉱ TIG 절단(tungsten inert gas cutting)

222 탄소아크 절단에 압축공기를 병용하여 전극 홀더의 구멍에서 탄소 전극봉에 나란히 분출하는 고속의 공기를 분출시켜 용융금속을 불어 내어 홈을 파는 방법은?

㉮ 아크 에어 가우징 ㉯ 불꽃 가우징
㉰ 기계적 가우징 ㉱ 산소·수소 가우징

해설 아크 에어 가우징
① 탄소 아크 절단에 압축 공기를 병용하여 결함을 제거(흑연으로 된 탄소봉에 구리 도금을 한 전극 사용)
② 가스 가우징보다 작업 능률이 2 ~ 3배 좋다.
③ 균열의 발견이 특히 쉽다.
④ 철, 비철금속 어느 경우도 사용된다.
⑤ 전원으로는 직류 역극성이 사용된다.
⑥ 아크 전압 35V, 전류 200 ~ 500A, 압축 공기는 6 ~ 7kg/cm² (4kg/cm² 이하로 떨어지면 용융 금속이 잘 불려 나가지 않는다.

223 다음 중 아크에어가우징 작업시 알맞는 압축공기의 압력은?

㉮ 1 ~ 2kgf/cm² ㉯ 3 ~ 4kgf/cm²
㉰ 6 ~ 7kgf/cm² ㉱ 0 ~ 15kgf/cm²

해설 아크 에어 가우징의 작업 조건 : 아크 전압 35V, 전류 200 ~ 500A, 압축 공기는 6 ~ 7kg/cm² (4kg/cm² 이하로 떨어지면 용융 금속이 잘 불려 나가지 않는다.

224 직류 역극성을 사용하는 것은?

㉮ 아크 에어가우징 ㉯ 탄소 아크절단
㉰ 금속 아크절단 ㉱ 산소 아크절단

해설 대부분의 아크 절단은 직류 정극성을 사용하는데 아크 에어가우징과 미그 절단은 직류 역극성을 사용한다.

225 아크 에어 가우징(arc air gouging)작업에서 탄소봉의 노출 길이가 길어지고, 외관이 거칠어지는 가장 큰 원인의 경우는?

㉮ 전류가 높은 경우
㉯ 전류가 낮은 경우
㉰ 가우징 속도가 빠른 경우
㉱ 가우징 속도가 느린 경우

해설 전류가 높은 경우 탄소봉의 노출길이가 길어져 외관이 거칠어진다.

226 텅스텐 전극과 모재 사이에서 아크를 발생시켜 아르곤(Ar)가스 등을 공급하여 절단하는 방법으로 맞는 것은?

㉮ 피복 금속 아크절단 ㉯ TIG절단
㉰ 레이저 절단 ㉱ MIG절단

해설 티그 절단
① 열적 핀치 효과에 의한 플라즈마로 절단하는 방법으로 텅스텐 전극과 모재와의 사이에 아크를 발생시켜 아르곤 가스를 공급하여 절단하는 방법
② 전원은 직류 정극성이 사용된다.
③ 주로 알루미늄, 구리 및 구리합금, 마그네슘, 스테인리스강과 같은 금속 재료에 절단에만 사용하나 열효율이 좋고 능률적이다.
④ 사용 가스로는 아르곤과 수소 혼합가스가 사용된다. 금속재료의 절단에만 한정된다.

227 주철, 비철금속, 스테인리스강 등을 철분 또는 용제를 자동적으로 또는 연속적으로 절단용 산소에 혼합 공급함으로써 그 산화열 또는 용제의 화학작용을 이용하여 절단하는 방법은?

㉮ 분말절단 ㉯ 수중절단
㉰ 산소창 절단 ㉱ 포갬 절단

Answer 221.㉯ 222.㉮ 223.㉰ 224.㉮ 225.㉮ 226.㉯ 227.㉮

해설 분말 절단
① 철분 및 플럭스 분말을 자동적으로 산소에 혼입 공급하여 산화열 혹은 용제 작용을 이용하여 절단하는 방법으로 2종류가 있다.
② 철분 절단은 크롬 철, 스테인리스강, 주철, 구리, 청동에 이용된다. 오스테나이트계는 사용하지 않는다.
③ 분말 절단은 크롬 철, 스테인리스강이 쓰인다.
④ 철, 비철 금속 및 콘크리트 절단에도 쓰인다.

228 강괴 절단시 가장 적당한 방법은?

㉮ 분말 절단법 ㉯ 탄소 아크 절단법
㉰ 산소창 절단법 ㉱ 겹치기 절단법

해설 산소 창 절단은 토치 대신 내경이 3.2~6mm, 길이 1.5~3m의 강관을 통하여 절단 산소를 내보내고 이 강관의 연소하는 발생 열에 의해 절단하는 방법으로 아세틸렌가스가 필요 없으며 강괴 후판의 절단 및 암석의 천공 등에 사용

229 산소 아세틸렌 가스로 절단이 가장 잘 되는 금속은?

㉮ 연강 ㉯ 알루미늄
㉰ 스테인리스강 ㉱ 구리

해설 가스절단은 일반적으로 산소-아세틸렌 불꽃으로 약 850~900℃정도로 예열하고, 고압의 산소를 분출시켜 철의 연소 및 산화로 절단하는 절단이다.

230 다음 금속 중 가스절단이 가장 잘 되는 금속은?

㉮ 탄소강 ㉯ 스테인레스강
㉰ 주철 ㉱ 비철금속

해설 표면에 산화피막 등이 없고, 탄소량이 적은 탄소강이 가스 절단이 잘 된다.

231 가스절단 되기 위한 조건 중에서 틀린 것은?

㉮ 모재가 산화연소 하는 온도는 그 금속의 용융점보다 높을 것
㉯ 생성된 금속산화물의 용융온도는 모재의 용융온도보다 낮을 것
㉰ 생성된 산화물은 유동성이 좋을 것
㉱ 금속의 화합물 중에 연소되지 않는 물질이 적을 것

해설 금속 산화물의 용융 온도가 높으면, 절단이 곤란하다.

232 산소 절단법에 관한 설명으로 틀린 것은?

㉮ 예열 불꽃의 세기는 절단이 가능한 한 최대한의 세기로 하는 것이 좋다.
㉯ 수동 절단법에서 토치를 너무 세게 잡지 말고 전후좌우로 자유롭게 움직일 수 있도록 해야 한다.
㉰ 예열 불꽃이 강할 때는 슬래그 중의 철 성분의 박리가 어려워진다.
㉱ 자동 절단법에서 절단에 앞서 먼저 레일(rail)을 강판의 절단선에 따라 평행하게 놓고, 팁이 똑바로 절단선 위로 주행할 수 있도록 한다.

해설 예열 불꽃의 세기가 세면 절단면 모서리가 용융되어 둥굴게 되고, 절단면이 거칠게 된다. 또한 슬랙의 박리성이 떨어진다. 반대로 약해지면 드랙의 길이가 증가하고, 절단 속도가 늦어진다.

233 프로판 가스 절단과 비교한, 아세틸렌가스 절단의 장점이 아닌 것은?

㉮ 점화하기 쉽다.
㉯ 중성불꽃을 만들기 쉽다.
㉰ 슬래그가 쉽게 떨어진다.
㉱ 박판 절단시 절단속도가 빠르다.

해설

아세틸렌	프로판
· 혼합비 1 : 1 · 점화 및 불꽃 조절이 쉽다. · 예열 시간이 짧다. · 표면의 녹 및 이물질 등에 영향을 덜 받는다. · 박판의 경우 절단 속도가 빠르다.	· 혼합비 1 : 4.5 · 절단면이 곱고 슬랙이 잘 떨어진다. · 중첩 절단 및 후판에서 속도가 빠르다. · 분출 공이 크고 많다. · 산소 소비량이 많아 전체적인 경비는 비슷하다.

Answer 228.㉰ 229.㉮ 230.㉮ 231.㉮ 232.㉮ 233.㉰

234 가스 절단시 절단면에 나타나는 일정간격의 평행 곡선을 의미하는 것은?

㉮ 절단면의 아크 방향
㉯ 가스궤적
㉰ 드래그 라인
㉱ 절단속도의 불일치에 따른 궤적

해설 드랙
① 가스 절단면에 있어서 절단기류의 입구점과 출구점 사이의 수평거리
② 드랙의 길이는 판 두께의 ⅕ 즉 20%정도가 좋다.
③ 드랙은 가능한 작고 일정할 것

235 강재의 가스 절단시 예열온도로 다음 중 가장 적절한 것은?

㉮ 300 ~ 450℃ ㉯ 450 ~ 700℃
㉰ 850 ~ 900℃ ㉱ 1000 ~ 1300℃

해설 가스 절단
① 주로 강 또는 저 합금강의 절단에 널리 이용됨
② 산소-아세틸렌 불꽃으로 약 850~900℃정도로 예열하고, 고압의 산소를 분출시켜 철의 연소 및 산화로 절단한다.
③ 주철, 비철금속, 스테인리스강과 같은 고 합금강은 절단이 곤란하다.
④ 수동 가스 절단 시 백심과 모재 사이의 거리는 1.5~2mm 정도이다.

236 가스절단에서 양호한 절단면을 얻기 위한 조건으로 틀린 것은?

㉮ 드랙(drag)가 가능한 한 클 것
㉯ 경제적인 절단이 이루어질 것
㉰ 슬랙 이탈이 양호 할 것
㉱ 절단면 표면의 각이 예리할 것

해설 가스 절단의 양부 판정
① 드랙은 가능한 작을 것
② 드랙은 일정할 것
③ 절단면 표면의 윗면각이 예리할 것
④ 슬랙의 이탈성이 우수할 것

237 가스 절단면에서 절단면에 생기는 드래그 라인(drag line)에 관한 설명 중 틀린 것은?

㉮ 절단면에 일정간격의 평행 곡선 모양으로 나타난다.
㉯ 가스 절단의 양부를 판정하는 기준이 된다.
㉰ 산소 소비량을 증가시키면 드래그는 길어진다.
㉱ 강판 두께의 약 20%를 표준으로 하고 있다.

해설 절단속도가 일정할 때 산소 소비량을 증가시키면 드랙은 짧아진다. 또한 절단 속도는 산소의 순도 및 압력, 팁의 모양, 모재의 온도 등에 따라 영향을 받으며, 고속 분출을 얻기 위해서는 다이버전트 노즐을 사용하면 속도를 20~25% 증가시킬 수 있다.

238 가스절단에 관한 설명으로 옳지 않은 것은?

㉮ 절단속도가 일정할 때에는 산소 소비량을 증가시키면 드랙(drag)은 길어진다.
㉯ 다이버전트 노즐(divergent nozzle)은 가스절단 할 때 고속 분출을 얻는 데 적합하다.
㉰ 절단속도는 절단 산소의 압력이 높고, 산소 소비량이 많을수록 거의 비례적으로 증가한다.
㉱ 가스절단은 강의 절단에 널이 이용된다.

239 가스 절단에서 고속 분출을 얻는데 가장 적합한 다이버전트 노즐은 보통의 팁에 비하여 산소 소비량이 같을 때 절단 속도를 몇 %정도 증가시킬 수 있는가?

㉮ 5 ~ 10% ㉯ 10 ~ 15%
㉰ 20 ~ 25% ㉱ 30 ~ 35%

해설 절단 속도는 산소의 순도 및 압력, 팁의 모양, 모재의 온도 등에 따라 영향을 받으며, 고속 분출을 얻기 위해서는 다이버전트 노즐을 사용하면 속도를 20~25% 증가시킬 수 있다.

240 크롬을 몇 %이상 함유한 강이 되면 가스절단이 곤란하여 분말 절단하는가?

㉮ 1% 이상 ㉯ 3% 이상
㉰ 5% 이상 ㉱ 10% 이상

해설 합금 원소가 절단에 미치는 영향
① 탄소(0.25% 이하의 강은 절단이 가능하나 4%이상의 것은 분말 절단을 해야한다.)
② 고 규소, 고 망간 등은 절단이 곤란하다. 하지만 망간의 경

Answer 234.㉰ 235.㉰ 236.㉮ 237.㉰ 238.㉮ 239.㉰ 240.㉱

우는 예열을 하면 절단이 가능하다.
③ 탄소량이 적은 니켈강은 절단이 용이하다.
④ 크롬 5% 이하는 절단이 용이하지만 10%이상은 분말 절단을 한다.
⑤ 순수한 몰리브덴은 절단이 곤란하다.
⑥ 텅스텐은 20%이상은 절단이 곤란하다.
⑦ 구리 2%까지는 영향을 받지 않는다.
⑧ 알루미늄 10% 이상은 절단이 곤란하다.

241 보통 절단시 판두께가 12.7mm일 때 표준 드래그(drag)의 길이는 몇 mm인가?

㉮ 2.4 ㉯ 5.2
㉰ 5.6 ㉱ 6.4

해설 표준 드랙의 길이는 판 두께의 20% 즉, $\frac{1}{5}$이다. 그러므로 $\frac{12.7}{5}=2.4$

242 가스절단에서 판 두께가 12.7mm일 때, 표준 드래그의 길이는 다음 중 얼마인가?

㉮ 2.5mm ㉯ 5.2mm
㉰ 5.6mm ㉱ 6.4mm

243 가스절단 장치에 관한 설명으로 틀린 것은?

㉮ 프랑스식 절단 토치의 팁은 동심형이다.
㉯ 중압식 절단 토치는 아세틸렌가스 압력이 보통 $0.07kgf/cm^2$ 이하에서 사용된다.
㉰ 독일식 절단 토치의 팁은 이심형이다.
㉱ 산소나 아세틸렌 용기내의 압력이 고압이므로 그 조정을 위해 압력 조정기가 필요하다.

해설
① 팁의 모양은 동심형(프랑스식)과 이심형(독일식)이 있으며 동심형은 예열용 불꽃과 고압 산소가 같은 장소에서 분출되어 전후, 좌우 등의 직선 절단을 자유롭게 할 수 있다.
② 일반적으로 산소 용기나 아세틸렌 용기의 압력은 고압이므로 압력 조정기를 사용하여 필요압으로 감압하여 사용한다.
③ 아세틸렌 게이지 압력이 보통 저압식($0.07kgf/cm^2$)이하에서 이용되며 산소 압력이 높다. 하지만 중압식($0.07 \sim 1.3kgf/cm^2$)은 아세틸렌가스와 산소 가스의 압력이 거의 같은 압력으로 혼합실에서 공급된다.

244 수중절단(underwater cutting) 작업시 절단 산소의 압력은 공기 중에서의 몇 배 정도로 하는가?

㉮ 1.5 ~ 2배
㉯ 3 ~ 4배
㉰ 4 ~ 8배
㉱ 8 ~ 10배

245 수중 가스절단 시 예열가스의 양은 공기 중에서 보다 몇 배 정도가 필요한가?

㉮ 2 ~ 3배
㉯ 4 ~ 8배
㉰ 10 ~ 12배
㉱ 12 ~ 15배

해설 수중 절단의 예열 불꽃은 육지 보다 크게(4 ~ 8배), 절단 산소의 압력은 1.5 ~ 2배, 절단 속도는 느리게 한다.

246 가스 가우징(gas gouging)작업시 다음 중 토치의 적당한 예열각도는?

㉮ 30 ~ 45°
㉯ 25 ~ 30°
㉰ 15 ~ 25°
㉱ 10 ~ 15°

해설
① 스카핑은 강재 표면의 탈탄 층 또는 홈을 제거하기 위해 사용하는 것으로 용접 홈을 파는 가우징과 달리 표면을 얕고 넓게 깎는 것이다.
② 가스 가우징은 용접 뒷면 따내기, 금속 표면의 홈 가공을 하기 위하여 깊은 홈을 파내는 가공법으로 홈의 깊이와 폭의 비는 1 : 2 ~ 3 정도로 하며, 가스 용접에 절단용 장치를 이용할 수 있다. 단지 팁은 비교적 저압으로서 대용량의 산소를 방출할 수 있도록 슬로 다이버전트로 팁을 사용한다. 토치의 예열 각도는 30 ~ 45°를 유지한다.

247 가스 가우징에 의한 홈 가공을 할 때 가장 적당한 홈의 깊이 : 나비의 비는 얼마인가?

㉮ 1 : 2 ~ 3 ㉯ 2 : 3 ~ 4
㉰ 2 ~ 3 : 1 ㉱ 3 ~ 4 : 2

Answer 241.㉮ 242.㉮ 243.㉯ 244.㉮ 245.㉯ 246.㉮ 247.㉮

248 **가스 가우징(gouging)법을 가장 올바르게 설명한 것은?**

㉮ 가스의 순도 조절 방식
㉯ 가스불꽃과 산소로 용접부의 결함 제거, 홈을 파는 방식
㉰ 절단 작업의 실제방식
㉱ 저압 토치의 압력 조절장치

249 **강재 표면의 흠이나 개재물, 탈탄층 등을 제거하기 위하여 될 수 있는 대로 얇게, 그리고 타원형 모양으로 표면을 깎아내는 가공법은?**

㉮ 스카핑　　㉯ 가스 가우징
㉰ 선삭　　㉱ 천공

Answer 248.㉯　249.㉮

3 Chapter -2 1 기타 용접 및 용접의 자동화

01 불활성 가스 용접

1 불활성 가스 용접의 원리

아르곤(Ar) 또는 헬륨(He) 등 고온에서 다른 금속과 반응하지 않는 불활성 가스(Inert Gas)속에서 텅스텐 전극 또는 금속 전극과 모재와의 사이에 아크를 발생시켜 그 열로 용접하는 방법이다.

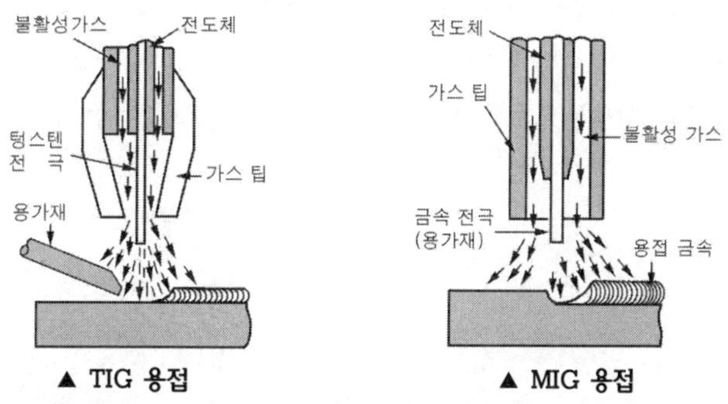

▲ TIG 용접 ▲ MIG 용접

불활성 가스는 18족의 가스로 다른 기체와 반응하지 않아 비활성 가스라고도 한다. 그 가스의 종류로는 헬륨(He), 네온(Ne), 아르곤(Ar), 크립톤(Kr), 크세논(Xe), 라돈(Rn) 등이 있다.

2 불활성 가스 아크 용접의 장·단점

(가) 장점

① 고 능률적이며 전 자세 용접에 적합하다.

② 피복제와 용제는 필요 없으며, 대신 보호 가스로 불활성 가스인 헬륨(He), 아르곤(Ar) 등을 사용한다.

③ 산화가 쉬운 금속의 용접에 적합하며, 비철 금속 용접이 용이하다.

④ 용착부의 제반 성질이 우수하다.

(나) 단점

① 장비가 고가이며, 설비비가 비싸다.

② 실외 작업에서 바람이 부는 곳에서 사용하기 곤란하다.

③ 슬랙이 형성되지 않아 냉각 속도가 빨라 용착 금속의 기계적 성질이 변할 수 있다.

④ 토치가 용접부에 닿을 수 없는 경우 용접이 곤란하다.

3 불활성 가스 텅스텐 아크 용접(GTAW)

(가) 불활성 가스 텅스텐 아크 용접의 원리

불활성 가스 텅스텐 아크 용접은 텅스텐 전극을 사용하여 발생한 아크열로 모재를 용융시켜 접합하며, 용가재를 공급하여 모재와 함께 용융시킨다. 보호 가스로는 모재와 텅스텐 용접봉의 산화를 방지하기 위하여 불활성 가스인 아르곤(Ar), 헬륨(He) 등을 사용하므로 TIG(Tungsten inert Gas)용접으로 부르기도 한다. 상품명으로는 헬륨-아크 용접, 아르곤 용접 등으로 불린다.

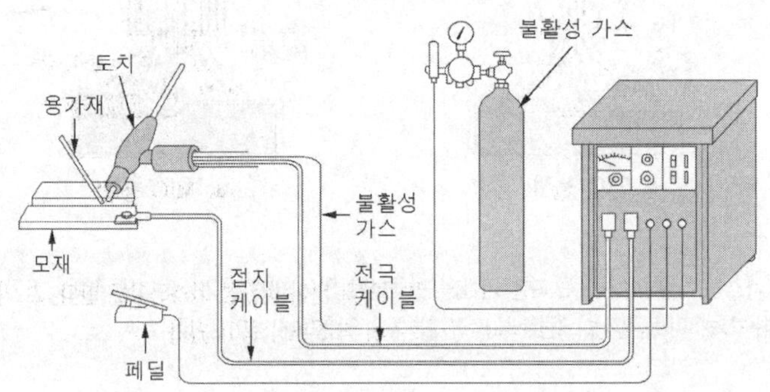

▲ 불활성 가스 텅스텐 아크 용접장치

① 불활성 가스 텅스텐 아크 용접 특징

㉠ 전극은 텅스텐 전극을 사용. 전자 방사 능력을 높이기 위하여 토륨을 1~2% 함유한 토륨 텅스텐봉이 사용된다.

㉡ 전극은 비용극식, 비소모식이라 하여 직접 용가재로 사용하지 않고, 용접전원으로는 직류, 교류가 모두 쓰인다.

② 불활성 가스 텅스텐 아크 용접의 장·단점

㉠ 장점

- 용접된 부분이 더 강해진다.
- 연성 내부식성이 증가한다.
- 플럭스가 불필요하며 비철금속 용접이 용이하다.
- 보호 가스가 투명하여 용접사가 용접 상황을 잘 확인 할 수 있다.
- 용접 스패터를 최소한으로 하여 전자세 용접이 가능하다.
- 용접부 변형이 적다.

㉡ 단점

- 소모성 용접을 쓰는 용접 방법보다 용접 속도가 느리다.
- 텡스텐 전극이 오염될 경우 용접부가 단단하고 취성을 가질 수 있다.
- 용가재의 끝 부분이 공기에 노출되면 용접부의 금속이 오염된다.
- 가격이 고가(텡스텐 전극이 가격 상승을 초래, 용접기 가격도 고가)이다.
- 후판에는 사용할 수 없다.(3mm 이하에 박판에 사용된다. 주로 0.4~0.8mm에 쓰임)

③ 불활성 가스 텅스텐 아크 용접 전원

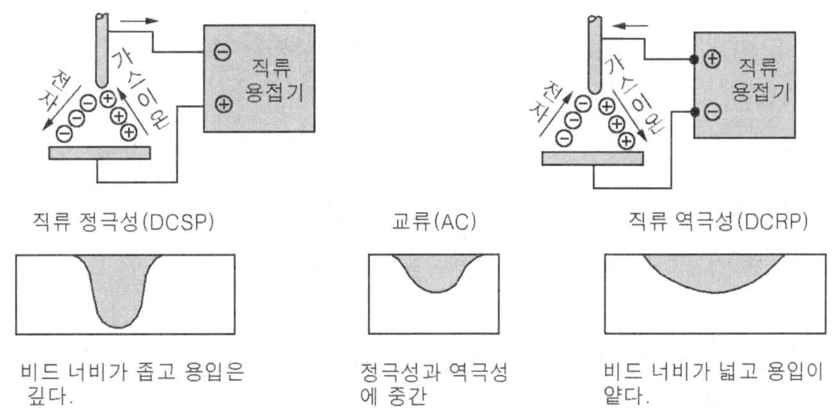

▲ 불활성 가스 아크 용접의 극성 비교

㉠ 직류 정극성(폭이 좁고 깊은 용입을 얻음) → 높은 전류, 용접봉은 정극성 일 때는 끝을 뾰족하게 가공, 용입이 깊고, 비드폭은 좁아지며, 용접 속도가 빠르다.

㉡ 직류 역극성(폭이 넓고 얕은 용입을 얻음) → 청정작용이 있다. 특수한 경우 Al, Mg등의 박판 용접에만 쓰이고 있다. 용입이 얕고, 비드폭은 넓어진다. 정극성에 비해 전극이 가열되어 소모되기 쉬워 전극 지름이 4배정도 큰 사이즈를 사용한다.

청정 작용이란 아르곤 가스의 이온이 모재 표면 산화막에 충돌하여 산화 막을 파괴 제거하는 작용

㉢ 교류를 사용할 때는 아크가 불안정하므로 고주파 약 전류를 이용한다. 용입과 비드 폭은 정극성과 역극성의 중간 정도이며 약간에 청정 작용도 있다.

알루미늄의 티그 용접시 교류전원을 사용하는 이유는 알루미늄의 티그 용접에서는 역극성을 사용하게 되면 용제 없이도 용접이 쉽고 청정 작용이 있으나 전극이 가열되어 용착 금속에 혼입되는 수가 있고 아크가 불안정하게 되며, 용접 조작이 어렵고, 정극성을 사용하게 되면 청정작용이 없으므로 역극성과 정극성의 혼합이라 할 수 있는 교류를 사용한다.

④ 용접 전류에 고주파 전류를 더했을 때 장점

㉠ 전극을 모재에 접촉시키지 않아도 아크가 발생한다.

㉡ 아크가 대단히 안정하며, 아크 길이가 길어져도 끊어지지 않는다.

㉢ 전극을 접촉시키지 않아도 되므로 전극의 수명이 길어진다.

㉣ 일정 지름의 전극에 대하여 광범위한 전류의 사용이 가능하다.

⑤ 불활성 가스 텅스텐 아크 용접 전극봉 및 토치

㉠ 전극봉은 전자 방사 능력이 좋고, 낮은 전류에서도 아크 발생이 쉽고 오손 또한 적은 토륨 1~2%를 포함한 텅스텐(용융점이 3,400℃) 전극봉을 사용한다.

종류	색 구분	용 도
순 텅스텐	초록	낮은 전류를 사용하는 용접에 사용, 가격은 저가
1% 토륨	노랑	전류 전도성이 우수하며, 순 텅스텐 보다 가격은 다소 고가이나 수명이 길다.
2% 토륨	빨강	박판 정밀 용접에 사용한다.
지르코니아	갈색	교류 용접에 주로 사용한다.

티그용접에서 텅스텐 전극봉의 돌출길이는 맞대기 3 ~ 5mm가 적당하다. 필릿 용접에서는 6 ~ 9mm가 적당하다.

㉡ 토치는 공랭식과 수랭식(200A 이상)이 있으며, 그 형태는 직선형 토치, 플렉시블형 토치, T형 토치가 있다.

① 티그 토치의 가스팁 재질 : 세라믹, 유리 금속으로 높은 열에 잘 견딜 수 있고 용접봉으로부터 열을 빨리 발산할 수 있는 것을 사용

② 직경 : 텅스텐 전극봉 직경의 4 ~ 6배로 컵의 사이즈가 너무 작으면 과열되어 잘 깨어지고, 너무 크면 가스 보호 효과가 떨어져 가스 소모가 많다.

⑥ 불활성 가스 텅스텐 아크 용접의 보호 가스 : 실드 가스는 주로 아르곤이 사용되나 헬륨이 사용되기도 한다. 아르곤이 헬륨에 비해 이온화 에너지가 작아 아크의 발생이 용이하며, 공기보다 무겁기 때문에 아래보기 용접자세에서 용융부의 보호성이 양호하며 가격도 아르곤 가스가 저렴

하다. 헬륨을 사용하면 고온의 아크로 인하여 용입이 증가하여 열전도가 높은 알루미늄 합금 등을 용접하는데 적당하다.

비교 내용	아르곤	헬륨
아크 전압	낮다	높다
아크 발생	쉽다	어렵다
아크 안정	우수	불량
청정 작용	우수(DCRP와 AC)	거의 없다
용입(모재 두께)	얕다(박판)	깊다(후판)
열 영향부	넓다	좁다
가스 소모량	적다	많다
사용 용접법	수동 용접	자동 용접

가스 퍼징(Gas Purging)이란 일정한 이면 비드를 얻기 위해 용접기 전면과 같이 뒷면에도 아르곤 또는 헬륨을 공급해서 용착 금속의 산화를 방지하는 것(가스 공급량 27 l /min)이다.

아르곤 용기의 색은 회색이며 충전기압은 약 140kgf/cm²이다.

⑦ 불활성 가스 텅스텐 아크 용접 작업

㉠ 용융점이 낮은 금속 즉 납, 주석 또는 주석의 합금 등의 용접에는 이용되지 않는다.

㉡ 아크를 발생하는 방법은 모재와 접촉에 의한 방법, 고전압에 의한 방법, 고주파에 의한 방법(직류인 경우 아크 발생 초기만 사용하며, 교류인 경우에는 사용 중에도 발생)

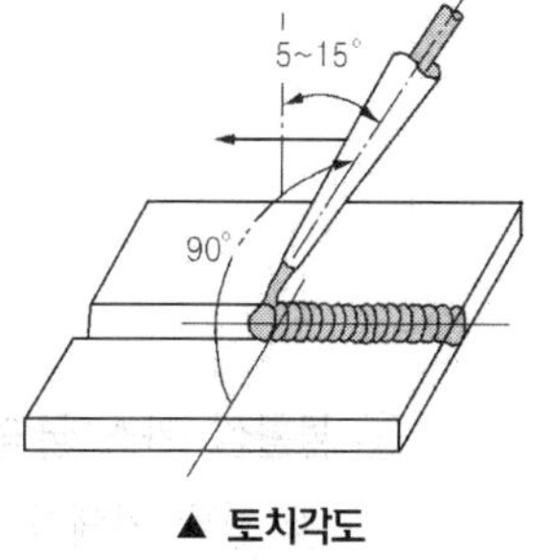

▲ 토치각도

티그 용접에서 아크 원더링(흔들림)의 원인으로는 아르곤 가스에 공기가 혼입되었을 때, 전극의 끝이 불량할 때, 전극의 전류밀도가 낮은 경우, 자기에 의한 영향을 받을 경우 아크 원더링이 발생한다.
불활성 가스 용접시 용접 전· 후에도 가스를 약간씩 유출시켜야 하는 이유는, 용접 전에는 도관이나 토치에 있는 공기를 배출시키기 위해서이고, 용접 후에는 가열된 상태의 용접부 및 텅스텐 전극이 산화 혹은 질화되는 것을 방지하기 위해서이다.

㉢ 티그 용접에서 제어 장치에는 아르곤 가스 개폐 제어 장치, 용접 와이어의 기동 정지 및 속도 제어 장치, 용접 전류의 조절 장치, 반자동식 와이어 송급 속도 원격 제어 장치 등이 있다.

아르곤 펄스 용접의 장점으로는 이면 비드 용접, 전자세 용접이 용이하며, 두께의 차이가 있는 용접 및 이종 합금의 용접이 용이하다. 또한 용접 조건이나 이음의 정밀도에 여유가 크며, 아크의 안정성과 지향성이 강해서 용접의 작업성이 향상된다. 용접 입열과 열확산의 균형이 좋아 고품질의 용접이 가능하며, 박판(0.5mm)의 용접이 용이하다. 끝으로 용접 비드가 좋고 용접 변형 및 용접 결함이 적다.

4 불활성 가스 금속 아크 용접(GMAW)

(가) 불활성 가스 금속 아크 용접의 원리

가스 메탈 아크 용접은 기본적으로 용가재로서 작용하는 소모전극 와이어를 일정한 속도로 용융지에 송급하면서 전류를 통하여 와이어와 모재사이에서 아크가 발생되도록 하는 용접법이다. 상품명으로는 에어코우메틱, 시그마, 필터 아크, 아르고노오트 용접법 등으로 불린다.

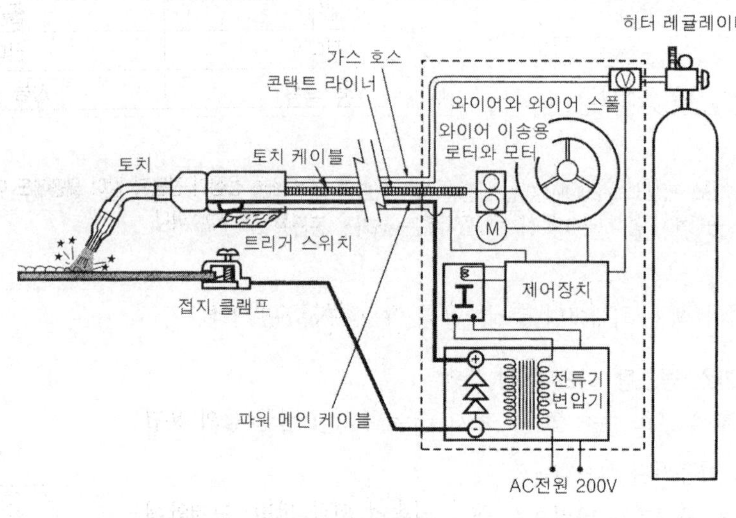

▲ 미그 용접

① 불활성 가스 금속 아크 용접의 특징

㉠ 전극 자체가 용접봉이어서 녹으므로 용극식, 소모식이라 한다.

㉡ 전류 밀도가 티그 용접의 2배, 일반 용접의 4～6배로 매우 크고 용적이행은 스프레이형이다.

㉢ 전 자세 용접이 가능하고 판 두께가 3～4mm 이상의 Al·Cu합금, 스테인리스강, 연강 용접에 이용된다.

② 불활성 가스 금속 아크 용접의 장·단점

㉠ 장점

- 용접기 조작이 간단하여 손쉽게 용접할 수 있다.
- 용접 속도가 빠르다.
- 슬랙이 없고 스팩터가 최소로 되기 때문에 용접 후 처리가 불필요하다.
- 용착 효율이 좋다 (수동 피복 아크 용접 60% MIG는 95%)
- 전자세 용접이 가능하며, 용입이 크며, 전류밀도는 티그 용접의 2배, 일반 용접의 4～6배로 매우 크고 용적이 행은 스프레이형이다.

㉡ 단점

- 장비가 고가이고, 이동해서 사용하기 곤란하다.
- 토치가 용접부에 접근하기 곤란한 경우 용접하기 어렵다.
- 슬랙이 없기 때문에 취성이 발생할 우려가 있다.
- 옥외에서 사용하기 힘들다.

③ **불활성 가스 금속 아크 용접의 전원** : 불활성 가스 금속 아크 용접은 반자동 및 자동 용접이므로 전원은 정전압 특성을 가진 직류 역극성이 주로 사용된다.

④ **불활성 가스 금속 아크 용접의 용융 금속 이행형태** : 용융 금속의 이형형태에 영향을 주는 인자는 용접봉 사이즈, 용접 전류 및 전압, 보호 가스, 용접봉의 돌출길이 등이다.

㉠ 단락형

- 큰 용융 쇳물이 용융지에 접촉하고 표면 장력에 의해 모재로 1초에 20 ~ 200회 이행한다.
- 비교적 낮은 전류에서 발생한다.
- 탄산 가스를 실드가스로 사용할 때 일어난다.
- 박판 용접에 적합하다.
- 전자세 용접이 가능하다.

㉡ 입적 이행

- 용접봉 끝에서 쇳물 방울이 와이어 직경의 2~3배 크기로 되어 모재로 이행한다.
- 모든 종류의 실드가스에서 발생한다.
- 낮은 전류 밀도에서 발생한다.
- 아크가 불안정해 지고 용입이 얕으며, 스패터가 많이 발생한다.
- 위보기 자세에는 사용이 불가능하다.

㉢ 스프레이형 이행(분무형 이행)

- 용접봉의 직경과 같거나 작은 용적이 급속한 분무형태로 이행한다.
- 높은 전류밀도에서 발생한다.
- 실드가스로서 불활성 가스를 80%이상 사용할 때 일어난다.
- 용접 입열이 크고 용입이 깊기 때문에 3.2mm이상의 후판에 좋다.
- 전자세 용접이 가능하다.

⑤ **불활성 가스 금속 아크 용접의 가스**

㉠ He 가스는 Ar가스를 사용할 때보다 용입 및 속도를 증가 시킬 수 있다.

㉡ 실드 가스의 종류

종　류	용도 및 특징
아르곤	전류 밀도가 크고, 청정 능력이 좋다.
헬륨	용입이 비교적 얕고, 비드 폭이 넓어진다. Al, Mg 같은 비철 금속에 이용
아르곤 + 헬륨(25%)	용입이 깊고, 아크 안정성이 우수하다. 후판에 사용되며, 모재 두께가 두꺼울수록 헬륨의 함량을 증가 시키면 된다.
아르곤 + 탄산가스	아크가 안정되고, 용융 금속의 이행을 빨리 촉진 시켜 스팩터를 줄일 수 있다. 연강, 저 합금강, 스테인리스강의 용접에 이용된다.
아르곤 + 헬륨(90%) + 탄산가스	단락형 이행으로 주로 오스테나이트계 스테인리스강 용접에 사용된다.
아르곤 + 산소(1 ~ 5%)	언더컷을 방지 할 수 있고, 스테인리스강 용접에 주로 사용된다.

⑥ **불활성 가스 금속 아크 용접 작업**

㉠ 사용 토치는 공랭식(200A이하), 수냉식이 있다.

㉡ 아크 길이는 6 ~ 8mm를 사용하며 전진법을 주로 사용하며, 일반적으로 진행각은 10~15° 작업각은 30 ~ 35°로 한다.

전진법	후진법
• 용접선이 잘 보이므로 운봉을 정확하게 할 수 있다. • 비드 높이가 낮고 평탄한 비드가 형성된다. • 스팩터가 비교적 많으며 진행 방향으로 흩어진다. • 용착금속이 아크보다 앞서기 쉬워 용입이 얕아진다.	• 용접선이 노즐에 가려 운봉을 정확하게 하기 어렵다. • 높이가 약간 높고 폭이 좁은 비드를 얻을 수 있다. • 아크가 안정적이며, 스팩터의 발생이 적다. • 용융금속이 앞서나가지 않아 깊은 용입을 얻는다. • 비드 형상이 잘 보이기 때문에 비드의 폭과 높이 등을 제어하기 쉽다.

㉢ 용접에 영향을 주는 변수

- 전류 : 용접 전류와 와이어 송급 속도는 돌출 길이가 일정하면 거의 정비례한다. 같은 직경의 와이어에서 전류가 증가하면 전류밀도가 커져서 용입과 와이어의 용융속도는 증가한다.
- 전압 : 용접 금속에 이행 형태에 중요한 영향을 주는 요소로 단락형 용접에서는 비교적 낮은 전압인데 비하여 분무형 이행은 높은 전압이어야 한다. 용접 전류와 와이어 용융 속도가 증가하면 아크 안정을 위하여 전압을 다소 증가하여야 한다. 적정 전압보다 아크 전압이 높아지면 비드폭이 넓어지고, 표면 덧살은 낮아지며, 스팩터가 많아진다.
- 돌출길이 : 전류 접촉팁에서 와이어 끝까지 거리를 말하며, 만일 돌출길이가 증가하면 용가재의 용착 속도를 증가시켜 비드 높이를 증가시키고, 용접 전류와 용입을 감소시킨다. 돌출길이가 감소할 때는 비드 높이를 감소시키며, 용접전류와 용입을 증가시킨다.
- 용접속도는 모재 두께가 증가할수록 용접 속도는 늦게 해야 한다. 같은 이음 형상과 재료 두께에서는 전류가 증가하면 용접속도는 증가한다. 일반적으로 전진법으로 하면 용접속도는 빨라진다.
- 용접봉 직경 : 같은 전류에서 용접봉 직경이 작아지면 전류밀도가 커지므로 용입이 깊어지고,

동시에 용접봉의 용착속도가 증가하므로 용접속도에도 영향을 준다.

- 모재의 기울임 : 모재의 기울임에 따라 상향용접에 비드와 하향 용접의 비드가 달라진다.

㉣ 와이어 송급 방식

- 푸쉬(Push) 방식 : 와이어 스풀 바로 앞에 송급 장치를 부착하여 송급 튜브를 통해서 와이어가 용접 토치에 송급되도록 하는 방식으로 가벼워 반자동 용접에 적합
- 풀(Pull) 방식 : 송급시 마찰저항을 작게하여 와이어 송급을 원활하게 한 방식으로 직경이 작고 알루미늄과 같은 연한 와이어에 이용된다.
- 푸쉬 - 풀 방식 : 송급 튜브가 길고 연한 재료에 사용이 가능하나, 조작이 불편하다.
- 더블 푸쉬 방식 : 푸쉬식 송급 장치와 용접 토치와의 중간에 하나 더 푸쉬 송급장치를 부착하여 사용하는 것으로 송급 튜브가 매우 긴 경우에 사용된다.

미그 용접과 마그 용접의 차이점은 미그 용접은 사용가스로 아르곤이나 헬륨을 사용하며, 마그(MAG)용접은 가스를 2가지 이상 혼합하여 사용하는 것을 말한다.

서브머지드 아크 용접(Submerged Arc Welding)

1 서브머지드 아크 용접의 원리

용접부 표면에 입상의 플럭스를 공급 살포하고, 그 플럭스속에 연속적으로 전극 와이어를 송급하여 와이어 선단과 모재사이에 아크를 발생시키는 용접법이다. 발생된 아크열은 와이어, 모재 및 플럭스를 용융시키며, 용융된 플럭스는 슬랙을 형성하고 용융 금속은 용접비드를 형성한다. 서브머지드 아크 용접은 용접 아크가 플럭스 내부에서 발생하여 외부로 노출되지 않기 때문에 잠호용접이라고도 부른다.

2 서브머지드 아크 용접의 장·단점

(가) 장점

① 고전류 사용이 가능하여 용착 속도가 빠르고 용입이 깊다.(용접속도가 수동 용접에 비해 10 ~

20배, 용입은 2~3배 정도가 커서 능률적이다.)

② 기계적 성질이 우수하다.

③ 유해 광선이 적게 발생하여 작업 환경이 깨끗하다.

④ 비드 외관이 아름답다.

⑤ 열효율이 높다.

⑥ 용접 조건만 일정하면 용접사의 기량차에 의한 품질에 영향을 주지 않아 신뢰도를 높일 수 있다.

⑦ 용접 홈의 크기가 작아도 되며 용접 재료의 소비 및 용접 변형이 적다.

⑧ 한 번 용접으로 75mm까지 용접이 가능하다.

⑨ 용제(Flux)에 의한 불순물 제거로 품질이 우수하다.

(나) 단점

① 장비의 가격이 고가이다.

② 용접선이 짧거나 복잡한 경우 수동에 비하여 비능률적이다.

③ 용접 상태를 육안으로 확인이 곤란하여 치명적인 결함을 식별할 수 없다.

④ 적용 자세에 제한을 받는다.(대부분 아래보기 자세)

⑤ 적용 소재에 제약을 받는다.(탄소강, 저합금강, 스테인리스강 등에 사용)

⑥ 용접 홈의 정밀도가 좋아야 한다.

⑦ 용제(Flux)에 흡습에 주의하여야 한다.

⑧ 입열량이 커서 용접 금속의 결정립의 조대화로 충격값이 커진다.

서브머지드 아크 용접의 홈의 정밀도는 루트 간격 0.8mm이하, 루트면 7~16mm 홈 각도 오차 ±5°, 루트 오차 ±1mm가 요구된다.

3 서브머지드 아크 용접의 용제

(가) 서브머지드 용접의 용제 조건

① 적당한 용융 온도 및 점성을 가져 양호한 비드를 얻을 수 있을 것

② 용착 금속에 적당한 합금원소의 첨가할 수 있고 탈산, 탈황 등의 정련작용으로 양호한 용착 금속을 얻을 수 있을 것

③ 적당한 입도를 가져 아크의 보호성이 좋을 것

④ 용접 후 슬랙의 박리성이 좋을 것

용제의 역할은 아크 안정, 절연 작용, 용접부의 오염 방지, 합금 원소 첨가, 급랭 방지, 탈산 정련 작용 등

(나) 서브머지드 용접의 용제의 종류

소결형 용제는 용융형 용제보다 용입이 얕고(용융형에 70 ~ 80%) 비드폭이 넓어지므로 소결형 용제를 사용할 때는 가능한 홈을 깊게 하고 전류를 높이며 전압을 낮게 한다. 소결형 용제는 용융형 용제에 비하여 겉보기 비중이 매우 작아 살포량을 용융형 보다 20 ~ 50% 높게 해야 한다. 용제의 살포량이 너무 많으면 가스가 밖으로 배출되지 못해 기공 발생 우려가 있고 너무 적으면 아크가 노출되어 용접부를 보호 할 수 없어 비드가 거칠고 기공이 생길 수 있다.

① 용융형 용제(Fused Flux)

㉠ 외관은 유리 형상의 형태로 광택을 가진다.
㉡ 흡습성이 적어 보관이 편리하다.
㉢ 화학 성분에 따라 미국 LINDE사의 상표이 G20, G50, G80 등으로 표시
㉣ 용제에 합금 첨가제가 거의 들어가 있지 않아 용접 후 원하는 기계적 성질에 따라 적당한 와이어를 선정하여야 한다.
㉤ 입자는 입도로 표시(20 × 200, 20 × D : 20메시(mesh)에서 200메시까지, 20메시 미분까지 포함)
㉥ 입자가 가늘수록 고 전류를 사용하며, 용입이 얕고 비드 폭이 넓은 평활한 비드를 얻을 수 있다.
㉦ 전류가 낮을 때는 굵은 입자를, 전류가 높을 때는 가는 입자를 사용한다.

② 소결형 용제(Sintered Flux)

㉠ 광물성 원료 및 합금 분말을 규산나트륨과 같은 점결제를 원료가 용융되지 않을 정도의 저온 상태에서 소정의 입도로 소결하여 만들었다.
㉡ 착색이 가능하여 식별이 가능하나 흡습성이 강해 장기 보관시 변질의 우려가 있다.
㉢ Fe-Si, Fe-Mn, 망간철 등을 함유 시켜 직접 탈산 작용이 가능하다.
㉣ 기계적 강도를 요구하는 곳에 합금제 첨가가 쉬워 사용되나 비드 외관은 용융형에 비해 거칠다.
㉤ 용융형에 비해 비교적 넓은 재질에 응용 사용되고 있다.
㉥ 용융형에 비해 슬랙 박리성이 좋고 미분 발생이 거의 없다.
㉦ 다층 용접에는 적합하지 못하다.

③ 혼성형 용제(Bonded Flux) : 용융형 + 소결형

4 서브머지드 아크 용접 작업

(가) 서브머지드 용접의 분류(전극에 따른 분류)

종 류	전극 배치	특 징	용 도
텐덤식	2개의 전극을 독립 전원에 접속한다.	비드 폭이 좁고 용입이 깊다. 용접 속도가 빠르다.	파이프라인에 용접에 사용
횡 직렬식	2개의 용접봉 중심이 한 곳에 만나도록 배치	아크 복사열에 의해 용접. 용입이 매우 얕다. 자기 불림이 생길 수가 있다.	육성 용접에 주로 사용한다.
횡 병렬식	2개 이상의 용접봉을 나란히 옆으로 배열	용입은 중간 정도이며 비드 폭이 넓어진다.	

① 직류 전원은 400A 이하의 역극성을 사용하여 박판, 구리 합금, 스테인레스 등에 응용 사용된다.

② 교류는 쏠림이 없고 그 종류는 전류에 따라 500A, 750A, 1000A, 2000A, 4000A의 용량이 있다.

③ 일반적으로 전기 시설비가 많이 든다.

(나) 서브머지드 아크 용접 작업

① 용접 장치

㉠ 헤드
- 용접봉 송급 모터와 릴
- 용제 호퍼
- 제어 박스

㉡ 용접부에 용접봉을 공급하는 와이어 피더

㉢ 용접부에 에너지를 공급하는 전원

㉣ 플러스를 공급하고 저장하는 플럭스 코어

㉤ 용접부위를 이동하는 장치(주행대차)

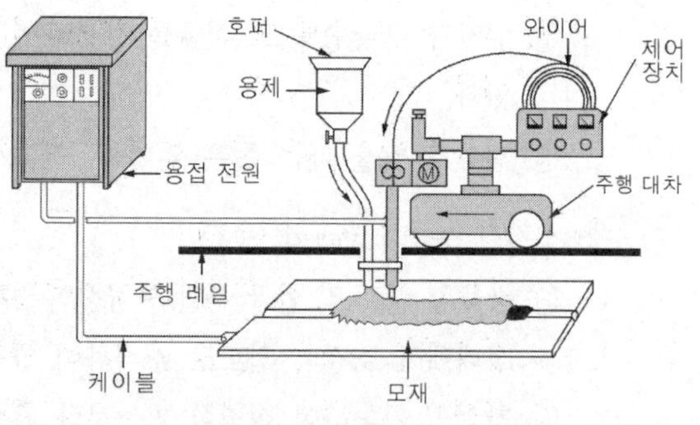

▲ 서브머지드 아크 용접장치

서브 머지드 아크 용접기에서 아크 길이를 항상 일정하게 유지하기 위한 장치는 전압 제어 상자이며 원리는 아크 길이가 길어지면 높은 전압이 방전관의 그리드에 전해지고, 출력측의 고전압이 나타나며 와이어의 송급 전동기의 전압이 높아져 회전이 빨라지면서 아크 길이가 짧아진다. 반대로 길이가 짧아지면 송급 전동기의 전압이 낮아져 회전이 늦어져 아크 길이가 길어진다. 이러한 반복으로 아크 길이를 일정하게 유지할 수 있다.

② 서브머지드 용접의 와이어

㉠ 일반적으로 용접봉 직경에 따른 사용 전류 범위는(100 ~ 200) × 와이어 직경 = 전류에 관계

㉡ 와이어 종류는 맨 용접봉과 플럭스 코드 용접봉과 비슷한 형태로 공급된다.

㉢ 크기는 1.2 ~ 12.7mm가 있으며 보통은 2.4 ~ 7.9mm가 사용된다. 12.5kg(S), 25kg(M), 75kg(L)이 있다.

㉣ 와이어에 동을 도금하는 이유는 팁이나 콘텍트 죠의 전기적 접촉 양호 및 녹스는 것을 방지하며, 송급 롤러와 접촉을 원활하게 하기 위하여 도금을 한다.

㉤ EM6K(E : 전기 용접봉의 첫 자, M : 중망간(L : 저망간, H : 고망간), 6 : 탄소 함유량(0.06%), K : 원소재의 탈산 처리 유무)

③ **용접 방법**

㉠ 전진법 : 용입 감소, 비드 폭이 증가, 비드 면이 편평

㉡ 후진법 : 용입 증가, 비드 폭이 좁고, 비드 면이 높아짐

비드 폭은 아크 전압에 비례한다. 용입은 전류에 비례하고 비드 폭과는 별로 관계없으며, 용접봉 직경 및 용접 속도에 반비례한다.

㉢ 용제에 두께는 양을 서서히 증가하면서 불빛이 새어 나오지 않도록 한다.

낮은 전류에서 굵은 입자를 가진 플럭스를 높은 전류에서는 가는 입자를 사용하여야 한다. 낮은 전류에서는 냉각 속도가 빠르므로 가는 입자를 가진 플럭스를 사용할 경우 용접할 때 발생되는 가스가 대기중으로 방출되지 못해 기포를 발생할 수 있고, 반대로 높은 전류에서 굵은 입자를 사용하면 대기로부터 용접부 보호가 불충분하게 되어 기포 및 표면 상태 거침, 언더컷 등이 발생 될 수 있다.

㉣ 서브머지드 아크 용접의 뒤면 용접의 배킹재는 용제 백킹 용접, 용제 구리 백킹 용접, 용접 석면 백킹 용접이 있으나 수소 취화나 기공, 노치 등이 발생할 우려가 있다.

서브머지드 용접 후 균열발생 원인 탄소와 황의 편석, 수축 동공의 결합으로 일어나며, 용착금속의 폭과 깊이의 비가 너무 작을 때 발생한다. 그 대책으로는 용융 금속이 하부에서 상부로 냉각되게 하여 용착금속의 표면쪽으로 비스듬이 초기결정이 성장하도록 하며, 적당한 전류로 가능한 굵은 용접봉을 사용하여 용입을 감소시킨다.

㉤ 서브머지드 아크 용접에서 접촉 튜브 끝에서 돌출한 전극 와이어의 선단까지의 길이를 돌출길이라 하며, 돌출길이 증가시 용착 속도 증가, 용접 전류와 용입은 감소한다. 일반적으로 돌출길이는 와이어 직경의 8배정도가 적당하다.

서브머지드 용접시 가접할 경우 용접봉의 종류와 길이는 아크 용접보다 용접 입열이 크고 열량이 높으므로 가접을 약하게 할 경우 크랙이 발생할 여지가 많으므로 고장력강 용접봉, 또는 저수소계 용접봉을 사용하고 50 ~ 70정도의 가접이 좋다.

㉥ 서브머지드 아크 용접의 점화방법으로는 스틸 울 사용(Steel Wool), 탄소봉 점화, 전극봉 점화, 통전 방식 점화, 용접 금속에 의한 점화, 고주파 점화 등이 있다.

이산화탄소 아크 용접

1 이산화탄소 아크 용접의 원리

불활성 가스 금속 아크 용접과 원리가 같으며, 불활성 가스 대신 탄산가스를 사용한 용극식 용접법이다. 일반적으로 플럭스 코드가 많이 사용되며, 연강 용접에 적합하다.

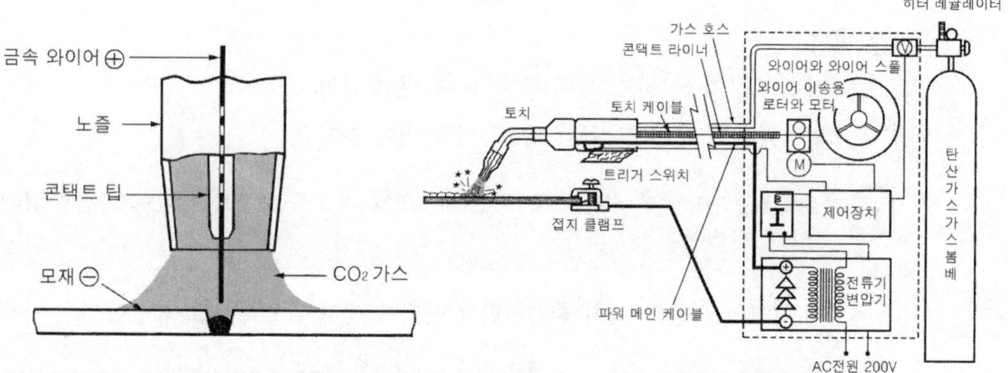

이산화탄소는 고온에서는 다음 식과 같이 해리되어 일산화탄소와 산소가 된다. 이 산소는 용융강을 산화시킨다.

$$CO_2 = CO + O$$

$$Fe + O = FeO$$

이산화탄소 아크 용접에서는 이 산화철을 제거하기 위하여 용접부에 적합한 탈산제인 망간과 규소를 첨가하는데, 탈산 효과가 강력하다. 용융강에서는 다음 식의 반응으로 양질의 용접 금속이

$$2FeO + Si \rightarrow 2Fe + SiO_2$$

$$FeO + Mn \rightarrow Fe + MnO$$

위의 반응에 의해 용융강 중의 FeO를 적당히 감소시켜 기포의 발생을방지할 수 있다. 생성된 SiO_2, MnO는 용착 금속과의 비중차에 의하여 슬래그가 되어 비드 표면에 분리되어 떠오르게 된다.

2 이산화탄소 아크 용접의 장·단점

(가) 장점

① 가는 와이어로 고속 용접이 가능하며 수동 용접에 비해 용접 비용이 저렴하다.
② 가시 아크이므로 시공이 편리하고, 스팩터가 적어 아크가 안정하다.

③ 전자세 용접이 가능하고 조작이 간단하다.
④ 잠호 용접에 비해 모재 표면에 녹과 거칠기에 둔감하다.
⑤ 미그 용접에 비해 용착 금속의 기공 발생이 적다.
⑥ 용접 전류의 밀도가 크므로 용입이 깊고, 용접속도를 매우 빠르게 할 수 있다.
⑦ 산화 및 질화가 되지 않은 양호한 용착 금속을 얻을 수 있다.
⑧ 보호가스가 저렴한 탄산가스라서 용접경비가 적게 든다.
⑨ 강도와 연신성이 우수하다.

(나) 단점

① 이산화탄소 가스를 사용하므로 작업량 환기에 유의한다.
② 비드 외관이 타 용접에 비해 거칠다
③ 고온 상태의 아크 중에서는 산화성이 크고 용착 금속의 산화가 심하여 기공 및 그 밖의 결함이 생기기 쉽다.

3 이산화탄소 아크 용접의 종류

(가) 용극식

① 솔리드 와이어 이산화탄소법
② 솔리드 와이어 혼합 가스법 : $CO_2 + O_2$법, $CO_2 + Ar$법, $CO_2 - Ar - O_2$법

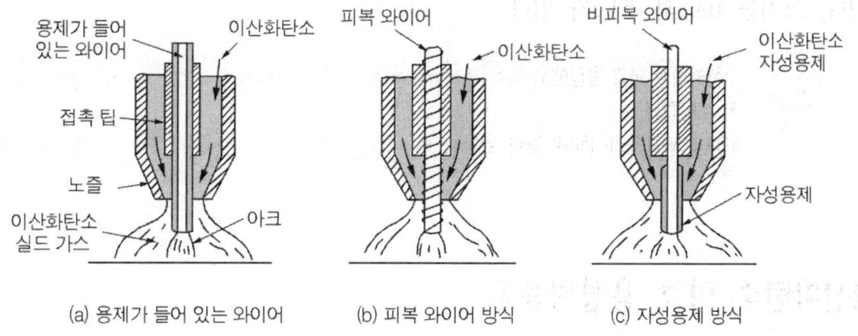

(a) 용제가 들어 있는 와이어 (b) 피복 와이어 방식 (c) 자성용제 방식

③ 용제가 들어 있는 와이어 CO_2법
- 아아고스 아크법(컴파운드 와이어)
- 퓨즈 아크법
- 유니언 아크법(자성용)
- 버나드 아크 용접(NCG법)

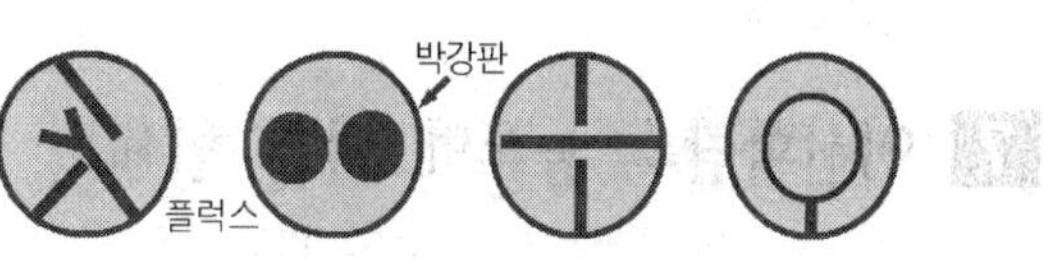

용접봉속의 용제 즉 플럭스는 아크를 안정하게 하고 합금 첨가, 탈산제, 용착부에 슬랙 생성으로 용착 금속 등을 보호하는 역할을 한다.

(나) 비용극식

① 탄소 아크법

② 텅스텐 아크법

플럭스 코드 아크 용접(Flux Cored Arc Welding, FCAW)은 와이어의 단면적 감소로 인한 전류밀도 상승으로 용착속도 증가하고, 플럭스에 의한 용접부의 금속학적 성질이 향상되며, 슬랙에 의한 매끄러운 비드 외관을 유지할 수 있으며, 수직 상진 용접에서 슬랙에 의한 비드 처짐 방지로 고전류 사용이 가능하다.

4 이산화탄소 아크 용접의 전원

정전압 특성이나 상승 특성을 이용한 직류 또는 교류를 사용한다.

5 이산화탄소 아크 용접의 와이어

0.9 ~ 2.4mm까지 있으나 주로 1.2~~ 1.6mm가 주로 쓰임, 녹 방지를 위하여 구리 도금이 되어 있다. 크기는 10kg와 20kg가 있다.

이산화탄소 아크 용접에서 팁과 모재와의 거리는 200A 이하에서는 10 ~ 15mm, 200A 이상에서는 15 ~ 25mm 가 적당하다.
YGA-50W-1.2-20 (50W 용착 금속의 최소 인장 강도, 1.2는 와이어의 굵기, 20은 와이어의 무게)

6 이산화탄소 아크 용접의용도

철도, 차량, 건축, 조선, 전기기계, 토목 기계 등

7 이산화탄소 농도에 따른 인체의 영향

3 ~ 4% 두통, 15% 이상 위험, 30% 이상 치명적이다.

넌 실드 아크 용접

1 넌 실드 아크 용접의 원리

옥외에서 사용 가능하도록 플럭스가 첨가된 복합 와이어를 사용하여 용접을 진행한다.

2 넌 실드 아크 용접의 장 · 단점

① 장점

- 보호 가스나 용제가 필요없다.
- 바람이 있는 옥외에서 사용 가능하다.
- 전원으로는 교류 및 직류를 모두 사용 가능하다.
- 전자세 용접이 가능하다.
- 용접 비드가 아름답고 슬래의 박리성이 우수하다.
- 용접 장치가 간단하고 운반이 편리하다.
- 아크를 중단하지 않고 연속 용접을 할 수 있다.

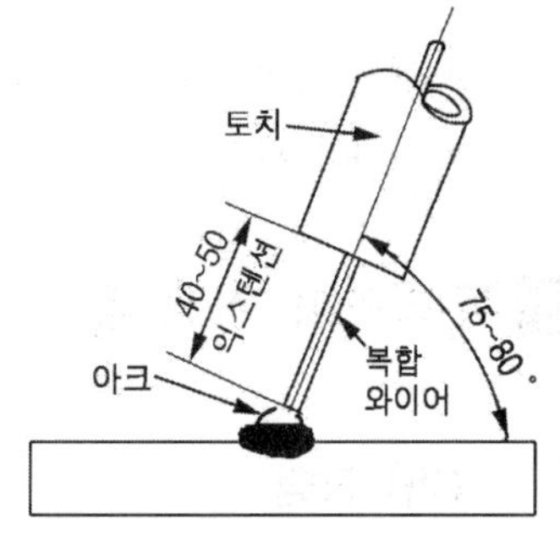

▲ 넌 실드 아크 용접

② 단점

- 용착 금속에 기계적 성질이 다소 떨어진다.
- 와이어 가격이 고가이다.
- 아크 빛이 강하며, 보호 가스 발생이 많아 용접선이 잘 안 보인다.

플라즈마 아크 용접

1 플라즈마 아크 용접의 원리

가스 분자가 전기적 에너지에 의하여 양이온과 음이온(전자)으로 유리되어 전류를 통할 수 있는 상태를 플라즈마 상태라고 하는데 발생된 온도는 10,000 ~ 30,000℃ 정도이다.

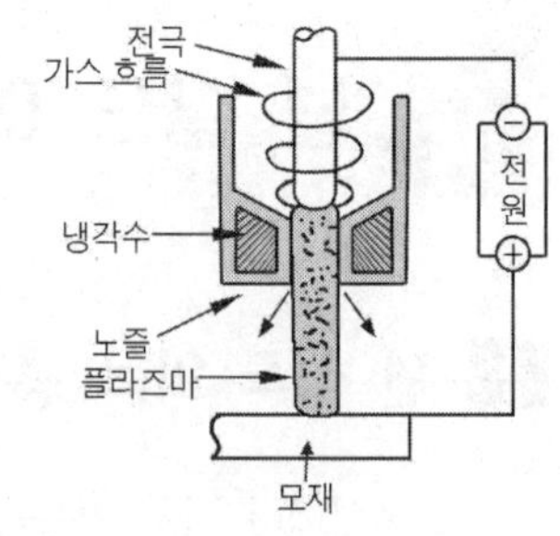

▲ 플라즈마 발생 원리

일반 아크 용접에서도 아크 기둥은 플라즈마 상태이다. 플라즈마 아크 용접은 고속으로 분출되는 비이행형 아크(플라즈마 제트)를 이용한 용접법으로써 GTAW 용접법의 특수한 형태라고 할 수 있다. 플라즈마 용접에서는 보호가스 이외에도 플라즈마 가스가 별도로 공급되고 있고, 텅스텐 전극봉은 수냉형 수축 노즐 내부에 위치한다.

플라즈마 용접과 GTAW 용접에 가장 큰 차이점은 텅스텐 전극에 위치가 다르다는 데 있다. 플라즈마 아크 용접은 수축 노즐내이 있으나, TIG 용접은 노즐 밖에 노출되어 있다. 그러므로 TIG에서는 거리가 멀어지면 열을 받는 모재 부위가 넓어져 단위 면적당 용접입열이 감소되나 플라즈마는 아크의 집중성이 좋아 노즐과 모재사이의 거리가 멀어져도 영향을 받지 않는다.

- 열적 핀치 효과(냉각으로 인한 단면 수축으로 전류 밀도 증대)
- 자기적 핀치 효과(방전 전류에 의해 자장과 전류의 작용으로 단면 수축하여 전류 밀도 증대)

2 플라즈마 아크 용접 장·단점

(가) 장점

① 아크 형태가 원통이고 지향성이 좋아 아크 길이가 변해도 용접부는 거의 영향을 받지 않는다.
② 용입이 깊고 비드 폭이 좁으며 용접 속도가 빠르다.
③ V형 등으로 용접할 것도 I형으로 용접이 가능하며, 1층 용접으로 완성 가능
④ 전극봉이 토치 내의 노즐 안쪽에 들어가 있으므로 모재에 부딪칠 염려가 없으므로 용접부에 텅스텐 오염의 염려가 없다.
⑤ 용접부의 기계적 성질이 우수하다.
⑥ 작업이 쉽다.(박판, 덧붙이, 납땜에도 이용되며 수동 용접도 쉽게 설계)

(마) 단점

① 설비비가 고가이다.
② 용접속도가 빨라 가스의 보호가 불충분하다.
③ 무부하 전압이 높다.
④ 모재 표면을 깨끗이 하지 않으면 플라즈마 아크 상태가 변하여 용접부에 품질이 저하된다.

3 사용 가스 및 전원

(가) 사용 가스

① Ar : 아크 안정성이 우수, 하지만 용접부에 기공과 언더컷 결함을 수반할 수 있다.

② H_2 : 아르곤에 비하여 열전도율이 크므로 열적 핀치 효과를 촉진하고 가스의 유출속도를 증대시킨다.

③ 모재에 따라 질소 또는 공기도 사용 가능하다.

④ 일반적으로 플라즈마 가스로써 아르곤을 사용하고, 보호 가스로는 아르곤에 수소(2 ~ 5%)를 사용하는 것이 보통이다.

(나) 전원

전원은 일반적으로 직류가 사용된다.

4 플라즈마 용접의 종류

(가) 플라즈마 아크 용접(이행형)

텅스텐 전극에 (-)극, 모재에 (+)극을 연결하는 직류 정극성의 특성을 가지며, 모재가 전기회로의 일부이므로 반드시 전기 전도성을 가져야 하며 깊은 용입을 얻을 수 있다.

(나) 플라즈마 제트 용접(비이행형)

모재 대신에 수축 노즐에 (+)극을 연결하여 이행형에 비하여 열효율이 낮고 수축노즐이 과열될 우려가 있으나, 비전도체인 경우에도 적용이 가능하기 때문에 비금속의 용접이나 절단에 이용된다.

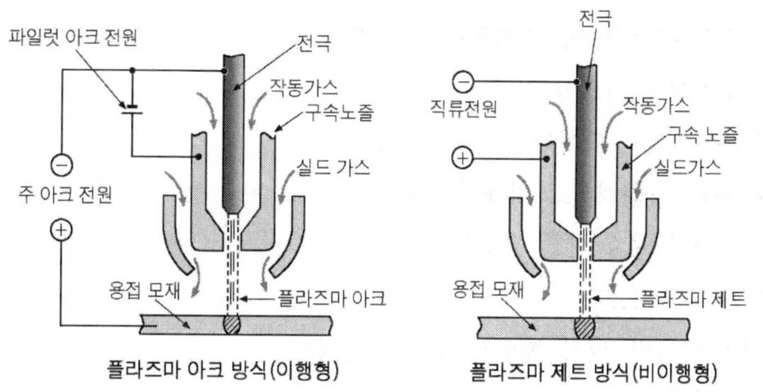

▲ 플라즈마 발전방식

5 용도

탄소강, 스테인리스강, 티탄, 니켈합금, 구리 등에 적합하다.

06 일렉트로 슬랙 용접(Electro Slag Welding, ESW)

1 일렉트로 슬랙 용접의 원리

서브머지드 아크 용접에서와 같이 처음에는 플럭스 안에서 모재와 용접봉 사이에 아크가 발생하여 플럭스가 녹아서 액상의 슬랙이 되면 전류를 통하기 쉬운 도체의 성질을 갖게 되면서 아크는 꺼지고 와이어와 용융 슬랙 사이에 흐르는 전류의 저항 발열을 이용하는 자동 용접법이다.

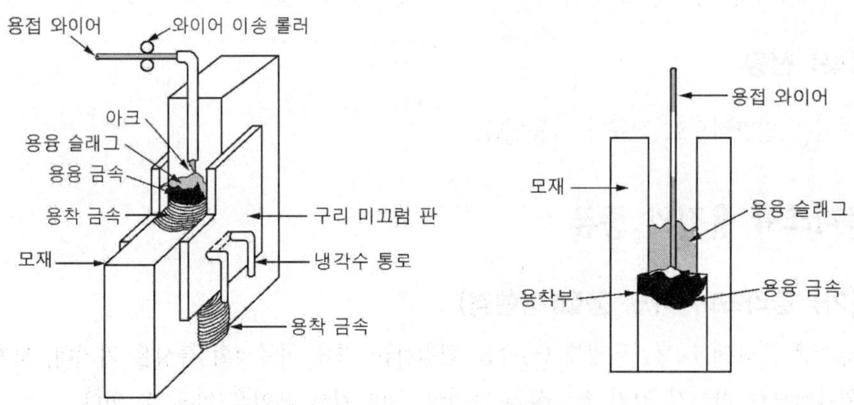

2 일렉트로 슬랙 용접 특징

① 전기 저항 열($Q = 0.24I^2Rt$)을 이용하여 용접(주울의 법칙 적용)한다.

② 두꺼운 판의 용접법으로 적합하다.(단층으로 용접이 가능)

③ 매우 능률적이고 변형이 적다.

④ 홈 모양은 I형이기 때문에 홈 가공이 간단하다.

⑤ 변형이 적고, 능률적이고 경제적이다.

⑥ 아크가 보이지 않고 아크 불꽃이 없다.

⑦ 기계적 성질이 나쁘다.

⑧ 노치 취성이 크다.(냉각 속도가 늦기 때문에)

⑨ 가격이 고가이다.

⑩ 용접 시간에 비하여 준비 시간이 길다.

⑪ 용도로는 보일러 드럼, 압력 용기의 수직 또는 원주이음, 대형 부품 로울 등에 후판 용접에 쓰인다.

07 일렉트로 가스 용접(Electro Gas Welding. EGW)

1 일렉트로 가스 용접의 원리

엔클로스 용접이라고도 하는 일렉트로 가스 용접은 수직자세의 맞대기 이음부를 CO_2중에서 미그 용접과 같은 방법을 적용하여 용접하는 미그 용접의 특수한 한 형태라고 말할 수 있다.

일렉트로 슬랙 용접과 같이 수직 자동 용접이나 플럭스를 사용하지 않고 실드 가스(탄산가스)를 사용하며, 용접봉과 모재 사이에 발생한 아크열에 의하여 모재를 용융 용접하는 방법으로 용융 금속이 흘러 내지리 않도록 수냉 구리판을 설치한다.

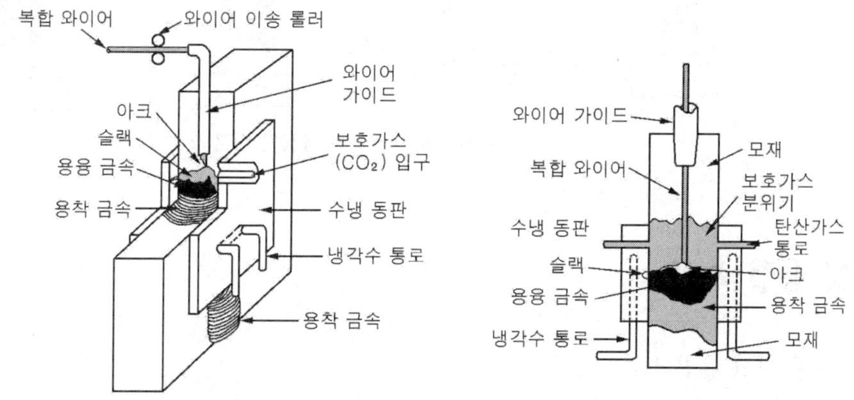

2 일렉트로 가스 용접 특징

① 일렉트로 슬랙 용접보다는 두께가 얇은 중후판(40 ~ 50mm)에 적당하다.
② 용접속도가 빠르고 용접홈은 가스 절단 그대로 사용
③ 용접 후 수축, 변형, 비틀림 등의 결함이 없다.
④ 용접 금속의 인성은 떨어진다.
⑤ 용접 속도는 자동으로 조절 된다.
⑥ 스패터 및 가스의 발생이 많고 용접 작업시 바람에 영향을 많이 받는다.
⑦ 용접 전원은 정전압 특성의 직류 전원(역극성)이나 수하 특성의 교류 전원도 사용된다.

08 스텃 용접

1 스텃 용접의 원리

스텃 용접은 크게 저항 용접에 의한 것, 충격 용접에 의한 것, 아크 용접에 의한 것으로 구분되며, 아크 용접은 모재와 스텃 사이에 아크를 발생 시켜 용접한다.

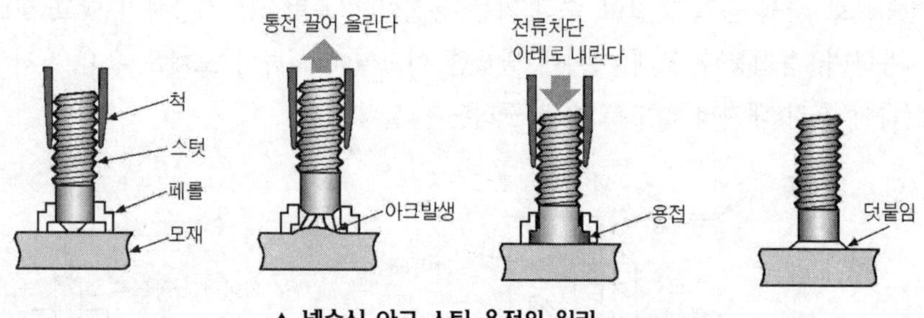

▲ 넬슨식 아크 스텃 용접의 원리

2 스텃 용접 특징

① 자동 아크 용접이다.
② 볼트, 환봉, 핀 등을 용접한다.
③ 0.1 ~ 2초 정도의 아크가 발생한다.
④ 셀렌 정류기의 직류 용접기를 사용한다. 교류도 사용 가능하다.
⑤ 짧은 시간에 용접되므로 변형이 극히 적다.
⑥ 철강재 이외에 비철 금속에도 쓸 수 있다.
⑦ 아크를 보호하고 집중하기 위하여 도기로 만든 페롤을 사용한다.

09 전자 빔 용접

1 전자 빔 용접의 원리

고 진공 중에서 전자를 전자 코일로서 적당한 크기로 만들어 양극 전압에 의해 가속시켜 접합부에 충돌시켜 그 열로 용접하는 방법이다.

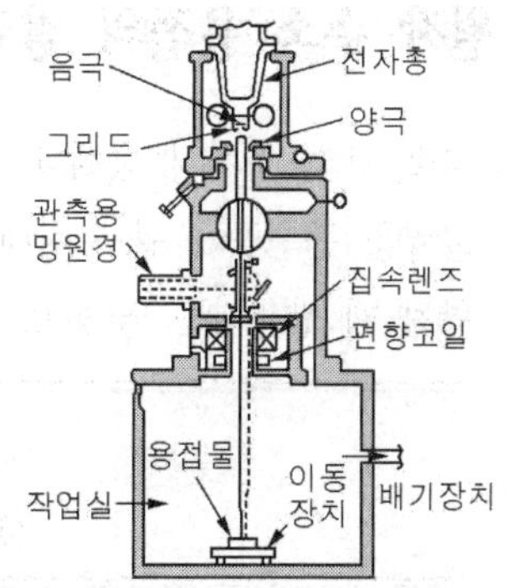

2 전자 빔 용접의 특징

① 용접부가 좁고 용입이 깊다.
② 얇은 판에서 두꺼운 판까지 광범위한 용접이 가능하다.(정밀제품에 자동화에 좋다.)
③ 고 용융점 재료 또는 열전도율이 다른 이종 금속과의 용접이 용이하다.
④ 용접부가 대기의 유해한 원소와 차단되어 양호한 용접부를 얻을 수 있다.
⑤ 고속 용접이 가능하므로 열 영향부가 적고, 완성치수에 정밀도가 높다.
⑥ 고 진공형, 저 진공형, 대기압형이 있다.
⑦ 저전압 대 전류형, 고 전압 소 전류형이 있다.
⑧ 피 용접물의 크기에 제한을 받으며 장치가 고가이다.
⑨ 용접부의 경화 현상이 일어나기 쉽다.
⑩ 배기 장치 및 X선 방호가 필요하다.

10 원자 수소 용접

1 원자 수소 용접의 원리

수소 가스 분위기 중에서 2개의 텅스텐 용접봉 사이에 아크를 발생시키면 수소 분자는 아크의 고열을 흡수하여 원자 상태 수소로 열해리 되며, 다시 모재 표면에서 냉각되어 분자 상태로 결합될 때 방출되는 열(3,000 ~ 4,000℃)을 이용하여 용접하는 방법

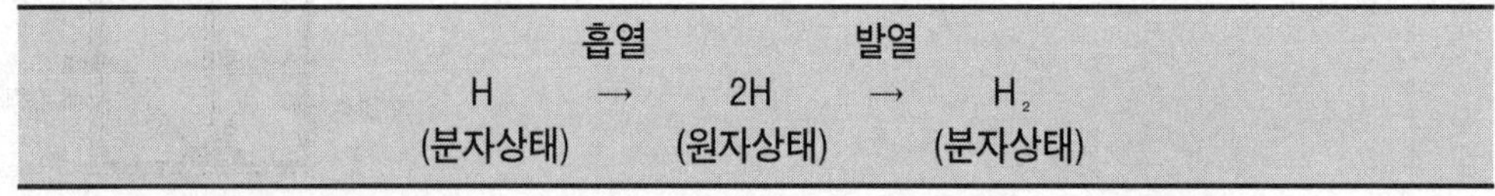

	흡열		발열	
H	→	2H	→	H_2
(분자상태)		(원자상태)		(분자상태)

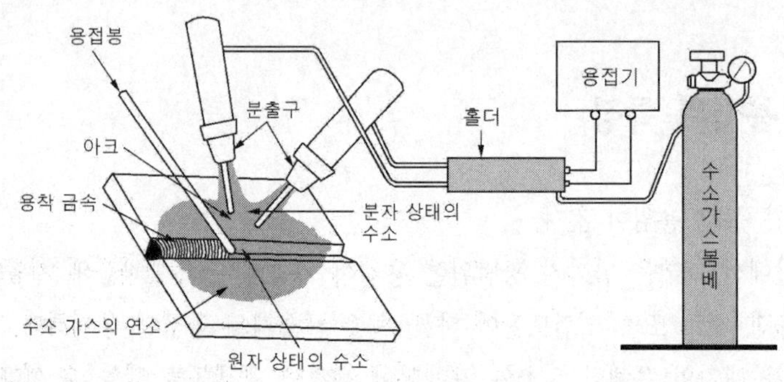

2 원자 수소 용접의 특징

① 용접부의 산화나 질화가 없으므로 특수 금속 용접이 용이하다.
② 연성이 좋고 표면이 깨끗한 용접부를 얻는다.
③ 발열량이 많아 용접 속도가 빠르고 변형이 적다.
④ 기술적이 어려움이 있다.
⑤ 비용의 과다 등으로 차차 응용 범위가 줄어들고 있다.
⑥ 특수 금속 (스테인리스강, 크롬, 니켈, 몰리브덴)에 이용
⑦ 고속도강, 바이트 등 절삭공구의 제조에 사용

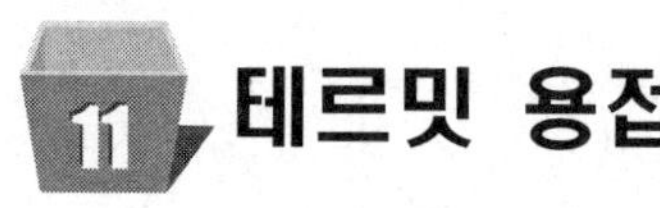

11 테르밋 용접

1 테르밋 용접의 원리

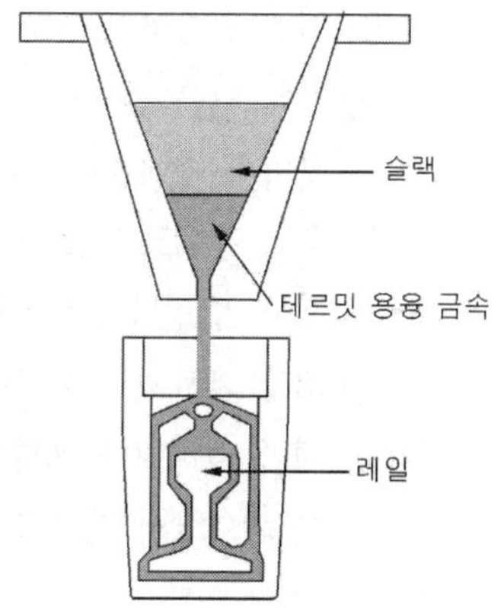

알루미늄 분말과 산화철 분말(FeO, Fe_2O_3, Fe_3O_4)을 1 : 3 ~ 4로 혼합한 것으로 테르밋 반응(화학 반응), 즉 산화철의 산소를 알루미늄이 빼앗아갈 때 일어나는 반응과 함께 발생된 열(2,800℃)을 이용하여 용접한다. 테르밋 반응을 위해 1,000℃의 고온이 필요하므로 점화제로는 마그네슘과 과산화바륨이 사용되고 있다.

$3Fe_3O_4 + 8Al \rightarrow 9Fe + 4Al_2O_3 + 19.3kcal$

$Fe_3O_4 + 2Al \rightarrow 2Fe + Al_2O_3 + 181.5kcal$

2 테르밋 용접의 특징

① 용융 테르밋 용접과 가압 테르밋 용접이 있다.
② 작업이 간단하고 기술습득이 용이하다.
③ 전력이 불필요하다.
④ 용접 시간이 짧고 용접 후의 변형도 적다.
⑤ 용도로는 철도레일, 덧붙이 용접, 큰 단면의 주조, 단조품의 용접에 적합하다.

12 초음파 용접

1 초음파 용접의 원리

초음파(18kHz이상)를 진동 에너지로 변환하여 접합 재료에 전달, 가압(압축 공기 이용) 및 마찰에 의한 열로 접합하는 방법(압접임을 기억할 것)으로 이종 재료나 판재 두께가 0.01 ~ 2mm, 플라스틱류는 1 ~ 5mm정도로 주로 얇은 판 용접에 이용된다.

2 초음파 용접의 특징

① 냉간 압접에 비해 주어지는 압력이 작아 변형이 작다.
② 압연한 그대로의 용접이 된다.
③ 이종 금속의 용접도 가능하다.
④ 극히 얇은 판, 즉 필름도 쉽게 용접한다.
⑤ 판의 두께에 따라 용접 강도가 현저히 달라진다.
⑥ 용접 장치로는 초음파 발진기, 진동자, 진동 전달 기구, 압접팁으로 구성된다.
⑦ 접합 재료의 종류 및 판의 두께에 따라 접합 조건이 달라지나 접합부의 외부 변형을 적게 한다는 의미에서 가급적 단시간으로 한다.

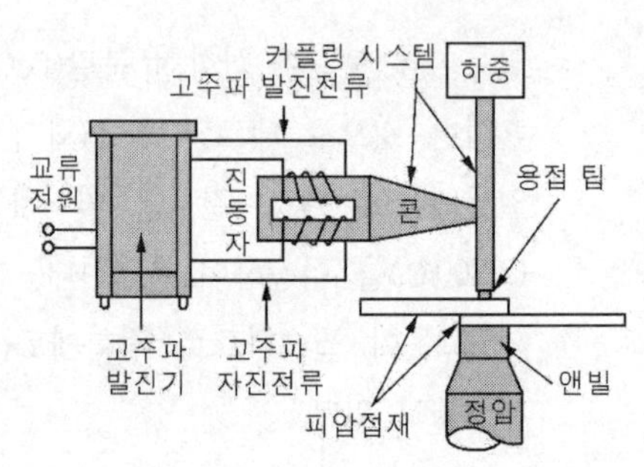

13 가스 압접

1 가스 압접의 원리

접합부를 가스 불꽃으로 재결정 온도 이상 가열하고 축 방향으로 가압하여 접합하는 방법이다.

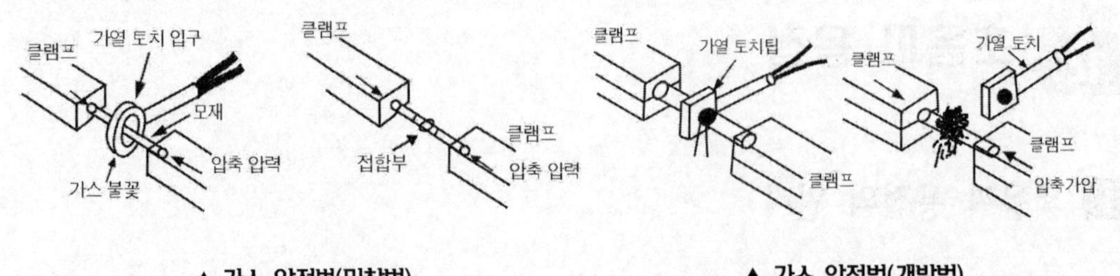

▲ 가스 압접법(밀착법) ▲ 가스 압접법(개방법)

① 밀착법은 용융시키지 않고 축 방향으로 압력을 가해 접합하므로 접합면의 상태가 큰 영향을 줄 수 있어 기계 가공으로 접합면에 부착된 각종 산화물 및 기타 용접을 방해할 오염 물질을 제거

한 후 압접한다.

② 개방법은 밀착법과는 다르게 접합면을 용융시켜 압접하므로 접합면의 상태가 영향을 주지 않는다. 국부적으로 가열하기 때문에 열효율이 좋다.

2 가스 압접의 특징

① 이음부에 탈탄층이 전혀 없다.
② 전력 및 용접봉 용제가 필요 없다.
③ 장치가 간단하고 설비비 및 보수비가 싸다.
④ 작업이 거의 기계적이다.
⑤ 종류로는 밀착 맞대기 방법, 개방 맞대기 방법이 있다.

14 냉간 압접

① 상온에서 행하므로 접합면에서의 확산은 매우 느리다.
② 열영향에 의한 재질의 변화가 없다.
③ 압접 장치가 간단하고 조작이 용이하다.
④ 압접부에 가공 경화되어 눌린 자국이 남는다.
⑤ 압접 재료의 제한이 있다.

15 아크 점 용접법

1 아크 점 용접의 원리

아크의 높은 열과 집중성을 이용하여 접합부의 한쪽에서 0.5~5초 정도 아크를 발생시켜 융합하는 방법

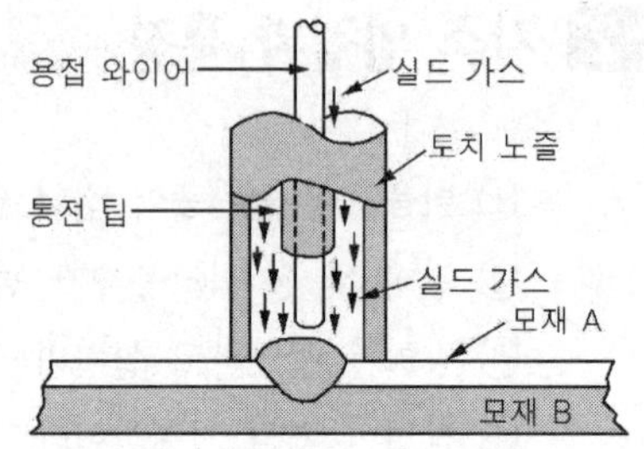

2 아크 점 용접의 특징

① 1~3mm 정도 윗판과 3.2~6mm정도 아래판에 맞추어서 용접(6mm까지는 구멍을 뚫지 않고 시공 가능)한다.

② 극히 얇은 판을 사용할 때는 용락을 방지하기 위하여 구리 받침쇠를 사용하여 용락을 방지한다.

③ 종류로는 불활성 가스 텅스텐 아크 점 용접법(비용극식)과, 용극식(불활성 가스 금속 아크 용접법, 이산화탄소 아크 용접, 피복 아크 용접)이 있다.

16 마찰 용접

1 마찰 용접의 원리

접합하고자 하는 재료를 접촉시키고 하나는 고정시키며 다른 하나를 가압, 회전하여 발생되는 마찰열로 적당한 온도가 되었을 때 접합한다.

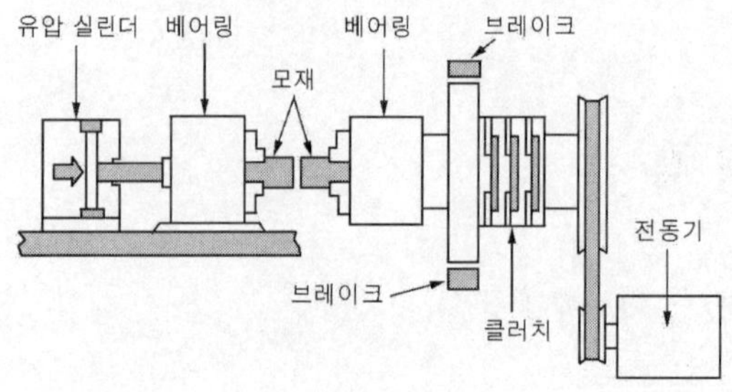

2 마찰 용접의 특징

① 컨벤셔널형과 플라이 휘일형이 있다.

㉠ 컨벨셔널형 : 한쪽 재료를 고속회전시키고 나머지 다른쪽을 일정한 압력으로 접촉시켜 접촉면에 마찰열을 발생시킨 후 압접 온도에 도달 했을 대 회전을 정지하고 압력을 가하여 압접하는 방볍이다.

㉡ 플라이휘일형 : 한쪽 재료를 지지하는 회전축에 적당한 중량의 플라이휘일을 붙여 고속 회전시켜 에너지를 주고 다른 재료를 일정한 압력하에서 접촉시켜 압접온도까지 상승하면 플라이휠의 에너지를 방출시켜 없어지면 자연 정지되어 용접되는 방식이다.

② 자동화가 용이하며 숙련이 필요 없다.
② 이종 금속 및 금속과 비금속의 용접도 가능하다.
③ 용접시간이 짧고 능률적이며, 용제나 용접봉이 필요 없다.
④ 유해가스의 발생이나 불꽃의 비산이 거의 없어 안전하다.
⑤ 용접부의 치수 정밀도가 높고, 전력 소비 또한 적다.
⑥ 접합 재료의 단면은 원형으로 제한한다.
⑦ 상대 운동을 필요로 하는 것은 곤란하다.

17 단락 이행 용접(short arc welding)

1 단락 이행 용접의 원리

불활성가스 금속 아크 용접과 비슷하나 1초 동안 100회 이상 단락하여 아크 발생 시간이 짧고 모재의 열 입력도 적어진다.

2 단락 이행 용접의 특징

① 가는 솔리드 와이어를 이용한다.
② 용력이행은 스프레이형이다.

③ 0.8mm 정도 박판 용접에 이용한다.

④ 와이어 종류는 0.76mm, 0.89mm, 1.14mm정도로 규소-망간계가 사용된다.

18 플라스틱 용접

1 플라스틱 용접의 원리

용접 방법으로는 열기구 용접, 마찰 용접, 열풍 용접, 고주파 용접 등을 이용할 수 있으나 열풍 용접이 주로 사용되고 있다.

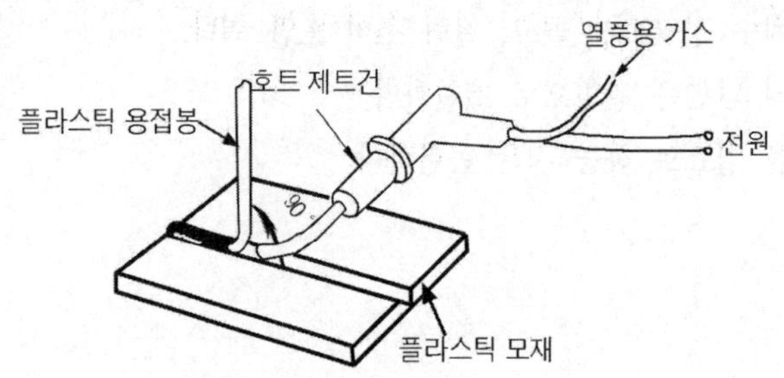

▲ 플라스틱 용접

2 플라스틱 용접의 특징

① 전기 절연성이 좋다.

② 가볍고 비강도가 크다.

③ 열가소성만 용접이 가능하다.

19 레이저 용접

1 레이저 용접의 원리

유도 방사에 의한 빛의 증폭이란 뜻으로, 레이저에서 얻어진 접속성이 강한 단색 광선으로 강렬한 에너지를 가지고 있으며, 이때의 광선 출력을 이용하여 접합한다.

2 레이저 빔 용접의 특징

① 용접 장치는 고체 금속형, 가스 방전형, 반도체형이 있다.

② 아르곤, 질소, 헬륨으로 냉각하여 레이저 효율을 높일 수 있다.

③ 원격 조작이 가능하고 육안으로 확인하면서 용접이 가능하다.

④ 에너지 밀도가 크고, 고융점을 가진 금속에 이용된다.

⑤ 정밀 용접도 가능하다.

⑥ 불량 도체 및 접근하기 곤란한 물체도 용접이 가능하다.

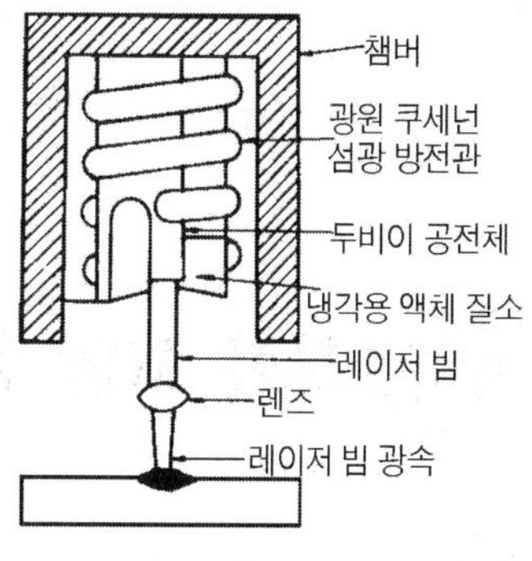

▲ 레이저 빔 용접

20 고주파 용접

고주파 전류를 도체의 표면에 집중적으로 흐르는 성질인 표피 효과와 전류 방향이 반대인 경우는 서로 근접해서 생기는 성질인 근접 효과를 이용하여 용접부를 가열 용접하는 방법으로 고주파 유도 용접과 고주파 저항 용접이 있다.

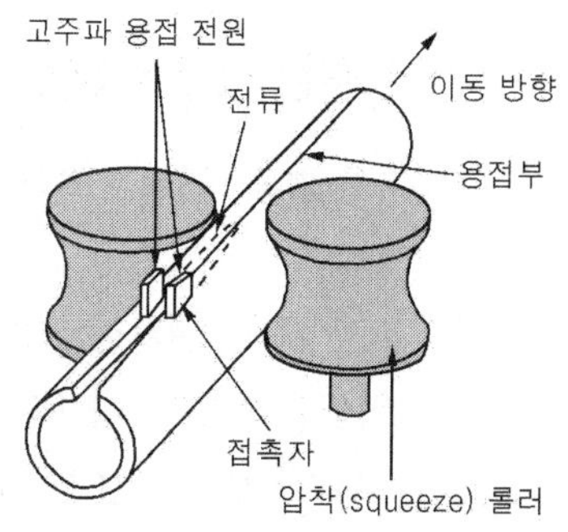

21 로봇 용접

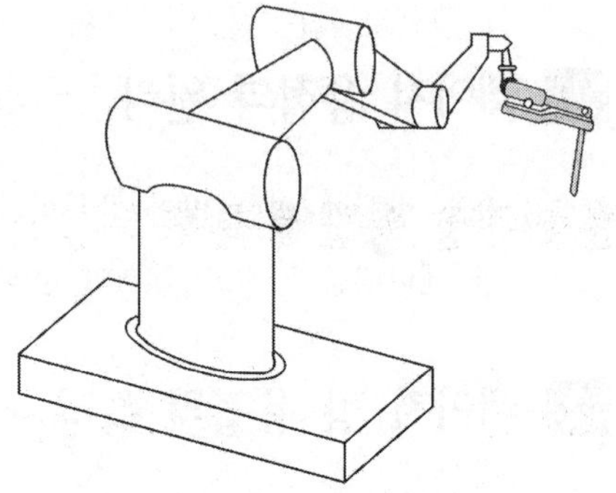

인간의 손작업을 대신하여 용접하는 것으로 크게 저항 용접용 로봇과 아크 용접용 로봇이 있으며, 직교 좌표형 및 다 관절형이 있다. 로봇 용접은 사람이 하기에 위험한 작업이나 또는 단순 반복 작업등에 이용되고 있으며, 원활히 사용하기 위해서는 포지셔너, 턴테이블, 센서, 주행 대차, 컨베이어 장치 등 주변 장치가 필요하다.

22 전기 저항 용접

1 전기 저항 용접의 개요

도체에 전류를 흐르게 하면 도체 내부의 전기 저항에 의하여 열 손실을 일으킨다. 일반적인 전기회로에서는 이와 같은 손실을 최소화하는 방향으로 기술을 발전시키고 있으나. 저항 용접은 오히려 발열 손실을 적극적으로 이용하는 용접방법이다

(가) 용접물에 전류가 흐를 때 발생되는 저항 열로 접합부가 가열되었을 때 가압하여 접합한다.

(나) 저항 용접의 3대 요소는 용접 전류, 통전 시간, 가압력이다.

① 용접 전류 : 저전압 대전류 방식으로 전압은 1 ~ 10V정도이지만 전류는 수만 또는 수십만 암페어이다.

② 통전 시간 : 열전도가 큰 것은 대전류를 사용하여 통전 시간을 짧게 연강 등은 대전류를 사용하지 않고 통선 시간을 길게 한다.

③ 가압력 : 모재와 모재, 전극과 모재 사이에 접촉 저항은 전극의 가압력이 클수록 작아진다.

2 이음형상에 따라 분류

① **겹치기 저항 용접** : 점 용접, 프로젝션용접, 심 용접
② **맞대기 저항 용접** : 업셋 용접, 플래시 용접, 퍼커션 용접이 있다.

3 전기 저항 용접의 특징

① 용접사의 기능에 무관하다.
② 용접 시간이 짧고 대량 생산에 적합하다.
③ 용접부가 깨끗하다.
④ 산화 작용 및 용접 변형이 적다.
⑤ 가압 효과로 조직이 치밀하다.
⑥ 설비가 복잡하고 가격이 비싸다.
⑦ 후열 처리가 필요하다.
⑧ 이종 금속의 접합은 가능하나 어렵다.

4 전기저항 용접의 종류

(가) 점 용접

① 열 영향부가 좁으며 돌기가 없다.
② 박판 용접 및 대량 생산에 적합하다.
③ 바둑알 모양처럼 생긴 것을 너깃이라 한다.
④ 용융점이 높은 재료, 열전도가 큰 재료 및 전기적 저항이 작은 재료는 용접이 곤란하다.
⑤ 구멍을 가공할 필요가 없고 숙련을 요하지 않는다.

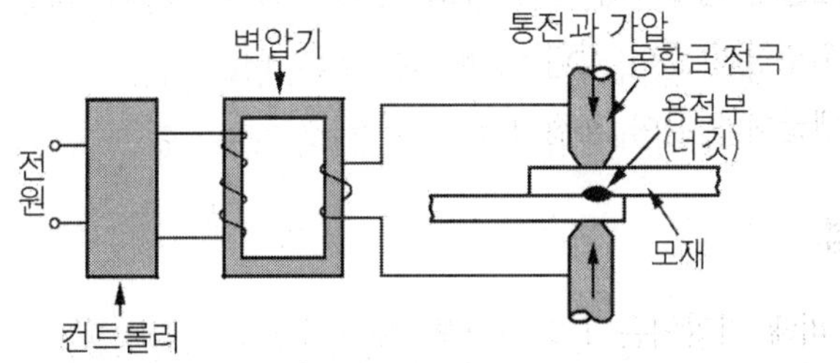

⑥ **과정** : 접촉 저항에 의한 온도 상승 → 접촉부의 변화, 변형 및 저항 감소 → 용융 → 용접부의 가압력에 의해서 용접부 생성

⑦ **종류** : 단극식, 직렬식, 다전극식, 맥동, 인터랙 점 용접이 있다.

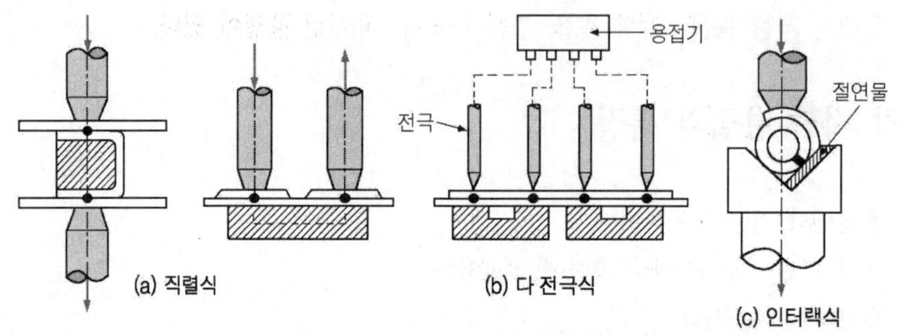

▲ 점 용접법의 종류

㉠ 단극식 : 전극 1쌍으로 한 개의 점 용접부를 만드는 방법

㉡ 직렬식 : 2개 이상의 용접점을 한 개의 전류회로를 이용하여 만드는 방법으로 전류 손실이 많고 용접부 표면이 불량할 우려가 있다.

㉢ 다전극식 : 2점 이상 다수의 점용접을 행하는 것으로 작업의 향상 및 용접 변형 등을 방지할 수 있다.

㉣ 맥동식 : 모재의 두께가 다른 경우 또는 두꺼운 모재의 경우 열평형을 이루기 어려울 때 전극의 과열을 막기 위하여 전류를 사이클 단위로 단속하여 용접하는 방법이다.

㉤ 인터랙식 : 용접점의 부분에 직접 두 개의 전극이 닿지 않고 용접 전류가 피용접물의 일부를 통하여 다른 곳으로 전달되어 용접하는 방식이다.

⑧ 전극의 종류로는 R형, P형, F형, C형, E형 그 밖에 CF형, RF형, CR형 등이 있다.

㉠ R형 : 전극의 끝이 라운딩되어 있으며, 용접부의 품질이 우수하고 F형 보다 전류는 10%, 가압력은 5%를 줄일 수 있음

㉡ P형 : R형 보다 용접부의 품질과 수명은 떨어지나 널리 사용되고 있음

㉢ F형 : 표면이 평평하여 전극 측에 눌린 흔적이 거의 없이 사용 가능

㉣ C형 : 원추형의 끝이 잘라진 형으로 가장 널리 사용

㉤ E형 : 앵글재와 같이 용접위치가 나쁠 때, 보통 팁으로는 용접이 어려운 경우에 사용

(나) 심 용접

① 점 용접에 비해 가압력은 1.2 ~ 1.6배, 용접 전류는 1.5 ~ 2.0배 증가

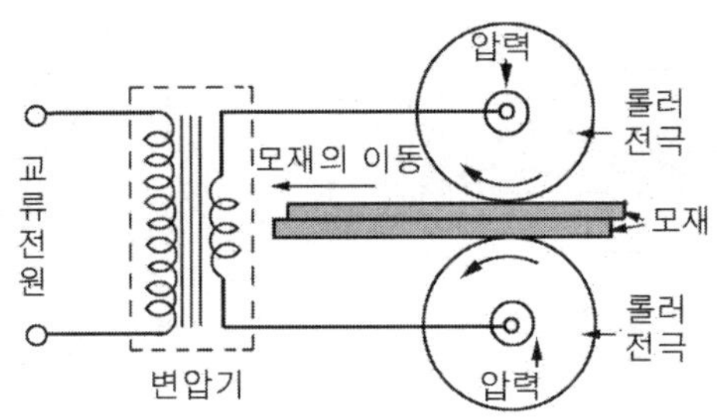

② 단속 통전법, 연속 통전법, 맥동 통전법 등이 있다.

③ 이음 형상에 따라 원주 심, 세로 심이 있다.

④ 용접 방법에 따라 맞대기 심, 매시 심, 포일 심, 로울러 심이 있다.
   ㉠ 맞대기 심 : 판 끝을 맞대어 놓고 가압하여 통전을 두 개의 롤러 사이에 끼워서 심용접을 하는 방법
   ㉡ 매시 심 : 이음부를 판 두께 정도로 겹치고 겹쳐진 판전체를 롤러로 가압하여 심용접을 하는 것으로 1.2mm 이하 박판에 사용
   ㉢ 포일 심 : 맞대어 놓은 모재에 같은 종류의 얇은 판인 포일을 대고 가압하여 심용접을 하는 방법으로 비교적 두꺼운 판의 용접이 가능
   ㉣ 롤러 심 : 통전의 단속 간격을 길게 하여 롤러 전극을 이용하여 점 용접을 연속으로 하는 방법

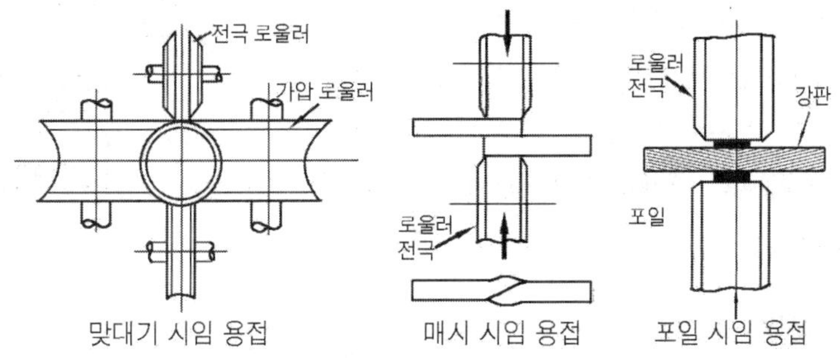

▲ 심 용접의 종류

⑤ 기·수·유밀성을 요하는 0.2~4mm 정도 얇은판에 이용된다.

(다) 돌기 용접(프로 젝션 용접)

① 접합재의 한쪽에 돌기를 만들어 압접 하는 방법이다.

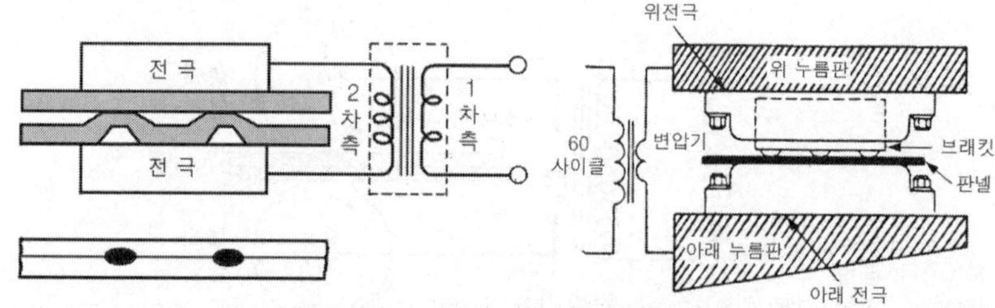

② 이종 금속 판 두께가 다른 것의 용접이 가능하다.
③ 전극의 소모가 적다(수명이 길다. 작업 능률이 높다).
④ 용접 설비비가 비싸다.
⑤ 돌기의 정밀도가 높아야 한다.
⑥ 용접기 설비가 비싸다.
⑦ 돌기를 내는 쪽은 두꺼운 판, 열전도와 용융점이 높은 쪽에 만든다.
⑧ 돌기 지름은(판두께 $\times 2 + 0.7$), 높이(판두께 $\times 0.4 + 0.25$)로 구한다.

(라) 업셋 용접

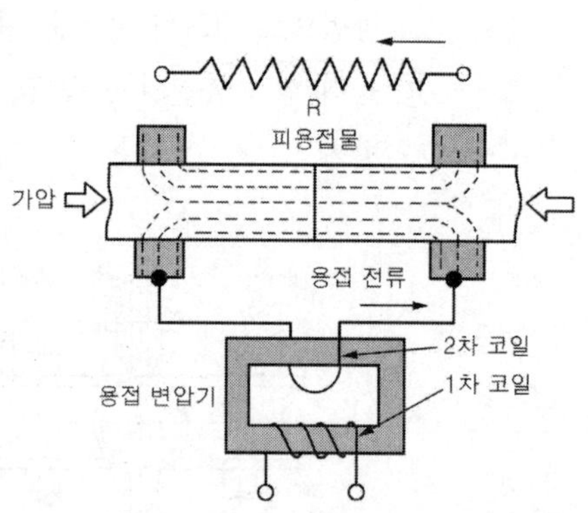

① 용접재를 맞대어 가압하고 전류를 통하면 접촉 저항으로 발열되어 일정한 온도에 달했을 때 축방향으로 강한 압력을 가해 접합한다.
② 불꽃의 비산이 없다.
③ 플래시 용접에 비해 열영향부가 커진다.
④ 비대칭 단면적이 큰 것, 박판 등의 용접은 곤란하다.
⑤ 용접부의 접합 강도는 우수하다.
⑥ 용접부의 산화물이나 개재물이 밀려나와 건전한 접합이 이루어진다.

(마) 플래시 용접

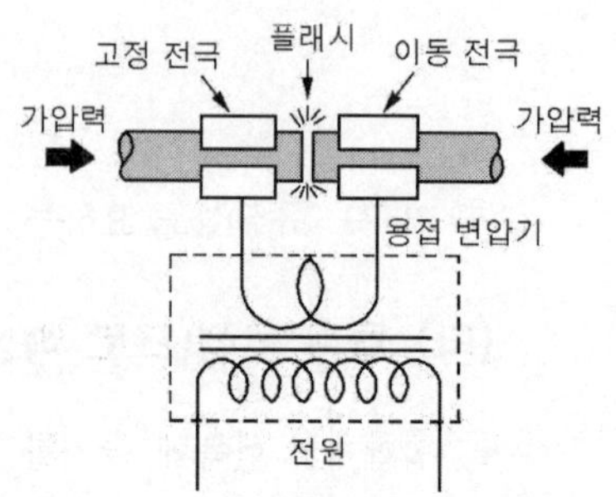

① 용접물에 간격을 두어 설치하고 전류를 통하여 발열 및 불꽃 비산을 지속시켜 접합면이 골고루 가열되었을 때 가압하여 접합하는 방법이다.
② 예열→플래시→업셋 순으로 진행된다.
③ 열 영향부 및 가열 범위가 좁다.
④ 이음의 신뢰도가 높고 강도가 좋다.

⑤ 용접 시간, 소비 전력이 적다.

⑥ 용접면에 산화물의 개입이 적다.

⑦ 종류가 다른 재료의 용접이 가능하다.

⑧ 강재, 니켈, 니켈 합금 등에 적합하다.

플래시와 업셋의 비교
플래시의 열영향부, 가열 범위는 업셋에 비하여 좁다. 또한 산화물 개입이 업셋에 비하여 적고 이종 금속 접합이 가능하다. 전력 소비가 적으나 업셋에 비하여 용접면이 좋지 못하다.

(바) 충격 용접(퍼커션 용접)

축전기에 축전된 전기 에너지를 짧은 시간(1,000분의 1초 이내)에 방출시켜 금속 용접면에 매우 짧은 시간에 방전시켜 이때 발생된 열로 가압하여 접합

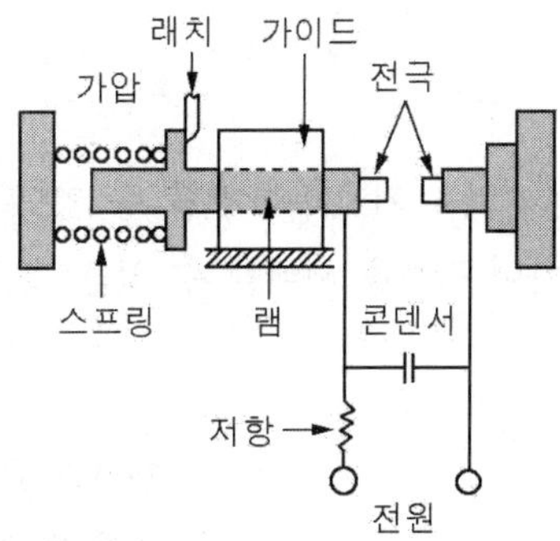

Chapter 3-2 2 용접 자동화

 용접 작업의 성력화[省力化] 및 자동화[自動化]

1 성력화

사람이 하는일의 양을 줄이는 것 또는 작업을 간소화 하여 사람의 능력 및 기능을 탈피하는 것을 의미

2 자동화

성력화의 목적 달성을 위하여 작업을 기계가 대신할 수 있도록 하는 것을 작업의 기계화라고 하며, 여기에 제어 장치를 부착하여 작업을 제어할 수 있는 것을 자동화라고 한다.

(가) 자동화의 목적

① 생산성 향상
② 양질의 균일 제품 생산
③ 원가 절감
④ 작업 환경의 개선
⑤ 작업자 보호 및 노동력 대체
⑥ 재고 감소
⑦ 정보 관리
⑧ 인력 부족의 대체

(나) 용접 자동화의 순서

1단계 : 노동 작업 즉 사람이 하는 작업의 전용치구를 사용
2단계 : 반자동 용접의 확대 적용(각종 용접 방법이나 기기가 개발)
3단계 : 기계화된 용접기에 의한 범용적인 장치 자동화
4단계 : 전용장치에 제어기술을 이용한 새로운 용접장치
5단계 : 용접 관련 모든 공정에 대한 시스템적 자동화

(다) 자동화의 요소

반송, 공급, 가공 및 조립, 검사, 제어, 관리 등의 요소로 구성되어 있다.

(라) 자동 용접 장치

용접 토치(건), 용접 하려는 공작물과 상대 이동기구, 위치 결정기구, 반송 및 공급 장치, 클램프 장치 등을 갖춘 하나의 자동화된 시스템을 의미한다.

(마) 로봇

① 개요

㉠ 로봇이란 여러 가지 일을 효과적으로 수행하기 위해 다양한 프로그램 방법

㉡ 자재, 부품, 공구 혹은 기타 기기를 이동하는 데 사용되도록 설계된 프로그램

㉢ 가능한 여러 가지 기능을 갖춘 기기

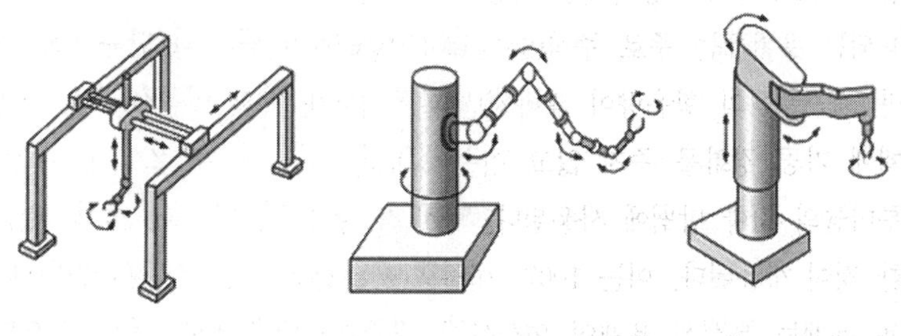

(a) 직각 좌표형 로봇 (b) 다관절 로봇 (c) 스칼라 로봇

산업용 로봇의 종류

② 로봇의 외형 구조

㉠ 극좌표 구조 : 팔의 자유도가 주로 극좌표 형식

㉡ 원통 좌표 구조 : 팔의 자유도가 주로 원통 좌표 형식

㉢ 관절형 구조 : 자유도가 주로 다관절 형식

㉣ 직교 좌표 구조 : 팔의 자유도가 주로 직각 좌표 형식

③ 로봇의 기본 운동

㉠ 수직 이동 : 팔의 상하 운동

㉡ 방사 이동 : 팔의 수축 이완 운동

㉢ 회전 운동 : 수직축에 대한 회전 운동

㉣ 손목 회전 : 손목의 회전

㉤ 손목 돌림 : 손목의 상하 운동으로 회전 이동

㉥ 손목 요동 : 손목의 좌우 회전

④ 로봇의 센서

㉠ 시각 센서(Vision sensor)

㉡ 접촉 · 접근 센서(Tactile and proximity sensor)

㉢ 음성 센서(Voice sensor)

Chapter 3-2 3 연납땜 및 경납땜

01 연납땜(Soldering)

① 융점이 450℃이하의 용가재를 사용하여 납땜하는 방법이다.

② 사용되는 용가재는 주로 주석(Sn) - 납(Pb)합금이며, 주석의 함유량에 따라 흡착 작용이 달라진다. 즉 주석의 함유량이 많아지면 흡착작용이 커져 이음강도가 커진다. 카드뮴 - 아연납은 모재에 가공 경화를 주지 않고 이음 강도가 요구 될 때 쓰이며, 카드뮴(40%), 아연(60%)은 알루미늄의 저항 납땜에 사용된다. 또한 저 융점 납땜으로는 주석 - 납 합금에 비스무트를 첨가한 것이 사용된다. 이는 100℃ 이하의 용융점을 가진 납땜을 의미한다.

③ 사용 용제는 부식성 용제인 염화아연, 염화암모니아, 염산 등이 있으며, 비부식성 용제로는 송진, 수지, 올리브유 등이 있다.

④ 작업방법에는 인두 납땜, 가스 납땜, 전기 납땜 등이 있다.

02 경납땜(Brazing)

① 용융점이 낮은 금속을 녹여, 모세관 현상을 이용하여 두 모재 사이에 스며들어 가게 하여 접합하는 방법으로 450℃이상에서 납땜하는 방법이다.

② 사용되는 용가재로는 은납, 구리, 구리합금, 알루미늄합금, 금합금 등이 사용되고 있다.

㉠ 은납 : 은, 구리, 아연을 주성분으로 은이 증가하면 가격은 올라가나 융점이 저하된다. 경우에 따라 니켈, 카드뮴, 주석을 첨가하며, 융점이 비교적 낮고 유동성이 좋으며, 인장강도 전연성 등의 성질이 우수하고 은백색으로 색이 미려하여 철강, 스테인리스강, 구리 및 그 합금 등에 널리 사용된다.

㉡ 구리납 : 구리납이란 구리 85% 이상의 납을 말하며, 철강, 니켈 및 구리-니켈 합금의 납땜에 쓰인다.

㉢ 황동납 : 구리와 아연을 주성분으로 아연 60%까지 있으며, 아연의 증가로 인장강도가 증가된다. 주로 철강, 구리 및 구리 합금에 이용되며, 융점이 820~930℃정도여서 과열시 아연이 증발하여 다공성의 이음이 되기 쉬어 가열에 주의한다.

㉣ 인동납 : 구리를 주성분으로 소량의 은, 인을 포함한 납땜으로 유동성이 좋고, 전기나 열의 전도성, 내식성 등의 기계적 성질은 우수하나 황을 함유한 고온가스 중에서의 사용은 좋지 못하다.

㉤ 알루미늄납 : 알루미늄에 구리, 규소, 아연 등을 첨가한 납땜

㉥ 양은납 : 구리, 아연, 니켈 합금이며 니켈 함유량이 많을수록 융점이 높고 색은 변한다.

㉦ 금납 : 금, 은, 구리 합금으로 치과용 또는 장식용으로 사용되는 납땜이다.

③ 사용 용제로는 붕사, 붕산, 염화리튬, 빙정석, 산화제1동이 사용된다.

④ 작업 방법에는 가스 경납땜, 노내 경납땜, 유도 가열 경납땜, 저항 경납땜, 담금 경납땜이 있다.

㉠ 가스 경납땜 : 일반적으로 산소-아세틸렌 화염을 이용하여 가열하여 이음하는 방식으로 용제는 이음면과 납의 양쪽에 도포하여 작업한다. 과도한 가열은 납의 확산 및 산화를 초래하기 쉽다.

㉡ 노내 경납땜 : 전열 또는 가스 화염을 사용하는 노중에 물품을 넣고 납땜하는 방식으로 노안에 놓고 작업을 하기 때문에 조건 제어가 정확하고, 많은 물품을 한번에 작업할 수 있다.

㉢ 유도 가열 경납땜 : 납과 용제를 장입한 이음을 고주파 유도 전류를 사용하여 가열 납땜하는 방법으로 짧은 시간 내에 작업할 수 있는 장점이 있으나, 국부 가열에 따른 변형이 따르기 쉽고, 큰 물품은 작업할 수 없는 형상에 제한이 있다.

㉣ 저항 경납땜 : 이음면에 용제를 바르고 납을 장입한 다음 전극 사이에 끼우고 가압하면서 전류를 흘려 저항 발열로 접합하는 방법으로 짧은 시간 내에 작업할 수 있는 장점이 있으나, 물품의 크기와 형상에 제한이 따른다.

㉤ 담금 경납땜 : 납을 장입한 이음을 미리 가열한 염욕에 침적하여 가열하거나 용제가 들어 있는 용융납액 중에 담그어 가열하여 납땜하는 방법으로 강재의 황동 납땜에 사용되고 대량생산에 적합하다.

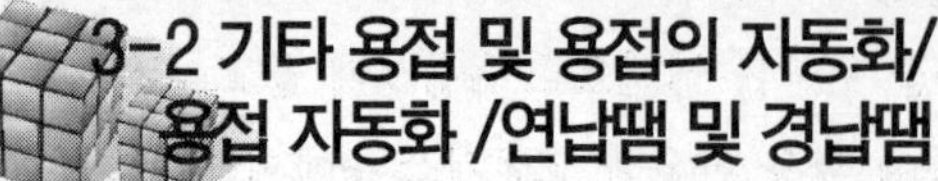

chapter3 예상문제

3-2 기타 용접 및 용접의 자동화/용접 자동화 /연납땜 및 경납땜

01 불활성 가스 아크 용접시 주로 사용되는 가스는?

㉮ 아르곤가스
㉯ 수소가스
㉰ 산소와 질소의 혼합가스
㉱ 질소가스

해설 불활성 가스는 18족의 가스로 다른 기체와 반응하지 않아 비활성 가스라고도 한다. 그 가스의 종류로는 헬륨(He), 네온(Ne), 아르곤(Ar), 크립톤(Kr), 크세논(Xe), 라돈(Rn) 등이 있다.

비교 내용	아르곤	헬륨
아크 전압	낮다.	높다.
아크 발생	쉽다.	어렵다.
아크 안정	우수	불량
청정 작용	우수(DCRP와 AC)	거의 없다.
용입(모재 두께)	얕다(박판)	깊다(후판)
열 영향부	넓다.	좁다.
가스 소모량	적다.	많다.
사용 용접법	수동 용접	자동 용접

02 불활성 가스 아크 용접인 것은?

㉮ 테르밋 용접 ㉯ TIG 용접
㉰ 산소-수소 용접 ㉱ 플라즈마 용접

해설 불활성 가스 아크 용접 중 TIG 용접은 Tungsten inert Gas의 약자로 텅스텐 전극을 사용하는 비용극식 방법이고, MIG용접은 Metal inert Gas의 약자로 금속 전극을 사용하는 용극식 방법이다.

03 텅스텐 전극봉을 사용하는 용접은?

㉮ 산소 – 아세틸렌용접 ㉯ 아크용접
㉰ MIG용접 ㉱ TIG용접

04 TIG 용접 이음부 설계에서 I형 맞대기 용접이음의 설명으로 적합한 것은?

㉮ 판두께가 12㎜이상의 두꺼운 판용접에 이용된다.
㉯ 판두께가 6~20㎜ 정도의 다층비드용접에 이용된다.
㉰ 판두께가 3㎜ 정도의 박판 용접에 많이 이용된다.
㉱ 판두께가 20㎜ 이상의 두꺼운 판용접에 이용된다.

해설 불활성가스 텅스텐 아크 (TIG)용접은 3mm 이하에 박판에 사용된다. 주로 0.4 ~ 0.8mm에 쓰인다.

05 전극봉을 직접 용가재로 사용하지 않는 것은?

㉮ CO_2 가스 아크용접
㉯ TIG 용접
㉰ 서브머지드 아크 용접
㉱ 피복 아크 용접

06 불활성 가스 아크용접에서 티그(TIG) 용접의 전극봉은?

㉮ 니켈 ㉯ 탄소강
㉰ 텅스텐 ㉱ 저합금강

해설 티그(TIG(Tungsten Inert Gas)) 전극봉

① 전극은 텅스텐 전극을 사용. 전자 방사 능력이 좋고, 낮은 전류에서도 아크 발생이 쉽고 오손 또한 적은 토륨 1 ~ 2%를 포함한 텅스텐 전극봉을 사용한다.
② 전극은 비용극식, 비소모식이라 하며 용접전원으로는 직류, 교류가 모두 쓰인다.
③ 종류

종류	색 구분	용 도
순 텅스텐	초록	낮은 전류를 사용하는 용접에 사용, 가격은 저가
1% 토륨	노랑	전류 전도성이 우수하며, 순 텅스텐 보다 가격은 다소 고가이나 수명이 길다.
2% 토륨	빨강	박판 정밀 용접에 사용한다.
지르코니아	갈색	교류 용접에 주로 사용한다.

Answer 1.㉮ 2.㉯ 3.㉱ 4.㉰ 5.㉯ 6.㉰

07 **TIG 용접에서 직류 정극성으로 용접할 때 전극 선단의 각도가 다음 중 몇 도 정도이면 가장 적합한가?**

㉮ 5 ~ 10° ㉯ 10 ~ 20°
㉰ 30 ~ 50° ㉱ 60 ~ 70°

해설 직류 정극성일 때는 모재에 양극(+), 용접봉 즉 전극에 음극(-)을 연결하므로 30 ~ 50°정도 되게 뾰족하게 간다.

08 **TIG 용접에서 텅스텐 전극봉은 맞대기 용접봉의 경우 가스노즐의 끝에서부터 몇 mm 정도 돌출시키는가?**

㉮ 1 ~ 2 ㉯ 3 ~ 6
㉰ 7 ~ 9 ㉱ 10 ~ 12

해설 티그 용접에서 텅스텐 전극봉의 돌출길이는 맞대기 3 ~ 5mm가 적당하다. 필릿 용접에서는 6 ~ 9mm가 적당하다.

09 **불활성가스 텅스텐 아크(TIG)용접의 직류 정극성(DCSP)에는 좋으나 교류에는 좋지 않고 주로 강, 스텐레스강, 동합금 용접에 사용되는 토륨 - 텅스텐 전극봉의 토륨 함유량은 몇 % 인가?**

㉮ 0.15 ~ 0.5 ㉯ 1 ~ 2
㉰ 3 ~ 4 ㉱ 5 ~ 6

10 **티그(TIG)용접에서 전극을 모재에 접촉시키지 않아도 아크 발생이 되는 이유는?**

㉮ 아크 안정제를 사용하기 때문에
㉯ 전압을 높게하기 때문에
㉰ 고주파 발생장치를 사용하기 때문에
㉱ 텅스텐의 작용으로 인해서

해설 용접 전류에 고주파 전류를 중첩시켰을 때의 이점
① 전극을 모재에 접촉시키지 않아도 아크가 발생한다.
② 아크가 대단히 안정하며, 아크 길이가 길어져도 끊어지지 않는다.
③ 전극을 접촉시키지 않아도 되므로 전극의 수명이 길어진다.
④ 일정 지름의 전극에 대하여 광범위한 전류의 사용이 가능하다.

11 **TIG용접에서 아크 스타트를 쉽게 하고, 아크가 안정화 되도록 용접기에 설비하는 것은?**

㉮ 콘덴서 ㉯ 가동철심
㉰ 고주파발생기 ㉱ 리액터

12 **TIG 용접시 교류용접기에 고주파 전류를 사용할 때의 특징이 아닌 것은?**

㉮ 아크는 전극을 모재에 접촉시키지 않아도 발생된다.
㉯ 전극의 수명이 길다.
㉰ 일전 지름의 전극에 대해 광범위한 전류의 사용이 가능하다.
㉱ 아크가 길어지면 끊어진다.

13 **불활성 가스 용접법 중 TIG 용접의 상품명으로 불려지는 것은?**

㉮ 에어 코우메틱 용접법(air comatic welding)
㉯ 헬륨 아크 용접법(helium arc welding)
㉰ 필러 아크 용접법(filler arc welding)
㉱ 아르곤 노트 용접법(argon naut welding)

해설 보호 가스로는 모재와 텅스텐 용접봉의 산화를 방지하기 위하여 불활성 가스인 아르곤(Ar), 헬륨(He) 등을 사용하므로 TIG(Tungsten inert Gas)용접으로 부르기도 한다. 상품명으로는 헬륨 - 아크 용접, 아르곤 용접 등으로 불린다.

14 **TIG용접을 직류 정극성으로 하면 비드는 어떻게 되는가?**

㉮ 비드 폭이 역극성보다 넓어진다.
㉯ 비드 폭이 역극성보다 좁아진다.
㉰ 비드 폭이 역극성과 같아진다.
㉱ 비드와는 관계없다.

해설
① 직류 정극성(폭이 좁고 깊은 용입을 얻음)→높은 전류, 용접봉은 정극성 일 때는 끝을 뾰족하게 가공, 용입이 깊고, 비드폭은 좁아지며, 용접 속도가 빨라 주로 스테인레스 용접시 많이 사용된다.
② 직류 역극성(폭이 넓고 얕은 용입을 얻음)→청정작용이 있

Answer 7.㉰ 8.㉯ 9.㉯ 10.㉰ 11.㉰ 12.㉱ 13.㉯ 14.㉯

다. 특수한 경우 Al, Mg 등의 박판 용접에만 쓰이고 있다. 용입이 얕고, 비드폭은 넓어진다. 정극성에 비해 전극이 가열되어 소모되기 쉬워 전극 지름이 4배정도 큰 사이즈를 사용한다.

15 TIG용접으로 알루미늄을 직류 역극성으로 용접시 표면의 산화피막을 제거하는 방법은?

㉮ 그라인더를 사용하여 제거한다.
㉯ 기계가공으로 표면을 깎아낸다.
㉰ 용접전 물로 깨끗이 세척한다.
㉱ 용접 중 청정작용에 의해 피막을 제거한다.

해설 용접전원 즉 직류 역극성을 이용한 청정작용으로 산화피막을 제거할 수 있다. 여기서 청정 작용이란 아르곤 가스의 이온이 모재 표면 산화막에 충돌하여 산화 막을 파괴 제거하는 작용을 말한다.

16 불활성가스텅스텐(TIG) 아크용접으로 스테인리스(stainless)강을 용접할 때 가장 적합한 전원은?

㉮ 교류(AC) ㉯ 고주파교류(ACHF)
㉰ 직류역극성(DCRP) ㉱ 직류정극성(DCSP)

해설 피복 아크 용접시 탄소강 보다 10~20%낮은 전류를 사용한다. 티그 용접시는 직류 정극성이 사용된다.

17 TIG용접 중 직류정극성을 사용하여 용접했을 때 용접효율을 가장 많이 올릴 수 있는 재료는?

㉮ 스테인리스강 ㉯ 알루미늄합금
㉰ 마그네슘합금 ㉱ 알루미늄주물

18 TIG용접으로 알루미늄 용접시 가장 옳은 방법은?

㉮ 직류정극성(DCSP)사용
㉯ 직류역극성(DCRP)사용
㉰ 교류(AC)사용
㉱ 고주파수 교류(ACHF)사용

해설 티그 용접에서 고주파전류 병용(ACHF)을 사용하는 경우는 알루미늄인데, 고주파 장치가 붙어 있어 초기 아크 발생이 쉽고 텅스텐 전극의 오손 등이 적다.

19 알루미늄 용접에 가장 적합한 용접법은?

㉮ 피복 아크용접
㉯ 불활성 가스 텅스텐 아크 용접
㉰ 일렉트로 슬랙 용접
㉱ 산소 아세틸렌 용접

20 불활성가스 텅스텐 아크 용접법에서 텅스텐 전극의 수명을 연장시키기 위하여 아크를 끊은 후 전극의 온도가 얼마일 때 까지 불활성 가스를 흐르게 하는가?

㉮ 약 150℃ ㉯ 약 300℃
㉰ 약 450℃ ㉱ 약 600℃

해설 전극 수명 연장을 위하여 작업 후 바로 가스를 차폐하는 것이 아니라 일정 온도 약 300℃ 정도 될 때 차폐한다.

21 불활성 가스 금속 아크 용접의 특징 설명으로 틀린 것은?

㉮ TIG 용접에 비해 용융속도가 느리고 박판 용접에 적합하다.
㉯ 각종 금속 용접에 다양하게 적용할 수 있어 응용 범위가 넓다.
㉰ 보호 가스의 가격이 비싸 연강 용접의 경우에는 부적당하다.
㉱ 비교적 깨끗한 비드를 얻을 수 있고 CO_2 용접에 비해 스패터 발생이 적다.

해설 불활성 가스 금속 아크 용접의 특징

① 전극 자체가 용접봉이어서 녹으므로 용극식, 소모식이라 한다.
② 전류 밀도가 티그 용접의 2배, 일반 용접의 4~6배로 매우 크고 용적이행은 스프레이형이다.
③ 전 자세 용접이 가능하고 판 두께가 3~4mm 이상의 Al·Cu합금, 스테인리스강, 연강 용접에 이용된다.

Answer 15.㉱ 16.㉱ 17.㉮ 18.㉱ 19.㉯ 20.㉯ 21.㉮

22 MIG 용접용 전원은 직류 역극성 이며, 정전압 특성의 직류 아크 용접기를 사용하고, 가는 와이어를 사용하여 전류밀도를 높이는 데, TIG 용접법의 약 몇 배 정도의 전류밀도를 갖는가?

㉮ 2배 ㉯ 4배 ㉰ 6배 ㉱ 8배

23 불활성 가스 금속아크용접에 관한 설명으로 틀린 것은?

㉮ 박판용접(3mm 이하)에 적당하다.
㉯ 피복아크용접에 비해 용착효율이 높아 고능률적이다.
㉰ TIG용접에 비해 전류밀도가 높아 용융속도가 빠르다.
㉱ CO_2 용접에 비해 스패터 발생이 적어 비교적 아름답고 깨끗한 비드를 얻을 수 있다.

24 구리 및 동합금의 일반적인 MIG용접 조건이 아닌 것은?

㉮ 판두께 3.2mm이하의 얇은 판의 용접에 쓰인다.
㉯ 전극은 직류 정극성을 쓴다.
㉰ 심선은 탈산된 것을 쓴다.
㉱ 아르곤은 99.8%이상의 순도 높은 것을 쓴다.

25 불활성 가스 금속아크(MIG) 용접에 사용되는 가스는?

㉮ 아르곤 ㉯ 탄산가스 ㉰ 붕소 ㉱ 질소

26 불활성 가스 아크 용접 방법 중 용가재(filler metal)를 전극으로 하여 용접하는 방법은?

㉮ 가스압접 ㉯ 마찰용접
㉰ MIG용접 ㉱ TIG용접

해설 티그 용접은 비용극식, 미그 용접은 용극식이라 하여 전극 자체가 용접봉으로 사용한다는 의미이다.

27 MIG 용접시 와이어 송급방식의 종류가 아닌 것은?

㉮ 풀(pull)방식
㉯ 푸시(push) 방식
㉰ 푸시 풀(push – pull) 방식
㉱ 푸시 언더(push – under) 방식

해설 미그 용접에서 와이어를 공급하는 방식
① 미는 방식(Push) : 반자동 용접 장치에 주로 사용
② 당기는 방식(Pull) : 전자동 용접 장치에 주로 사용
③ 밀고 당기는 방식(Push -Pull)이 있다.

28 MIG용접시 사용되는 전원은 직류의 어느 특성곡선을 사용 하는가?

㉮ 수하 특성 ㉯ 동전류 특성
㉰ 정전압 특성 ㉱ 정극성 특성

해설 미그 용접은 자동 및 반자동 용접으로 정전압 특성 및 상승 특성을 이용한다.

29 불활성가스 금속아크용접(MIG)의 제어장치로써 크레이터 처리 기능에 의해 낮아진 전류가 서서히 줄어들면서 아크가 끊어지는 기능으로 이면용접 부위가 녹아내리는 것을 방지하는 제어기능은?

㉮ 예비가스 유출시간(preflow time)
㉯ 스타트 시간(start time)
㉰ 크레이터 충전시간(crater fill time)
㉱ 번백 시간(burn back time)

해설 불활성가스 금속아크용접(MIG)의 제어장치로써 크레이터 처리 기능에 의해 낮아진 전류가 서서히 줄어들면서 아크가 끊어지는 기능으로 이면(back)용접 부위가 녹아(burn)내리는 것을 방지하는 제어기능을 번백 시간이라 한다.

30 에어코우매틱(air comatic) 용접법, 시그마(sigma)용접법, 필러아크 용접법등의 상품명으로 불리는 것은?

㉮ TIG용접법 ㉯ 테르밋 용접법
㉰ MIG용접법 ㉱ 심(seam) 용접법

Answer 22.㉮ 23.㉮ 24.㉮ 25.㉮ 26.㉰ 27.㉱ 28.㉰ 29.㉱ 30.㉰

해설 TIG 용접의 상품명으로는 헬륨-아크 용접, 아르곤 용접 등으로 불린다. 또한 MIG용접의 상품명은 에어코우매틱(air comatic) 용접법, 시그마(sigma)용접법, 필러아크 용접법, 아르고노오트 용접법 등으로 불린다.

31 불활성 가스금속 아크 용접을 전원에 관한 설명중 특히 청정(cleaning)을 위한 전원 채용법은?

㉮ 전원은 교류식이며 와이어를 양극으로 하는 역극성이 채용된다.
㉯ 전원은 교류식이며 와이어를 음극으로 하는 정극성이 채용된다.
㉰ 전원은 직류식이며 와이어를 양극으로 하는 역극성이 채용된다.
㉱ 전원은 직류식이며 와이어를 음극으로 하는 정극성이 채용된다.

해설 용접전원 즉 직류 역극성을 이용한 청정작용으로 산화피막을 제거할 수 있다. 여기서 청정 작용이란 아르곤 가스의 이온이 모재 표면 산화막에 충돌하여 산화 막을 파괴 제거하는 작용을 말한다.

32 불활성 가스 금속아크 용접중의 청정작용은?

㉮ 헬륨가스 사용시 발생된다.
㉯ 직류 정극성 및 교류 용접시 발생된다.
㉰ 직류 역극성에서 발생한다.
㉱ 고장력강 용접시 적용되는 현상이다.

33 불활성 가스 금속아크 용접에서 주로 사용되어지는 극성은?

㉮ 직류 정극성 ㉯ 직류 역극성
㉰ 교류 ㉱ 고주파극성

34 서브머지드 아크 용접의 장점이 아닌 것은?

㉮ 용접공 기술의 차에 의한 격차가 없고, 용접 이음의 신뢰도가 높다
㉯ 수동 용접에 비하여 용접 속도가 빠르다.
㉰ 용접 홈을 만들 필요가 없다.
㉱ 적당한 와이어와 용제를 써서 용착 금속의 모든 성질을 개선 할 수 있다.

해설 서브머지드 아크 용접의 장점
① 고전류 사용이 가능하여 용착 속도가 빠르고 용입이 깊다. (용접속도가 수동 용접에 비해 10~20배, 용입은 2~3배 정도가 커서 능률적이다.)
② 기계적 성질이 우수하다.
③ 유해 광선이 적게 발생하여 작업 환경이 깨끗하다.
④ 비드 외관이 아름답다.
⑤ 열효율이 높다.
⑥ 용접 조건만 일정하면 용접사의 기량차에 의한 품질에 영향을 주지 않아 신뢰도를 높일 수 있다.
⑦ 용접 홈의 크기가 작아도 되며 용접 재료의 소비 및 용접 변형이 적다.
⑧ 한 번 용접으로 75mm까지 용접이 가능하다.
⑨ 용제(Flux)에 의한 불순물 제거로 품질이 우수하다.

35 서브머지드 아크 용접법의 설명 중 잘못된 것은?

㉮ 용융속도와 용착속도가 빠르며, 용입이 깊다.
㉯ 비소모식이므로 비드의 외관이 거칠다.
㉰ 개선각을 작게하여 용접의 패스 수를 줄일 수 있다.
㉱ 용접선이 짧거나 불규칙한 경우 수동에 비해 비능률적이다.

36 서브머지드 아크용접의 특징이 아닌 것은?

㉮ 용접설비가 상당히 비싸다.
㉯ 아크가 보이지 않으므로 용접부의 적부를 확인하기가 곤란하다.
㉰ 용접 길이가 짧을 때 능률적이며, 수평 및 위보기 자세 용접에 주로 이용된다.
㉱ 용입이 크므로 용접 홈의 정밀도가 좋아야 한다.

37 다음 중 서브머지드 아크 용접법의 장점이 아닌 것은?

㉮ 용접 속도가 수동 용접보다 10~20배정도 빠르고 능률이 높다.

Answer 31.㉰ 32.㉰ 33.㉯ 34.㉰ 35.㉯ 36.㉰ 37.㉱

㉯ 용접 홈의 크기는 작아도 상관없고 용접 변형도 적다.
㉰ 용접 조건을 일정하게 하면 강도가 좋아서 이음의 신뢰도가 높다.
㉱ 모재에 큰 전류를 흘려 줄 수가 있어 불량률이 없고 용입이 대단히 깊다.

38 서브머지드 아크 용접의 V형 맞대기 용접시, 루트 면쪽에 받침쇠가 없는 경우에는 루트 간격을 몇 mm이하로 하여야 하는가?

㉮ 0.8mm 이하　　㉯ 1.2mm 이하
㉰ 1.8mm 이하　　㉱ 2.0mm 이하

✔해설 용접 홈의 정밀도가 좋아야 한다. 서브머지드 아크 용접의 홈의 정밀도는 루트 간격 0.8mm이하, 루트면 7 ~ 16mm 홈 각도 오차 ±5°, 루트 오차 ±1mm가 요구된다.

39 서브머지드 아크 용접의 장치의 구성 및 종류에 관한 설명으로 틀린 것은?

㉮ 용접 전류는 용접 전원으로부터 용접 전극을 통하여 공급된다.
㉯ 용접 능률의 향상을 위해 2개 이상의 전극을 동시에 사용하는 다전극 용접기가 실용화 되고 있다.
㉰ 용접 전원으로는 직류가 시설비가 싸고 자기 불림 현상이 매우 커서 많이 사용된다.
㉱ 와이어 송급장치, 전압제어장치, 콘택트 조, 플럭스 호퍼를 일괄하여 용접머리(welding head)라고 한다.

✔해설 직류는 시설비가 비싸고 자기 불림 즉 아크 쏠림 현상이 있어 박판용으로 사용되고 일반적으로 쏠림이 없고 가격이 저렴한 교류 전원이 사용된다.

40 다음 용접법 중 가장 두꺼운 판을 용접할 때 능률적인 것은?

㉮ 불활성 가스 텅스텐 아크 용접
㉯ 서브머지드 아크 용접
㉰ 점 용접
㉱ 산소－아세틸렌 가스 용접

41 잠호용접의 장점에 속하지 않는 것은?

㉮ 대전류를 사용하므로 용입이 깊다.
㉯ 비드 외관이 아름답다.
㉰ 작업능률이 피복금속아크용접에 비하여 판두께 12mm에서 2 ~ 3배 높다.
㉱ 용접시 아크가 잘 보여 확인할 수 있다.

✔해설 서브머지드 아크 용접은 용접 아크가 플럭스 내부에서 발생하여 외부로 노출되지 않기 때문에 잠호용접이라고도 부른다.

42 모재 표면위에 전극와이어 보다 앞에 미세한 입상의 용제를 살포하면서 이 용제속에 용접봉을 연속적으로 공급하여 용접하는 방법은?

㉮ 서브머지드 아크 용접
㉯ 불활성 가스 아크 용접
㉰ 탄산가스 아크 용접
㉱ 플러그 용접

43 유니온멜트 용접 또는 케네디 용접이라고 부르기도 하며 용제(flux)를 사용하는 용접법은?

㉮ 서브머지드 용접
㉯ 불활성가스 용접
㉰ 원자수소 용접
㉱ CO_2가스 용접

✔해설 서브머지드 아크 용접(잠호 용접)은 용제 속에서 아크를 발생시켜 용접하며, 상품명으로는 유니언 멜트 용접, 링컨 용접법이라고도 한다.

44 상품명이 유니온 멜트(union melt)용접이라고도 하는 것은?

㉮ 플래시버트 용접
㉯ 서브머지드 아크 용접
㉰ 엘렉트로슬래그 용접
㉱ 고주파유도 용접

Answer 38.㉮ 39.㉰ 40.㉯ 41.㉱ 42.㉮ 43.㉮ 44.㉯

45 피가스(Shielding gas)를 사용하지 않는 용접은?

㉮ 금속 불활성가스 아크 용접
㉯ CO_2아크 용접
㉰ 서브머지드 아크 용접
㉱ 플라즈마 아크 용접

46 서브머지드 아크 용접의 용제에 대한 설명이다. 용융형 용제의 특성이 아닌 것은?

㉮ 비드 외관이 아름답다.
㉯ 흡습성이 높아 재건조가 필요하다.
㉰ 용제의 화학적 균일성이 양호하다.
㉱ 용융시 분해되거나 산화되는 원소를 첨가할 수 있다.

해설 용융형 용제
① 외관은 유리 형상의 형태
② 흡습성이 적어 보관이 편리하다.
③ 화학 성분에 따라 미국 LINDE사의 상표이 G20, G50, G80 등으로 표시
④ 용제에 합금 첨가제가 거의 들어가 있지 않아 용접 후 원하는 기계적 성질에 따라 적당한 와이어를 선정하여야 한다.
⑤ 입자가 가늘수록 고 전류를 사용하며, 용입이 얇고 비드 폭이 넓은 평활한 비드를 얻을 수 있다.
⑥ 전류가 낮을 때는 굵은 입자를, 전류가 높을 때는 가는 입자를 사용한다.

47 서브머지드 아크 용접에서 사용되는 용제에 대한 다음 설명 중 틀린 것은?

㉮ 소결형 용제는 페로실리콘, 페로망간 등을 함유시켜 직접 탈산 정련 작용이 가능하게 한다.
㉯ 용제의 크기는 입도로 표시하며 높은 전류에서는 큰 입도의 것이 사용된다.
㉰ 용제의 역할은 아크 안정, 정련 작용 및 합금 첨가 작용 등이다.
㉱ 소결형 용제는 용제 소모량이 적고 경제적이며, 아크의 안정성이 좋다.

해설 소 전류에서는 입도가 크고, 대 전류에서는 입도가 작은 것을 사용한다. 입자가 가늘수록 용입이 얇고 비드 폭이 넓으며 평활한 비드를 얻는다.

48 다음은 소결형 용제에 대한 설명이다. 해당되지 않는 것은?

㉮ 흡습성이 있어 보관이 어렵다.
㉯ 착색이 가능하다.
㉰ 식별이 불가능하다.
㉱ 기계적 성질을 개선 할 수 있다.

해설 소결형 용제
· 착색이 가능하여 식별이 가능하나 흡습성이 강해 장기 보관 시 변질의 우려가 있다.
· 기계적 강도를 요구하는 곳에 합금제 첨가가 쉬워 사용되나 비드 외관은 용융형에 비해 거칠다.
· 용융형에 비해 비교적 넓은 재질에 응용 사용되고 있다.
· 용융형에 비해 슬랙 박리성이 좋고 미분 발생이 거의 없다.
· 다층 용접에는 적합하지 못하다.

49 서브머지드 아크 용접용 용제의 종류가 아닌 것은?

㉮ 결합형 용제
㉯ 용융형 용제
㉰ 저온 소결형 용제
㉱ 고온 소결형 용제

해설 서브머지드 용제의 종류로는 용융형, 소결형, 혼성형이 있다.

50 서브머지드 아크용접에서 와이어 돌출 길이는 와이어 지름의 몇 배 전후가 적당한가?

㉮ 2배 ㉯ 4배
㉰ 6배 ㉱ 8배

해설 서브머지드 아크 용접의 와이어 돌출길이는 와이어 지름의 일반적으로 8배정도로 한다.

51 잠호용접법에서 다전극 용접 중 두 개의 와이어(직류와 직류, 교류와 교류)를 똑같은 전원에 접속하여 비드 폭이 넓고 용입이 깊은 용접부를 얻기 위한 방식은?

㉮ 탠덤식 ㉯ 횡병렬식
㉰ 횡직렬식 ㉱ 종직렬식

Answer 45.㉰ 46.㉯ 47.㉯ 48.㉰ 49.㉮ 50.㉱ 51.㉯

해설

종 류	전극 배치	특 징
텐덤식	2개의 전극을 독립 전원에 접속한다.	비드 폭이 좁고 용입이 깊다. 용접 속도가 빠르다.
횡 직렬식	2개의 용접봉 중심이 한 곳에 만나도록 배치	아크 복사열에 의해 용접. 용입이 매우 얕다. 자기 불림이 생길 수가 있다.
횡 병렬식	2개 이상의 용접봉을 나란히 옆으로 배열	용입은 중간 정도이며 비드 폭이 넓어진다.

52 잠호용접법에서 다전극 용접 중 2개의 전극을 독립 전원에 접속하여 용접 속도를 빠르게 하는 방식은?

㉮ 탠덤식 ㉯ 횡병렬식
㉰ 횡직렬식 ㉱ 종직렬식

53 서브머지드 아크 용접의 용접헤드에 속하지 않는 것은?

㉮ 심선 송급장치 ㉯ 전압 제어상자
㉰ 용접 레일 ㉱ 콘택트 조오

해설
① 용접봉 송급 모터와 릴
② 용제 호퍼
③ 제어 박스

54 서브머지드 아크 용접에서 용접기를 전류 용량으로 구별할 때, 최대 전류에 해당되지 않는 것은?

㉮ 600[A] ㉯ 900[A]
㉰ 2,000[A] ㉱ 4,000[A]

해설 직류 전원은 300A, 400A, 600A, 900A, 1200A 교류는 500A, 750A, 1000A, 2000A, 4000A의 용량이 있다. 일반적으로 전기 시설비가 많이 든다.

55 서브머지드 아크 용접 방법에 대한 설명으로 옳은 것은?

㉮ 전진법을 사용하면 용입이 증가하고 비드폭이 좁아진다.
㉯ 비드폭은 아크 전압이 커지면 커지고, 용입은 전류가 커지면 깊어진다.
㉰ 후진법을 사용하면 비드면이 편형해진다.
㉱ 비드폭은 용접봉 직경이 커지거나 속도가 빨라지면 커진다.

해설 용접 방법
① 전진법 : 용입 감소, 비드 폭이 증가, 비드 면이 편평
② 후진법 : 용입 증가, 비드 폭이 좁고, 비드 면이 높아짐
③ 비드 폭은 아크 전압에 비례한다. 용입은 전류에 비례하고 비드 폭과는 별로 관계없으며, 용접봉 직경 및 용접 속도에 반비례한다.
④ 용제에 두께는 양을 서서히 증가하면서 불빛이 새어 나오지 않도록 한다.

56 탄산가스 아크용접에 대한 설명 중 올바르지 못한 것은?

㉮ MIG용접에 비하여 용착강에 기공이 생성이 적게 발생한다.
㉯ 가시 아크이므로 시공이 편리하다.
㉰ 특수한 용제를 사용하므로 용접부에 슬래그 섞임이 없고 용접후의 처리가 간단하다.
㉱ 킬드강이나 세미킬드강은 물론 림드강에도 완전한 용접이 된다.

해설 이산화탄소 아크 용접
① 불활성 가스 금속 아크 용접과 원리가 같으며, 불활성 가스 대신 탄산가스를 사용한 용극식 용접법이다. 일반적으로 플럭스 코드가 많이 사용된다.
② 용입을 결정하는 가장 큰 요인은 전류로 전류값이 높아지면 용입이 깊어진다.
③ 비드 형상을 결정하는 것은 용접 전압인데 전압 값이 높아지면 비드 형상이 넓어진다. 하지만 지나치게 커지면 기포가 발생할 수 있다.
④ 용융 속도는 아크 전류에 거의 정비례하여 증가하며, 용접 속도가 빠르면 모재의 입열이 감소되어 용입이 얕아진다.

57 탄산가스 아크용접에 대한 설명 중 올바르지 못한 것은?

㉮ 전류 밀도가 높아 용입이 깊고 용접속도를 빠르게 할 수 있다.
㉯ 가시(可視)아크이므로 시공이 편리하다.

Answer 52.㉮ 53.㉰ 54.㉮ 55.㉯ 56.㉰ 57.㉰

㉰ 특수한 용제를 사용하므로 용접부에 슬래그 섞임이 없고 용접후의 처리가 간단하다.
㉱ 용착금속의 기계적 성질 및 금속학적 성질이 우수하다.

58 **탄산가스 아크 용접의 특징설명으로 틀린 것은?**

㉮ 용착금속의 기계적 성질이 우수하다.
㉯ 가시 아크이므로 시공이 편리하다.
㉰ 아르곤 가스에 비하여 가스 가격이 저렴하다.
㉱ 용입이 얕고 전류밀도가 매우 낮다.

59 **보호가스와 용극방식에 의한 분류 중 용제가 들어있는 와이어 CO_2 법이 아닌 것은?**

㉮ 아코스 아크법　　㉯ 스카핑 아크법
㉰ 퓨즈 아크법　　㉱ 유니언 아크법

해설 용제가 들어 있는 와이어 CO_2 법
① 아아고스 아크법(컴파운드 와이어)
② 퓨즈 아크법
③ 유니언 아크법(자성용)
④ 버나드 아크 용접(NCG법)

60 **이산화탄소가스 아크 용접에서 솔리드 와이어 혼합 가스법에 속하지 않는 것은?**

㉮ CO_2+O+N　　㉯ CO_2+O_2
㉰ CO_2+Ar　　㉱ CO_2+CO

해설 솔리드 와이어 혼합 가스법
CO_2+O_2 법, CO_2+Ar법, CO_2-Ar-O_2 법등이 있다. 질소는 질화의 우려로 혼합가스로 섞어 사용하지 않는다.

61 **탄산가스(CO_2)아크 용접에서 O_2의 해를 방지하기 위하여 와이어에 Mn을 첨가하여 용접한다. 이 때의 반응식 중 올바른 것은?**

㉮ $2FeO + Mn = Fe + MnO_2$
㉯ $Mn + 2FeO_3 = 2Fe + MnO_6$
㉰ $Mn + FeO = Fe + MnO$
㉱ $FeO_2 + Mn = FeO + MnO$

해설 이산화탄소 아크 용접에서는 산화철을 제거하기 위하여 용접부에 적합한 탈산제인 망간과 규소를 첨가한다. 용융강에서는 다음과 같은 반응을 통하여 양질의 금속이 얻어진다.
$2FeO + Si \rightarrow 2Fe + SiO_2$
$FeO + Mn \rightarrow Fe + MnO$

62 **CO_2 아크용접에 대한 설명 중 틀린 것은?**

㉮ CO_2아크용접은 차폐가스로서 탄산가스를 사용하는 소모 전극식 용접법이다.
㉯ 용접장치, 용접전원 등 장치로서는 MIG용접과 같은 점이 많다.
㉰ CO_2아크용접에서는 탈산제로서 Mn 및 Si를 포함한 용접와이어를 사용한다.
㉱ CO_2아크용접에서는 차폐가스로 CO_2에 소량의 수소를 혼합한 것을 사용한다.

63 **CO_2 가스로 충전된 CO_2 가스 용량은 무엇으로 나타내는가?**

㉮ CO_2가스 조정기의 압력
㉯ 용기 내의 가스 중량
㉰ 충전 전의 용기 중량
㉱ 충전 후의 용기 중량

해설 용기 속의 가스량은 일반적으로 용기 내의 가스 중량으로 측정한다.

64 **탄산가스 아크 용접의 용접전류가 400[A] 이상일 때 다음 중 가장 적합한 차광도 번호는?**

㉮ 8　　㉯ 10　　㉰ 5　　㉱ 14

해설

차광도 번호	용접 전류(A)	용접봉 지름(mm)
8	45 ~ 75	1.2 ~ 2.0
9	75 ~ 130	1.6 ~ 2.6
10	100 ~ 200	2.6 ~ 3.2
11	150 ~ 250	3.2 ~ 4.0
12	200 ~ 300	4.8 ~ 6.4
13	300 ~ 400	4.4 ~ 9.0
14	400 이상	9.0 ~ 9.6

Answer 58.㉱ 59.㉯ 60.㉮ 61.㉰ 62.㉱ 63.㉯ 64.㉱

65 탄산가스 아크 용접의 특징 중 옳은 것은?

㉮ 타 용접법에 비해 경비가 고가이다.
㉯ 림드강엔 용접이 잘 안 된다.
㉰ 용제를 사용해야 한다.
㉱ 산소, 질소를 함유치 않는 우수한 용착 금속이 얻어진다.

해설 이산화탄소 아크 용접은 경제적이고, 기계적 성질이 우수한 용착부를 얻을 수 있어 현재 가장 많이 사용되고 있는 용접법이다.

66 탄산가스 아크 용접을 할 때, 필요로 하지 않는 설비나 기구는?

㉮ 용접용 토치
㉯ 와이어 송급장치와 제어장치
㉰ 교류 용접기
㉱ 가스유량 조정기

해설

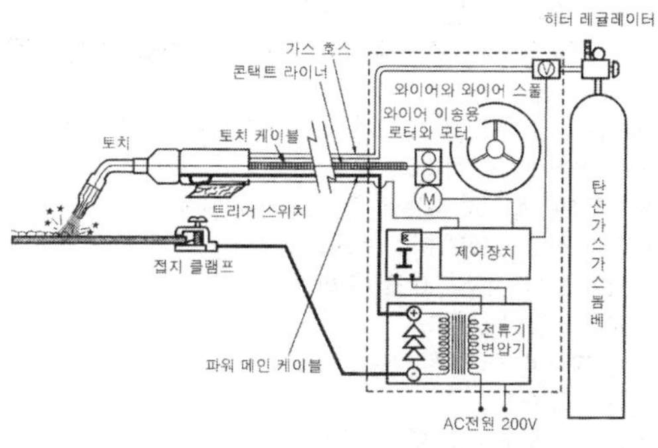

67 탄산가스 아크 용접장비 중 필요치 않은 것은?

㉮ 용접전원 ㉯ 심선공급장치
㉰ 산소병 ㉱ 제어조정기(control box)

68 CO_2가스 아크 용접 장치에 해당되지 않는 것은?

㉮ 용접 토치 ㉯ 보호가스 설비
㉰ 제어 장치 ㉱ 플럭스 공급장치

69 CO_2가스 아크용접의 보호가스 설비에서 히터장치가 필요한 가장 중요한 이유는?

㉮ 액체가스가 기체로 변하면서 열을 흡수하기 때문에 조정기의 동결을 막기 위하여
㉯ 기체가스를 냉각하여 아크를 안정하게 하기 위하여
㉰ 동절기의 용접시 용접부의 결함방지와 안전을 위하여
㉱ 용접부의 다공성을 방지하기 위하여 가스를 예열하여 산화를 방지하기 위하여

해설 액체 가스가 기화화면서 주변의 열등을 흡수하는 데 이때 압력 조정기가 동결될 수 있기 때문에 히터를 사용한다.

70 반자동 용접(CO_2용접)에서 용접전류와 전압을 높일 때의 특성 설명으로 옳은 것은?

㉮ 용접전류가 높아지면 용착율과 용입이 감소한다.
㉯ 아크전압이 높아지면 비드가 좁아진다.
㉰ 용접전류가 높아지면 와이어의 용융속도가 느려진다.
㉱ 아크전압이 지나치게 높아지면 기포가 발생한다.

해설 이산화탄소 아크 용접

① 불활성 가스 금속 아크 용접과 원리가 같으며, 불활성 가스 대신 탄산가스를 사용한 용극식 용접법이다. 일반적으로 플럭스 코드가 많이 사용된다.
② 용입을 결정하는 가장 큰 요인은 전류로 전류값이 높아지면 용입이 깊어진다.
③ 비드 형상을 결정하는 것은 용접 전압인데 전압 값이 높아지면 비드 형상이 넓어진다. 하지만 지나치게 커지면 기포가 발생할 수 있다.
④ 용융 속도는 아크 전류에 거의 정비례하여 증가하며, 용접 속도가 빠르면 모재의 입열이 감소되어 용입이 얕아진다.

71 이산화탄소 아크용접의 저전류 영역(약 200A 미만)에서 팁과 모재간의 거리는 약 몇 mm 정도가 가장 적합한가?

㉮ 5 ~ 10 ㉯ 10 ~ 15
㉰ 15 ~ 20 ㉱ 20 ~ 25

해설 이산화탄소 아크 용접에서 팁과 모재와의 거리는 200A 이하에서는 10 ~ 15mm, 200A이상에서는15 ~ 25mm가 적당하다.

Answer 65.㉱ 66.㉰ 67.㉰ 68.㉱ 69.㉮ 70.㉱ 71.㉯

72 CO_2용접 작업시, 이산화탄소의 농도가 몇 %이면 두통이나 빈혈을 일으키기 시작하는가?

㉮ 12 ~ 13%　㉯ 9 ~ 10%
㉰ 6 ~ 7%　㉱ 3 ~ 4%

해설 CO_2 농도에 따른 인체의 영향
· 3 ~ 4% : 두통
· 15%이상 : 위험
· 30%이상 : 치명적

73 CO_2가스 아크 용접에서, CO_2가스가 인체에 미치는 영향으로 극히 위험상태에 해당하는 CO_2 가스의 농도는 몇 %인가?

㉮ 0.4% 이상　㉯ 30% 이상
㉰ 20% 이상　㉱ 10% 이상

74 탄산가스 아크 용접에서 중독 및 질식 사고의 원인이 되는 가스는?

㉮ 수소(H_2)　㉯ 암모니아(NH_3)
㉰ 일산화탄소(CO)　㉱ 아세틸렌(C_2H_2)

해설 탄산가스 아크 용접은 이산화탄소 및 일산화탄소에 의한 중독 및 질식 사고가 발생될 수 있다.

75 보호가스 공급 없이 와이어 자체에서 발생하는 가스에 의해 아크 분위기를 보호하는 용접법으로 용접전원은 교류, 직류 어느 것이나 사용이 가능하며, 직류를 사용하면 비교적 낮은 용접전류로 안정된 아크가 얻어지므로 얇은 판의 용접에 적합한 용접법은?

㉮ 일렉트로 슬랙 용접
㉯ 스텃 용접
㉰ 논 가스 아크용접
㉱ 플라즈마 아크용접

해설 논 실드 아크 용접(논가스 아크 용접)
옥외에서 사용 가능하도록 플럭스가 첨가된 복합 와이어를 사용하여 용접을 진행한다.
① 장점
· 보호 가스나 용제를 불필요
· 바람이 있는 옥외에서 사용 가능
· 전원으로는 교류 및 직류를 모두 사용 가능
· 전자세 용접이 가능
· 용접 비드가 아름답고 슬랙의 박리성이 우수
· 용접 장치가 간단하고 운반이 편리
· 아크를 중단하지 않고 연속 용접을 할 수 있다.
② 단점
· 용착 금속에 기계적 성질이 다소 떨어진다.
· 와이어 가격이 고가이다.
· 아크 빛이 강하며, 보호 가스 발생이 많아 용접선이 잘 안 보인다.

76 용접법 중 가장 두꺼운 판을 용접할 수 있는 것은?

㉮ 일렉트로 슬래그 용접
㉯ 전자빔 용접
㉰ 서브머지드 아크 용접
㉱ 불활성 가스 아크 용접

해설 일렉트로 슬랙 용접 특징
① 전기 저항 열($Q = 0.24I^2Rt$)을 이용하여 용접(주울의 법칙 적용)한다.
② 두꺼운 판의 용접법으로 적합하다.(단층으로 용접이 가능)
③ 매우 능률적이고 변형이 적다.
④ 홈 모양은 I형이기 때문에 홈 가공이 간단하다.
⑤ 변형이 적고, 능률적이고 경제적이다.
⑥ 아크가 보이지 않고 아크 불꽃이 없다.
⑦ 기계적 성질이 나쁘다.
⑧ 노치 취성이 크다.(냉각 속도가 늦기 때문에)
⑨ 가격이 고가이다.
⑩ 용접 시간에 비하여 준비 시간이 길다.
⑪ 용도로는 보일러 드럼, 압력 용기의 수직 또는 원주이음, 대형 부품 로울 등에 후판 용접에 쓰인다.

77 전류의 저항발열을 이용한 용접법은?

㉮ 일렉트로 슬래그 용접
㉯ 잠호용접
㉰ 초음파 용접
㉱ 폭발용접

78 일렉트로 슬래그용접에서 심선과 용융슬래그

Answer 72.㉱ 73.㉯ 74.㉰ 75.㉰ 76.㉮ 77.㉮ 78.㉯

속을 흐르는 전류의 저항 발열량(Q)은?(단, E는 전압, I는 전류이다.)

㉮ Q = 0.15EI ㉯ Q = 0.24EI
㉰ Q = 0.42EI ㉱ Q = 0.53EI

79 경제성(용착효율)이 가장 좋은 용접법은?

㉮ 일렉트로 슬랙(ELECTRO - SLAG)용접
㉯ 불활성 가스(MIG)용접
㉰ CO_2용접
㉱ 그래비티(GRAVITY)용접

80 아크열이 아닌 와이어와 용융 슬랙 사이에 통전된 전류의 전기 저항 열을 주로 이용하여 모재와 전극 와이어를 용융시켜 연속 주조방식에 의한 단층 상진 용접을 하는 것은?

㉮ 플라즈마 용접 ㉯ 전자빔 용접
㉰ 레이저 용접 ㉱ 일렉트로 슬래그 용접

81 일렉트로 슬래그 용접의 특징 설명으로 틀린 것은?

㉮ 후판 용접에 적당하다.
㉯ 용접 능률과 용접 품질이 우수하다.
㉰ 용접진행 중 직접 아크를 눈으로 관찰할 수 없다.
㉱ 높은 입열로 인하여 용접부의 기계적 성질이 좋다.

해설 용접부에 주어지는 열인 입열이 너무 높으면 열영향부가 커져 기계적 성질이 나빠질 수 있다.

82 일렉트로 슬랙 용접(electro = slag welding)에서 사용되는 수냉식 판의 재료는?

㉮ 알루미늄 ㉯ 니켈
㉰ 구리 ㉱ 연강

해설 수냉식판은 주로 열전도가 좋은 동(Cu)판을 사용한다.

83 일렉트로 슬래그(Electro slag) 용접은 다음 중 어떤 종류의 열원을 사용하는 것인가?

㉮ 전류의 전기 저항열
㉯ 용접봉과 모재 사이에서 발생하는 아크열
㉰ 원자의 분리 융합 과정에서 발생하는 열
㉱ 점화제의 화학반응에 의한 열

84 일렉트로 슬랙 용접의 원리는?

㉮ 슬래그 내부에 흐르는 전류에 의해 발생되는 에너지로, 모재와 와이어를 용융시키는 용접이다.
㉯ CO_2분위기에서 전류에 의해 발생되는 에너지로 모재와 와이어를 용융시키는 용접이다.
㉰ 잠호 용접과 같은 용접으로 플럭스 대신 CO_2로 분위기를 만드는 용접이다.
㉱ 피복아크 용접시 CO_2분위기를 만들어 결함을 줄이는 용접이다.

85 실드 가스로서 주로 탄산가스를 사용하여 용융부를 보호하여 탄산가스 분위기 속에서 아크를 발생시켜 그 아크열로 모재를 용융시켜 용접하는 방법은?

㉮ 테르밋 용접
㉯ 일렉트로가스 아크용접
㉰ 전자 빔 용접
㉱ 슬랙 용접

해설 일렉트로 가스 용접은 엔클로스 용접이라 하여 보호가스를 이산화탄소를 사용한다.

86 플라스마 아크용접법의 종류에 해당 되지 않는 것은?

㉮ 중간형 아크법 ㉯ 이행형 아크법
㉰ 용적형 아크법 ㉱ 비이행형 아크법

해설

① 플라즈마 아크 용접(이행형) : 텅스텐 전극에 (-)극, 모재에 (+)극을 연결하는 직류 정극성의 특성을 가지며, 모재가 전기회

Answer 79.㉮ 80.㉱ 81.㉱ 82.㉰ 83.㉮ 84.㉮ 85.㉯ 86.㉰

로의 일부이므로 반드시 전기 전도성을 가져야 하며 깊은 용입을 얻을 수 있다.
② 플라즈마 제트 용접(비이행형) : 모재 대신에 수축 노즐에 (+)극을 연결하여 이행형에 비하여 열효율이 낮고 수축노즐이 과열될 우려가 있으나, 비전도체인 경우에도 적용이 가능하기 때문에 비금속의 용접이나 절단에 이용된다.
③ 중간형 = (이행형) + (비이행형)

87 플라즈마 아크 용접 장치의 구성 요소가 아닌 것은?

㉮ 제어장치 ㉯ 토치
㉰ 공기 압축기 ㉱ 가스 송급 장치

해설 플라즈마 아크 용접의 구성요소는 제어장치, 플라즈마토치, 가스 공급 장치 등이 있다.

88 다음 중 가장 높은 열을 발생시킬 수 있는 용접 방법은?

㉮ 테르밋 용접 ㉯ 일렉트로 슬랙 용접
㉰ 플라즈마 용접 ㉱ 원자수소 용접

해설 가스 분자가 전기적 에너지에 의하여 양이온과 음이온(전자)으로 유리되어 전류를 통할 수 있는 상태를 플라즈마 상태라고 하는데 발생된 온도는 10,000 ~ 30,000℃정도이다.

89 열적 핀치 효과와 자기적 핀치 효과를 이용하는 용접은?

㉮ 초음파 용접 ㉯ 고주파 용접
㉰ 레이저 용접 ㉱ 플라즈마 아크 용접

90 볼트나 환봉 등을 피스톤형 홀더에 끼우고 모재와 환봉 사이에서 순간적으로 아크를 발생시켜 용접하는 방법은?

㉮ 전자빔 용접 ㉯ 스텃 용접
㉰ 폭발 용접 ㉱ 원자수소 용접

해설 스텃 용접
① 원리 : 스텃 용접은 크게 저항 용접에 의한 것, 충격 용접에 의한 것, 아크 용접에 의한 것으로 구분 되며, 아크 용접은 모재와 스텃 사이에 아크를 발생 시켜 용접한다.
② 특징
· 자동 아크 용접이다.
· 볼트, 환봉, 핀 등을 용접한다.
· 0.1 ~ 2초 정도의 아크가 발생한다.
· 셀렌 정류기의 직류 용접기를 사용한다. 교류도 사용 가능하다.
· 짧은 시간에 용접되므로 변형이 극히 적다.
· 철강재 이외에 비철 금속에도 쓸 수 있다.

91 아크를 보호하고 집중시키기 위하여 도자기로 만든 페룰(Ferrule)이라는 기구를 사용하는 용접은?

㉮ 스텃 용접 ㉯ 테르밋 용접
㉰ 전자빔 용접 ㉱ 플라즈마 용접

92 고진공 상태에서충돌 발열을 이용하여 용접하며, 원자력 및 전자 제품의 정밀 용접 등에 적용되는 용접법은?

㉮ 전자 빔 용접 ㉯ 플라즈마 용접
㉰ 원자 수소 용접 ㉱ 레이저 빔 용접

해설 전자 빔 용접은 고 진공 중에서 전자를 전자 코일로서 적당한 크기로 만들어 양극 전압에 의해 가속시켜 접합부에 충돌시켜 그 열로 용접하는 방법이다.
전자빔 용접의 특징
① 용접부가 좁고 용입이 깊다.
② 얇은 판에서 두꺼운 판까지 광범위한 용접이 가능하다.(정밀 제품에 자동화에 좋다.)
③ 고 용융점 재료 또는 열전도율이 다른 이종 금속과의 용접이 용이하다.
④ 용접부가 대기의 유해한 원소와 차단되어 양호한 용접부를 얻을 수 있다.
⑤ 고속 용접이 가능하므로 열 영향부가 적고, 완성치수에 정밀도가 높다.
⑥ 고 진공형, 저 진공형, 대기압형이 있다.
⑦ 저전압 대 전류형, 고 전압 소 전류형이 있다.
⑧ 피 용접물의 크기에 제한을 받으며 장치가 고가이다.
⑨ 용접부의 경화 현상이 일어나기 쉽다.
⑩ 배기 장치 및 X선 방호가 필요하다.

93 다음 중 고 탄소강, 알루미늄, 티탄 합금, 몰리브덴 재료 등을 용접하기에 가장 적합한 것은?

㉮ 전자 빔 용접
㉯ 일렉트로 슬랙 용접

Answer 87.㉰ 88.㉰ 89.㉱ 90.㉯ 91.㉮ 92.㉮ 93.㉮

㉰ 탄산가스 아크 용접
㉱ 서브머지드 아크 용접

94 다음 용접 중 배기 장치 및 X선 방호 장치가 필요한 것은?

㉮ 잠호 용접 ㉯ 티그 용접
㉰ 테르밋 용접 ㉱ 전자 빔 용접

95 고진공 중에서 고속의 전자 빔을 접합부에 대고 그 충격 발열을 이용하여 행하는 용접법은?

㉮ 초음파 용접법 ㉯ 고주파 용접법
㉰ 전자 빔 용접법 ㉱ 심 용접법

96 전자빔 용접의 장점에 해당되지 않는 것은?

㉮ 예열이 필요한 재료를 예열 없이 국부적으로 용접할 수 있다.
㉯ 잔류응력이 적다.
㉰ 용접입열이 적으므로 열 영향부가 적어 용접 변형이 적다.
㉱ 시설비가 적게 든다.

97 원자 수소 용접시 일어나는 상태변화이다. 이 때 (A)항과 (B)항의 열의 상태를 올바르게 나타낸 것은?

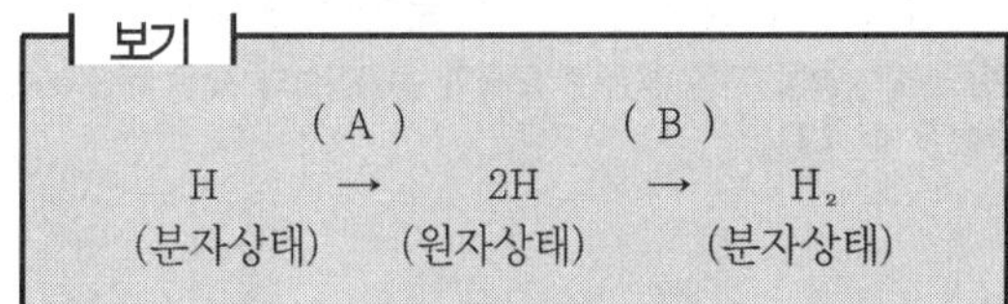

㉮ (A) : 발열, (B) : 발열
㉯ (A) : 발열, (B) : 흡열
㉰ (A) : 흡열, (B) : 발열
㉱ (A) : 흡열, (B) : 흡열

해설 수소 가스 분위기 중에서 2개의 텅스텐 용접봉 사이에 아크를 발생시키면 수소 분자는 아크의 고열을 흡수하여 원자 상태 수소로 열해리 되며, 다시 모재 표면에서 냉각되어 분자 상태로 결합될 때 방출되는 열(3,000 ~ 4,000℃)을 이용하여 용접하는 방법

98 내식성을 필요로 하며 고도의 기밀, 유밀을 필요로 하는 내압용기 제작에 가장 적당한 용접법은?

㉮ 아크 스텃 용접 ㉯ 일렉트로 슬랙 용접
㉰ 원자 수소 아크 용접 ㉱ 아크 점 용접

99 미세한 알루미늄과 산화철 분말을 혼합한 테르밋제에 과산화바륨과 마그네슘 분말을 혼합한 점화제를 넣고, 이것을 점화하면 점화제의 화학 반응에 의해 그 발열로 용접하는 것은?

㉮ 가스 용접 ㉯ 전자 빔 용접
㉰ 플라즈마 용접 ㉱ 테르밋 용접

해설 테르밋 용접은 알루미늄 분말과 산화철 분말(FeO, Fe_2O_3, Fe_3O_4)을 1 : 3 ~ 4로 혼합한 것으로 테르밋 반응(화학 반응), 즉 산화철의 산소를 알루미늄이 빼앗아갈 때 일어나는 반응과 함께 발생된 열(2,800℃)을 이용하여 용접한다. 테르밋 반응을 위해 1,000℃의 고온이 필요하므로 점화제로는 마그네슘과 과산화바륨이 사용되고 있다.

100 산화철 가루와 알루미늄 가루를 약 3 : 1의 비율로 혼합한 배합제에 점화하면 반응열이 약 2,800℃에 달하며, 주로 레일의 이음에 쓰이는 용접법은?

㉮ 스폿용접 ㉯ 테르밋용접
㉰ 일렉트로 가스용접 ㉱ 심 용접

101 미세한 알루미늄 분말, 산화철 분말 등을 이용하여 주로 기차의 레일, 차축 등의 용접에 사용되는 것은?

Answer 94.㉱ 95.㉰ 96.㉱ 97.㉰ 98.㉰ 99.㉱ 100.㉯ 101.㉮

㉮ 테르밋 용접 ㉯ 넌 실드 아크용접
㉰ 레이져 용접 ㉱ 플라즈마 용접

102 테르밋 용접에서 테르밋제란 무엇과 무엇의 혼합물인가?

㉮ 붕사와붕사 분말
㉯ 탄소와 규소의 분말
㉰ 알루미늄과 산화철의 분말
㉱ 알루미늄과 납의 분말

103 미세한 알루미늄과 산화철 분말을 혼합한 것과 정화제의 화학 반등에 의해, 그 발열로 용접을 하는 용접법은?

㉮ 가스 용접 ㉯ 전자 빔 용접
㉰ 플라즈마 용접 ㉱ 테르밋 용접

104 단락 이행 용접에 관한 다음 사항 중 틀린 것은?

㉮ 큰 용적으로 와이어와 모재 사이에 주기 적인 단락을 일으키도록 하는 용접
㉯ 단락 횟수는 1초 동안 100회 이상이 될 수 있다.
㉰ 와이어의 지름은 1.2 ~ 6.4mm인 비교적 큰 와이어를 쓴다.
㉱ 용입이 얕으므로 0.8mm 정도의 얇은 판 용접이 가능하다.

✔ 해설 와이어의 지름은 0.76, 0.89, 1.14를 쓴다.

105 레이저 용접의 특징 설명으로 틀린 것은?

㉮ 좁고 깊은 용접부를 얻을 수 있다.
㉯ 대입열 용접이 가능하다.
㉰ 고속 용접과 용접 공정의 융통성을 부여할 수 있다.
㉱ 접합하여야 할 부품의 조건에 따라서 한 방향의 용접으로 접합이 가능하다.

✔ 해설 레이저 빔 용접의 특징

① 용접 장치는 고체 금속형, 가스 방전형, 반도체형이 있다.
② 아르곤, 질소, 헬륨으로 냉각하여 레이저 효율을 높일 수 있다.
③ 원격 조작이 가능하고 육안으로 확인하면서 용접이 가능하다.
④ 에너지 밀도가 크고, 고융점을 가진 금속에 이용된다.
⑤ 정밀 용접도 가능하다.
⑥ 불량 도체 및 접근하기 곤란한 물체도 용접이 가능하다.

106 열원이 광선이며 진공 중에서 용접이 가능하고 원격 조작이 가능하며 열의 영향범위가 좁은 용접법은?

㉮ 레이저 용접 ㉯ 원자수소 용접
㉰ 플라스마 용접 ㉱ 테르밋 용접

107 다음 중 레이저 빔 용접에 특징으로 알맞은 것은?

㉮ 광선의 제어는 원격 조작이 가능하나 육안으로 확인하면서 용접은 불가능하다.
㉯ 열 영향부가 넓어 용접부에 폭이 넓다.
㉰ 에너지 밀도가 매우 낮아 저 융점 용접에 이용된다.
㉱ 전자 부품과 같은 작은 크기의 정밀 용접이 가능하다.

108 일반적으로 모재의 용융점보다 낮은 온도에서 용접할 수 있고 용접봉을 모재와 같은 계통의 공정합금을 사용하는 것은?

㉮ 플라즈마 용접 ㉯ 접착 용접
㉰ 레이져 용접 ㉱ 공정 저온 용접

✔ 해설 공정 저온 용접은 모재의 용융점보다 낮은 온도에서 용접할 수 있다.

109 초음파 용접법으로 금속을 용접하고자 할 때 이 용접법에 알맞은 금속 모재의 두께는 일반적으로 몇 mm정도가 가장 좋은가?

㉮ 0.01 ~ 2 ㉯ 2 ~ 5
㉰ 8 ~ 9 ㉱ 10 ~ 20

Answer 102.㉰ 103.㉱ 104.㉰ 105.㉯ 106.㉮ 107.㉱ 108.㉱ 109.㉮

해설 초음파(18kHz이상)를 진동 에너지로 변환하여 접합 재료에 전달, 가압(압축 공기 이용) 및 마찰에 의한 열로 접합하는 방법(압접임을 기억할 것)으로 이종 재료나 판재 두께가 0.01 ~ 2mm, 플라스틱류는 1 ~ 5mm정도로 주로 얇은 판 용접에 이용된다.

110 마찰 용접의 장점이 아닌 것은?

㉮ 용접작업 시간이 짧아 작업 능률이 높다.
㉯ 이종금속의 접합이 가능하다.
㉰ 피용접물의 형상치수, 길이, 무게의 제한이 없다.
㉱ 치수의 정밀도가 높고, 재료가 절약된다.

해설 마찰 용접
① 원리 : 접합하고자 하는 재료를 접촉시키고 하나는 고정시키며 다른 하나를 가압, 회전하여 발생되는 마찰열로 적당한 온도가 되었을 때 접합
② 특징
· 컨벤셔널형과 플라이 휘일형이 있다.
· 자동화가 용이하며 숙련이 필요 없다.
· 접합 재료의 단면은 원형으로 제한한다.
· 상대 운동을 필요로 하는 것은 곤란하다.

111 재료를 접촉, 회전시켜 발생하는 열과 가압력을 이용하여 접합하는 용접법은?

㉮ 스터드 용접(Stud) ㉯ 단조용접(Forge)
㉰ 확산용접(Diffusion) ㉱ 마찰용접(Friction)

112 플라스틱 용접방법으로서 적당치 않은 방법은?

㉮ 열풍으로 가열하는 방법
㉯ 고주파에 의해서 가열, 압착하는 방법
㉰ 마찰열에 의해서 압착하는 방법
㉱ 교류전류에 피복용접봉을 이용하는 방법

해설 플라스틱 용접
① 원리 : 용접 방법으로는 열기구 용접, 마찰 용접, 열풍 용접, 고주파 용접 등을 이용할 수 있으나 열풍 용접이 주로 사용되고 있다.
② 특징
· 전기 절연성이 좋다.
· 가볍고 비강도가 크다.
· 열가소성만 용접이 가능하다.

113 다음 보기 중 용접의 자동화에서 자동제어의 장점에 해당되는 사항으로만 조합한 것은?

보기
① 제품의 품질이 균일화되어 불량품이 감소된다.
② 원자재, 원료 등이 증가된다.
③ 인간에게는 불가능한 고속작업기 가능하다.
④ 위험한 사고의 방지가 불가능하다.
⑤ 연속 작업이 가능하다.

㉮ ①, ②, ④ ㉯ ①, ③, ④
㉰ ①, ③, ⑤ ㉱ ①, ②, ③, ④, ⑤

해설 자동화의 장점으로는 우선 품질이 균일화되고 불량품이 감소되며, 연속 작업이 가능하며, 사고의 방지가 가능하며, 능률적인 작업을 할 수 있다.

114 전기저항용접과 가장 관계가 깊은 법칙은?

㉮ 줄의 법칙 ㉯ 플레밍의 법칙
㉰ 암페어의 법칙 ㉱ 뉴턴의 법칙

해설 줄열은 전류세기의 제곱과 도체 저항 및 전류가 흐르는 시간에 비례한다는 법칙으로 저항 용접에 사용된다. 즉 $Q = 0.24EIt = 0.24I^2Rt$

115 전기 저항용접에서 발생하는 열량 Q[cal]와 전류 I[A] 및 전류가 흐르는 시간 t[sec]일 때 다음 중 올바른 식은?(단, R은 저항[Ω]임)

㉮ $Q = 0.24IRt$ ㉯ $Q = 0.24I^2Rt$
㉰ $Q = 0.24IR^2t$ ㉱ $Q = 0.24I^2R^2t$

116 저항용접에 의한 압접에서 전류 20[A], 전기저항 30[Ω] 통전시간 10[sec]일 때 저항열은 몇[cal]인가?

㉮ 14,400 ㉯ 28,800
㉰ 48,800 ㉱ 24,400

해설
$Q = 0.24I^2Rt = 0.24 \times 20 \times 20 \times 30 \times 10 = 28,800$

Answer 110.㉰ 111.㉱ 112.㉱ 113.㉰ 114.㉮ 115.㉯ 116.㉯

117 **전기저항 용접의 특징 중 잘못된 것은?**

㉮ 용접시간이 극히 짧다.
㉯ 재료손실이 적고, 용가재가 필요 없다.
㉰ 숙련공이 필요 없다.
㉱ 서로 다른 금속끼리 용접할 수 없다.

해설 전기 저항 용접의 특징
① 용접사의 기능에 무관하다.
② 용접 시간이 짧고 대량 생산에 적합하다.
③ 용접부가 깨끗하다.
④ 산화 작용 및 용접 변형이 적다.
⑤ 가압 효과로 조직이 치밀하다.
⑥ 설비가 복잡하고 가격이 비싸다.
⑦ 후열 처리가 필요하다.
⑧ 이종 금속의 접합은 가능하나 어렵다.

118 **전기저항 용접의 특징에 대한 설명으로 올바르지 않은 것은?**

㉮ 변형 및 잔류응력이 적다.
㉯ 용접재료 두께의 제한을 받지 않는다.
㉰ 용제나 용접봉이 필요 없다.
㉱ 대량생산에 적합하다.

119 **저항 용접이 아크 용접에 비하여 좋은 점이 아닌 것은?**

㉮ 용접 정밀도가 높다.
㉯ 열에 의한 변형이 적다.
㉰ 용접 시간이 짧다.
㉱ 용접 전류가 낮다

120 **전기저항 용접법의 특징 설명으로 틀린 것은?**

㉮ 용제가 필요치 않으며 작업속도가 빠르다.
㉯ 가압효과로 조직이 치밀해진다.
㉰ 산화 및 변질 부분이 적다.
㉱ 열손실이 많고 용접부의 집중 열을 가할 수 있다.

121 **저항 점용접의 3대 요소가 아닌 것은?**

㉮ 용접전류 ㉯ 통전시간
㉰ 전극의 가압력 ㉱ 전극의 구조

해설 저항 용접의 3대 요소는 P, I, T 즉 가압력, 전류, 통전 시간

122 **저항 용접에서 용접 입열과 관계가 없는 것은?**

㉮ 접촉저항 ㉯ 용접전류
㉰ 통전시간 ㉱ 아크전압

해설 저항 용접에서는 아크 전압과 무관하며 접촉 저항과 전류 통전시간 가압력 등에 따라 용접 입열이 달라질 수 있다.

123 **맞대기 저항용접 방법이 아닌 것은?**

㉮ 업셋용접(Upset butt welding)
㉯ 퍼커션용접(Percussion welding)
㉰ 플래쉬 용접(Flash butt welding)
㉱ 프로젝션 용접(Projection welding)

해설
① 겹치기 저항 용접 : 점 용접, 프로젝션용접, 심 용접
② 맞대기 저항 용접 : 업셋 용접, 플래시 용접, 퍼커션 용접이 있다.

124 **다음 중 맞대기 저항용접 방법에 해당하는 것은?**

㉮ 점 용접 ㉯ 프로젝션 용접
㉰ 심 용접 ㉱ 퍼커션 용접

125 **맞대기 저항용접에 해당하는 것은?**

㉮ 스폿용접 ㉯ 심용접
㉰ 프로젝션 용접 ㉱ 업셋용접

126 **점용접에서 사용하는 전극형상의 종류가 아닌 것은?**

㉮ R형 ㉯ P형 ㉰ C형 ㉱ T형

Answer 117.㉱ 118.㉯ 119.㉱ 120.㉱ 121.㉱ 122.㉱ 123.㉱ 124.㉱ 125.㉱ 126.㉱

✔해설 점 용접의 특징
① 열 영향부가 좁으며 돌기가 없다.
② 박판 용접 및 대량 생산에 적합하다.
③ 바둑알 모양처럼 생긴 것을 너깃이라 한다.
④ 용융점이 높은 재료, 열전도가 큰 재료 및 전기적 저항이 작은 재료는 용접이 곤란하다.
⑤ 구멍을 가공할 필요가 없고 숙련을 요하지 않는다.
⑥ 과정 : 접촉 저항에 의한 온도 상승 → 접촉부의 변화, 변형 및 저항 감소 → 용융 → 용접부의 가압력에 의해서 용접부 생성
⑦ 종류로는 단극식, 직렬식, 다전극식, 맥동, 인터랙 점 용접이 있다.
⑧ 전극의 종류로는 R형, P형, F형, C형, E형이 있다.

127 점 용접의 종류가 아닌 것은?

㉮ 맥동 점 용접 ㉯ 인터랙 점 용접
㉰ 직렬식 점 용접 ㉱ 원판식 점 용접

128 점용접에서 용접점이 앵글재와 같이 용접위치가 나쁠 때, 보통팁으로는 용접이 어려운 경우에 사용하는 전극의 종류는?

㉮ R형팁 ㉯ P형팁 ㉰ C형팁 ㉱ E형팁

✔해설 전극의 종류로는 R형, P형, F형, C형, E형이 있는데 용접 위치가 나쁠 때 사용하는 것은 E형이다.

129 기밀을 필요로 하는 용기 및 긴 파이프 제작 등의 연속적인 용접작업에 주로 사용되는 전기 저항용접은?

㉮ 스폿(spot)용접
㉯ 심(seam)용접
㉰ 업셋 버트(upset bott)용접
㉱ 플래시 버트(flash butt)용접

✔해설
① 점 용접에 비해 가압력은 1.2 ~ 1.6배, 용접 전류는 1.5 ~ 2.0배 증가
② 단속 통전법, 연속 통전법, 맥동 통전법 등이 있다.
③ 이음 형상에 따라 원주 심, 세로 심이 있다.
④ 용접 방법에 따라 매시 심, 포일 심, 맞대기 심, 로울러 심이 있다.
⑤ 기·수·유밀성을 요하는 0.2 ~ 4mm 정도 얇은판에 이용된다.

130 심(seam)용접법에서 전류를 통하는 방법이 아닌 것은?

㉮ 심(seam)통전법
㉯ 띰(intermittent)통전법
㉰ 맥동(pulsation)통전법
㉱ 연속(continuous)통전법

131 이음부의 겹침을 판 두께 정도로 하고 겹쳐진 폭 전체를 가압하여 심 용접을 하는 방법은?

㉮ 매시 심용접(mash seam welding)
㉯ 포일 심용접(foil seam welding)
㉰ 맞대기 심용접(butt seam welding)
㉱ 인터랙 심용접(interact seam welding)

✔해설 용접 방법에 따라 매시 심, 포일 심, 맞대기 심, 로울러 심이 있다.

132 제품의 한쪽 또는 양쪽에 돌기를 만들어 이 부분에 용접전류를 집중시켜 압접하는 방법은?

㉮ 프로젝션 용접 ㉯ 점 용접
㉰ 전자 빔용접 ㉱ 심 용접

✔해설 프로젝션 용접 : 용접할 모재에 돌기를 만들어 접촉시킨 후 통전 가압해서 용접하는 방법

133 다음은 플래시 용접과 업셋 용접의 차이점을 열거한 것이다. 이 중 가장 적합한 것은?

㉮ 플래시 용접은 업셋 용접에 비하여 단면적이 큰 것이나 비대칭형의 것들에 대한 적용이 곤란하다.
㉯ 업셋 용접은 능률이 매우 좋고 강재 니켈, 니켈합금에서 좋은 용접 결과를 얻을 수 있다.
㉰ 업셋 용접은 플래시 용접에 비해 가열 속도가 늦고 용접 시간이 길기 때문에 열 영향부가 넓다.
㉱ 플래시 용접은 가열 범위가 넓고, 열 영향부가 넓기 때문에 용접면의 끝맺음 가공이 필요하다.

Answer 127.㉱ 128.㉱ 129.㉯ 130.㉮ 131.㉮ 132.㉮ 133.㉰

✔해설 플래시 용접은 업셋 용접과 비슷하게 용접하나 이동 전극이 있어 서서히 이동시키면서 불꽃을 비산 하면서 용접한다는 차이점이 있다. 업셋 용접에 비해 전력 소모를 줄일 수 있으며, 용접 속도를 크게 할 수 있다는 장점이 있다.

134 업셋(upset)용접과 비슷한 것으로 용접할 2개의 금속단면을 가볍게 접촉시켜 대전류를 통하여 집중적으로 접촉점을 가열하여 용접면에 강한 압력을 주어 압접하는 것은?

㉮ 가스용접 ㉯ 플래시용접
㉰ 레이저용접 ㉱ 스텃용접

✔해설 플래시 용접
① 용접물에 간격을 두어 설치하고 전류를 통하여 발열 및 불꽃 비산을 지속시켜 접합면이 골고루 가열되었을 때 가압하여 접합하는 방법이다.
② 예열→플래시→업셋 순으로 진행된다.
③ 열 영향부 및 가열 범위가 좁다.
④ 이음의 신뢰도가 높고 강도가 좋다.
⑤ 용접 시간, 소비 전력이 적다.
⑥ 용접면에 산화물의 개입이 적다.

135 플래시 버트(flash butt) 용접에서 3단계 과정만으로 조합된 것은?

㉮ 예열, 플래시, 업셋 ㉯ 업셋, 플래시, 후열
㉰ 예열, 플래시, 검사 ㉱ 업셋, 예열, 후열

136 플래시 용접의 특징 설명으로 틀린 것은?

㉮ 가열범위가 좁고 열영향부가 좁다.
㉯ 용접면을 아주 정확하게 가공할 필요가 없다.
㉰ 서로 다른 금속의 용접은 불가능하다.
㉱ 용접시간이 짧고 전력 소비가 적다.

137 다음 중 연납의 종류가 아닌 것은?

㉮ 주석－납 ㉯ 인－구리
㉰ 납－카드뮴 ㉱ 카드뮴－아연

✔해설 연납의 가장대표적인 것은 주석(Sn)-납(Pb)합금이며, 주석의 함유량에 따라 흡착 작용이 달라진다. 또한 카드뮴-아연납은 모재에 가공 경화를 주지 않고 이음 강도가 요구 될 때 사용된다. 또한 저 융점 납땜으로는 주석-납 합금에 비스무트를 첨가한 것이 사용된다.

138 연납 땜에 주로 사용되는 연납의 성분은?

㉮ 아연＋납 ㉯ 주석＋납
㉰ 구리＋납 ㉱ 알루미늄＋납

✔해설 주석-납
· 대표적 연납이다.
· 흡착 작용은 주석의 함유량이 많아지면 커진다.

139 연납의 주성분과 가장 관계있는 원소는?

㉮ Cu－Pb ㉯ Pb－Sn
㉰ Zn－Pb ㉱ Sb－Sn

140 납땜 작업에서 연납땜과 경납땜을 구분하는 온도는 몇 ℃인가?

㉮ 500 ㉯ 350 ㉰ 400 ㉱ 450

✔해설 연납과 경납의 구분 온도는 450℃를 기준으로 그 이상을 경납, 그이하를 연납이라고 한다.

141 연납땜의 설명으로 다음 중 가장 적합한 것은?

㉮ 땜납의 융점이 450℃ 이하
㉯ 땜납의 융점이 300℃ 이하
㉰ 땜납의 융점이 150℃ 이하
㉱ 땜납의 융점이 100℃ 이하

142 브레이징(Brazing)은 저온 용가재를 사용하여 모재를 녹이지 않고 용가재만 녹여 용접을 이행하는 방식인데, 섭씨 몇 ℃ 이상에서 이행하는 방식인가?

㉮ 350℃ ㉯ 400℃ ㉰ 450℃ ㉱ 600℃

✔해설 브레이징은 경납땜이라고도 하며 450℃를 기준으로 그 이상을 경납, 그 이하를 연납이라고 부른다.

Answer 134.㉯ 135.㉮ 136.㉰ 137.㉯ 138.㉯ 139.㉯ 140.㉱ 141.㉮ 142.㉰

143 납땜에서 주로 경납용 용제로 사용되는 것은?

㉮ 수지 ㉯ 붕산
㉰ 염화암모니아 ㉱ 염화아연

해설
① 연납용 용제
· 부식성 용제인 염화아연, 염화암모늄, 염산 등
· 비부식성 용제로는 송진, 수지, 올리브유 등
② 경납용 용제는 붕사, 붕산, 염화리튬, 빙정석, 산화제1동이 사용된다.

144 연납용 용제로만 구성되어 있는 것은?

㉮ 붕사 – 붕산 – 염화아연
㉯ 염화아연 – 염산 – 염화암모늄
㉰ 불화물 – 알카리 – 염산
㉱ 붕산염 – 염화암모늄 – 붕사

145 경납용으로 쓰이지 않는 용제는?

㉮ 염화아연($ZnCl_2$)
㉯ 붕사($Na_2B_4O_7 \cdot 10H_2O$)
㉰ 빙정석($3NaF \cdot AlF_3$)
㉱ 산화제일동(Cu_2O)

146 경납땜에서 갖추어야 할 조건으로 틀린 것은?

㉮ 기계적, 물리적, 화학적 성질이 좋아야 한다.
㉯ 접합이 튼튼하고 모재와 친화력이 없어야 한다.
㉰ 모재와 야금적 반응이 만족스러워야 한다.
㉱ 모재와의 전위차가 가능한 한 적어야 한다.

해설 땜납의 구비 조건
① 모재 보다 용융점이 낮을 것
② 표면 장력이 작아 모재 표면에 잘 퍼질 것
③ 유동성이 좋아 틈이 잘 메워질 수 있을 것
④ 모재와 친화력이 있어야 된다.

147 납땜에서 경납땜이 갖추어야 할 조건으로 옳지 않은 것은?

㉮ 모재와 친화력이 있고 접합이 튼튼할 것
㉯ 용융온도가 모재보다 낮아야 하며 유동성이 있어 이음간에 흡인이 용이할 것
㉰ 모재와 야금적 반응이 만족스러울 것
㉱ 용융점에서 땜납조성이 일정하게 유지되어야 하며 휘발성 성분이 함유되어 있을 것

148 땜납을 선택할 때, 요구사항으로 틀린 것은?

㉮ 모재와의 친화력이 좋을 것
㉯ 적당한 용융온도와 유동성을 가질 것
㉰ 금·은·공예품 등의 납땜에는 색조(色調)가 같을 것
㉱ 모재와의 전위차(電位差)가 가능한 한 많을 것

149 납땜에 사용되는 용제의 작용에 들지 않는 것은?

㉮ 산화물 용해 및 불순물이 잘 떠오르게 한다.
㉯ 이음부를 청결히 한다.
㉰ 부식 방지 및 강도를 높인다.
㉱ 용제로는 붕사, 붕산, 식염, 염화아연 등이 쓰인다.

해설 용제의 역할
① 모재 표면의 불순물과 산화물의 제거로 양호한 용접이 되도록 도와준다.
② 용접 중에 생기는 산화물과 유해물을 용융시켜 슬랙으로 만들거나, 산화물의 용융 온도를 낮게 하기 위해서 용제를 사용한다.
③ 용제는 분말이나 액체로 된 것이 있으며, 분말로 된 것은 물이나 알코올에 개어서 사용한다.

150 납땜에 사용되는 용제가 갖춰야 할 조건으로 틀린 것은?

㉮ 용제의 유효 온도 범위와 납땜 온도가 일치할 것
㉯ 전기 저항 납땜에 사용되는 용제는 부도체일 것
㉰ 모재나 땜납에 대한 부식 작용이 최소한 일 것

Answer 143.㉯ 144.㉯ 145.㉮ 146.㉯ 147.㉱ 148.㉱ 149.㉰ 150.㉯

㉱ 납땜 후 슬래그의 제거가 용이할 것

해설 전기 저항 납땜에 사용되는 용제는 도체이어야 한다.

151 납땜부를 용해된 땜납 중에 담가 납땜하는 방법과 이음부분에 납재를 고정시켜 납땜 온도로 가열 용융시켜 화학약품에 담가 침투시키는 방법은?

㉮ 가스 납땜 ㉯ 담금 납땜
㉰ 노내 납땜 ㉱ 저항 납땜

해설 담금 납땜은 납을 장입한 이음을 미리 가열한 염욕에 침적하여 가열하거나 용제가 들어 있는 용융납액 중에 담그어 가열하여 납땜하는 방법으로 강재의 황동 납땜에 사용되고 대량생산에 적합하다.

Answer 151.㉯

Chapter 3-3 안전관리

01 안전 표식의 색채

① **적색** : 방화 금지, 고도의 위험
② **황적** : 위험, 항해, 항공의 보안 시설
③ **노랑** : 충돌, 추락, 전도 등의 주의
④ **녹색** : 안전 지도, 피난, 위생 및 구호 표시, 진행
⑤ **청색** : 주의 수리 중 , 송전 중 표시
⑥ **진한 보라색** : 방사능 위험 표시
⑦ **백색** : 통로, 정돈
⑧ **검정** : 위험표지의 문자, 유도 표지의 화살표

02 통행과 운반

① 통행로 위의 높이 2M이하에서는 장해물이 없을 것
② 기계와 다른 시설물과의 폭은 80cm이상으로 할 것
③ 좌측 통행 할 것
④ 작업자나 운반자에게 통행을 양보할 것

화재 및 폭발 방지책

① 인화성 액체의 반응 또는 취급은 폭발 범위 이하의 농도로 할 것

② 석유류와 같이 도전성이 나쁜 액체의 취급 시에는 마찰 등 에 의해 정전기 발생이 우려되므로 주의 할 것

③ 점화 원의 관리를 철저히 할 것

④ 예비 전원의 설치 등 필요한 조치를 할 것

⑤ 방화 설비를 갖출 것

⑥ 가연성 가스나 증기의 유출 여부를 철저히 검사할 것

⑦ 화재 발생할 때 연소를 방지하기 위하여 그 물질로부터 적절한 보유 거리를 확보할 것

① 연소의 3대 요소 - 점화원, 가연물, 산소공급원

② 화상의 종류

· 1도 화상은 피부의 표피층에만 화상이 국한된 것으로 단순히 피부의 색깔이 햇볕에 탔을 때와 같이 붉어지는 경우

· 2도 화상은 피부의 진피층까지 화상이 있는 것을 말하며 물집이 생기고 흉터는 아직 생기는 않은 정도

· 3도 화상은 표피, 진피뿐만 아니라 피하조직 층까지 피부 전 층에 화상을 받은 것을 말하며, 반드시 피부이식 수술을 해야 치유 됨

· 4도 화상은 3도 화상보다 더 심한 경우를 말하며, 화상 입은 부위 조직이 탄화되어 검게 변함

③ 산이나 알칼리에 피부가 노출되었다고 해서 중화를 시키려고 반대되는 성분을 이용하여 닦아내면 절대로 안 된다. 오히려 다른 성분에 의한 손상만 받을 뿐이며 깨끗한 물을 갖고 많이 씻어냄으로써 희석시켜야 한다.

소화기의 용도

① **포말 소화기** : 보통 화재, 기름 화재에는 적합하나 전기화재는 부적합하다.

② **분말 소화기** : 기름 화재에 적합하며 기타 화재에는 양호하다.

③ **CO_2소화기** : 전기화재에 적합하며 기타 화재에는 양호하다.

등급별 소화 방법

분 류	A급 화재	B급 화재	C급 화재	D급 화재
명 칭	보통 화재	기름 화재	전기 화재	금속 화재
가 연 물	목재, 종이, 섬유	유류, 가스	전기	Mg, Al 분말
주된 소화 효과	냉각	질식	냉각, 질식	질식
적용 소화기	물, 분말	포말, 분말, CO_2	분말, CO_2	모래, 질식

연소의 종류

① 전도 연소 : 전도란 물질의 이동 없이 열이 물체의 고온부에서 저온부로 이동하는 현상이다. 일반적으로 전도라 하면 물체 내에서 열이나 전기가 이동하는 현상을 통칭한다. 열전도도가 낮을수록 인화가 용이한 물질이다.
② 대류 연소 : 대류란 유체의 실질적인 흐름에 의해 열이 전달되는 현상이다. 유체 내부의 어느 부분의 온도가 높다면 이 부분의 유체는 열에 의해 팽창되어 밀도가 낮아지므로 가벼워져 상승하게 되고 주위의 낮은 온도의 유체가 그 구역으로 흘러 들어오는 순환의 과정이 연속된다.
③ 복사 연소 : 모든 물체는 그 물체의 온도 때문에 열에너지를 파장의 형태로 계속적으로 방사하며, 화염의 접촉 없이 연소가 확산되는 현상은 복사열에 의한 것으로 볼 수 있다. 인접물의 화재로부터 발생한 화염에서 발생한 화염의 복사열에 의해 착화되어 화재가 확산되는 현상이 복사열에 의한 화재확산의 전형적인 현상이다.
④ 전염 연소 : 화염이 물체에 접촉하여 연소가 확산되는 현상으로 화염의 온도가 높을수록 잘 이루어진다.
⑤ 비화 연소 : 불티가 바람에 날리거나 튀어서 멀리 떨어진 곳에 있는 가연물에 착화되는 현상이 비화에 의한 연소의 확대이다.

05 전기 용접 작업의 장애

1 전격(감전)방지 대책

① 절연 홀더 사용
② 전격 방지기 사용
③ 보호구 착용
④ 용접기 접지
⑤ 손상 케이블 보수
⑥ 작업 중지시는 전원 투입 차단

전압은 전기를 흘려 줄 수 있는 능력이며, 전류는 전기의 흐름, 저항은 전기의 흐름을 방해하는 것으로 오옴의 법칙은 전압은 전류×저항의 관계가 있다.

인체에 미치는 전류의 영향

인체에 흐르는 전류(mA)	영 향
1	전기의 흐름을 느낄 수 있다.
8	위험을 수반하지 않는다.
8~15	고통을 수반한 흐름을 느낀다.
15~20	근육이 저려서 움직이지 않을 수 있다.
20~25	근육수축과 더불어 호흡이 곤란해질 수 있다.
50~100	순간적으로 사망위험에 처할 수 있다.
100~200	사망한다.
200이상	화상과 더불어 심장이 정지한다.

2 유해 가스 및 유독 가스에 의한 중독

① 용접 가스는 $\frac{1}{수십}$ ~ $\frac{1}{수백}$ ㎛의 미세한 1차 입자들이 응집되어 0.01~10㎛의 2차 입차를 만든다.

② 인체에 0.1~5㎛의 크기를 가진 입자들이 인체에 가장 잘 호흡되어 흡수된다.

③ 용접 전류와 전압이 증가하게 되면 용접 가스는 증가된다. 일반적으로 교류가 직류에 비해 용접 가스 발생량은 적다

④ 용접 가스 영향

가스	영향
CO_2	무색 무취의 가스로 질식 초래
CO	무색 무취의 가스로 산소 운반 능력 방해
Ar	독성은 없으나 폐쇄 공간에서는 위험이 초래될 수 있음
O_3	인후, 피로, 두통, 눈 등에 영향을 줄 수 있음.
NO, MO_2	폐부종을 일을 킬 수 있음

3 유해 광선에 의해 재해(전광성 안염)

① 용접 광선은 가시광선, 자외선, 적외선 등으로 구성되어 있다.

② 용접시 자외선이 가장 유해한 광선으로 다량의 눈물과 통증 및 염증을 수반하는 고통을 준다. 잠복시간은 보통 4~12시간 정도이다. 하루나 이틀이 지나면 회복되지만 반복될 경우 결막염을 일으킬 수 있다.

③ 적외선에 과다하게 노출되면 각막염, 백내장, 조기 노안 등의 장해를 일으킨다.

④ 유해광선은 보안경 및 보호면을 착용하면 차폐할 수 있다.

chapter3 예상문제

3-3 안전관리

01 아크 빛으로 인해 혈안이 되고 눈이 부었을 때 우선 조치해야 할 사항으로 가장 옳은 것은?

㉮ 온수로 씻은 후 작업한다.
㉯ 소금물로 씻은 후 작업한다.
㉰ 심각한 사안이 아니므로 계속 작업한다.
㉱ 냉습포를 눈 위에 얹고 안정을 취한다.

해설 아크 광선에는 자외선, 적외선, 가시광선을 포함하고 있다. 초기 작업 중 아크 광선에 노출되면 자외선으로 인하여 눈에 결막염 등을 일으킬 수 있다. 그러므로 광선에 노출되었을 때 우선 조치 사항으로는 냉습포를 눈 위에 얹고 안전을 취하는 것이다.

02 아크용접시 발생 되는 유해한 광선은?

㉮ X - 선　　㉯ 감마선(r)
㉰ 알파선(α)　　㉱ 자외선

해설 아크 광선에는 자외선, 적외선, 가시광선을 포함하고 있다. 초기 작업 중 아크 광선에 노출되면 자외선으로 인하여 눈에 결막염 등을 일으킬 수 있다.

03 용접 흄(fume)에 대해서 서술한 것 중 올바른 것은?

㉮ 용접흄은 인체에 영향이 없으므로 아무리 마셔도 괜찮다.
㉯ 실내 용접 작업에서는 환기설비가 필요하다.
㉰ 용접봉의 종류와 무관하며 전혀 위험은 없다.
㉱ 용접흄은 입자상 물질이며, 가제마스크로 충분히 차단할 수 있음으로 인체에 해가 없다.

해설 용점 흄에는 인체에 해를 줄 수 있는 각종 물질이 있어 실내 용접 작업시에는 환기설비를 필요로 한다.

04 아크 용접시 작업자에게 가장 위험한 부분은?

㉮ 배전판　　㉯ 용접봉 홀더 노출부
㉰ 용접기　　㉱ 케이블

해설 용접 작업 중 홀더 노출부가 있으면 용접사는 감전될 수 있다.

05 아크 용접시, 감전 방지에 관한 내용 중 틀린 것은?

㉮ 비가 내리는 날이나 습도가 높은 날에는 특히 감전에 주의를 하여야 한다.
㉯ 전격방지 장치는 매일 점검하지 않으면 안 된다.
㉰ 홀더의 절연상태가 충분하면 전격방지 장치는 필요 없다.
㉱ 용접기의 내부에 함부로 손을 대지 않는다.

해설 홀더의 절연 상태는 일반적으로 A형 안전 홀더를 사용하여 홀더 전체가 절연되어 있다. 하지만 작업자의 안전을 위하여 전격 방지기는 홀더의 절연과 관계없이 필요한 장치이다.

06 전기 작업에서 안전 사항으로 적합하지 않은 것은?

㉮ 저압 전기는 안심하고 어느 작업이든 할 수 있다.
㉯ 퓨즈는 규정된 용량의 알맞은 것을 끼운다.
㉰ 전선이나 코드의 접속부는 절연물로서 완전히 피복하여 둔다.
㉱ 작업 정지시 스위치는 떼어 놓는다.

해설 감전의 위험은 전압이 높으면 크다고 말할 수 있으나 저압 전기라도 무시할 수 없다. 왜냐하면 인체에 영향을 주는 것은 전류로 저압 전기시에도 신체 등에 수분이 있으면 저항값이 작아져 전류가 잘 흐를 수 있어 감점에 위험이 커진다.

07 아크 용접 및 산소 - 아세틸렌 가스용접에서 작업안전에 관한 각각의 설명으로 틀린 것은?

㉮ 절연형 홀더를 사용한다.
㉯ 2차 무부하 전압이 높은 용접기를 사용한다.
㉰ 산소 가스 누설검사는 비눗물로 한다.

Answer 1.㉱ 2.㉱ 3.㉯ 4.㉯ 5.㉰ 6.㉮ 7.㉯

㉱ 아세틸렌가스 용기는 화기(火氣)에 접근시키지 않는다.

해설 2차 무부하 전압이 높으면 아크 발생은 쉬우나 감전 즉 전격의 위험이 커진다.

08 전기 스위치류의 취급에 관한 안전사항으로 틀린 것은?

㉮ 운전중 정전 되었을 때는 스위치는 반드시 끊는다.
㉯ 스위치의 근처에는 여러 가지 재료 등을 놓아두지 않는다.
㉰ 스위치를 끊을 때는 부하를 무겁게 해 놓고 끊는다.
㉱ 스위치는 노출시켜 놓지 말고 꼭 뚜껑을 만들어 놓는다.

해설 스위치를 끊을 때에는 부하를 가볍게 하여 놓아야 된다. 즉 용접에서는 스위치를 끊는 순서가 각 용접기에 부착된 ON/OFF스위치를 우선 차단 한 후에 용접기 앞에 설치된 NFB 스위치 차단 후 마지막으로 분전반 스위치를 차단한다. 물론 전원의 투입은 역순으로 한다.

09 인체에 전류가 몇 [mA] 이상 흐르면 사망할 위험이 있는가?

㉮ 8 ㉯ 15 ㉰ 20 ㉱ 50

해설 전압은 전기를 흘려 줄 수 있는 능력이며, 전류는 전기의 흐름, 저항은 전기의 흐름을 방해하는 것으로 인체에 전류가 100[mA]가 흐르면 사망하고, 50[mA)이상이면 사망할 위험에 처한다.

10 용접 작업시의 안전 사항이다. 올바르지 못한 것은?

㉮ 전류 10[mA]로 감전되면 순간적으로 사망할 위험이 있다.
㉯ 습한 장갑이나 작업복을 입고 용접하면 감전의 위험이 있으므로 주의한다.
㉰ 절연 홀더의 절연 부분이 균열이나 파손되었으면 곧바로 보수하거나 교체한다.
㉱ 맨홀과 같이 밀폐된 구조물 안에서 용접을 할 때에는 보호자를 두거나 2명 이상이 교대로 작업한다.

11 전기 합선에 의한 전기화재의 예방대책을 설명 한 것 중 부적당한 것은?

㉮ 퓨즈(fuse)는 규격품에 관계없이 알루미늄 재질을 사용한다.
㉯ 노후 전선은 즉시 새 것으로 교체한다.
㉰ 공사시 각종 전선을 손상시키지 않도록 한다.
㉱ 용량에 맞는 규격의 전선을 사용한다.

해설 용접기의 1차측에 퓨즈(Fuse)를 붙인 안전 스위치를 사용한다. 퓨즈는 규정 값보다 크거나 구리선 철선 등을 퓨즈 대용으로 사용해서는 안 된다. 다음과 같은 식으로 계산한다.

$$퓨즈의용량(A) = \frac{1차입력(KVA)}{전원전압(200V)}$$

12 아크 용접기에 누전되었을 때 가장 올바른 조치는?

㉮ 전압이 낮기 때문에 계속 용접하여도 된다.
㉯ 스위치는 그냥 두고 누전된 부분을 절연시킨다.
㉰ 용접기만 만지지 않으면 된다.
㉱ 스위치를 끄고 누전된 부분을 절연시킨다.

해설 누전 되었을 때 모든 작업을 중지 한 후우선 스위치를 끄고 누전 부위를 찾아 조치 후 다시 작업에 임해야 한다.

13 전기용접기의 누전시 조치사항으로 가장 알맞은 것은?

㉮ 전원 스위치를 내리고 누전된 부분을 절연시킨 후 계속 용접하여도 된다.
㉯ 전압이 낮을 때에는 계속 용접하여도 된다.
㉰ 용접기를 만지지만 않으면 계속 용접하여도 된다.
㉱ 전원만 바꾸면 계속 용접하여도 된다.

해설 누전 되었을 때 즉각 작업을 중단하고, 누전 원인을 찾아 조치 후 작업에 임한다.

Answer 8.㉰ 9.㉱ 10.㉮ 11.㉮ 12.㉱ 13.㉮

14 아크 용접시 광선에 의하여 초기에 인체에 일어나기 쉬운 가장 타당한 재해는?

㉮ 광선관계로 수정체에 자극을 주어 근시가 된다.
㉯ 자외선 때문에 각막과 망막에 자극을 주어 결막염을 일으킨다.
㉰ 강렬한 광선 때문에 시신경이 피로해져 맹인이 된다.
㉱ 강렬한 가시광선 때문에 수정체에 영향을 주어 난시가 된다.

해설 아크 광선에는 자외선, 적외선, 가시광선을 포함하고 있다. 초기 작업 중 아크 광선에 노출되면 자외선으로 인하여 눈에 결막염 등을 일으킬 수 있다.

15 용접작업에서 안전에 대해 설명한 것 중 틀린 것은?

㉮ 높은 곳에서 용접 작업할 경우 추락, 도괴, 낙하 등의 위험이 있으므로 항상 안전벨트와 안전모를 착용한다.
㉯ 용접 작업 중에 여러 가지 유해 가스가 발생하기 때문에 통풍 또는 환기 장치가 필요하다.
㉰ 가연성의 분진, 화약류 등 위험물이 있는 곳에서는 용접을 해서는 안 된다.
㉱ 가스 용접은 강한 빛이 나오지 않기 때문에 보안경을 착용하지 않아도 괜찮다.

해설 가스 용접이 불빛이 약하더라도 차광도 번호가 낮은 보안경을 착용하여야 한다. 일반적으로 연납땜은 2번, 경납땜은 3 ~ 4번, 가스용접은 4 ~ 8번을 사용

16 아크용접 중 방독마스크를 쓰지 않아도 되는 용접 재료는?

㉮ 주강 ㉯ 황동
㉰ 아연도금판 ㉱ 카드뮴합금

해설 주강은 주조한 강을 말하며 주로 산성 평로에서 제조한다. 용접시 방독 마스크를 사용하지 않아도 된다.

17 용접 작업 중 정전이 되었을 때, 취해야 할 가장 적절한 조치는?

㉮ 전기가 오기만을 기다린다.
㉯ 홀더를 놓고 송전을 기다린다.
㉰ 홀더에서 용접봉을 빼고 송전을 기다린다.
㉱ 전원을 끊고 송전을 기다린다.

해설 작업 중 정전이 되었다면 모든 부하의 전원을 끊고 다시 전기가 송전될 때가지 기다린다.

18 감전 방지에는 다음과 같은 사항을 지켜야 한다. 이중 틀린 것은?

㉮ 홀더 케이블 및 용접기의 접속 및 절연 상태에 주의 한다.
㉯ 개로 전압이 높은 용접기는 사용하지 말아야 한다.
㉰ 어스(earth)를 완전하게 접속한다.
㉱ 전격 방지기를 부착 하였을 때에는 보호 장갑을 사용하지 않는 것이 좋다.

해설 전격 방지기를 사용하였다고 해서 보호 장갑을 착용하지 않으면 손에 수분이 있으면 감전 위험은 커질 수 있다.

19 안전을 위하여, 장갑을 사용할 수 있는 작업은?

㉮ 드릴링 작업 ㉯ 선반 작업
㉰ 용접 작업 ㉱ 밀링 작업

해설 공구 등이 회전하는 작업 즉 선반, 밀링, 드릴링 작업 등에서는 장갑을 착용해서는 안 된다.

20 KS 안전색에서 "황적" 색이 표시하는 사항은?

㉮ 위생 ㉯ 방사능 ㉰ 위험 ㉱ 구호

해설 안전 표식의 색채
① 적색 : 방화 금지, 고도의 위험
② 황적 : 위험, 항해, 항공의 보안 시설
③ 노랑 : 충돌, 추락, 전도 등의 주의
④ 녹색 : 안전 지도, 피난, 위생 및 구호 표시, 진행
⑤ 청색 : 주의 수리 중 , 송전 중 표시
⑥ 진한 보라색 : 방사능 위험 표시
⑦ 백색 : 통로, 정돈
⑧ 검정 : 위험표지의 문자, 유도 표지의 화살표

Answer 14.㉯ 15.㉱ 16.㉮ 17.㉱ 18.㉱ 19.㉰ 20.㉰

21 KS규격에서 나타내는 방사능의 안전표시 색채는?

㉮ 빨강 ㉯ 녹색 ㉰ 자주 ㉱ 주황

22 KS규격에 의한, 안전색채에 관한 각각의 표시사항으로 옳은 것은?

㉮ 빨강 : 고도의 위험 ㉯ 노랑 : 안전
㉰ 파랑 : 방사능 ㉱ 주황 : 피난

23 항해, 항공의 보안시설 또는 위험의 표시사항에 해당되는 KS규격 안전색채는?

㉮ 파랑 ㉯ 빨강 ㉰ 노랑 ㉱ 주황

24 KS규격 안전색중 빨강의 용도로서 틀린 것은?

㉮ 금지 표시 ㉯ 주의 표시
㉰ 방화 금지 표시 ㉱ 정지 표시

25 화재(연소)의 3요소가 아닌 것은?

㉮ 가연성 물질 ㉯ 연쇄 반응
㉰ 산소공급원 ㉱ 착화원

해설 연소의 3대 요소는 점화원, 가연물, 산소 공급원이다. 즉 불이 붙을 수 있는 불씨인 점화원, 불이 붙는 물질이 가연물, 타는 것을 도와주는 산소가 필요하다.

26 스파크에 대해서 가장 주의해야 할 가스는?

㉮ LPG ㉯ CO_2 ㉰ He ㉱ O_2

해설 여기서는 가연물이 되는 가연성 가스가 가연물이 되어 스파크에 위험할 수 있다.

27 가연성가스가 누출되었으나, 아직 인화되지 않는 경우에 있어서 안전 방호대책을 설명한 것이다. 틀린 것은?

㉮ 밸브 등의 폐쇄로 가스공급을 차단시킨다.
㉯ 창과 문을 개방하여 가스를 방출시킨다.
㉰ 부근의 착화원이 될 만한 것은 신속히 치운다.
㉱ 환기를 위하여 배기 팬(fan)을 작동시켜 누출가스를 방출시킨다.

해설 배기 팬을 작동시킬 때 잘못하면 스파크가 발생하여 점화원이 되어 더 큰 사고를 초래할 수 있다.

28 화재에 대한 설명으로 잘못 연결된 것은?

㉮ A급 화재 – 일반 가연물화재
㉯ B급 화재 – 유류화재
㉰ C급 화재 – 전기화재
㉱ D급 화재 – 종합화재

해설

등급별 소화 방법

분 류	A급 화재	B급 화재	C급 화재	D급 화재
명 칭	보통 화재	기름 화재	전기 화재	금속 화재
가 연 물	목재, 종이, 섬유	유류, 가스	전기	Mg, Al 분말
주된 소화 효과	냉각	질식	냉각, 질식	질식
적용 소화기	물, 분말	포말, 분말, CO_2	분말, CO_2	모래, 질식

29 다음 중 B급 화재는 어느 경우의 화재인가?

㉮ 일반화재 ㉯ 유류화재
㉰ 전기화재 ㉱ 금속화재

30 전기화재시 사용되는 소화 대책 중 가장 적당한 방법은?

㉮ 분말소화기 ㉯ 물
㉰ 모래 ㉱ 포말소화기

31 소규모의 인화성 액체화재나 불전도성 소화제를 필요로 하는 전기설비 화재의 초기진화에 제일 적합한 소화기는?

Answer 21.㉰ 22.㉮ 23.㉱ 24.㉯ 25.㉯ 26.㉮ 27.㉱ 28.㉱ 29.㉯ 30.㉮ 31.㉱

㉮ 일반소화기 ㉯ 포말소화기
㉰ 모래소화기 ㉱ CO_2 소화기

32 **D급 화재에 해당하는 것은?**

㉮ 목재, 종이 등에 의한 화재
㉯ 유류에 의한 화재
㉰ 전기 화제
㉱ 금속 화재

33 **건물 안에서 화재가 발생할 때, 대피하는 요령을 설명한 것 중 틀린 것은?**

㉮ 침착하게 피난법을 잘 판단하여야 한다.
㉯ 연기로부터 빨리 도망친다.
㉰ 피난할 수 있는 시간이 약 10 ~ 15분이므로 여유를 가지고 피난한다.
㉱ 방재 시설이 완벽한 곳이라도 피난 방송을 잘 청취해야 한다.

해설 화재발생시 5분 안에 진화여부를 판단하여야 한다.

34 **화상의 응급처치 및 주의사항으로 옳지 않은 것은?**

㉮ 화상자의 의복은 벗기지 않는다.
㉯ 화상부를 온수에 담그어 화기를 뺀다.
㉰ 물집을 터트리지 않는다.
㉱ 환자가 갈증을 느낄 때에는 소다를 탄 냉수를 조금씩 마시게 한다.

해설 용접시 화상이 나면 2차 감염에 유의해야 한다. 즉 물이나 각종 민간요법을 동원한 치료는 적절치 못한 조치이다.

35 **피부가 빨갛게 되며 쓰리고 아픈 증세의 화상을 입었다고 하면, 몇도 화상에 해당하는가?**

㉮ 제1도 화상 ㉯ 제2도 화상
㉰ 제3도 화상 ㉱ 제4도 화상

해설 화상의 종류
① 1도 화상은 피부의 표피층에만 화상이 국한된 것으로 단순히 피부의 색깔이 햇볕에 탔을 때와 같이 붉어지는 경우
② 2도 화상은 피부의 진피층까지 화상이 있는 것을 말하며 물집이 생기고 흉터는 아직 생기는 않은 정도
③ 3도 화상은 표피, 진피뿐만 아니라 피하조직 층까지 피부 전 층에 화상을 받은 것을 말하며, 반드시 피부이식수술을 해야 치유 됨
④ 4도 화상은 3도 화상보다 더 심한 경우를 말하며, 화상 입은 부위 조직이 탄화되어 검게 변함

36 **아세틸렌 용기에 화염이 쌓였을 때 가장 먼저 조치를 해야 할 사항은?**

㉮ 젖은 거적으로 용기를 덮는다.
㉯ 소화기로 소화한다.
㉰ 용기를 실외로 내 놓는다.
㉱ 아세틸렌 밸브를 열어버린다.

해설 아세틸렌 용기 출구 등에 처음에 불이 붙었을 경우에는 ㉮와 같은 질식 소화 방법이 적당할 수 있으나. 이문제의 경우는 용기가 화염에 쌓여있으므로 소화기로 소화하는 것이 가장 적당하다.

37 **아세틸렌 용기 누설부에 불이 붙었을 때 제일 우선으로 해야 하는 조치는?**

㉮ 용기를 옥외로 운반한다.
㉯ 용기내의 잔류가스를 신속하게 방출시킨다.
㉰ 용기의 밸브를 잠근다.
㉱ 용기와 연결된 호스를 제거한다.

해설 아세틸렌 용기 누설부에 불이 붙었을 때 우선적으로 할 일이 가스를 차단하는데 있다.

38 **용접 작업시 안전 수칙으로 옳지 않는 것은?**

㉮ 우천시에는 옥외 작업을 하지 않는다.
㉯ 용접 작업전에 소화기 및 소화수를 준비한다.
㉰ 용접 작업시 보호 장비를 갖추고 작업한다.
㉱ 수도관 및 가스관 등을 접지로 한다.

해설 가스관에 접지를 하면 잘못하면 화재 및 폭발의 원인이 될 수 있다.

39 **가연성 가스 저장실에서의 주의사항으로 가**

Answer 32.㉱ 33.㉰ 34.㉯ 35.㉮ 36.㉯ 37.㉰ 38.㉱ 39.㉮

장 적합한 것은?

㉮ 휴대용 손전등만을 사용한다.
㉯ 기름걸레 등을 통과 통사이에 끼워 충격을 받지 않도록 한다.
㉰ 조명은 형광등으로만 한다.
㉱ 많은 사람들이 출입하여 안전을 검사한다.

해설 연소의 3대 요소로는 가연물, 점화원 산소공급원인데 여기서 가연성 가스 보관실에는 점화원이 될 수 있는 것 등은 엄금하여야 한다.

40 다음 용접 작업 중 안전과 가장 거리가 먼 것은?

㉮ 가스 누출이 없는 토치나 호스를 사용한다.
㉯ 좁은 장소에서 작업할 때 항상 환기에 신경 쓴다.
㉰ 우천시 옥외 작업을 금한다.
㉱ 가스 누설 검사는 화기로 확인한다.

해설 가스 누설 검사는 반드시 비눗물을 사용한다.

41 일반적으로 가스 폭발을 방지하기 위한 예방 대책 중 제일 먼저 조치를 취하여야 할 것은?

㉮ 소화기의 비치 ㉯ 가스 누설의 방지
㉰ 착화의 원인 제거 ㉱ 배관의 강도 증가

해설 모든 사고 예방 대책 중 최선의 방법은 예방이다. 가스 폭발을 방지하기 위해서는 가스 누설을 방지 하여 사고를 미연에 막아야 된다.

42 LP가스를 소량 취급시 화재 사고를 예방하는 대책을 설명한 것 중 틀린 것은?

㉮ 용기의 설치는 가급적 옥외에 설치한다.
㉯ 용기는 직사일광의 차단이나 낙하물에 의한 손상을 방지하기 위하여 상부에 덮개를 한다.
㉰ 옥외의 용기로부터 옥내의 장소까지는 금속고정배관으로 하고, 고무호스의 사용부분은 될 수 있는 대로 길게 한다.
㉱ 연소기구의 주위에 가연물과 충분한 거리를 둔다.

해설 사용하는 고무 호스 부분이 길면 호스의 꼬임 등으로 인하여 사고가 날 수 있어 될 수 있는 대로 짧게 한다.

43 중유 탱크의 보수 용접시 안전상 가장 중요한 것은?

㉮ 될 수 있는 한 적은 인원수로 작업한다.
㉯ 감시원을 배치한다.
㉰ 환기가 잘되는 곳으로 한다.
㉱ 용접 전에 탱크를 증기 등으로 세척한다.

해설 중유 탱크 등을 보수하고자 하여 용접을 할 때는 반드시 탱크 속에 잔류될 수 있는 중유를 제거 하고 작업하여야 한다.

44 용접공이 가스 중독을 일으키는 원인 중 다음 어떤 재료 용접시 가장 위험성이 있는가?

㉮ 아연(Zn)도금판 ㉯ 알루미늄(Al)도금판
㉰ 니켈(Ni)도금판 ㉱ 망간(Mn)도금판

해설 아연 도금(예를 들어 수도용 아연 도금 강관)판 또는 관을 용접할 때 가스 중독이 일어나기 쉬우며, 용접봉에 의한 중독은 망간에 의해 발생할 수 있다.

45 가스용접시 중독의 재해를 예방하기 위한 방법으로 가장 적당한 것은?

㉮ 역류(逆流)방지에 힘쓴다.
㉯ 환기를 잘 한다.
㉰ 작업장 외의 청소를 깨끗이 한다.
㉱ 작업물에 부착된 인화물을 완전히 제거한다.

해설 가스 용접시 가스 중독을 막기 위하여 환기에 힘써야 된다.

46 산소 - 아세틸렌가스 용접시 가장 적절한 복장은?

㉮ 장갑만 사용한다.
㉯ 장갑, 안전복, 보호안경을 사용한다.
㉰ 안전모, 장갑만 사용한다.
㉱ 안전복만 착용한다.

Answer 40.㉱ 41.㉯ 42.㉰ 43.㉱ 44.㉮ 45.㉯ 46.㉯

해설 산소-아세틸렌 용접 작업시만 아니라 용접 작업에서는 장갑, 보호구 보안경 등을 꼭 착용하고 작업하여야 한다.

47 용접작업을 할 때 발생할 화재 및 폭발 방지에 재한 조치사항을 설명한 것으로 틀린 것은?

㉮ 화재를 진화하기 위하여 방화 설비를 설치할 것
㉯ 용접 작업 부근에 점화원을 두지 않도록 할 것
㉰ 배관 및 기기에서 가스 누출이 되지 않도록 할 것
㉱ 가연성 가스는 항상 옆으로 뉘어서 보관할 것

해설 가스의 보관은 뉘어서 해서는 안 된다. 왜냐하면 가스통이 굴러 충격 등의 영향으로 폭발 등의 사고를 낼 수 있어 가스 용기를 사용할 때는 항상 고정하거나 운반차 등에 고정하여 작업하여야 한다.

48 납땜할 때, 염산이 몸에 튀었을 경우 1차 조치로 어떻게 하여야 좋은가?

㉮ 빨리 물로 씻는다.
㉯ 그냥 놓아 두어야 한다.
㉰ 손으로 문질러 둔다.
㉱ 머큐러크롬을 바른다.

해설 산이나 알칼리에 피부가 노출되었다고 해서 중화를 시키려고 반대되는 성분을 이용하여 닦아내면 절대로 안 된다. 오히려 다른 성분에 의한 손상만 받을 뿐이며 깨끗한 물을 갖고 많이 씻어냄으로써 희석시켜야 한다.

49 보호 안경이 필요 없는 작업은?

㉮ 탁상 그라인더 작업
㉯ 디스크 그라인더작업
㉰ 수동가스 절단작업
㉱ 금긋기 작업

해설 가공 중 칩이 발생하는 경우와 불꽃 등이 비산하는 경우에는 보호 안경이 필요하다.

50 안전모에 대한 설명이다. 잘못 표현 된 것은?

㉮ 턱 끈은 반드시 졸라 맬 것
㉯ 작업에 적합한 안전모를 사용할 것
㉰ 안전모는 작업자 공용으로 사용할 것
㉱ 머리상부와 안전모 내부의 상단과의 간격은 25mm 이상 유지하도록 조절하여 쓸 것

해설 안전모는 작업자 각자의 신체 사이즈 즉 머리 사이즈에 맞는 것을 착용해야 하므로 공용 착용해서는 안 된다.

51 높은 곳에서 용접 작업시 지켜야 할 사항이 아닌 것은?

㉮ 용접작업과 도장작업을 같이 해도 관계없다.
㉯ 족장이나 발판이 견고하게 조립되어 있는지 확인한다.
㉰ 주변에 낙하물건 및 작업위치 아래에 인화성 물질이 없는지 확인한다.
㉱ 고소작업장에서 용접 작업시 안전벨트 착용 후 안전로프를 핸드레일에 고정시킨다.

해설 용접 작업과 도장 작업을 같이 하지 않는다. 왜냐하면 도장 작업을 위해서는 신나 등 가연물이 많아 용접 불꽃 등으로 인하여 점화되어 큰 재해로 이어질 수 있다.

52 용접 작업시 안전 수칙에 관한 내용이다. 다음 중 틀린 것은?

㉮ 용접 헬멧, 용접보호구, 용접 장갑은 반드시 착용해야 한다.
㉯ 심신에 이상이 있을 때에는 쉬지 않고, 보다 더 집중해서 작업을 한다.
㉰ 미리 소화기를 준비하여 작업 중에는 만일의 사고에 대비한다.
㉱ 환기가 잘되게 한다.

해설 몸에 이상이 있을 때는 즉시 작업을 중단하여야 한다.

53 가스용접 작업에 필요한 보호구에 대한 설명 중 틀린 것은?

㉮ 보호안경은 적외선 자외선 강렬한 가시광선과 비산되는 불꽃에서 눈을 보호한다.
㉯ 보호장갑은 화상방지를 위하여 꼭 착용한다.

Answer 47.㉱ 48.㉮ 49.㉱ 50.㉰ 51.㉮ 52.㉯ 53.㉰

㉰ 앞치마와 팔덮개 등은 착용하면 작업하기에 힘이 들기 때문에 착용하지 않아도 된다.
㉱ 유해가스가 발생할 염려가 있을 때에는 방독면을 착용한다.

해설 용접 작업 중 보호구는 작업할 때 불편하더라도 꼭 착용하고 작업하여야 한다.

54 다음 여러 작업에 대한 행동에서 가장 안전한 것은?

㉮ 용접장갑을 끼고 중량물은 운반하였다.
㉯ 면장갑을 끼고 그라인더 가공을 하였다.
㉰ 아크 발생 중 전류를 올렸다.
㉱ 맨손으로 해머작업을 하였다.

해설 장갑 등을 끼고 회전하는 기계를 사용해서 작업을 해서는 안 되며, 무거운 중량물을 옮기는데 용접 장갑을 끼워서는 안 된다. 전류의 조정은 반드시 아크 발생을 중지 후 한다. 그래서 탭 전환 즉 전류 조정은 아크 발생 중지 후 하라고 하는 것이다.

55 다음 중 용접기를 설치해서는 안 되는 장소는?

㉮ 진동이나 충격이 없는 장소
㉯ 휘발성 가스가 있는 장소
㉰ 기름이나 증기가 없는 장소
㉱ 주위온도가 -5℃인 장소

해설 휘발성 가스가 있는 곳은 화재 및 폭발의 위험이 있다.

56 점(spot) 용접시의 안전사항 중 틀린 것은?

㉮ 장갑을 착용 하여야 한다.
㉯ 점 용접기에 반드시 어스(earth)를 하여야 한다.
㉰ 판재의 기름을 제거한 후 용접한다.
㉱ 작업시 보호안경은 착용하지 않는다.

해설 전기 저항 용접의 경우에도 보안경은 착용하여야 한다.

57 지혈 및 출혈시 응급조치방법으로 옳지 않은 것은?

㉮ 정맥출혈시는 압박붕대나 손에 가제를 대고 누르면서 상처 부위를 높게한다.
㉯ 동맥출혈시는 응급 조치로 지혈대나 압박붕대, 지압법 등으로 지혈시킨 후 의사의 조치를 받는다.
㉰ 피하 출혈시에는 냉승포를 한 뒤에 온습포를 댄다.
㉱ 신체의 다른 부분보다 부상 당한 팔과 다리를 낮게 쳐들어야 한다.

해설 응급 조치시 부상 당한 팔과 다리는 신체의 다른 부분보다 높게 들어야 된다.

Answer 54.㉱ 55.㉯ 56.㉱ 57.㉱

CHAPTER 04

과년도기출문제

국가기술자격검정 필기시험문제

2013년 산업기사 제1회 필기시험

자격종목 및 등급(선택분야)	종목코드	시험시간	문제지형별	수검번호	성 명
용접산업기사	2026	1시간30분			

※ 답안카드 작성시 시험문제지 형별누락, 마킹착오로 인한 불이익은 전적으로 수검자의 귀책사유임을 알려드립니다.

※ 각 문항은 4지택일형으로 질문에 가장 적합한 보기 항을 선택하여 마킹하여야 합니다.

제1과목 : 용접야금 및 용접설비제도

01 적열취성의 원인이 되는 것은?

① 탄소 ② 수소 ③ 질소 ④ 황

02 용접 중 용융된 강의 탈산, 탈황, 탈인에 관한 설명으로 적합한 것은?

① 용융 슬랙(slag)은 연기도가 높을수록 탈인율이 크다.

② 탈황 반응시 용융 슬랙(slag)은 환원성, 산성과 관계없다.

③ SI, Mn 함유량이 같을 경우 저수소계 용접봉은 티탄계 용접봉보다 산소함류량이 적어진다.

④ 관구이론은 피복아크용접봉의 플럭스(flux)를 사용한 탈산에 관한 이론이다.

03 서브머지드 용접에서 소결형 용제의 사용 전 건조온도와 시간은?

① 150~300℃에서 1시간 정도

② 150~300℃에서 3시간 정도

③ 400~600℃에서 1시간 정도

④ 400~600℃에서 3시간 정도

04 철강의 용접부 조직 중 수지상 결정조건으로 되어 있는 부분은?

① 모재 ② 열영향부

③ 용착금속부 ④ 융합부

05 금속재료의 일반적인 특징이 아닌 것은?

① 금속결합인 결정체로 되어 있어 소성가공이 유리하다.

② 열과 전기의 양도체이다.

③ 이온화하면 음(-)이온이 된다.

④ 비중이 크고 금속적 광택을 갖는다.

06 일반적으로 주철의 탄소함량은?

① 0.03% 이하 ② 2.11~6.67%

③ 1.0~1.3% ④ 0.03~0.08%

07 용접 후 강재를 연화시키기 위하여 기계적, 물리적 특성을 변화시켜 함유가스를 방출시키는 것으로 일정시간 가열 후 노안에서 서냉하는 금속의 열처리 방법은?

① 불림 ② 뜨임

③ 풀림 ④ 재결정

08 큰 재료일수록 내 · 외부 열처리 효과의 차이가 생기는 현상으로 강의 담금질성에 의하여 영향을 받는 현상은?

① 시효경화 ② 노치효과

③ 담금질효과 ④ 질량효과

09 오스테나이트계 스테인리스강 용접부의 입계 부식 균열 저항성을 증가시키는 원소가 아닌 것은?

① Nb ② C ③ Ti ④ Ta

10 철의 동소 변태에 대한 설명으로 틀린 것은?

① α-철 : 910℃ 이하에서 체심입방격자이다.
② γ-철 : 910~1400℃에서 면심입방격자이다.
③ β-철 : 1400~1500℃에서 조밀육방격자이다.
④ δ-철 : 1400~1538℃에서 체심입방격자이다.

11 선의 용도 중 가는 실선을 사용하지 않는 것은?

① 숨은선 ② 지시선
③ 치수선 ④ 회전단면선

12 전개도를 그리는 기본적인 방법 3가지에 해당하지 않은 것은?

① 평행선 전개법 ② 삼각형 전개법
③ 방사선 전개법 ④ 원통형 전개법

13 도면에서 2종류 이상의 선이 같은 장소에서 중복될 경우 우선되는 선의 순서는?

① 외형선 - 숨은선 - 중심선 - 절단선
② 외형선 - 중심선 - 절단선 - 숨은선
③ 외형선 - 중심선 - 숨은선 - 절단선
④ 외형선 - 숨은선 - 절단선 - 중심선

14 도면의 분류 중 표현 형식에 따른 설명으로 틀린 것은?

① 선도 : 투시 투상법에 의해서 입체적으로 표현한 그림의 총칭이다.
② 전개도 : 대상물을 구성하는 면을 평면으로 전개한 그림이다.
③ 외관도 : 대상물의 외형 및 최소한의 필요한 치수를 나타낸 도면이다.
④ 곡면선도 : 선체, 자동차 차체 등의 복잡한 곡면을 여러 개의 선으로 나타낸 도면이다.

15 부품의 면이 평면으로 가공되어 있고, 복잡한 윤곽을 갖는 부품인 경우에 그 면에 광명단 등을 발라 스케치 용지에 찍어 그 면의 실형을 얻는 스케치 방법은?

① 프리핸드법 ② 프린트법
③ 본뜨기법 ④ 사진촬영법

16 재료 기호 중 "SM400C"의 재료 명칭은?

① 일반 구조용 압연 강재
② 용접 구조용 압연 강재
③ 기계 구조용 탄소 강재
④ 탄소 공구 강재

17 KS 용접기호 중 [보기]와 같은 보조기호의 설명으로 옳은 것은?

① 끝단부를 2번 오목하게 한 필릿 용접
② K형 맞대기 용접 끝단부를 2번 오목하게 함
③ K형 맞대기 용접 끝단부를 매끄럽게 함
④ 매끄럽게 처리한 필릿 용접

18 KS규격에 의한 치수 기입의 원칙 설명 중 틀린 것은?

① 치수는 되도록 주 투상도에 집중한다.
② 각 형체의 치수는 하나의 도면에서 한번만 기입한다.
③ 기능 치수는 대응하는 도면에 직접 기입해야 한다.
④ 치수는 되도록 계산으로 구할 수 있도록 기입한다.

19 투상도의 배열에 사용된 제1각법과 제3각법의 대표 기호로 옳은 것은?

① 제1각법 :  제3각법 :

② 제1각법 :  제3각법 :

③ 제1각법 : 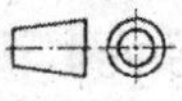 제3각법 :

④ 제1각법 : 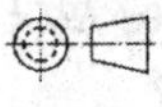 제3각법 :

20 다음 [그림]과 같은 형상을 한 용접기호에 대한 설명으로 옳은 것은?

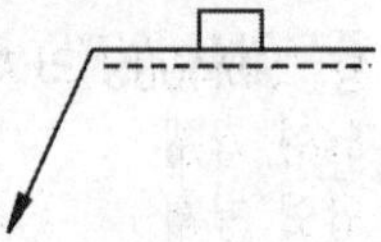

① 플러그 용접기호로 화살표 반대쪽 용접이다.
② 플러그 용접기호로 화살표쪽 용접이다.
③ 스폿 용접기호로 화살표 반대쪽 용접이다.
④ 스폿 용접기호로 화살표쪽 용접이다.

제2과목 : 용접구조설계

21 용접부에서 발생하는 저온 균열과 직접적인 관계가 없는 것은?

① 열영향부의 경화현상
② 용접잔류 응력의 존재
③ 용착금속에 함유된 수소
④ 합금의 응고시에 발생하는 편석

22 용접 입열량에 대한 설명으로 옳지 않은 것은?

① 모재에 흡수되는 열량은 보통 용접 입열량의 약 98% 정도이다.
② 용접 전압과 전류의 곱에 비례한다.
③ 용접속도에 반비례한다.
④ 용접부에 외부로부터 가해지는 열량을 말한다.

23 필릿 용접에서 목길이가 10mm일 때 이론 목두께는 몇 mm인가?

① 약 5.0 ② 약 6.1
③ 약 7.1 ④ 약 8.0

24 용접작업 중 예열에 대한 일반적인 설명으로 틀린 것은?

① 수소의 방출을 용이하게 하여 저온 균열을 방지한다.
② 열영향부와 용착금속의 경화를 방지하고 연성을 증가시킨다.
③ 물건이 작거나 변형이 많은 경우에는 국부 예열을 한다.
④ 국부 예열의 가열 범위는 용접선 양쪽에 50~100mm 정도로 한다.

25 용접수축에 의한 굽힘 변형 방지법으로 틀린 것은?

① 개선 각도는 용접에 지장이 없는 범위에서 작게 한다.
② 판 두께가 얇은 경우 첫 패스 측의 개선 깊이를 작게 한다.
③ 후퇴법, 대칭법, 비석법 등을 채택하여 용접한다.
④ 역변형을 주거나 구속 지그로 구속한 후 용접한다.

26 용접 후 잔류 응력을 완화하는 방법으로 가장 적합한 것은?

① 피닝(peening)
② 치핑(chipping)
③ 담금질(quenching)
④ 노멀라이징(normalizing)

27 중판 이상 두꺼운 판의 용접을 위한 홈 설계 시 고려사항으로 틀린 것은?

① 적당한 루트 간격과 루트 면을 만들어 준다.
② 홈의 단면적은 가능한 한 작게 한다.
③ 루트 반지름은 가능한 한 작게 한다.
④ 최조 10°정도 전후 · 좌우로 용접봉을 움직일 수 있는 홈 각도를 만든다.

28 응력 제거 풀림의 효과가 아닌 것은?

① 충격 저항의 감소
② 용착금속 중 수소 제거에 의한 연성의 증대
③ 응력 부식에 대한 저항력 증대
④ 크리프 강도의 향상

29 강판의 맞대기 용접이음에서 가장 두꺼운 판에 사용할 수 있으며 양면 용접에 의해 충분한 용입을 얻으려고 할 때 사용하는 홈의 종류는?

① V형 ② U형 ③ I형 ④ H형

30 용접이음에서 피로 강도에 영향을 미치는 인자가 아닌 것은?

① 용접기 종류 ② 이음 형상
③ 용접 결함 ④ 하중 상태

31 용접부에서 하중을 걸어 소성변형을 시킨 후 하중을 제거하면 잔류응력이 감소되는 현상을 이용한 응력제거 방법은?

① 기계적 응력 완화법 ② 저온 응력 완화법
③ 응력 제거 풀림법 ④ 국부 응력 제거법

32 용접에 사용되고 있는 여러 가지 이음 중에서 다음 [그림]과 같은 용접이음은?

① 변두리 이음 ② 모서리 이음
③ 겹치기 이음 ④ 맞대기 이음

33 용접 구조 설계상 주의 사항으로 틀린 것은?

① 용접 부위는 단면 형상의 급격한 변화 및 노치가 있는 부위로 한다.
② 용접 치수는 강도상 필요한 치수 이상으로 크게 하지 않는다.
③ 용접에 의한 변형 및 잔류응력을 경감시킬 수 있도록 한다.
④ 용접 이음을 감소시키기 위하여 압연 형재, 주단조품, 파이프 등을 적절히 이용한다.

34 판 두께가 같은 구조물을 용접할 경우 수축변형에 영향을 미치는 용접시공조건을 틀린 것은?

① 루트 간격이 클수록 수축이 크다.
② 피닝을 할수록 수축이 크다.
③ 위빙을 하는 것이 수축이 작다.
④ 구속력이 크면 수축이 작다. 적다.

35 맞대기 용접부에 3960N의 힘이 작용할 때 이음부에 발생하는 인장 응력은 약 몇 N/㎟인가?(단, 판 두께는 6㎜, 용접선의 길이는 220㎜로 한다.)

① 2 ② 3 ③ 4 ④ 5

36 엔드 탭(end tab)에 대한 설명으로 틀린 것은?

① 모재를 구속시키는 역할도 한다.
② 모재와 다른 재질을 사용해야 한다.
③ 용접이 불량하게 되는 것을 방지한다.
④ 피복아크 용접시 엔드 탭의 길이는 약 30㎜ 정도로 한다.

37 **용접부의 잔류 응력의 경감과 변형 방지를 동시에 충족시키는데 가장 적합한 용착법은?**

① 도열법　　② 비석법
③ 전진법　　④ 구속법

38 **약 2.5g의 강구를 25cm 높이에서 낙하시켰을 때 20cm 튀어 올랐다면 쇼어경도(HS) 값은 약 얼마인가?(단, 계측통은 목측형(C형)이다.)**

① 112.4　② 192.3　③ 123.1　④ 154.1

39 **다음 [그림]과 같은 다층 용접법은?**

5 5′ 5″ 5‴ 5″″
4 4′ 4″ 4‴ 4″″
3 3′ 3″ 3‴ 3″″
2 2′ 2″ 2‴ 2″″
1 1′ 1″ 1‴ 1″″

① 전진 블록법　　② 케스케이드법
③ 덧살 올림법　　④ 교호법

40 **다음 [그림]과 같은 홈 용접은?**

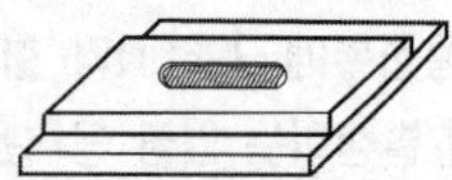

① 플러그 용접　　② 슬롯 용접
③ 플레어 용접　　④ 필릿 용접

제3과목 용접일반 및 안전관리

41 **일반적으로 용접의 단점이 아닌 것은?**

① 품질 검사가 곤란하다.
② 응력 집중에 민감하다.
③ 변형과 수축이 생긴다.
④ 보수와 수리가 용이하다.

42 **서브머지드 아크 용접에 대한 설명으로 틀린 것은?**

① 용접 전류를 증가시키면 용입이 증가한다.
② 용접 전압이 증가하면 비드 폭이 넓어진다.
③ 용접 속도가 증가하면 비드 폭과 용입이 감소한다.
④ 용접 와이어 지름이 증가하면 용입이 깊어진다.

43 **MIG용접 제어장치에서 용접 후에도 가스가 계속 흘러나와 크레이터 부위의 산화를 방지하는 제어 기능은?**

① 가스 지연 유출 시간(post flow time)
② 버언 백 시간(burn back time)
③ 크레이터 충전 시간(crate fill time)
④ 예비 가스 유출 시간(preflow time)

44 **300A 이상의 아크용접 및 절단시 착용하는 차광 유리의 차광도 번호로 가장 적합한 것은?**

① 1~2　　② 5~6
③ 9~10　　④ 13~14

45 **교류 아크 용접기 중 전기적 전류 조정으로 소음이 없고 기계적 수명이 길며 원격제어가 가능한 용접기는?**

① 가동 철심형　　② 가동 코일형
③ 탭 전환형　　④ 가포화 리액터형

46 **아크 용접기의 구비조건이 아닌 것은?**

① 구조 및 취급이 간단해야 한다.
② 가격이 저렴하고 유지비가 적게 들어야 한다.
③ 효율이 낮아야 한다.
④ 사용 중 용접기의 온도 상승이 작아야 한다.

47 **고진공 중에서 높은 전압에 의한 열원을 이용하여 행하는 용접법은?**

① 초음파 용접법 ② 고주파 용접법
③ 전자 빔 용접법 ④ 심 용접법

48 **아크 용접 작업 중의 전격에 관련된 설명으로 옳지 않은 것은?**

① 습기 찬 작업복, 장갑 등을 착용하지 않는다.
② 오랜 시간 작업을 중단할 때에는 용접기의 스위치를 끄도록 한다.
③ 전격 받은 사람을 발견하였을 때에는 즉시 손으로 잡아당긴다.
④ 용접 홀더를 맨손으로 취급하지 않는다.

49 **연강용 피복 아크 용접봉 중 저수소계(E4316)에 대한 설명으로 틀린 것은?**

① 석회석($CaCO_3$)이나 형석(CaF_2)을 주성분으로 하고 있다.
② 용착 금속 중의 수소 함유량이 다른 용접봉에 비해 1/10 정도로 적다.
③ 용접 시점에서 기공이 생기기 쉬우므로 백 스탭(back step)법을 선택하면 해결할 수도 있다.
④ 작업성이 우수하고 아크가 안정하며 용접속도가 빠르다.

50 **탱크 등 밀폐 용기 속에서 용접 작업을 할 때 주의사항으로 적합하지 않은 것은?**

① 환기에 주의한다.
② 감시원을 배치하여 사고의 발생에 대처한다.
③ 유해가스 및 폭발가스의 발생을 확인한다.
④ 위험하므로 혼자서 용접하도록 한다.

51 **전자 빔 용접의 일반적인 특징 설명으로 틀린 것은?**

① 불순가스에 의한 오염이 적다.
② 용접 입열이 적으므로 용접 변형이 적다.
③ 텅스텐, 몰리브덴 등 고용점 재료의 용접이 가능하다.
④ 에너지 밀도가 낮아 용융부나 열영향부가 넓다.

52 **저수소계 용접봉의 피복제에 30~50% 정도의 철분을 첨가한 것으로서 용착 속도가 크고 작업 능률이 좋은 용접봉은?**

① E4313 ② E4324 ③ E4326 ④ E4327

53 **아크 용접기의 특성에서 부하 전류(아크 전류)가 증가하면 단자 전압이 저하하는 특성을 무엇이라 하는가?**

① 수하 특성 ② 정전압 특성
③ 정전기 특성 ④ 상승 특성

54 **그림은 피복 아크 용접봉에서 피복제의 편심상태를 나타낸 단면도이다. D' =3.5mm, D=3mm 일 때 편심률은 약 몇 % 인가?**

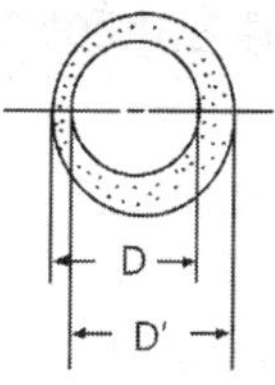

① 14% ② 17% ③ 18% ④ 20%

55 **정격 2차 전류가 300A, 정격 사용률 50%인 용접기를 사용하여 100A의 전류로 용접을 할 때 허용 사용률은?**

① 250% ② 350% ③ 450% ④ 500%

56 **MIG용접의 스프레이 용적이행에 대한 설명이 아닌 것은?**

① 고전압 고전류에서 얻어진다.

② 경합금 용접에서 주로 나타난다.
③ 용착속도가 빠르고 능률적이다.
④ 와이어보다 큰 용적으로 용융 이행한다.

57 **경납땜은 용접이 몇 도(℃) 이상인 용가재를 사용하는가?**

① 300℃ ② 350℃ ③ 450℃ ④ 120℃

58 **가스용접으로 알루미늄판을 용접하려 할 때 용제의 혼합물이 아닌 것은?**

① 염화나트륨 ② 염화칼륨
③ 황산 ④ 염화리튬

59 **용접 자동화에 대한 설명으로 틀린 것은?**

① 생산성이 향상된다.
② 외관이 균일하고 양호하다.
③ 용접부의 기계적 성질이 향상된다.
④ 용접봉 손실이 크다.

60 **산소병 용기에 표시되어 있는 FP, TP의 의미는?**

① FP : 최고 충전압력, TP : 내압 시험압력
② FP : 용기의 중량, TP : 가스 충전시 중량
③ FP : 용기의 사용량, TP : 용기의 내용적
④ FP : 용기의 사용 압력, TP : 잔량

정답 및 해설

● 2013년 산업기사 제1회 필기시험

Answer

01.④	02.③	03.①	04.③	05.③
06.②	07.③	08.④	09.②	10.③
11.①	12.④	13.④	14.①	15.②
16.②	17.④	18.④	19.①	20.②
21.④	22.①	23.③	24.③	25.②
26.①	27.③	28.①	29.④	30.①
31.①	32.①	33.①	34.②	35.②
36.②	37.②	38.③	39.①	40.②
41.④	42.④	43.①	44.④	45.④
46.③	47.③	48.③	49.④	50.④
51.④	52.③	53.①	54.②	55.③
56.④	57.③	58.③	59.④	60.①

01. 취성이나 메짐은 같은 말이며 황은 고온 취성(적열 취성), 인은 청열 취성(상온 취성, 냉간 취성의 원인이 된다.

종류	현 상	원인
청열 취성	강이 200 ~ 300℃로 가열되면 경도, 강도가 최대로 되고, 연신율, 단면 수축률은 줄어들게 되어 메지게 되는 것으로 이때 표면에 청색의 산화 피막이 생성된다.	P
적열 취성	고온 900℃이상에서 물체가 빨갛게 되어 메지는 것을 적열 취성이라 한다.	S
상온 취성	충격, 피로 등에 대하여 깨지는 성질로 일명 냉간 취성이라고도 한다.	P

02. 탈산 반응 : 기계적 성질을 개선하기 위하여 용착 금속 중에 탈산 작용은 피복제 속에 있는 Mn, Si, Al 등으로 산소를 제거하는 데 이 중 Al의 탈산력이 가장 우수하다.

03. 소결형 용제

· 착색이 가능하여 식별이 가능하나 흡습성이 강해 장기 보관시 변질의 우려가 있다.
· 기계적 강도를 요구하는 곳에 합금제 첨가가 쉬워 사용되나 비드 외관은 용융형에 비해 거칠다.
· 용융형에 비해 비교적 넓은 재질에 응용 사용되고 있다.
· 용융형에 비해 슬랙 박리성이 좋고 미분 발생이 거의 없다.
· 다층 용접에는 적합하지 못하다.
· 일반적으로 150~~300℃에서 1시간 정도 사용 전 건조한다.

04. 수지상결정 [樹枝狀結晶, dendrite] : 녹은 금속이 응고될 때 형성되는 나뭇가지 모양의 결정으로 덴드라이트라고도

한다. 용해된 다음 응고된 용접금속부가 수지상 결정조직으로 되어 있다.

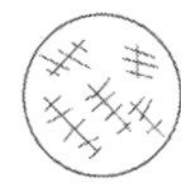

수지상 결정

05. 금속의 공통적 성질

㉠ 실온에서 고체이며, 결정체이다.(단, 수은제외)
㉡ 빛을 반사하고 고유의 광택이 있다.
㉢ 가공이 용이하고, 연·전성이 크다.
㉣ 열, 전기의 양도체이다.
㉤ 비중이 크고, 경도 및 용융점이 높다.

06. 주철의 개요

① 주철의 탄소 함유량은 2.0 ~ 6.68%의 강이다.
② 실용적 주철은 2.5 ~ 4.5%의 강이다.
③ 철강보다 용융점(1,150 ~ 1,350℃)이 낮아 복잡한 것이라도 주조하기 쉽고 또 값이 싸기 때문에 일반 기계 부품과 몸체 등의 재료로 널리 쓰인다.
④ 전·연성이 작고 가공이 안 된다.
⑤ 비중 7.1 ~ 7.3으로 흑연이 많아질수록 낮아진다.
⑥ 담금질, 뜨임은 안 되나 주조 응력의 제거 목적으로 풀림 처리는 가능하다.
⑦ 자연 시효 : 주조 후 장시간 방치하여 주조 응력을 제거하는 것이다.

07. 풀림 : 재질의 연화 및 응력제거를 목적으로 노내에서 서냉한다.

08. 재료의 크기에 따라 내·외부의 냉각 속도가 틀려져 경도가 차이나는 것을 질량 효과라 한다. 일반적으로 탄소강은 질량 효과가 크며 니켈, 크롬, 망간, 몰리브덴 등을 함유한 특수강은 임계 냉각 속도가 낮으므로 질량 효과도 작다. 또한 질량 효과가 작다는 것은 열처리가 잘 된다는 것이다.

09. 결정립계 또는 입계근방을 따라 선택적으로 진행하는 부식형태를 입계부식이라고 하며, 스테인레스강을 약 500 ~ 800℃로 가열하거나 이 온도 범위를 서냉하면 결정립계에 크롬 탄화물이 석출하게 됨에 따라 입계부식이 발생한다. 용접 후에 용체화 처리를 하는 것이 중요하다. 또한 티탄, 니오브, 탄달 등을 첨가하기도 한다.

10. 금속의 변태

① 동소 변태 : 고체 내에서 원자 배열이 변하는 것
㉠ α - Fe(체심), γ - Fe(면심), δ - Fe(체심)
㉡ 동소 변태 금속 : Fe(912℃, 1,400℃), Co(477℃), Ti(830℃), Sn(18℃) 등
② 자기 변태 : 원자 배열은 변화가 없고 자성만 변하는 것(Fe, Ni, Co)
㉠ 순수한 시멘 타이트는 210℃이하에서 강자성체. 그 이상에서는 상자성체
㉡ 자기 변태 금속 : Fe(768℃), Ni(358℃), Co(1,160℃)

11. 선의 종류와 용도

① 외형선은 굵은 실선으로 그린다.
② 치수선, 치수 보조선, 지시선, 회전 단면선, 중심선, 수준면선 등은 가는 실선으로 그린다.
③ 은선(숨은선)은 가는 파선 또는 굵은 파선으로 그린다
④ 중심선, 기준선, 피치선은 가는 1점 쇄선으로 그린다.
⑤ 특수 지정선은 굵은 1점 쇄선으로 그린다.
⑥ 가상선 무게 중심선은 가는 2점 쇄선으로 그린다.
⑦ 파단선은 물체의 일부를 파단한 곳을 표시하는 선으로 불규칙한 파형의 가는 실선 또는 지그재그 선으로 그린다.
⑧ 절단선은 가는 1점 쇄선으로 끝 부분 및 방향이 변하는 부분을 굵은 실선으로 그린다.
⑨ 해칭은 가는 실선으로 규칙적으로 줄을 늘어놓은 것
⑩ 특수한 용도의 선으로는 가는 실선 아주 굵은 실선으로 나눌 수 있다.

12. ① 평행선 전개법 특징 : 물체의 모서리가 직각으로 만나는 물체나 원통형 물체를 전개할 때 사용
② 방사선 전개법 특징 : 각뿔이나 원뿔처럼 꼭짓점을 중심으로 부채꼴 모양으로 전개하는 방법
③ 삼각형 전개법 특징 : 꼭지점이 먼 각뿔이나 원뿔을 전개할 때 입체의 표면을 여러 개의 삼각형으로 나누어 전개하는 방법

13. 선의 우선순위 외형선 → 은선 → 절단선 → 중심선 → 무게중심선의 순서이며 여기서 외형선과 은선은 실제 물체와 관계가 있어 우선순위에서 앞서는 것이며, 절단선은 절단위치에 따라 외형을 바꿀 수 있기 때문에 그 다음으로 중요하다.

14. 투시 투상법에 의해서 입체적으로 표현한 그림의 총칭은 겨냥도이다.

15. 스케치 방법

① 프린트법 : 부품 표면에 광명단 또는 스탬프 잉크를 칠한 후 용지에 찍어 실제 형상으로 모양을 뜨는 방법
② 본뜨기법 : 실제 부품을 용지 위에 올려놓고 본을 뜨는 방법과 부품 표면을 납선으로 본을 떠서 이를 용지에 옮기는 방법
③ 사진 촬영법 : 사진기로 실물을 직접 찍어서 도면을 그리는 방법(크거나 복잡한 경우)
④ 프리핸드법 : 손으로 직접 그리는 방법

16. 용접 구조용 압연강재 : SM400A · B · C, SM490A · B · C, SM490YA · YB, SM520B · C, SM570, SM490 TMC, SM520 TMC, SM 570 TMC(용접구조용 압연강재(KS D 3515)의 SWS 표기는 한국산업규격의 개정('97.10.22)에 의하여 SM으로 변경되었다. 즉 SM400 A, B, C가 있으며, 400은 인장강도를 의미한다.)

17. ⌣ 끝단부를 매끄럽게 하라는 보조기호이며 ⊿은 필릿 용접의 표시이다.

18. 치수 기입의 원칙

① 도면에는 완성된 물체의 치수 기입한다.
② 길이 단위 : mm, 도면에는 기입하지 않는다.
③ 각도 단위 : 도(°), 분(′), 초(″)를 사용한다.
④ 치수 숫자는 자릿수를 표시하는 콤마 등을 사용하지 않는다.
⑤ 치수 숫자는 치수선에 대하여 수직 방향은 도면의 우변으로부터, 수평 방향은 하변으로부터 읽도록 기입한다.
⑥ 도면에 길이의 크기와 자세 및 위치를 명확하게 표시한다.
⑦ 가능한 한 주투상도(정면도)에 기입한다.
⑧ 치수의 중복 기입을 피한다.
⑨ 치수는 계산할 필요가 없도록 기입한다.
⑩ 관련되는 치수는 한 곳에 모아서 기입한다.

19. ①, ②, ④, ⑤는 3각법, ③은 1각법

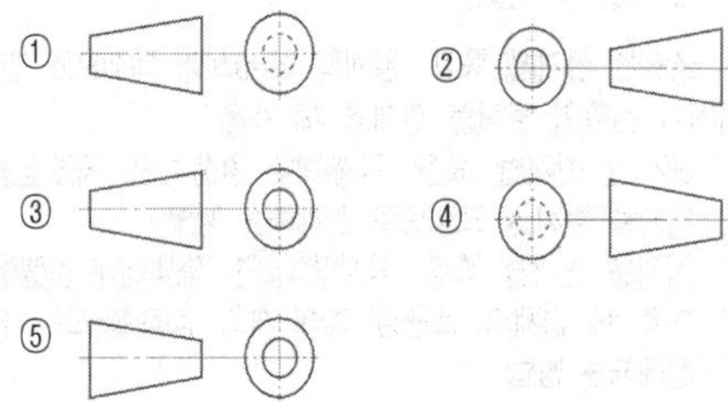

20. ⊓ 플러그 용접을 뜻하는 기호이며 실선에 기호가 있으므로 화살표쪽 용접이다.

21. 고온 균열(응고 크랙) : 탄소 함유량이 높거나 모재에 황과 인이 과다 함유되어 있을 때 응고시 미세조직이 조대화되어 가는 균열로 저탄소강을 사용하거나 황과 인의 함유를 0.02~0.03 이내로 하거나 예열 및 후열 처리를 하여 예방할 수 있다.

- 저온 균열(냉각 크랙) : 수소가 원인으로 조직이 잔류 응력과 슬랙이 혼입되어 있어 균열이 발생하는 것으로 수소 응력 완화나 슬랙 혼입 방지, 잔류 응력 경감, 예열 등을 통해 예방 할 수 있다.

22. 용접 입열(Weld heat input) : 외부에서 용접 모재에 주어지는 열량으로 일반적으로 모재에 흡수되는 열량은 입열의 75~ 85%이다. 용접 입열이 충분하지 못하면 용입 불량 등의 용접 결함을 수반할 수 있다.

$H = \frac{60EI}{V}$ [Joule/cm]

23. 이론 목두께와 실제 목두께는 $h_1 = h \cdot \cos 45°$ 의 관계가 있다. 10×cos45° (0.707)=7.1

24. 예열의 방법

㉠ 연강의 경우 두께 25mm이상의 경우나 합금 성분을 포함한 합금강 등은 급랭 경화성이 크기 때문에 열 영향부가 경화하여 비드 균열이 생기기 쉽다. 그러므로 50 ~ 350℃정도로 홈을 예열하여 준다.
㉡ 기온이 0℃이하에서도 저온 균열이 생기기 쉬우므로 홈 양끝 100mm 나비를 40 ~ 70℃로 예열한 후 용접한다.
㉢ 주철은 인성이 거의 없고 경도와 취성이 커서 500 ~ 550℃로 예열하여 용접 터짐을 방지한다.
㉣ 용접시 저수소계 용접봉을 사용하면 예열 온도를 낮출 수 있다.
㉤ 탄소 당량이 커지거나 판 두께가 두꺼울수록 예열 온도는 높일 필요가 있다.
㉥ 주물의 두께 차가 클 경우 냉각 속도가 균일하도록 예열

25. 굽힘 변형 방지 방법

① 스트롱 백(strong back)에 의한 구속 방법
② 지그(jig)로 정반에 고정하는 주변 고착법
③ 이음부에 미리 역각도를 주는 방법

26. 잔류 응력 경감법

① 노내 풀림법 : 유지 온도가 높을수록, 유지 시간이 길수록 효과가 크다. 노내 출입 허용 온도는 300℃를 넘어서는 안된다. 일반적인 유지 온도는 625 ± 25℃ 이다. 판두께 25mm 1시간
② 국부 풀림법 : 큰 제품, 현장 구조물 등과 같이 노내 풀림이 곤란할 경우 사용하며 용접선 좌우 양측을 각각 약 250mm 또는 판 두께 12배 이상의 범위를 가열한 후 서냉한다. 하지만 국부 풀림은 온도를 불균일하게 할 뿐 아니라 이를 실시하면 잔류 응력이 발생될 염려가 있으므로 주의하여야 한다. 유도가열 장치를 사용한다.
③ 기계적 응력 완화법 : 용접부에 하중을 주어 약간의 소성 변형을 주어 응력을 제거한다. 실제 큰 구조물에서는 한정된 조건하에서만 사용할 수 있다.
④ 저온 응력 완화법 : 용접선 좌우 양측을 정속도로 이동하는 가스 불꽃으로 약 150mm의 나비를 약 150 ~ 200℃로 가열 후 수냉하는 방법으로 용접선 방향의 인장 응력을 완화시키는 방법
⑤ 피닝법 : 끝이 둥근 특수 해머로 용접부를 연속적으로 타격하며 용접 표면에 소성 변형을 주어 인장 응력을 완화한다. 첫층 용접의 균열 방지 목적으로 700℃정도에서 열간 피닝을 한다.

27. 용접 홈의 각도가 좁을 때는 루트 간격을 넓혀야 충분한 용입을 얻을 수 있다. 반면에 루트 간격이 좁을 때는 홈 각도를 크게 하여야 한다. 용접 홈의 설계 요령은 홈의 단면적은 가능한 작게 하고, 홈각도 또한 용입이 허용하는 한 작게 한다. 루트 반지름은 가능한 크게 하며, 적당한 루트 간격과 루트면을 만들어 준다.

28. 응력 제거 효과로는 충격 저항의 증가, 연성의 증대, 응력 부식에 대한 저항력 증대 및 크리프 강도 향상이 있다.

29. 판 두께 6mm까지는 I형, 6 ~ 19mm까지는V형, ✓형(베벨형), J형, 12mm이상은 X형, K형, 양면 J형이 쓰이고 16 ~ 50mm에는 U형 맞대기 이음이 쓰이며 50mm이상에서는 H형 맞대기 이음에 쓰인다.

30. 피로 강도를 개선하는 방법은 비드 접촉각을 작게 하거나 토우부를 연마하여 평활하게 한다. 용접기의 종류와 피로 강도의 관련성은 적다.

31. 26번 해설 참고

32.

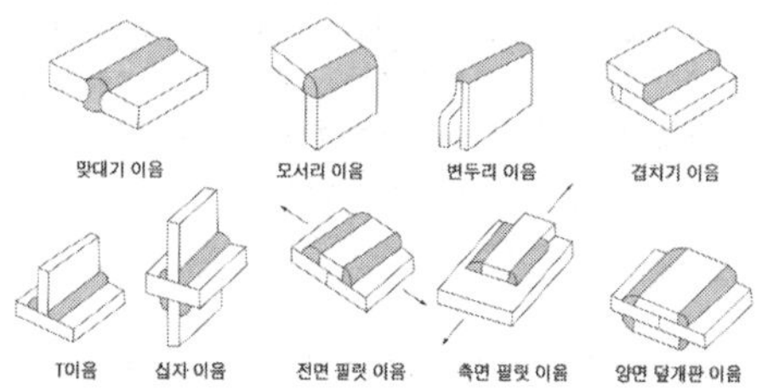

33. 용접 구조물을 설계할 경우 실제로 가해지는 하중을 계산하고 용접 이음의 형상과 치수를 안전상 허용될 수 있는 응력 범위를 결정하여야 한다.
일반적으로 재질 및 모양이 불균일하고 강도상 신뢰성이 적거나, 큰 동하중 및 충격하중이 작용될 염려가 있을 때, 응력 집중이 있을 때, 피로 파괴의 염려가 있을 대 안전율을 고려하여야 한다.

34. 용접열에 의한 수축 변형이 크므로 열과 관련된 것을 찾으면 된다. 또한 판 두께 및 이음 형상에 따라서도 수축변형은 달라질 수 있다. 즉 판 두께가 두꺼울수록 냉각속도는 빠르며, 이음의 형상이 대칭적인 것이 수축 변형이 적다.

35. $\sigma = \frac{p}{tl} = \frac{3960}{220 \times 6} = 3$

36. 엔드탭이란 용접선의 시작부와 끝 부분에 설치하는 보조판으로 모재와 같은 재질 및 홈의 형상도 같아야 한다. 즉 시작 및 끝(크레이터)부분의 충분한 용입을 얻어 결함을 방지하기 위하여 설치한다.

37. 용착순서

① 전진법 : 용접 시작 부분보다 끝나는 부분이 수축 및 잔류 응력이 커서 용접 이음이 짧고, 변형 및 잔류 응력이 그다지 문제가 되지 않을 때 사용
② 후진법 : 용접을 단계적으로 후퇴하면서 전체 길이를 용접하는 방법으로 수축과 잔류 응력을 줄이는 방법
③ 대칭법 : 용접 전 길이에 대하여 중심에서 좌우로 또는 용접물 형상에 따라 좌우 대칭으로 용접하여 변형과 수축 응력을 경감한다.
④ 비석법 : 스킵법이라고도 하며 짧은 용접 길이로 나누어 놓고 간격을 두면서 용접하는 방법으로 특히 잔류 응력을 적게 할 경우 사용한다.
⑤ 교호법 : 열 영향을 세밀하게 분포시킬 때 사용

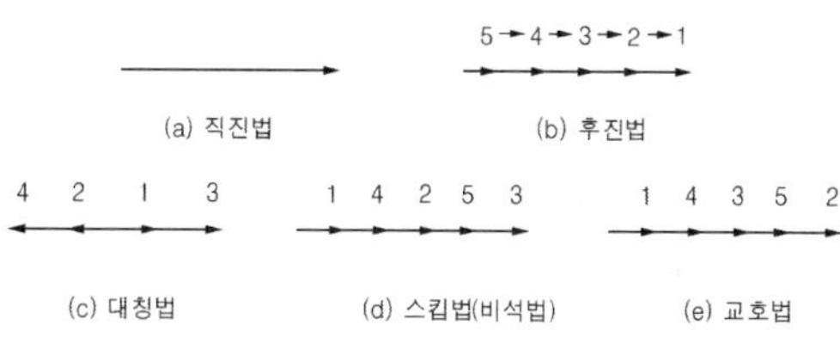

38. $Hs = \frac{10000}{65} \times \frac{h}{h_0} = \frac{10000}{65} \times \frac{20}{25} = 123.1$

39. 전진 블록법 : 한 개의 용접봉으로 살을 붙일만한 길이로 구분해서 홈을 한 부분에 여러 층으로 완전히 쌓아 올린 다음, 다음 부분으로 진행하는 방법으로 첫 층에 균열 발생 우려가 있는 곳에 사용된다.

40.

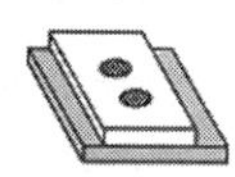
(a) 플러그 용접

(b) 슬롯 용접

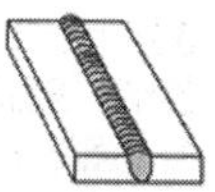
(c) 비드 용접

41. 용접의 장·단점

① 장점
㉠ 작업 공정을 줄일 수 있다.
㉡ 형상의 자유화를 추구 할 수 있다.
㉢ 이음 효율을 향상(기밀 수밀 유지)시킬 수 있다.
㉣ 중량 경감, 재료 및 시간이 절약된다.
㉤ 이종 재료의 접합이 가능하다.
㉥ 보수와 수리가 용이하다.(주물의 파손부 등)

② 단점
㉠ 품질 검사가 곤란하다.
㉡ 제품의 변형을 가져 올 수 있다(잔류 응력 및 변형에 민감).
㉢ 유해 광선 및 가스 폭발 위험이 있다.
㉣ 용접사의 기능과 양심에 따라 이음부 강도가 좌우한다.

42. 전류는 용입과 관계있고, 전압은 비드폭과 관계있다. 아울러 용접 속도가 증가하면 비드 폭과 용입이 감소하며, 와이어 지름이 증가하면 전류밀도가 낮아져 용입이 적어진다.

43. 불활성가스 금속 아크용접에서 용접 후에도 가스가 계속 흘러나와 크레이터 부위의 산화를 방지하기 위해 설정하는 시간을 가스 지연 유출시간이라 한다.

44.

차광도 번호	용접 전류(A)	용접봉 지름(mm)
8	45 ~ 75	1.2 ~ 2.0
9	75 ~ 130	1.6 ~ 2.6
10	100 ~ 200	2.6 ~ 3.2
11	150 ~ 250	3.2 ~ 4.0
12	200 ~ 300	4.8 ~ 6.4
13	300 ~ 400	4.4 ~ 9.0
14	400 이상	9.0 ~ 9.6

45. 가포화 리액터형 : 가변 저항의 변화로 용접 전류를 조정한다. 전기적 전류 조정으로 소음이 없고 원격 제어가 가능하다.

46. 역률이 높으면 좋은 용접기라고 말할 수 도 있고 그렇지 않을 수도 있다. 왜냐하면 일반적으로 역률이 높은 용접기는 소비전력이 높아 효율이 떨어지기 때문에 이 경우는 역률이 낮은 경우가 효율이 더 좋다고 할 수 있다. 하지만 소비 전력은 변화 없고 전원 입력을 적게 할 수 있다면 좋은 용접기라 할 수 있다.

47. 전자 빔 용접은 고 진공 중에서 전자를 전자 코일로서 적당한 크기로 만들어 양극 전압에 의해 가속시켜 접합부에 충돌시켜 그 열로 용접하는 방법이다.
전자빔 용접의 특징
① 용접부가 좁고 용입이 깊다.
② 얇은 판에서 두꺼운 판까지 광범위한 용접이 가능하다.(정밀제품에 자동화에 좋다.)
③ 고 용융점 재료 또는 열전도율이 다른 이종 금속과의 용접이 용이하다.
④ 용접부가 대기의 유해한 원소와 차단되어 양호한 용접부를 얻을 수 있다.
⑤ 고속 용접이 가능하므로 열 영향부가 적고, 완성치수에 정밀도가 높다.
⑥ 고 진공형, 저 진공형, 대기압형이 있다.
⑦ 저전압 대 전류형, 고 전압 소 전류형이 있다.
⑧ 피 용접물의 크기에 제한을 받으며 장치가 고가이다.
⑨ 용접부의 경화 현상이 일어나기 쉽다.
⑩ 배기 장치 및 X선 방호가 필요하다.

48. 전격은 전기적인 충격 즉 감전에 의한 사고를 말한다. 전격 받은 사람을 발견하였을 경우에는 즉시 전원을 내린 후 작업자를 보호조치하여야 한다.

49. **저수소계(E4316)**
① 석회석($CaCO_3$)이나 형석(CaF_2)을 주성분으로 용착금속 중의 수소량이 다른 용접봉에 비해서 1/10정도로 현저하게 적은 우수한 특성이 있다.
② 피복제는 습기를 흡수하기 쉽기 때문에 사용하기 전에 300~350℃ 정도로 1~2시간 정도 건조시켜 사용한다.
③ 기계적 성질은 다른 연강봉보다 우수하기 때문에 중요 강도 부재, 고압 용기, 후판 중 구조물, 탄소 당량이 높은 기계 구조용 강, 균열의 감수성이 좋고 구속도가 큰 구조물, 유황 함유량이 높은 강 등의 용접에 결함 없이 양호한 용접부가 얻어진다.

50. 탱크 등 밀폐된 공간에서 작업을 할 경우에는 2인 이상의 조를 편성하여 작업을 하여야 한다.

51. 47번 해설참고

52. E4326은 철분저수소계이다.

53. **수동 용접기에 필요한 특성**
① 부 특성(부저항 특성) : 전류가 작은 범위에서 전류가 증가하면 아크 저항이 작아져 아크 전압이 낮아지는 특성으로 부저항 특성 또는 부특성이라고 한다. 이 법칙은 일반 전기 회로에서 적용되는 옴의 법칙(Ohm's law)과는 다르다.
② 수하 특성(垂下 特性) : 부하 전류가 증가하면 단자 전압이 저하하는 특성을 수하 특성(垂下 特性)이라 한다.
V = E - IR(V : 단자 전압, E : 전원 전압)
③ 정전류 특성 : 아크 길이가 크게 변하여도 전류 값은 거의 변하지 않는 특성으로 수하 특성 중에서도 전원 특성 곡선에 있어서 작동점 부근의 경사가 상당히 급한 것을 정전류 특성이라 한다.

54. $편심율 = \frac{D' - D}{D} \times 100$에서 16.6즉 17%가 된다.

55. 허용사용율(%) × (실제용접전류)^2 = 정격사용율(%) × (정격2차전류)^2

$$허용사용율(\%) = \frac{(정격2차전류)^2}{(실제용접전류)^2} \times 정격사용율$$

허용사용율 × $(100)^2$ = 50 × $(300)^2$
허용사용율 (%) = 450%

56. **스프레이형(분무상 이행형)** : 가스 폭발의 힘과 아크 힘에 의해 용접봉 끝의 용융금속이 아주 미세한 입자로 되어 빠른 속도로 용접부에 이행하는 형식으로 스팩터가 거의 없고 비드 외관이 아름답고, 용입이 깊다. 주로 일미나이트계, 고산화티탄계, 미그 용접시는 아르곤 가스가 80%이상일 때만 일어난다.

57. 연납과 경납의 구분 온도는 450℃를 기준으로 그 이상을 경납, 그 이하를 연납이라고 한다.

58.

용접 금속	용 제(flux)
연 강	일반적으로 사용하지 않는다.
반 경 강	중탄산소다 + 탄산소다
주 철	중탄산나트륨 70%, 탄산나트륨 15%, 붕사 15%
구리합금	붕사 75%, 붕산, 플로오르화 나트륨, 염화나트륨 25%
알루미늄	염화칼륨 45%, 염화나트륨 30%, 염화리튬 15% 플루오르화 칼륨 7%, 황산칼륨 3%

59. 자동화의 장점으로는 우선 품질이 균일화되고 불량품이 감소되며, 연속 작업이 가능하며, 사고의 방지가 가능하며, 능률적인 작업을 할 수 있다.

60. FP는 최고 충전압력, TP는 내압시험 압력으로 최고충전 압력의 5/3이다.

국가기술자격검정 필기시험문제

2013년 산업기사 제2회 필기시험

자격종목 및 등급(선택분야)	종목코드	시험시간	문제지형별	수검번호	성 명
용접산업기사	2026	1시간30분			

※ 답안카드 작성시 시험문제지 형별누락, 마킹착오로 인한 불이익은 전적으로 수검자의 귀책사유임을 알려드립니다.
※ 각 문항은 4지택일형으로 질문에 가장 적합한 보기 항을 선택하여 마킹하여야 합니다.

제1과목 : 용접야금 및 용접설비제도

01 루트(root) 균열의 직접적인 원인이 되는 원소는?

① 황 ② 인 ③ 망간 ④ 수소

02 용접금속의 변형시효(strain aging)에 큰 영향을 미치는 것은?

① H_2 ② O_2 ③ CO_2 ④ CH_4

03 온도에 따른 탄성률의 변화가 거의 없어 시계나 압력계 등에 널리 이용되고 있는 합금은?

① 플래티나이트 ② 니칼로이
③ 인바 ④ 엘린바

04 용접금속의 가스 흡수에 대한 설명 중 틀린 것은?

① 용융 금속 중의 가스 용해량은 가스압력의 평방근에 반비례한다.
② 용접금속은 고온이므로 극히 단시간 내에 다량의 가스를 흡수한다.
③ 흡수된 가스는 온도 강하에 수반하여 용해도가 감소한다.
④ 과포화된 가스는 가공, 균열, 취화의 원인이 된다.

05 강의 내부에 모재 표면과 평행하게 층상으로 발생하는 균열로서 주로 T 이음, 모서리 이음에 잘 생기는 것은?

① 라멜라티어(lamellatear) 균열
② 크레이터(crater) 균열
③ 설퍼(sulfur) 균열
④ 토우(toe) 균열

06 탄소강의 가공성을 탄소의 함유량에 따라 분류할 때 옳지 않은 것은?

① 내마모성과 경도를 동시에 요구하는 경우 : 0.65~1.2%%C
② 강인성과 내마모성을 동시에 요구하는 경우 : 0.45~0.65%C
③ 가공성과 강인성을 동시에 요구하는 경우 : 0.03~0.05%C
④ 가공성을 요구하는 경우 : 0.05~0.3%C

07 용착금속부에 응력을 완화할 목적으로 끝이 구면인 특수 해머로서 용접부를 연속적으로 타격하여 소성변형을 주는 방법은?

① 기계해머법 ② 소결법
③ 피닝법 ④ 국부풀림법

08 용접 후 용접강재의 연화와 내부응력 제거를 주목적으로 하는 열처리 방법은?

① 불림(normalizing) ② 담금질(quenching)
③ 풀림(annealing) ④ 뜨임(tempering)

09 다음 ( )안에 알맞은 것은?

철강은 체심입방격자를 유지하다 910℃ ~1400℃에서 면심입방격자의 ( )철로 변태한다.

① 알파(α) ② 감마(γ)
③ 델타(δ) ④ 베타(β)

10 체심입방격자를 갖는 금속이 아닌 것은?

① W ② Mo ③ Al ④ V

11 다음 용접 기호를 설명한 것으로 옳지 않은 것은?

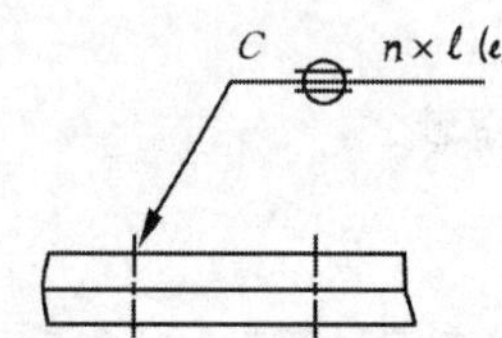

① n : 용접 개수 ② L: 용접 길이
③ C : 심 용접 길이 ④ e : 용접단속거리

12 판금 제관 도면에 대한 설명으로 틀린 것은?

① 주로 정투상도는 1각법에 의하여 도면이 작성되어 있다.
② 도면 내에는 각종 가공 부분 등이 단면도 및 상세도로 표시되어 있다.
③ 중요 부분에는 치수 공차가 주어지며, 평면도, 직각도, 진원도 등이 주로 표시된다.
④ 일반공차는 KS기준을 적용한다.

13 외형도에 있어서 필요로 하는 요소의 일부분만을 오려서 국부적으로 단면도를 표시한 것은?

① 한쪽단면도 ② 온단면도
③ 부분단면도 ④ 회전도시 단면도

14 도면의 표제란에 표시하는 내용이 아닌 것은?

① 도명 ② 척도
③ 각법 ④ 부품 재질

15 다음 [보기]에서 기계용 황동 각봉 재료 표시방법 중 ㄷ의 의미는?

[보기] BS BM A D ㄷ

① 강판 ② 채널
③ 각재 ④ 둥근강

16 KS의 분류와 해당부분의 연결이 틀린 것은?

① KS A - 기본 ② KS B - 기계
③ KS C - 전기 ④ KS D - 건설

17 투상도의 명칭에 대한 설명으로 틀린 것은?

① 정면도는 물체를 정면에서 바라본 모양을 도면에 나타낸 것이다.
② 배면도는 물체를 아래에서 바라본 모양을 도면에 나타낸 것이다.
③ 평면도는 물체를 위에서 내려다 본 모양을 도면에 나타낸 것이다.
④ 좌측면도는 물체의 좌측에서 바라본 모양을 도면에 나타낸 것이다.

18 도면의 용도에 따른 분류가 아닌 것은?

① 계획도 ② 배치도 ③ 승인도 ④ 주문도

19 용접부의 기호 도시방법 설명으로 옳지 않은 것은?

① 설명선은 기선, 화살표, 꼬리로 구성되고, 꼬리는 필요가 없으면 생략해도 좋다.
② 화살표는 용접부를 지시하는 것이므로 기선에 대하여 되도록 60°의 직선으로 한다.

③ 기선은 보통 수직선으로 한다.
④ 화살표는 기선의 한 쪽 끝에 연결한다.

20 굵은 일점쇄선을 사용하는 것은?
① 기계가공 방법을 명시할 때
② 조립도에서 부품번호를 표시할 때
③ 특수한 가공을 하는 부품을 표시할 때
④ 드릴 구멍의 치수를 기입할 때

제2과목 : 용접구조설계

21 응력이 "0"을 통과하여 같은 양의 다른 부호 사이를 변동하는 반복응력 사이클은?
① 교번응력 ② 양진응력
③ 반복응력 ④ 편진응력

22 단면적이 150㎟, 표점거리가 50㎜인 인장시험편에 20kN의 하중이 작용할 때 시험편에 작용하는 인장응력(σ)은?
① 약 133GPa ② 약 133MPa
③ 약 133kPa ④ 약 133Pa

23 본 용접하기 전에 적당한 예열을 함으로써 얻어지는 효과가 아닌 것은?
① 예열을 하게 되면 기계적 성질이 향상된다.
② 용접부의 냉각속도를 느리게 하면 균열발생이 적게 된다.
③ 용접부 변형과 잔류응력을 경감시킨다.
④ 용접부의 냉각속도가 빨라지고 높은 온도에서 큰 영향을 받는다.

24 용접이음부의 홈 형상을 선택할 때 고려해야 할 사항이 아닌 것은?
① 완전한 용접부가 얻어질 수 있을 것
② 홈 가공이 쉽고 용접하기가 편할 것
③ 용착 금속의 양이 많을 것
④ 경제적인 시공이 가능할 것

25 용접변형을 최소화하기 위한 대책 중 잘못된 것은?
① 용착금속량을 가능한 작게 할 것
② 용접부의 구속을 작게 하고 용접순서를 일정하게 할 것
③ 포지셔너 지그를 유효하게 활용할 것
④ 예열을 실시하여 구조물 전체의 온도가 균형을 이루도록 할 것

26 강의 청열취성의 온도 범위는?
① 200~300℃ ② 400~600℃
③ 600~700℃ ④ 800~1000℃

27 다음 [그림]에서 실제 목두께는 어느 부분인가?

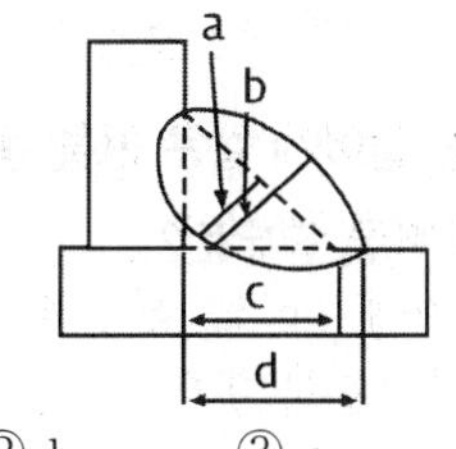

① a ② b ③ c ④ d

28 용접부의 이음효율을 나타내는 것은?

① 이음 효율 $= \frac{\text{용접시험편의 인장강도}}{\text{모재의 굽힘강도}} \times 100(\%)$

② 이음 효율 $= \frac{\text{용접시험편의 굽힘강도}}{\text{모재의 인장강도}} \times 100(\%)$

③ 이음 효율 $= \frac{\text{모재의 인장강도}}{\text{용접시험편의 인장강도}} \times 100(\%)$

④ 이음 효율 $= \frac{\text{용접시험편의 인장강도}}{\text{모재의 인장강도}} \times 100(\%)$

29 **다음 용접기호를 설명한 것으로 옳지 않은 것은?**

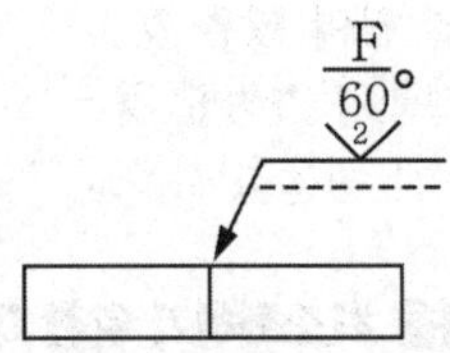

① 용접부의 다듬질 방법은 연삭으로 한다.
② 루트 간격은 2㎜로 한다.
③ 개선 각도는 60°로 한다.
④ 용접부의 표면 모양은 평탄하게 한다.

30 **용접부 잔류응력측정 방법 중에서 응력이완법에 대한 설명으로 옳은 것은?**

① 초음파 탐상 실험장치로 응력측정을 한다.
② 와류 실험장치로 응력측정을 한다.
③ 만능 인장시험 장치로 응력측정을 한다.
④ 저항선 스트레인 게이지로 응력측정을 한다.

31 **용접길이 1m 당 종수축은 약 얼마인가?**

① 1㎜ ② 5㎜ ③ 7㎜ ④ 10㎜

32 **두께의 폭, 길이가 같은 판을 용접시 냉각속도가 가장 빠른 경우는?**

① 1개의 평판 위에 비드를 놓는 경우
② T형이음 필릿용접의 경우
③ 맞대기 용접하는 경우
④ 모서리이음 용접의 경우

33 **용접작업 전 홈의 청소 방법이 아닌 것은?**

① 와이어브러쉬 작업 ② 연삭 작업
③ 숏블라스트 작업 ④ 기름 세척작업

34 **잔류응력 완화법이 아닌 것은?**

① 기계적 응력 완화법 ② 도열법
③ 저온 응력 완화법 ④ 응력 제거 풀림법

35 **용접 잔류응력을 경감하는 방법이 아닌 것은?**

① 피이닝을 한다.
② 용착 금속량을 많게 한다.
③ 비석법을 사용한다.
④ 수축량이 큰 이음을 먼저 용접하도록 용접순서를 정한다.

36 **모재의 두께 및 탄소당량이 같은 재료를 용접할 때 일미 나이트계 용접봉을 사용할 때보다 예열 온도가 낮아도 되는 용접봉은?**

① 고산화티탄계 ② 저수소계
③ 라임티타니아계 ④ 고셀룰로스계

37 **다음 [그림]과 같은 V형 맞대기 용접에서 굽힘 모멘트(Mb)가-1000N·m 작용하고 있을 때, 최대 굽힘 응력은 몇 MPa 인가?(단, ℓ = 150㎜, t = 20㎜이고 완전 용입이다.)**

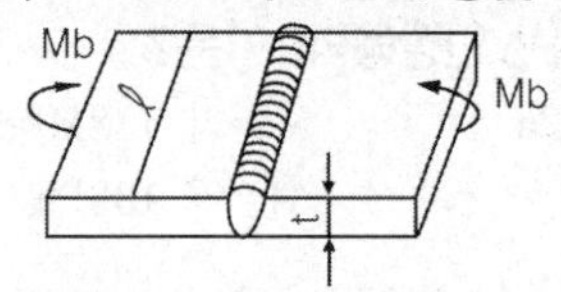

① 10 ② 100 ③ 1000 ④ 10000

38 **용착금속 내부에 균열이 발생되었을 때 방사선투과검사 필름에 나타나는 것은?**

① 검은 반점 ② 날카로운 검은 선
③ 흰색 ④ 검출이 안 됨

39 **용접 변형 방지법 중 용접부의 뒷면에서 물을 뿌려주는 방법은?**

① 살수법 ② 수냉 동판 사용법
③ 석면포 사용법 ④ 피닝법

40 용접선의 방향과 하중 방향이 직교되는 것은?

① 전면 필릿 용접 ② 측면 필릿 용접
③ 경사 필릿 용접 ④ 병용 필릿 용접

제3과목 용접일반 및 안전관리

41 MIG용접에 사용하는 실드가스가 아닌 것은?

① 아르곤 – 헬륨 ② 아르곤 – 탄산가스
③ 아르곤 + 수소 ④ 아르곤 + 산소

42 아크열을 이용한 용접 방법이 아닌 것은?

① 티그 용접 ② 미그 용접
③ 플라즈마 용접 ④ 마찰 용접

43 피복아크용접봉 중 내균열성이 가장 우수한 것은?

① 일미나이트계 ② 티탄계
③ 고셀룰로스계 ④ 저수소계

44 용해 아세틸렌을 안전하게 취급하는 방법으로 옳지 않은 것은?

① 아세틸렌병은 반드시 세워서 사용한다.
② 아세틸렌가스의 누설은 점화라이터로 자주 검사해야 한다.
③ 아세틸렌 밸브가 얼었을 때는 35℃ 이하의 온수로 녹여야 한다.
④ 밸브고장으로 아세틸렌 누출시는 통풍이 잘되는 곳으로 병을 옮겨 놓아야 한다.

45 아세틸렌(C_2H_2)가스 폭발과 관계가 없는 것은?

① 압력 ② 아세톤
③ 온도 ④ 동 또는 동합금

46 산화철 분말과 알루미늄 분말의 혼합제에 점화시켜 화학반응을 이용한 용접법은?

① 스터드 용접 ② 전자 빔 용접
③ 테르밋 용접 ④ 아크 점 용접

47 산소 - 아세틸렌 불꽃의 구성 중 온도가 가장 높은 것은?

① 백심 ② 속불꽃
③ 겉불꽃 ④ 불꽃심

48 아크 용접기로 정격 2차 전류를 사용하여 4분간 아크를 발생시키고 6분을 쉬었다면 용접기의 사용률은 얼마인가?

① 20% ② 30% ③ 40% ④ 60%

49 용접 흄(fume)에 대한 설명 중 옳은 것은?

① 인체에 영향이 없으므로 아무리 마셔도 괜찮다.
② 실내 용접 작업에서는 환기설비가 필요하다.
③ 용접봉의 종류와 무관하며 전혀 위험은 없다.
④ 가제마스크로 충분히 차단할 수 있으므로 인체에 해가 없다.

50 음극과 양극의 두 전극을 접촉시켰다가 떼면 두 전극 사이에 생기는 활 모양의 불꽃방전을 무엇이라 하는가?

① 용착 ② 용적 ③ 용융지 ④ 아크

51 스테인리스강의 MIG용접에 대한 종류가 아닌 것은?

① 단락 아크용접 ② 펄스 아크용접
③ 스트레이 아크용접 ④ 탄산가스 아크용접

52 **강의 가스절단(gas cutting)시 화학반응에 의하여 생성되는 산화철의 용점에 관한 설명 중 가장 알맞은 것은?**

① 금속산화물의 용점이 모재의 용점보다 높다.
② 금속산화물의 용점이 모재의 용점보다 낮다.
③ 금속산화물의 용점이 모재의 용점이 같다.
④ 금속산화물의 용점이 모재의 용점과 관련이 없다.

53 **용접에 사용되는 산소를 산소용기에 충전시키는 경우 가장 적당한 온도와 압력은?**

① 30℃, 18MPa ② 35℃, 18MPa
③ 30℃, 15MPa ④ 35℃, 15MPa

54 **MIG용접이나 CO_2 아크용접과 같이 반자동 용접에 사용되는 용접기의 특성은?**

① 정전류 특성과 맥동전류 특성
② 수하특성과 정전류 특성
③ 정전압 특성과 상승 특성
④ 수하특성과 맥동전류 특성

55 **2차 무부하전압이 80V, 아크전압 30V, 아크전류 250A, 내부손실 2.5kW라 할 때, 역률은 얼마인가?**

① 50% ② 60% ③ 75% ④ 80%

56 **수소가스 분위기에 있는 2개의 텅스텐 전극봉 사이에서 아크를 발생시키는 용접법은?**

① 전자 빔 용접 ② 원자수소 용접
③ 스텃 용접 ④ 레이저 용접

57 **교류 아크용접기 AW300인 경우 정격 부하 전압은?**

① 30V ② 35V ③ 40V ④ 45V

58 **서브머지드 아크 용접의 용접헤드에 속하지 않는 것은?**

① 와이어 송급장치 ② 제어장치
③ 용접 레일 ④ 콘택트 팁

59 **CO_2 용접 와이어에 대한 설명 중 옳지 않은 것은?**

① 심선은 대체로 모재와 동일한 재질을 많이 사용한다.
② 심선 표면에 구리 등의 도금을 하지 않는다.
③ 용착금속의 균열을 방지하기 위해서 저탄소강을 사용한다.
④ 심선은 전 길이에 걸쳐 균일해야 된다.

60 **압접에 속하는 용접법은?**

① 아크용접 ② 단접
③ 가스용접 ④ 전자빔용접

정답 및 해설

● 2013년 산업기사 제2회 필기시험

Answer

01.④	02.②	03.④	04.①	05.①
06.③	07.③	08.③	09.②	10.③
11.③	12.①	13.③	14.④	15.②
16.④	17.②	18.②	19.③	20.③
21.②	22.②	23.④	24.③	25.②
26.①	27.②	28.④	29.①	30.④
31.①	32.②	33.④	34.②	35.②
36.②	37.②	38.②	39.①	40.①
41.③	42.④	43.④	44.②	45.②
46.③	47.②	48.③	49.②	50.④
51.④	52.②	53.④	54.③	55.①
56.②	57.②	58.③	59.②	60.②

01. 루트 균열은 저온 균열로 그 원인은 수소취화에 있다.

02. 변형 시효란 상온에서 가공한 금속이 그 후의 시효에 의해 경화하는 현상을 말하며 질소가 원인이다.
용접 금속 중에 산소 및 질소는 석출 경화(담금질 시효)의 원인이 된다. 또한 저온 취성에도 많은 영향을 준다.

03. 엘린바

- 인바에 12% Cr을 첨가하여 개량한 것으로 온도 변화에 따른 탄성 계수의 변화가 거의 없으므로 정밀 계측기기, 전자기 장치, 각종 정밀 부품 등에 사용
- 인바와 5% 미만의 코발트를 첨가한 슈퍼 인바는 열팽창 계수가 가장 낮은 합금이다.

04. 용접 금속이 가스는 기공, 균열 등의 원인이 될 수 있으며, 단시간 내에 용접 금속은 다량의 가스를 흡수할 수 있다. 온도 강하에 따라 흡수된 가스의 용해도는 감소한다.

05. 라멜라티어 균열이란 압연 강재를 판 두께 방향으로 큰 구속을 주었을 때 발생하는 것으로 용접 시공 중 또는 사용중에 발생한다.

06. ① 탄소량과 인장강도의 관계
㉠ 탄소량에 따른 인장 강도 : 20 + 100 × C(%)(C는 탄소 함유량)
㉡ 인장 강도에 따른 경도 : 2.8 × 인장강도
② 탄소강의 종류
㉠ 저탄소강 : 탄소량이 0.3%이하의 강으로 가공성이 우수하고, 단접은 양호하다. 하지만 열처리가 불량하다. 극연강, 연강, 반연강이 있다.
㉡ 고탄소강 : 탄소량이 0.3%이상의 강으로 경도가 우수하고, 열처리가 양호하다. 하지만 단접이 불량하다. 반경강, 경강, 최경강이 있다.
㉢ 기계 구조용 탄소 강재 : 저탄소강(0.08 ~ 0.23%)구조물, 일반 기계 부품으로 사용한다.
㉣ 탄소 공구강 : 고탄소강(0.6 ~ 1.5%), 킬드강으로 제조한다.

07. 피닝법 : 끝이 둥근 특수 해머로 용접부를 연속적으로 타격하며 용접 표면에 소성 변형을 주어 인장 응력을 완화한다. 첫층 용접의 균열 방지 목적으로 700℃정도에서 열간 피닝을 한다.

08. 풀림 : 재질의 연화 및 응력제거를 목적으로 노내에서 서냉한다.

09. 금속의 변태
① 동소 변태 : 고체 내에서 원자 배열이 변하는 것
㉠ α - Fe(체심), γ - Fe(면심), δ - Fe(체심)
㉡ 동소 변태 금속 : Fe(912℃, 1,400℃), Co(477℃), Ti(830℃), Sn(18℃) 등
② 자기 변태 : 원자 배열은 변화가 없고 자성만 변하는 것(Fe, Ni, Co)

10. 체심입방격자 (B·C·C) : 강도가 크고 전·연성은 떨어진다.Cr, Mo, W, V, Ta, K, Ba, Na, Nb, Rb, α-Fe, δ-Fe
면심입방격자(F·C·C)는 전·연성이 풍부하여 가공성이 우수하다. Ag, Al, Au, Cu, Ni 등이 있다.

11. 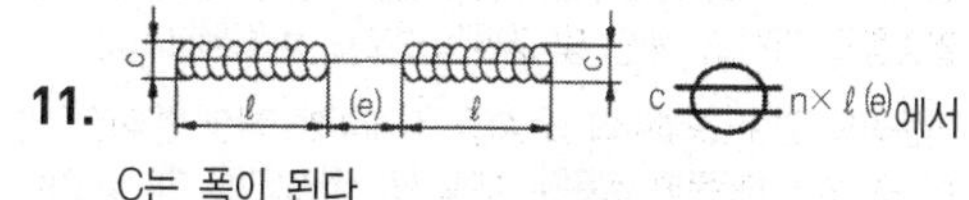

에서 C는 폭이 된다.

12. 주로 정투상도는 3각법에 의하여 도면이 작성되어 있다.

13. 부분 단면도
일부분을 잘라내고 필요한 내부 모양을 그리기 위한 방법으로 파단선을 그어서 단면 부분의 경계를 표시한다.

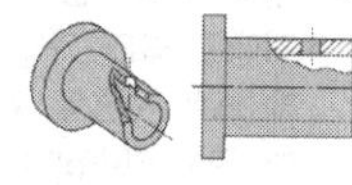

14. 표제란

- 위치 : 도면의 오른쪽 아래에 반드시 위치한다.
- 기재 내용 : 도면 번호(도번), 도면 이름(도명), 척도, 투상법, 도면 작성일, 제도자 이름 등을 기입한다.

15. ㄷ은 채널의 형상을 말한다.

16. KS D는 금속이며 건설은 KS F이다.

17.

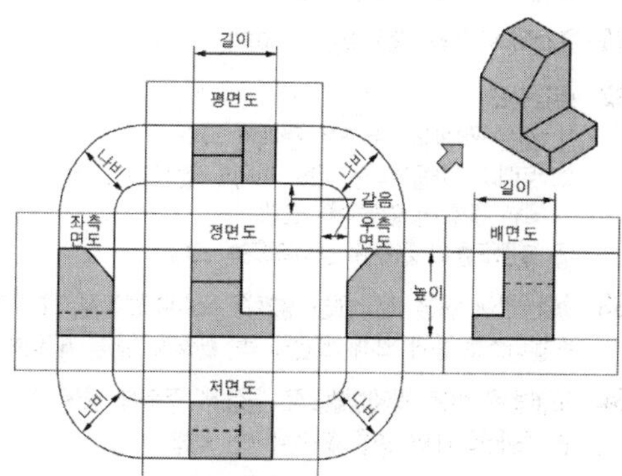

18. 도면의 용도(목적)에 따른 종류는 계획도, 주문도, 견적도, 승인도, 제작도, 설명도가 있다.

19. 용접기호는 화살, 기선, 꼬리로 구성되어 있는데 기선은 수평선으로 실선과 파선으로 그린다.

20. 굵은 일점 쇄선은 특수 가공을 하는 부품을 표시할 때 사용한다.

21. 평균 응력이 "0" , 응력비는 -1의 응력 진폭을 갖는 것을 양진응력이라 한다.

22. $\sigma = \frac{P}{tl}$ 에서 $\frac{20000}{150} = 133.3$N/㎟(MPa)이 된다.

23. 예열의 목적
㉠ 용접부와 인접된 모재의 수축응력을 감소하여 균열 발생을 억제한다.
㉡ 냉각속도를 느리게 하여 모재의 취성을 방지한다.
㉢ 용착금속의 수소 성분이 나갈 수 있는 여유를 주어 비드 밑 균열을 방지한다.

24. 용착 금속의 양이 많아진다는 것은 그만큼 용접에 의한 열영향도 커지고, 시간 및 경제적으로도 비효율적이다.

25. 이문항의 경우 용접부의 구속을 적게하게 되면 변형은 커질 수 있기 때문에 잘못된 대책으로 정답으로 한 것으로 생각되나 가급적 용접 구속을 적게하고 용접 순서를 일정하게 하여 변형을 줄이는 것은 중요한 대책이 될 수 있다.

26. 청열 취성 : 강이 200~300℃로 가열되면 경도, 강도가 최대로 되고, 연신율, 단면 수축률은 줄어들게 되어 메지게 되는 것으로 이때 표면에 청색의 산화 피막이 생성된다. P이 원인이다.

27. ① 즉 a는 이론 목두께, ② b는 실제 목두께이다.

28. $\eta = \frac{(\text{용착금속강도})}{(\text{모재인장강도})} \times 100$

29. 용접부 다듬질 방법의 연삭은 G로 표시해야 한다.

30. 응력이완법은 용접부를 절삭 또는 천공 등 기계 가공에 의해 응력을 해방하고 이에 생기는 탄성변형을 전기적 또는 기계적 변형도계를 사용하여 측정한다. 즉 저항선 스트레인 게이지로 응력을 측정한다.

31. 용접길이 1M당 종수축은 1㎜이다.

32. 냉각속도

① 얇은 판보다는 두꺼운 판에서 크다.
② 맞대기 이음보다는 T형 이음의 경우가 크다. 즉 열의 확산 방향이 많을수록 크다.
③ 열전도율이 클수록 냉각속도는 크다.

33. 용접 전에 홈을 청소하는 방법은 와이어브러쉬, 그라인더, 숏블라스트 등에 의해 표면의 녹, 산화물 등을 제거한다.

34. 도열법은 변형 방지방법으로 용접부 주위에 물을 적신 석면, 동판을 대어 열을 흡수시키는 방법

35. 용착 금속량을 많게 하면 오히려 잔류응력이 증대된다.

36. 저수소계(E4316)

① 석회석($CaCO_3$)이나 형석(CaF_2)을 주성분으로 용착 금속 중의 수소량이 다른 용접봉에 비해서 1/10정도로 현저하게 적은 우수한 특성이 있다.
② 피복제는 습기를 흡수하기 쉽기 때문에 사용하기 전에 300~350℃ 정도로 1~2시간 정도 건조시켜 사용한다.
③ 기계적 성질은 다른 연강봉보다 우수하기 때문에 중요강도 부재, 고압 용기, 후판 중 구조물, 탄소 당량이 높은 기계 구조용 강, 균열의 감수성이 좋고 구속도가 큰 구조물, 유황 함유량이 높은 강 등의 용접에 결함없이 양호한 용접부가 얻어진다.

37. $\sigma_b = \frac{6M}{lt^2} = \frac{(6 \times 1000000)}{(150 \times 20^2)} = 100$

38. 균열은 검은 선의 형태로 보인다.

39. 용접부 뒷면에 물을 뿌려 변형을 방지하는 방법을 살수법이라 한다.

40.

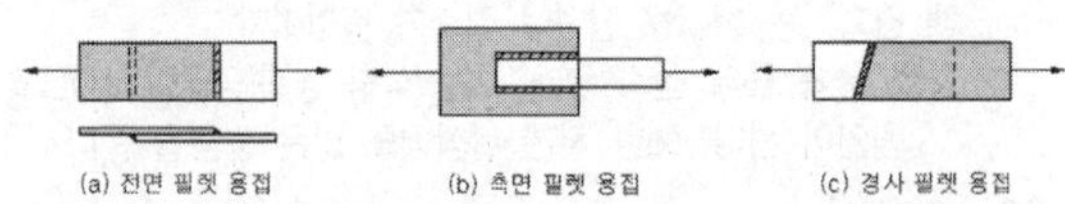

41.

종 류	용도 및 특징
아르곤	전류 밀도가 크고, 청정 능력이 좋다.
헬륨	용입이 비교적 얕고, 비드 폭이 넓어진다. Al, Mg 같은 비철 금속에 이용
아르곤 + 헬륨(25%)	용입이 깊고, 아크 안정성이 우수하다. 후판에 사용되며, 모재 두께가 두꺼울수록 헬륨의 함량을 증가 시키면 된다.
아르곤 + 탄산가스	아크가 안정되고, 용융 금속의 이행을 빨리 촉진 시켜 스팩터를 줄일 수 있다. 연강, 저 합금강, 스테인리스강의 용접에 이용된다.
아르곤 + 헬륨(90%) + 탄산가스	단락형 이행으로 주로 오스테나이트계 스테인리스강 용접에 사용된다.
아르곤 + 산소(1~5%)	언더컷을 방지 할 수 있고, 스테인리스강 용접에 주로 사용된다.

42. 마찰 용접은 접합하고자 하는 재료를 접촉시키고 하나는 고정시키며 다른 하나를 가압, 회전하여 발생되는 마찰열로 적당한 온도가 되었을 때 접합한다.

43. 36 해설 참고

44. 아세틸렌 누설 검사는 비눗물로 체크한다.

45. 아세톤은 아세틸렌을 25배 녹인다.

46. 테르밋 용접은 알루미늄 분말과 산화철 분말(FeO, Fe_2O_3, Fe_3O_4)을 1 : 3~4로 혼합한 것으로 테르밋 반응(화학 반응), 즉 산화철의 산소를 알루미늄이 빼앗아갈 때 일어나는 반응과 함께 발생된 열(2,800℃)을 이용하여 용접한다. 테르밋 반응을 위해 1,000℃의 고온이 필요하므로 점화제로는 마그네슘과 과산화바륨이 사용되고 있다.

47. 불꽃의 구성

① 백심(불꽃심), 속불꽃, 겉불꽃으로 구성되어 있다.
 ㉠ 백심(Flame core) : 환원성 백색 불꽃이다.
 ㉡ 속불꽃(Inner flame) : 백심부에서 생성된 일산화탄소와 수소가 공기 중의 산소와 결합 연소되어 고열을 발생하는 부분이다.
 ㉢ 겉불꽃(Outer flame) : 연소가스가 다시 주위 공기의 산소와 결합하여 완전연소 되는 부분이다.
② 온도가 가장 강한 부분이 속불꽃으로 3,200~3,450℃

이다.

48. 사용율은 전체 사용시간 분에 아크 발생시간이므로 전체사용시간 10분 아크 발생을 한 4분으로 계산하면 40%이다.

49. 용접 흄에는 인체에 해를 줄 수 있는 각종 물질이 있어 실내 용접 작업시에는 환기설비를 필요로 한다.

50. 아크란 기체 중에 일어나는 방전으로 스파크가 꺼지지 않고 유지되는 것으로 생각하면 된다.

51. 탄산가스 아크 용접은 주로 연강 용접에 사용되는 용접방법으로 보호가스를 이산화탄소를 사용하는 용접방법이다.

52. 화학반응에 의해 생성되는 산화철의 용접은 모재의 융점보다 낮아야 원활한 절단이 이루어진다.

53. 산소 용기의 최고 충전압력은 35℃, 150기압 즉 15MPa로 한다.

54. ① 상승 특성 : 큰 전류에서 아크 길이가 일정할 때 아크 증가와 더불어 전압이 약간씩 증가하는 특성이다. 이 상승 특성은 반자동 및 자동 용접에서 아크의 안정을 도모하기 위하여 사용되는 특성이다.

② 정전압 특성(자기 제어 특성) : 수하 특성과는 반대의 성질을 갖는 것으로 부하 전류가 변해도 단자 전압이 거의 변하지 않는 것으로 CP(Constant Potential)특성이라고도 한다. 주로 반자동 및 자동 용접에 필요한 특성이다. 또한 아크 길이가 길어지면 부하 전압은 일정하지만 전류가 낮아져 정상보다 늦게 녹아 정상적인 아크 길이를 맞추고 반대로 아크 길이가 짧아지면 부하 전압은 일정하지만 전류가 높아져 와이어의 녹는 속도를 빨리하여 스스로 아크 길이를 맞추는 것을 자기 제어 특성이라 한다.

55. $\text{역률} = \frac{\text{소비전력}(\text{kW})}{\text{전원입력}(KVA)} \times 100$

따라서 전원입력은 80×250=20KVA

소비전력은 30×250+2.5KW에서 10KW

따라서 50%가 된다.

56. 원자 수소 용접은 수소 가스 분위기 중에서 2개의 텅스텐 용접봉 사이에 아크를 발생시키면 수소 분자는 아크의 고열을 흡수하여 원자 상태 수소로 열해리 되며, 다시 모재 표면에서 냉각되어 분자 상태로 결합될 때 방출되는 열(3,000 ~ 4,000℃)을 이용하여 용접하는 방법

57. AW 300인 용접기의 정격 부하 전압은 35V이다.

58. 서브머지드 아크 용접의 용접 장치의 헤드에는 제어장치, 와이어 송급장치, 콘택트 팁이 있다.

59. 전기적 접촉의 원활과 녹방지를 위해 용접 와이어 표면에 구리 도금을 한다.

60. 아크용접, 가스 용접, 전자 빔 용접은 융접이다. 단접, 마찰용접, 전기저항용접 등이 압접이다.

국가기술자격검정 필기시험문제

2013년 산업기사 제3회 필기시험

자격종목 및 등급(선택분야)	종목코드	시험시간	문제지형별	수검번호	성 명
용접산업기사	2026	1시간30분			

※ 답안카드 작성시 시험문제지 형별누락, 마킹착오로 인한 불이익은 전적으로 수검자의 귀책사유임을 알려드립니다.
※ 각 문항은 4지택일형으로 질문에 가장 적합한 보기 항을 선택하여 마킹하여야 합니다.

제1과목 : 용접야금 및 용접설비제도

01 용접 시 적열취성의 원인이 되는 원소는?
① 산소 ② 황 ③ 인 ④ 수소

02 탄소강 중에 인(P)의 영향으로 틀린 것은?
① 연신율과 충격값을 증대
② 강도와 경도를 증대
③ 결정립을 조대화
④ 상온취성의 원인

03 금속의 결정계와 결정격자 중 입방정계에 해당하지 않는 결정결자의 종류는?
① 단순입방격자 ② 체심입방격자
③ 조밀입방격자 ④ 면심입방격자

04 다음 금속 중 면심입방격자(FCC)에 속하는 것은?
① 니켈, 알루미늄 ② 크롬, 구리
③ 텅스텐, 바나듐 ④ 몰리브덴, 리듐

05 냉간가공으로만 경화되고 열처리로는 경화하지 않으며, 비자성이나 냉간가공에서는 약간의 자성을 갖고 있는 강은?
① 마텐자이트계 스테인리스강
② 페라이트계 스텐인리스강
③ 오스테나이트계 스테인리스강
④ PH계 스테인리스강

06 용접 결함의 종류 중 구조상 결함에 포함되지 않는 것은?
① 용접균열 ② 융합불량
③ 언더컷 ④ 변형

07 6.67%의 C와 Fe의 화합물로서 Fe_3C로서 표기되는 것은?
① 펄라이트 ② 페라이트
③ 시멘타이트 ④ 오스테나이트

08 탄소강의 용접에서 탄소함유량이 많아지면 낮아지는 성질은?
① 인장강도 ② 취성
③ 연신율 ④ 압축강도

09 알루미늄판을 가스 용접할 때 사용되는 용제로 적합한 것은?
① 중탄산소다 + 탄산소다
② 염화나트륨, 염화칼륨, 염화리튬
③ 연화칼륨, 탄산소다, 붕사
④ 붕사, 염화리튬

10 금속의 일반적인 특성 중 틀린 것은?

① 금속 고유의 광택을 가진다.
② 전기 및 열의 양도체이다.
③ 전성 및 연성이 좋다.
④ 액체 상태에서 결정 구조를 가진다.

11 도면의 명칭에 관한 용어 중 잘못 설명한 것은?

① 제작도 : 건설 또는 제조에 필요한 모든 정보를 전달하기 위한 도면이다.
② 시공도 : 설계의 의도와 계획을 나타낸 도면이다.
③ 상세도 : 건조물이나 구성재의 일부에 대해서 그 형태, 구조 또는 조립, 결합의 상세함을 나타낸 것이다.
④ 공정도 : 제조공정의 도중 상태, 또는 일련의 공정 전체를 나타낸 것이다.

12 용접부의 비파괴 시험 보조기호 중 잘못 표기된 것은?

① RT : 방사선투과 시험
② UT : 초음파탐상 시험
③ MT : 침투탐상 시험
④ ET : 와류탐상 시험

13 기계재료 표시방법 중 SF340A에서 '340'은 무엇을 표시하는가?

① 평균 탄소 함유량　② 단조품
③ 최저 인장 강도　④ 최고 인장 강도

14 사투상도에 있어서 경사축의 각도로 적합하지 않는 것은?

① 15°　② 30°
③ 45°　④ 60°

15 제3각법에 대한 설명으로 틀린 것은?

① 제3상한에 놓고 투상하여 도시하는 것이다.
② 각 방향으로 돌아가며 비춰진 투상도를 얻는 원리이다.
③ 표제란에 제3각법의 그림 기호로 과 같이 표시한다.
④ 투상도을 얻는 원리는 눈 → 투상면 → 물체이다.

16 기계재료의 재질을 표시하는 기호 중 기계 구조용강을 나타내는 기호는?

① Al　② SM　③ Bs　④ Br

17 다음 [그림]에서 2번의 명칭으로 알맞은 것은?

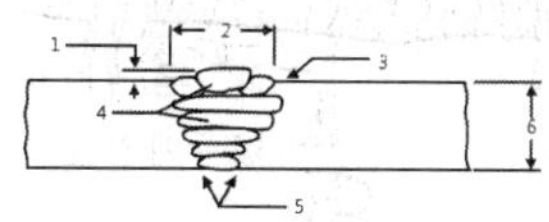

① 용접 토우　② 용접 덧살
③ 용접 루트　④ 용접 비드

18 다음 치수기입 방법의 일반 형식 중 잘못 표시된 것은?

① 각도 치수 : 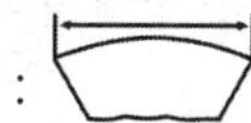
② 호의 길이 치수 : 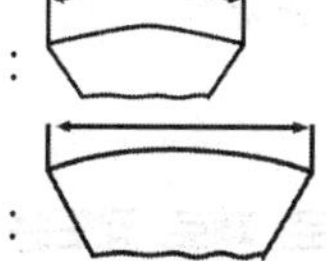
③ 현의 길이 치수 :
④ 변의 길이 치수 :

19 인접부분, 공구, 지그 등의 위치를 참고로 나타내는데 사용하는 선의 명칭은?

① 지시선　② 외형선
③ 가상선　④ 파단선

20 **용접 이음을 할 때 주의할 사항으로 틀린 것은?**

① 맞대기 용접에서 뒷면에 용입 부족이 없도록 한다.
② 용접선은 가능한 서로 교차하게 한다.
③ 아래보기 자세 용접을 많이 사용하도록 한다.
④ 가능한 용접량이 적은 홈 형상을 선택한다.

제2과목 : 용접구조설계

21 **다음 [그림]과 같이 균열이 발생했을 때 그 양단에 정지구멍을 뚫어 균열진행을 방지하는 것은?**

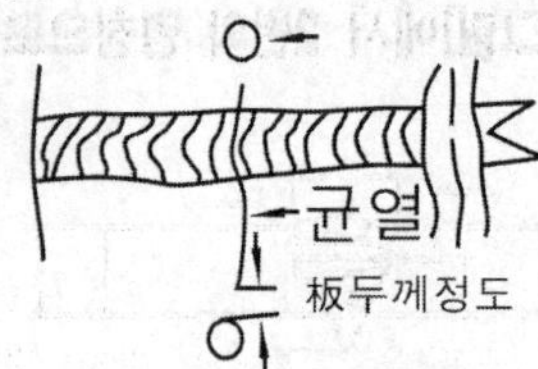

① 브로우 홀　② 핀 홀
③ 스톱 홀　④ 웜 홀

22 **용접이음의 안전율을 나타내는 식은?**

① $\text{안전율} = \dfrac{\text{인장강도}}{\text{허용응력}}$　② $\text{안전율} = \dfrac{\text{허용응력}}{\text{인장강도}}$
③ $\text{안전율} = \dfrac{\text{이음효율}}{\text{허용응력}}$　④ $\text{안전율} = \dfrac{\text{허용응력}}{\text{이음효율}}$

23 **일반적으로 피로 강도는 세로축에 응력(S), 가로축에 파괴까지의 응력 반복 회수(N)를 가진 선도로 표시한다. 이 선도를 무엇이라 부르는가?**

① B-S 선도　② S-S 선도
③ N-N 선도　④ S-N 선도

24 **다음 중 똑같은 용접조건으로 용접을 실시하였을 때 용접변형이 가장 크게 되는 재료는 어떤 것인가?**

① 연강
② 800MPa급 고장력강
③ 9% Ni강
④ 오스테나이트계 스테인리스강

25 **용착 금속의 인장강도를 구하는 식은?**

① $\text{인장강도} = \dfrac{\text{인장하중}}{\text{시험편의 단면적}}$
② $\text{인장강도} = \dfrac{\text{시험편의 단면적}}{\text{인장하중}}$
③ $\text{인장강도} = \dfrac{\text{표점거리}}{\text{연신율}}$
④ $\text{인장강도} = \dfrac{\text{연신율}}{\text{표점거리}}$

26 **용접금속 근방의 모재에 용접열에 의해 급열, 급랭되는 부위가 발생하는데 이 부위를 무엇이라 하는가?**

① 본드(bond)부　② 열영향부
③ 세립부　④ 용착금속부

27 **용접 이음의 종류 중 겹치기 필릿 이음은?**

① 　② 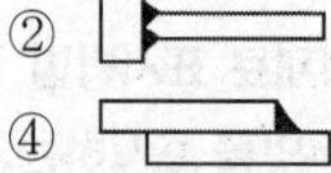
③　④

28 **아크 용접 중에 아크가 전류 자장의 영향을 받아 용접비드(bead)가 한쪽 방향으로 쏠리는 현상은?**

① 용융 속도(melting rate)
② 자기불림(magnetic blow)
③ 아크부스터(arc booster)
④ 전압강하(cathode drop)

29 용접부를 기계적으로 타격을 주어 잔류 응력을 경감시키는 것은?

① 저온 응력 완화법 ② 취성 경감법
③ 역변형법 ④ 피닝법

30 용접부 검사에서 파괴 시험에 해당되는 것은?

① 음향 시험 ② 누설 시험
③ 형광 침투 시험 ④ 함유 수소 시험

31 그림과 같이 폭 50㎜, 두께 10㎜의 강판을 40㎜ 만을 겹쳐서 전둘레 필릿 용접을 한다. 이 때 100kN의 하중을 작용시킨다면 필릿 용접의 치수는 얼마로 하면 좋은가?(단, 용접 허용응력은 10.2kN/㎠으로 한다.)

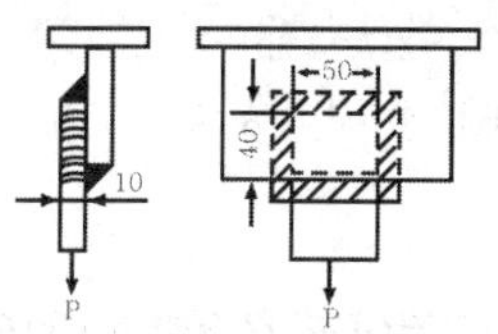

① 약 2㎜ ② 약 5㎜ ③ 약 8㎜ ④ 약 11㎜

32 용착 금속부 내부에 발생된 기공결함 검출에 가장 좋은 검사법은?

① 누설 검사 ② 방사선 투과 검사
③ 침투 탐상 검사 ④ 자분 침투 검사

33 제품 제작을 위한 용접순서로 옳지 않은 것은?

① 수축이 큰 맞대기 이음을 먼저 용접한다.
② 리벳과 용접을 병용할 경우 용접이음을 먼저 한다.
③ 큰 구조물은 끝에서부터 중앙으로 향해 용접한다.
④ 대칭적으로 용접을 한다.

34 용접 이음부 형상의 선택시 고려사항이 아닌 것은?

① 용접하고자 하는 모재의 성질
② 용접부에 요구되는 기계적 성질
③ 용접할 물체의 크기, 형상, 외관
④ 용접 장비 효율과 용가재의 건조

35 용접이음 설계시 일반적인 주의사항 중 틀린 것은?

① 가급적 능률이 좋은 아래보기 용접을 많이 할 수 있도록 설계한다.
② 후판을 용접할 경우는 용입이 깊은 용접법을 이용하여 용착량을 줄인다.
③ 맞대기 용접에는 이면 용접을 할 수 있도록 해서 용입 부족이 없도록 한다.
④ 될 수 있는 대로 용접량이 많은 홈 형상을 선택한다.

36 용접부에 형성된 잔류응력을 제거하기 위한 가장 적합한 열처리 방법은?

① 담금질을 한다. ② 뜨임을 한다.
③ 불림을 한다. ④ 풀림을 한다.

37 다음 [그림]과 같이 일시적인 보조판을 붙이든지 변형을 방지할 목적으로 시공되는 용접 변형 방지법은?

[그림] 보조판

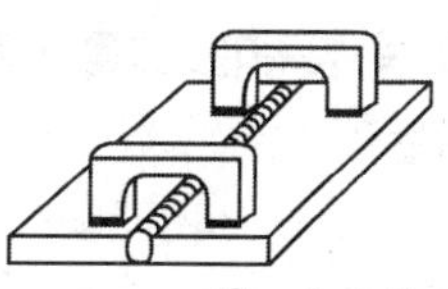

① 억제법 ② 피닝법
③ 역변형법 ④ 냉각법

38 초음파 경사각 탐상기호는?

① UT-A ② UT ③ UT-N ④ UT-S

39 이면 따내기 방법이 아닌 것은?

① 아크 에어 가우징 ② 밀링
③ 가스 가우징 ④ 산소창 절단

40 맞대기 용접 시험편의 인장 강도가 650N/㎟ 이고, 모재의 인장 강도가 700N/㎟ 일 경우에 이음 효율은 약 얼마인가?

① 85.9% ② 90.5%
③ 92.9% ④ 98.2%

제 3과목 용접일반 및 안전관리

41 서브머지드 아크 용접의 장점에 속하지 않는 것은?

① 용융속도 및 용착속도가 빠르다.
② 용입이 깊다.
③ 용접 자세에 제약을 받지 않는다.
④ 대 전류 사용이 가능하여 고 능률적이다.

42 1차 입력 전원 전압이 220V인 용접기의 정격용량이 20kVA라면 가장 적합한 퓨즈의 용량은 몇 A인가?

① 50 ② 100 ③ 150 ④ 200

43 아크용접 중 방독마스크를 쓰지 않아도 되는 용접재료는?

① 연강 ② 황동
③ 아연도금강판 ④ 카드뮴합금

44 알루미늄 용제로 사용되지 않는 것은?

① 붕사 ② 염화나트륨
③ 염화칼륨 ④ 염화리튬

45 가스 용접용으로 사용되는 가스가 갖추어야 할 성질에 해당되지 않는 것은?

① 불꽃의 온도가 높을 것
② 연소속도가 빠를 것
③ 발열량이 적을 것
④ 용융금속과 화학반응을 일으키지 않을 것

46 텅스텐 전극봉을 사용하는 용접은?

① 산소-아세틸렌 용접 ② 피복아크 용접
③ MIG 용접 ④ TIG 용접

47 용접법의 종류 중 알루미늄 합금재료의 용접이 불가능한 것은?

① 피복 아크용접
② 탄산가스 아크용접
③ 불활성가스 아크용접
④ 산소-아세틸렌 가스용접

48 연강용 피복아크 용접봉 E4316의 피복제 계통은?

① 저수소계 ② 고산화티탄계
③ 일미나이트계 ④ 철분산화철계

49 피복 아크 용접용 기구 중 보호구가 아닌 것은?

① 핸드실드 ② 케이블 커넥터
③ 용접헬멧 ④ 팔 덮게

50 자동 및 반자동 용접이 수동 아크 용접에 비하여 우수한 점이 아닌 것은?

① 와이어 송급 속도가 빠르다.
② 용입이 깊다.
③ 위보기 용접자세에 적합하다.
④ 용착금속의 기계적 성질이 우수하다.

51 용접 작업에서 전격의 방지대책으로 틀린 것은?

① 용접기 내부에 함부로 손을 대지 않는다.
② 홀더나 용접봉은 맨손으로 취급하지 않는다.
③ 보호구는 반드시 착용하지 않아도 된다.
④ 습기찬 작업복, 장갑 등을 착용하지 않는다.

52 알루미늄을 TIG 용접할 때 가장 적합한 전류는?

① DCSP ② DCRP ③ ACHF ④ AC

53 가스절단 진행 중 열량을 보충하는 예열불꽃으로 사용되지 않는 것은?

① 산소-탄산가스 불꽃 ② 산소-아세틸렌 불꽃
③ 산소-LPG 불꽃 ④ 산소-수소 불꽃

54 탄산가스아크용접이 피복아크용접에 비해 장점이라고 볼 수 없는 것은?

① 전류 밀도가 높으므로 용입이 깊고 용접속도가 빠르다.
② 박판용접은 단락이행 용접법에 의해 가능하다.
③ 슬래그 섞임이 없고 용접 후 처리가 간단하다.
④ 적용 재질은 비철금속 계통에만 가능하다.

55 피복아크용접에서 보통 용접봉의 단면적 1㎟에 대한 전류밀도로 가장 적합한 것은?

① 8~9A ② 10~13A
③ 14~18A ④ 19~23A

56 피복 아크용접의 피복제 중 슬래그(slag) 생성제가 아닌 것은?

① 셀룰로오스 ② 산화티탄
③ 이산화망간 ④ 산화철

57 자동가스절단기(산소-프로판)의 사용은 어떤 경우에 가장 유리한가?

① 특수강의 절단
② 형강의 절단
③ 비철금속의 절단
④ 곧고 긴 저탄소강의 절단

58 불활성 가스 금속 아크 용접에서 와이어 송급 방식이 아닌 것은?

① 위빙 방식 ② 푸시 방식
③ 풀 방식 ④ 푸시-풀 방식

59 피복아크 용접작업의 기초적인 용접조건으로 가장 거리가 먼 것은?

① 용접속도 ② 아크길이
③ 스틱아웃길이 ④ 용접전류

60 가스용접 작업시 점화할 때 폭음이 생기는 경우의 직접적인 원인이 아닌 것은?

① 혼합가스의 배출이 불완전했다.
② 산소와 아세틸렌 압력이 부족했다.
③ 팁이 완전히 막혔다.
④ 가스분출 속도가 부족했다.

정답 및 해설

● 2013년 산업기사 제3회 필기시험

Answer

01.②	02.①	03.③	04.①	05.③
06.④	07.③	08.③	09.②	10.④
11.②	12.③	13.③	14.①	15.②
16.②	17.④	18.①	19.③	20.②
21.③	22.①	23.④	24.④	25.①
26.②	27.④	28.②	29.④	30.④
31.③	32.②	33.③	34.④	35.④
36.④	37.①	38.①	39.④	40.③
41.③	42.②	43.①	44.①	45.③
46.④	47.②	48.①	49.②	50.③
51.③	52.③	53.①	54.④	55.②
56.①	57.④	58.①	59.③	60.③

01.

종류	현 상	원인
청열취성	강이 200 ~ 300℃로 가열되면 경도, 강도가 최대로 되고, 연신율, 단면 수축률은 줄어들게 되어 메지게 되는 것으로 이때 표면에 청색의 산화 피막이 생성된다.	P
적열취성	고온 900℃이상에서 물체가 빨갛게 되어 메지는 것을 적열 취성이라 한다.	S
상온취성	충격, 피로 등에 대하여 깨지는 성질로 일명 냉간 취성이라고도 한다.	P

02. 인(P)의 영향

① 연신율 감소, 균열 발생, 충격값 저하
② 결정립을 거칠게 하며 냉간 가공성 저하
③ 청열 취성에 원인
결정입자의 첨가원소로는 Ti, Al, Cr, V등이 있다.

03. 입방정계(혹은 등축정계라고도 한다)는 결정학에서 3개의 벡터로 묘사되는 7 결정계 중의 하나로 정육면체 모양이며, 7 결정계 중 가장 많은 대칭성을 가지고 있다. 입방정계에는 단순 입방정계, 체심 입방정계, 면심 입방정계의 3가지 브라베이 격자가 있다.

04. 면심 입방 격자 : 전연성이 우수하여 가공성이 좋다. 종류로는 Ag, Al, Au, Cu, Ni, Pb, Ce, Pd, Pt, Rh, Th, Ca, γ - Fe 등이 있다.

05.

분류	종류(성분 원소)	특 징
스테인레스강 SUS	페라이트계 (Cr 18%) STS 430	• 강인성 및 내식성이 있다. • 열처리에 의해 경화가 가능하다. • 용접은 가능하다. 자성체이다.
	마텐자이트계 (Cr 13%) STS 410	• 13Cr을 담금질하여 얻는다. • 18Cr 보다 강도가 좋다. • 자경성이 있으며 자성체이다. • 용접성이 불량하다.
	오스테나이트계 (Cr(18)-Ni(8)) STS 304	• 내식, 내산성이 13Cr 보다 우수 • 용접성이 SUS중 가장 우수 • 담금질로 경화되지 않는다. 비자성체

06. 결함의 분류

㉠ 치수상 결함 : 변형, 치수 및 형상 불량
㉡ 성질상 결함 : 기계적, 화학적 성질 불량
㉢ 구조상 결함 : 언더컷, 오버랩, 기공, 용입 불량 등

07. 시멘타이트(Fe_3C) : 철에 탄소가 6.67% 화합된 철의 금속간 화합물로 현미경으로 보면 흰색의 침상으로 나타나는 조직으로, 고온의 강중에서 생성하는 탄화철을 말하며 경도가 높고 취성이 많으며 상온에선 강자성체이다. 또한 1,153℃에서 빠른 속도로 흑연을 분리시키는 특성을 가진다.

08. 탄소함유량이 증가하면 인장강도와 경도 등이 증대되므로 연신율은 줄어든다.

09.

용접 금속	용 제(flux)
연 강	일반적으로 사용하지 않는다.
반 경 강	중탄산소다 + 탄산소다
주 철	중탄산나트륨 70%, 탄산나트륨 15%, 붕사 15%
구리합금	붕사 75%, 붕산, 플로오르화 나트륨, 염화나트륨 25%
알루미늄	염화칼륨 45%, 염화나트륨 30%, 염화리튬 15% 플루오르화 칼륨 7%, 황산칼륨 3%

10. 금속의 공통적 성질

㉠ 실온에서 고체이며, 결정체이다.(단, 수은제외)
㉡ 빛을 반사하고 고유의 광택이 있다.
㉢ 가공이 용이하고, 연·전성이 크다.
㉣ 열, 전기의 양도체이다.
㉤ 비중이 크고, 경도 및 용융점이 높다.

11. 계획도 : 설계의 의도와 계획을 나타낸 도면이다.

12. MT : 자분 탐상 검사, PT: 침투 탐상 검사

13. 숫자만 표시되어 있으면 최저 인장 강도를 숫자 뒤에 C를 포함하고 있으면 탄소함유량을 의미한다.

14. 사투상도

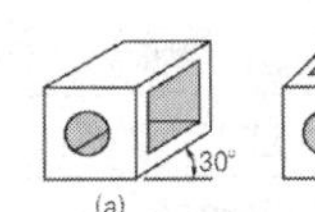
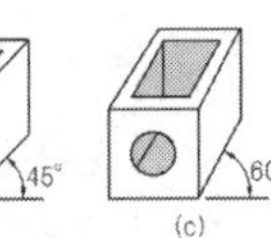

① 물체를 투상면에 대하여 한쪽으로 경사지게 투상하여 입체로 나타낸 것
② 정면의 도형은 정투상도의 정면도와 거의 같은 형태로 투상되므로 물체의 특징이 잘 나타난다.
③ 물체의 입체를 나타내기 위해 수평선에 대하여 30°, 45°, 60° 의 경사각을 주어 그린다.
④ 물체의 경사면 길이는 정면과 다르게 하여 물체가 실감이 나도록 1:1, 1:$\frac{3}{4}$, 1:$\frac{1}{2}$이 주로 많이 쓰인다.

15. 3각법

① 물체를 제3면각 안에 놓고 투상하는 방법이다.
② 투상방법 : 눈 → 투상면 → 물체
③ 정면도를 기준으로 투상된 모양을 투상한 위치에 배치한다.
④ KS에서는 제 3각법으로 도면 작성하는 것이 원칙이다.
⑤ 도면의 표제란에 표시 기호로 표현 가능하다.

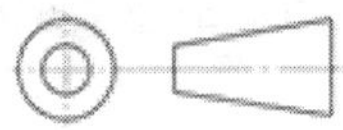

⑥ 장점 : 도면을 보고 물체의 이해가 쉽다.

16. SM은 기계구조용강재를 의미한다.

17. 그림에서 2 부분은 용접 비드에 해당된다.

18.

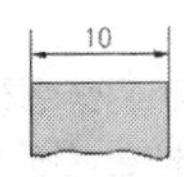

(a) 변의 길이 치수

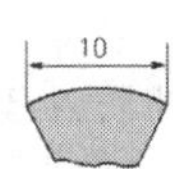

(b) 현의 길이 치수

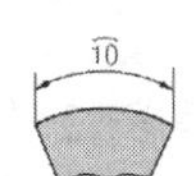

(c) 호의 길이 치수

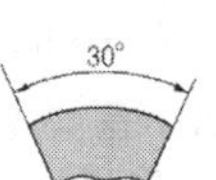

(d) 각도 치수

19. 가상선(이점 쇄선)

① 도시된 물체의 앞면을 표시하는 선
② 인접 부분을 참고로 표시하는 선
③ 가공 전 또는 가공 후의 모양을 표시하는 선
④ 이동하는 부분의 이동 위치를 표시하는 선
⑤ 공구, 지그 등의 위치를 참고로 표시하는 선
⑥ 반복을 표시하는 선

20. 용접 이음 설계시 가능한 용접선이 서로 교차되지 않도록 한다.

21. 균열일 때는 균열 끝에 정지 구멍(Stop Hole)을 뚫고 균열부를 깎아 낸 후 홈을 만들어 재 용접

22. 안전율 = $\frac{\text{인장강도}}{\text{허용응력}}$

23. 피로 강도는 응력(S)과 응력 반복횟수(N)인 S-N선도를 사용한다.

24. 용접 변형의 가장 큰 원인은 용접 열 영향에 의한 용착금속의 수축과 팽창으로 발생한다. 따라서 제시된 것 중 수축과 팽창이 가장 큰 오스테나이트계 스테인리스강이 해당된다.

25. $\text{인장강도}(\sigma) = \frac{\text{인장하중}(P)}{\text{시험편의 단면적}(A)}$이다.

26. 용접열영향부(HAZ)는 용융선과 모재사이에 형성되는 영역으로 고상에서 조직변화가 일어난 부분을 말한다.

27.

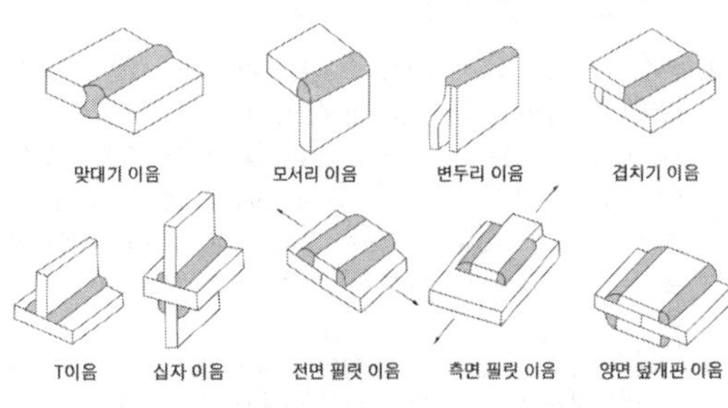

28. 아크 쏠림 : 아크 쏠림, 아크 블로우, 자기불림 등은 모두 동일한 말이며 용접전류에 의한 아크 주위에 발생하는 자장이 용접봉에 대하여 비대칭일 때 일어나는 현상이다.

① 직류 용접기 대신 교류 용접기를 사용한다.
② 아크 길이를 짧게 유지한다.
③ 접지를 용접부로 멀리한다.
④ 접지를 양쪽으로 할 것
⑤ 긴 용접선에는 후퇴법을 사용한다.
⑥ 용접부의 시 · 종단에는 엔드탭을 설치한다.
⑦ 큰 가접부 또는 이미 용접이 끝난 용착부를 향하여 용접할 것

29. 피닝법 : 끝이 둥근 특수 해머로 용접부를 연속적으로 타격하며 용접 표면에 소성 변형을 주어 인장 응력을 완화한다. 첫층 용접의 균열 방지 목적으로 700℃정도에서 열간 피닝을 한다.

30. 비파괴 검사 : 음향 시험, 누설 시험, 형광 침투 시험, 방사선 시험, 초음파 시험 등이 있다.

31. $\sigma_b = \frac{1.414 \times F}{h}$에서 $F = \frac{100}{(2\times5)+(2\times4)} = 5.55$

$h = \frac{1.414 \times 5.55}{10.2} = 0.77\text{cm}$ 따라서 약 8㎜가 된다.

32. 방사선 투과 검사(Radiograph Test RT) : 가장 확실하고 널리 사용됨

㉠ X선 투과 검사 : 균열, 융합불량, 기공, 슬랙 섞임 등의 내부 결함 검출에 사용된다. X선 발생장치로는 관구식과 베타트론 식이 있다. 단점으로는 미소 균열이나 모재면에 평행한 라미네이션 등의 검출은 곤란하다.

㉡ γ선 투과 검사 : X선으로 투과하기 힘든 후판에 사용한다. γ선원으로는 Ra, Co^{60}, Ce^{134}, Th^{170}, Ir^{92} 등이 사용된다.

33. 용접 순서

① 용접전 용접이 불가능한 곳이 없도록 충분히 검토한다.
② 용접물 중심에 대하여 대칭으로 용접하여 변형이 생기지 않도록 한다.
③ 동일 평면내에 많은 이음이 있을 때에는 수축은 가능한 자유단으로 보낸다.
④ 수축이 큰 이음을 먼저하고 작은 이음은 나중에 한다.
⑤ 중립축에 대하여 모멘트 합이 0이 되도록 한다.

34. 용접 이음부 형상의 선택시 고려해야할 사항 중 용접 장비 효율과 용접봉의 건조와는 거리가 멀다.

35. 용접 설계는 용접 시공의 중요한 부분으로 적합한 이음 선택과 더불어 용접 방법, 순서, 용접 후의 검사 및 후처리 방법을 결정하는 것이다. 용접 설계자는 용접 재료에 대한 물리적 성질, 용접 구조물의 변형, 열응력에 의한 잔류 응력 발생, 용접 구조물이 받는 하중의 종류, 정확한 용접 비용 산출 및 용접부의 검사법 등을 알고 있어야 된다.

아울러 될 수 있는 대로 용접량이 적은 홈 형상을 선택하여야 잔류응력 등 여러 가지 면에서 중요하다.

36. 풀림 : 재질의 연화 및 응력제거를 목적으로 노내에서 서냉한다.

37. 그림은 맞대기 용접에서 모재가 변형되지 않도록 일시적인 보조판으로 억제한 것이다.

38. 보조 기호로는 N(수직탐상), A(경사각 탐상), S(한 방향으로부터의 탐상), B(양 방향으로부터의 탐상), W(이중 벽 촬영), D(염색, 비형광 탐상시험), F(형광 탐상 시험), O(전둘레 시험), Cm(요구 품질 등급)

39. 밀링은 용접 홈을 가공하기 위한 것이다.

40. $\eta = \frac{(\text{용착금속강도})}{(\text{모재인장강도})} \times 100 = \frac{650}{700} \times 100 = 92.85[\%]$

41. $\eta = \frac{(\text{용착금속강도})}{(\text{모재인장강도})} \times 100 = \frac{650}{700} \times 100 = 92.85[\%]$

서브머지드 아크 용접(잠호 용접)은 용제 속에서 아크를 발생시켜 용접하며, 상품명으로는 유니언 멜트 용접, 링컨 용접법이라고도 한다. 용접 자세는 아래보기 및 수평필릿으로 한정한다.

42. $\text{퓨즈의용량}(A) = \frac{\text{1차입력}(KVA)}{\text{전원전압}(200V)} = \frac{20000}{220} = 90.9$

43. 연강 용접의 경우 방독 마스크를 쓰지 않아도 되나 황동은 구리와 아연의 합금으로 아연 등이 증발될 수 있어 방독 마스크를 쓰고 작업하여야 한다.

44.

용접 금속	용 제(flux)
연 강	일반적으로 사용하지 않는다.
반 경 강	중탄산소다 + 탄산소다
주 철	중탄산나트륨 70%, 탄산나트륨 15%, 붕사 15%
구리합금	붕사 75%, 붕산, 플로오르화 나트륨, 염화나트륨 25%
알루미늄	염화칼륨 45%, 염화나트륨 30%, 염화리튬 15% 플루오르화 칼륨 7%, 황산칼륨 3%

45. 가연성 가스의 구비조건

① 불꽃 온도가 높을 것 ② 연소 속도가 빠를 것
③ 발열량이 클 것
④ 용융 금속과 화학 반응을 일으키지 않을 것

46. 불활성 가스 아크 용접 중 TIG 용접은 Tungsten inert Gas의 약자로 텅스텐 전극을 사용하는 비용극식 방법이고, MIG용접은 Metal inert Gas의 약자로 금속 전극을 사용하는 용극식 방법이다.

47. 탄산가스 아크 용접은 주로 연강 용접에 주로 사용하며 알루미늄 합금 재료의 용접은 불가능하다.

48. E4316은 저수소계를 의미한다. 고산화티탄계는 E4313, 일미나이트계는 E4301, 철분산화철계는 E4327이다.

49. 케이블 커넥터는 용접용 케이블을 이어주는 장치로 보호구는 아니다.

50. 자동 및 반자동 용접은 주로 아래보기 및 수평 필릿 용접에 많이 사용되며, 수동 용접은 자동화하기 어려운 부분에 사용한다.

51. 전격이란 전기적인 충격의 약어로 즉 감전을 의미하는 것으로 반드시 안전 보호구는 착용하여야 한다.

52. 알루미늄의 티그 용접은 교류고주파가 적합하다. 즉 ACHF이다.

53. 가연성 가스의 종류에는 아세틸렌, LPG, 수소 등이 있으며, 가스 용접 및 절단에 사용하는 불꽃은 지연성 가스인 산소와 가연성 가스의 혼합으로 불꽃을 만들어 낸다. 따라서 탄산가스는 가연성 가스가 아니어서 산소-탄산가스 불꽃은 일어나지 않는다.

54. 탄산가스 아크 용접은 주로 연강 등에 철금속의 사용된다.

55. 용접 전류

① 일반적으로 심선의 단면적 $1mm^2$ 에 대하여 10 ~ 13A 정도로 한다.
② 전류가 적정치 보다 높거나 낮으면 결함을 발생할 수 있다.

56. 슬랙 생성제 : 용융점이 낮은 가벼운 슬랙을 만들어 용융 금속의 표면을 덮어서 산화나 질화를 방지하고 용착 금속의 냉각 속도를 느리게 한다. 슬랙 생성제로는 석회석, 형석, 탄산나트륨, 일미 나이트, 산화철, 산화티탄, 이산화망간, 규사 등이 있다.

57. 자동 가스 절단기는 주행대차를 이용하여 곧고 긴 직선의 절단에 사용된다.

58. **와이어 송급 방식**

- 푸쉬(Push) 방식 : 와이어 스풀 바로 앞에 송급 장치를 부착하여 송급 튜브를 통해서 와이어가 용접 토치에 송급되도록 하는 방식으로 가벼워 반자동 용접에 적합
- 풀(Pull) 방식 : 송급시 마찰저항을 작게 하여 와이어 송급을 원활하게 한 방식으로 직경이 작고 알루미늄과 같은 연한 와이어에 이용된다.
- 푸쉬 - 풀 방식 : 송급 튜브가 길고 연한 재료에 사용이 가능하나, 조작이 불편하다.
- 더블 푸쉬 방식 : 푸쉬식 송급 장치와 용접 토치와의 중간에 하나 더 푸쉬 송급장치를 부착하여 사용하는 것으로 송급 튜브가 매우 긴 경우에 사용된다.

59. 피복 아크 용접의 기초적인 용접조건으로는 용접 전류, 아크 길이, 용접 속도에 관한 지식이 필요하다.

60. **역화**(Back fire) : 팁 끝이 모재에 닿아 순간적으로 팁 끝이 막히거나 팁 끝의 가열 및 조임 불량 및 가스 압력의 부적당할 때 폭음이 나며선 불꽃이 꺼졌다가 다시 나타나는 현상을 말한다. 역화를 방지하려면 팁의 과열을 막고, 토치 기능을 점검한다. 역화가 발생하였을 경우는 우선 아세틸렌을 차단 후 산소를 차단하여야 한다.

국가기술자격검정 필기시험문제

2014년 산업기사 제1회 필기시험

자격종목 및 등급(선택분야)	종목코드	시험시간	문제지형별	수검번호	성 명
용접산업기사	2026	1시간30분			

※ 답안카드 작성시 시험문제지 형별누락, 마킹착오로 인한 불이익은 전적으로 수검자의 귀책사유임을 알려드립니다.
※ 각 문항은 4지택일형으로 질문에 가장 적합한 보기 항을 선택하여 마킹하여야 합니다.

제1과목 : 용접야금 및 용접설비제도

01 용접성이 가장 좋은 강은?

① 0.2%C 이하의 강
② 0.3C 강
③ 0.4%C 강
④ 0.5%C 강

02 저수소계 용접봉의 특징을 설명한 것 중 틀린 것은?

① 용접금속의 수소량이 낮아 내균열성이 뛰어나다.
② 고장력강, 고탄소강 등의 용접이 적합하다.
③ 아크는 안정되나 비드가 오목하게 되는 경향이 있다.
④ 비드 시점에 기공이 발생되기 쉽다.

03 합금주철의 함유 성분 중 흑연화를 촉진하는 원소는?

① W ② Cr ③ Ni ④ Mo

04 용접분위기 중에서 발생하는 수소의 원(源)이 될 수 없는 것은?

① 플럭스 중의 무기물
② 고착제(물유리 등)가 포함된 수분
③ 플럭스에 흡수된 수분
④ 대기 중의 수분

05 Fe-C 상태도에서 공정반응에 의해 생성된 조직은?

① 펄라이트 ② 페라이트
③ 레데부라이트 ④ 솔바이트

06 편석이나 기공이 적은 가장 좋은 양질의 단면을 갖는 강은?

① 킬드강 ② 세미킬드강
③ 림드강 ④ 세미림드강

07 노치가 붙은 각 시험편을 각 온도에서 파괴하면 어떤 온도를 경계로 하여 시험편이 급격히 취성화 되는가?

① 천이 온도 ② 노치 온도
③ 파괴 온도 ④ 취성 온도

08 금속재료를 보통 500~700℃로 가열하여 일정 시간 유지 후 서냉하는 방법으로 주조, 단조, 기계가공 및 용접 후에 잔류응력을 제거하는 풀림 방법은?

① 연화 풀림 ② 구상화 풀림
③ 응력제거 풀림 ④ 항온 풀림

09 알루미늄의 특징이 아닌 것은?

① 전기전도도는 구리의 60% 이상이다.
② 직사광선의 90% 이상을 반사할 수 있다.

③ 비자성체이며, 내열성이 매우 우수하다.
④ 저온에서 우수한 특성을 갖고 있다.

10 강의 담금질 조직 중 냉각속도에 따른 조직의 변화순서가 옳게 나열된 것은?

① 트루스타이트 → 솔바이트 → 오스테나이트 → 마텐자이트
② 솔바이트 → 트루스타이트 → 오스테나이트 → 마텐자이트
③ 마텐자이트 → 오스테나이트 → 솔바이트 → 트루스타이트
④ 오스테나이트 → 마텐자이트 → 트루스타이트 → 솔바이트

11 3차원의 물체를 원근감을 주어 투상선이 한 곳에 집중되게 그림 것으로 건축, 토목의 투상에 주로 사용되는 것은?

① 투시도　② 사투상도
③ 부등각투상도　④ 정투상도

12 도면의 분류 중 내용에 따른 분류에 해당되지 않는 것은?

① 기초도　② 스케치도
③ 계통도　④ 장치도

13 겹쳐진 부제에 홀(Hole) 때신 좁고 긴 홈을 만들어 용접하는 것은?

① 맞대기 용접　② 필렛 용접
③ 플러그 용접　④ 슬롯 용접

14 CAD 시스템의 도입 효과가 아닌 것은?

① 품질향상　② 원가절감
③ 납기연장　④ 표준화

15 보이지 않는 부분을 표시하는데 쓰이는 선은?

① 외형선　② 숨은선
③ 중심선　④ 가상선

16 도형의 표시방법 중 보조투상도의 설명으로 옳은 것은?

① 그림의 일부를 도시하는 것으로 충분한 경우에 그 필요 부분만을 그리는 투상도
② 대상물의 구멍, 홈 등 한 국부만의 모양을 도시하는 것으로 충분한 경우에 그 필요 부분만을 그리는 투상도
③ 대상물의 일부가 어느 각도를 가지고 있기 때문에 투상면에 그 실형이 나타나지 않을 때에 그 부분을 회전해서 그리는 투상도
④ 경사면부가 있는 대상물에서 그 경사면의 실형을 나타낼 필요가 있는 경우에 그리는 투상도

17 용접 기호 중에서 스폿 용접을 표시하는 기호는?

①　②
③　④

18. 다음 중 서로 관련되는 부품과의 대조가 용이하여 다종 소량 생산에 쓰이는 도면은?

① 1품 1엽 도면　② 1품 다엽 도면
③ 다품 1엽 도면　④ 복사 도면

19 다음 용접기호를 설명한 것으로 올바른 것은?

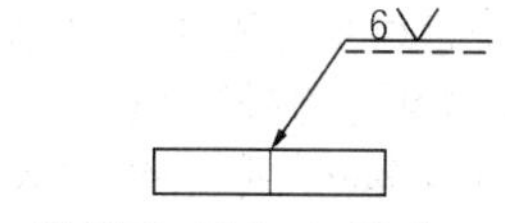

① 용접은 화살표 쪽으로 한다.

② 용접은 I형 이음으로 한다.
③ 용접 목걸이는 6mm 이다.
④ 용접부 루트간격은 6mm 이다.

20 **용접부의 비파괴시험에서 150mm씩 세 곳을 택하여 형광자분탐상시험을 지시하는 것은?**

① MT-F150(3) ② MT-D150(3)
③ MT-F3(150) ④ MT-D3(150)

제2과목 : 용접구조설계

21 **루트 균열에 대한 설명으로 거리가 먼 것은?**

① 루트 균열의 원인은 열영향부 조직의 경화성이다.
② 맞대기 용접이음의 가접에서 발생하기 쉬우며, 가로 균열의 일종이다.
③ 루트 균열을 방지하기 위해 건조된 용접봉을 사용한다.
④ 방지책으로는 수소량이 적은 용접, 건조된 용접봉을 사용한다.

22 **연강을 용접 이음할 때 인장강도가 21 N/mm^2, 허용응력이 7 N/mm^2 이다. 정하중에서 구조물을 설계할 경우 안전율은 얼마인가?**

① 1 ② 2 ③ 3 ④ 4

23 **연강판의 맞대기 용접이음 시 굽힘 변형방지법이 아닌 것은?**

① 이음부에 미리 역변형을 주는 방법
② 특수 해머로 두들겨서 변형하는 방법
③ 지그(jig)로 정반에 고정하는 방법
④ 스트롱 백(strong back)에 의한 구속 방법

24 **아크 전류가 300A, 아크 전압이 25V, 용접속도가 20cm/min 인 경우 발생되는 용접 입열은?**

① 20000 J/cm ② 22500 J/cm
③ 25500 J/cm ④ 30000 J/cm

25 **[그림]과 같은 겹치기 이음의 필릿 용접을 하려고 한다. 허용응력을 50 [MPa]라 하고, 인장하중을 50 [kN], 판 두께 12mm 라고 할 때 용접 유효길이는 약 몇 mm인가?**

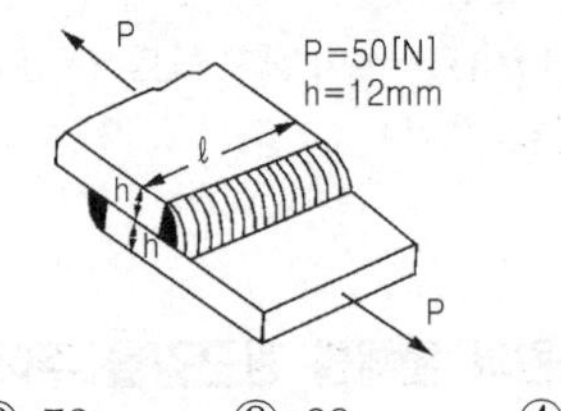

① 83 ② 73 ③ 69 ④ 59

26 **다음 중 용접이음의 설계로 가장 좋은 것은?**

① 용착 금속량이 많게 되도록 한다.
② 용접선이 한 곳에 집중되도록 한다.
③ 잔류응력이 적게 되도록 한다.
④ 부분 용입이 되도록 한다.

27 **자분탐상검사의 자화방법이 아닌 것은?**

① 축통전법 ② 관통법
③ 극간법 ④ 원형법

28 **용접 구조물을 조립할 때 용접자세를 원활하기 위해 사용되는 것은?**

① 용접게이지 ② 제관용 정반
③ 용접지그(jig) ④ 수평 바이스

29 **용접시 용접자세를 좋게 하기 위해 정반 자체가 회전하도록 한 것은?**

① 메니플레이터

② 용접 고정구(fixture)
③ 용접대(base die)
④ 용접 포지셔너(positioner)

30 용접선에 직각 방향으로 수축되는 변형을 무엇이라 하는가?

① 가로수축 ② 세로수축
③ 회전수축 ④ 좌굴변형

31 공업용 가스의 종류와 그 용기의 색상이 잘못 연결된 것은?

① 산소-녹색 ② 아세틸렌-황색
③ 아르곤-회색 ④ 수소-청색

32 용착금속에서 기공의 결함을 찾아내는데 가장 좋은 비파괴 검사법은?

① 누설검사 ② 자기탐상검사
③ 침투탐상검사 ④ 방사선투과시험

33 용접구조 설계시 주의 사항에 대한 설명으로 틀린 것은?

① 용접치수는 강도상 필요 이상 크게 하지 않는다.
② 용접이음의 집중, 교차를 피한다.
③ 판면에 직각방향으로 인장하중이 작용할 경우 판의 압연방향에 주의한다.
④ 후판을 용접할 경우 용입이 낮은 용접법을 이용하여 층수를 줄인다.

34 용접 결함 중 언더컷이 발생했을 때 보수방법은?

① 예열한다.
② 후열한다.
③ 언더컷 부분을 연삭한다.
④ 언더컷 부분을 가는 용접봉으로 용접 후 연삭한다.

35 두꺼운 강판에 대한 용접이음 홈 설계 시는 용접자세, 이음의 종류, 변형, 용입상태, 경제성 등을 고려하여야 한다. 이때 설계의 요령과 관계가 먼 것은?

① 용접 홈의 단면적은 가능한 작게 한다.
② 루트 반지름(r)은 가능한 작게 한다.
③ 전후좌우로 용접봉을 움직일 수 있는 홈 각도가 필요하다.
④ 적당한 루트간격과 루트면을 만들어 준다.

36 용착효율을 구하는 식으로 옳은 것은?

① $\text{용착효율}(\%) = \frac{\text{용착금속의 중량}}{\text{용접봉의 사용중량}} \times 100$

② $\text{용착효율}(\%) = \frac{\text{용접봉 사용중량}}{\text{용착금속의 중량}} \times 100$

③ $\text{용착효율}(\%) = \frac{\text{남은 용접봉의 중량}}{\text{용접봉 사용중량}} \times 100$

④ $\text{용착효율}(\%) = \frac{\text{용접봉 사용중량}}{\text{남은 용접봉의 중량}} \times 100$

37 용접시 발생하는 용접변형의 주 발생 원인으로 가장 적합한 것은?

① 용착금속부의 취성에 의한 변형
② 용접이음부의 결함 발생으로 인한 변형
③ 용착금속부의 수축과 팽창으로 인한 변형
④ 용착금속부의 경화로 인한 변형

38 한 끝에서 다른 쪽 끝을 향해 연속적으로 진행하는 방법으로서 용접이음이 짧은 경우나 변형, 잔류응력 등이 크게 문제되지 않을 때 이용되는 용착법은?

① 비석법 ② 대칭법
③ 후퇴법 ④ 전진법

39 용접부의 부식에 대한 설명으로 틀린 것은?

① 입계부식은 용접 열영향부의 오스테나이트계에 Cr 탄화물이 석출될 때 발생한다.

② 용접부의 부식은 전면부식과 국부부식으로 분류한다.
③ 틈새부식은 틈 사이의 부식을 말한다.
④ 용접부의 잔류응력은 부식과 관계없다.

40 **저온취성 파괴에 미치는 요인과 가장 관계가 먼 것은?**

① 온도의 저하 ② 인장 잔류 응역
③ 예리한 노치 ④ 강재의 고온 특성

제3과목 : 용접일반 및 안전관리

41 **판두께가 가장 두꺼운 경우에 적당한 용접방법은?**

① 원자수소 용접
② CO_2가스 용접
③ 서브머지드 용접(submerged welding)
④ 일렉트로 슬래그 용접(electro slag welding)

42 **TIG 용접으로 Al을 용접할 때 가장 적합한 용접전원은?**

① DC SP ② DC RP
③ AC HF ④ AC RP

43 **직류 아크 용접기를 교류 아크 용접기와 비교했을 때 틀린 것은?**

① 비피복 용접봉 사용이 가능하다.
② 전격의 위험이 크다.
③ 역률이 양호하다.
④ 유지보수가 어렵다.

44 **전기 저항열을 이용한 용접법은?**

① 일렉트로 슬래그 용접
② 잠호 용접
③ 초음파 용접
④ 원자수소 용접

45 **용제 없이 가스용접을 할 수 있는 재질은?**

① 연강 ② 주철
③ 알루미늄 ④ 황동

46 **두께가 12.7mm인 강판을 가스 절단하려 할 때 표준 드래그의 길이는 2.4mm이다. 이때 드래그는 몇 % 인가?**

① 18.9 ② 32.1
③ 42.9 ④ 52.4

47 **용접에 관한 안전 사항으로 틀린 것은?**

① TIG 용접시 차광렌즈는 12~13번을 사용한다.
② MIG 용접시 피복 아크 용접보다 1[m]가 넘는 거리에서도 공기 중의 산소를 오존(O_3)으로 바꿀 수 있다.
③ 전류가 인체에 미치는 영향에서 50mA는 위험을 수반하지 않는다.
④ 아크로 인한 염증을 일으켰을 경우 붕산수(2% 수용액)로 눈을 닦는다.

48 **CO_2 아크 용접에 대한 설명 중 틀린 것은?**

① 전류 밀도가 높아 용입이 깊고, 용접속도를 빠르게 할 수 있다.
② 용접장치, 용접전원 등 장치로서는 MIG용접과 같은 점이 많다.
③ CO_2아크 용접에서는 탈산제로서 Mn 및 Si를 포함한 용접 와이어를 사용한다.
④ CO_2아크 용접에서는 차폐가스로 CO_2에 소량의 수소를 혼합한 것을 사용한다.

49 최소에너지 손실속도로 변화되는 절단팁의 노즐 형태는?

① 스트레이트 노즐 ② 다이버전트 노즐
③ 원형 노즐 ④ 직선형 노즐

50 맞대기 압접의 분류에 속하지 않는 것은?

① 플래시 맞대기 용접 ② 방전 충격 용접
③ 업셋 맞대기 용접 ④ 심 용접

51 TIG 용접시 교류용접기에 고주파 전류를 사용할 때의 특징이 아닌 것은?

① 아크는 전극을 모재에 접촉시키지 않아도 발생된다.
② 전극의 수명이 길다.
③ 일정 지름의 전극에 대해 광범위한 전류의 사용이 가능하다.
④ 아크가 길어지면 끊어진다.

52 다음 중 전격의 위험성이 가장 적은 것은?

① 케이블의 피복이 파괴되어 절연이 나쁠 때
② 무부하 전압이 낮은 용접기를 사용할 때
③ 땀을 흘리면서 전기용접을 할 때
④ 젖은 몸에 홀더 등이 닿았을 때

53 아세틸렌 청정기는 어느 위치에 설치함이 좋은가?

① 발생기의 출구 ② 안전기 다음
③ 압력 조정기 다음 ④ 토오치 바로 앞

54 이산화탄소 아크 용접에 대한 설명으로 옳지 않은 것은?

① 아크 시간을 길게 할 수 있다.
② 가시(可視)아크이므로 시공시 편리하다.
③ 용접입열이 크고 용융속도가 빠르며, 용입이 깊다.
④ 바람의 영향을 받지 않으므로 방충장치가 필요 없다.

55 교류 아크 용접시 아크시간이 6분이고 휴식시간이 4분일 때 사용율은 얼마인가?

① 40% ② 50% ③ 60% ④ 70%

56 B형 가스용접 토치의 팁번호 250을 바르게 설명한 것은? (단, 불꽃은 중성불꽃 일 때)

① 판두께 250[mm]까지 용접한다.
② 1시간에 250[L]의 아세틸렌가스를 소비하는 것이다.
③ 1시간에 250[L]의 산소가스를 소비하는 것이다.
④ 1시간에 250[cm]까지 용접한다.

57 CO_2 가스에 O_2 (산소)를 첨가한 효과가 아닌 것은?

① 슬래그 생성량이 많아져 비드 외관이 개선된다.
② 용입이 낮아 박판 용접에 유리하다.
③ 용융지의 온도가 상승한다.
④ 비금속개재물의 응집으로 용착강이 청결해진다.

58 교류 아크 용접기에서 2차측의 무부하 전압은 약 몇 V가 되는가?

① 40~60V ② 70~80V
③ 80~100V ④ 100~120V

59 강을 절단할 때 쉽게 절단할 수 있는 탄소함유량은 얼마인가?

① 6.68%C 이하 ② 4.3%C 이하
③ 2.11%C 이하 ④ 0.25%C 이하

60 아크 용접과 절단 작업에서 발생하는 복사에너지 중 눈에 백내장을 일으키고 맨살에 화상을 입힐 수 있는 것은?

① 적외선 ② 가시광선
③ 자외선 ④ X선

정답 및 해설

● 2014년 산업기사 제1회 필기시험

Answer

01.①	02.③	03.③	04.①	05.③
06.①	07.①	08.③	09.③	10.④
11.①	12.③	13.④	14.③	15.②
16.④	17.③	18.③	19.①	20.①
21②	22.③	23.②	24.②	25.④
26.③	27.④	28.③	29.④	30.①
31.④	32.④	33.④	34.④	35.②
36.①	37.③	38.④	39.④	40.④
41.④	42.③	43.②	44.①	45.①
46.①	47.③	48.④	49.②	50.④
51.④	52.②	53.①	54.④	55.③
56.②	57.②	58.②	59.④	60.③

01. 탄소 함유량이 낮을수록 용접성이 우수하다.

02. 저수소계(E4316)

① 석회석($CaCO_3$)이나 형석(CaF_2)을 주성분으로 용착금속 중의 수소량이 다른 용접봉에 비해서 1/10 정도로 현저하게 적은 우수한 특성이 있다.
② 피복제는 습기를 흡수하기 쉽기 때문에 사용하기 전에 300~350℃ 정도로 1~2시간 정도 건조시켜 사용한다.
③ 기계적 성질은 다른 연강봉보다 우수하기 때문에 중요 강도 부재, 고압 용기, 후판 중 구조물, 탄소 당량이 높은 기계 구조용 강, 균열의 감수성이 좋고 구속도가 큰 구조물, 유황 함유량이 높은 강 등의 용접에 결함 없이 양호한 용접부가 얻어진다.

03. 흑연화

① 촉진제 : Si, Ni, Ti, Al
② 흑연화 방지제 : Mo, S, Cr, V, Mn

04. 용접부에 침입되는 수소는 피복제의 흡수된 수분, 대기 중의 수증기, 모재 표면의 불순물에 의한 것이 일반적이다.

05. 레데부라이트 : γ(오스테나이트) + Fe_3 C(시멘타이트)의 공정조직이다.

06.

강괴의 종류	탈산 여부	특 징
림드강	탈산 및 가스 처리가 불충분	• 수축 공이 없으며 기공과 편석이 많아 질이 떨어진다. • 탄소 함유량은 보통 0.3%이하의 저 탄소강 • 구조용 강재 및 피복 아크 용접용 모재 등으로 사용된다.
킬드강	철-망간, 철-규소, 알루미늄 등으로 완전히 탈산	• 수축 공이 뚜렷하며, 기공은 없고 편석 또한 극소 • 강으로 재질이 균질하고 기계적 성질이 좋다. • 헤어 크랙이 생기기도 한다. • 탄소 함유량은 0.3%이상이다.
세미 킬드강	중간 정도의 탈산	• 수축 공이 없으며, 기공은 상당히 있으나 편석은 적다. • 탄소 함유량은 0.15~0.3% • 일반 구조용강, 강관

07. 천이 온도란 재료가 연성 파괴에서 취성 파괴로 변하는 온도 범위를 말한다.

08. 금속재료를 일정시간 일정온도에서 유지 후 냉각시켜 용접 후 응력을 제거하는 열처리를 응력제거 열처리라고 한다. 일반적으로 500~700℃로 가열 후 일정시간 유지 후 서냉한다.

09. 알루미늄의 성질

① 비중 2.7 용융점 660℃ 변태점이 없고 열 및 전기의 양도체이다.
② 전·연성이 풍부하며 400~500℃에서 연신율이 최대이다.
③ 풀림 온도 250~300℃이며 순수 알루미늄은 유동성이 불량하여 주조가 안 된다.
④ 무기산 염류에 침식되나 대기 중에서는 안정한 산화피막을 형성하고 저온에서 우수한 특성을 갖는다.
⑤ 전기 전도도는 구리의 60% 이상이며, 직사광선의 90% 이상을 반사할 수 있다.

10. 오스테나이트는 고온조직으로 강의 담금질 조직에서 처음 나온 후 냉각 속도에 따라 마텐자이트, 트루스타이트, 솔바이트 순으로 나온다.

11. 투시 투상도

① 물체의 앞 또는 뒤에 화면을 놓고 시점에서 물체를 본 시선이 화면과 만나는 각 점을 연결하여 눈에 비치는 모양과 같게 물체를 그리는 것

② 물체의 멀고 가까운 거리감을 느낄 수 있도록 하나의 시점과 물체의 각 점을 방사선으로 이어서 그리는 도법
③ 용도 : 사진이나 사생도에 속하는 건축, 교량, 조감도, 도록의 도면 작성
④ 종류 : 평행 투시도, 유각 투시도, 경사 투시도

12. 도면의 목적에 따라 계획도, 주문도, 견적도, 승인도, 제작도, 설명도로 분류하며, 내용에 따라 기초도, 장치도, 스케치도 등으로 분류한다. 하지만 이 문항의 계통도도 내용에 따른 분류에 해당될 수 있다.

13. 슬롯 용접은 가늘고 긴 홀을 말하고 플러그는 좁고 깊은 홈을 말한다. 슬롯 용접의 표시는 다음과 같이 한다.

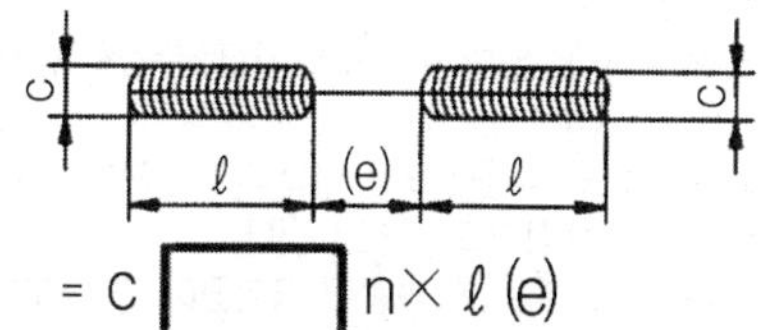

그러므로 C는 슬롯의 폭, n은 용접부의 개수, l 이 용접부의 길이이다.

14. CAD(Computer Aided Design) 시스템을 도입하면 오히려 납기가 단축된다.

15. ① 외형선은 굵은 실선으로 그린다.
② 치수선, 치수 보조선, 지시선, 회전 단면선, 중심선, 수준면선 등은 가는 실선으로 그린다.
③ 은선(숨은선)은 가는 파선 또는 굵은 파선으로 그린다
④ 중심선, 기준선, 피치선은 가는 1점 쇄선으로 그린다.
⑤ 특수 지정선은 굵은 1점 쇄선으로 그린다.
⑥ 가상선 무게 중심선은 가는 2점 쇄선으로 그린다.
⑦ 파단선은 물체의 일부를 파단한 곳을 표시하는 선으로 불규칙한 파형의 가는 실선 또는 지그재그 선으로 그린다.
⑧ 절단선은 가는 1점 쇄선으로 끝 부분 및 방향이 변하는 부분을 굵게 한 것
⑨ 해칭은 가는 실선으로 규칙적으로 줄을 늘어놓은 것
⑩ 특수한 용도의 선으로는 가는 실선 아주 굵은 실선으로 나눌 수 있다.

16. 보조 투상도 : 물체가 경사면이 있어 투상을 시키면 실제 길이와 모양이 틀려져 경사면에 별도의 투상면을 설정하고 이 면에 투상하면 실제 모양이 그려짐

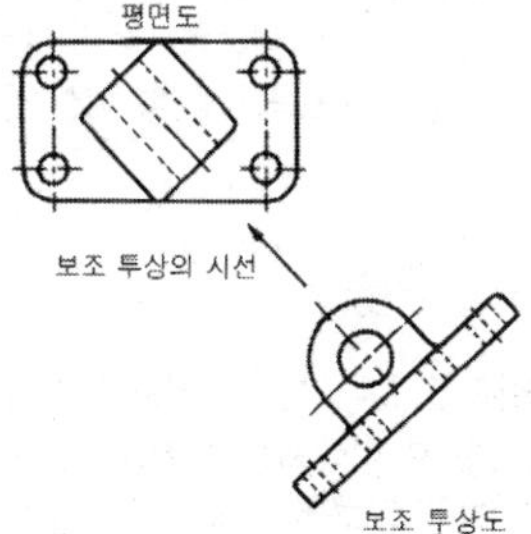

17. 스폿 용접은 ③, 시임 용접은①번이다.

18. ① 1품 1엽 도면: 1개의 부품 또는 조립품을 1장의 제도 용지에 그린 도면
② 1품 다엽 도면: 1개의 부품 또는 조립품을 2장 이상의 제도용지에 그린 도면
③ 다품 1엽 도면: 여러 개의 부품 또는 조립품을 1장의 제도 용지에 그린 도면

19. 화살표쪽 V형 용접으로 용접 홈 깊이가 6㎜이다.

20. 형광 자분 탐사시험은 MT-F이며 150㎜ 3곳은 150(3)으로 표시한다.

21. 루트 균열은 저온 균열로 그 원인은 수소취화에 있다.

22. $\text{안전율} = \frac{\text{인장강도}}{\text{허용응력}} = \frac{21}{7} = 3$

23. 변형 방지법
① 억제법 : 모재를 가접 또는 구속 지그를 사용하여 변형 억제
② 역 변형법 : 용접 전에 변형의 크기 및 방향을 예측하여 미리 반대로 변형시키는 방법
③ 도열법 : 용접부 주위에 물을 적신 석면, 동판을 대어 열을 흡수시키는 방법
④ 용착법 : 대칭법, 후퇴법, 스킵법 등을 사용한다.

24. $H = \frac{60EI}{V} = \frac{60 \times 300 \times 25}{20} = 22500$

25. $\sigma = \frac{0.707P}{lh}$에서

$l = \frac{0.707P}{\sigma \times h} = \frac{0.707 \times 50000}{50 \times 12} = 58.91$

26. 용접 이음의 설계를 할 때 주의점
① 아래 보기 용접을 많이 하도록 한다.
② 용접 작업에 지장을 주지 않도록 간격을 둘 것
③ 필렛 용접은 되도록 피하고 맞대기 용접을 하도록 한다.
④ 판 두께가 다른 재료를 이을 때에는 구배를 두어 갑자기 단면이 변하지 않도록 한다.($\frac{1}{4}$이하 테이퍼 가공을 함)
⑤ 맞대기 용접에는 이면 용접을 하여 용입 부족이 없도록 해야한다.
⑥ 용접 이음부가 한곳에 집중되지 않도록 설계할 것

27. 자분탐상검사(MT) : 표면에 가까운 곳의 균열, 편석, 기공, 용입 불량 등의 검출에 사용되나 비 자성체는 사용이 곤란하다. 그 방법으로는 축통전법, 관통법, 극간법이 있다.

28. 용접 지그 사용 효과
① 용접을 하기 쉬운 자세를 취할 수 있다. 즉 아래보기 자세로 용접 할 수 있다.
② 제품의 정밀도 향상을 가져 올 수 있다.
③ 용접 조립 작업을 단순화 또는 자동화를 할 수 있게 하여 작업 능률이 향상된다.

29. 용접 자세를 원하는 자세로 하기 위해 정반 자체가 회전하는 것은 용접 포지셔너이다.

30. 면내의 수축 변형 중 가로 수축은 용접선에 직각방향을 수축되는 변형을 말한다.

31. **용기색**
① 아세틸렌 - 황색
② 산소 - 녹색(공업용), 백색(의료용)
③ 아르곤 - 회색
④ 수소 - 주황색
⑤ 이산화탄소 - 청색
⑥ 질소 - 회색, 의료용(흑색)

32. 방사선 투과 검사(RT) : 가장 확실하고 널리 사용됨
① X선 투과 검사 : 균열, 융합 불량, 기공, 슬랙 섞임 등의 내부 결함 검출에 사용된다. X선 발생 장치로는 관구식과 베타트론 식이 있다. 단점으로는 미소 균열이나 모재면에 평행한 라미네이션 등의 검출은 곤란하다.
② γ선 투과 검사 : X선으로 투과하기 힘든 후판에 사용한다. γ선원으로는 라듐, 코발트60, 세슘 134가 있다.

33. 후판은 두꺼운 판으로 가급적 용입이 깊은 용접법을 사용하여 층수를 줄여야 열영향 등이 작아진다.

34. **결함의 보수**
① 기공 또는 슬랙 섞임이 있을 때는 그 부분을 깎아 내고 재 용접
② 언더컷 : 가는 용접봉을 사용하여 파인 부분의 용접
③ 오버랩 : 덮인 일부분을 깎아내고 재 용접
④ 균열일 때는 균열 끝에 정지 구멍을 뚫고 균열 부를 깎아 홈을 만들어 재 용접

35. **홈 가공**
① 용입이 허용하는 한 홈 각도는 작은 것이 좋다.(일반적으로 피복 아크 용접에서 54 ~ 70°)
② 용접 균열에 관점에서는 루트 간격은 좁을수록 좋으며 루트 반지름은 되도록 크게 한다.

36. $\text{용착효율}(\%) = \dfrac{\text{용착금속의 중량}}{\text{용접봉의 사용중량}} \times 100$

37. 용접 열원에 의한 용접금속의 수축과 팽창으로 인해 용접 변형은 주로 발생한다.

38. **용접 진행 방향에 따른 분류**
① 전진법 : 용접 시작 부분보다 끝나는 부분이 수축 및 잔류 응력이 커서 용접 이음이 짧고, 변형 및 잔류 응력이 그다지 문제가 되지 않을 때 사용
② 후진법 : 용접을 단계적으로 후퇴하면서 전체 길이를 용접하는 방법으로 수축과 잔류 응력을 줄이는 방법
③ 대칭법 : 용접 전 길이에 대하여 중심에서 좌우로 또는 용접물 형상에 따라 좌우 대칭으로 용접하여 변형과 수축 응력을 경감한다.
④ 비석법 : 스킵법이라고도 하며 짧은 용접 길이로 나누어 놓고 간격을 두면서 용접하는 방법으로 특히 잔류 응력을 적게 할 경우 사용한다.

39. 잔류응력으로 인해 용접 균열이나, 용접 변형 및 부식등은 심해질 수 있다.

40. 저온 취성 파괴란 인장응력, 응력집중부의 존재, 저온 등의 복합적 다양한 요인이 작용한다.

41. **일렉트로 슬래그 용접**
① 원리 : 서브머지드 아크 용접에서와 같이 처음에는 플럭스 안에서 모재와 용접봉 사이에 아크가 발생하여 플럭스가 녹아서 액상의 슬랙이 되면 전류를 통하기 쉬운 도체의 성질을 갖게 되면서 아크는 꺼지고 와이어와 용융 슬랙 사이에 흐르는 전류의 저항 발열을 이용하는 자동 용접법
② 특징
- 전기 저항 열을 이용하여 용접 (주울의 법칙 적용)$Q = 0.24I^2RT$
- 두꺼운 판의 용접으로 적합하다.(단층으로 용접이 가능)
- 매우 능률적이고 변형이 적다.
- 홈모양은 I형이기 때문에 홈가공이 간단하다.
- 변형이 적고, 능률적이고 경제적이다.
- 아크가 보이지 않고 아크 불꽃이 없다.
- 기계적 성질이 나쁘다.
- 노치 취성이 크다.(냉각 속도가 늦기 때문에)
- 가격이 고가이다.
- 용접 시간에 비하여 준비 시간이 길다.
- 용도로는 보일러 드럼, 압력 용기의 수직 또는 원주이음, 대형 부품 로울 등에 후판 용접에 쓰인다.

42. 알루미늄은 용접할 때 교류고주파 용접인 ACHF를 사용한다.

43. 직류의 무부하 전압은 40~60[V], 교류 무부하 전압은 70~80[V]이므로 교류가 직류에 비해 전격의 위험은 크다.

44. 해설 41번 참고

45.

용접 금속	용제의 종류
연강	사용하지 않는다.
고탄소강, 주철, 특수강	탄산수소나트륨, 탄산나트륨, 황혈염, 붕사, 붕산 등이 있다.
구리, 구리합금	붕사, 붕산, 플루오르 나트륨, 규산 나트륨, 인 산화물 등이 있다.
알루미늄	염화 나트륨, 염화 칼륨, 염화 리튬, 플루오르화 칼륨, 황산 칼륨 등이 있다.

46. $\dfrac{2.4}{12.7} \times 100 = 18.89$

47. 전압은 전기를 흘려 줄 수 있는 능력이며, 전류는 전기의 흐름, 저항은 전기의 흐름을 방해하는 것으로 인체에 전류가 100[mA]가 흐르면 사망하고, 50[mA)이상이면 사망할 위험에 처한다.

48. 이산화탄소 아크 용접 중 솔리드 와이어 혼합 가스법은 솔리드 와이어 혼합 가스법
- CO_2 + O_2 법, • CO_2 + Ar법,
- CO_2 - Ar - O_2 법이 있다.

49. 절단 속도는 산소의 순도 및 압력, 팁의 모양, 모재의 온도 등에 따라 영향을 받으며, 고속 분출을 얻기 위해서는 다이버전트 노즐을 사용한다.

50. 점용접, 심용접 및 프로젝션 용접은 겹치기 저항용접 방법이다.

51. 고주파 교류를 사용할 경우 아크를 모재에 접촉시키지 않아도 발생할 수 있어, 전극의 수명이 길어지며, 일정 지름에 대해서는 광범위한 전류의 사용도 가능하다.

52. 무부하전압 즉 개로 전압이 높을수록 전격의 위험은 커진다.

53. 청정기 : 카바이드에 발생한 아세틸렌가스에 불순물로 인한 용착 금속의 성질의 악화 및 기기의 부식, 불꽃 온도 저하, 역류, 역화, 폭발 위험이 있으므로 불순물을 제거해야 한다. 따라서 발생기 출구쪽에 설치한다.
① 물리적 방법(수세법, 여과법)
② 화학적 방법(헤라톨, 카다리졸, 아카린, 플랑크린)
③ 청정색의 변색 황갈색→청색, 회색

54. (1) 원리
불활성 가스 금속 아크 용접과 원리가 같으며, 불활성 가스 대신 탄산가스를 사용한 용극식 용접법이다. 일반적으로 플럭스 코어드가 많이 사용된다.
(2) 특징
① 장점
㉠ 가는 와이어로 고속 용접이 가능하며 수동 용접에 비해 용접 비용이 저렴하다.
㉡ 가시 아크이므로 시공이 편리하고, 스팩터가 적어 아크가 안정하다.
㉢ 전 자세 용접이 가능하고 조작이 간단하다.
㉣ 잠호 용접에 비해 모재 표면에 녹과 거칠기에 둔감하다.
㉤ 미그 용접에 비해 용착 금속의 기공 발생이 적다.
㉥ 용접 전류의 밀도가 크므로 용입이 깊고, 용접 속도를 매우 빠르게 할 수 있다.
㉦ 산화 및 질화가 되지 않는 양호한 용착 금속을 얻을 수 있다.
㉧ 보호 가스가 저렴한 탄산가스라서 용접 경비가 적게 든다. 하지만 바람이 부는 곳에서는 방풍대책이 필요하다.
㉨ 강도와 연신성이 우수하다.

55. $\text{사용율}(\%) = \frac{(\text{아크시간})}{(\text{아크시간}+\text{휴식시간})} \times 100$

따라서 $\frac{6}{6+4} \times 100 = 60$

56. A형은 불변압식, B형은 가변압식으로 A형은 판 두께로, B형은 시간당 사용하는 아세틸렌 양으로 그 크기를 나타낸다.

57. 이산화탄소에 산소를 첨가하게 되면, 비드 외관이 개선되고 용융지의 온도는 상승하며, 용착강은 청결해진다.

58. 직류의 무부하 전압은 40~60[V], 교류 무부하 전압은 70~80[V]이므로 교류가 직류에 비해 전격의 위험은 크다.

59. 탄소량이 적을수록 절단이 쉽다. 따라서 탄소량이 0.25% 이하인 저탄소강이 절단이 쉽다.

60. 아크 광선중에 포함된 자외선은 심하면 백내장과 피부암을 유발할 수도 있으며, 피부에 화상을 줄 수 있다. 또한 적외선의 경우에도 열성 백내장이 발생할 수 있어 이 문항의 답은 경우에 따라서는 ①로도 생각할 수 있다.

국가기술자격검정 필기시험문제

2014년 산업기사 제2회 필기시험

자격종목 및 등급(선택분야)	종목코드	시험시간	문제지형별	수검번호	성 명
용접산업기사	2026	1시간30분			

※ 답안카드 작성시 시험문제지 형별누락, 마킹착오로 인한 불이익은 전적으로 수검자의 귀책사유임을 알려드립니다.
※ 각 문항은 4지택일형으로 질문에 가장 적합한 보기 항을 선택하여 마킹하여야 합니다.

제1과목 : 용접야금 및 용접설비제도

01 강의 조직 중 오스테나이트에서 냉각 중 탄소농도의 확산으로 탄소농도가 낮은 페라이트와 탄소농도가 높은 시멘타이트가 층상을 이루는 조직은?

① 펄라이트　② 마텐자이트
③ 트루스타이트　④ 레데브라이트

02 용접부 고온균열의 직접적인 원인이 되는 것은?

① 전극의 피복제에 흡수된 수분
② 고온에서의 연성 향상
③ 응고시의 수축, 팽창
④ 후열처리

03 Fe-C 합금에서 6.67%를 함유하는 탄화철의 조직은?

① 시멘타이트　② 레데브라이트
③ 페라이트　④ 오스테나이트

04 한국산업표준에서 정한 일반 구조용 탄소 강관을 표시하는 것은?

① SCPH　② STKM
③ NCF　④ STK

05 황(S)에 관한 설명으로 틀린 것은?

① 강에 함유된 S는 대부분 MnS로 잔류한다.
② FeS는 결정입계에 망상으로 분포되어 있다.
③ S는 상온취성의 원인이 되며, 경도를 증가시킨다.
④ S가 0.02% 정도만 있어도 인장강도, 충격치를 감소시킨다.

06 피복 아크용접에서 피복제의 역할 중 가장 거리가 먼 것은?

① 용접금속의 응고와 냉각속도를 지연시킨다.
② 용접금속에 적당한 합금원소를 첨가한다.
③ 용융점이 낮은 적당한 점성의 슬래그를 만든다.
④ 합금원소 첨가 없이도 냉각속도로 인해 입자를 미세화하여 인성을 향상시킨다.

07 연강용 피복 아크용접봉에서 피복제의 염기도가 가장 낮은 것은?

① 티탄계　② 저수소계
③ 일미나이트계　④ 고셀룰로스계

08 다음 중 탄소의 함유량이 가장 적은 것은?

① 경강　② 연강
③ 합금공구강　④ 탄소공구강

09 용접 구조물에서 예열의 목적이 잘못 설명된 것은?
① 열 영향부의 경도를 증가시킨다.
② 잔류응력을 경감시킨다.
③ 용접변형을 경감시킨다.
④ 저온균열을 방지시킨다.

10 다음 금속재료 중 전기 전도율이 가장 큰 것은?
① 크롬 ② 아연
③ 구리 ④ 알루미늄

11 다음의 용접 기호를 바르게 설명한 것은?

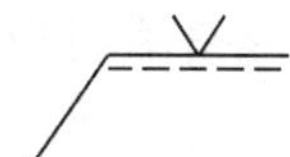

① 화살표 쪽의 용접
② 양면대칭 부분용입의 용접
③ 양면대칭 용접
④ 화살표 반대쪽의 용접

12 도면에서 2종류 이상의 선이 같은 장소에서 중복될 경우 도면에 우선적으로 그어야 하는 선은?
① 외형선 ② 중심선
③ 숨은선 ④ 무게 중심선

13 외형선 및 숨은선의 연장선을 표시하는데 사용되는 선은?
① 가는 1점쇄선 ② 가는 실선
③ 가는 2점쇄선 ④ 파선

14 치수기입시 구의 반지름 구의 반지름을 표시하는 치수 보조 기호는?
① SR ② Sϕ ③ R ④ t

15 일반적으로 부품의 모양을 스케치하는 방법이 아닌 것은?
① 프린트법 ② 프리핸드법
③ 판화법 ④ 사진촬영법

16 KS 기계제도에 사용하는 평행 투상법의 종류가 아닌 것은?
① 정 투상 ② 등각 투상
③ 사 투상 ④ 투시 투상

17 도면을 그리기 위하여 도면에 반드시 설정해야 되는 양식이 아닌 것은?
① 윤곽선 ② 도면의 구역
③ 표제란 ④ 중심 마크

18 도형이 이동한 중심 궤적을 표시할 때 사용하는 선은?
① 굵은 실선 ② 가는 2점 쇄선
③ 가는 1점 쇄선 ④ 가는 실선

19 용접이음의 기호에서 뒷면 용접을 나타낸 기호는?
① ○ ② ◡ (with dot above)
③ □ ④ ◡ (flat top)

20 다음 용접부의 기본기호 중 서페이싱을 나타내는 것은?
① ⌒⌒ ② ◡ (flat top)
③ ○ ④ ⊖ (circle with two horizontal lines)

제2과목 : 용접구조설계

21 잔류 응력의 완화법인 응력 제거 어닐링 (Annealing)의 효과로 틀린 것은?

① 응력 부식에 대한 저항력 감소
② 크리프 강도 향상
③ 충격 저항의 증대
④ 치수 비틀림 방지

22 두께가 5mm 인 강판을 가지고 완전 용입의 T형 용접을 하려고 한다. 이 때 최대 50000N 의 인장하중을 작용시키려면 용접 길이는 얼마인가?(단, 용접부의 허용 인장응력은 100MPa 이다.)

① 50mm ② 100mm
③ 150mm ④ 200mm

23 용접금속의 균열 현상에서 저온 균열에서 나타나는 균열은?

① 토우 크랙 ② 노치 크랙
③ 설퍼 크랙 ④ 루트 크랙

24 T형 이음(홈 완전 용입)에서 P = 31.5 kN, h = 7mm 로 할 때 용접 길이는 얼마인가?(단, 허용 응력은 90 MPa 이다.)

① 20mm ② 30mm ③ 40mm ④ 50mm

25 용접이음 준비에서 조립과 가접에 대한 설명이다. 틀린 것은?

① 수축이 큰 맞대기 용접을 먼저 한다.
② 용접과 리벳이 있는 경우 용접을 먼저 한다.
③ 가접은 본 용접사와 같은 기량을 가진 용접사가 한다.
④ 가접은 변형 방지를 위하여 용접봉 지름이 큰 것을 사용한다.

26 맞대기 이음부의 홈의 형상으로만 조합된 것은?

① Z형, K형, L형, T형
② I형, V형, U형, H형
③ G형, X형, J형, P형
④ B형, U형, K형, Y형

27 다층 용접에서 변형과 잔류 응력을 경감시키기 위해 사용하는 용접법은?

① 빌드업(build up)법 ② 스킵(skip)법
③ 후퇴법 ④ 전진 블록(block)법

28 다음 설명 중 옳지 않은 것은?

① 금속은 압축응력에 비하여 인장응력에는 약하다.
② 팽창과 수축의 정도는 가열된 면적의 크기에 반비례한다.
③ 구속된 상태의 팽창과 수축은 금속의 변형과 잔류응력을 생기게 한다.
④ 구속된 상태의 수축은 금속이 그 장력에 견딜 만한 연성이 없으면 파단한다.

29 용접이음의 피로강도를 시험할 때 사용되는 S-N 곡선에서 S와 N을 옳게 표시한 항목은?

① S : 스트레인, N : 반복하중
② S : 응력, N : 반복 횟수
③ S : 인장강도, N : 전단강도
④ S : 비틀림 강도, N : 응력

30 수직으로 4000N의 힘이 작용하는 부분에 수평으로 맞대기 용접을 하고자 하는데 용접부의 형상은 판 두께 6mm, 용접선의 길이 220mm로 하려고 할 때 이음부에 발생하는 인장응력은 약 얼마인가?

① 4.0 N/mm^2 ② 3.0 N/mm^2
③ 109.1 N/mm^2 ④ 110.2 N/mm^2

31 플레어 용접부의 형상으로 맞는 것은?

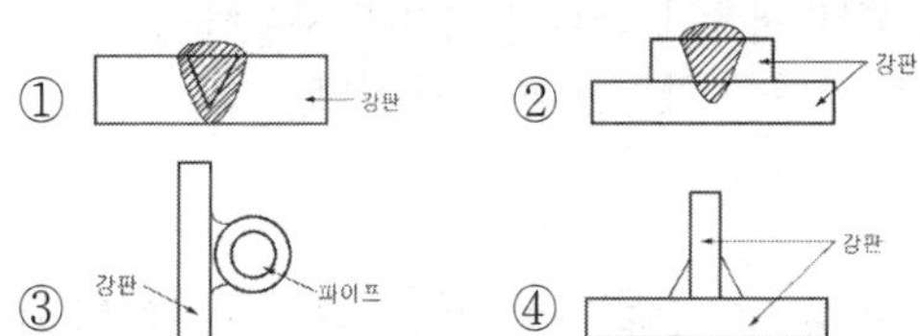

32 다음 예열에 대한 설명으로 옳지 않은 것은?

① 연강의 두께가 25mm 이상인 경우 약 50~350℃ 정도의 온도로 예열한다.
② 연강을 0℃ 이하에서 용접할 경우 이음의 양쪽 폭 100mm 정도를 약 40~70℃ 정도로 예열하는 것이 좋다.
③ 구리나 알루미늄 합금 등은 200~400℃로 예열한다.
④ 예열은 근본적으로 용접 금속 내에 수소의 성분을 넣어주기 위함이다.

33 아래 그림과 같은 필릿 용접부의 종류는?

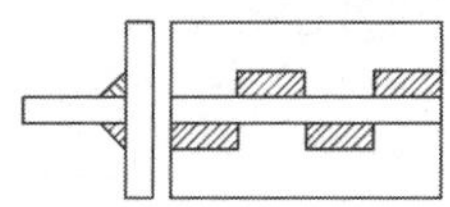

① 연속 병렬 필릿 용접
② 연속 필릿 용접
③ 단속 병렬 필릿 용접
④ 단속 지그재그 필릿 용접

34 용융된 금속이 모재와 잘못 녹아 어울리지 못하고 모재에 덮인 상태의 결함은?

① 스패터 ② 언더컷
③ 오버랩 ④ 기공

35 용접변형의 교정법에서 박판에 대한 점 수축법의 시공조건으로 틀린 것은?

① 가열온도는 500~600℃
② 가열시간은 180초
③ 가열점 지름은 20~30mm
④ 가열 후 즉시 수냉

36 연강판 용접 인장 시험에서 모재의 인장 강도가 3500MPa, 용접 시험편의 인장 강도가 2800MPa로 나타났다면 이음 효율은?

① 60% ② 70% ③ 80% ④ 90%

37 용접변형의 종류에 해당 되지 않는 것은?

① 좌굴 변형 ② 연성 변형
③ 비틀림 변형 ④ 회전 변형

38 시험편에 V형 또는 U형 노치를 만들어 파괴시키는 시험법은?

① 경도 시험법 ② 인장 시험법
③ 굽힘 시험법 ④ 충격 시험법

39 인장시험의 시험편의 처음 길이를 ℓ_0 파단 후의 거리를 ℓ이라 하면 변형률(ε)에 관한 식은?

① $\epsilon = \frac{\ell - \ell_0}{\ell} \times 100\ [\%]$

② $\epsilon = \frac{\ell_0 - \ell}{\ell} \times 100\ [\%]$

③ $\epsilon = \frac{\ell_0 - \ell}{\ell_0} \times 100\ [\%]$

④ $\epsilon = \frac{\ell - \ell_0}{\ell_0} \times 100\ [\%]$

40 필릿 용접에서 응력집중이 가장 큰 용접부는?

① 루트부 ② 토우부
③ 각장 ④ 목두께

제3과목 : 용접일반 및 안전관리

41 테르밋 용접 이음부의 예열 온도는 약 몇 ℃가 적당한가?

① 400~600 ② 600~800
③ 800~900 ④ 1000~1100

42 실드 가스로써 주로 탄산가스를 사용하여 용융부를 보호하여 탄산가스 분위기 속에서 아크를 발생시켜 그 아크열로 모재를 용융시켜 용접하는 방법은?

① 테르밋 용접
② 실드 용접
③ 전자 빔 용접
④ 일렉트로 가스 아크 용접

43 가스절단시 절단속도에 영향을 주는 것과 거리가 먼 것은?

① 팁의 형상 ② 용기의 산소량
③ 모재의 온도 ④ 산소 압력

44 아크 용접기의 사용상 주의점이 아닌 것은?

① 정격 사용률 이상으로 사용한다.
② 접지(earth)를 확실히 한다.
③ 비. 바람이 치는 장소에서는 사용하지 않는다.
④ 기름이나 증기가 많은 장소에서는 사용하지 않는다.

45 용접전류가 400A 이상일 때 가장 적합한 차광도 번호는?

① 5 ② 8 ③ 10 ④ 14

46 전격방지를 위한 작업으로 틀린 것은?

① 보호구를 완전히 착용한다.
② 직류보다 교류를 많이 사용한다.
③ 무부하 전압이 낮은 용접기를 사용한다.
④ 절연상태를 확인한 후 사용한다.

47 아크 용접 작업에서 전격의 방지 대책으로 틀린 것은?

① 절연 홀더의 절연 부분이 노출되면 즉시 교체한다.
② 홀더나 용접봉은 절대로 맨손으로 취급하지 않는다.
③ 밀폐된 공간에서는 자동 전격 방지기를 사용하지 않는다.
④ 용접기의 내부에 함부로 손을 대지 않는다.

48 가스절단의 예열불꽃이 너무 약할 때의 현상을 가장 적절하게 설명한 것은?

① 절단속도가 빨라진다.
② 드래그가 증가한다.
③ 모서리가 용융되어 둥글게 된다.
④ 절단면이 거칠어진다.

49 절단산소의 순도가 낮은 경우 발생하는 현상이 아닌 것은?

① 산소 소비량이 증가한다.
② 절단속도가 저하된다.
③ 절단 개시 시간이 길어진다.
④ 절단 홈 폭이 좁아진다.

50 스테인리스나 알루미늄 합금의 납땜이 어려운 가장 큰 이유는?

① 적당한 용제가 없기 때문에
② 강한 산화막이 있기 때문에
③ 융점이 높기 때문에
④ 친화력이 강하기 때문에

51 **용해 아세틸렌 가스를 충전하였을 때 용기 전체의 무게가 34 kgf이고 사용 후 빈병의 무게가 31 kgf이면, 15℃, 1 kgf/cm^2 하에서 충전된 아세틸렌 가스의 양은 약 몇 L 인가?**

① 465 L ② 1054 L
③ 1581 L ④ 2715 L

52 **불활성가스 텅스텐 아크 용접에 사용되는 뒷받침의 형식이 아닌 것은?**

① 금속 뒷받침(metal backing)
② 배킹 용접(backing weld)
③ 플럭스 뒷받침(flux backing)
④ 용접부의 뒤쪽에 불활성가스를 흐르게 하는 방법(inert gas backing)

53 **아크 용접시 발생되는 유해한 광선에 해당하는 것은?**

① X-선 ② 감마선(γ)
③ 알파선(α) ④ 적외선

54 **직류 용접기와 비교하여 교류 용접기의 장점이 아닌 것은?**

① 자기 쏠림이 방지된다.
② 구조가 간단하다.
③ 소음이 적다.
④ 역률이 좋다.

55 **내용적 40리터의 산소용기에 140 kgf/cm^2의 산소가 들어있다. 350번 팁을 사용하여 혼합비 1 : 1 의 표준 불꽃으로 작업하면 몇 시간이나 작업할 수 있는가?**

① 10시간 ② 12시간 ③ 14시간 ④ 16시간

56 **표준 불꽃으로 용접할 때 가스용접 팁의 번호가 200이면 다음 중 옳은 설명은?**

① 매 시간당 산소의 소비량이 200리터이다.
② 매 분단 산소의 소비량이 200리터이다.
③ 매시간당 아세틸렌가스의 소비량이 200리터이다.
④ 매 분당 아세틸렌가스이 소비량이 200리터이다.

57 **피복 아크 용접에서 피복제의 역할이 아닌 것은?**

① 용적을 미세화하고 용착 효율을 높인다.
② 용착 금속에 필요한 합금 원소를 첨가한다.
③ 아크를 안정시킨다.
④ 용착 금속의 냉각속도를 빠르게 한다.

58 **탄산가스(CO_2) 아크 용접에 대한 설명 중 틀린 것은?**

① 전자세 용접이 가능하다.
② 용착금속의 기계적, 야금적 성질이 우수하다.
③ 용접전류의 밀도가 낮아 용입이 얕다.
④ 가시(可視) 아크이므로 시공이 편리하다.

59 **아크 쏠림의 발생 주원인은?**

① 아크발생의 불량으로 발생한다.
② 전류가 흐르는 도체 주변의 자장 발생으로 발생한다.
③ 용접봉이 굵은 관계로 발생한다.
④ 자석의 크기로 인해서 발생한다.

60 **가스 실드계의 대표적인 용접봉으로 피복이 얇고, 슬래그가 적으므로 좁은 홈의 용접이나 수직상진 · 하진 및 위보기 용접에서 우수한 작업성을 가진 용접봉은?**

① E4301 ② E4311
③ E4313 ④ E4316

정답 및 해설

● 2014년 산업기사 제2회 필기시험

Answer

01.①	02.③	03.①	04.④	05.③
06.④	07.①	08.②	09.①	10.③
11.④	12.①	13.②	14.①	15.③
16.④	17.②	18.③	19.④	20.①
21.①	22.②	23.①, ④	24.④	25.④
26.②	27.④	28.②	29.②	30.②
31.③	32.④	33.④	34.③	35.②
36.③	37.②	38.④	39.④	40.①
41.③	42.④	43.②	44.①	45.④
46.②	47.③	48.②	49.④	50.②
51.④	52.②	53.④	54.④	55.④
56.③	57.④	58.③	59.②	60.②

01. 펄라이트(α + Fe_3C) : 726℃에서 오스테나이트가 페라이트와 시멘타이트의 층상의 공석정으로 변태한 것으로 페라이트보다 경도, 강도는 크며 자성이 있다. 즉 펄은 진주라는 뜻으로 흑색의 페라이트와 백색의 시멘타이트가 층상으로 존재하여 진주 형상과 같다고 하여 붙여진 이름이다.

02. 용접부의 균열의 원인은 용접 열에 의한 응고시 수축과 팽창이다.

03. 시멘타이트(Fe_3C) : 고온의 강 중에서 생성하는 탄화철을 말하며 경도가 높고 취성이 많으며 상온에서 강자성체이다.

04.
- SCPH : 고온 고압용 주강품,
- STKM : 기계구조용 탄소강 강관,
- STK : 일반 구조용 탄소강관,
- NCF : 내식 내열 초합금판

05. 고온 900℃이상에서 물체가 빨갛게 되어 메지는 것을 적열 취성이라 하고 황이 원인이 된다.

06. 피복제의 작용
① 아크 안정
② 산·질화 방지
③ 용적을 미세화 하여 용착 효율 향상
④ 서냉으로 취성 방지
⑤ 용착 금속의 탈산 정련 작용
⑥ 합금 원소 첨가
⑦ 슬래그의 박리성 증대
⑧ 유동성 증가
⑨ 전기 절연 작용 등이 있다.

07. 염기도가 가장 낮은 것은 티탄계로 기계적 성질이 떨어진다. 반면 가장 높은 저수소계로 작업성은 떨어지나 기계적 성질이 우수하다.

08. 탄소함유량이 적을수록 강은 연하며, 많을수록 딱딱하다. 즉 경(硬)은 굳다는 뜻으로 탄소량이 많아지면 딱딱해지나 너무 많게 되면 취성이 생길 수도 있다. 공구강은 당연히 탄소량이 연강에 비해 높다.

09. 예열의 목적
① 용접부와 인접된 모재의 수축응력을 감소하여 균열 발생을 억제한다.
② 냉각속도를 느리게 하여 모재의 취성을 방지한다.
③ 용착금속의 수소 성분이 나갈 수 있는 여유를 주어 비드 밑 균열을 방지한다.

10. Ag 〉 Cu 〉 Au 〉 Al 〉 Mg 〉 Ni 〉 Fe 〉 Pb 의 순이다.

11. 실선에 기호가 붙으면 화살표쪽 용접, 은선에 기호가 붙으면 화살표 반대쪽 용접이다.

12. 선의 우선순위 외형선 → 은선 → 절단선 → 중심선 → 무게중심선의 순서이며 여기서 외형선과 은선은 실제 물체와 관계있어 우선순위에서 앞서는 것이며, 절단선은 절단하는 위치에 따라 외형을 바꿀 수 있기 때문에 그 다음으로 중요하다.

13. 외형선 및 숨은선의 연장을 표시하는 선은 실선이다.

14. 구(sphere)와 반지름(radius)의 약어인 SR이다.

15. 부품의 모양을 스케치하는 방법에는 프리핸드법, 본(모양)뜨기법, 프린트법, 사진촬영법이 있다.

16. 투시 투상도
① 물체의 앞 또는 뒤에 화면을 놓고 시점에서 물체를 본 시선이 화면과 만나는 각 점을 연결하여 눈에 비치는 모양과 같게 물체를 그리는 것
② 물체의 멀고 가까운 거리감을 느낄 수 있도록 하나의 시점과 물체의 각 점을 방사선으로 이어서 그리는 도법
③ 용도 : 사진이나 사생도에 속하는 건축, 교량, 조감도, 도로의 도면 작성
④ 종류 : 평행 투시도, 유각 투시도, 경사 투시도

17. ① 윤곽선 : 도면에 그려야 할 내용의 영역을 명확히 하고, 제도 용지의 가장자리에 생기는 손상으로부터 기재 사항을 보호하기 위해 0.5mm 이상의 실선을 사용한다.
② 중심 마크 : 도면의 사진 촬영 및 복사할 때 편의를 위해 사용, 상하 좌우 중앙의 4개소에 표시한다.
③ 표제란 : 위치는 반드시 도면의 오른쪽 아래에 위치한다. 기재 내용으로는 도면 번호(도번), 도면 이름(도명), 척도, 투상법, 도면 작성일, 제도자 이름 등을 기입한다.
반드시 도면에 윤곽선, 중심 마크, 표제란은 그려 넣어야 한다.

18. 중심선, 기준선, 피치선은 가는 1점 쇄선으로 그린다.

19. ◡은 뒷면 용접을 의미한다. ○은 점용접 즉 스폿용

접을 의미한다.

20. ① 뒷면 용접공정이 없음 :

② 가장자리 용접 :

③ 서페이싱 :

④ 서페이싱 이음 :

21. 응력 제거 풀림(annealing)을 하게 되면 응력 부식에 대한 저항력이 증가한다.

22. $\sigma = \frac{P}{tl}$, $l = \frac{P}{\sigma t} = \frac{50000}{100 \times 5} = 100$

23. 균열의 종류

① 비드 밑 균열은 용접 비드 바로 아래에 용접선 아주 가까이 거의 이와 평행되게 모재 열영향부에 생기는 균열로 고탄소강이나 저합금강과 같은 담금질에 의한 경화성이 강한 재료를 용접했을 때 생기는 균열

② 토 균열은 맞대기 용접 및 필릿 용접 의 어느 경우나 비드 표면과 모재와의 경계부에 생기는 균열로 예열을 하거나 강도가 낮은 용접봉을 사용하면 효과적이다.

③ 설퍼 균열은 강중에 황이 층상으로 존재하는 고온 균열을 말한다.

④ 루트 균열은 저온 균열로 그 원인은 수소취화에 있다.

24. $\sigma = \frac{P}{hl}$, $h = \frac{P}{\sigma l} = \frac{31500}{90 \times 7} = 50$

25. 가접

① 홈안에 가접은 피하고 불가피한 경우 본 용접 전에 갈아낸다.

② 응력이 집중하는 곳은 피한다.

③ 전류는 본 용접보다 높게 하며, 용접봉의 지름은 가는 것을 사용한다. 또한 너무 짧게 하지 않는다.

④ 시·종단에 엔드탭을 설치하기도 한다.

⑤ 가접사도 본 용접사에 비하여 기량이 떨어지면 안 된다.

26. 용접 홈 형상의 종류

① 한면 홈 이음 : I형, V형, ✔형(베벨형), U형, J형

② 양면 홈 이음 : 양면 I형, X형, K형, H형, 양면 J형

27. 전진 블록법 : 한 개의 용접봉으로 살을 붙일만한 길이로 구분해서 홈을 한 부분에 여러 층으로 완전히 쌓아 올린 다음, 다음 부분으로 진행하는 방법으로 첫층에 균열 발생 우려가 있는 곳에 사용된다.

28. 팽창과 수축의 정도는 가열된 면적의 크기에 비례한다.

29. S-N곡선은 평균 응력이 일정할 때 반복하여 작용하게 되면 파괴되는 피로강도를 표현한 것으로 응력(Stress)과 N(Number)이라고 생각하면 된다.

30. $\sigma = \frac{P}{tl} = \frac{4000}{220 \times 6} = 3.03$

31. 플레어 용접 

32. 예열의 방법

① 연강의 경우 두께 25mm이상의 경우나 합금 성분을 포함한 합금강 등은 급랭 경화성이 크기 때문에 열 영향부가 경화하여 비드 균열이 생기기 쉽다. 그러므로 50 ~ 350℃정도로 홈을 예열하여 준다.

② 기온이 0℃이하에서도 저온 균열이 생기기 쉬우므로 홈 양끝 100mm 나비를 40 ~ 70℃로 예열한 후 용접한다.

③ 주철은 인성이 거의 없고 경도와 취성이 커서 500 ~ 550℃로 예열하여 용접 터짐을 방지한다.

④ 용접 할 때 저 수소계 용접봉을 사용하면 예열 온도를 낮출 수 있다.

⑤ 탄소 당량이 커지거나 판 두께가 두꺼울수록 예열 온도는 높일 필요가 있다.

- 탄소량에 따른 예열 온도

① 탄소량 0.2% 이하 : 90℃ 이하

② 탄소량 0.2% ~ 0.3% : 90℃ ~ 150℃

③ 탄소량 0.3% ~ 0.45% : 150℃ ~ 260℃

④ 탄소량 0.45% ~ 0.83% : 260℃ ~ 420℃

즉 탄소량이 늘어날수록 예열 온도는 높게 한다.

⑥ 주물의 두께 차가 클 경우 냉각 속도가 균일하도록 예열

33. 그림에서 보면 연속이 아니고 단속이며, 지그재그로 필릿 용접을 한 것을 알 수 있다.

34. 오버랩은 전류가 너무 낮을 때, 용접 속도가 너무 느릴 때, 운봉 방법이 부적당할 때 모재에 덮이는 것을 말한다.

35. 박판에 대한 점 수축법

- 점 수축법 시공 조건 : 가열 온도 500 ~ 600℃, 가열 시간은 30초 정도, 가열 부 지름 20 ~ 30mm, 가열 즉시 수냉한다.

36.

$$\text{이음효율} = \frac{\text{용접시험편의인장강도}}{\text{모재의인장강도}} \times 100 = \frac{2800}{3500} \times 100 = 80$$

37. 용접 변형

① 면내의 수축 변형 : 가로 수축, 세로 수축, 회전 수축

② 면외의 수축 변형 : 굽힘 변형(가로, 세로 방향), 좌굴 변형, 비틀림 변형

38. 충격 시험 : (샤르피식, 아이조드식)재료의 인성과 취성을 알아기 위하여 시험편에 노치를 만들어 파괴하는 시험 방법이다.

39. $\frac{\text{늘어난길이}}{\text{원래길이}} \times 100$이므로 $\frac{\ell - \ell_0}{\ell_0} \times 100$이 된다.

40. 필릿 용접에 응력 집중이 가장 큰 용접부는 루트부이다.

41. ① 원리 : 테르밋 반응에 의한 화학 반응열을 이용하여 용접한다.

② 특징

- 테르밋제는 산화철 분말(FeO, Fe_2O_3, Fe_3O_4)약 3 ~ 4, 알루미늄 분말을 1로 혼합한다.(2,800℃의 열이 발생) 예열 온도로는 800~900℃로 한다.
- 점화제로는 과산화바륨, 마그네슘이 있다.
- 용융 테르밋 용접과 가압 테르밋 용접이 있다.
- 작업이 간단하고 기술습득이 용이하다.
- 전력이 불필요하다.
- 용접 시간이 짧고 용접후의 변형도 적다.
- 용도로는 철도레일, 덧붙이 용접, 큰 단면의 주조, 단조품의 용접

42. 일렉트로 가스 용접

(1) 원리 : 일렉트로 슬래그 용접과 같이 수직 자동 용접이나 플럭스를 사용하지 않고 실드 가스(탄산가스)를 사용하며, 용접봉과 모재 사이에 발생한 아크열에 의하여 모재를 용융 용접하는 방법

(2) 특징

① 일렉트로 슬래그 용접보다는 두께가 얇은 중후판(40 ~ 50mm)에 적당하다.
② 용접 속도가 빠르고 용접 홈은 가스 절단 그대로 사용
③ 용접 후 수축, 변형, 비틀림 등의 결함이 없다.
④ 용접 금속의 인성은 떨어진다.
⑤ 용접 속도는 자동으로 조절된다.
⑥ 스팩터 및 가스의 발생이 많고 용접 작업을 할 때 바람에 영향을 많이 받는다.

43. 절단에 영향을 주는 요소

① 팁의 모양 및 크기
② 산소의 순도와 압력
③ 절단 속도
④ 예열 불꽃의 세기
⑤ 팁의 거리 및 각도
⑥ 사용 가스
⑦ 절단재의 재질 및 두께 및 표면 상태

44. 정격 사용율은 정해진 사용율이라고 생각하면 된다. 즉 용접기는 정격 사용율 이상으로 사용하게 되면 용접기는 소손된다.

45. 차광 유리 : 아크 불빛은 적외선과 자외선을 포함하고 있어 눈을 보호하기 위하여 빛을 차단하는 차광 유리를 사용하여야 한다.

차광도 번호	용접 전류(A)	용접봉 지름(mm)
8	45 ~ 75	1.2 ~ .0
9	75 ~ 130	1.6 ~ 2.6
10	100 ~ 200	2.6 ~ 3.2
11	150 ~ 250	3.2 ~ 4.0
12	200 ~ 300	4.8 ~ 6.4
13	300 ~ 400	4.4 ~ 9.0
14	400 이상	9.0 ~ 9.6

46. 직류의 무부하 전압은 40~60, 교류의 무부한 전압은 70~80으로 교류가 전격의 위험이 더 크다.

47. 전격 방지기 : 감전의 위험으로부터 작업자를 보호하기 위하여 2차 무부하 전압을 25V로 유지하는 장치로 절대로 용접 중에 떼어내고 사용하면 안된다.

48. 예열 불꽃의 역할은 개시점을 발화온도로 가열, 절단 산소의 순도 저하 방지, 절단 산소의 운동량 유지, 절단재 표면 스케일 등을 제거하여 절단 산소와의 반응을 용이하게 한다. 열 불꽃의 세기가 세면 절단면 모서리가 용융되어 둥굴게 되고, 절단면이 거칠게 되며 슬래그 중의 철 성분의 박리기 어렵게 된다. 반대로 약해지면 드래그의 길이가 증가하고, 절단 속도가 늦어지며, 역화를 일으키기 쉽다.

49. 절단 속도는 산소의 순도 및 압력, 팁의 모양, 모재의 온도 등에 따라 영향을 받으며, 고속 분출을 얻기 위해서는 다이버전트 노즐을 사용한다. 일반적으로 산소의 순도가 낮아지면 소비량은 늘어나고 속도는 절하되며, 절단 개시 기간이 길어지게 된다.

50. 스테인리스나 알루미늄의 경우 산화 피막이 형성되어 있어 용접이 어렵다.

51. C=905(A-B)=905(34-31)=2715

52. 배킹 용접은 말 그대로 뒷받침을 사용하여 용접하는 방법이다. 즉 뒷받침의 형식은 아니다.

53. 아크 용접시 발생하는 광선에는 자외선, 적외선, 가시광선이 있다. 이중 자외선과 적외선은 노출에 유의하여야 한다.

54. 일반적으로 직류 용접기가 아크가 안정되고 역률이 교육에 비해 우수하다. 하지만 역률이 높으면 좋은 용접기라고 말할 수 도 있고 그렇지 않을 수도 있다. 왜냐하면 일반적으로 역률이 높은 용접기는 소비전력이 높아 효율이 떨어지기 때문에 이 경우는 역률이 낮은 경우가 효율이 더 좋다고 할 수 있다. 하지만 소비 전력은 변화 없고 전원 입력을 적게 할 수 있다면 좋은 용접기라 할 수 있다.

55. 용기의 총가스량(40×140)÷시간단 사용량(350)=16시간

56. 팁의 번호가 200번이라면 가변압식으로 매시간당 아세틸렌가스의 소비량이 200리터이다.

57. 피복제의 역할

① 아크 안정
② 산·질화 방지
③ 용적을 미세화 하여 용착 효율 향상
④ 서냉으로 취성 방지
⑤ 용착 금속의 탈산 정련 작용
⑥ 합금 원소 첨가
⑦ 슬랙의 박리성 증대
⑧ 유동성 증가
⑨ 전기 절연 작용 등이 있다

58. **이산화탄소 아크 용접**

(1) 원리 : 불활성 가스 금속 아크 용접과 원리가 같으며, 불활성 가스 대신 탄산가스를 사용한 용극식 용접법이다. 일반적으로 플럭스 코어드가 많이 사용된다.

(2) 특징

① 장점

㉠ 가는 와이어로 고속 용접이 가능하며 수동 용접에 비해 용접 비용이 저렴하다.

㉡ 가시 아크이므로 시공이 편리하고, 스팩터가 적어 아크가 안정하다.

㉢ 전 자세 용접이 가능하고 조작이 간단하다.

㉣ 잠호 용접에 비해 모재 표면에 녹과 거칠기에 둔감하다.

㉤ 미그 용접에 비해 용착 금속의 기공 발생이 적다.

㉥ 용접 전류의 밀도가 크므로 용입이 깊고, 용접 속도를 매우 빠르게 할 수 있다.

㉦ 산화 및 질화가 되지 않는 양호한 용착 금속을 얻을 수 있다.

㉧ 보호 가스가 저렴한 탄산가스라서 용접 경비가 적게 든다.

㉨ 강도와 연신성이 우수하다.

59. 아크 쏠림, 아크 블로우, 자기 불림 등은 모두 동일한 말이며 용접 전류에 의한 아크 주위에 발생하는 자장이 용접봉에 대하여 비대칭일 때 일어나는 현상이다.

- 방지책

① 직류 용접기 대신 교류 용접기를 사용한다.

② 아크 길이를 짧게 유지한다.

③ 접지를 용접부로 멀리한다.

④ 긴 용접선에는 후퇴법을 사용한다.

⑤ 용접부의 시·종단에는 엔드탭을 설치한다.

60. **E4311(고셀룰로오스계)**

① 셀룰로오스를 20 ~ 30% 정도 포함한 용접봉

② 피복량이 얇고, 슬랙이 적어 수직 상 · 하진 및 위보기 용접에서 우수한 작업성

③ 아크는 스프레이 형상으로 용입이 크고 비교적 빠른 용융 속도를 낼 수 있으나 슬래그가 적으므로 비드 표면이 거칠고 스패터가 많은 결점이 있다.

국가기술자격검정 필기시험문제

2014년 산업기사 제3회 필기시험

자격종목 및 등급(선택분야)	종목코드	시험시간	문제지형별	수검번호	성 명
용접산업기사	2026	1시간30분			

※ 답안카드 작성시 시험문제지 형별누락, 마킹착오로 인한 불이익은 전적으로 수검자의 귀책사유임을 알려드립니다.
※ 각 문항은 4지택일형으로 질문에 가장 적합한 보기 항을 선택하여 마킹하여야 합니다.

제1과목 : 용접야금 및 용접설비제도

01 일반적으로 용융 금속 중에 기포가 응고시 빠져 나가지 못하고 잔류하여 용접부에 기계적 성질을 저하시키는 것은?

① 편석　② 은점
③ 기공　④ 노치

02 강을 경화시키기 위한 열처리는?

① 담금질　② 뜨임
③ 불림　④ 풀림

03 다음은 금속의 공통적인 성질로 틀린 것은?

① 수은 이외에는 상온에서 고체이며, 결정체이다.
② 전기의 부도체이며, 비중이 작다.
③ 결정의 내부 구조를 변경시킬 수 있다.
④ 금속 고유의 광택을 갖고 있다.

04 Fe-C 상태도에서 조직과 결정 구조에 대한 설명으로 옳은 것은?

① 펄라이트는 $\gamma + Fe_3C$ 이다.
② 레데뷰라이트는 $\alpha + Fe_3C$ 이다.
③ α-페라이트는 면심입방격자이다,
④ δ-페라이트는 체심입방격자이다.

05 다음 보기를 공통적으로 설명하고 있는 표면 경화법은?

[보기]
- 강을 NH_3가스 중에서 500~550℃로 20~100 시간 정도 가열한다.
- 경화 깊이를 깊게 하기 위해서는 시간을 길게 하여야 한다.
- 표면층에 합금 성분인 Cr, Al, Mo 등이 단단한 경화층을 형성하며, 특히 Al은 경도를 높여주는 역할을 한다.

① 질화법　② 침탄법
③ 크로마이징　④ 화염경화법

06 주철 용접부 바닥면에 스터드 볼트 대신 둥근 홈을 파고 이 부분에 걸쳐 힘을 받도록 용접하는 방법은?

① 버터링법　② 로킹법
③ 비녀장법　④ 스터드법

07 강을 단조, 압연 등의 소성 가공이나 주조로 거칠어진 결정조직을 미세화하고 기계적 성질, 물리적 성질 등을 개량하여 조직을 표준화하고 공랭하는 열처리는?

① 풀림(annealing)　② 불림(normalizing)
③ 담금질(quenching)　④ 뜨임(tempering)

08 탄소강의 조직 중 전연성이 크고 연하며, 강자성체인 조직은?

① 페라이트 ② 펄라이트
③ 시멘타이트 ④ 레데뷰라이트

09 다음 중 강괴의 결함이 아닌 것은?

① 수축공 ② 백점
③ 편석 ④ 용강

10 타티늄(Ti)의 성질을 설명한 것 중 옳은 것은?

① 비중은 약 8.9 정도이다.
② 열 및 도전율이 매우 높다.
③ 활성이 작아 고온에서 산화되지 않는다.
④ 상온부근의 물 또는 공기 중에서는 부동태 피막이 형성된다.

11 면이 평면으로 가공되어 있고 복잡한 윤곽을 갖는 부품인 경우에 그 면에 광명단 등을 발라 스케치 용지에 찍어 그 면의 실형을 얻는 스케치 방법은?

① 프리핸드법 ② 프린트법
③ 모양 뜨기법 ④ 사진촬영법

12 한국산업규격 용접 기호 중 a◺n×ℓ(e) 에서 n이 의미하는 것은?

① 용접부 수 ② 피치
③ 용접 길이 ④ 목 길이

13 핸들이나 바퀴의 암 및 리브 훅, 축 구조물의 부재 등에 절단면을 90° 회전하여 그린 단면도는?

① 회전 단면도 ② 부분 단면도
③ 한쪽 단면도 ④ 온 단면도

14 KS의 부문별 분류 기호가 바르게 짝지어진 것은?

① KS A : 기계 ② KS B : 기본
③ KS C : 전기 ④ KS D : 광산

15 다음 치수 보조기호 중 잘못 설명된 것은?

① t : 판의 두께
② (20) : 이론적 정확한 치수
③ C : 45°의 모떼기
④ SR : 구의 반지름

16 척도의 종류 중 축척(contraction scale)으로 그릴 때의 내용을 바르게 설명한 것은?

① 도면의 치수는 실물의 축척된 치수를 기입한다.
② 표제란의 척도란에 "NS"라고 기입한다.
③ 표제란의 척도란에 2 : 1, 20 : 1 등으로 기입한다.
④ 도면의 치수는 실물의 실제치수를 기입한다.

17 물체의 구멍이나 홈 등 한 부분만의 모양을 표시하는 것으로 충분한 경우에 그 필요 부분만을 중심선, 치수보조선 등으로 연결하여 나타내는 투상도의 명칭은?

① 부분투상도 ② 보조투상도
③ 국부투상도 ④ 회전투상도

18 단면도의 표시방법으로서 알맞지 않은 것은?

① 단면도의 도형은 절단면을 사용하여 대상물을 절단하였다고 가정하고 절단면의 앞부분을 제거하고 그린다.
② 온단면도에서 절단면을 정하여 그리 때 절단선은 기입하지 않는다.
③ 외형도에서 필요로 하는 요소의 일부만을 부분단면도로 표시할 수 있으며, 이 경우 파단선에 의해서 그 경계를 나타낸다.

④ 절단했기 때문에 축, 핀, 볼트의 경우는 원칙적으로 긴쪽 방향으로 절단한다.

19 화살표 쪽 필릿 용접의 기호는 무엇인가?

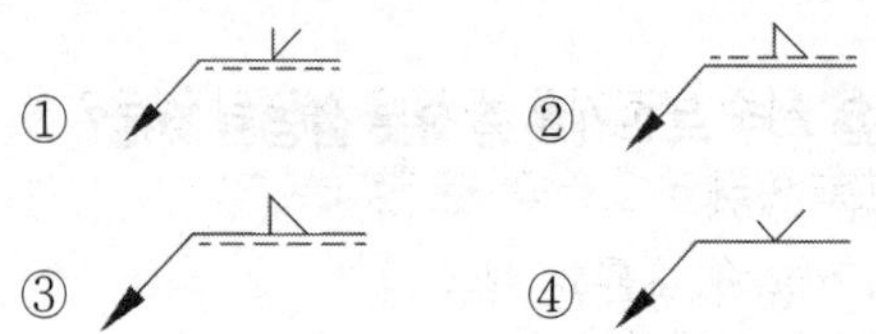

20 다음 용접기호 설명 중 틀린 것은?

① ∨는 V형 맞대기 용접을 의미한다.
② ◺는 필릿 용접을 의미한다.
③ ○는 점 용접을 의미한다.
④ 八는 플러그 용접을 의미한다.

제2과목 : 용접구조설계

21 비파괴 검사법 중 표면결함 검출에 사용되지 않는 것은?

① MT ② UT ③ PT ④ ET

22 용접 이음의 기본 형식이 아닌 것은?

① 맞대기 이음 ② 모서리 이음
③ 겹치기 이음 ④ 플레어 이음

23 용접 균열에 관한 설명으로 틀린 것은?

① 저탄소강에 비해 고탄소강에서 잘 발생한다.
② 저수소계 용접봉을 사용하면 감소한다.
③ 소재의 인장강도가 클수록 발생하기 쉽다.
④ 판 두께가 얇아질수록 증가한다.

24 용접 구조물 조립순서 결정시 고려사항이 아닌 것은?

① 가능한 구속하여 용접을 한다.
② 가접용 정반이나 지그를 적절히 채택한다.
③ 구조물의 형상을 고정하고 지지할 수 있어야 한다.
④ 변형이 발생되었을 때 쉽게 제거할 수 있어야 한다.

25 용접 구조물에서 파괴 및 손상의 원인으로 가장 관계가 없는 것은?

① 시공 불량 ② 재료 불량
③ 설계 불량 ④ 현도관리 불량

26 무부하 전압이 80V, 아크 전압 35V, 아크 전류 400A라 하면 교류 용접기의 역률과 효율은 각각 약 몇 %인가?(단, 내부 손실은 4kW 이다)

① 역률 : 51, 효율 : 72 ② 역률 : 55, 효율 : 78
③ 역률 : 61, 효율 : 82 ④ 역률 : 66, 효율 : 88

27 용접에 의한 용착금속의 기계적 성질에 대한 사항으로 옳은 것은?

① 용접시 발생하는 급열, 급냉 효과에 의하여 용착금속이 경화한다.
② 용착금속의 기계적 성질은 일반적으로 다층 용접보다 단층 용접 쪽이 더 양호하다.
③ 피복아크 용접에 의한 용착금속의 강도는 보통 모재보다 저하된다.
④ 예열과 후열처리로 냉각속도를 감소시키면 인성과 연성이 감소된다.

28 모재의 인장강도가 400 MPa이고 용접 시험편의 인장강도가 280 MPa이라면 용접부의 이음효율은 몇 %인가?

① 50 ② 60 ③ 70 ④ 80

29 용접 이음 설계상 주의사항으로 옳지 않은 것은?

① 용접순서를 고려하여야 한다.
② 용접선이 가능한 집중되도록 한다.
③ 용접부에 되도록 잔류응력이 발생하지 않도록 한다.
④ 두께가 다른 부재를 용접할 경우 단면의 급격한 변화를 피하도록 한다.

30 다음 ( )에 들어갈 적합한 말은?

용접 구조물을 설계할 때 제작측에서 문의가 없어도 제작할 수 있게 설계도면에서 공작법의 세부 지시사항을 지시한 ( )을(를) 작성하게 한다.

① 공작도면　② 사양서
③ 재료적산　④ 구조계획

31 용접변형 방지법의 종류로 거리가 가장 먼 것은?

① 전진법　② 억제법
③ 역변형법　④ 피닝법

32 탐촉자를 이용하여 결함의 위치 및 크기를 검사하는 비파괴시험법은?

① 방사선 투과시험　② 초음파 탐상법
③ 침투 탐상법　④ 자분 탐상법

33 용착부의 인장응력이 $5kgf/cm^2$, 용접선 유효길이가 80mm이며, V형 맞대기로 완전 용입인 경우 하중 8000kgf에 대한 판 두께는 몇 mm 인가?(단, 하중은 용접선과 직각방향이다.)

① 10　② 20　③ 30　④ 40

34 용접이음의 부식 중 용접 잔류응력 등 인장응력이 걸리거나 특정의 부식 환경으로 될 때 발생하는 부식은?

① 입계부식　② 틈새부식
③ 접촉부식　④ 응력부식

35 용접부의 단면을 나타낸 것이다. 열 영향부를 나타내는 것은?

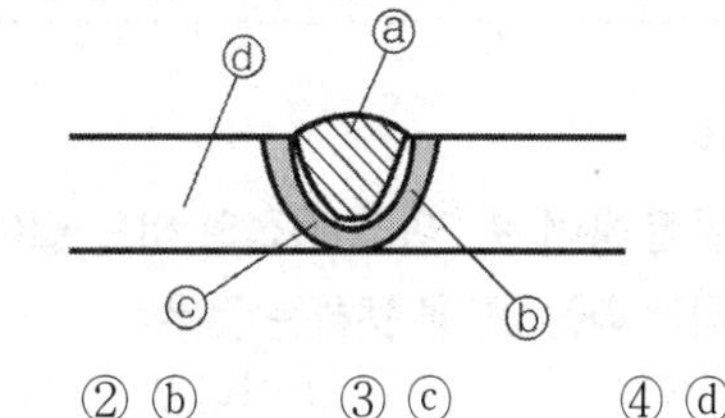

① ⓐ　② ⓑ　③ ⓒ　④ ⓓ

36 직접적인 용접용 공구가 아닌 것은?

① 치핑해머　② 앞치마
③ 와이어 브러쉬　④ 용접 집게

37 용접 균열의 발생 원인이 아닌 것은?

① 수소에 의한 균열
② 탈산에 의한 균열
③ 변태에 의한 균열
④ 노치에 의한 균열

38 판 두께가 30mm인 강판을 용접하였을 때 각 변형(가로 굽힘 변형)이 가장 많이 발생하는 홈의 형상은?

① H형　② U형　③ K형　④ V형

39 내균열성이 가장 우수하고 제품의 인장강도가 요구될 때 사용되는 용접봉은?

① 저수소계　② 라임 티탄계
③ 고셀룰로수계　④ 일미나이트계

40 **용접시 발생하는 균열로 맞대기 및 필릿 용접 등의 표면 비드와 모재와의 경계부에서 발생되는 것은?**

① 크레이터 균열 ② 비드 밑 균열
③ 설퍼 균열 ④ 토우 균열

제3과목 : 용접일반 및 안전관리

41 **용접 용어 중 "아크 용접의 비드 끝에서 오목하게 파진 곳"을 뜻하는 것은?**

① 크레이터 ② 언더컷
③ 오버랩 ④ 스패터

42 **각종 강재 표면의 탈탄층이나 홈을 얇고 넓게 깎아 결함을 제거하는 방법은?**

① 가우징 ② 스카핑
③ 선삭 ④ 천공

43 **산소-아세틸렌 가스 연소 혼합비에 따라 사용되고 있는 용접방법 중 산화불꽃(산소과잉불꽃)을 적용하는 재질은 어느 것인가?**

① 황동 ② 연강
③ 주철 ④ 스테인리스강

44 **아크(arc) 용접의 불꽃온도는 약 몇 (℃)인가?**

① 1000℃ ② 2000℃
③ 4000℃ ④ 5000℃

45 **용접에 관한 설명으로 틀린 것은?**

① 저항용접 : 용접부에 대 전류를 직접 흐르게 하여 전기 저항열로 접합부를 국부적으로 가열시킨 후 압력을 가해 접합하는 방법이다.
② 가스압접 : 열원은 주로 산소-아세틸렌 불꽃이 사용되면, 접합부를 그 재료의 재결정 온도 이상으로 가열하여 축 방향으로 압축력을 가하여 접합하는 방법이다.
③ 냉간압접 : 고온에서 강하게 압축함으로써 경계면을 국부적으로 탄성 변형시켜 압접하는 방법이다.
④ 초음파압접 : 용접물을 겹쳐서 용접 팁과 하부 앤빌 사이에 끼워 놓고 압력을 가하면서 초음파 주파수로 횡진동을 주어 그 진동 에너지에 의한 마찰열로 압접하는 방법이다.

46 **전기 저항 접속의 방법이 아닌 것은?**

① 직·병렬접속 ② 병렬접속
③ 직렬접속 ④ 합성접속

47 **전기 저항용접과 가장 관계가 깊은 법칙은?**

① 줄(Joule)의 법칙
② 플레밍의 법칙
③ 암페어의 법칙
④ 뉴턴(Newton)의 법칙

48 **아크 용접 작업시에 사용되는 차광유리의 규정 중 차광도 번호 13-14의 경우 몇 [A] 이상에 쓰이는가?**

① 100 ② 200 ③ 400 ④ 300

49 **용접 작업 중 전격의 방지대책으로 적합하지 않은 것은?**

① 용접기의 내부에 함부로 손을 대지 않는다.
② TIG 용접기나 MIG 용접기의 수냉식 토치에서 물이 새어 나오면 사용을 금지한다.
③ 홀더나 용접봉은 맨손으로 취급해도 된다.
④ 용접작업이 종료했을 때나 장시간 중지할 때는 반드시 전원 스위치를 차단시킨다.

50 다음 보기 중 용접의 자동화에서 자동제어의 장점에 해당되는 사항으로만 모두 조합한 것은?

[보기]
㉠ 제품의 품질이 균일화되어 불량품이 감소된다.
㉡ 원자재, 원료 등이 증가된다.
㉢ 인간에게는 불가능한 고속작업이 가능하다.
㉣ 위험한 사고의 방지가 불가능하다.
㉤ 연속작업이 가능하다.

① ㉠, ㉡, ㉣
② ㉠, ㉡, ㉢, ㉤
③ ㉠, ㉢, ㉤
④ ㉠, ㉡, ㉢, ㉣, ㉤

51 다음 중 중압식 토치(medium pressure torch)에 대한 설명으로 틀린 것은?

① 아세틸렌 가스의 압력은 0.07~1.3[kgf/cm²]이다.
② 산소의 압력은 아세틸렌의 압력과 같거나 약간 높다.
③ 팁의 능력에 따라 용기의 압력조정기 및 토치의 조정밸브로 유량을 조절한다.
④ 인젝터 부분에 니들 밸브로 유량과 압력을 조정한다.

52 MIG 용접의 특징에 대한 설명으로 틀린 것은?

① 반자동 또는 전자동 용접기로 용접속도가 빠르다.
② 정전압 특성 직류용접기가 가용된다.
③ 상승특성의 직류용접기가 사용된다.
④ 아크 자기 제어 특성이 있다.

53 돌기 용접(projection welding)의 특징 중 틀린 것은?

① 용접부의 거리가 짧은 점용접이 가능하다.
② 전극 수명이 길고 작업 능률이 높다.
③ 작은 용접점이라도 높은 신뢰도를 얻을 수 있다.
④ 한 번에 한 점씩만 용접할 수 있어서 속도가 느리다.

54 모재에 유황(S) 함량이 많을 때 생기는 용접부 결함은?

① 용입 불량
② 언더컷
③ 슬래그 섞임
④ 균열

55 가스용접에 쓰이는 토치의 취급상 주의사항으로 틀린 것은?

① 팁을 모래나 먼지 위에 놓지 말 것
② 토치를 함부로 분해하지 말 것
③ 토치에 기름, 그리이스 등을 바를 것
④ 팁을 바꿀 때에는 반드시 양쪽 밸브를 잘 닫고 할 것

56 불활성 가스 아크 용접 시 주로 사용되는 가스는?

① 아르곤 가스
② 수소 가스
③ 산소와 질소의 혼합가스
④ 질소 가스

57 서브머지드 아크 용접에서 용융형 용제의 특징으로 틀린 것은?

① 비드 외관이 아름답다.
② 용제의 화학적 균일성이 양호하다.
③ 미용융 용제는 재사용 할 수 없다.
④ 용융시 산화되는 원소를 첨가할 수 있다.

58 서브머지드 아크 용접법의 설명 중 잘못된 것은?

① 용융속도와 용착속도가 빠르며, 용입이 깊다.
② 비소모식이므로 비드의 외관이 거칠다.
③ 모재 두께가 두꺼운 용접에서 효율적이다.
④ 용접선이 수직인 경우 적용이 곤란하다.

59 정격전류가 500A인 용접기를 실제는 400A로 사용하는 경우의 허용사용률은 몇 % 인가?(단, 이 용접기의 정격사용률은 40% 이다)

① 66.5 ② 64.5
③ 62.5 ④ 60.5

60 저압식 가스용접 토치로 니들 밸브가 있는 가변압식 토치는 어느 것인가?

① 영국식 ② 프랑스식
③ 미국식 ④ 독일식

정답 및 해설

● 2014년 산업기사 제3회 필기시험

Answer

01.③	02.①	03.②	04.④	05.①
06.②	07.②	08.①	09.④	10.④
11.②	12.①	13.①	14.③	15.②
16.④	17.③	18.④	19.③	20.④
21.②	22.④	23.④	24.①	25.④
26.②	27.①	28.③	29.②	30.①
31.①	32.②	33.②	34.④	35.③
36.②	37.②	38.④	39.①	40.④
41.①	42.②	43.①	44.④	45.③
46.④	47.①	48.④	49.③	50.③
51.④	52.④	53.④	54.④	55.③
56.①	57.③	58.②	59.③	60.②

01. 기공은 공기 구멍이라고 생각하면 된다. 즉 용융 금속 중에 기포가 응고시 수증기가 빠져 나기지 못하고 잔류하여 생긴 것은 기공이다.

02. 담금질 : 강을 A_3 변태 및 A_1 선 이상 30 ~ 50℃로 가열한 후 수냉 또는 유냉으로 급랭시키는 방법으로 강을 강하게 만드는 열처리이다.

03. 금속의 공통적 성질
① 실온에서 고체이며, 결정체이다.(단 수은 제외)
② 빛을 반사하고 고유의 광택이 있다.
③ 가공이 용이하고, 연·전성이 크다.
④ 열, 전기의 양도체이다.
⑤ 비중이 크고, 경도 및 용융점이 높다.

04. 강의 조직
① 페라이트(α, δ) : 일명 지철이라고도 하며 순철에 가까운 조직으로 극히 연하고 상온에서 강자성체인 체심입방격자 조직이다.
② 펄라이트(α + Fe_3C) : 726℃에서 오스테나이트가 페라이트와 시멘타이트의 층상의 공석정으로 변태한 것으로 페라이트보다 경도, 강도는 크며 자성이 있다.
③ 시멘타이트(Fe_3C) : 고온의 강 중에서 생성하는 탄화철을 말하며 경도가 높고 취성이 많으며 상온에서 강자성체이다.
④ 오스테나이트(γ) : α철에 탄소를 고용한 것으로 탄소가 최대 2.11% 고용된 것으로 723℃에서 안정된 조직이며, 상자성체이다.
⑤ 레데부라이트 : γ + Fe_3C

05. 질화법 : 암모니아(NH_3)가스를 이용하여 520℃에서 50 ~ 100시간 가열하면 Al, Cr, Mo 등이 질화되며 질화가 불필요하면 Ni, Sn도금을 한다.
- 침탄법과 질화법의 비교

비교 내용	침탄법	질화법
경도	작다.	크다.
열처리	필요	불필요
변형	크다.	적다
수정	가능	불가능
시간	단시간	장시간
침탄층	단단하다.	여리다.

06. 주철 용접의 보수 방법
① 스터트 법 : 스터트 볼트를 사용한다.
② 비녀장 법 : 강 봉을 박고 용접하는 방법
③ 버터링 법 : 모재와 융합이 잘되는 용접봉으로 적당히 용착
④ 로킹 법 : 스터트 볼트 대신에 둥근 고랑을 파는 방법

07. 불림 : 가공 재료의 잔류 응력을 제거하여 결정 조직을 균일화한다. 공기 중 공랭 하여 미세한 Sorbite 조직을 얻는다.

08. 페라이트(α, δ) : 일명 지철이라고도 하며 순철에 가까운 조직으로 극히 연하고 상온에서 강자성체인 체심입방격자 조직이다.

09. 용강이란 강을 만들기 위한 평로강, 전기로강, 전로강, 도가니강 등이 있다.

10. 티탄의 특성

① 비중이 4.51로서 마그네슘 및 알루미늄보다 크지만 강의 약 60%이다.
② 티탄은 융점이 1,670℃로 높고 고온에서 산소, 질소, 탄소와 반응하기 쉬워 용해 주조가 어렵다.
③ 전기 및 열의 전도성이 철보다 나쁘다.
④ 내식성은 스테인리강이나 모넬 메탈처럼 뛰어나다.
⑤ 공기 중에서 700℃이상으로 가열하면 취약해지고 전연성이 저하한다.
⑥ 기계적 성질에 영향을 강하게 받는 원소로는 철과 질소가 있으며 특히 철 함유량의 증가로 인장 강도 및 경도가 증가하지만 연신율이 감소한다.
⑦ 가공 경화성이 크므로 기계적 성질은 냉간 가공도에 따라 크게 변화한다. 다른 구조용 재료보다 비강도가 높고 특히 고온에서 비강도가 뛰어나다.

11. 스케치 방법

① 프린트법 : 부품 표면에 광명단 또는 스탬프잉크를 칠한 후 용지에 찍어 실제 형상으로 모양을 뜨는 방법
② 본뜨기법 : 실제 부품을 용지 위에 올려놓고 본을 뜨는 방법과 부품 표면을 납선으로 본을 떠서 이를 용지에 옮기는 방법
③ 사진 촬영법 : 사진기로 실물을 직접 찍어서 도면을 그리는 방법(크거나 복잡한 경우)
④ 프리핸드법 : 손으로 직접 그리는 방법

12. a : 목길이, n : 용접수, l : 용접 길이, e : 피치

13. 회전 단면도

㉠ 핸들, 축, 형강 등과 같은 물체의 절단한 단면의 모양을 90°회전하여 내부 또는 외부에 그리는 것
㉡ 내부에 표시할 때는 가는 실선을 사용한다.
㉢ 외부에 표시할 때는 굵은 실선을 사용한다.

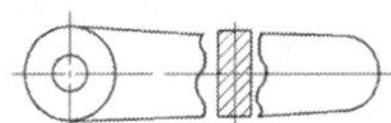

14. A : 기본 B : 기계, C : 전기, D : 금속, E : 광산

15. 치수에 사용되는 보조기호는 치수 숫자 앞에 사용하며 다음과 같은 의미가 있다.

① ∅ : 원의 지름 기호를 나타내며 명확히 구분 될 경우는 생략할 수 있다.
② □ : 정사각형 기호로 생략 할 수 있다.
③ R : 반지름 기호
④ 구(S) : 구면 기호로 ∅,R의 기호 앞에 기입한다.
⑤ C : 모따기 기호
⑥ P : 피치 기호
⑦ t : 판의 두께 기호로 치수 숫자 앞에 표시한다.
⑧ ⊠ : 평면기호
⑨ (　) : 참고 치수 기호호이다.

16. 축척과 배척을 구분하고자 할 때는 분수를 생각하면 된다. 즉 1 : 2는 $\frac{1}{2}$이 되어 0.5로 줄이는 축척이며, 2 : 1은 $\frac{2}{1}$과 같이 되어 2배로 확대하는 배척이 된다고 생각하면 된다.
더불어 도면의 치수는 실물의 실제치수를 기입하고 그릴 때 줄여 그려야 된다.

17. 국부 투상도 : 대상물의 구멍, 홈 등 한 국부만의 모양을 도시하는 것으로 충분한 경우에는 그 필요 부분만을 국부 투상도로 나타냄

18. 단면도 그리는 방법

① 단면도 : 보이지 않는 물체 내부를 절단하여 내부의 모양을 그리는 것
② 정면도만 단면도로 도시하고 평면도, 측면도는 단면 도시하지 않는다.
③ 절단면은 중심선에 대하여 45°경사지게 일정한 간격으로 빗금을 긋는다.
④ 절단면 표시 : 해칭, 스머징을 사용한다.
⑤ 절단선 : 끝부분과 꺾이는 부분은 굵은 실선, 나머지는 1점 쇄선을 사용한다.
⑥ 길이방향으로 단면하지 않는 부품
㉠ 길이 방향으로 단면해도 의미가 없거나 이해를 방해하는 부품은 길이 방향으로 단면을 하지 않는다.
㉡ 얇은 물체인 개스킷, 박판, 형강의 경우는 한 줄의 굵은 실선으로 단면 도시

19. 화살표쪽은 우선 실선에 기호가 붙어야 되므로 ①과 ③이 해당되며, 이 중 ①은 베벨 용접, ③이 필릿 용접이다.

20.

	실제 모양	기호 모양
플러그 용접 : 플러그 또는 슬롯 용접		
스폿 용접		
심 용접		

21. 초음파 검사(UT) : 0.5 ~ 15MHz의 초음파를 내부에 침투시켜 내부의 결함, 불 균일 층의 유무를 알아냄. 종류로는 투과법, 공진법, 펄스 반사법(가장 일반적)이 있다. 장점으로는 위험하지 않으며 두께 및 길이가 큰 물체에도 사용가능 하나 결함 위치의 길이는 알 수 없으며 표면의 요철이 심한 것 얇은 것은 검출이 곤란하다.

22.

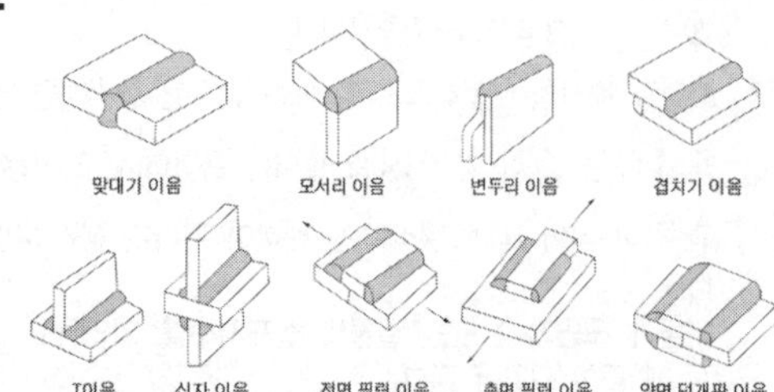

23. 용접 균열은 저탄소강이 고탄소강에 비해 적고, 저수소계 용접봉을 사용하면 감소한다. 하지만 판 두께가 얇을수록 증가하는 것은 아니다.

24. 조립

① 수축이 큰 맞대기 이음을 먼저 용접하고 다음에 필렛 용접
② 큰 구조물은 구조물에 중앙에서 끝으로 향하여 용접
③ 용접선에 대하여 수축력의 화가 영이 되도록 한다.
④ 리벳과 같이 쓸 때는 용접을 먼저 한다.
⑤ 용접 불가능한 곳이 없도록 한다.
⑥ 물품의 중심에 대하여 대칭으로 용접 진행

구속하여 용접을 하게 되면 잔류응력이 증가할 수 있다.

25. 현도란 축척을 사용하지 않고, 현물과 동일 치수로 그려진 도면을 말하며, 현도 관리 불량이 용접 구조물 파괴에 직접적인 영향을 주지 않는다.

26. 역률과 효율(단위에 주의한다.)

- 역률 $= \dfrac{\text{소비전력}(KW)}{\text{전원입력}(KVA)} \times 100$
- 효율 $= \dfrac{\text{아아크출력}}{\text{소비전력}} \times 100$
- 소비 전력 = 아크 출력 + 내부 손실
- 전원 입력 = 무부하 전압 × 정격 2차 전류
- 아크 출력 = 아크 전압 × 정격 2차 전류

따라서 아크출력=400×35=14kW

소비전력=14+4=18kW

전원입력=400×80=32kVA

$\text{역률} = \dfrac{18}{32} \times 100 = 56.25, \ \text{효율} = \dfrac{14}{18} \times 100 = 77.77$

27. 용접시 발생하는 열에 의한 급열 및 급냉이 되면 용착금속은 단단하게 경화된다.

28. $\text{이음효율} = \dfrac{\text{용접시험편의인장강도}}{\text{모재의인장강도}} \times 100$

$= \dfrac{280}{400} \times 100 = 70$

29. 용접 이음의 설계를 할 때 주의점

① 아래 보기 용접을 많이 하도록 한다.
② 용접 작업에 지장을 주지 않도록 간격을 둘 것
③ 필렛 용접은 되도록 피하고 맞대기 용접을 하도록 한다.
④ 판 두께가 다른 재료를 이을 때에는 구배를 두어 갑자기 단면이 변하지 않도록 한다.($\frac{1}{4}$이하 테이퍼 가공을 함)
⑤ 맞대기 용접에는 이면 용접을 하여 용입 부족이 없도록 해야 한다.
⑥ 용접 이음부가 한곳에 집중되지 않도록 설계할 것

30. 용접 구조물을 설계할 때 제작측에서 문의가 없어도 제작할 수 있게 설계도면에서 공작법의 세부 지시사항을 지시한 도면을 공작도면이라 한다.

31. 변형 방지법

① 억제법 : 모재를 가접 또는 구속 지그를 사용하여 변형 억제
② 역 변형법 : 용접 전에 변형의 크기 및 방향을 예측하여 미리 반대로 변형시키는 방법
③ 도열법 : 용접부 주위에 물을 적신 석면, 동판을 대어 열을 흡수시키는 방법
④ 용착법 : 대칭법, 후퇴법, 스킵법 등을 사용한다.

32. 초음파 검사(UT) : 0.5 ~ 15MHz의 초음파를 내부에 침투시켜 내부의 결함, 불 균일 층의 유무를 알아냄. 종류로는 투과법, 공진법, 펄스 반사법(가장 일반적)이 있다. 장점으로는 위험하지 않으며 두께 및 길이가 큰 물체에도 사용 가능 하나 결함 위치의 길이는 알 수 없으며 표면의 요철이 심한 것 얇은 것은 검출이 곤란하다.

33. $\sigma = \dfrac{P}{tl}$에서 $t = \dfrac{P}{\sigma l} = \dfrac{8000}{5 \times 80} = 20$

34. 잔류응력으로 인해 부식이 생기거나 촉진되는 것을 응력부식이라 한다.

35. 용접 온도 분포

① 열영향부(HAZ : Heat Affected Zone)
  ㉠ 용착 금속부(1500) : 용융 응고한 부분으로 수지상(dendrite) 조직을 나타낸다.
  ㉡ Bond부(1450) : 모재의 일부가 녹고 일부는 고체 그대로 아주 조립한 위드만 조직 조직을 나타낸다.
  ㉢ 조립부(1,450 ~ 1,250℃) : 과열로 조립화 된다. 일부는 위드만 조직으로 나타나고 급랭 경화함으로 경도가 최대인 구역이다
  ㉣ 혼입부(1,250 ~ 1,100℃) : 조립과 미세립의 중간부분
  ㉤ 입상펄라이트부(900 ~ 750℃) : Pearlite가 세립상으로 분해된 부분
  ㉥ 취화부(750 ~ 200℃) : 기계적 성질이 취화하나 현미경 조직검사로는 거의 변화가 없는 구역
  ㉦ 원질부(200 ~ 상온) : 용접열을 받지 않는 소재부분이다.
② 냉각 속도는 얇은 판보다는 두꺼운 판에서 크다.
③ 냉각 속도는 맞대기 이음보다는 T형 이음의 경우가 크다. 즉 열의 확산 방향이 많을수록 크다.
④ 열전도율이 클수록 냉각속도는 크다.

제시된 그림에서 ⓒ가 열영향부에 해당된다.

36. 앞치마는 작업자를 보호하기 위한 보호장비이다.

37. 용접균열은 확산성 수소, 응력 집중, 구속도, 강재의 경화성, 불순물의 편석, 노치 등이 원인이 된다.

38. 양면 홈 이음형 용접보다 한면 홈 이음형의 각 변형이 크다.

39. **저수소계(E4316)**

① 석회석($CaCO_3$)이나 형석(CaF_2)을 주성분으로 용착 금속 중의 수소량이 다른 용접봉에 비해서 $\frac{1}{10}$정도로 현저하게 적은 우수한 특성이 있다.

② 피복제는 습기를 흡수하기 쉽기 때문에 사용하기 전에 300 ~ 350℃ 정도로 1 ~ 2시간 정도 건조시켜 사용한다.

③ 기계적 성질은 다른 연강봉보다 우수하기 때문에 중요 강도 부재, 고압 용기, 후판 중 구조물, 탄소 당량이 높은 기계 구조용 강, 균열의 감수성이 좋고 구속도가 큰 구조물, 유황 함유량이 높은 강 등의 용접에 결함없이 양호한 용접부가 얻어진다.

40. 토우 균열은 맞대기 용접 및 필릿 용접 의 어느 경우나 비드 표면과 모재와의 경계부에 생기는 균열로 예열을 하거나 강도가 낮은 용접봉을 사용하면 효과적이다.

41. 크레이터 : 용접부의 끝 부분을 크레이터라고 하며, 일반적으로 크레이터 처리는 아크 길이를 짧게 하여 운봉을 정지시켜서 크레이터를 채운 다음 용접봉을 빠른 속도로 들어 아크를 끊는다. 이때 크레이터 처리를 잘 못하면 균열, 슬랙 섞임, 등이 일어나거나 파손 될 수 있어 시종단에 엔드탭을 사용한다.

42. **스카핑**

① 강재 표면의 탈탄 층 또는 홈을 제거하기 위해 사용

② 가우징과 달리 표면을 얕고 넓게 깎는 것이다.

43. **산화 불꽃**(excess oxygen flame)

① 산소 과잉 불꽃 또는 산화불꽃이라고도 한다. 백심이 짧아지고 속불꽃이 없어 바깥 불꽃만으로 되어 있다.

② 산화성 분위기를 만들어 일반적인 금속의 용접에는 사용하지 않는다.

③ 용접을 할 때 금속을 산화시키므로 구리, 황동 등의 용접에 사용한다.

④ 불꽃의 온도는 3,320 ~ 3,430℃정도이다

44. **아크** : 기체 중에서 일어나는 방전의 일종으로 피복 아크 용접에서의 온도는 5,000 ~ 6,000℃이다.

45. 냉간압접이란 재결정온도 이하에서 압력을 가하여 접합하는 방법이다.

46. 전기 저항의 접속 방법은 직렬, 병렬, 직·병렬 접속으로 구분할 수 있다.

47. 전기저항 용접은 용접물에 전류가 흐를 때 발생되는 저항열로 접합부가 가열되었을 때 가압하여 접합하는 용접이다. 즉 저항열과 관계있는 줄의 법칙과 관계가 깊다.

48. **차광 유리**

아크 불빛은 적외선과 자외선을 포함하고 있어 눈을 보호하기 위하여 빛을 차단하는 차광 유리를 사용하여야 한다.

차광도 번호	용접 전류(A)	용접봉 지름(mm)
8	45 ~ 75	1.2 ~ .0
9	75 ~ 130	1.6 ~ 2.6
10	100 ~ 200	2.6 ~ 3.2
11	150 ~ 250	3.2 ~ 4.0
12	200 ~ 300	4.8 ~ 6.4
13	300 ~ 400	4.4 ~ 9.0
14	400 이상	9.0 ~ 9.6

49. 안전형 홀더라고 하여도 용접봉과 접촉부분을 맨손으로 잡을 경우 감전의 위험이 있으며, 용접봉의 경우 용접 중 맨손으로 잡을 경우 화상에 우려가 있다.

50. 자동제어 즉 자동화 용접을 하게 되면 제품의 품질이 균질화 되고, 고속작업 및 연속작업 등이 가능하다.

51. 중압식 토치는 팁 혼합식과 토치 혼합식의 2가지 종류가 있는 전자는 팁 부분에서 예열용 아세틸렌가스와 산소를 혼합하는 것이고, 후자는 용접용 토치와 같이 아세틸렌가스와 산소를 도관 내에서 혼합시켜 팁으로 보내는 방식을 말한다. 니들 밸브를 가지고 압력을 조정하는 것은 가변압식이다.

52. 이문항의 경우는 정답이 없는 것으로 생각된다. 일반적으로 반자동 또는 자동 용접에 적용되는 정전압 특성이 있다는 것은 자기 제어 특성이 있다는 것이기 때문이다.

53. **돌기 용접(프로젝션 용접)**

① 접합 재의 한쪽에 돌기를 만들어 압접 하는 방법이다.

② 이종 금속 판 두께가 다른 것의 용접이 가능하다.

③ 전극의 소모가 적다.(수명이 길다. 작업 능률이 높다)

④ 용접 설비비가 비싸다.

⑤ 돌기의 정밀도가 높아야 한다.

⑥ 용접기 설비가 비싸다.

⑦ 돌기를 내는 쪽은 두꺼운 판, 열전도와 용융점이 높은 쪽에 만든다.

⑧ 돌기 지름은(판 두께 × 2 + 0.7), 높이(판 두께 × 0.4 + 0.25)로 구한다.

54. 모재에 황이 많게 되면 인성, 변형률, 충격치가 저하되어 균열, 취성 등일 발생할 수 있다.

55. 토치에 기름, 그리이스 등을 바르게 되면 인화의 위험이 커지게 되어 화재 및 폭발의 원인이 될 수 있다.

56.

비교 내용	아르곤	헬륨
아크 전압	낮다	높다
아크 발생	쉽다	어렵다
아크 안정	우수	불량
청정 작용	우수 (DCRP와 AC)	거의 없다
용입(모재 두께)	얕다(박판)	깊다(후판)
열 영향부	넓다	좁다
가스 소모량	적다	많다
사용 용접법	수동 용접	자동 용접

57. 용융형 용제(Fused Flux)

① 외관은 유리 형상의 형태로 광택을 가진다.
② 흡습성이 적어 보관이 편리하다.
③ 화학 성분에 따라 미국 LINDE사의 상표이 G20, G50, G80 등으로 표시
④ 용제에 합금 첨가제가 거의 들어가 있지 않아 용접 후 원하는 기계적 성질에 따라 적당한 와이어를 선정하여야 한다.
⑤ 입자는 입도로 표시(20 × 200, 20 × D : 20메시(mesh)에서 200메시까지, 20메시 미분까지 포함)
ⓗ 입자가 가늘수록 고 전류를 사용하며, 용입이 얕고 비드 폭이 넓은 평활한 비드를 얻을 수 있다.
ⓢ 전류가 낮을 때는 굵은 입자를, 전류가 높을 때는 가는 입자를 사용한다.

58. 서브머지드 아크 용접의 장·단점

(가) 장점
① 고전류 사용이 가능하여 용착 속도가 빠르고 용입이 깊다.(용접속도가 수동 용접에 비해 10 ~ 20배, 용입은 2 ~ 3배 정도가 커서 능률적이다.)
② 기계적 성질이 우수하다.
③ 유해 광선이 적게 발생하여 작업 환경이 깨끗하다.
④ 비드 외관이 아름답다.
⑤ 열효율이 높다.
⑥ 용접 조건만 일정하면 용접사의 기량차에 의한 품질에 영향을 주지 않아 신뢰도를 높일 수 있다.
⑦ 용접 홈의 크기가 작아도 되며 용접 재료의 소비 및 용접 변형이 적다.
⑧ 한 번 용접으로 75mm까지 용접이 가능하다.
⑨ 용제(Flux)에 의한 불순물 제거로 품질이 우수하다.

(나) 단점
① 장비의 가격이 고가이다.
② 용접선이 짧거나 복잡한 경우 수동에 비하여 비능률적이다.
③ 용접 상태를 육안으로 확인이 곤란하여 치명적인 결함을 식별할 수 없다.
④ 적용 자세에 제한을 받는다.(대부분 아래보기 자세)
⑤ 적용 소재에 제약을 받는다.(탄소강, 저합금강, 스테인리스강 등에 사용)
⑥ 용접 홈의 정밀도가 좋아야 한다.
⑦ 용제(Flux)에 흡습에 주의하여야 한다.
⑧ 입열량이 커서 용접 금속의 결정립의 조대화로 충격값이 커진다.

59. 허용 사용율(%) × (실제용접전류)^2 = 정격 사용율(%) × (정격 2차전류)^2

허용 사용율 × $(400)^2 = 40 \times (500)^2$

에서 62.5%이다. 즉 1시간 작업을 한다면 약 60%인 36분 정도 아크 발생을 할 수 있다.

60. 불변압식과 가변압식 : 불변압식(독일식)은 1개의 팁에 1개의 인젝터가 있는 형식이며, 가변압식(프랑스식)은 인젝터에 니들 밸브가 있어 유량과 압력을 조절할 수 있다.

국가기술자격검정 필기시험문제

2015년 산업기사 제1회 필기시험

자격종목 및 등급(선택분야)	종목코드	시험시간	문제지형별	수검번호	성 명
용접산업기사	2026	1시간30분			

※ 답안카드 작성시 시험문제지 형별누락, 마킹착오로 인한 불이익은 전적으로 수검자의 귀책사유임을 알려드립니다.
※ 각 문항은 4지택일형으로 질문에 가장 적합한 보기 항을 선택하여 마킹하여야 합니다.

제1과목 : 용접야금 및 용접설비제도

01 질기고 강하며 충격파괴를 일으키기 어려운 성질은?

① 연성 ② 취성
③ 굽힘성 ④ 인성

02 금속강화방법으로 금속을 구부리거나 두드려서 변형을 가하여 금속을 단단하게 하는 방법?

① 가공경화 ② 시효경화
③ 고용경화 ④ 이상경화

03 두 종류의 금속이 간단한 원자의 정수비로 결합하여 고용체를 만드는 물질은?

① 층간화합물 ② 금속간화합물
③ 합금화합물 ④ 치환화합물

04 일반적으로 금속의 크리프(creep)곡선은 어떠한 관계를 나타낸 것인가?

① 응력과 시간의 관계
② 변위와 연신율의 관계
③ 변형량과 시간의 관계
④ 응력과 변형율의 관계

05 고장력강의 용접부 중에서 경도 값이 가장 높게 나타나는 부분은?

① 원질부 ② 본드부
③ 모재부 ④ 용착금속부

06 용접할 재료의 예열에 관한 설명으로 옳은 것은?

① 예열은 수축 정도를 늘려준다.
② 용접 후 일정시간동안 예열을 유지시켜도 효과는 떨어진다.
③ 예열은 냉각 속도를 느리게 하여 수소의 확산을 촉진시킨다.
④ 예열은 용접 금속과 열영향 모재의 냉각속도를 높여 용접균열에 저항성이 떨어진다.

07 용접용 고장력강의 인정(toughness)을 향상시키기 위해 첨가하는 원소가 아닌 것은?

① P ② Al
③ Ti ④ Mn

08 스테인리스강의 종류가 아닌 것은?

① 마텐자이트계 스테인리스강
② 페라이트계 스테인리스강
③ 오스테나이트계 스테인리스강
④ 트루스타이트계 스테인리스강

09 탄소량이 약 0.80%인 공석강의 조직으로 옳은 것은?

① 페라이트 ② 펄라이트
③ 시멘타이트 ④ 레데뷰라이트

10 Fe-C 평형 상태도에서 감마철(γ -Fe)의 결정 구조는?

① 면심입방격자 ② 체심입방격자
③ 조밀입방격자 ④ 사방입방격자

11 용접 기호를 설명한 것으로 틀린 것은?

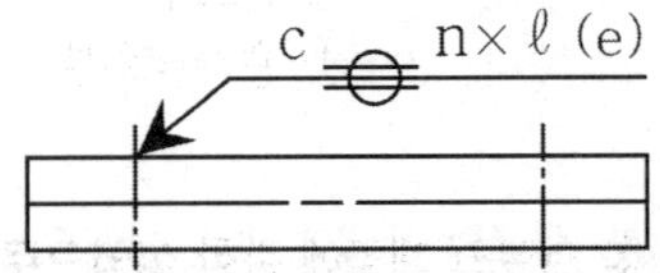

① 시임용접으로 C는 슬롯부의 폭을 나타낸다.
② 시임용접으로 (e)는 용접비드의 사이거리를 나타낸다.
③ 시임용접으로 화살표 반대방향의 용접을 나타낸다.
④ 시임용접으로 n은 용접부의 개수를 나타낸다.

12 도면에서 치수 숫자의 방향과 ?

① 치수 숫자의 기압은 치수선 중앙 상단에 표시한다.
② 치수 보조선이 짧아 치수 기입이 어렵더라도 숫자 기입은 중앙에 위치하여야 한다.
③ 수평 치수선에 대하여는 치수가 위쪽으로 향하도록 한다.
④ 수직 치수선에서는 치수를 왼쪽에 기입하도록 한다.

13 건축, 교량, 선반, 철도, 차량 등의 구조물에 쓰이는 일반구조용 압면강재 2종의 재료기호는?

① SHP 2 ② SCP 2
③ SM 20C ④ SS 400

14 가상선의 용도에 대한 설명으로 틀린 것은?

① 인접부분을 창고로 표시할 때
② 공구, 지그 등의 위치를 참고로 나타낼 때
③ 대상물이 보이지 않는 부분을 나타낼 때
④ 가공 전 또는 가공 후의 모양을 나타낼 때

15 전개도를 그리는 방법에 속하지 않는 것은?

① 평행선 전개법 ② 나선형 전개법
③ 방사선 전개법 ④ 삼각형 전개법

16 용접부의 표면 형상 중 끝단부를 매끄럽게 가공하는 보조 기호는?

① —— ② ⌒
③ ‿ ④ ⅃

17 도면의 종류와 내용이 다른 것은?

① 조립도 : 물품의 전체적인 조립상태를 나타내는 도면
② 부품도 : 물품을 구성하는 각 부품을 개별적으로 상세하게 그린 도면
③ 스케치도 : 기계나 장치 등의 실체를 보고 자를 대고 그린 도면
④ 전개도 : 구조물, 물품 등의 표면을 평면으로 나타내는 도면

18 투상법 중 등각투상도법에 대한 설명으로 옳은 것은?

① 한 평면 위에 물체의 실제모양을 정확히 표현하는 방법을 말한다.
② 정면, 측면, 평면을 하나의 투상면 위에서 동시에 볼 수 있도록 그려진 투상도이다.
③ 물체의 주요 면을 투상면에 평행하게 놓고, 투상면에 대해 수직보다 다소 옆면에서 보고 나타낸 투상도이다.
④ 도면에 물체의 앞면, 뒷면을 동싱 표시하는 방법이다.

19 도면에서 표제란의 척도 표시란에 NS의 의미는?

① 배척을 나타낸다.
② 척도가 생략됨을 나타낸다.
③ 비례적이 아님을 나타낸다.
④ 현척이 아님을 나타낸다.

20 도면의 크기에 대한 설명으로 틀린 것은?

① 제도 용지의 세로와 가로 비는 1 : $\sqrt{2}$이다.
② A0의 넓이는 약 1[㎡]이다.
③ 큰 도면을 접을 때는 A3의 크기로 접는다.
④ A4의 크기는 210×297[㎜]이다.

제2과목 : 용접구조설계

21 용접봉 종류 중 피복제에 석회석이나 형석을 주성분으로 하고 용착금속 중의 수소 함유량이 다른 용접봉에 비해서 1/10 정도로 현저하게 낮은 용접봉은?

① E4301 ② E4303
③ E4311 ④ E4316

22 용접부에 대한 침투검사법의 종류에 해당하는 것은?

① 자기침투검사, 와류침투검사
② 초음파침투검사, 펄스침투검사
③ 염색침투검사, 형광침투검사
④ 수직침투검사, 사각침투검사

23 연강 및 고장력강용 플럭스 코어 아크용접 와이어의 종류 중 하나인 Y FW-C 50 2 X에서 2가 뜻하는 것은?

① 플럭스 타입
② 실드가스
③ 용착금속의 최소 인장강도 수준
④ 용착금속의 충격시험 온도와 흡수에너지

24 용접입열이 일정한 경우 용접부의 냉각속도는 열전도율 및 열의 확산하는 방향에 따라 달라질 때, 냉각속도가 가장 빠른 것은?

① 두꺼운 연강판의 맞대기 이음
② 두꺼운 구리판의 T형 필릿 이음
③ 얇은 연강판의 모서리 이음
④ 얇은 구리판의 맞대기 이음

25 120A의 용접전류로 피복아크 용접을 하고자 한다. 적정한 차광 유리의 차광도 번호는?

① 6번 ② 7번
③ 8번 ④ 10번

26 용접부의 시험과 검사 중 파괴 시험에 해당되는 것은?

① 방사선 투과시험 ② 초음파 탐상시험
③ 현미경 조직시험 ④ 음향 시험

27 탄산가스(CO_2)아크 용접부의 가공발생에 대한 방비 대책으로 틀린 것은?

① 가스 유량을 적정하게 한다.
② 노즐 높이를 적정하게 한다.
③ 용접 부위의 기름, 녹, 수분 등을 제거한다.
④ 용접전류를 높이고 운봉을 빠르게 한다.

28 습기 찬 저수소계 용접봉은 사용 전 건조해야 하는데 건조 온도로 가장 적당한 것은?

① 70~100℃
② 100~150℃
③ 150~200℃
④ 300~350℃

29 인장시험에서 구할 수 없는 것은?

① 인장응력 ② 굽힘응력
③ 변형률 ④ 단면 수축률

30 **설계단계에서의 일반적인 용접변형 방지법으로 틀린 것은?**

① 용접 길이가 감소될 수 있는 설계를 한다.
② 용착금속을 증가시킬 수 있는 설계를 한다.
③ 보강재 등 구속이 커지도록 구조 설계를 한다.
④ 변형이 적어질 수 있는 이음 형상으로 배치한다.

31 **용접이음 강도 계산에서 안전율을 5로 하고 허용 응력을 100MPa이라 할 때 인장강도는 얼마인가?**

① 300 MPa ② 400 MPa
③ 500 MPa ④ 600 MPa

32 **다음 [그림]은 겹치기 필릿용접 이음을 나타낸 것이다. 이음부에 발생하는 허용응력은 5MPa 일 때 필요한 용접 길이(ℓ)는 얼마인가?(단, h=20mm, P=6kN이다.)**

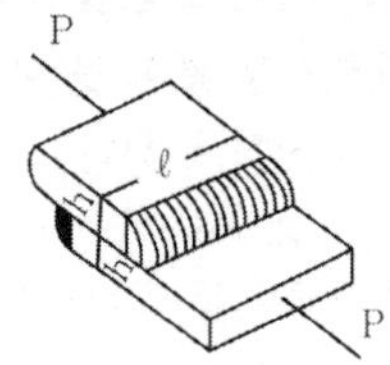

① 약 42mm ② 약 38mm
③ 약 35mm ④ 약 32mm

33 **용접부에 발생하는 잔류응력 완화법이 아닌 것은?**

① 응력 제거 풀림법 ② 피닝법
③ 스퍼터링법 ④ 기계적 응력 완화법

34 **인장강도가 430 MPa 인 모재를 용접하여 만든 용접시험편의 인장강도가 350 MPa 일 때 이 용접부의 이음효율은 약 몇 % 인가?**

① 81 ② 90
③ 71 ④ 122

35 **용접 이음부의 형태를 설계할 때 고려할 사하이 아닌 것은?**

① 용착금속량이 적게 드는 이음 모양이 되도록 할 것
② 적당한 루트 간격과 홈 각도를 선택할 것
③ 용입이 깊은 용접법을 선택하여 가능한 이음의 베벨가공은 생략하거나 줄일 것
④ 후판용접에서는 양면 V형 홈보다 V형 홈 용접하여 용착 금속량을 많게 할 것

36 **전자빔용접의 특징을 설명한 것으로 틀린 것은?**

① 고진공 속에서 용접하므로 대기와 반응되기 쉬운 활성재료도 용이하게 용접이 된다.
② 전자렌즈에 의해 에너지를 집중시킬 수 있으므로 고 용융 재료의 용접이 가능하다.
③ 전기적으로 매우 정확히 제어되므로 얇은 판에서의 용접에만 용접이 가능하다.
④ 에너지의 집중이 가능하기 때문에 용융 속도가 빠르고 고속 용접이 가능하다.

37 **접합하고자 하는 모재 한 쪽에 구멍을 뚫고 그 구멍으로부터 용접하여 다른 한쪽 모재와 접합하는 용접방법은?**

① 플러그 용접
② 필릿 용접
③ 초음파 용접
④ 테르밋 용접

38 **필릿 용접과 맞대기 용접의 특성을 비교한 것으로 틀린 것은?**

① 필릿 용접이 공작하기 쉽다.
② 필릿 용접은 결함이 생기지 않고 이면 따내기가 쉽다.
③ 필릿 용접의 수축변형이 맞대기 용접보다 작다.
④ 부식을 필릿 용접이 맞대기 용접보다 더 영향을 받는다.

39 용접이음의 준비사항으로 틀린 것은?

① 용입이 허용하는 한 홈 각도를 작게 하는 것이 좋다.
② 기접은 이음의 끝 부분, 모서리 부분을 피한다.
③ 구조물을 조립할 때에는 용접 지그를 사용한다.
④ 용접부의 결함을 검사한다.

40 용접 방법과 시공 방법을 개선하여 비용을 절감하는 방법으로 틀린 것은?

① 사용 가능한 용접 방법 중 용착 속도가 큰 것을 사용한다.
② 피복아크 용접할 경우 가능한 굵은 용접봉을 사용한다.
③ 용접 변형을 최소화하는 용접 순서를 택한다.
④ 모든 용접에 되도록 덧살을 많게 한다.

제 3과목 용접일반 및 안전관리

41 가스절단시 절단면에 생기는 드래그라인(drag line)에 관한 설명으로 틀린 것은?

① 절단속도가 일정할 때 산소 소비량이 적으면 드래그 길이가 길고 절단면이 좋지 않다.
② 가스 절단의 양부를 판정하는 기준이 된다.
③ 절단속도가 일정할 대 산소 소비량을 증가시키면 드래그 길이는 길어진다.
④ 드래그 길이는 주로 절단속도, 산소 소비량에 따라 변화된다.

42 용접의 특징으로 틀린 것은?

① 재료가 절약된다.
② 기밀, 수밀성이 우수하다.
③ 변형, 수축이 없다.
④ 기공(blow hole), 균열 등 결함이 있다.

43 아크 용접 보호구가 아닌 것은?

① 핸드 실드 ② 용접용 장갑
③ 앞치마 ④ 치핑 해머

44 서브머지드 아크 용접에서 소결형 용제의 특징이 아닌 것은?

① 고전류에서의 용접 작업성이 좋다.
② 합금원소의 첨가가 용이하다.
③ 전류에 상관없이 동일한 용제로 용접이 가능하다.
④ 용융형 용제에 비하여 용제의 소모량이 많다.

45 피복아크 용정 중 용접기에 가장 적합한 용접기의 특성은?

① 정전압특성 ② 상승특성
③ 수하특성 ④ 정특성

46 돌기용접(projection welding)의 특징으로 틀린 것은?

① 용접된 양쪽의 열용량이 크게 다를 경우라도 양호한 열평형이 얻어진다.
② 작은 용접점이라도 높은 신뢰도를 얻기 쉽다.
③ 점용접에 비해 작업 속도가 매우 느리다.
④ 점용접에 비해 전극의 소모가 적어 수명이 길다.

47 가스용접 작업에 필요한 보호구에 대한 설명 중 틀린 것은?

① 앞치마와 팔덮게 등은 착용하면 작업하기에 힘이 들기 때문에 착용하지 않아도 된다.
② 보호장갑은 화상방지를 위하여 꼭 착용한다.
③ 보호안경은 비산되는 불꽃에서 눈을 보호한다.
④ 유해가스가 발생할 염려가 있을 때에는 방독면을 착용한다.

48 피복아크용접봉에서 용융 금속 중에 침투한 산화물을 제거하는 탄산 정련작용제로 사용되는 것은?

① 붕사　② 석회석
③ 형석　④ 규소철

49 피복 아크용접기를 사용할 때의 주의 사항이 아닌 것은?

① 정격 사용률 이상 사용하지 않는다.
② 용접기 케이스를 접지한다.
③ 탭 전환형은 아크 발생 중 탭을 전환시킨다.
④ 기둥부분, 냉각 팬(fan)을 점검하고 주유를 해야 한다.

50 플래시 버트 용접의 과정 순서로 옳은 것은?

① 예열 → 업셋 → 플래시
② 업셋 → 예열 → 플래시
③ 예열 → 플래시 → 업셋
④ 플래시 → 예열 → 업셋

51 카바이드(CaC_2)의 취급법으로 틀린 것은?

① 카바이드는 인화성물질과 같이 보관한다.
② 카바이드 개봉 후 뚜껑을 잘 닫아 습기가 침투되지 않도록 보관한다.
③ 운반시 타격, 충격, 마찰을 주지 말아야 한다.
④ 카바이드 통을 개봉할 때 절단가위를 사용한다.

52 피복아크용접에서 피복제의 작용으로 틀린 것은?

① 아크를 안정시킨다.
② 산화, 질화를 방지한다.
③ 용융점이 높고 점성이 없는 슬래그를 만든다.
④ 용착 효율을 높이고 용적을 미세화 시킨다.

53 퍼커링(puckering) 현상이 발생하는 한계 전류 값의 주원인이 아닌 것은?

① 와이어 지름　② 후열 방법
③ 용접 속도　④ 보호 가스의 조성

54 정격 2차 전류 300[A], 정격 사용률이 40%인 교류 아크용접기를 사용하여 전류 150[A]로 용접 작업하는 경우 허용 사용률(%)은?

① 180　② 160　③ 80　④ 60

55 높은 에너지밀도 용접을 하기 위한 10^{-4} ~ 10^{-6}mmHg정도의 고진공속에서 용접하는 용접법은?

① 플라즈마용접　② 전자빔용접
③ 초음파용접　④ 원자수소용접

56 피복 아크 용접부의 결함 중 언더컷(under cut)이 발생하는 원인으로 가장 거리가 먼 것은?

① 아크 길이가 너무 긴 경우
② 용접봉의 유지각도가 적당치 않은 경우
③ 부적당한 용접봉을 사용한 경우
④ 용접 전류가 너무 낮은 경우

57 46.7리터의 산소용기에 150kgf/㎠이 되게 산소를 충전하였고 이것을 대기 중에서 환산하면 산소는 약 몇 리터 인가?

① 4090　② 5030
③ 6100　④ 7005

58 점용접의 3대 주요 요소가 아닌 것은?

① 용접전류　② 통전시간
③ 용제　④ 가압력

59 슬래그의 생성량이 대단히 적고 수직 자세와 위보기 자세에 좋으며 아크는 스프레이 형으로 용입이 좋아 아주 좁은 홈의 용접에 가장 적합한 특성을 갖고 있는 가스 실드계 용접봉은?

① E4301 ② E4316
③ E4311 ④ E4327

60 납땜에 쓰이는 용제(flux)가 갖추어야 할 조건으로 가장 적합한 것은?

① 청정한 금속면의 산화를 촉진 시킬 것
② 납땜 후 슬래그 제거가 어려울 것
③ 침지땜에 사용되는 것은 수분을 함유할 것
④ 모재와 친화력을 높일 수 있으며 유동성이 좋을 것

정답 및 해설

● 2015년 산업기사 제1회 필기시험

Answer

01.④	02.①	03.②	04.③	05.②
06.③	07.①	08.④	09.②	10.①
11.③	12.②	13.④	14.③	15.②
16.④	17.③	18.②	19.③	20.③
21.④	22.③	23.④	24.②	25.④
26.③	27.④	28.④	29.②	30.②
31.③	32.①	33.③	34.①	35.④
36.③	37.①	38.②	39.④	40.④
41.③	42.③	43.④	44.④	45.③
46.③	47.①	48.④	49.③	50.③
51.①	52.③	53.②	54.②	55.②
56.④	57.④	58.③	59.③	60.④

01. 인성(질긴 성질), 전성(퍼지는 성질)등은 탄소량이 증가하면 오히려 감소한다.

02. 금속을 구부리거나 두드려 소성 변형을 가하여 단단하게 하는 것은 가공으로 경화시키는 가공경화이다.

03. **금속간 화화물** : 친화력이 큰 성분 금속이 화학적으로 결합되면 각 성분 금속과는 성질이 현저하게 다른 독립된 화합물을 만드는데 이것을 금속간 화합물이라 한다.(Fe_3C, Cu_4Sn, Cu_3Sn $CuAl_2$, Mg_2Si, $MgZn_2$)

04. 크리프 시험은 재료의 인장강도보다 적은 일정한 하중을 가했을 때 시간의 경과와 더불어 변화하는 현상인 크리프 현상을 이용하여 변형을 검사하는 방법이다.

05.

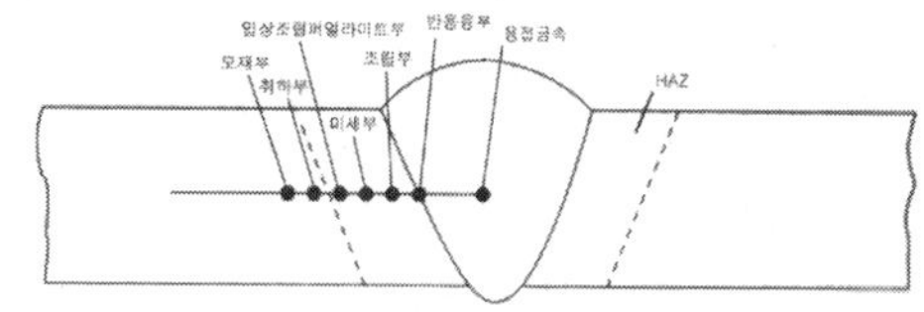

용접조직부

① 용접금속(1500℃) : 용해된 다음 응고되어 수지상 결정 조직이 되어 있는 부분
② 반용융부(1400℃) : 본드부라고도 하며 경도값이 최대인 곳으로 워드만 조직이 발달
③ 조립부(1100℃) : 과열로 인해 조립화 워드만 조직
④ 미립부(미세부)(900℃) : 인성이 큰 조직으로 불림 처리되어 AC3이상 가열
⑤ 입상펄라이트(700℃) : 펄라이트가 세립상으로 분리된 부분으로 AC1~AC3범위로 가열
⑥ 취화부(500℃) : 현미경 조직 변화는 거의 없으나 기계적 성질이 나쁨
⑦ 원질부(100℃) : 용접열의 영향을 거의 받지 않은 모재 부분

06. ① **예열의 목적**
㉠ 용접부와 인접된 모재의 수축응력을 감소하여 균열 발색 억제
㉡ 냉각속도를 느리게 하여 모재의 취성 방지
㉢ 용착금속의 수소 성분이 나갈 수 있는 여유를 주어 비드 밑 균열 방지
㉣ 강재를 가스 절단시 800~900℃로 예열한다.

② **후열의 목적**
㉠ 용접 후 급랭에 의한 균열 방지
㉡ 용접 금속의 수소량 감소 효과

07. 인(P)은 청열 취성의 원인이 되는 원소이다.

08.

분류	종류(성분 원소)	특 징
스테인레스강 SUS	페라이트계 (Cr 13%)	• 강인성 및 내식성이 있다. • 열처리에 의해 경화가 가능하다. • 용접은 가능하다. 자성체이다.
	마텐자이트계	• 13Cr을 950~1020℃에서 담금질하여 얻는다. • 18Cr 보다 강도가 좋다. • 자경성이 있으며 자성체이다. • 용접성이 불량하다.
	오스테나이트계 (Cr(18)-Ni(8))	• 내식, 내산성이 13Cr 보다 우수 • 용접성이 SUS중 가장 우수 • 담금질로 경화되지 않는다. 비자성체

09. • 아 공석강 : C0.8% 이하로 페라이트와 펄라이트로 이루어짐,
• 공석강 : C0.8%로 펄라이트로 이루어짐,
• 과 공석강 : C0.8%이상으로 펄라이트와 시멘타이트로 이루어짐

10. 철은 912℃를 기준으로 이하를 α철(체심입방격자), 1,400℃까지를 γ철(면심입방격자), 그 이후는 다시 δ철(체심입방격자)의 동소체를 갖는다.

11. = c n× ℓ(e) 그러므로 C는 슬롯의 폭, n은 용접부의 개수, ℓ이 용접부의 길이이며, (e)용접비드 사이의 거리를 의미한다.

12. 치수 숫자의 기입은 중앙에 하는 것이 원칙이나 부득이한 사정 예를 들어 치수 보조선이 짧아 치수 기입이 어려울 경우 치수 숫자는 이동하여 기입할 수 있다.

13. SS 400은 일반 구조용 압연강재 이며, SM20C는 기계구조용강재이다.

14. 가상선(가는 이점 쇄선)의 용도

① 도시된 물체의 앞면을 표시하는 선
② 인접 부분을 참고로 표시하는 선
③ 가공 전 또는 가공 후의 모양을 표시하는 선
④ 이동하는 부분의 이동 위치를 표시하는 선
⑤ 공구, 지그 등의 위치를 참고로 표시하는 선
⑥ 반복을 표시하는 선 등으로 사용된다.

15. 전개도

① 입체의 표면을 평면 위에 펼쳐 그린 그림
② 전개도를 다시 접거나 감으면 그 물체의 모양이 됨
③ 용도 : 철판을 굽히거나 접어서 만드는 상자, 철제 책꽂이, 캐비닛, 물통, 쓰레받기, 자동차 부품, 항공기 부품, 덕트 등
④ 전개도의 종류
㉠ 평행선 전개법 특징 : 물체의 모서리가 직각으로 만나는 물체나 원통형 물체를 전개할 때 사용
㉡ 방사선 전개법 특징 : 각뿔이나 원뿔처럼 꼭짓점을 중심으로 부채꼴 모양으로 전개하는 방법
㉢ 삼각형 전개법 특징 : 꼭지점이 먼 각뿔이나 원뿔을 전개할 때 입체의 표면을 여러 개의 삼각형으로 나누어 전개하는 방법

16.

용접부 및 용접부 표면의 형상	기 호
평면(동일 평면으로 다듬질)	——
볼록(凸)형	⌒
오목(凹)형	◡
끝단부를 매끄럽게 함	
영구적인 덮개 판을 사용	M
제거 가능한 덮개 판을 사용	MR

17. 스케치 방법

① 프린트법 : 부품 표면에 광명단 또는 스탬프 잉크를 칠한 후 용지에 찍어 실제 형상으로 모양을 뜨는 방법
② 본뜨기법 : 실제 부품을 용지 위에 올려놓고 본을 뜨는 방법과 부품 표면을 납선으로 본을 떠서 이를 용지에 옮기는 방법
③ 사진 촬영법 : 사진기로 실물을 직접 찍어서 도면을 그리는 방법(크거나 복잡한 경우)
④ 프리핸드법 : 손으로 직접 그리는 방법

18. 등각 투상도

① 물체의 정면, 평면, 측면을 하나의 투상도에서 볼 수 있도록 그린 도법
② 물체의 모양과 특징을 가장 잘 나타냄
③ 물체 3개의 세 모서리는 각각 120˚
④ 용도 : 구상도나 설명도 등

19. 치수와 비례하지 않을 때 치수 밑에 밑줄을 긋거나 비례가 아님, 또는 NS(not to scale)등의 문자 기입

20. 큰 도면을 접을 때는 A_4크기로 접으며, 표제란이 겉으로 나오도록 한다.(원도는 일반적으로 접어서 보관하지 않고 말아서 보관하며, 복사도 등은 접어서 보관한다.)

21. 저수소계(E4316)

① 석회석($CaCO_3$)이나 형석(CaF_2)을 주성분으로 용착 금속 중의 수소량이 다른 용접봉에 비해서 $\frac{1}{10}$ 정도로 현저하게 적은 우수한 특성이 있다.
② 피복제는 습기를 흡수하기 쉽기 때문에 사용하기 전에 300~350℃ 정도로 1~2시간 정도 건조시켜 사용한다.
③ 기계적 성질은 다른 연강봉보다 우수하기 때문에 중요 강도 부재, 고압 용기, 후판 중 구조물, 탄소 당량이 높은 기계 구조용 강, 균열의 감수성이 좋고 구속도가 큰 구조물, 유황 함유량이 높은 강 등의 용접에 결함 없이 양호한 용접부가 얻어진다.
④ 작업성 : 고산화티탄계(E4313) 〉 일미나이트계(E4301) 〉 저수소계(E4316)
⑤ 기계적 성질 : 저수소계(E4316) 〉 일미나이트계(E4301) 〉 고산화티탄계(E4313)
⑥ 피복제의 염기도가 높을수록 내균열성이 우수하다.
일반적으로 저수소계, 일미나이트, 티탄계의 순서이다.

22. 침투 검사(PT) : 표면에 미세한 균열, 피트 등의 결함에 침투액을 표면 장력의 힘으로 침투시켜 세척한 후 현상액을 발라 결함을 검출하는 방법으로 형광 침투 검사와 염료 침투 검사가 있는데 후자가 주로 현장에서 사용된다.

23. **YFW-C502X**의 의미
Y : 용접 와이어
FW : 연강 및 고장력강용 플러스 코어드
C : 보호가스(C는 CO_2, A는 Ar+CO_2, S는 자체보호)
50 : 용착금속의 최소인장강도
2 : 용착금속의 충격에너지와 시험온도
X : 플럭스의 종류(B : 염기성계, M : 메탈계, R : 루틸계, G : 그외)

24.
① 냉각 속도는 얇은 판보다는 두꺼운 판에서 크다.
② 냉각 속도는 맞대기 이음보다는 T형 이음의 경우가 크다. 즉 열의 확산 방향이 많을수록 크다.

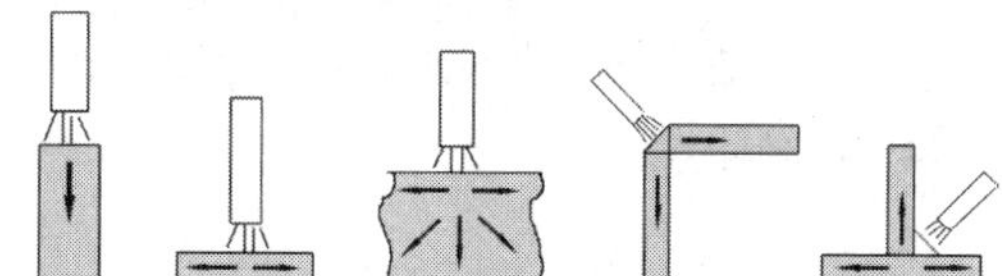

③ 열전도율이 클수록 냉각속도는 크다.

25.

차광도 번호	용접 전류(A)	용접봉 지름(mm)
8	45 ~ 75	1.2 ~ .0
9	75 ~ 130	1.6 ~ 2.6
10	100 ~ 200	2.6 ~ 3.2
11	150 ~ 250	3.2 ~ 4.0
12	200 ~ 300	4.8 ~ 6.4
13	300 ~ 400	4.4 ~ 9.0
14	400 이상	9.0 ~ 9.6

26. **현미경 조직시험은 파괴 시험으로 그 순서는** 시험편 채취 → 마운팅 → 샌드페이퍼 연마 → 폴리싱 → 부식 → 현미경검사의 순으로 진행된다.

27. 용접전류를 높이고 운봉을 빠르게 하면 언더컷 등의 용접 결함이 생길 수 있으며, 더불어 용접부를 보호하지 못해 공기가 흡입되어 기공이 발생할 수 있다.

28. 피복제는 습기를 흡수하기 쉽기 때문에 사용하기 전에 300 ~ 350℃ 정도로 1 ~ 2시간 정도 건조시켜 사용한다. (해설 21참조)

29. **인장 시험**
① 항복점 : 하중이 일정한 상태에서 하중의 증가 없이 연신율이 증가되는 점
② 영률 : 탄성한도 이하에서 응력과 연신율은 비례(후크의 법칙)하는데 응력을 연신율로 나눈 상수
③ 인장강도 : 최대하중/원단면적
④ 연신율 : $\frac{늘어난길이}{원래길이} \times 100$
즉 굽힘응력은 구할 수 없다.

30. 용착금속이 증가하게 되면 열영향이 커지고 구조물에 하중을 증가시킬 수 있어 용접 변형은 더 커질 수 있다.

31. $허용응력 = \frac{용착금속의인장강도}{안전율}$ 이므로
인장강도는 5×100=500 MPa

32. $\sigma = \frac{0.707P}{lh}$
여기서 하중은 6000, 응력은 5, h = 20로 같다.
그러므로 용접선의 길이(ℓ)은 $\frac{0.707 \times 6000}{5 \times 20} = 42.42$

33. **잔류 응력 경감법**
① 노내 풀림법 : 유지 온도가 높을수록, 유지 시간이 길수록 효과가 크다. 노내 출입 허용 온도는 300℃를 넘어서는 안된다. 일반적인 유지 온도는 625 ± 25℃ 이다. 판두께 25mm 1시간
② 국부 풀림법 : 큰 제품, 현장 구조물 등과 같이 노내 풀림이 곤란할 경우 사용하며 용접선 좌우 양측을 각각 약 250mm 또는 판 두께 12배 이상의 범위를 가열한 후 서냉한다. 하지만 국부 풀림은 온도를 불균일하게 할 뿐 아니라 이를 실시하면 잔류 응력이 발생될 염려가 있으므로 주의하여야 한다. 유도가열 장치를 사용한다.
③ 기계적 응력 완화법 : 용접부에 하중을 주어 약간의 소성 변형을 주어 응력을 제거한다. 실제 큰 구조물에서는 한정된 조건하에서만 사용할 수 있다.
④ 저온 응력 완화법 : 용접선 좌우 양측을 정속도로 이동하는 가스 불꽃으로 약 150mm의 나비를 약 150 ~ 200℃로 가열 후 수냉하는 방법으로 용접선 방향의 인장 응력을 완화시키는 방법
⑤ 피닝법 : 끝이 둥근 특수 해머로 용접부를 연속적으로 타격하며 용접 표면에 소성 변형을 주어 인장 응력을 완화한다. 첫층 용접의 균열 방지 목적으로 700℃정도에서 열간 피닝을 한다.

34. $이음효율 = \frac{용접시험편의인장강도}{모재의인장강도} \times 100$
$= \frac{350}{430} \times 100 = 81.4$

35. 후판을 용접할 경우 한면 홈이음은 양면 홈 이음보다 변형이 많이 생길 수 있으며 충분한 용입을 얻기도 어렵다.

36. 전자 빔 용접(electron beam welding)은 고 진공(10^{-4} mmHg 이상) 중에서 전자를 전자 코일로서 적당한 크기로 만들어 양극 전압에 의해 가속시켜 접합부에 충돌시켜 그 열로 용접하는 방법이다.

- **전자빔 용접의 특징**
① 용접부가 좁고 용입이 깊다.
② 얇은 판에서 두꺼운 판까지 광범위한 용접이 가능하

다.(정밀제품에 자동화에 좋다.)

③ 고 용융점 재료 또는 열전도율이 다른 이종 금속과의 용접이 용이하다.

④ 용접부가 대기의 유해한 원소와 차단되어 양호한 용접부를 얻을 수 있다.

⑤ 고속 용접이 가능하므로 열 영향부가 적고, 완성치수에 정밀도가 높다.

⑥ 고 진공형, 저 진공형, 대기압형이 있다.

⑦ 저전압 대 전류형, 고 전압 소 전류형이 있다.

⑧ 피 용접물의 크기에 제한을 받으며 장치가 고가이다.

⑨ 용접부의 경화 현상이 일어나기 쉽다.

⑩ 배기 장치 및 X선 방호가 필요하다.

37. ⎾⏋는 플러그 용접 및 슬롯 용접의 표시이며, 플러그 용접은 깊고 좁은 구멍을 의미하고 슬롯은 얕고 넓은 구멍을 의미한다. 플러그 용접이란 접합하고자 하는 모재에 구멍을 뚫고 그 구멍으로 부터 용접하여 다른 한쪽 모재와 접합하는 용접법이다.

38. 필릿 용접은 맞대기 용접 보다 규정에 맞는 각장으로 용접하기위해서는 결함 발생이 더 많을 수 있어 주의가 필요하다.

39. 용접부의 결함을 검사하는 것은 이음준비 사항이 아니며 용접 중·후에 실시하는 공정이다.

40. 비용을 절감하기 위해서 당연히 강도가 허락하는 한 덧살은 적게 하는 것이 좋다.

41. 드래그는 가스 절단면에 있어서 절단 기류의 입구점과 출구점 사이에 수평거리를 말하며, 드래그는 판두께의 20% 즉 $\frac{1}{5}$정도로 한다. 절단에 영향을 주는 요소는 절단 산소의 순도, 압력, 절단 팁의 거리, 팁의 오염, 절단 산소 구멍의 형상 등도 절단 결과에 영향을 끼친다. 절단속도가 일정할 때 산소 소비량을 증가시키면 드래그 길이는 줄어든다.

42. 용접은 열원을 이용하여 접합하는 것으로 열로 인한 변형과 수축이 있다는 단점이 있다.

43. 치핑 해머는 용접 후 슬래그를 제거하기 위한 공구이다.

44. 소결형 용제

- 착색이 가능하여 식별이 가능하나 흡습성이 강해 장기 보관시 변질의 우려가 있다.
- 기계적 강도를 요구하는 곳에 합금제 첨가가 쉬워 사용되나 비드 외관은 용융형에 비해 거칠다.
- 용융형에 비해 비교적 넓은 재질에 응용 사용되고 있다.
- 용융형에 비해 슬래그 박리성이 좋고 미분 발생이 거의 없다.
- 다층 용접에는 적합하지 못하다.

45. 수동 용접에 적합한 특성은 부특성, 수하특성, 정전류 특성이다. 반자동 및 자동용접에 필요한 특성은 상승특성, 정전압특성이 있다.

46. 프로젝션 용접은 용접할 모재에 돌기를 만들어 접촉시킨 후 통전 가압해서 용접하는 방법으로 용접 양쪽의 열용량이 달라도 신뢰도 높은 용접을 할 수 있으며, 점용접에 비하여 준비과정은 더 요구되지만 용접 작업속도는 빠르며 전극의 소모도 줄일 수 있다.

47. 앞치마와 팔덮개 등은 작업자의 화상을 막기 위한 필수보호구라 할 수 있다.

48. 탈산제 : 용융 금속 중의 산화물을 탈산 정련하는 작용을 한다. 탈산제로는 페로실리콘(Fe-Si), 페로망간(Fe-Mn), 페로티탄(Fe-Ti), 알루미늄(Al) 등이 있다.

49. 탭을 전환한다는 의미는 전류를 조절한다는 뜻이다. 따라서 전류 조절은 아크 발생을 중지한 후 하여야 한다.

50. 플래시 용접은 맞대기 전기 저항 용접으로 그 3단계는 예열 → 플래시 → 업셋의 순으로 진행된다.

51. 카바이드는 물과 접촉하면 아세틸렌이 발생하므로 인화성 물질과 같이 보관하게 되면 화재 및 폭발의 우려가 있다.

52. 피복제의 역할

① 아크 안정

② 산·질화 방지

③ 용적을 미세화 하여 용착 효율 향상

④ 서냉으로 취성 방지

⑤ 용착 금속의 탈산 정련 작용

⑥ 합금 원소 첨가

⑦ 슬래그의 박리성 증대

⑧ 유동성 증가

⑨ 전기 절연 작용 등이 있다.

53. 퍼커링이라는 뜻은 주름지거나 오그라드는 현상을 말하며 알루미늄 합금 등을 용접할 때 전류가 과대할 때 비드표면에 주름진 두터운 산화막이 생기는 현상을 말한다. 일반적으로 그 원인은 와이어지름, 용접속도, 보호가스의 조성 등에 영향을 받는다.

54. 허용 사용률 : 용접기는 항상 용량에 따른 정해진 사용율을 가지고 있다. 즉 정해진 용량인 정격 2차 전류에 따른 정격 사용율을 가지고 있다. 예를 들어 AW 200이고, 정격 사용율 40%라는 의미는 만일 이 용접기를 사용하여 200A를 사용하여 용접하면 한 시간에 40% 즉 24분만 사용 즉 아크를 발생하고, 나머지 36분은 작업을 하지 않고 용접기를 가동하지 않아야 용접기의 소손을 막을 수 있다는 의미이다. 그러므로 허용 사용률은 다음과 같은 식에 의하여 구할 수 있다.

허용 사용율(%) × (실제 용접 전류)^2 = 정격 사용율(%) × (정격 2차 전류)^2

즉 허용사용율 × $(150)^2 = 40 \times (300)^2$

따라서 160%가 나온다. 즉 용접기를 연속하여 작업하여도 소손되지 않는다.

55. 해설 36참조

56. 언더컷의 원인은 용접 전류가 너무 높을 때, 부적당한 용접봉 사용시, 용접 속도가 너무 빠를 때, 용접봉의 유지 각도가 부적당 할 때 발생할 수 있다.

57. 산소 용기의 총 가스량 = 내용적 × 기압
= 46.7 × 150=7005

58. 점용접은 전기저항용접으로 그 3대 요소는 P(가압력), I(통전 전류), T(통전 시간)이다.

59. **E4311**(고셀롤로오스계)
① 셀룰로오스를 20 ~ 30% 정도 포함한 용접봉
② 피복량이 얇고, 슬래그가 적어 수직 상 · 하진 및 위보기 용접에서 우수한 작업성
③ 아크는 스프레이 형상으로 용입이 크고 비교적 빠른 용융 속도를 낼 수 있으나 슬래그가 적으므로 비드 표면이 거칠고 스패터가 많은 결점이 있다.

60. **땜납 용제의 구비 조건**
① 모재보다 용융점이 낮을 것
② 표면 장력이 작아 모재 표면에 잘 퍼질 것
③ 유동성이 좋아 틈이 잘 메워질 수 있을 것
④ 모재와 친화력이 있어야 된다.
⑤ 전기 저항 납땜의 경우 도체일 것

국가기술자격검정 필기시험문제

2015년 산업기사 제2회 필기시험

자격종목 및 등급(선택분야)	종목코드	시험시간	문제지형별	수검번호	성 명
용접산업기사	2026	1시간30분			

※ 답안카드 작성시 시험문제지 형별누락, 마킹착오로 인한 불이익은 전적으로 수검자의 귀책사유임을 알려드립니다.
※ 각 문항은 4지택일형으로 질문에 가장 적합한 보기 항을 선택하여 마킹하여야 합니다.

제1과목 : 용접야금 및 용접설비제도

01 순철에서는 A_2 변태점에서 일어나며 원자 배열의 변화 없이 자기의 강도만 변화되는 자기변태 온도는?

① 723℃ ② 768℃
③ 910℃ ④ 1401℃

02 연강용접에서 용착금속의 샤르피(Charpy) 충격치가 가장 높은 것은?

① 산화철계 ② 티탄계
③ 저수소계 ④ 셀룰로스계

03 습기제거를 위한 용접봉의 건조시 건조온도가 가장 높은 것은?

① 일미나이트계 ② 저수소계
③ 고산화티탄계 ④ 라임티탄계

04 연화를 목적으로 적당한 온도까지 가열한 다음 그 온도에서 유치하고 나서 서랭하는 열처리 법은?

① 불림 ② 뜨임
③ 풀림 ④ 담금질

05 Fe_3C에서 Fe의 원자비는?

① 75% ② 50%
③ 25% ④ 10%

06 용력제거 풀림처리 시 발생하는 효과가 아닌 것은?

① 잔류응력을 제거한다.
② 응력부식에 대한 저항력이 증가한다.
③ 충격저항과 크리프 저항이 감속한다.
④ 온도가 높고 시간이 갈수록 수고함량은 낮아진다.

07 용접금속에 수소가 침입하여 발생하는 것이 아닌 것은?

① 은점 ② 언더컷
③ 헤어 크랙 ④ 비드 밑 균열

08 용접부의 노내응력제거 방법에서 가열부를 노에 넣을 때 및 꺼낼 때의 노내 온도는 몇 ℃ 이하로 하는가?

① 300℃ ② 400℃
③ 500℃ ④ 600℃

09 합금을 함으로써 얻어지는 성질이 아닌 것은?

① 주조성이 양호하다.
② 내열성이 증가한다.
③ 내식, 내마모성이 증가한다.
④ 전연성이 증가되며, 용점 또한 높아진다.

10 **실용 주철의 특성에 대한 설명으로 틀린 것은?**

① 비중은 C와 Si 등이 많을수록 작아진다.
② 용융점은 C와 Si 등이 많을수록 낮아진다.
③ 흑연편이 클수록 자기 감응도가 나빠진다.
④ 내식성 주철은 염산, 질산 등의 산에는 강하나 알칼리에는 약하다.

11 **제도에 대한 설명으로 가장 적합한 것은?**

① 투명한 재료로 만들어지는 대상물 또는 부분은 투상도에서는 그리지 않는다.
② 투상도는 설계자가 생각하는 것을 투상하여 입체형태로 그린 것이다.
③ 나사, 중심 구멍 등 특수한 부분의 표시는 별도로 정한 한국산업표준에 따른다.
④ 한국산업표준에서 규정한 기호를 사용할 경우 주기를 입력해야 하며, 기호 옆에 뜻을 명확히 주기한다.

12 **그림에 대한 설명으로 옳은 것은?**

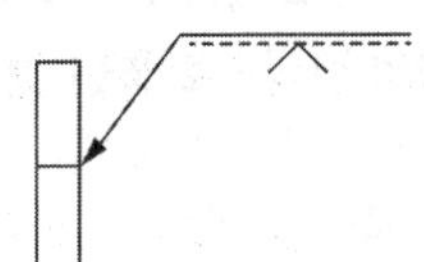

① 화살표 쪽에 용접　② 화살표 반대쪽 용접
③ 원둘레 용접　④ 양면 용접

13 **하나의 그림으로 물체의 정면, 우(좌)측면, 평(저)면 3면의 실제모양과 크기를 나타낼 수 있어 기계의 조립, 분해를 설명하는 정비 지침서나, 제품의 디자인도 등을 그릴 때 사용되는 3축이 모두 120° 되도록 한 입체도는?**

① 사 투상도　② 분해 투상도
③ 등각 투상도　④ 투시도

14 **구의 반지름을 나타내는 기호는?**

① C　② R　③ t　④ SR

15 **도면 크기의 종류 중 호칭방법과 치수(A×B)가 틀린 것은?(단, 단위는 mm 이다.)**

① A0 = 841×1189　② A1 = 841×1189
③ A3 = 841×1189　④ A4 = 841×1189

16 **종이의 가장자리가 찢어져서 도면의 내용을 훼손하지 않도록 하기 위해 긋는 선은?**

① 파선　② 2점 쇄선
③ 1점 쇄선　④ 윤곽선

17 **기계제도에서 선의 종류별 용도에 대한 설명으로 옳은 것은?**

① 가는 2점 쇄선은 특별한 요구사항을 적용할 수 있는 범위를 표시한다.
② 가는 파선은 중심이 이동한 중심궤적을 표시한다.
③ 굵은 실선은 치수를 기입하기 위하여 쓰인다.
④ 가는 1점 쇄선은 위치 결정의 근거가 된다는 것을 명시할 때 쓰인다.

18 **용접부의 기호 표시 방법에 대한 설명 중 틀린 것은?**

① 기준선의 하나는 실선으로 하고 다른 하나는 파선으로 표시한다.
② 용접부가 이음의 화살표 쪽에 있을 때에는 실선 쪽의 기준선에 표시한다.
③ 가로 단면의 주요 치수는 기본 기호의 우측에 기입한다.
④ 용접방법의 표시가 필요한 경우에는 기준선의 끝 꼬리 사이에 숫자로 표시한다.

19 **용접기호에 대한 설명으로 옳은 것은?**

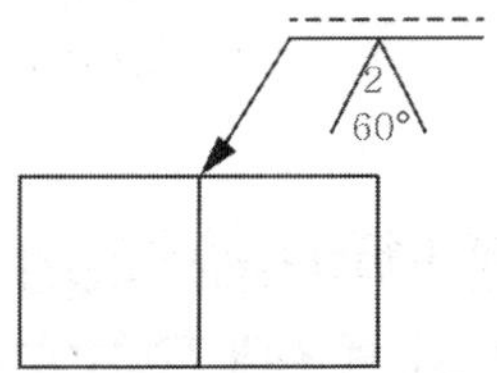

① V형용접, 화살표 쪽으로 루트간격 2mm, 홈각 60°이다.
② V형용접, 화살표 반대쪽으로 루트간격 2mm, 홈각 60°이다.
③ 필릿용접, 화살표 쪽으로 루트간격 2mm, 홈각 60°이다.
④ 필릿용접, 화살표 반대쪽으로 루트간격 2mm, 홈각 60°이다.

20 치수기입 원칙의 일반적인 주의사항으로 틀린 것은?
① 치수는 중복 기입을 피한다.
② 관련되는 치수는 되도록 분산하여 기입한다.
③ 치수는 되도록 계산해서 구할 필요가 없도록 기입한다.
④ 치수 중 참고 치수에 대하여는 치수 수치에 괄호를 붙인다.

제2과목 : 용접구조설계

21 용접부의 구조상 결함인 기공(Blow Hole)을 검사하는 가장 좋은 방법은?
① 초음파검사 ② 육안검사
③ 수압검사 ④ 침투검사

22 용접자세 중 H-Fill 이 의미하는 자세는?
① 수직 자세 ② 아래 보기 자세
③ 위 보기 자세 ④ 수평 필릿 자세

23 다음 금속 중 냉각속도가 가장 큰 금속은?
① 연강 ② 알루미늄
③ 구리 ④ 스테인리스강

24 연강판의 두께가 9mm, 용접길이를 200mm로 하고 양단에 최대 720[kN]의 인장하중을 작용시키는 V형 맞대기 용접이음에서 발생하는 인장응력[MPa]은?
① 200 ② 400 ③ 600 ④ 800

25 다층용접시 한 부분의 몇 층을 용접하다가 이것을 다음 부분의 층으로 연속시켜 전체가 단계를 이루도록 용착시켜 나가는 방법은?
① 후퇴법(Backstep method)
② 캐스케이드법(Cascade method)
③ 블록법(Block method)
④ 덧살올림법(Build-up method)

26 완전 맞대기 용접이음이 단순굽힘모멘트 Mb=9800N · cm을 받고 있을 때, 용접부에 발생하는 최대굽힘응력은? (단, 용접선길이=200mm, 판 두께 25mm이다.)
① 196.0 N/cm^2 ② 470.4 N/cm^2
③ 376.3 N/cm^2 ④ 235.2 N/cm^2

27 용접제품과 주조제품을 비교하였을 때 용접이음 방법의 장점으로 틀린 것은?
① 이종재료의 접합이 가능하다.
② 용접변형을 교정할 때에는 시간과 비용이 필요치 않다.
③ 목형이나 주형이 불필요하고 설비의 소규모가 가능하여 생산비가 적게 든다.
④ 제품의 중량을 경감시킬 수 있다.

28 용접 시공 관리의 4대 요소(4M)가 아닌 것은?
① 사람(Man) ② 기계(Machine)
③ 재료(Material) ④ 태도(Manner)

29 용접준비 사항 중 용접 변형 방지를 위해 사용하는 것은?
① 터닝 롤러(turning roller)
② 매니플레이터(manipulator)

③ 스토롱백(strong back)
④ 앤빌(anvil)

30 용접 경비를 적게 하고자 할 때 유의할 사항으로 틀린 것은?

① 용접봉의 적절한 선정과 그 경제적 사용방법
② 재료 절약을 위한 방법
③ 용접 지그의 사용에 의한 위보기 자세의 이용
④ 고정구 사용에 의한 능률 향상

31 똑같은 두께의 재료를 용접할 때 냉각 속도가 가장 빠른 이음은?

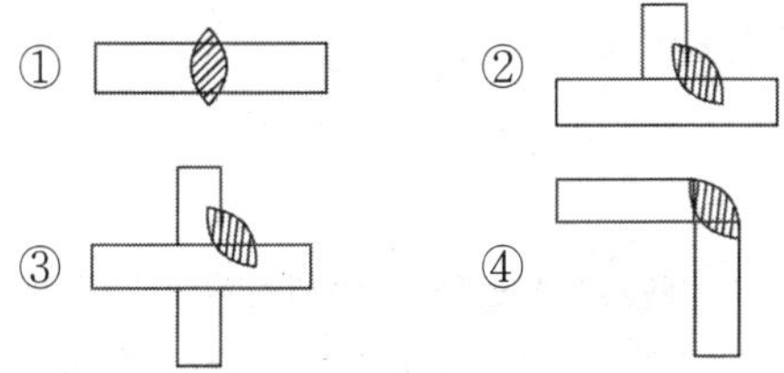

32 용접부의 응력 집중을 피하는 방법이 아닌 것은?

① 부채꼴 오목부를 설계한다.
② 강도상 중요한 용접이음 설계시 맞대기 용접부는 가능한 피하고 필릿 용접부를 많이 하도록 한다.
③ 모서리의 응력 집중을 피하기 위해 평탄부에 용접부를 설치한다.
④ 판두께가 다른 경우 라운딩(rounding)이나 경사를 주어 용접한다.

33 구속 용접시 발생하는 일반적인 응력은?

① 잔류 응력 ② 연성력
③ 굽힘력 ④ 스프링 백

34 설계 단계에서 용접부 변형을 방지하기 위한 방법이 아닌 것은?

① 용접 길이가 감소될 수 있는 설계를 한다.
② 변형이 적어질 수 있는 이음 부분을 배치한다.
③ 보강재 등 구속이 커지도록 구조설계를 한다.
④ 용착 금속을 증가시킬 수 있는 설계를 한다.

35 용접수축량에 미치는 용접시공 조건의 영향을 설명한 것으로 틀린 것은?

① 루트간격이 클수록 수축이 크다.
② V형 이음은 X형 이음보다 수축이 크다.
③ 같은 두께를 용접할 경우 용접봉 직경이 큰 쪽이 수축이 크다.
④ 위빙을 하는 쪽이 수축이 작다.

36 용접 후처리에서 변형을 교정할 때 가열하지 않고, 외력만으로 소성변형을 일으켜 교정하는 방법은?

① 형재(形材)에 대한 직선 수축법
② 가열한 후 해머로 두드리는 법
③ 변형 교정 롤러에 의한 방법
④ 박판에 대한 점 수축법

37 용접순서에서 동일 평면내에 이음이 많을 경우, 수축은 가능한 자유단으로 보내는 이유로 옳은 것은?

① 압축변형을 크게 해주는 효과와 구조물 전체를 가능한 균형 있게 인장응력을 증가시키는 효과 때문
② 구속에 의한 압축응력을 작게 해주는 효과와 구조물 전체를 가능한 균형 있게 굽힘응력을 증가시키는 효과 때문
③ 압축응력을 크게 해주는 효과와 구조물 전체를 가능한 균형 있게 인장응력을 경감시키는 효과 때문
④ 구속에 의한 잔류응력을 작게 해주는 효과와 구조물 전체를 가능한 균형 있게 변형을 경감시키는 효과 때문

38 용접부 취성을 측정하는데 가장 적당한 시험 방법은?

① 굽힘시험　　② 충격시험
③ 인장시험　　④ 부식시험

39 용접 변형을 경감하는 방법으로 용접 전 변형 방지책은?

① 역변형법　　② 빌드업법
③ 캐스케이드법　　④ 전진블록법

40 필릿 용접 크기에 대한 설명으로 틀린 것은?

① 필릿 이음에서 목길이를 증가시켜 줄 필요가 있을 경우 양쪽 목길이를 같게 증가시켜 주는 것이 효과적이다.
② 판두께가 같은 경우 목길이가 다른 필릿 용접시는 수직 쪽의 목길이를 짧게 수평 쪽의 목길이를 길게 하는 것이 좋다.
③ 필릿 용접시 표면 비드는 오목형보다 블록형이 인장에 의한 수축 균열 발생이 적다.
④ 다층 필릿 이음에서의 첫 패스는 항상 오목형이 되도록 하는 것이 좋다.

제 3과목 용접일반 및 안전관리

41 가스 실드(shield)형으로 파이프 용접에 가장 적합한 용접봉은?

① 라임티타니아계(E4303)
② 특수계(E4340)
③ 저수소계(E4316)
④ 고셀룰로스계(E4311)

42 피복 아크 용접에서 용접부의 보호 방식이 아닌 것은?

① 가스 발생식　　② 슬래그 발생식
③ 아크 발생식　　④ 반가스 발생식

43 황동을 가스용접시 주로 사용하는 불꽃의 종류는?

① 탄화 불꽃　　② 중성 불꽃
③ 산화 불꽃　　④ 질화 불꽃

44 피복 아크 용접봉에서 피복제의 편심률은 몇 %이내이어야 하는가?

① 3%　② 6%　③ 9%　④ 12%

45 압점의 종류가 아닌 것은?

① 단접(forged welding)
② 마찰 용접(friction welding)
③ 점 용접(spot welding)
④ 전자 빔 용접(electron beam welding))

46 산소 아세틸렌 불꽃에서 아세틸렌이 이론적으로 완전연소 하는데 필요한 산소 : 아세틸렌의 연소비로 가장 알맞은 것은?

① 1.5 : 1　　② 1 : 1.5
③ 2.5 : 1　　④ 1 : 2.5

47 현장에서의 용접 작업 시 주의사항이 아닌 것은?

① 폭발, 인화성 물질 부근에서는 용접작업을 피할 것
② 부득이 가연성 물체 가까이서 용접할 경우는 화재 발생 방지 조치를 충분히 할 것
③ 탱크 내에서 용접 작업 시 통풍을 잘하고 때때로 외부로 나와서 휴식을 취할 것
④ 탱크 내 용접 작업 시 2명이 동시에 들어가 작업을 실시하고 빠른 시간에 작업을 완료하도록 할 것

48 산소 용기의 취급상 주의사항이 아닌 것은?

① 운반이나 취급에서 충격을 주지 않는다.
② 가연성 가스와 함께 저장한다.
③ 기름이 묻은 손이나 장갑을 끼고 취급하지 않

는다.
④ 운반 시 가능한 한 운반 기구를 이용한다.

49 용접분류방법 중 아크 용접에 해당하는 것은?
① 프로젝션 용접 ② 마찰 용접
③ 서브머지드 용접 ④ 초음파 용접

50 불활성가스 아크용접의 특징으로 틀린 것은?
① 아크가 안정되어 스패터가 적고, 조작이 용이하다.
② 높은 전압에서 용입이 깊고 용접속도가 빠르며, 잔류용제 처리가 필요하다.
③ 모든 자세 용접이 가능하고 열집중성이 좋아 용접 능률이 높다.
④ 청정작용이 있어 산화막이 강한 금속의 용접이 가능하다.

51 스터드 용접의 용접 장치가 아닌 것은?
① 용접건 ② 용접헤드
③ 제어장치 ④ 텅스텐전극봉

52 용접 중 용융금속 중에 가스의 흡수로 인한 기공이 발생되는 화학 반응식을 타나낸 것은?
① $FeO + Mn \rightarrow MnO + Fe$
② $2FeO + Si \rightarrow SiO_2 + 2Fe$
③ $FeO + C \rightarrow CO + Fe$
④ $3FeO + 2Al \rightarrow Al_2O_3 + 3Fe$

53 TIG 용접기에서 직류 역극성을 사용하였을 경우 용접 비드의 형상으로 옳은 것은?
① 비드 폭이 넓고 용입이 깊다.
② 비드 폭이 넓고 용입이 얕다.
③ 비드 폭이 좁고 용입이 깊다.
④ 비드 폭이 좁고 용입이 얕다.

54 가장 두꺼운 판을 용접할 수 있는 용접법은?
① 일렉트로 슬래그 용접
② 전자 빔 용접
③ 서브머지드 아크 용접
④ 불활성가스 아크 용접

55 자동으로 용접을 하는 서브머지드 아크 용접에서 루트 간격과 루트면의 필요한 조건은? (단, 받침쇠가 없는 경우이다.)
① 루트간격 0.8mm이상, 루트면은 ±5mm 허용
② 루트간격 0.8mm이하, 루트면은 ±1mm 허용
③ 루트간격 3mm이상, 루트면은 ±5mm 허용
④ 루트간격 10mm이상, 루트면은 ±10mm 허용

56 다음 중 직류 아크 용접기는?
① 가동코일형 용접기
② 정류형 용접기
③ 가동철심형 용접기
④ 탭전환형 용접기

57 이론적으로 순수한 카바이드 5kg에서 발생할 수 있는 아세틸렌 량은 약 몇 리터인가?
① 3480 ② 1740
③ 348 ④ 174

58 정격 2차 전류 400A, 정격 사용율이 50%인 교류 아크 용접기로서 250A로 용접할 때 이 용접기의 허용 사용률(%)은?
① 128 ② 122
③ 112 ④ 95

59 불활성가스 금속 아크 용접시 사용되는 전원 특성은?
① 수하 특성 ② 동전류 특성
③ 정전압 특성 ④ 정극성 특성

60 플래시 버트 용접의 일반적인 특징으로 틀린 것은?

① 가열부의 열 영향부가 좁다.
② 용접면을 아주 정확하게 가공할 필요가 없다.
③ 서로 다른 금속의 용접은 불가능하다.
④ 용접시간이 짧고 업셋 용접보다 전력 소비가 적다.

정답 및 해설

● 2015년 산업기사 제2회 필기시험

Answer

01.②	02.③	03.②	04.③	05.①
06.③	07.②	08.①	09.④	10.④
11.③	12.②	13.③	14.④	15.④
16.④	17.④	18.③	19.①	20.②
21.①	22.④	23.③	24.②	25.②
26.②	27.②	28.④	29.③	30.③
31.③	32.②	33.①	34.④	35.③
36.③	37.④	38.②	39.①	40.④
41.④	42.③	43.③	44.①	45.④
46.③	47.④	48.②	49.③	50.②
51.④	52.③	53.②	54.①	55.②
56.②	57.②	58.①	59.③	60.③

01. **자기 변태** : 원자 배열은 변화가 없고 자성만 변하는 것으로 Fe(768℃), Ni(358℃), Co(1,160℃) 등이 대표적이다.

02. 충격 시험은 (샤르피식, 아이조드식) 재료의 인성과 취성을 알아보기 위한 시험이다. 즉 저수소계가 다른 용접봉에 비해서 $\frac{1}{10}$ 정도로 현저하게 적은 우수한 특성이 있다.

03. 저수소계는 피복제가 습기를 흡수하기 쉽기 때문에 사용하기 전에 300~350℃ 정도로 1~2시간 정도 건조시켜 사용한다.

04. **강의 일반 열처리 방법**
① 담금질 : 강을 A_3 변태 및 A, 선 이상 30~50℃로 가열한 후 수냉 또는 유냉으로 급랭시키는 방법으로 강을 강하게 만드는 열처리이다.
② 뜨임 : 담금질된 강을 A, 변태점 이하로 가열 후 냉각시켜 담금질로 인한 취성을 제거하고 경도를 떨어뜨려 강인성을 증가시키기 위한 열처리이다.
③ 풀림 : 재질의 연화 및 내부 응력 제거를 목적으로 노내에서 서냉한다
④ 불림 : A_3 또는 Acm선 이상 30~50℃정도로 가열, 가공 재료의 결정 조직을 균일화한다. 공기 중 공랭하여 미세한 Sorbite 조직을 얻는다.

05. Fe_3C에서 Fe(3)+C(1)이므로 원자비는 75%가 된다.

06. 응력을 제거하기 위한 풀림처리를 하면 충격저항과 크리프 저항은 증가한다.

07. 수소는 은점(fish eye), 헤어크랙, 언더 비드 균열 등에 원인이 된다.

08. 용접부의 노내응력 제거를 위해 노에 넣을 때 및 꺼낼 때의 노내 온도는 300℃이하로 하여 온도차가 많이 나지 않도록 하여야 한다.

09. **합금**(alloy)
① 금속의 성질을 개선하기 위하여 단일 금속에 한 가지 이상의 금속이나 비금속 원소를 첨가한 것
② 합금의 일반적 성질
㉠ 성분을 이루는 금속보다 우수한 성질을 나타내는 경우가 많다.
㉡ 성분 금속보다 강도 및 경도가 증가한다.
㉢ 주조성이 좋아진다.
㉣ 용융점이 낮아진다.
㉤ 전·연성은 떨어진다.
㉥ 성분 금속의 비율에 따라 색이 변한다.

10. **주철의 화학적 성질**
① 염산, 질산 등의 산에는 약하나 알칼리에는 강하다.
② 물에 대한 내식성이 매우 좋아 상수도용 관으로 사용한다. 하지만 물이 급속하게 충돌하는 곳에서는 주철은 심하게 침식된다.
③ 바닷물에 대해서는 비교적 내식성이 좋으나 파도 등의 충격을 받으면 침식이 쉽게 일어난다.

11. **제도의 정의** : 주문자가 의도하는 주문에 따라, 설계자가 제품의 모양이나 크기를 일정한 규칙(한국산업표준 등)에 따라 선, 문자, 기호 등을 이용하여 도면으로 작성하는 과정으로 설계자의 의도를 도면 사용자에게 확실하고 쉽게 전달하는데 목적이 있다.

12. 우선 용접기호를 볼 때는 기호가 실선에 붙어있는지 파선에 붙어있는지를 보아야 된다. 제시된 그림에서는 기호가 파선에 붙어 있으므로 화살표 반대쪽 V형 용접을 의미한다.

13. **등각 투상도**
① 물체의 정면, 평면, 측면을 하나의 투상도에서 볼 수 있도록 그린 도법
② 물체의 모양과 특징을 가장 잘 나타냄
③ 물체 3개의 세 모서리는

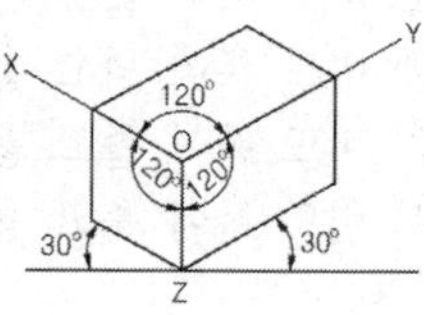

각각 120°

④ 용도 : 구상도나 설명도 등

14.

의 미	기 호
지름	ø
반지름	R
구의 반지름	SR
정사각형의 변	□
판의 두께	t
원호의 길이	⌒
45° 모따기	C
이론적으로 정확한 치수	▭
참고 치수	( )

15. 도면의 크기와 양식

① 도면은 반드시 일정한 크기로 만든다.
② 제도 용지의 크기 : 'A열' 용지의 사용을 원칙으로 한다.
③ 신문, 교과서, 공책, 미술 용지 등은 B계열 크기만 사용한다.
④ 세로(a)와 가로(b)의 비는 1 : $\sqrt{2}$(1.414213)
⑤ A0 용지의 넓이 : 약 $1m^2$
⑥ 큰 도면을 접을 때는 A4 크기로 접으며, 표제란이 겉으로 나오도록 한다.
⑦ A0(1189×841 : 전지), A1(841×594 : 2절지), A2(594×420 : 4절지), A3(420×297 : 8절지), A4(297×210 : 16절지)
⑧ 도면에는 반드시 윤곽선, 중심마크, 표제란을 그린다.

16. 도면의 양식

① 윤곽선 : 도면에 그려야 할 내용의 영역을 명확히 하고, 제도 용지의 가장자리에 생기는 손상으로부터 기재 사항을 보호하기 위해 0.5mm 이상의 실선을 사용한다.
② 중심 마크 : 도면의 사진 촬영 및 복사할 때 편의를 위해 사용, 상하 좌우 중앙의 4개소에 표시한다.
③ 표제란 : 위치는 반드시 도면의 오른쪽 아래에 위치한다. 기재 내용으로는 도면 번호(도번), 도면 이름(도명), 척도, 투상법, 도면 작성일, 제도자 이름 등을 기입한다.

【참고】 반드시 도면에 윤곽선, 중심 마크, 표제란은 그려 넣어야 한다.

④ 재단 마크 : 복사한 도면을 재단할 때의 편의를 위해 도면의 4 구석에 표시한다.
⑤ 도면의 구역 : 도면에서 특정 부분의 위치를 지시하는데 편리하도록 표시하는 것
⑥ 도면의 비교 눈금 : 도면의 축소나 확대, 복사의 작업과 이들의 복사 도면을 취급할 때의 편의를 위하여 표시하는 것

17. 선의 종류와 용도

① 외형선은 굵은 실선으로 그린다.
② 치수선, 치수 보조선, 지시선, 회전 단면선, 중심선, 수준면선 등은 가는 실선으로 그린다.
③ 은선(숨은선)은 가는 파선 또는 굵은 파선으로 그린다
④ 중심선, 기준선, 피치선은 가는 1점 쇄선으로 그린다.
⑤ 특수 지정선은 굵은 1점 쇄선으로 그린다.
⑥ 가상선 무게 중심선은 가는 2점 쇄선으로 그린다.
⑦ 파단선은 물체의 일부를 파단한 곳을 표시하는 선으로 불규칙한 파형의 가는 실선 또는 지그재그 선으로 그린다.
⑧ 절단선은 가는 1점 쇄선으로 끝 부분 및 방향이 변하는 부분을 굵게 한 것
⑨ 해칭은 가는 실선으로 규칙적으로 줄을 늘어놓은 것
⑩ 특수한 용도의 선으로는 가는 실선 아주 굵은 실선으로 나눌 수 있다.

18. 용접기호에서 가로 단면의 주요 치수는 기본 기호 좌측에 기입한다.

19. 실선에 용접기호가 표시되어 있으므로 화살표쪽 V형용접으로 루트간격 2㎜, 홈각도는 60° 이다.

20. 치수 기입의 원칙

① 도면에는 완성된 물체의 치수 기입한다.
② 길이 단위 : mm, 도면에는 기입하지 않는다.
③ 각도 단위 : 도(°), 분(′), 초(″)를 사용한다.
④ 치수 숫자는 자릿수를 표시하는 콤마 등을 사용하지 않는다.
⑤ 치수 숫자는 치수선에 대하여 수직 방향은 도면의 우변으로부터, 수평 방향은 하변으로부터 읽도록 기입한다.
⑥ 도면에 길이의 크기와 자세 및 위치를 명확하게 표시한다.
⑦ 가능한 한 주투상도(정면도)에 기입한다.
⑧ 치수의 중복 기입을 피한다.
⑨ 치수는 계산할 필요가 없도록 기입한다.
⑩ 관련되는 치수는 한 곳에 모아서 기입한다.
   ㉠ 참고 치수는 치수 수치에 괄호를 붙인다.
   ㉡ 비례척에 따르지 않을 때의 치수 기입은 치수 숫자 밑에 굵은선을 그어 표시해야 한다. 또는 NS(Not to Scale)로 표기한다.
⑪ 외형치수 전체 길이치수는 반드시 기입한다.

21. 용접부에 발생하는 기공은 내부결함으로 비파괴 검사 방법인 초음파 검사, 방사선 검사를 통해 검출할 때 잘 나타난다.

22. H-Fill이란 수평(horizontal) 필릿 용접을 의미한다.

23. 냉각 속도는 열전도율과 같으므로 제시된 금속 중 구리가 가장 크다.

24. $\sigma = \frac{P}{tl} = \frac{720000}{9 \times 200} = 400$

25. **캐스케이드법** : 한 부분의 몇 층을 용접하다가 이것을 다음 부분의 층으로 연속시켜 전체가 계단형태의 단계를 이루도록 하는 용착법

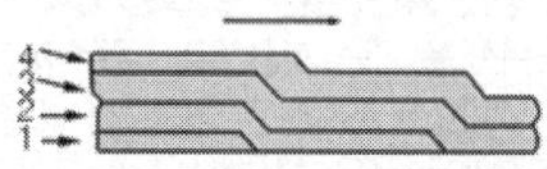

26. 단위에 주의한다. $\sigma_b = \frac{6M}{lt^2} = \frac{(6\times9800)}{(20\times2.5^2)} = 470.4$

27. ① **용접의 장점**
- 작업 공정을 줄일 수 있다.
- 형상의 자유화를 추구 할 수 있다.
- 이음 효율 향상(기밀 수밀 유지)
- 중량 경감, 재료 및 시간의 절약
- 이종 재료의 접합이 가능하다.
- 보수와 수리가 용이하다.(주물의 파손부 등)

② **용접의 단점**
- 품질 검사가 곤란하다.
- 제품의 변형을 가져 올 수 있다.
(잔류 응력 및 변형에 민감)
- 유해 광선 및 가스 폭발 위험이 있다.
- 용접사의 기능과 양심에 따라 이음부 강도가 좌우한다.

28. 4M 이란 Man(사람), Machine(설비, 장비), Material(재료), Method(작업방법)이다.

29. 스토롱백은 맞대기 용접을 할 때 판 상호간의 단차를 수정함과 동시에 각변형이나 뒤틀림을 방지하기 위하여 일시적으로 설치하는 지그이다.

30. 용접 지그를 사용한다는 것은 용접 작업을 편하게 할 수 있는 아래보기 자세로 이용하기 위해서이다.

31. **냉각 속도**

① 냉각 속도는 얇은 판보다는 두꺼운 판에서 크다.
② 냉각 속도는 맞대기 이음보다는 T형 이음의 경우가 크다. 즉 열의 확산 방향이 많을수록 크다.
③ 열전도율이 클수록 냉각속도는 크다.

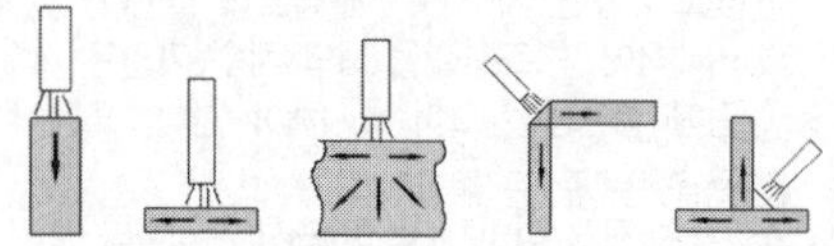

32. **용접 이음의 설계시 주의점**

① 아래 보기 용접을 많이 하도록 한다.
② 용접 작업에 지장을 주지 않도록 간격을 둘 것
③ 필릿 용접은 되도록 피하고 맞대기 용접을 하도록 한다.
④ 판 두께가 다른 재료의 이음시 구배를 두어 갑자기 단면이 변하지 않도록 한다.($\frac{1}{4}$이하 테이퍼 가공을 함)
⑤ 맞대기 용접에는 이면 용접을 하여 용입 부족이 없도록 할 것
⑥ 용접 이음부가 한곳에 집중되지 않도록 설계할 것
⑦ 물품의 중심에 대하여 대칭으로 용접 진행

33. 말 그대로 구속하게 되면 스트레스가 쌓여 잔류 응력이 된다.

34. **변형 방지법**

① 억제법 : 모재를 가접 또는 구속 지그를 사용하여 변형 억제
② 역변형법 : 용접 전에 변형의 크기 및 방향을 예측하여 미리 반대로 변형시키는 방법
③ 도열법 : 용접부 주위에 물을 적신 석면, 동판을 대어 열을 흡수시키는 방법
④ 용착법 : 대칭법, 후퇴법, 스킵법 등을 사용한다.
더불어 변형을 방지하기 위해서는 강도가 허용하는 한 용착 금속은 줄일 수 있는 설계를 하여야 한다.

35. 용접봉의 직경이 커지면 전류밀도가 작아지므로 오히려 수축은 작게 된다.

36. 점 수축법, 직선 수축법 등은 모두 열을 가하는 것이다. 하지만 변형 된 부분을 교정하기 위하여 롤러에 거는 방법은 열을 가하지 않고 외력만으로 소성 변형을 일으켜 변형을 교정하는 방법이다.

37. **용접 조립시 유의점**

① 수축이 큰 맞대기 이음을 먼저 용접하고 다음에 필렛 용접
② 큰 구조물은 구조물에 중앙에서 끝으로 향하여 용접
③ 용접선에 대하여 수축력의 화가 영이 되도록 한다.
④ 리벳과 같이 쓸 때는 용접을 먼저 한다.
⑤ 용접 불가능한 곳이 없도록 한다.
⑥ 물품의 중심에 대하여 대칭으로 용접 진행
즉 여기서 수축은 자유단으로 보내기 위해 구조물에 중앙에서 끝으로 향하며, 이는 구속에 의한 잔류응력을 작게하고 변형을 경감하기 위해서이다.

38. 취성이란 깨지는 성질로 메짐이라고도 하며 충격시험을 통해 알 수 있다.

39. **변형 방지법**

① 억제법 : 모재를 가접 또는 구속 지그를 사용하여 변형 억제
② 역변형법 : 용접전에 변형의 크기 및 방향을 예측하여 미리 반대로 변형시키는 방법
③ 도열법 : 용접부 주위에 물을 적신 석면, 동판을 대어 열을 흡수시키는 방법
④ 용착법 : 대칭법, 후퇴법, 스킵법 등을 사용한다.

40. 필릿 이음에서 목 두께를 증가시키기 위해서는 양쪽 다리 길이(목길이)를 같게 증가시켜 주는 것이 효과적이다.
①은 각장(목길이),
②는 목두께를 의미한다.

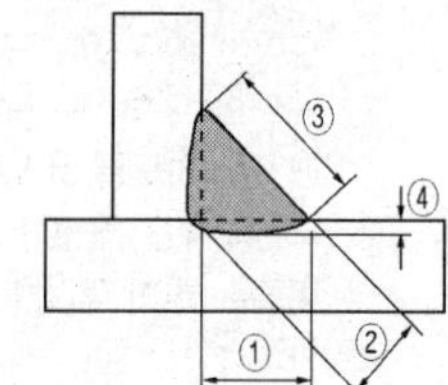

41. **E4311(고셀룰로오스계)**
① 셀룰로오스를 20 ~ 30% 정도 포함한 용접봉
② 피복량이 얇고, 슬랙이 적어 수직 상 · 하진 및 위보기 용접에서 우수한 작업성
③ 아크는 스프레이 형상으로 용입이 크고 비교적 빠른 용융 속도를 낼 수 있으나 슬랙이 적으므로 비드 표면이 거칠고 스패터가 많은 결점이 있다.

42. **용착 금속의 보호 형식**
① 슬래그 생성식(무기물형) : 슬래그로 산화, 질화 방지 및 탈산 작용
② 가스 발생식 : 대표적으로 셀룰로오스가 있으며 전 자세 용접이 용이하다.
③ 반가스 발생식 : 슬래그 생성식과 가스 발생식의 혼합

43. **산화 불꽃**(excess oxygen flame)
① 산소 과잉 불꽃 또는 산화불꽃이라고도 한다. 백심이 짧아지고 속불꽃이 없어 바깥 불꽃만으로 되어 있다.
② 산화성 분위기를 만들어 일반적인 금속의 용접에는 사용하지 않는다.
③ 용접을 할 때 금속을 산화시키므로 구리, 황동 등의 용접에 사용한다.
④ 불꽃의 온도는 3,320 ~ 3,430℃정도이다.

44. 편심율은 3% 이내에 용접봉을 선택하며, 용접 자세 및 장소, 모재의 재질, 이음의 모양 등을 고려하여 선택하며 보관 시는 특히 습기에 주의해야 된다.

45. ① **용접(Fusion Welding)** : 접합 부분을 용융 또는 반용융 상태로 하고 여기에 용접봉 즉 용가재를 첨가하여 접합하는 방법으로 그 종류는 피복 아크 용접, 가스 용접, 불활성 가스 아크 용접, 서브머지드 용접, 이산화탄소 아크 용접, 일렉트로 슬랙 및 일렉트로 가스 용접 등이 있다.
② **압접(Pressure Welding)** : 접합 부분을 열간 또는 냉간 상태에서 압력을 주어 접합하는 방법으로 그 종류는 전기 저항 용접(점용접, 심 용접, 프로젝션 용접, 업셋 용접, 플래시 용접, 퍼커션 용접), 초음파 용접, 마찰 용접, 유도가열 용접, 가스 압접 등이 있다.
③ **납땜(Brazing and Soldering)** : 모재보다 용융점이 낮은 용가재(용접봉)를 사용하여 모재는 녹이지 않고 용접봉만 녹여 표면장력으로 접합시키는 방법으로 그 종류는 크게 온도 450℃를 기준으로 그 이하에서 용접하는 연납땜과 그 이상에서 용접하는 경납땜이 있다.

46. 중성불꽃이란 산소와 아세틸렌이 1 : 1로 혼합되어 연소되는 것을 말한다. 이때 산소는 공기중에서 1.5를 가져오기 때문에 이론적으로는 2.5 : 1이다. 즉 산소가 없는 곳에서는 중성불꽃으로 용접을 하기 위해서는 산소량을 2.5로 하여야 한다.

47. 탱크 등 밀폐된 작업장에서 작업을 할 경우 2인 1조로 하여 작업을 하며 작업을 할 때 2명이 동시에 들어가 작업하지 않고 한사람은 안에 한사람은 밖에 교대로 작업을 하여야 질식 등의 위험을 막을 수 있다.

48. **산소 용기를 취급할 때 주의 점**
① 타격, 충격을 주지 않는다.
② 직사광선, 화기가 있는 고온의 장소를 피한다.
③ 용기 내의 압력이 너무 상승(170kgf/cm^2)되지 않도록 한다.
④ 밸브가 동결되었을 때 더운물, 또는 증기를 사용하여 녹여야 한다.
⑤ 누설 검사는 비눗물을 사용한다.
⑥ 용기 내의 온도는 항상 40℃ 이하로 유지하여야 한다.
⑦ 용기 및 밸브 조정기 등에 기름이 부착되지 않도록 한다.
⑧ 저장실에 가스를 보관 시 다른 가연성 가스와 함께 보관하지 않는다.

49. 아크 용접이란 전기에 +와 −를 접촉하여 스파크를 발생시킨 후 그것을 꺼지지 않도록 연속하게 만들어 용접하는 것으로 대표적인 것으로 피복아크 용접, 이산화탄소 아크 용접, 불활성가스아크용접, 서브머지드 용접 등이 있다.

50. **불활성 가스 아크 용접**
① 장점
- 고 능률적이며 전 자세 용접에 적합하다.
- 피복제와 용제가 필요 없으며, 대신 보호가스로 불활성 가스인 아르곤(Ar), 헬륨(He) 등을 사용한다.
- 열 집중성이 좋아 능률적이며, 철 및 비철 금속의 용접이 가능하다.
- 용착부의 제반 성질이 우수하다.

② 단점
- 장비가 고가이며, 설비비가 비싸다.
- 실외 작업에서 바람이 부는 곳에서 사용하기 곤란하다.
- 슬래그가 형성되지 않아 냉각 속도가 빨라 용착 금속의 기계적 성질이 변할 수 있다.
- 토치가 용접부에 닿을 수 없는 경우 용접이 곤란하다.

51. **스터드 용접**
① 원리 : 스터드 용접은 크게 저항 용접에 의한 것, 충격용접에 의한 것, 아크 용접에 의한 것으로 구분 되며, 아크 용접은 모재와 스터드 사이에 아크를 발생 시켜 용접한다.
② 특징
- 자동 아크 용접이다.
- 볼트, 환봉, 핀 등을 용접한다.
- 0.1 ~ 2초 정도의 아크가 발생한다.
- 셀렌 정류기의 직류 용접기를 사용한다. 교류도 사용 가능하다.
- 짧은 시간에 용접되므로 변형이 극히 적다.
- 철강재 이외에 비철 금속에도 쓸 수 있다.
- 아크를 보호하고 집중하기 위하여 도기로 만든 페롤을 사용하여 용착부의 오염방지 및 용접사의 눈을 아크로부터 보호한다.

③ 장치: 용접건, 용접헤드, 제어장치 등이 있다.

52. 산화철(FeO)와 탄소(C)가 만나 일산화탄소(CO)와 철(Fe)이 반응하는 것을 찾으면 된다.

53. 불활성 가스 텅스텐 아크 용접 전원

① 직류 정극성(폭이 좁고 깊은 용입을 얻음)→높은 전류, 용접봉은 정극성 일 때는 끝을 뾰족하게 가공, 용입이 깊고, 비드폭은 좁아지며, 용접 속도를 빠르다.

② 직류 역극성(폭이 넓고 얕은 용입을 얻음)→청정작용이 있다. 특수한 경우 Al, Mg 등의 박판 용접에만 쓰이고 있다. 용입이 얕고, 비드폭은 넓어진다. 정극성보다 4배정도 사이즈가 큰 용접봉 사용

54. 일렉트로 슬래그 용접 : 서브머지드 아크 용접에서와 같이 처음에는 플럭스 안에서 모재와 용접봉 사이에 아크가 발생하여 플럭스가 녹아서 액상의 슬랙이 되면 전류를 통하기 쉬운 도체의 성질을 갖게 되면서 아크는 꺼지고 와이어와 용융 슬랙 사이에 흐르는 전류의 저항 발열을 이용하는 자동 용접법으로 중후판 용접에 사용된다.

55. 서브머지드 용접의 경우 홈의 정밀도가 높아야 한다. (루트 간격 0.8mm 이하, 홈각도 오차 ±5도, 루트 오차 ±1mm)

56. 직류 아크 용접기로는 정류기형, 발전기형, 전지식이 있다.

57. 이론적으로 카바이드 1kg에서 348ℓ의 아세틸렌이 발생하므로 348×5=1740이 된다.

58. 허용 사용율(%) × (실제 용접 전류)^2

= 정격 사용율(%) × (정격 2차 전류)^2

허용 사용율(%) × $(250)^2 = 50 \times (400)^2$에서 128이 나온다.

59. 불활성가스 금속 아크 용접은 반자동 또는 자동 용접을 사용하므로 정전압 특성 및 상승특성이 필요하다.

60. 플래시 용접

① 용접물에 간격을 두어 설치하고 전류를 통하여 발열 및 불꽃 비산을 지속시켜 접합면이 골고루 가열되었을 때 가압하여 접합하는 방법이다.

② 예열→플래시→업셋 순으로 진행된다.

③ 열 영향부 및 가열 범위가 좁다.

④ 이음의 신뢰도가 높고 강도가 좋다.

⑤ 용접 시간, 소비 전력이 적다.

⑥ 용접면에 산화물의 개입이 적다.

국가기술자격검정 필기시험문제

2015년 산업기사 제3회 필기시험

자격종목 및 등급(선택분야)	종목코드	시험시간	문제지형별	수검번호	성 명
용접산업기사	2026	1시간30분			

※ 답안카드 작성시 시험문제지 형별누락, 마킹착오로 인한 불이익은 전적으로 수검자의 귀책사유임을 알려드립니다.
※ 각 문항은 4지택일형으로 질문에 가장 적합한 보기 항을 선택하여 마킹하여야 합니다.

제1과목 : 용접야금 및 용접설비제도

01 용접하기 전 예열하는 목적이 아닌 것은?

① 수축 변형을 감소한다.
② 열영향부의 경도를 증가시킨다.
③ 용접 금속 및 열영향부에 균열을 방지한다.
④ 용접 금속 및 열영향부의 연성 또는 노치 인성을 개선한다.

02 강의 표면경화법이 아닌 것은?

① 불림 ② 침탄법
③ 질화법 ④ 고주파 열처리

03 용융금속 중에 첨가하는 탈산제가 아닌 것은?

① 규소 철(Fe-Si) ② 티탄 철(Fe-Ti)
③ 망간 철(Fe-Mn) ④ 석회석($CaCO_3$)

04 이종의 원자가 결정격자를 만드는 경우 모재 원자보다 작은 원자가 고용할 때 모재원자의 틈새 또는 격자결함에 들어가는 경우의 고용체는?

① 치환형고용체 ② 변태형고용체
③ 침입형고용체 ④ 금속간고용체

05 고장력강 용접시 일반적인 주의사항으로 틀린 것은?

① 용접봉은 저수소계를 사용한다.
② 아크 길이는 가능한 길게 유지한다.
③ 위빙 폭은 용접봉 지름의 3배 이하로 한다.
④ 용접 개시 전에 이음부 내부 또는 용접할 부분을 청소한다.

06 γ 고용체와 α 고용체의 조직은?

① γ고용체=페라이트조직, α고용체=오스테나이트 조직
② γ고용체=페라이트조직, α고용체=시멘타이트 조직
③ γ고용체=시멘타이트조직, α고용체=페라이트 조직
④ γ고용체=오스테나이트조직, α고용체=페라이트 조직

07 비열이 가장 큰 금속은?

① Al ② Mg ③ Cr ④ Mn

08 재가열균열시험법으로 사용되지 않는 것은?

① 고온인장시험 ② 변형이완시험
③ 자율구속도시험 ④ 크리프저항시험

09 용접 후 잔류응력이 있는 제품에 하중을 주고 용접부에 소성변형을 일으키는 방법은?

① 연화 풀림법 ② 국부 풀림법
③ 저온 응력 완화법 ④ 기계적 응력 완화법

10 철강 재료의 변태 중 순철에서는 나타나지 않는 변태는?

① A_1 ② A_2 ③ A_3 ④ A_4

11 도면에 치수를 기입하는 경우에 유의사항으로 틀린 것은?

① 치수는 되도록 주 투상도에 집중한다.
② 치수는 되도록 계산할 필요가 없도록 기입한다.
③ 치수는 되도록 공정마다 배열을 분리하여 기입한다.
④ 참고 치수에 대하여는 치수에 원을 넣는다.

12 용접부 보조기호 중 제거 가능한 덮개판을 사용하는 기호는?

①  ② 
③  M ④ MR

13 다음 용접 기호 중 이면 용접 기호는?

① ②
③  ④

14 척도에 관계없이 적당한 크기로 부품을 그린 후 치수를 측정하여 기입하는 스케치 방법은?

① 프린트법 ② 프리핸드법
③ 본뜨기법 ④ 사진촬영법

15 가는 실선으로 규칙적으로 줄을 늘어놓은 것으로 도형의 한정된 특정 부분을 다른 부분과 구별하는데 사용하며 예를 들면 단면도의 절단된 부분을 나타내는 선의 명칭은?

① 파단선 ② 지시선
③ 중심선 ④ 해칭

16 평면도법에서 인벌류트곡선에 대한 설명으로 옳은 것은?

① 원기둥에 감긴 실의 한 끝을 늦추지 않고 풀어나갈 때 이 실의 끝이 그리는 곡선이다.
② 1개의 원이 직선 또는 원주 위를 굴러갈 때 그 구르는 원의 원주 위의 1점이 움직이며 그려 나가는 자취를 말한다.
③ 전동원이 기선 위를 굴러갈 때 생기는 곡선을 말한다.
④ 원뿔을 여러 가지 각도로 절단하였을 때 생기는 곡선이다.

17 3각법에서 물체의 위에서 내려다 본 모양을 도면에 표현한 투상도는?

① 정면도 ② 평면도
③ 우측면도 ④ 좌측면도

18 다음 중 용접기호에 대한 명칭으로 틀린 것은?

①  : 필릿 용접
②  : 한쪽면 수직 맞대기 용접
③ : V형 맞대기 용접
④  : 양면 V형 맞대기 용접

19 한 도면에서 두 종류 이상의 선이 같은 장소에 겹치게 될 때 우선순위로 옳은 것은?

① 숨은선→절단선→외형선→중심선→무게중심선
② 외형선→중심선→절단선→무게중심선→숨은선
③ 숨은선→무게중심선→절단선→중심선→외형선
④ 외형선→숨은선→절단선→중심선→무게중심선

20 도면에서 척도를 기입하는 경우, 도면을 정해진 척도값으로 그리지 못하거나 비례하지 않을 때 표시 방법은?

① 현척 ② 축척 ③ 배척 ④ NS

제2과목 : 용접구조설계

21 아크용접시 용접이음의 용융부 밖에서 아크를 발생시킬 때 모재표면에 결함이 생기는 것은?

① 아크 스트라이크(arc strike)
② 언더 필(under fill)
③ 스캐터링(scattering)
④ 은점(fish eye)

22 용접에 의한 용착효율을 구하는 식으로 옳은 것은?

① $\frac{\text{용접봉의 총 사용량}}{\text{용착금속의 중량}} \times 100[\%]$
② $\frac{\text{피복제의 중량}}{\text{용착금속의 중량}} \times 100[\%]$
③ $\frac{\text{용착금속의 중량}}{\text{용접봉의 사용 중량}} \times 100[\%]$
④ $\frac{\text{피복제의 중량}}{\text{용접봉의 사용 중량}} \times 100[\%]$

23 용접부 검사법에서 파괴 시험방법 중 기계적인 시험방법이 아닌 것은?

① 인장시험 (tensile test)
② 부식시험 (corrosion test)
③ 굽힘시험 (bending test)
④ 경도시험 (hardness test)

24 용접작업시 적절한 용접지그의 사용에 따른 효과로 틀린 것은?

① 용접 작업을 용이하게 한다.
② 다량생산의 경우 작업능률이 향상된다.
③ 제품의 마무리 정밀도를 향상시킨다.
④ 용접변형은 증가되나, 잔류응력을 감소시킨다.

25 맞대기 용접이음에서 각 변형이 가장 크게 나타날 수 있는 홈의 형상은?

① H형 ② V형 ③ X형 ④ I형

26 용접변형 방지방법에서 역변형법에 대한 설명으로 옳은 것은?

① 용접물을 고정시키거나 보강재를 이용하는 방법이다.
② 용접에 의한 변형을 미리 예측하여 용접하기 전에 반대쪽으로 변형을 주는 방법이다.
③ 용접물을 구속시키고 용접하는 방법이다.
④ 스트롱 백을 이용하는 방법이다.

27 겹쳐진 두 부재의 한쪽에 둥근 구멍 대신에 좁고 긴 홈을 만들어 놓고 그 곳을 용접하는 용접법은?

① 겹치기 용접 ② 플랜지 용접
③ T형 용접 ④ 슬롯 용접

28 아크전류 200(A), 아크전압 30(V), 용접속도 20(cm/min)일 때 용접 길이 1cm당 발생하는 용접입열(Joule/cm)은?

① 12000 ② 15000
③ 18000 ④ 20000

29 전 용접 길이에 방사선 투과검사를 하여 결함이 1개도 발견되지 않았을 때 용접이음의 효율은?

① 70% ② 80% ③ 90% ④ 100%

30 가접에 대한 설명으로 틀린 것은?

① 본 용접 전에 용접물을 잠정적으로 고정하기 위한 짧은 용접이다.
② 가접은 아주 쉬운 작업이므로 본 용접사보다 기량이 부족해도 된다.
③ 홈 안에 가접을 할 경우 본 용접을 하기 전에 갈아낸다.
④ 가접에는 본 용접보다는 지름이 약간 가는 용접봉을 사용한다.

31 **용접부의 이음효율 공식으로 옳은 것은?**

① 이음효율 $= \frac{\text{모재의 인장강도}}{\text{용접시편의 인장강도}} \times 100(\%)$

② 이음효율 $= \frac{\text{모재의 충격강도}}{\text{용접시편의 충격강도}} \times 100(\%)$

③ 이음효율 $= \frac{\text{용접시편의 충격강도}}{\text{모재의 충격강도}} \times 100(\%)$

④ 이음효율 $= \frac{\text{용접시편의 인장강도}}{\text{모재의 인장강도}} \times 100(\%)$

32 **맞대기 용접에서 제1층부에 결함이 생겨 밑면 따내기를 하고자 할 때 이용되지 않는 방법은?**

① 선삭(turing)
② 핸드 그라인더에 의한 방법
③ 아크 에어 가우징(arc air gauging)
④ 가스 가우징(gas gauging)

33 **맞대기 용접 이음의 피로강도 값이 가장 크게 나타나는 경우는?**

① 용접부 이면 용접을 하고 용접 그대로인 것
② 용접부 이면 용접을 하지 않고 표면용접 그대로인 것
③ 용접부 이면 및 표면을 기계 다듬질한 것
④ 용접부 표면의 덧살만 기계 다듬질한 것

34 **모세관 현상을 이용하여 표면결함을 검사하는 방법은?**

① 육안검사　② 침투검사
③ 자분검사　④ 전자기적검사

35 **용접시 발생되는 용접변형을 방지하기 위한 방법이 아닌 것은?**

① 용접에 의한 국부 가열을 피하기 위하여 전체 또는 국부적으로 가열하고 용접한다.
② 스트롱 백을 사용한다.
③ 용접 후에 수냉처리를 한다.
④ 역변형을 주고 용접한다.

36 **강판의 두께 15mm, 폭 100mm의 V형 홈을 맞대기 용접이음할 때 이음효율을 80%, 판의 허용응력을 35kgf/mm^{2}로 하면 인장하중(kgf)은 얼마까지 허용할 수 있는가?**

① 35000　② 38000
③ 40000　④ 42000

37 **양면 용접에 의하여 충분한 용입을 얻으려고 할 때 사용되며 두꺼운 판의 용접에 가장 적합한 맞대기 홈의 형태는?**

① J형　② H형
③ V형　④ I형

38 **불활성가스 텅스텐 아크용접 이음부 설계에서 I형 맞대기 용접이음의 설명으로 적합한 것은?**

① 판 두께가 12mm 이상의 두꺼운 판 용접에 이용된다.
② 판 두께가 6~20mm 이상의 다층 비드용접에 이용된다.
③ 판 두께가 3mm 이상의 박판 용접에 많이 이용된다.
④ 판 두께가 20mm 이상의 두꺼운 판 용접에 이용된다.

39 **용접구조물에서의 비틀림 변형을 경감시켜주는 시공상의 주의사항 중 틀린 것은?**

① 집중적으로 교차 용접을 한다.
② 지그를 활용한다.
③ 가공 및 정밀도에 주의한다.
④ 이음부의 맞춤을 정확하게 해야 한다.

40 **용접부의 시점과 끝나는 부분에 용입 불량이나 각종 결함을 방지하기 위해 주로 사용되는 것은?**

① 엔드 탭　② 포지셔너
③ 회전 지그　④ 고정 지그

제 3과목 용접일반 및 안전관리

41 레이저 용접(laser welding)의 설명으로 틀린 것은?

① 모재의 열변형이 거의 없다.
② 이종금속의 용접이 가능하다.
③ 미세하고 정밀한 용접을 할 수 있다.
④ 접촉식 용접방법이다.

42 가스용접에서 산소에 대한 설명으로 틀린 것은?

① 산소는 산소용기에 35℃, 150kgf/cm^2 정도의 고압으로 충전되어 있다.
② 산소병은 이음매 없이 제조되며 인장강도는 약 57kgf/cm^2 이상, 연신율은 18% 이상의 강재가 사용된다.
③ 산소를 다량으로 사용하는 경우에는 매니폴드(manifold)를 사용한다.
④ 산소의 내압 시험 압력은 충전압력의 3배 이상으로 한다.

43 산소-아세틸렌 가스용접시 사용하는 토치의 종류가 아닌 것은?

① 저압식　② 절단식
③ 중압식　④ 고압식

44 다음 중 아크 에어 가우징의 설명으로 가장 적합한 것은?

① 압축공기의 압력은 1~2kgf/cm^2 이 적당하다.
② 비철금속에는 적용되지 않는다.
③ 용접 균열부분이나 용접 결함부를 제거하는데 사용한다.
④ 그라인딩이나 가스 가우징보다 작업 능률이 낮다.

45 용접법의 분류에서 용접에 속하는 것은?

① 전자빔 용접　② 단접
③ 초음파 용접　④ 마찰 용접

46 탄산가스 아크 용접의 특징에 대한 설명으로 틀린 것은?

① 전류밀도가 높아 용입이 깊고 용접속도를 빠르게 할 수 있다.
② 적용 재질이 철 계통으로 한정되어 있다.
③ 가시 아크이므로 시공이 편리하다.
④ 일반적인 바람의 영향을 받지 않으므로 방풍장치가 필요 없다.

47 교류아크 용접시 비안전형 홀더를 사용할 때 가장 발생하기 쉬운 재해는?

① 낙상 재해　② 협착 재해
③ 전도 재해　④ 전격 재해

48 가스절단에서 일정한 속도로 절단할 때 절단 홈의 밑으로 갈수록 슬랙의 방해, 산소의 오염 등에 의해 절단이 느려져 절단면을 보면 거의 일정한 간격으로 평행한 곡선이 나타난다. 이 곡선을 무엇이라고 하는가?

① 절단면의 아크 방향
② 가스궤적
③ 드래그 라인
④ 절단속도의 불일치에 따른 궤적

49 가스용접에 사용하는 지연성 가스는?

① 산소　② 수소
③ 프로판　④ 아세틸렌

50 피복 아크 용접 작업에서 용접조건에 관한 설명으로 틀린 것은?

① 아크 길이가 길면 아크가 불안정하게 되어 용융금속의 산화나 질화가 일어나기 쉽다.
② 좋은 용접비드를 얻기 위해서 원칙적으로 긴 아크로 작업한다.

③ 용접 전류가 너무 낮으면 오버랩이 발생된다.
④ 용접속도를 운봉속도 또는 아크속도라고도 한다.

51 **사람의 팔꿈치나 손목의 관절에 해당하는 움직임을 갖는 로봇으로 아크 용접용 다관절 로봇은?**

① 원통 좌표 로봇(cylindrical robot)
② 직각 좌표 로봇(rectangular coordinate robot)
③ 극 좌표 로봇(polar coordinate robot)
④ 관절 좌표 로봇(articulated robot)

52 **스터드 용접에서 페룰의 역할로 틀린 것은?**

① 용융금속의 유출을 촉진시킨다.
② 아크열을 집중 시켜준다.
③ 용융금속의 산화를 방지한다.
④ 용착부의 오염을 방지한다.

53 **납땜에서 용제가 갖추어야 할 조건으로 틀린 것은?**

① 청정한 금속면의 산화를 방지할 것
② 모재와 땜납에 대한 부식 작용이 최소한 일 것
③ 전기 저항 납땜에 사용되는 것은 비전도체일 것
④ 납땜 후 슬래그의 제거가 용이할 것

54 **TIG용접 시 안전사항에 대한 설명으로 틀린 것은?**

① 용접기 덮개를 벗기는 경우 반드시 전원 스위치를 켜고 작업한다.
② 제어장치 및 토치 등 전기계통의 절연 상태를 항상 점검해야 한다.
③ 전원과 제어장치의 접지 단자는 반드시 지면과 접지되도록 한다.
④ 케이블 연결부와 단자의 연결 상태가 느슨해졌는지 확인하여 조치한다.

55 **다음 중 맞대기 저항 용접이 아닌 것은?**

① 스폿 용접 ② 플래시 용접
③ 업셋버트 용접 ④ 퍼커션 용접

56 **프랑스식 가스용접 토치의 200번 팁으로 연강판을 용접할 때 가장 적당한 판두께는?**

① 판두께와 무관하다. ② 0.2mm
③ 2mm ④ 20mm

57 **점용접(spot welding)의 3대 요소에 해당되는 것은?**

① 가압력, 통전시간, 전류의 세기
② 가압력, 통전시간, 전압의 세기
③ 가압력, 냉각수량, 전류의 세기
④ 가압력, 냉각수량, 전압의 세기

58 **가스절단 작업에서 드래그는 판 두께의 몇% 정도를 표준으로 하는가? (단, 판 두께는 25mm 이하이다.)**

① 50% ② 40%
③ 30% ④ 20%

59 **교류 아크 용접기에 감전사고를 방지하기 위해서 설치하는 것은?**

① 전격방지 장치 ② 2차권선 장치
③ 원격제어 장치 ④ 핫 스타트 장치

60 **피복 아크용접의 용접 입열에서 일반적으로 모재에 흡수되는 열량은 입열의 몇% 정도인가?**

① 45~55% ② 60~70%
③ 75~85% ④ 90~100%

정답 및 해설

● 2015년 산업기사 제3회 필기시험

Answer

01.②	02.①	03.④	04.③	05.②
06.④	07.②	08.④	09.④	10.①
11.④	12.④	13.③	14.②	15.④
16.①	17.②	18.②	19.④	20.④
21.①	22.③	23.②	24.④	25.②
26.②	27.④	28.③	29.④	30.②
31.④	32.①	33.③	34.②	35.③
36.④	37.②	38.③	39.①	40.①
41.④	42.④	43.②	44.③	45.①
46.④	47.④	48.③	49.①	50.②
51.④	52.①	53.③	54.①	55.①
56.③	57.①	58.④	59.①	60.③

01. **예열의 목적**
① 용접부와 인접된 모재의 수축응력을 감소하여 균열 발생 억제
② 냉각속도를 느리게 하여 모재의 취성 방지
③ 용착금속의 수소 성분이 나갈 수 있는 여유를 주어 비드 밑 균열 방지

02. **표면 경화 열처리**
① 하드 페이싱 : 소재의 표면에 스텔라이트(Co - Cr - W)나 경합금 등을 융접 또는 압접으로 용착시키는 표면 경화법
② 숏 피닝 : 소재 표면에 강이나 주철로 된 작은 입자(∅ 0.5 ~ 1.0mm)들을 고속으로 분사시켜 가공 경화에 의하여 표면의 경도를 높이는 경화법으로 숏 피닝을 하면 휨과 비틀림의 반복 하중에 대한 피로 한도는 현저히 증가되나 인장 강도와 압축강도는 거의 증가하지 않는다.
③ 화염 경화법 : 산소 - 아세틸렌 화염으로 표면만 가열하여 냉각시켜 경화. 경화층의 깊이는 불꽃 온도, 가열시간, 화염의 이동 속도에 의하여 결정된다. 이 방법의 가장 큰 장점은 부품의 크기나 형상에 제한이 없고 국부적으로 가열할 수 있다.

03. **탈산제** : 용융 금속 중의 산화물을 탈산 정련하는 작용을 한다. 탈산제로는 페로실리콘(Fe-Si), 페로망간(Fe-Mn), 페로티탄(Fe-Ti), 알루미늄(Al) 등이 있다.

04. **침입형** : 철원자 보다 작은 원자가 고용하는 경우로 보통 금속 상호간에는 일어나지 않으며, 금속에 C, H, N 등 비금속 원소가 소량 함유되는 경우 일어난다. 철은 약간의 탄소나 질소를 고용하는 침입형 고용체를 만든다.

05. 아크 길이가 길어지면 용접부 보호가 원활하지 않아 용접 결함이 발생할 수 있다.

06. α 고용체는 페라이트이며 와Fe3C는 시멘타이트인 시멘타이트가 층상의 조직으로 되어 펄라이트 조직을 만드는 점을 공석점이라고 한다. 오스테나이트(γ) : γ철에 탄소를 고용한 것으로 탄소가 최대 2.11% 고용된 것으로 723℃에서 안정된 조직으로 실온에서는 존재하기 어렵고 인성이 크며 상자성체이다.

07. 비열이란 어떤 물질 1g을 1℃올리는데 필요한 열량을 말한다.
Al : 0.214, Mg : 0.243 Cr : 0.105, Mn : 0.114이다.

08. **크리프 시험** : 재료의 인장강도보다 적은 일정한 하중을 가했을 때 시간의 경과와 더불어 변화하는 현상인 크리프 현상을 이용하여 변형을 검사하는 방법

09. **잔류 응력 경감법**
① 노내 풀림법 : 유지 온도가 높을수록, 유지 시간이 길수록 효과가 크다. 노내 출입 허용 온도는 300℃를 넘어서는 안된다. 일반적인 유지 온도는 625 ± 25℃이다. 판두께 25mm 1시간
② 국부 풀림법 : 큰 제품, 현장 구조물 등과 같이 노내 풀림이 곤란할 경우 사용하며 용접선 좌우 양측을 각각 약 250mm 또는 판 두께 12배 이상의 범위를 가열한 후 서냉한다. 하지만 국부 풀림은 온도를 불균일하게 할 뿐 아니라 이를 실시하면 잔류 응력이 발생될 염려가 있으므로 주의하여야 한다. 유도가열 장치를 사용한다.
③ 기계적 응력 완화법 : 용접부에 하중을 주어 약간의 소성 변형을 주어 응력을 제거한다. 실제 큰 구조물에서는 한정된 조건하에서만 사용할 수 있다.
④ 저온 응력 완화법 : 용접선 좌우 양측을 정속도로 이동하는 가스 불꽃으로 약 150mm의 나비를 약 150 ~ 200℃로 가열 후 수냉하는 방법으로 용접선 방향의 인장 응력을 완화시키는 방법
⑤ 피닝법 : 끝이 둥근 특수 해머로 용접부를 연속적으로 타격하며 용접 표면에 소성 변형을 주어 인장 응력을 완화한다. 첫층 용접의 균열 방지 목적으로 700℃ 정도에서 열간 피닝을 한다.

10. A_2 자기변태, A_3, A_4 동소변태온도 이다.

11. **치수 기입의 원칙**
① 도면에는 완성된 물체의 치수 기입한다.
② 길이 단위 : mm, 도면에는 기입하지 않는다.
③ 각도 단위 : 도(°), 분(′), 초(″)를 사용한다.
④ 치수 숫자는 자릿수를 표시하는 콤마 등을 사용하지 않는다.
⑤ 치수 숫자는 치수선에 대하여 수직 방향은 도면의 우변으로부터, 수평 방향은 하변으로부터 읽도록 기입한다.
⑥ 도면에 길이의 크기와 자세 및 위치를 명확하게 표시한다.
⑦ 가능한 한 주투상도(정면도)에 기입한다.
⑧ 치수의 중복 기입을 피한다.
⑨ 치수는 계산할 필요가 없도록 기입한다.

⑩ 관련되는 치수는 한 곳에 모아서 기입한다.
  ㉠ 참고 치수는 치수 수치에 괄호를 붙인다.
  ㉡ 비례척에 따르지 않을 때의 치수 기입은 치수 숫자 밑에 굵은선을 그어 표시해야 한다. 또는 NS(Not to Scale)로 표기한다.
⑪ 외형치수 전체 길이치수는 반드시 기입한다.

12. M 은 영구적인 덮개 판을 MR 은 제거 가능한 덮개 판을 의미한다.

13. 맞대기 용접으로 이면 용접의 기호는 ◡ 이다.

14. 스케치 방법
① 프린트법 : 부품 표면에 광명단 또는 스탬프 잉크를 칠한 후 용지에 찍어 실제 형상으로 모양을 뜨는 방법
② 본뜨기법 : 실제 부품을 용지 위에 올려놓고 본을 뜨는 방법과 부품 표면을 납선으로 본을 떠서 이를 용지에 옮기는 방법
③ 사진 촬영법 : 사진기로 실물을 직접 찍어서 도면을 그리는 방법(크거나 복잡한 경우)
④ 프리핸드법 : 손으로 직접 그리는 방법으로 척도에 관계없이 그린 후 치수 측정 후 기입

15. 해칭은 가는 실선으로 규칙적으로 줄을 늘어놓은 것으로 단면을 표시하는 경우에 사용한다.

16. ① 인벌류트 곡선(involute curve) : 원기둥에 감은 실을 팽팽하게 잡아당기면서 풀 때 그 실의 한 끝이 그리는 곡선이며 보통기어에서 사용된다.
② 사이클로이드 곡선(cycloid curve) : 한 개의 원 위에서 원판을 굴릴 때 원판의 한 점이 그리는 곡선이며, 주로 계기나 시계류, 정밀기계 등에서 사용된다.

17. 정투상법
- 투상선이 투상면에 대하여 수직으로 투상되는 것
- 정투상법에서는 물체를 정면도(앞에서 바라봄), 평면도(위에서 바라봄), 측면도(옆면에서 바라봄) 등으로 나타낸다.

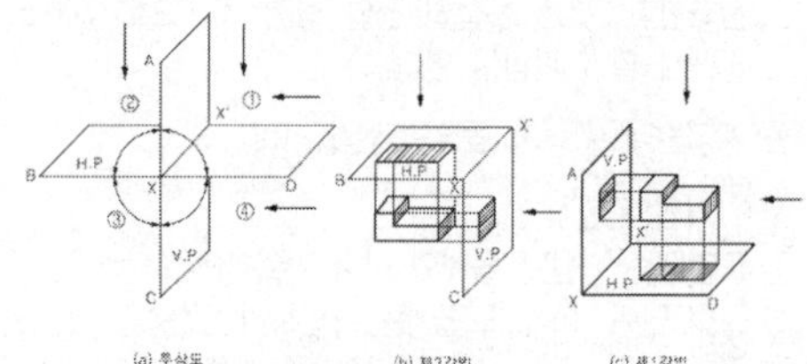

18. I I 의 기호는 홈 가공을 I 형으로 하는 홈이음이다.

19. 선의 우선순위 외형선 → 은선 → 절단선 → 중심선 → 무게중심선의 순서이며 여기서 외형선과 은선은 실제 물체와 관계있어 우선순위에서 앞서는 것이며, 절단선은 절단하는 위치에 따라 외형을 바꿀 수 있기 때문에 그 다음으로 중요하다.

20. 비례척에 따르지 않을 때의 치수 기입은 치수 숫자 밑에 굵은선을 그어 표시해야 한다. 또는 NS(Not to Scale)로 표기한다.

21. 아크 스트라이크란 아크 용접을 할 경우 용융부 외에 모재 표면 등에 아크를 발생시키는 결함을 말한다.

22. 용착 효율 즉 용착률은 용착 금속 중량을 사용 용접봉 총 중량으로 나누어 준 것을 말한다. 즉

$$\text{용착효율}(\%) = \frac{\text{용착금속의중량}}{\text{용접봉사용중량}} \times 100$$

23. 부식시험은 화학적 시험방법이다.

24. 용접 지그 사용 효과
① 용접을 하기 쉬운 자세를 취할 수 있다. 즉 아래보기 자세로 용접 할 수 있다.
② 제품의 정밀도 향상을 가져 올 수 있다.
③ 용접 조립 작업을 단순화 또는 자동화를 할 수 있게 하여 작업 능률이 향상된다.

25. 한면 홈이음 중 용착량이 많은 것을 찾으면 된다. 즉 H형과 X형은 양면형이므로 변형이 적고 I형과 V형 중 변형이 많은 것은 V형이다.

26. 변형 방지법
① 억제법 : 모재를 가접 또는 구속 지그를 사용하여 변형 억제
② 역변형법 : 용접 전에 변형의 크기 및 방향을 예측하여 미리 반대로 변형시키는 방법
③ 도열법 : 용접부 주위에 물을 적신 석면, 동판을 대어 열을 흡수시키는 방법
④ 용착법 : 대칭법, 후퇴법, 스킵법 등을 사용한다.
여기서 빌드업법은 덧살 올림법으로 다층 용접의 방법을 말한다.

27. ⊓ 는 플러그 용접 및 슬롯 용접의 표시이며, 플러그 용접은 깊고 좁은 구멍을 의미하고 슬롯은 얕고 넓은 구멍을 의미한다. 플러그 용접이란 접합하고자 하는 모재에 구멍을 뚫고 그 구멍으로 부터 용접하여 다른 한쪽 모재와 접합하는 용접법이다.

28. 용접입열이란 용접부에 주어지는 열량으로 전류 전압에는 비례하며 속도에는 반비례한다. 일반적으로 용접속도는 분당 몇 cm 용접을 하였느냐를 기준으로 하므로 $H = \frac{60EI}{V}$ 이가 된다. 즉 $H = \frac{(60 \times 30 \times 200)}{20} = 18,000$ 이 된다.

29. 전 용접 길이에 대하여 결함이 1개도 없으므로 용접이음 효율은 100%가 된다.

30. 가접
① 홈안에 가접은 피하고 불가피한 경우 본 용접 전에 갈아낸다.
② 응력이 집중하는 곳은 피한다.
③ 전류는 본 용접보다 높게 하며, 용접봉의 지름은 가는 것을 사용하여 본 용접이 용이하게 하며, 너무 짧게 하지 않는다.
④ 시·종단에 엔드탭을 설치하기도 한다.

⑤ 가접사도 본 용접사에 비하여 기량이 떨어지면 안 된다.

31. $\text{이음효율} = \dfrac{\text{용접시험편의인장강도}}{\text{모재의인장강도}} \times 100$

32. 선삭이란 선반 작업으로 가공하는 것을 말한다.

33. 용접부 이면 및 표면에 기계 가공을 하게 되면 용접 이음의 피로강도 값이 커진다.

34. 침투 검사(PT) : 표면에 미세한 균열, 피트 등의 결함에 침투액을 표면 장력의 힘으로 침투시켜(모세관 현상) 세척한 후 현상액을 발라 결함을 검출하는 방법으로 형광 침투 검사와 염료 침투 검사가 있는데 후자가 주로 현장에서 사용된다.

35. 용접 후 수냉처리 급랭을 하게 되면 용접 변형이 가중된다.

36. $\sigma = \dfrac{P}{tl}$에서 P = σ × t × l =35×15×100=52,500에서 이음효율이 80%이므로 52500×0.8=42,000이 계산된다.

37. 용접 홈 형상의 종류

① 한면 홈이음 : I형, V형, ✔형(베벨형), U형, J형
② 양면 홈이음 : 양면 I형, X형, K형, H형, 양면 J형 즉 한쪽 방향에서는 V형 또는 U형이 완전한 용입을 얻을 수 있다.
③ 판 두께 6mm까지는 I형, 6~19mm까지는V형, ✔형(베벨형), J형, 12mm이상은 X형, K형, 양면 J형이 쓰이고 16~50mm에는 U형 맞대기 이음이 쓰이며 50mm이상에서는 H형 맞대기 이음에 쓰인다.

38. 불활성가스텅스텐 아크 용접은 3mm이하 박판 용접에 주로 사용한다.

39. 용접 이음의 설계시 주의점

① 아래 보기 용접을 많이 하도록 한다.
② 용접 작업에 지장을 주지 않도록 간격을 둘 것
③ 필릿 용접은 되도록 피하고 맞대기 용접을 하도록 한다.
④ 판 두께가 다른 재료의 이음시 구배를 두어 갑자기 단면이 변하지 않도록 한다.($\frac{1}{4}$이하 테이퍼 가공을 함)
⑤ 맞대기 용접에는 이면 용접을 하여 용입 부족이 없도록 할 것
⑥ 용접 이음부가 한곳에 집중되지 않도록 설계할 것
⑦ 물품의 중심에 대하여 대칭으로 용접 진행

40. 용접부의 끝 부분을 크레이터라고 하며, 일반적으로 크레이터 처리는 아크 길이를 짧게 하여 운봉을 정지시켜서 크레이터를 채운 다음 용접봉을 빠른 속도로 들어 아크를 끊는다. 이때 크레이터 처리를 잘 못하면 균열, 슬랙 섞임, 등이 일어나거나 파손될 수 있어 시·종단에 엔드탭을 사용한다.

41. 레이저 용접은 접속성이 강한 유도 방사에 의한 단색 광선을 이용하여 용접하는 방법으로 모재의 열변형이 거의 없으며, 이종 금속의 접합도 가능하다. 미세하고 정밀한 용접에 사용된다.

42. 산소 용기

① 최고 충전 압력(FP)은 보통 35℃에서 150kgf/cm² 으로 한다.
② 산소병 또는 봄베(bomb)는 에르하르트법 또는 만네스만법으로 제조하며, 인장강도 57(kgf/cm²)이상, 연신율 18% 이상의 강재가 사용된다.
③ 산소 용기에는 충전 가스의 명칭, 용기 제조 번호, 용기 중량, 내압 시험 압력, 최고 충전 압력 등이 각인되어 있다.
④ 용기의 내압 시험 압력(TP)은 최고 충전 압력(5P)의 $\frac{5}{3}$로 한다.
⑤ 산소 용기는 보통 5,000 l , 6,000 l , 7,000 l 의 3종류가 있다. 즉 기압으로 나누어 내용적으로 환산하여 보면, 33.7 l , 40.7 l , 46.7 l 가 있다.
⑥ 용기의 색은 공업용은 녹색이며, 의료용은 백색이다.

43. 가스 용접 토치는 크게 팁, 혼합실, 손잡이로 구성되어 있다. 아울러 가스 용접의 팁은 불변압식(독일식)은 1개의 팁에 1개의 인젝터가 있는 형식이며, 가변압식(프랑스식)은 인젝터에 니들 밸브가 있어 유량과 압력을 조절할 수 있다. 재질로는 동합금(동의 함유량 62%이하)를 사용한다. 압력에 따라 저압식(0.07kg/cm² 이하), 중압식(0.07~1.3kg/cm²), 고압식(1.3이상kg/cm²)으로 분류된다.

44. 아크 에어 가우징

① 탄소 아크 절단에 압축 공기를 병용하여 결함을 제거(흑연으로 된 탄소봉에 구리 도금을 한 전극 사용)
② 가스 가우징보다 작업 능률이 2~3배 좋다.
③ 균열의 발견이 특히 쉽다.
④ 철, 비철금속 어느 경우도 사용된다.
⑤ 전원으로는 직류 역극성이 사용된다.
⑥ 아크 전압 35V, 전류 200~500A, 압축 공기는 6~7kg/cm²(4kg/cm² 이하로 떨어지면 용융 금속이 잘 불려 나가지 않는다.

45. ① **용접(Fusion Welding)** : 접합 부분을 용융 또는 반용융 상태로 하고 여기에 용접봉 즉 용가재를 첨가하여 접합하는 방법으로 그 종류는 피복 아크 용접, 가스 용접, 불활성 가스 아크 용접, 서브머지드 용접, 이산화탄소 아크 용접, 일렉트로 슬랙 및 일렉트로 가스 용접 등이 있다.
② **압접 (Pressure Welding)** : 접합 부분을 열간 또는 냉간 상태에서 압력을 주어 접합하는 방법으로 그 종류는 전기 저항 용접(점용접, 심 용접, 프로젝션 용접, 업셋 용접, 플래시 용접, 퍼커션 용접), 초음파 용접, 마찰 용접, 유도가열 용접, 가스 압접 등이 있다.
③ **납땜(Brazing and Soldering)** : 모재보다 용융점이 낮은 용가재(용접봉)를 사용하여 모재는 녹이지 않고 용접봉만 녹여 표면장력으로 접합시키는 방법으로 그 종류는 크게 온도 450℃를 기준으로 그 이하에서 용접하는 연납땜과 그 이상에서 용접하는 경납땜이 있다.

46. 이산화탄소 아크 용접

① 장점

- 가는 와이어로 고속 용접이 가능하며 수동 용접에 비해 용접 비용이 저렴하다.
- 가시 아크이므로 시공이 편리하고, 스패터가 적어 아크가 안정하다.
- 전자세 용접이 가능하고 조작이 간단하다.
- 잠호 용접에 비해 모재 표면에 녹과 거칠기에 둔감하다.
- 미그용접에 비해 용착 금속의 기공 발생이 적다.
- 용접 전류의 밀도가 크므로 용입이 깊고, 용접속도를 매우 빠르게 할 수 있다.
- 산화 및 질화가 되지 않은 양호한 용착 금속을 얻을 수 있다.
- 보호가스가 저렴한 탄산가스라서 용접경비가 적게 든다.
- 강도와 연신성이 우수하다.

② 단점

- 탄산가스를 사용하므로 작업량 환기에 유의한다.
- 비드 외관이 타 용접에 비해 거칠다
- 고온 상태의 아크 중에서는 산화성이 크고 용착 금속의 산화가 심하여 기공 및 그 밖의 결함이 생기기 쉽다.

47. 안전형 홀더(A형)은 작업자 보호를 위해 용접봉을 물리는 부문과 전기가 통하고 나머지는 모두 절연되어 있는 것이다. 따라서 비안전형 홀더를 사용하게 되면 전격의 위험은 커진다. 더불어 이문항의 경우 전격재해라고 쓰면 안되며 전격 사고, 전도 사고 등으로 표현해야 된다.

48. 드래그 라인

① 가스 절단면에 있어서 절단기류의 입구점과 출구점 사이의 수평거리

② 드래그의 길이는 판 두께의 $\frac{1}{5}$ 즉 20% 정도가 좋다.

③ 드래그는 가능한 작고 일정할 것

49. 산소(Oxygen : O_2)

① 산소는 공기와 물이 주성분으로 분자량이 16으로 공기 중에 21%나 존재하며, 일반적으로 대기 중에서 얻거나 또는 물의 전기 분해에 의해 제조하여 사용하고 있다.

② 자신은 타지 않으면서 다른 물질의 연소를 돕는 가스를 지연성 가스 또는 조연성가스라고 하며 대표적으로 산소가 있다.

③ 무색, 무취 무미의 기체로 1 l 의 중량은 0℃ 1기압에서 1.429g이다. 또한 비중은 1.105로 공기보다 무겁다.

④ 용융점은 −219℃, 비등점은 −183℃이며, −119℃에서 50기압으로 압축하면 담황색의 액체가 된다.

⑤ 산소는 공업용(녹색)과 의료용(백색)이 있으며, 순도가 높을수록 좋다. KS규격에 의하면 공업용 산소의 순도는 99.5% 이상으로 규정하고 있다.

⑥ 금, 백금 등을 제외한 다른 금속과 화합하여 산화물을 만든다.

⑦ 산소는 일반적으로 고압 용기에 35℃에서 150kgf/cm² 의 고압으로 압축하여 충전한다.

50. 좋은 용접 비드를 얻기 위해서는 원칙적으로 짧은 아크길이로 작업하여야 한다.

51. 머니퓰레이터(Manipulator)는 인간의 팔과 유사한 동작을 제공하는 기계적인 장치를 의미하며, 관절 좌표계 로봇의 단점은 복잡한 머니플레이터 구조를 가지고 있다.

52. 스터드 용접

① 원리 : 스터드 용접은 크게 저항 용접에 의한 것, 충격용접에 의한 것, 아크 용접에 의한 것으로 구분 되며, 아크 용접은 모재와 스터드 사이에 아크를 발생 시켜 용접한다.

② 특징

㉠ 자동 아크 용접이다.

㉡ 볼트, 환봉, 핀 등을 용접한다.

㉢ 0.1 ~ 2초 정도의 아크가 발생한다.

㉣ 셀렌 정류기의 직류 용접기를 사용한다. 교류도 사용 가능하다.

㉤ 짧은 시간에 용접되므로 변형이 극히 적다.

㉥ 철강재 이외에 비철 금속에도 쓸 수 있다.

㉦ 아크를 보호하고 집중하기 위하여 도기로 만든 페롤을 사용한다.

53. 땜납 용제의 구비 조건

① 모재보다 용융점이 낮을 것

② 표면 장력이 작아 모재 표면에 잘 퍼질 것

③ 유동성이 좋아 틈이 잘 메워질 수 있을 것

④ 모재와 친화력이 있어야 된다.

⑤ 전기 저항 납땜의 경우 도체일 것

54. 용접기 덮개를 벗기는 경우 반드시 전원을 차단하여야 작업자를 전격의 위험으로부터 벗어날 수 있다.

55. 이음형상에 따를 전기저항 용접 분류

① 겹치기 저항 용접 : 점(spot) 용접, 프로젝션용접, 심 용접

② 맞대기 저항 용접 : 업셋 용접, 플래시 용접, 퍼커션 용접이 있다.

56. 프랑스식(가변압식) 100번과 독일식(불변압식) 1번이 같다고 생각하면 된다. 200번이므로 독일식 2번이 판 두께 2mm가 적당하다고 생각하면 된다.

57. 전기 저항 용접은 용접물에 전류가 흐를 때 발생되는 저항 열로 접합부가 가열되었을 때 가압하여 접합하는 방법으로 저항 용접의 3대 요소는 용접 전류, 통전 시간, 가압력이다.

58. 드래그의 길이는 판 두께의 $\frac{1}{5}$ 즉 20% 정도가 좋다.

59. 무부하 전압이 높으면 용접의 시작이 쉬워지나 높을 경우 전격의 위험이 커진다. 따라서 전격 방지기는 2차 무부하 전압을 30V정도로 하여 작업자의 전격 위험을 줄여주는 역할을 한다.

60. 용접 입열은 용접 속도에 반비례하고 전류 전압에 비례하므로 속도가 늦으면 입열도 커지므로 용접변형이 커질 수 있다. 일반적으로 모재에 흡수되는 열량은 75~85%정도이다.

◈ 저자약력 및 Q & A

Q&A E-mail : dgadin@deramwiz.com

· 송 득 중 (現)한국폴리텍 Ⅶ대학

· 임 기 정 (現)한국폴리텍 Ⅲ대학

· 임 정 운 (現)WPS직업전문학교 학교장

· 임 주 헌 (現)군장대학

◈ 용접산업기사학과정복

정가 23,000원

2009년 9월 10일 초 판 발 행
2018년 1월 9일 제2판1쇄발행

엮 은 이 : 송득중, 임기정, 임정운, 임주헌
발 행 인 : 정 옥 자
발 행 처 : 도서출판 **한 진**
등 록 : 제 3-618호(92. 05. 11)

I S B N : 978-89-86412-87-1

㊐ 04316 서울특별시 용산구 원효로 245(원효로 1가 53-1) 골든벨 빌딩
TEL : 영업부 (02)713-4135 / 편집부 (02)713-7452 • FAX : (02)718-5510
E-mail : 7134135@naver.com • http : // www.gbbook.co.kr

※ 파본은 구입하신 서점에서 교환해 드립니다.